족부정형외과학
Foot and Ankle Surgery

이경태

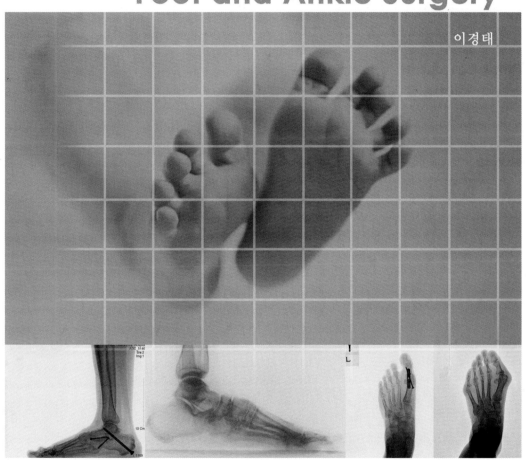

군자출판사

족부 정형외과학
Foot and Ankle Surgery

초판 1쇄 인쇄 | 2004년 7월 15일
초판 1쇄 발행 | 2004년 7월 30일

지 은 이   이경태외 31명
발 행 인   장주연
편집디자인   최근이
표지디자인   고경선
발 행 처   군자출판사
등   록   제 4-139호(1991. 6. 24)

본   사   (110-717) 서울특별시 종로구 인의동 112-1 동원회관 BD 3층
           Tel. (02) 762-9194/5   Fax. (02) 764-0209
대 구 지 점   Tel. (053) 428-2748   Fax. (053) 428-2749
부 산 지 점   Tel. (051) 893-8989   Fax. (051) 893-8986

www.koonja.co.kr

* 파본은 교환하여 드립니다.
* 검인은 저자와의 합의 하에 생략합니다.

ISBN 89-7089-479-9

정가 70,000원

지은이 대표

이 경태   을지의대 을지병원 족부정형외과

집필진

(가나다 순)

곽경덕	울산 동강병원 정형외과	송준영	광주기독병원 정형외과
김동엽	오산대 신발과학과	송하헌	원광의대 정형외과
김응수	을지의대 을지병원 족부정형외과	안재훈	을지의과대학 병원 정형외과
김장렬	부천SK팀 수석트레이너	양기원	을지의대 을지병원 족부정형외과
김재영	을지의대 을지병원 족부정형외과	옹상석	OSS 정형외과
김준호	성남 일화팀 수석트레이너	이봉재	을지의대 을지병원 마취통증의학과
김태환	한양의대 류마티스내과	이석종	경북의대 피부과
김학준	서울 보훈병원 정형외과	이제규	대전 씨티즌 트레이너
김현철	관동의대 명지병원 정형외과	이호승	울산의대 서울아산병원 정형외과
박성률	부천SK팀 트레이너	정창영	이춘택병원 정형외과
박형택	메리놀병원 정형외과	정형진	인제의대 상계 백병원 정형외과
방유선	서울대학교 체육교육과	정홍근	단국의대 정형외과
배서영	국립의료원 정형외과	차승도	을지의대 을지병원 정형외과
백두진	한양의대 해부학교실	최윤선	을지의대 을지병원 영상의학과
서진수	인제의대 일산 백병원 정형외과	황지혜	성균관의대 삼성서울병원 재활의학과
성일훈	한양의대 정형외과		

머리말

　　푸르렀던 신록이 초여름의 하늘과 그 자리를 바꾸고 있는 7월입니다. 외국 학회나 외국에서 연수할 당시 국내에도 발에 관한 좋은 책들이 더 많아야겠다고 생각한 지는 꽤 오래되었습니다. 그리고, 외국 환자와 외국말로 된 족부 및 족관절 책이 이제는 우리의 경험과 우리의 지식, 우리의 말로 바뀌어야 한다는 마음과 예전의 그 마음을 다시 되새기면서, 족부 외과 책을 만들기로 하고 여러 동료들과 마음을 합한 지 이제 3년만에 드디어 한 권의 책을 만들 수 있게 되었습니다. 아직 책을 쓰기에는 경험이나 능력이 일천하지만, 첫 발걸음이 반이라는 생각으로 무리한 일을 시작한 것 같아 처음에는 걱정도 많이 했지만, 이제 '족부 정형외과학'이라는 우리의 경험이 집대성된 책을 앞에 놓고 보니 다시 한번 이 책을 같이 집필해 주신 동료 선생님들께 감사한 마음을 금할 길 없습니다. 무엇보다도 감사한 일은 다들 각 분야에서 눈코뜰 새 없이 바쁘신 분들인데도 불구하고 촌음을 아껴 좋은 책을 만들어 주신 그 정성이라고 생각합니다.

　　미국 유학 시절, 보지도 듣지도 못해서 생소했던 Proximal crescenteric osteotmy, Charcot joint 라는 단어들이 이제는 그저 일상으로 말하는 단어가 되어버렸고, Distal Metatarsal Articular surface Angle (DMAA)의 해결을 놓고 고민했던 시절들, 처음으로 Modified brostrom procedure를 국가 대표선수에게 하면서 땀흘리던 일들... 이제 모두가 추억으로 이 책에 묻히게 되었습니다. 이 조그만 책이 계기가 되어 국내에 좀 더 많은 족부에 관련된 전문 서적이 출간되기를 바라는 마음 간절하고, 이 책이 부족하지만 발을 공부하고자 하는 의학도나 여타의 학생들에게 간접 경험을 전수하는 조그만 도움이 되었으면 하는 바램입니다.

　　마지막으로 이 책을 만드는데, 특별히 많은 고생을 아끼지 않았던 교실의 김 재영 선생, 전임의 차 승도, 김 응수 선생에게 각별한 감사의 말을 전하고, 많은 주말을 가장없이 잘 지내준 가족들에게 다시 한번 감사를 드립니다.

2004년 7월　장마가 스쳐지나간 진료실에서

이 경태

목차

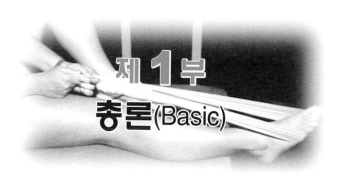

제 **1** 부
총론(Basic)

1. 해부학
Anatomy

한양의대 해부학교실 **백 두 진**

발은 골반에서 시작하는 다리의 끝부분으로 섬세한 운동을 하는 손과 달리 몸무게를 지지하고 몸을 이동시키는 역할을 하기 때문에 충격을 흡수할 수 있는 구조를 가진다.

발중에서 위를 향하는 부분을 발등(dorsum of foot)이라 하고 바닥쪽을 발바닥(plantar surface of foot, sole)이라 한다. 발꿈치(heel)는 발꿈치뼈에 연관되는 발바닥 부분이며, 발허리뼈머리(head of metatarsal bone) 아래의 발바닥을 발의 두덩(ball of foot)이라고 부른다.

발의 먼쪽에는 발가락이 있으며 사람에 따라 첫째 혹은 둘째 발가락이 가장 앞으로 나와 있다. 발의 안쪽끝에 위치하는 엄지발가락(great toe, hallux)이 첫째 발가락이고 가쪽끝에 위치하는 새끼발가락이 다섯째 발가락이다.

I. 발의 얕은 구조

발목과 발등의 피부는 얇고, 피부밑 조직과 성글게 결합하여 뼈대에서 피부가 약간 분리될 수 있다. 발등에는 피부밑 지방이 적어 발이나 발가락을 발등굽힘(dorsiflexion) 시키는 경우 힘줄이 드러나며 이때 발등의 유일한 내재근(intrinsic m.)인 짧은발가락 폄근(extensor digitorum brevis m.)을 확인할 수 있다. 발바닥의 피부에는 털이 없으며, 땀샘이 많이 분포하고 발등의 피부에 비하여 자극에 민감하다. 발바닥에서 피부는 발가락쪽과 안쪽에서는 얇지만 무게의 지탱과 마찰이 심한 발뒤꿈치와 발허리뼈머리쪽은 두껍다. 발바닥과 바닥쪽 발가락의 두꺼운 피부밑 지방층에는 섬유 결합 조직이 발달되어 섬유사이막(fibrous septa)을 형성하고 지방층을 여러 작은 부위로 나누어 몸무게를 지지하는 발바닥과 발꿈치 부위에서 걸을때 생기는 충격을 흡수하는 충격 완화판(cushioning pad)을 형성한다.

섬유사이막은 발바닥의 피부를 발바닥 널힘줄(plantar aponeurosis)에 단단하게 고정시키는 역할을 한다. 발꿈치의 경우 지방층의 두께가 1cm 가량 된다.

1. 발등의 깊은 근막

위 및 아래 폄근 지지띠(superior and inferior extensor retinaculum)에서 계속되는 발등의 깊은 근막은 얇고, 발의 모서리를 돌아 발바닥의 근막으로 이어진다. 발등 앞쪽에서 근막이 종아리 앞칸근육(anterior compartment of leg)의 힘줄을 싼다.

발등굽힘을 한 발목 관절(ankle joint) 아래에서 발등을 지나는 뚜렷한 힘줄은 안쪽에서 가쪽으로 앞 정강근(tibialis anterior m.), 긴 엄지 폄근(extensor hallucis longus m.), 긴 발가락 폄근(extensor digitorum longus m.)과 셋째 종아리근(peroneus tertius m.)의 순서로 지나간다. 발등의 몸가쪽으로 짧은 발가락 폄근(extensor digitorum brevis m.)의 힘살이 위치한다. 발의 가쪽에서 뚜렷한 다섯째 발허리뼈(fifth metatarsal bone)를 따라 짧은 종아리근(peroneus brevis m.)의 힘줄이 지나간다. 가쪽복사의 뒤아래쪽을 함께 지나는 긴 종아리근(peroneus longus m.)의 힘줄은 발바닥쪽으로 간다. 발의 안쪽에서는 안쪽 복사와 발꿈치뼈 모서리를 잇는 굽힘근 지지띠(flexor retinaculum)와 발꿈치뼈 사이에 생기는 통로로 지나가는 힘줄이 있다. 힘줄의 근육은 안쪽에서 가쪽으로 뒤 정강근(tibialis posterior m.), 긴 발가락 굽힘근(flexor digitorum longus m.)과 긴 엄지 굽힘근(flexor hallucis longus m.)이 지나간다. 뚜렷하게 보이는 구조물인 가쪽 복사(lateral malleolus)의 끝은 안쪽 복사에 비하여 1.5cm 가량 아래 존재한다. 안쪽 복사의 아래에

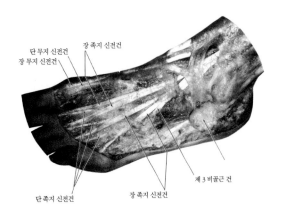

그림 1-1. 장 족지 신전건

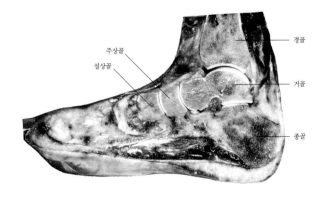

그림 1-2. 후족부의 시상면상 구조물

서는 발꿈치뼈(calcaneus)의 목말 받침돌기(sustentaculum tali) 가 만져지며 더 아래쪽에서는 발배뼈 거친면(tuberosity of navicular bone)이 만져진다. 발목의 아래폄근 지지띠(inferior extensor retinaculum)에서 연속되는 얇은 발등의 깊은 근막은 발가쪽과 뒤쪽에서 발바닥 근막(plantar fascia)으로 이어진다.

2. 발바닥의 깊은 근막

발바닥 근막은 얇은 안쪽 및 가쪽 부분과 두꺼운 중앙 부분으로 구분할 수 있다. 중앙 부분은 길고 평행한 섬유가 치밀하게 모여 강한 발바닥 널힘줄(plantar aponeurosis)을 형성한다. 발바닥 널힘줄은 발꿈치 융기 안쪽 돌기(medial process of calcaneal tuberosity)에서 시작하여 먼쪽으로 가면서 5개의 돌기(process)로 나뉘어 각각의 발가락으로 향한다.

각 돌기는 발허리 발가락 관절 주변에서 얇은 층과 깊은 층으로 나뉘며, 얇은 층은 발바닥과 발가락의 경계인 가로고랑의 피부에 붙는다. 깊은 층은 다시 둘로 나뉘어 발가락의 굽힘근 힘줄을 싸고, 굽힘근힘줄집(synovial tendon sheath of flexor m.)과 섞이며 발가락 섬유집(digital fibrous sheath of foot)에 붙는다. 발허리뼈 머리근처에서 널힘줄 돌기는 가로발 허리 인대(transverse metatarsal ligament)와 섞이면서 가로로 엮어진다.

널힘줄 돌기 사이로 발가락으로 가는 혈관 및 신경과 벌레근(lumbrical m.)의 힘줄이 있다. 발바닥 널힘줄에서 돌기로 나뉘어지는 부위에서는 가로 섬유가 나와 각 돌기 사이를 연결해주고, 피부에 붙어 발바닥 널힘줄의 강도를 증가시킨다.

발바닥 널힘줄의 안쪽과 가쪽에 위치하는 발바닥 근막은 얇다. 새끼 벌림근을 덮는 가쪽 발바닥 근막은 발끝쪽보다 발꿈치쪽이 더 두꺼우며 발꿈치뼈 거친면의 가쪽돌기와 다섯째 발허리뼈 바닥사이에서는 강한 띠를 형성하고 가쪽으로 발등의 근막에 이어진다. 엄지 벌림근을 덮고 있는 안쪽 발바닥 근막은 얇으며 뒤로 굽힘근 지지띠에 붙고, 안쪽으로는 발등 근막에 연속된다.

발바닥 널힘줄의 양쪽 모서리에서 형성되는 근육사이막은 발꿈치쪽보다 발끝쪽이 더 깊고 넓다. 이 수직사이막은 발바닥을 안쪽칸, 가운데칸과 가쪽칸으로 나누고, 다시 얇은 가로사이

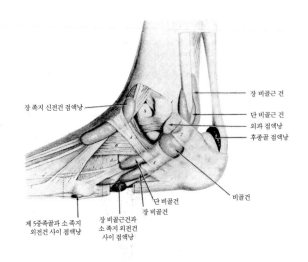

그림 1-3. 족관절 및 족부 외측부와 건막과 점액낭

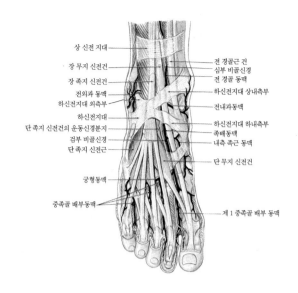

그림 1-4. 족관절 및 족부 배측부의 첫째층 구조물

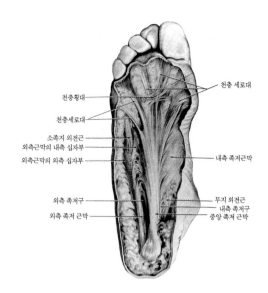

그림 1-5. 족저 근막

막을 형성하여 발바닥 근육을 4층으로 구분한다.

　엄지 발가락쪽에 위치하는 발바닥의 안쪽칸(medial compartment)은 안쪽 발바닥 근막, 첫째 발허리뼈에 붙는 발등 근막과 안쪽 수직사이막으로 경계되며 엄지 벌림근, 짧은 엄지 굽힘근, 안쪽 발바닥 혈관 및 신경과 첫째 발허리뼈가 포함된다.

　새끼 발가락쪽에 위치하는 가쪽 칸(lateral compartment)은 가쪽 발바닥 근막, 가쪽 수직사이막과 다섯째 발허리 근막에 붙는 발등근막으로 경계되고 새끼 벌림근과 짧은 새끼 굽힘근이 포함된다. 안쪽칸과 가쪽칸사이에 있는 가운데칸(central compartment)은 발바닥 근막, 가쪽 및 안쪽 수직사이막과 바닥쪽 뼈사이근막(plantar interosseous fascia)으로 경계되며, 짧은 발가락 굽힘근, 발바닥 네모근, 벌레근, 긴 발가락 굽힘근 힘줄, 긴 엄지 굽힘근 힘줄과 가쪽 발바닥 혈관 및 신경이 포함된다.

　이외에 가운데 칸 깊이 위치하는 뼈 사이 모음근칸(interosseo-adductor compartment)은 발허리뼈 5개 및 발허리뼈의 뼈막에 붙어있는 등쪽뼈 사이 근막(dorsal interosseous fascia)과 엄지 모음근의 표면쪽을 덮는 바닥쪽 뼈사이근막(plantar interosseous fascia)으로 경계된다. 이칸에는 엄지 모음근, 등쪽 및 바닥쪽 뼈사이근, 발바닥 동맥활, 발등 동맥의 깊

은 발바닥가지와 가쪽 발바닥 신경 깊은가지가 있다.

II. 발의 얕은 정맥과 림프관

1. 발의 얕은 정맥

　발등에서 얕은 정맥이 시작되는 발등 정맥활(dorsal venous arch)은 피부 신경보다 얕은 쪽 피부밑 지방층에 위치하고 발허리뼈(metatarsal bone)의 먼쪽을 가로지르며, 발가락의 등쪽 모서리를 지나는 등쪽 발가락 정맥(dorsal digital v.)이 발살(web of toe) 부위에서 합쳐져 형성되는 등쪽발 허리정맥(dorsal metatarsal v.)을 받는다. 발가락의 바닥쪽을 지나는 바닥쪽 발가락 정맥(plantar digital v.)은 발허리뼈 머리사이에서 등쪽 발허리정맥과 연결된다.

　발등 정맥활은 안쪽에서 엄지 발가락의 안쪽 등쪽 발가락 정맥을 받아 큰 두렁 정맥(great saphenous v.)이 되어 안쪽 복사의 앞쪽을 지나 올라간다. 가쪽에서는 다섯째 발가락의 가쪽 등쪽 발가락 정맥을 받아 작은 두렁 정맥(small saphenous v.)이 된다. 발등 정맥활의 몸쪽에는 깊은 정맥에서 가지를 받는 불규칙한 형태의 정맥 그물이 있으며 이 정맥 그물은 발바닥의

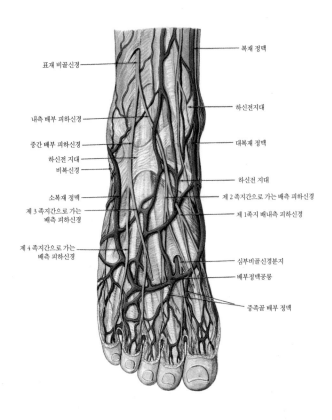

표재 비골신경

내측 배부 피하신경

중간 배부 피하신경

하신전 지대

비복신경

소복재 정맥

제 3 족지간으로 가는
배측 피하신경

제 4 족지간으로 가는
배측 피하신경

복재 정맥

하신전지대

대복재 정맥

하신전 지대

제 2 족지간으로 가는 배측 피하신경

제 1족지 배내측 피하신경

심부비골신경분지

배부정맥공롱

중족골 배부 정맥

그림 1-6. 족부 및 족관절 배측부의 천층 구조물

얕은층에서 오는 정맥 가지가 모여 형성되는 안쪽과 가쪽 모서리정맥(medial and lateral marginal v.)으로 이어지고 각각 큰 및 작은 두렁 정맥으로 연결된다.

발바닥에서 얕은 정맥은 발가락의 몸쪽에서 바닥쪽 피부 정맥활(plantar cutaneous venous arch)을 형성하고 안쪽 및 가쪽 모서리 정맥에 연결된다. 발바닥중 발꿈치쪽에 발달된 발바닥 피부 정맥 그물(plantar cutaneous venous network)이 있으며 주로 안쪽 및 가쪽 모서리 정맥으로 이어진다.

2. 발의 림프관

발의 림프관은 피부밑 림프관 얼기(subcutaneus lymphatic plexus)에서 시작한다. 얕은 림프관은 발가락 바닥과 발바닥에 풍부하며 이들은 집합관(collecting vessel)을 형성하여 발가락 사이의 틈에서 발가락등의 집합관과 합쳐지고 두 군으로 나뉘

어진다. 발등과 발안쪽에서 시작되는 얕은 림프관은 큰 두렁 정맥을 따라 얕은 샅고랑 림프절(superficial lymph node)에 이르고, 발가쪽과 발바닥 시작되는 얕은 림프관은 작은 두렁 정맥을 따라 다리오금에 위치하는 오금 림프절(popliteal lymphnode)로 들어간다.

발의 깊은 림프관은 다리의 깊은 정맥을 따라 주행하며, 먼저 오금림프절로 흐르고 다시 넙다리 혈관을 따라 주행하는 림프관을 통해 깊은 샅고랑 림프절(deep inguinal lymph node)로 들어간다.

III. 발의 피부 신경

발에 분포하는 피부 신경에는 두렁 신경, 장딴지 신경, 얕은 종아리 신경, 깊은 종아리 신경 그리고 정강 신경과 이 신경의 가지인 안쪽 및 가쪽 발바닥 신경이 있다.

두렁 신경(saphenous n.)은 넙다리 신경(femoral n.)의 끝가지로 무릎 주변에서 피부신경이 되고 큰 두렁 정맥을 따라 안쪽 복사의 앞쪽을 지나 발의 안쪽에 분포한다.

장딴지 신경(sural n.)은 가쪽 장딴지 피부신경(lateral sural cutaneous n.)에서 나온 종아리 신경 교통 가지(sural communicating branch)가 종아리의 중간 $\frac{1}{3}$에서 안쪽 장딴지 피부 신경(medial sural cutaneous n.)과 합쳐져 형성되며, 이후 작은 두렁 정맥을 따라 내려와 가쪽 복사 아래를 돌아 가쪽 발등 피부 신경(lateral dorsal cutaneous n.)과 가쪽 발꿈치 가지(lateral calcaneal branch)로 나뉘어 각각 발목 및 발꿈치와 발 가쪽 및 새끼 발가락에 분포한다.

얕은 종아리 신경(superficial peroneal n.)에서는 안쪽 발등 피부 신경(medial dorsal cutaneous n.)과 중간 발등 피부 신경(intermediate dorsal cutaneous n.)이 나와 깊은 종아리 신경(deep peroneal n.)의 가지인 가쪽 등쪽 엄지 발가락 신경(lateral dorsal n. of great toe)과 안쪽 등쪽 둘째 발가락 신경(medial dorsal n. of second toe)이 분포하는 엄지 발가락과 둘째 발가락사이의 부분을 제외한 발가락 부분과 발등의 피부에 분포한다.

정강 신경(tibial n.)에서 나온 안쪽 발꿈치 가지(medial calcaneal branch)는 발꿈치와 발바닥 뒤쪽에 분포한다. 안쪽 복사 뒤쪽에서 정강 신경은 안쪽과 가쪽 발바닥신경으로 나뉜

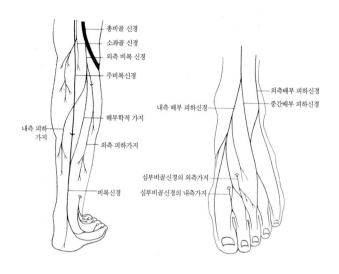

그림 1-7. 피하신경분포 : 비복신경

다. 안쪽 발바닥 신경(medial plantar n.)은 안쪽 세발가락에 분포하는 온 바닥쪽 발가락 신경(common plantar digital n.)과 안쪽 넷째 발가락에 분포하는 고유 바닥쪽 발가락 신경(proper plantar digital n.)을 내며, 가쪽 발바닥 신경(lateral plantar n.)은 나머지 발가락에 온 바닥쪽 발가락신경과 고유 바닥쪽 발가락 신경을 내어 바닥쪽 발가락의 피부에 분포한다.

IV. 발의 뼈대

발뼈는 발목뼈(tarsal bone), 발허리뼈(metatarsal bone)와 발가락뼈(phalanges)로 구성되며, 불규칙하게 나타나는 다수의 종자뼈가 있다.

1. 발목뼈

발목뼈(tarsal bones)는 7개로, 목말뼈, 발꿈치뼈, 입방뼈, 발배뼈 3개와 쐐기뼈로 이루어진다.

1) 목말뼈

발목뼈중 가장 몸쪽에 위치하는 목말뼈(talus)는 두번째 크기

의 발목뼈이다. 목말뼈는 발꿈치뼈 위에 올려져 있으며 가쪽 및 안쪽 복사와 관절하고 먼쪽으로는 발배뼈와 관절한다. 목말뼈는 몸통, 목과 머리로 구성된다.

입방형인 목말뼈 몸통(body of talus)의 위쪽 부분인 도르래 (trochlea)는 정강뼈와 관절하는 활모양의 부드러운 관절면이다. 몸통의 아래쪽에 있는 목말뼈 고랑(sulcus tali)은 발꿈치 관절면을 뒤 발꿈치 관절면과 중간 발꿈치 관절면으로 나누고 발꿈치뼈와 발꿈치뼈 고랑(calcaneal sulcus)과 함께 발목 뼈굴 (tarsal sinus)을 형성하며 그속에는 뼈사이목말 발꿈치 인대 (interosseous talocalcaneal ligament)가 있다. 중간 발꿈치 관절면은 작은 타원형으로 발꿈치뼈의 목말 받침 돌기 (sustentaculum tali)의 관절면과 관절한다.

몸통 안쪽면의 위쪽에는 안쪽 복사와 관절하는 관절면이 있으며, 아래로는 세모 인대(deltoid ligament)가 붙는 거친 함몰 부분이 있다. 몸통의 가쪽면은 가쪽 복사와 관절하는 삼각형 부분으로 앞쪽의 거친 오목에는 앞 종말 종아리 인대(anterior talofibular ligament)가 붙는다. 뒤쪽 좁은면에는 긴 엄지 굽힘

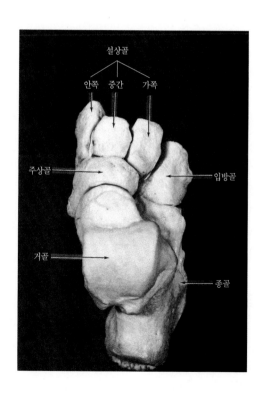

그림 1-8. 족근골(발목뼈)

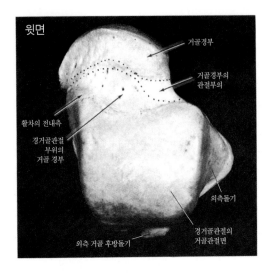
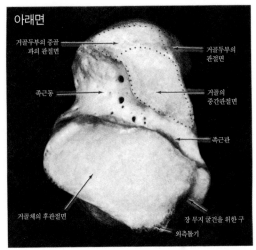

그림 1-9. 거골의 윗면과 아래면

근(flexor hallucis longus m.)이 지나는 고랑이 있다. 고랑가쪽에 있는 뚜렷한 결절인 목말뼈뒤돌기(posterior process of talus)에는 뒤 목말 종아리 인대(posterior talofibular ligament)가 붙으며, 고랑안쪽에 덜 뚜렷한 결절에는 안쪽 목말 발꿈치 인대(medial talocalcaneal ligament)가 붙는다. 목말뼈목은 안쪽앞을 향하는 몸통과 머리 사이의 잘록한 부분으로 안쪽면과 위면은 거칠고 오목한 가쪽면은 목말뼈 고랑으로 연속된다.

목말뼈 머리는 둥근 앞쪽끝으로 아래 안쪽을 향한다. 발배뼈와 관절하는 머리의 앞쪽면은 볼록한 타원형면이며, 아래면에는 반타원 관절면과 앞 발꿈치 관절면이 있다. 중간 발꿈치 관절면의 안쪽 앞에 위치하는 반타원 관절면에는 바닥쪽 발꿈치 발배 인대(plantar calcaneonavicular ligament)가 붙고, 가쪽에 위치하며 납작한 앞 발꿈치 관절면은 발꿈치뼈 앞 안쪽에 위치한 작은관절면과 만난다.

2) 발꿈치뼈

발 뒤쪽에 있으면서 가장 크고 단단한 발목뼈인 발꿈치뼈(calcaneus)는 발꿈치를 형성한다. 발꿈치뼈는 긴축이 앞가쪽을 향하는 불규칙한 입방형의 뼈로 위, 바닥, 가쪽, 안쪽앞과 뒤면이 있다. 발꿈치 뼈위면은 발꿈치를 형성하는 면으로 앞뒤로 오목하고 옆으로 볼록하다. 위면 앞부분에는 서로 가까이 위치하며 같은 부위의 목말뼈 관절면과 관절하는 뒤 목말 관절면, 중간 목말 관절면과 앞 목말 관절면이 있다. 목말뼈 고랑과 함께 발목뼈 굴을 형성하는 발꿈치뼈 고랑(calcaneal sulcus)은 뒤와 중간목말관절면 사이에 있는 고랑이다. 위면 뒤부분은 부드럽고 볼록한 면으로 발꿈치뼈 융기(calcaneal tuberosity)까지 이어진다.

발꿈치뼈 바닥면은 앞쪽보다 뒤쪽이 더 넓고 양옆으로 볼록하다. 발꿈치뼈 융기가 뒤로 솟아있고 중간 부분은 오목하며 양가쪽으로 돌기가 나온다. 작고 둥근 가쪽 돌기에서는 새끼 벌림근(abductor digiti minimi m.)이 일어나고, 넓고 큰 안쪽 돌기의 안쪽에서는 엄지벌림근(abductor hallucis m.), 짧은 발가락 굽힘근(flexor digitorum brevis m.)과 발바닥 널힘줄(plantar aponeurosis)이 붙는다. 두 돌기 사이의 오목에서는 새끼 벌림근의 일부가 일어나고, 두 돌기의 앞쪽에 위치하는 거친면에는 긴 발바닥 인대(long plantar ligament)가 붙고, 발바닥 네모근의 가쪽 갈래(lateral head of quadratus plantae m.)이 일어난다. 거친면 앞쪽의 결절과 가로 고랑에는 바닥쪽 발꿈치 입방 인대(plantar calcaneocuboid ligament)가 붙는다.

발꿈치뼈 가쪽면의 앞쪽은 좁고 편평하며 뒤쪽은 넓다. 가쪽면의 위 앞쪽에는 가쪽 목말 발꿈치 인대(lateral talocalcaneal

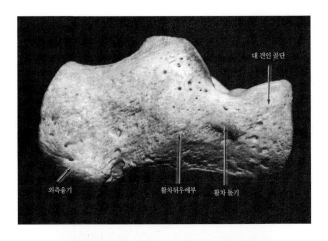

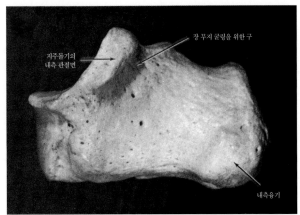

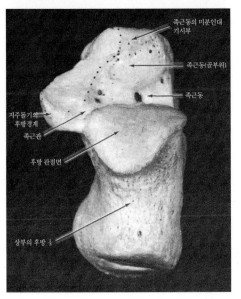

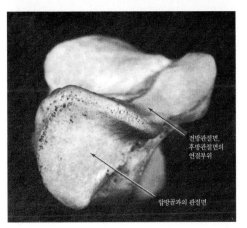

그림 1-10. 종골

ligament)가 붙고, 가운데에는 발꿈치 종아리 인대 (calcaneofibular ligament)가 붙는 결절이 있다. 그 결절의 앞 종아리근 도르래(peroneal trochlea)의 아래와 위로 비스듬한 고랑이 두개 있다. 위 고랑으로 짧은 종아리근(peroneus brevis m.)의 힘줄이, 아래 고랑으로는 긴 종아리근(peroneus longus m.)의 힘줄이 지나간다. 발꿈치뼈 안쪽면은 발꿈치뼈 융기의 안쪽 돌기(medial process of calcaneal tuberosity)와 목말받침 돌기 사이의 오목으로 발바닥으로 향하는 혈관과 신경이 지나간다. 목말 받침 돌기에는 뒤 정강근(tibialis posterior m.)이 닿

고, 안쪽면에서는 발바닥 네모근의 안쪽 갈래(medial head of quadratus plantae m.)가 일어난다. 목말 받침 돌기의 위면에는 목말뼈의 중간 발꿈치 관절면과 만나는 관절면이 있고, 아래면의 고랑으로는 긴 엄지 굽힘근(flexor hallucis longus m.)의 힘줄이 지나간다. 돌기의 앞쪽 모서리에는 바닥쪽 발꿈치 발배 인대(plantar calcaneonavicular ligament) 붙고, 안쪽 모서리에는 세모 인대(deltoid ligament)가 붙는다.

발꿈치뼈 앞면에는 입방뼈와 관절하는 작은 세모형의 관절 면이 있으며 안쪽 모서리로 바닥쪽 발꿈치 발배 인대(plantar calcaneonavicular ligament)가 붙는다. 발꿈치 뼈뒤면은 튀어나온 발꿈치 부분으로 두꺼운 발꿈치 지방층으로 덮인 거친 아래부분, 발꿈치 힘줄(calcaneal tendon)과 장딴지 빗근(plantaris m.)이 닿는 발꿈치 융기를 형성하는 중간 부분과 부드러운 위부분으로 구분할 수 있다.

3) 입방뼈

입방뼈(cuboid bone)는 발꿈치뼈와 넷째 및 다섯째 발허리뼈 사이, 발의 가쪽에 위치한다. 입방뼈의 등쪽면에는 인대가 붙는 거친면이 있고, 바닥면에는 깊고 비스듬한 방향의 긴 종아래근 힘줄 고랑(sulcus for peronecus longus m.)이 있으며, 고랑 뒤쪽으로 돌출한 능선에는 긴 발바닥 인대(long plantar ligament)가 붙는다. 능선에서 가쪽으로 이어지는 입방뼈 거친면(tuberosity of cuboid bone)에는 타원형의 관절면이 있어 긴 종아리근의 힘줄속에 있는 종자뼈(sesamoid bone)가 미끄러져 움직일 수 있다. 또 고랑 뒤쪽의 거친면에는 바닥쪽 발꿈치 입방 인대(plantar calcaneocuboid ligament), 짧은 엄지 굽힘근(flexor hallucis brevis m.)과 뒤 정강근의 힘줄이 붙는다.

입방뼈의 가쪽면에는 긴 종아리근 힘줄 고랑으로 이어지는 패임이 있고, 뒤면에는 발꿈치뼈의 앞면과 만나는 부드러운 삼각형의 관절면이 있다. 입방뼈의 앞면은 수직 능선에 의해 나뉘어 사각형의 안쪽면은 넷째발 허리뼈와, 삼각형의 가쪽면은 다섯째 발허리뼈와 관절한다. 입방뼈의 안쪽면에는 가쪽 쐐기뼈 및 발배뼈와 관절하는 관절면이 있고 나머지 거친면에는 뼈사이인대가 붙는다.

4) 발배뼈

목말뼈와 쐐기뼈 사이에 위치하는 발배뼈(navicular bone)의 오목한 앞면은 두 개의 능선에 의해 세 관절면으로 나뉘어 세 개의 쐐기뼈와 관절하며, 오목한 타원형의 뒤면은 목말뼈의 둥근머리와 관절한다. 발배뼈의 등쪽면과 바닥면은 거칠고 인대가 붙으며, 안쪽 둥근 발배뼈 거친면(tuberosity of navicular bone)의 아래 부분에는 뒤 정강근의 힘줄이 닿고 거칠고 불규칙한 가쪽면에는 인대가 붙는다.

5) 쐐기뼈

쐐기 모양의 쐐기뼈(cuneiform bone)는 세 개 있다. 셋 중 가장 큰 안쪽쐐기뼈(medial cuneiform bone)는 발배뼈와 첫째 발허리뼈 사이에 있다. 안쪽 쐐기뼈의 안쪽면은 사각형으로 앞바닥쪽 모서리에 앞 정강근(tibialis anterior m.) 힘줄이 닿는다. 오목한 가쪽면의 위쪽과 뒤쪽모서리에는 중간 쐐기뼈와 만나는 관절면이 있다. 콩팥 모양의 앞면은 첫째 발허리뼈와 관절하고, 삼각형의 오목한 뒤면은 발배뼈의 안쪽 관절면과 만난다. 거친 바닥면은 쐐기의 바닥이며 뒤부분에 뒤 정강근 힘줄의 일부가 닿고 쐐기의 좁은 부분인 등쪽면에는 인대가 붙는 거친면이 있다.

가장 작은 가운데의 중간 쐐기뼈(intermediate cuneiform bone)는 앞과 뒤로 둘째 발허리뼈 및 발배뼈와 관절하며 각각의 관절면은 삼각형이다. 안쪽면에는 안쪽 쐐기뼈와 관절하는 "ㄴ"자형의 관절면이 있고 가쪽면의 뒤쪽에는 가쪽 쐐기뼈와의 관절면이 있다. 등쪽면은 쐐기의 바닥에 해당되는 사각형의 면으로 거칠고 인대가 붙으며, 좁고 거친 바닥면에는 뒤 정강근 힘줄의 일부와 여러 인대가 붙는다.

입방뼈와 중간 쐐기뼈 사이에 끼어 있는 가쪽 쐐기뼈(lateral cuneiform bone)의 앞면은 셋째 발허리뼈와, 뒤면은 발배뼈의 앞면과 관절한다. 가쪽 쐐기뼈 안쪽면에 있는 앞 관절면은 가쪽 둘째 발허리뼈와 관절하고 뒤 관절면은 중간 쐐기뼈와 관절하며 두 관절면 사이의 거친 오목에는 뼈사이 인대(interosseous ligament)가 붙는다. 가쪽면에도 두개의 관절면이 있어 안쪽 넷째 발허리뼈 및 입방뼈와 관절하고 관절면 사이의 거친면에는 뼈사이 인대가 붙는다. 사각형의 등쪽면은 쐐기의 바닥에 해당되며 좁고 둥근바닥면에는 뒤 정강근 힘줄의 일부, 짧은 엄지 굽힘근과 여러 인대가 붙는다.

2. 발허리뼈

발허리뼈(metatarsal bone)는 발목뼈와 발가락뼈 사이에 위치하는 5개의 뼈로 안쪽에서 가쪽으로 첫째에서 다섯째의 순서로 위치한다. 각 발허리뼈는 발가락뼈와 관절하며 바닥(base), 몸통(body)과 머리(head)로 구성된다. 발허리뼈의 몸통은 길고 먼쪽으로 가면서 가늘어지며, 발등쪽이 볼록하고 바닥쪽이 오목하다. 발허리뼈의 몸쪽 끝인 바닥은 쐐기 모양으로 연접하는 발목뼈와 관절하고 주변의 발허리뼈와 가쪽에서 관절된다. 거친 등쪽면과 바닥면에는 인대가 붙는다.

발허리뼈의 먼쪽 끝인 머리에는 발가락 첫마디뼈와 관절하는 볼록한 관절면이 있다. 머리의 가쪽에는 인대가 붙는 결절이 있고 바닥면에는 굽힘근의 힘줄이 지나는 고랑이 있다.

3. 발가락뼈

발가락뼈(phalanges)는 첫째 발가락에 두개 있으며 나머지 발가락에는 세 개 있는 것이 일반적이지만 넷째와 다섯째 발가락의 경우 두개의 발가락뼈가 나타나는 경우도 있다. 발가락뼈는 첫 마디뼈, 중간 마디뼈와 끝 마디뼈가 있다. 첫 마디뼈(proximal phalanges)는 짧고, 양쪽이 넓으며 중간부는 가늘다. 바닥(base)은 마디뼈의 몸쪽으로 오목하고 해당 발허리뼈의 머리와 관절하며, 머리(head)는 먼쪽끝으로 도르래 모양이어서 중간 마디뼈와 쉽게 관절된다. 머리와 바닥 사이의 몸통은 등쪽이 볼록하고 바닥쪽은 오목하다. 중간 마디뼈(middle phalanges)는 첫 마디뼈 보다 작고 짧지만 다소 넓다. 끝 마디뼈(distal phalanges)는 더 작고 편평하며 중간 마디뼈와 관절하는 바닥은 넓다. 약간 좁아진 먼쪽에는 끝 마디뼈 거친면(ungual tuberosity)이 있어 등쪽에 붙는 발톱과 물렁 조직을 지지한다.

4. 종자뼈

종자뼈(sesamoid bone)는 힘줄속에 물려있는 둥근뼈로 힘줄이 심한 압박을 받는 곳에서 나타난다. 종자뼈의 기능은 정확하게 알 수 없으며 위치에 따라 기능이 다를 것으로 생각된다. 일부 학자들은 힘줄에 가해지는 물리적인 압력과 장력에 의해 발생되는 마찰력을 감소시키는 구조로 생각하고 있다. 발의 경우 짧은 엄지 굽힘근(flexor ballucis brevis m.)의 힘줄, 안쪽 쐐기뼈를 지나는 앞 정강근(tibialis anterior m.)의 힘줄, 목말뼈머리 안쪽을 지나는 뒤 정강근(tibialis posterior m.)의 힘줄, 안쪽 및 가쪽 복사 주변의 힘줄, 둘째에서 다섯째 발허리 발가락 관절과 엄지 발가락의 발가락뼈 사이 관절에서 관찰할 수 있다.

V. 발의 관절

발의 관절은 종아리와 발의 경계가 되는 발목 관절, 발목뼈 사이 관절, 발목 발허리관절, 발허리 사이 관절, 발허리 발가락 관절과 발가락뼈 사이 관절로 구분 할 수 있다.

1. 발목관절

발목 관절(ankle joint)은 정강뼈(tibia)와 종아리뼈(fibula)의 먼쪽끝인 안쪽 및 가쪽 복사(medial and lateral malleolus)와 두 구조물을 연결하는 가로 정강 종아리인대(transverse tibiofibular ligament)가 형성하는 오목과 목말뼈도르래의 결합으로 이루어진 관절로서 윤활 관절 중 경첩 관절(hinge joint)에 속한다.

1) 발목 관절의 관절면

정강뼈와 종아리뼈의 먼쪽끝에 형성된 틀속에서 목말뼈 도르래 안쪽의 둥근 관절면은 안쪽 복사와, 가쪽의 삼각형 관절면은 가쪽 복사와, 위면 및 앞면은 정강뼈의 아래 관절면과 관절한다.

관절의 운동시 가쪽 및 안쪽 복사는 앞뒤로 움직이는 목말뼈를 고정시키는 역할을 한다. 발등굽힘(dorsi flexion)의 경우 넓은 도르래의 앞부분이 관절의 오목으로 들어오면서 정강뼈와 종아리뼈가 약간 벌어지는 현상이, 인대의 작용으로 제한되면서 관절은 안정된 구조를 갖게 된다. 반면, 발바닥 굽힘(plantar flexion)시에는 도르래의 좁은 뒤부분이 틀속에서 잘 고정되지 않기 때문에 관절이 불안정해지고 쉽게 부상이 일어날 수 있다.

2) 발목 관절의 관절 주머니

관절에서 굽힘과 폄운동이 자유롭게 이루어지도록 관절 주머니는 앞뒤로 약하고 안쪽과 가쪽에서는 곁 인대가 있어 안정성이 증가한다.

관절을 둘러싸는 관절 주머니(articular capsule)는 위로 정강뼈와 안쪽 복사의 관절면 모서리에 붙고 아래로는 목말뼈 관절면 주변에 붙는다. 넓고 얇은 관절 주머니의 앞부분은 정강뼈 면쪽 앞모서리에서 목말뼈목의 등쪽면에 붙는다. 관절 주머니의 앞쪽으로 긴 발가락 폄근(extensor digitorum longus m.), 앞 정강근(tibialis anterior m.) 및 셋째 종아리근(peroneus tertius m.)의 힘줄, 앞 정강 혈관(anterior tibial vessels)과 깊은 종아리 신경(deep peroneal n.)이 지나간다. 얇은 관절 주머니의 뒤부분은 대부분 가로 섬유로 구성되며 정강뼈 관절면 모서리와 목말뼈에 붙고, 약간 두꺼운 주머니의 가쪽은 가쪽 복사 오목근 처에 붙는다. 관절 주머니의 속쪽은 윤활막으로 싸인다.

3) 발목 관절의 인대

세모 인대(detoid ligament)는 안쪽 인대(medial ligament)라 고도 불리는 강하고 두꺼운 삼각형의 인대로 위로 안쪽 복사에 서 시작하여 발배뼈, 목말뼈와 발꿈치뼈에 붙는다. 세모 인대 는 얕은 부분과 깊은 부분으로 구성된다. 얕은 부분중 가장 앞 쪽의 섬유는 정강발배 부분(tibionavicular part)으로 앞쪽으로 가서 발배뼈 거친면에 붙고, 중간 섬유는 정강 발꿈치부분(tibiocalcaneal part)으로 거의 수직으로 내려가 발꿈치뼈의 목 말 받침 돌기에 붙으며, 뒤쪽 섬유는 뒤 정강목말 부분

(posterior tibiotalar part)으로 뒤가쪽으로 향해 목말뼈 안쪽 부 분과 긴 엄지 굽힘근(flexor hallucis longus m.)의 힘줄이 지나 는 고랑 안쪽 목말뼈 뒤쪽 결정에 붙는다. 깊은부분은 앞 정강 목말 부분(anterior tibiotalar part)으로 안쪽 복사에서 시작하여 목말뼈 안쪽면에 붙는다. 세모인대의 표면으로 뒤 정강근(tibialis posterior m.)과 긴 발가락굽힘근(flexor digitorum longus m.)의 힘줄이 서로 가로지르며 지나간다. 세포 인대는 발목의 가쪽번짐(eversion)시 관절을 안정시켜 발목의 탈구를 부분적으로 막는다.

발의 가쪽에는 가쪽 복사에서 목말뼈목을 연결하는 납작하 고 약한 앞 목말종아리 인대(anterior talofibular ligament), 가쪽 복사 오목과 목말뼈 가쪽 결절을 잇는 두껍고 강한 뒤 목말종 아리 인대(posterior talofibular ligament)와 가쪽 복사에서 발꿈 치뼈 가쪽면을 연결하는 발꿈치 종아리 인대(calcaneofibular ligament)가 있으며 이 세 인대를 합쳐 가쪽 인대(lateral ligament)라고 부른다.

발목 관절에는 앞 및 뒤 정강 동맥(anterior and posterior tibial aa.)과 종아리 동맥(fibular a.)의 복사 가지(melleolar branch)가 분포하고 정강 신경(tibial n.)과 깊은 종아리 신경(deep peroneal n.)이 분포한다.

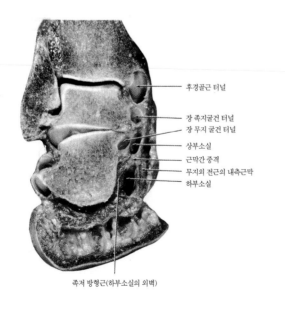

그림 1-11. 족관절의 후방면(관상면상)

후경골근 터널
장 족지굴건 터널
장 무지 굴건 터널
상부소실
근막간 중격
무지의 전근의 내측근막
하부소실

족저 방형근(하부소실의 외벽)

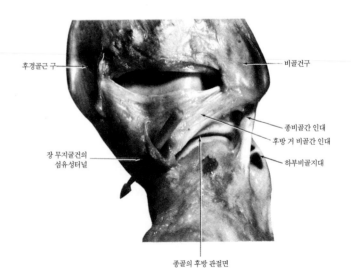

그림 1-12. 종골의 후방면

후경골근 구
비골건구
종비골간 인대
후방 거 비골간 인대
하부비골지대
장 무지굴건의 섬유성터널
종골의 후방 관절면

정상적인 서있는 자세에서 발은 종아리와 직각을 이루며, 발목 관절에서는 등쪽 굽힘(dorsiflexion)과 바닥쪽 굽힘(plantar flexion)이 일어난다.

등쪽 굽힘은 발등을 종아리의 앞쪽으로 가까이 하는 운동으로 운동 범위는 약 35°이며, 앞 정강근의 작용과 셋째 종아리근, 긴 발가락 폄근 및 긴 엄지 폄근의 도움으로 일어난다. 바닥쪽 굽힘은 발등을 종아리에서 멀어지게 하는 운동으로 운동 범위는 대략 50°이며 주로 장딴지근, 가자미근 및 장딴지 빗근의 작용과 뒤 정강근, 긴 발가락 굽힘근 및 긴 엄지 굽힘근의 도움으로 일어난다. 두 운동이 일어나는 가로축은 가쪽과 안쪽 복사의 끝의 두점을 지나는 선으로 약간 비스듬하다.

2. 발목뼈 사이 관절

발목뼈 사이 관절(intertarsal joint)에는 목말밑 관절, 목말 발꿈치발배 관절, 발꿈치 입방관절, 가로 발목뼈 관절, 쐐기 발배 관절, 입방 발배 관절, 쐐기 사이 관절과 쐐기 입방 관절이 있다.

1) 목말밑 관절

목말밑 관절(subtalar joint, talocalcaneal joint)은 목말뼈 몸통의 아래쪽 관절면과 발꿈치뼈 위쪽 관절면 사이의 관절로 앞과 뒤 두개의 관절중 뒤쪽으로, 목말뼈의 아래뒤쪽 오목한 뒤발꿈치면과 발꿈치뼈 위 뒤의 볼록한 면 사이의 평면 관절이다. 앞쪽의 관절은 목말 발꿈치 발배 관절의 일부이다.

목말밑 관절에서 두 뼈는 관절 주머니와 앞, 뒤, 안쪽, 가쪽 및 뼈사이목말 발꿈치 인대에 의해 연결된다. 관절 주머니는 관절을 둘러싸고 짧은 섬유 사이를 이어주는 약한 섬유막으로 구성된다. 독립된 관절 공간은 윤활막으로 싸인다.

앞 목말 발꿈치 인대(anterior talocalcaneal ligament)는 목말뼈목의 앞가쪽면과 발꿈치뼈의 윗면을 잇는 인대로 목말 발꿈치발배 관절의 뒤쪽 경계를 이루고, 뒤 목말 발꿈치 인대(posterior talocalcaneal ligament)는 목말뼈의 가쪽 결절과 발꿈치뼈 몸쪽의 안쪽 부분을 연결하는 부챗살 모양의 짧은 인대이다. 짧고 강한 섬유다발로 구성된 가쪽 목말 발꿈치 인대(lateral talocalcaneal ligament)는 목말뼈와 발꿈치뼈의 가쪽면

을 연결하고, 안쪽 목말 발꿈치 인대(medial talocalcaneal ligament)는 목말뼈뒤면의 안쪽결절과 발꿈치뼈의 목말받침돌기를 연결하는 인대이며, 뼈사이 목말 발꿈치 인대(interosseous talocalcaneal ligament)는 목말뼈와 발꿈치뼈를 단단히 잇는 2.5cm 너비의 인대로 목말뼈 아래면의 고랑과 발꿈치뼈 위면의 오목에 붙는다.

목말밑 관절은 미끄럼 운동과 회전 운동이 가능하여 목말 발꿈치 발배 관절과 함께 안쪽 번짐과 가쪽 번짐을 일으킨다. 운동의 축은 목말밑 관절과 목말 발꿈치 발배 관절의 중심을 지나는 선이다. 발의 안쪽 모서리가 올라가고 가쪽 모서리가 내려가는 안쪽번짐(inversion)은 발바닥이 안쪽으로 돌아가는 운동으로 앞 정강근(tibialis anterior m.)과 뒤 정강근(tibialis posterior m.)의 작용과 긴 엄지 폄근(extensor hallucis longus m.)과 긴 엄지 굽힘근(flexor hallucis longusm.)의 도움으로 일어난다. 가쪽 번짐은 가쪽 모서리가 올라가고 안쪽 모서리가 내려가 발바닥이 가쪽 방향으로 돌아가는 운동으로 긴 및 짧은 종아리근(peroneus longus and brevis mm.)의 작용으로 일어난다.

2) 목말 발꿈치 발배 관절

목말 발꿈치 발배 관절(talocalcaneonavicular joint)은 복합, 뭇축, 윤활 관절(compound, multiaxial synovial joint)로 절구관절(spheroidal joint)이다. 발배뼈의 뒤 관절면, 발꿈치뼈의 앞 관절면과 바닥쪽 발꿈치 발배 인대(plantar calcaneonavicular ligament) 및 가쪽의 발꿈치 발배 인대(calcaneonavicular ligament)가 형성하는 오목한 관절면에 목말뼈의 둥근 머리가 들어가게 된다. 발꿈치 발배 인대는 두갈래 인대(bifurcated ligament)의 한 부분이다. 관절 주머니는 발바닥쪽이 불완전하고 뒤부분은 두꺼우며 속쪽은 윤활막으로 덮여있다.

이 관절의 등쪽을 강화시키는 목말 발배 인대(talonavicular ligament)의 표면으로 폄 근힘줄이 지나간다. 관절 오목의 형성에 참여하는 바닥쪽 발꿈치 발배 인대와 발꿈치 발배 인대는 관절의 바닥쪽과 가쪽의 인대과 된다. 바닥쪽 발꿈치 발배 인대에는 많은 탄력섬유가 포함되어 스프링 인대(spring ligament)라 불리며 발의 안쪽 세로활의 유지에 기여한다. 목말 발꿈치 발배 관절은 목말밑 관절과 함께 발의 안쪽 번짐과 가

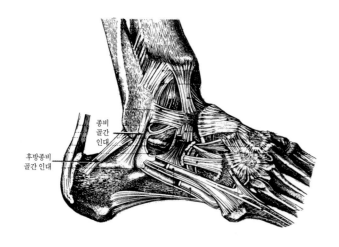

종비골간 인대

후방종비골간 인대

그림 1-13. 후방 종비골간 인대

쪽 번짐을 일으킨다.

3) 발꿈치 입방 관절

발꿈치 입방 관절(calcaneocuboid joint)은 형태적으로 안장 관절(saddle joint)과 유사하지만 관절의 운동성은 거의 없다. 발꿈치뼈의 오목한 앞쪽 관절면이 입방뼈의 볼록한 뒤쪽 관절면과 만난다.

발꿈치뼈와 입방뼈는 관절 주머니, 등쪽 발꿈치 입방 인대, 두갈래 인대의 발꿈치 입방 인대, 긴 발바닥 인대와 바닥쪽 발꿈치 입방 인대로 연결된다. 관절을 둘러싸는 관절 주머니는 불완전하며 여러 인대가 포함된다. 등쪽 발꿈치 입방 인대 (dorsal calcaneocuboid ligament)는 넓고 얇은 섬유 다발로 등쪽에서 두뼈를 이어준다. 발꿈치뼈의 위앞면에서 앞쪽으로 가는 두갈래 인대는 입방뼈의 등쪽 안쪽면에 붙는 발꿈치 입방 인대와 발배뼈의 등쪽 가쪽면에 붙는 발꿈치 발배 인대로 나뉜다.

발꿈치 입방 인대는 발목뼈의 몸쪽열과 먼쪽열을 이어주는 주요 결합 인대이다. 긴 발바닥 인대(long plantar ligament)는 발꿈치뼈 바닥쪽 앞에 있는 발꿈치뼈 결절(tubercle of calcaneus)에서 앞쪽으로 가면서 얕은 섬유와 깊은 섬유로 나뉘어 깊은 섬유는 입방뼈 바닥쪽의 거친면에 붙고 얕은 섬유는 둘째에서 다섯째 발허리뼈 바닥에 붙는다. 또, 얕은 섬유는 입

방뼈 바닥의 긴 종아리근 힘줄 고랑을 굴로 만들어 힘줄을 통과시킨다. 이 인대는 발의 가쪽 세로활(lateral longitudinal arch)의 유지에 기여한다. 짧은 발바닥 인대(short plantar ligament)라고도 불리는 바닥쪽 발꿈치 입방 인대(plantar calcaneocuboid ligament)는 강하고 짧은 띠로 발꿈치뼈 바닥 앞쪽 결절에서 입방뼈 바닥면의 앞쪽을 잇는다. 이 인대는 긴 발바닥 인대보다 깊이 위치한다.

발꿈치 입방 관절에서는 미끄럼 운동과 돌림이 일어나, 안쪽 번짐과 가쪽 번짐시 목말밑 관절과 목말 발꿈치 발배 관절의 운동을 돕는다.

4) 가로 발목뼈 관절

가로 발목뼈 관절(transverse tarsal joint, mid tarsal joint)은 목말 발꿈치 발배 관절의 목말발배 부분과 발꿈치 입방 관절로 이루어진다. 두관절의 관절 공간이 교통하지는 않지만 가로 방향으로 연장되어 발의 앞부분이 등쪽 및 바닥쪽 굽힘을 하는 경우 이 관절면을 따라 운동이 일어난다. 관절의 앞쪽에는 입방뼈와 발배뼈가 있고 뒤쪽에는 목말뼈와 발꿈치뼈가 있으며, 발의 외과적 절단술이 시행되는 대상이기도 하다.

5) 쐐기 발배 관절

쐐기 발배 관절(cuneonavicular joint)은 쐐기뼈와 발배뼈의 관절로, 발배뼈의 볼록한 앞쪽 세 개의 관절면은 해당되는 쐐기뼈의 오목한 뒤쪽 관절면과 관절한다.

관절을 둘러싸는 관절 주머니속의 관절 공간은 연접한 쐐기뼈는 물론 입방뼈와의 사이까지 이어진다. 발배뼈와 각 쐐기뼈를 이어주는 등쪽 및 바닥쪽 쐐기 발배 인대(dorsal and plantar cuneonavicular ligament)가 있으며 안쪽 쐐기뼈의 안쪽에서 두 인대는 서로 섞인다.

6) 입방 발배 관절

입방 발배 관절(cuboideonavicular joint)은 발배뼈의 둥근 가쪽면과 입방뼈 안쪽면 뒤쪽과의 관절로 윤활 관절 공간이 나타나기도 하지만 인대 결합(syndesmosis)인 경우가 더 많다. 관

절에서 두뼈는 등쪽면에서 비스듬히 주행하는 등쪽 입방 발배 인대(dorsal cuboides navicular ligament), 바닥면 사이를 가로로 주행하는 바닥쪽 입방 발배 인대(plantar cuboideonavicular ligament)와 입방뼈의 가쪽면과 발배뼈의 안쪽면 사이에 위치하는 뼈사이 입방 발배 인대(interosseous cuboideonavicular ligament)로 연결된다.

7) 쐐기 사이 관절

쐐기 사이 관절(intercuneiform joint)는 세 개의 쐐기뼈 사이에 있는 두개의 윤활 관절로 안쪽 및 중간 쐐기뼈와 중간 및 가쪽 쐐기뼈 사이를 등쪽과 바닥쪽에서 이어주는 등쪽 및 바닥쪽 쐐기 사이 인대(dorsal and plantar intercuneiform ligaments)와 각 쐐기뼈의 인접면, 비관절 부분의 거친면에 붙는 두 개의 뼈사이 쐐기 사이 인대(interosseous intercuneiform ligaments)에 의해 쐐기뼈는 연결된다.

8) 쐐기 입방 관절

쐐기 입방 관절(cuneocuboid joint)은 가쪽 쐐기뼈의 둥근 가쪽모서리와 입방뼈 안쪽 모서리 사이의 윤활 관절로 관절 공간은 뒤쪽의 쐐기 발배 관절의 공간과 연결된다. 이 관절은 등쪽과 바닥쪽 쐐기 입방 인대(dorsal and plantar intercuneiform ligaments)와 각 쐐기뼈의 인접면 비관절 부분의 거친면에 붙는 두개의 뼈사이 쐐기 인대(interosseous cuneocuboid ligament)로 연결된다.

이상에서 설명한 쐐기 발배 관절, 입방 발배 관절, 쐐기 사이 관절과 쐐기 입방 관절에서는 미약한 미끄럼 운동과 돌림이 가능하지만 등쪽, 바닥쪽 및 뼈사이 인대가 강하게 붙어 운동이 거의 일어나지 않지만 안쪽 번짐이나 가쪽 번짐시 운동을 도와줄 수 있다.

이 관절의 윤활 관절 공간은 서로 연결되며 인대는 발의 가로활(transverse arch of foot)의 유지에 보조 역할을 한다.

3. 발목 발허리 관절

발목 발허리 관절(tarsometatarsal joint)은 평면 관절로서 세

개의 쐐기뼈, 입방뼈와 다섯 개의 발허리뼈 사이의 관절이다. 첫째 발허리뼈는 안쪽 쐐기뼈와 관절하고, 둘째 발허리뼈는 안쪽 및 가쪽 쐐기뼈가 만드는 오목에서 세 개의 쐐기뼈와 관절한다. 셋째 발허리뼈는 가쪽 쐐기뼈와, 넷째 발허리뼈는 가쪽 쐐기뼈 및 입방뼈와 관절하고, 다섯째 발허리뼈는 입방뼈와 관절한다.

네 개의 발목뼈와 관절하는 다섯 개의 발허리뼈 사이에는 세 개의 관절 공간이 있다. 안쪽으로 첫째 발허리뼈와 안쪽 쐐기뼈사이, 중간 및 가쪽 쐐기뼈와 둘째 및 셋째 발허리뼈사이, 그리고 입방뼈와 넷째 및 다섯째 발허리뼈 사이에 위치한다.

발목뼈와 발허리뼈는 등쪽과 바닥쪽에서 등쪽 및 바닥쪽 발목 발허리 인대(dorsal and plantar tarsometatarsal ligaments)로 연결되며, 안쪽 쐐기뼈와 둘째 발허리뼈사이, 가쪽 쐐기뼈와 둘째 발허리뼈 사이 그리고 가쪽 쐐기뼈와 넷째 발허리뼈를 연결하는 3개의 뼈사이 쐐기 발허리 인대(interosseous cuneometatarsal ligament)가 있다.

발목 발허리 관절에서는 약간의 미끄럼 운동이 가능하며 발의 다른 관절과 함께 가로 발목뼈 관절에서 하나로 움직여 발의 앞부분에서 돌림이 일어나게 한다. 이 운동은 안쪽 번짐이나 가쪽 번짐과 구별하여 뒤침과 엎침이라 한다.

4. 발허리사이 관절

이웃하는 발허리사이 관절(intermetatarsal joint)에는 발허리뼈바닥 사이 관절과 발허리뼈 머리의 연결이 있다.

1) 발허리뼈 바닥 사이 관절

발허리뼈 바닥 사이의 관절이다. 첫째 발허리뼈 바닥은 둘째 발허리뼈 몸통과 가까이 있지만 이어주는 인대가 없고 나머지 발허리뼈 사이에는 등쪽과 바닥쪽에서 두뼈 사이를 이어주는 등쪽 및 바닥쪽 발허리 인대(dorsal and plantar metatarsal ligaments)가 있으며, 연접한 발허리뼈 바닥 사이 비관절면의 거친부분에 붙는 3개의 뼈사이 발허리 인대(interosseous metatarsal ligament)가 있다. 이들 관절에서는 약간의 미끄럼 운동이 일어난다.

2) 발허리뼈 머리의 연결

발허리뼈 머리를 바닥쪽에서 연결하는 깊은 가로 발허리 인대(deep transverse metatarsal ligament)는 네 개의 짧고 좁은 띠로 발가락 사이에서 바닥쪽면은 벌레근(lumbrical m.), 발가락혈관 및 신경과 접하고, 등쪽면은 뼈사이근(interosseous m.)과 연관이 있다. 이 인대는 앞쪽에서 발허리 발가락 관절의 바닥쪽 인대(plantar ligament)에 섞인다.

5. 발허리 발가락 관절

발허리 발가락 관절(metatarsophalangeal joint)은 발허리뼈의 난원형 머리와 첫마디뼈 바닥의 오목한 관절면과 관절하는 타원관절(ellipsoidal joint)이다. 윤활막으로 둘러싸인 관절 주머니는 관절을 둘러싸고, 바닥쪽 인대 한 개와 곁인대 두 개가 관절 주머니를 보강한다. 바닥쪽 인대(plantar ligament)는 관절의 바닥쪽에 있으며 발허리뼈보다 첫마디뼈 바닥에 더욱 단단하게 붙는다. 이 인대의 바닥쪽에는 굽힘근 힘줄이 지나가는 고랑이 있으며 고랑의 양쪽에 힘줄을 싸는 힘줄집이 붙는다.

곁인대(collateral ligament)은 관절의 양쪽에 위치하는 부채 모양의 인대이다. 인대는 발허리뼈 머리의 옆에 있는 결절과 가까운 발가락뼈의 끝에 붙는다.

발허리 발가락 관절에서는 굽힘, 폄, 모음과 벌림이 일어난다. 벌림과 모음의 축은 둘째 발가락을 지나는 선이다.

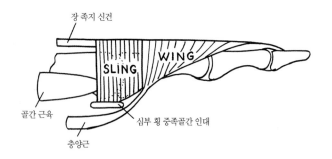

그림 1-14. 족지의 신전 건막

6. 발가락뼈 사이 관절

발가락에서 발가락뼈 사이 관절(interphalangeal joint)은 경첩관절이다. 각 마디뼈의 머리는 먼쪽 마디뼈의 바닥에 관절할 수 있는 구조를 가진다. 각 관절에는 관절 주머니, 바닥쪽 인대 1개와 곁인대 2개가 있으며 그 배열은 발허리 발가락 관절과 비슷하다. 관절에서는 굽힘과 폄이 가능하다.

7. 발의 활

발은 몸무게를 지탱하고 움직일때의 무게 중심의 이동과 충격을 견디어야 하기 때문에 발에 있는 뼈와 이를 연결하는 인대 및 근육은 체중을 분산시키고 탄력성과 신축성을 유지할 수 있도록 활 모양으로 배열되어 있다.

맨발에 의해 생기는 발자국을 보면 발꿈치, 발의 가쪽 모서리, 발허리뼈 머리 주변과 끝마디뼈의 자국은 잘 보이지만 안쪽 부분은 활 모양으로 배열되어 흔적이 나타나지 않는다. 발의 활(arch of foot)에는 세로활과 가로활이 있다. 발의 세로활(longitudinal arch of foot)에는 발꿈치뼈, 목말뼈, 발배뼈, 쐐기뼈 3개와 안쪽발허리뼈 3개로 구성되어 활 모양이 뚜렷한 안쪽 세로활(medial longitudinal arch)과 발꿈치뼈, 입방뼈와 넷째 및 다섯째 발허리뼈로 구성되고 비교적 편평한 가쪽 세로활(lateral longitudinal arch)이 있다. 세로활은 뒤기둥(posterior pillar)인 발꿈치뼈와 앞기둥(anterior pillar)인 발허리뼈 머리에 의해 지지된다.

안쪽세로활의 구조적 안정성은 발바닥 널힘줄(plantar aponeurosis), 긴 발바닥 인대(long plantar ligament)와 바닥쪽 발꿈치 발배 인대(plantar calcaneonavicular ligament)에 의해서 형성되고 앞 정강근의 힘줄에 의해 강화되며 운동할 때에는 긴 발가락 굽힘근, 긴 엄지 굽힘근, 뒤 정강근과 발의 내재근(intrinsic m.)의 힘줄에 의해서 세로활이 유지된다. 가쪽활이 약간 오목한 것은 바닥쪽 발꿈치 입방 인대(plantar calcaneocuboid ligament)와 긴 발바닥 인대의 가쪽 부분의 작용 때문이며, 긴 종아리근(peroneus longus m.)과 발바닥 가쪽에 위치하는 근육도 세로활의 유지에 도움을 준다.

발의 가로활(transverse arch of foot)중 몸쪽 가로활(proximal transverse)은 발배뼈, 쐐기뼈 3개와 발허리뼈 바닥 5

개로 이루어지고 양쪽 발의 가로활이 합쳐져 높은 천정을 이룬다. 이 가로활은 뼈의 구조보다 쐐기뼈와 발허리뼈를 연결하는 인대 및 힘줄의 작용으로 형성되며, 특히 긴 종아리근의 힘줄은 가로활을 가로질러 지나가 활의 유지에 중요한 역할을 한다. 먼쪽 가로활(distal transverse arch)은 각 발에서 발허리뼈 머리가 깊은 가로 발허리 인대(deep transverse metatarsal ligament)의 작용으로 만들어지는 얕은 오목이다.

기능적으로 굴곡이 크고 탄력이 있는 안쪽 세로활은 높이 뛸 때 충격을 흡수하는 작용을 하고, 가쪽 세로활은 안쪽 세로활에 비해 낮아 탄력성이 적으므로 체중을 지면으로 전달하는 역할을 하며 걸을때, 뛸 때 및 서있을 때 유용하게 작용한다.

발의 가로활은 발의 강도와 탄력성을 증가시키고, 발에 위치하는 근육, 혈관 및 신경이 지나가는 공간을 제공한다.

가끔 보게되는 편평발(flat foot)은 발의 활이 불완전하여 체중이 발바닥 전체에 작용하게 되는 경우로 목말 발배 관절이나 쐐기 발배 관절의 인대가 늘어가 안쪽 세로활이 형성되지 않는다.

VI. 발의 근육과 근막

1. 발목 관절 주변의 지지띠

종아리 근막 아래 부분을 지나는 힘줄을 발목에 묶어주는 지지띠에는 등쪽에서 폄근 힘줄을 묶어주는 위 및 아래 폄근 지지띠, 안쪽에서 굽힘근 힘줄을 묶는 굽힘근 지지띠 그리고 가쪽에서 종아리근 힘줄을 묶어주는 위 및 아래 종아리근 지지띠가 있다.

위 폄근 지지띠(superior extensor retinaculum)는 발목 관절 바로 위에 위치하며 가로 발목 인대(transverse crural ligament)라고 부른다.

종아리뼈와 정강뼈의 아래쪽에 붙는 인대의 깊은쪽으로 앞 정강근 힘줄, 긴 엄지 폄근 힘줄, 긴 발가락 폄근 힘줄, 셋째 종아리 힘줄과 앞 정강동·정맥 및 깊은 종아리 신경이 지나간다. 이중 앞 정강근 힘줄만 윤활집(synovial sheath)에 싸인다.

아래 폄근 지지띠(inferior extensor retinaculum)는 발목 관절 앞에 위치하는 영문의 'Y'자 형태의 띠로 종아리 십자 인대(cruciate crural ligament)라고 부른다. 'Y'자의 줄기는 발꿈치

뼈 위면가쪽, 뼈사이 목말 발꿈치 인대(interosseous talocalcaneal ligament)의 앞쪽에 붙고 안쪽으로 가면서 둘로 나뉘어 셋째 종아리근과 긴 발가락 폄근의 힘줄을 감싸고 다시 합쳐진다. 계속 안쪽으로 가면서 위와 아래 갈래로 나뉘어 'Y'자의 가지를 형성한다. 위가지는 안쪽복사에 붙으며 앞 정강근 힘줄을 지날 때 힘줄을 둘러싼다. 아래가지는 아래 안쪽으로 가면서 긴 엄지 폄근 힘줄, 앞 정강근 힘줄, 발등 동맥과 깊은 종아리 신경을 덮고 넓어지면서 발바닥 널힘줄의 모서리에 붙는다. 이때의 위쪽은 종아리의 깊은 근막에 연속되고 아래쪽은 발바닥 널힘줄의 섬유와 섞인다.

굽힘근 지지띠(flexor retinaculum)는 정강뼈의 안쪽 복사에서 발꿈치뼈의 모서리에서 확장되는 강력한 띠로 톱니 인대(laciniate ligament)라고도 불린다. 이 지지띠가 뼈고랑을 덮으면서 안쪽에서 가쪽으로 뒤 정강근 힘줄, 긴 발가락 굽힘근 힘줄, 뒤 정강 동·정맥 및 정강 신경 그리고 긴 엄지 굽힘근이 지나는 4개의 굴을 만든다.

위 종아리근 지지띠(superior peroneal retinaculum)는 가쪽 복사에서 발꿈치뼈 가쪽면에 붙어 발목 관절의 가쪽면을 지나는 긴 및 짧은 종아리근의 힘줄을 묶는다. 아래 종아리근 지지띠(inferior peroneal retinaculum)는 아래 폄근 지지띠와 연속되며 발꿈치뼈 가쪽면 뒤쪽에 붙는다. 긴 및 짧은 종아리근 힘줄을 묶어주는 일부 섬유는 종아리근 도르래(peroneal trochlea)에 붙어 두 힘줄의 사이막을 형성한다.

2. 발목 관절 주변의 윤활집

발목 관절을 지나는 힘줄의 일부는 8cm 길이의 윤활집(synovial sheath)으로 싸인다. 발등에서 앞 정강근 힘줄의 윤활집은 위 폄근 지지띠의 위 모서리에서 아래 폄근 지지띠의 가지가 갈라지는 부위에 위치하고, 긴 엄지 폄근 힘줄의 윤활집은 양쪽의 복사를 연결하는 높이 수준에서 첫째 발허리뼈 바닥까지 이어지며, 긴 발가락 폄근과 셋째 종아리근의 힘줄을 함께싸는 온윤활집(common synovial sheath)은 양쪽 복사를 연결하는 높이에서 다섯째 발허리뼈 바닥까지 뻗는다. 발목 안쪽면에서 뒤 정강근의 힘줄을 싸는 윤활집은 안쪽 복사 위쪽 4cm 지점에서 발배뼈거친면 바로 위 까지 있고, 긴 엄지 굽힘근 힘줄의 윤활집은 안쪽 복사 높이에서 첫째 발허리뼈 바닥까지 이

어지며, 긴 엄지 굽힘근 힘줄의 윤활집은 안쪽 복사 높이에서 안쪽 쐐기뼈 근처까지 위치한다.

발목 관절의 가쪽면에는 가쪽 복사 위쪽 4cm 지점에서 긴 및 짧은 종아리근의 힘줄을 함께싸는 온 윤활집이 시작하며, 발꿈치뼈 가쪽에서 각 힘줄을 따라 분리되어 4cm 가량씩 뻗는다.

3. 발등의 근육

발등에는 종아리에서 발로 이어지는 여러 근육의 힘줄이 지나가며 내재근(intrinsic m.)으로는 짧은 발가락 폄근 하나가 있다.

짧은 발가락 폄근(extensor digitorum brevis m.)은 넓고 얇은 근육으로 발꿈치뼈에서 위쪽 및 가쪽면의 먼쪽, 가쪽 목말 발꿈치 인대(lateral talocalcaneal ligament)와 아래 폄근 지지띠의 줄기에서 일어나 발등을 대각선 방향으로 안쪽을 향하면서 안쪽 4개의 발가락에 닿는다. 엄지 발가락 첫마디뼈 바닥 등쪽에 닿는 가장 안쪽의 힘줄이 제일 크며, 이 힘줄과 힘살이 근육에서 분리된 경우 짧은 엄지 폄근(extensor hallucis brevis m.)이라 부른다. 나머지 3개의 힘줄은 둘째, 셋째 및 넷째 발가락으로 가는 긴 발가락 폄근의 가쪽면에 닿고 각 발가락에서 폄근 널힘줄(extensor expansion)의 형성에 관여한다. 폄근 널힘줄은 긴 및 짧은 발가락 폄근이 발가락 등쪽에 닿으면서 형성하는 널힘줄이다. 긴 발가락 폄근의 힘줄이 각 발가락에서 세 가닥(slip)으로 나뉘어 가운데 가닥은 중간 마디뼈 바닥 등쪽에 2개의 가쪽 가닥을 중간 마디뼈 등쪽에서 합쳐져 끝마디뼈 바닥에 닿는다. 이과정에서 짧은 발가락폄근, 등쪽뼈 사이근 및 벌레근의 힘줄에서 섬유를 받아 발가락 첫마디뼈의 등쪽을 덮는 널힘줄이 형성된다. 이것을 폄근 널힘줄이라고 한다.

짧은 발가락 폄근은 엄지 발가락의 첫마디와 둘째, 셋째 및 넷째 발가락을 편다. 이 근육에는 깊은 종아리 신경의 가지가 분포한다.

4. 발바닥의 근육

발바닥의 근육은 안쪽칸, 가운데칸, 가쪽칸과 뼈사이 모음근 칸으로 구분할 수 있지만 여기서는 해부 순서에 따라 나타나는 발바닥 근육의 층별 위치에 따라 기술한다.

1) 첫째층 근육

피부에 가장 가까운 첫째층에는 발바닥 널힘줄에 덮여 있으며 발꿈치뼈에서 일고 독립된 근막에 싸이는 엄지 벌림근, 짧은 발가락 굽힘근과 새끼 벌림근이 있다.

엄지 벌림근(adductor hallucis m.)은 발바닥 안쪽 모서리를 따라 위치하며 발꿈치뼈 융기 안쪽 돌기, 발바닥 널힘줄과 안쪽 근육 사이막에서 일어나고 엄지 발가락 첫마디뼈 바닥 안쪽에 닿는다.

이 근육은 엄지 발가락을 벌리고 굽히며 안쪽 발바닥 신경이 분포한다. 근육의 깊은면으로 발바닥으로 들어가는 혈관과 신경이 지나간다.

짧은 발가락 굽힘근(flexor digitorum brevis m.)은 발바닥 널힘줄에 덮여 있는 근육으로 발꿈치뼈 안쪽 융기, 발바닥 널힘줄의 뒤쪽 1/3과 안쪽 및 가쪽 근육 사이막에서 일어나고 가쪽 발가락 4개를 향하는 힘줄로 나뉘어 긴 발가락 굽힘근의 힘줄과 함께 각 발가락의 발가락 섬유집(digital fibrous sheath)으로 들어간다. 힘줄은 각 발가락의 첫마디뼈 바닥에서 두가닥으로 나뉘어 긴 발가락 굽힘근의 힘줄을 감싸면서 합쳐져 중간 마디뼈 바닥에 닿는다. 발가락 섬유집은 발허리뼈 머리에서 끝마디뼈 바닥사이에서 뼈에 붙어 굽힘근 힘줄을 싸는 섬유뼈관(fibroosseous canal)을 형성하여 굽힘근 섬유집(flexor sheath)이라고도 한다. 섬유집은 첫 마디뼈와 중간 마디뼈의 몸통에서 가로 달리는 강한 섬유로 이루어지고, 관절 주변에서는 가늘고 비스듬한 섬유가 십자 모양으로 구성된다. 다섯 발가락에서 섬유집속에 위치하는 윤활집은 굽힘근 힘줄을 싸는 굽힘근 힘줄집(tendon sheath of flexor m.)이 되고 그 끝에는 힘줄끈(vincula tendinum)이 있어 뼈막으로 연결된다.

짧은 발가락굽 힘근은 엄지 발가락을 제외한 가쪽 발가락의 몸쪽 발가락뼈 사이관절을 굽히고 안쪽 발바닥 신경이 분포한다.

새끼 벌림근(abductor digiti minimi m.)은 발가락 가쪽 모서리를 따라 위치하며 발꿈치뼈 융기의 안쪽 및 가쪽 돌기와 그 사이면, 가쪽 발바닥 근막과 가쪽 근육 사이막에서 일어나고, 새끼 발가락 첫마디뼈 바닥의 가쪽에 닿는다. 이 근육은 새끼 발가락을 벌리고, 굽힘을 보조하며, 가쪽 발바닥 신경이 분포한다. 근육의 깊은 면으로 가쪽 발바닥 신경과 혈관이 지나간다.

2) 둘째층 근육

둘째층에는 발바닥 네모근과 벌레근이 위치한다.

발바닥 네모근(quadratus plantae m.)은 긴 발바닥 굽힘근의 덧근육(accessory m.)이며, 긴 발바닥 인대에 의해 나뉘는 두갈래로 일어난다. 안쪽 갈래(medial head)는 발꿈치뼈 안쪽 긴 엄지 굽힘근 힘줄 고랑 아래의 오목면과 긴 발바닥 인대의 안쪽 모서리에서 큰 근육으로 일어나고, 가쪽 갈래(lateral head)는 발꿈치뼈 바닥면 가쪽 모서리와 긴 발바닥 인대에서 납작한 힘줄로 일어난다. 두 갈래의 근육은 직각을 이루며 만나 납작한 띠를 형성하고 발바닥 중간부에서 긴 발바닥 굽힘근 힘줄의 가쪽 모서리와 위면 및 아래면에 닿는다. 이 근육은 긴 발가락 굽힘근 힘줄을 당겨 긴 발가락 굽힘근의 굽힘 작용을 보조하고, 가쪽 발바닥 신경이 분포한다. 발바닥 네모근은 짧은 발가락 굽힘근으로 덮이고 두 근육사이로 가쪽 발바닥 혈관과 신경이 지나간다.

벌레근(lumbrical mm.)은 작은 근육 4 개로 구성되며 긴 발가락 굽힘근의 힘줄이 갈라지는 곳에서 일어난다. 가장 안쪽에 위치하는 첫째 벌레근은 둘째 발가락을 향하는 긴 발가락 굽힘근의 첫째 힘줄의 안쪽에서 일어나고, 가쪽에 위치하는 근육 3 개는 이웃하는 힘줄에서 두 갈래로 일어나 합쳐진다. 이 근육의 힘줄은 깊은 가로 발허리 인대(deep transverse metatarsal ligament)의 바닥쪽에서 앞으로 가서 4개의 가쪽 발가락 안쪽을 지나 각 발가락에서 발가락 첫마디뼈 등쪽을 지나는 긴 발가락 폄근 힘줄과 폄근 널힘줄(extensor expansion)에 닿는다. 벌레근은 발허리 발가락 관절을 굽히고 발가락뼈 사이 관절을 펴며, 첫째 벌레근에는 안쪽 발바닥 신경이, 나머지 벌레근에는 가쪽 발바닥 신경이 분포한다.

3) 셋째층 근육

셋째층에는 짧은 엄지 굽힘근, 엄지 모음근과 짧은 새끼 굽힘근이 있다.

짧은 엄지 굽힘근(flexor hallucis brevis m.)은 첫째 발허리뼈 바닥 주변에 위치하는 근육으로 뒤 정강근 힘줄, 첫째 발허리뼈 안쪽면, 입방뼈 바닥면 안쪽과 연접하는 가쪽 쐐기뼈에서 일어나고 두갈래로 나누어 엄지 발가락 첫마디뼈의 안쪽과 가

쪽에 닿으며, 힘줄 사이로 긴 엄지 굽힘근 힘줄이 지나간다. 각 힘줄이 닿는 부분에서 흔히 관찰되는 종자뼈(sesamoid bone)는 베어링(bearing) 역할을 한다. 이 근육은 엄지 발가락 첫마디를 굽히고 안쪽 발바닥 신경이 분포한다.

엄지 모음근(adductor hallucis m.)은 빗 갈래와 가로 갈래로 구성된다. 빗 갈래(oblique head)는 크고 두꺼운 힘살로 둘째, 셋째 및 넷째 발허리뼈 바닥과 긴 종아리근의 힘줄집에서 일어나고, 가로 갈래(transverse head)는 좁고 납작한 근육 다발로 셋째, 넷째 및 다섯째 바닥쪽 발허리 발가락 인대와 깊은 가로 발허리 인대에서 일어나며, 두갈래는 합쳐져 엄지 발가락 첫마디뼈 바닥의 가쪽면에 닿는다. 이 근육은 엄지 발가락을 모으며, 엄지 발가락의 첫마디를 굽히고 발의 가로활을 유지시키는 보조 역할을 하며 가쪽 발바닥 신경이 분포한다.

짧은 새끼굽 힘근(flexor digitiminimi m.)은 새끼 벌림근의 안쪽 다섯째 발허리뼈에 붙는 근육으로 다섯째 발허리뼈 바닥과 긴 종아리근 힘줄집(tendon sheath of peroneus longus m.)에서 일어나고, 새끼 발가락 첫마디뼈 바닥 가쪽면에 닿는다. 이 근육은 새끼 발가락 첫마디를 굽히고 가쪽 발바닥 신경이

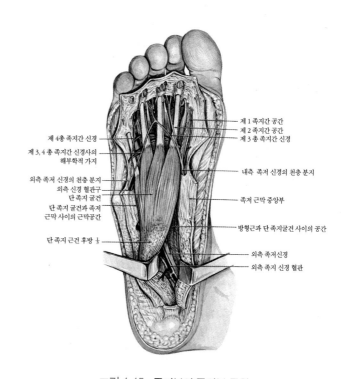

그림 1-15. 족저부의 중앙부 구획

제 1 족지간 공간
제 2 족지간 공간
제 3 총 족지간 신경

제 4총 족지간 신경

제 3,4 총 족지간 신경사의 해부학적 가지

내측 족저 신경의 천충 분지

외측 족저 신경의 천충 분지
외측 신경 혈관구
단족지 굴건

족저 근막 중앙부

단족지 굴건과 족저 근막 사이의 근막공간

방형근과 단족지굴건 사이의 공간

단족지 근건 후방 ½

외측 족저신경

외측 족지 신경 혈관

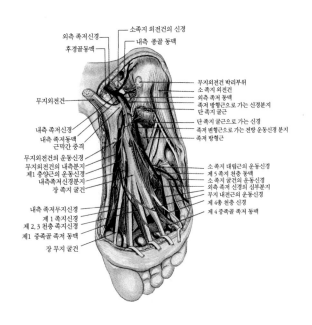

그림 1-16. 족저부의 구조물

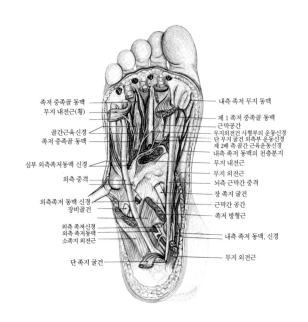

그림 1-17. 족저부 심층 구조물

분포한다.

4) 넷째층 근육

발바닥에서 가장 깊은 층으로 등쪽뼈 사이근과 바닥쪽뼈 사이근이 있다.

등쪽뼈 사이근(dorsal interossei mm.)은 깃털형 근육 (pennate m.)으로 구성된 근육 4개로 발허리뼈 사이에 위치하며 이웃하는 발허리뼈에서 두갈래로 일어나 합쳐진다. 닿는 곳은 첫째 등쪽뼈 사이근이 둘째 발가락 첫마디뼈 바닥 안쪽면이고 둘째, 셋째 및 넷째 등쪽뼈 사이근은 둘째, 셋째 및 넷째 발가락 첫마디뼈 바닥 가쪽면이며, 긴 발가락 폄근의 등쪽 널힘줄에도 닿는다. 이 근육은 둘째 발가락을 축으로 발가락을 벌리며, 발가락 첫마디를 굽히고 중간 및 끝마디뼈를 펴는 것을 돕고, 가쪽 발바닥 신경이 분포한다. 첫째 등쪽뼈 사이근의 두 갈래가 이는 곳 사이의 공간으로 발등 동맥의 가지인 깊은 발바닥 동맥이 발바닥으로 내려가고 가쪽의 세근육이 이는 곳 사이의 공간으로는 관통 혈관이 발등쪽으로 간다.

바닥쪽뼈 사이근(plantar interossei m.)은 3개로 발허리뼈의 바닥쪽에 위치하며 각 근육은 셋째, 넷째 및 다섯째 발허리뼈 몸통의 안쪽 및 바닥면에서 일어나고 각 발가락의 첫마디뼈 바닥의 안쪽면과 긴 발가락 폄근 힘줄의 등쪽 널힘줄에 닿는다. 이들 3근육의 명칭은 둘째, 셋째 및 넷째 바닥쪽뼈 사이근이라 한다. 둘째 발허리뼈에서 일어나 둘째 발가락의 첫마디뼈 바닥에 닿는 첫째 바닥쪽뼈 사이근은 짧은 엄지 굽힘근과 합쳐져 분리하기 어렵기 때문에 바닥쪽뼈 사이근은 3개로 기술하는 것이 일반적이다. 이 근육은 둘째 발가락을 축으로 가쪽 발가락을 모으며, 첫마디뼈의 굽힘과 중간 및 끝마디뼈의 폄을 돕고, 가쪽 발바닥 신경이 분포한다.

발바닥의 근육을 층별로 기술하는 것이 해부학적으로 편리하지만 근육의 위치와 집단작용을 이해하는 것은 칸 (compartment)별로 기술하는 것이 용이하다.

엄지칸이라고 불리는 안쪽칸(medial compartment)에는 엄지 벌림근과 짧은 엄지 굽힘근이 있으며, 새끼칸이라고 불리는 가쪽칸(lateral compartment)에는 새끼 벌림근과 짧은 새끼 굽힘근이 있다. 엄지칸과 새끼칸 사이의 공간은 바닥쪽뼈 사이근막(plantar interosseous fascia)에 의해 얕은 쪽으로 가운데 칸(central compartment)과 깊은 쪽의 뼈사이 모음근칸(interosseo-adductor compartment)이 있다. 가운데 칸에는 짧은 발가락 굽힘근, 발바닥 네모근과 벌레근이 위치하고 뼈사이 모음근칸에는 엄지 모음근과 바닥쪽 및 등쪽뼈 사이근이 있다.

5. 발목 관절과 발가락 관절에서의 집단 작용

1) 발목 관절에서의 집단 작용

발의 등쪽 굽힘은 앞 정강근, 긴 발가락 폄근, 긴 엄지 폄근과 셋째 종아리근의 작용으로 일어나며, 이 과정 중 앞 정강근과 긴 엄지 폄근에서 나타나는 안쪽 번짐은 짧은 종아리근, 긴 발가락 폄근과 셋째 종아리근의 길항 작용에 의해 상쇄된다. 발의 바닥쪽 굽힘은 장딴지근, 가자미근, 장딴지 빗근, 긴 종아리근, 짧은 종아리근과 뒤 정강근의 작용으로 일어나며, 운동에 대해 저항이 있을 경우에는 긴 발가락 굽힘근과 긴 엄지 굽힘근도 함께 작용한다.

발의 안쪽 번짐은 주로 앞 정강근과 뒤 정강근의 작용으로 일어난다. 앞 정강근은 안쪽 번짐을 강하게 일으키지만 뒤 정강근은 모음 작용이 더 강하다. 발의 가쪽 번짐은 긴 및 짧은 종아리근의 작용으로 일어난다. 긴 종아리근은 가쪽 번짐 작용이 강하지만, 짧은 종아리근은 벌림 작용이 더 강하다. 셋째 종아리근도 가쪽 번짐을 일으키며 갑작스런 가쪽 번짐이 일어나게 될 때에는 긴 발가락 폄근도 작용한다.

2) 발가락 관절에서의 집단 작용

발가락 첫마디의 굽힘은 벌레근과 뼈사이근의 작용으로 일어나며, 새끼 발가락에는 짧은 새끼 굽힘근과 새끼 벌림근이 강하게 작용한다. 중간마디의 굽힘은 짧은 발가락 굽힘근의 작용으로 나타나고 끝마디의 굽힘은 긴 발가락 굽힘근과 발바닥 네모근의 작용으로 일어난다. 가운데 마디가 없는 엄지 발가락의 경우 첫마디의 굽힘은 짧은 엄지 굽힘근, 엄지 벌림근과 엄지모 음근의 작용으로 일어나고 끝마디의 굽힘은 긴 엄지 굽힘근의 작용으로 나타난다.

발가락의 폄은 긴 발가락 폄근, 긴 엄지 폄근과 짧은 발가락 폄근의 작용으로 나타나지만 뼈사이근, 벌레근, 새끼 벌림근과 엄지 벌림근의 작용으로도 일어날 수 있다.

발가락의 벌림과 모음은 둘째 발가락을 중심으로 일어나는 운동으로 벌림은 등쪽뼈 사이근, 엄지 벌림근과 새끼 벌림근의 작용으로 일어나고, 모음은 바닥쪽뼈 사이근과 엄지 모음근의 작용으로 나타난다.

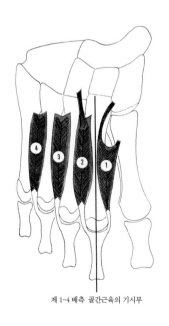

제 1~4 배측 골간근육의 기시부

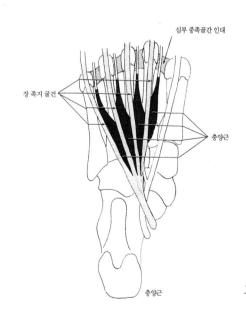

그림 1-18. 발의 내재근(골간근육과 충양근)

VII. 발의 혈관과 신경

1. 발의 동맥

발에는 앞 정강 동맥의 발등 동맥, 뒤 정강 동맥의 안쪽 및 가쪽 발바닥 동맥과 뒤 정강 동맥의 가지인 종아리 동맥의 가쪽 발꿈치 뼈가지가 분포한다.

1) 발등 동맥

발등 동맥(dorsal a. of foot, dosalis pedis a, dorsal plantar a.)은 앞 정강 동맥의 연속으로 발등에 분포한다. 발등 동맥은 양쪽 복사 사이에서 시작하여 발등의 정강뼈쪽을 따라 긴 엄지 폄근과 긴 발가락 폄근의 힘줄 사이, 아래 폄근 지지띠의 깊은 면에서 앞으로 가면서 목발뼈 머리, 발배뼈, 중간 쐐기뼈 등을 지난다. 발허리뼈 사이 공간에서 이 동맥의 끝가지인 첫째 등쪽 발허리 동맥과 깊은 발바닥 동맥이 나뉘며, 근처 피부에서 동맥의 박동을 느낄 수 있다. 이 동맥의 가지로는 가쪽 발목 동맥, 안쪽 발목 동맥, 활꼴 동맥, 첫째 등쪽 발허리 동맥과 깊은

발바닥 동맥이 있다. 가쪽 발목 동맥(lateral tarsal a.)은 목말뼈 머리를 지나는 발등 동맥에서 나와 짧은 발가락 폄근 깊은면에서 활모양으로 진행하고 짧은 발가락 폄근과 목말뼈의 관절 부위에 혈액을 공급한다. 이 동맥은 발등 동맥의 다른 가지인 활꼴 동맥과 연결되어 발등의 동맥 그물을 형성하고, 앞 정강 동맥의 가지인 안쪽 앞 복사 동맥(anterior medial malleolar a.), 뒤 정강 동맥의 가쪽 발바닥 동맥, 종아리 동맥이 관통 가지 (perforating branch) 등과도 동맥 연결을 이루게 된다.

안쪽 발목 동맥(medial tarsal a.)은 발의 안쪽에 분포하는 작은가지 2~3개로 안쪽 복사 얼기와 연결된다.

활꼴 동맥(arcuate a.)은 안쪽 쐐기뼈와 둘째 발허리뼈 바닥 사이를 지나는 발등 동맥에서 일어나 가쪽으로 짧은 발가락 폄근의 힘줄 깊은 면으로 4개의 발허리 뼈바닥을 지나면서 둘째, 셋째 및 넷째 등쪽 발허리 동맥(dorsal metatarsal a.)을 낸다. 각 등쪽 발허리 동맥은 등쪽뼈 사이근의 얕은 면으로 내려가 이웃하는 발가락으로 가는 등쪽발가락동맥(dorsal digital a.) 두 개로 나뉜다. 등쪽 발허리 동맥은 발허리뼈 사이 공간의 몸쪽에서 발바닥 동맥활의, 먼쪽에서는 바닥쪽 발허리 동맥의 관통 가지와 연결된다.

첫째 등쪽 발허리 동맥(first dorsal metatarsal a.)은 첫째 등쪽 뼈사이근의 표면을 따라 내려와 엄지 발가락과 둘째 발가락에 등쪽 발가락 동맥을 낸다.

깊은 발바닥 동맥(deep plantar a.)은 첫째 등쪽뼈 사이로의 두갈래 사이로 발바닥으로 가서 가쪽 발바닥 동맥의 끝가지와 연결되어 발바닥 동맥활을 형성하고, 엄지 발가락과 둘째 발가락에 분포하는 바닥쪽 발가락동맥을 내는 첫째 바닥쪽발 허리 동맥을 분지한다.

2) 안쪽 발바닥 동맥

안쪽 발바닥 동맥(medial plantar a.)은 뒤 정강 동맥의 끝가지중 작은 가지로 뒤 정강 동맥이 굽힘근 지지띠를 지나는 부분에서 시작하여 안쪽 발바닥 신경과 함께 발의 안쪽을 따라가 엄지 벌림근의 깊은 면을 지나고 짧은 발가락 굽힘근과 이 근육 사이를 지나면서 두 근육에 분포한다. 첫째 발허리뼈 바닥 위치에서 가늘어지면서 얕은 가지와 깊은 가지로 나뉘어 얕은 가지(superficial branch)는 엄지 발가락의 안쪽을 따라 앞으로

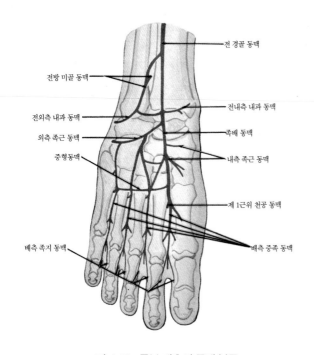

전 경골 동맥
전방 미골 동맥
전내측 내과 동맥
전외측 내과 동맥
외측 족근 동맥
중형동맥
족배 동맥
내측 족근 동맥
제 1근위 천공 동맥
배측 족지 동맥
배측 중족 동맥

그림 1-19. 족부 배측의 동맥 분포

가서 안쪽의 피부에 분포하고 첫째 바닥쪽발 허리 동맥의 가지와 연결된다.

깊은 가지(deep branch)는 안쪽 발바닥 신경의 발가락 가지와 함께 가는 얕은 발가락 가지 3개를 분지하여 안쪽에 위치하는 바닥쪽 발허리 동맥 3개와 연결된다.

3) 가쪽 발바닥 동맥

가쪽 발바닥 동맥(lateral plantar a.)은 뒤 정강 동맥 끝가지 중 큰가지로 가쪽 발바닥 신경과 함께 앞가쪽으로 엄지 벌림근과 짧은 발바닥 굽힘근의 깊은 면을 지나고 다섯째 발허리뼈 바닥의 가쪽에서 휘어서 가쪽 발바닥 신경의 깊은 가지와 함께 첫째와 둘째 발허리뼈 사이 공간의 몸쪽을 향해 안쪽으로 가서 엄지 모음근 깊은면에서 발등 동맥의 연장인 깊은 발바닥 동맥과 연결되어 깊은 발바닥 동맥활(deep plantar arch)를 형성한다.

깊은 발바닥 동맥활은 둘째, 셋째 및 넷째 발허리뼈 사이 공간의 몸쪽에서 등쪽 발허리 동맥과 연결되는 관통 가지 3개와 발허리뼈 사이에서 바닥쪽 발가락 동맥(plantar digital a.) 두개로 나뉘는 바닥쪽 발허리 동맥(plantar metatarsal a.) 4개를 분

지한다. 바닥쪽 발가락 동맥이 나뉘는 곳에서 관통 가지가 나와 등쪽 발허리동맥에서 나온 가지와 연결된다. 이외에 종아리 동맥의 끝가지인 가쪽 발꿈치 뼈가지는 발꿈치의 가쪽 부위에서 앞 정강 동맥의 가지인 가쪽 앞복사 동맥(anterior lateral malleolar a.) 및 종아리 동맥의 가쪽 복사가지(lateral malleolar branch)와 연결되고, 발꿈치 뒤에서는 뒤 정강 동맥의 안쪽 발꿈치뼈 가지(medial calcaneal branch)와 연결된다.

2. 발의 정맥

발의 얕은 정맥은 이미 서술하였으므로 여기서는 발의 깊은 정맥에 대해 기술한다. 바닥쪽 발가락 정맥(plantar digital v.)은 등쪽 발가락 정맥(dorsal digital v.)에 연결 정맥을 낸 다음 합쳐져 바닥쪽발 허리 정맥(plantar metatarsal v.) 4개를 형성하고, 다시 합쳐져 깊은 바닥쪽 정맥활(deep plantar venous arch)을 이룬다. 엄지 모음근과 뼈사이근 사이를 깊은 발바닥 동맥활과 함께 지나는 정맥활에서 안쪽 발바닥 정맥(medial plantar v.)과 가쪽 발바닥 정맥(lateral plantar v.)이 나와 같은 이름의 동맥과 함께 주행한다. 두정맥은 각각 큰 두렁 정맥 및 작은 두렁 정맥과 연결 정맥을 내어 연결되고, 안쪽복사 뒤에

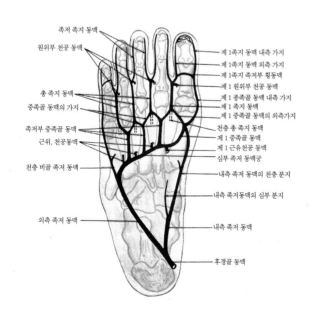

그림 1-20. 발바닥 동맥

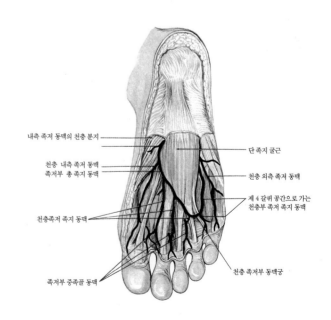

그림 1-21. 천층 족저 동맥궁

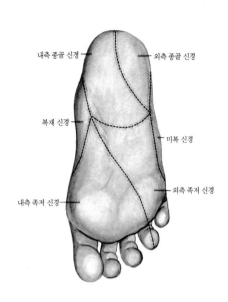

그림 1-22. 족저부 피하 신경 분포

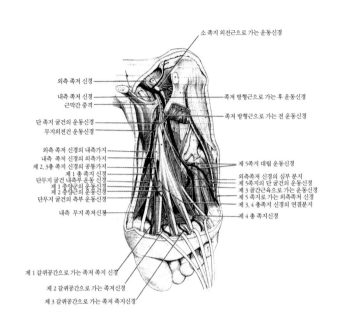

그림 1-23. 우측 족부의 족저부(천층 및 심부층)

서 합쳐져 뒤정강정맥(posterior tibial v.)을 형성한다.

3. 발의 신경

발에 분포하는 피부 신경은 이미 기술하였고 여기서는 발의 깊은 구조물에 분포하는 신경에 대해 서술한다. 발에는 정강 신경의 끝가지인 안쪽 및 가쪽 발바닥 신경과 깊은 종아리 신경이 분포한다.

1) 안쪽 발바닥 신경

안쪽 발바닥 신경(medial plantar n.)은 정강 신경의 끝가지 중 큰 것으로 안쪽 발바닥 동맥의 가쪽으로 주행한다. 굽힘근 지지띠를 지나는 부분의 정강 신경에서 일어나 엄지 벌림근의 깊은면을 통해 앞쪽으로 가서 짧은 발가락 굽힘근의 깊은면에서 이 근육으로 근육 가지를 내고 엄지 발가락의 안쪽을 향하는 고유 바닥쪽 발가락 신경(proper plantar digital n.)을 내며, 계속 앞으로 가면서 발허리 사이 공간의 바닥쪽을 향하는 온바닥쪽 발가락 신경 3개로 나뉘어 이웃하는 발가락으로 고유

바닥쪽 발가락 신경을 낸다. 이 신경은 발가락의 관절과 피부에 분포하며 등쪽가지를 내어 발톱 주위에도 분포한다. 엄지 발가락으로 향하는 고유 발가락 신경에서 짧은 엄지 굽힘근으로 가는 근육 가지가 나오고, 엄지 벌림근으로 가는 가지는 고유 발가락 신경이 일어나기 전 부분에서 나오며, 첫째 온바닥쪽 발가락 신경에서는 첫째 벌레근으로 가는 가지가 일어난다. 이외에 발목과 발허리에 분포하는 관절 가지와 엄지 벌림근과 짧은 발가락 굽힘근 사이에서 발바닥 널힘줄을 뚫고 발바닥 피부에 분포하는 발바닥 피부 가지가 있다.

2) 가쪽 발바닥 신경

가쪽 발바닥 신경(lateral plantar n.)은 정강 신경의 작은 끝가지로 가쪽 발바닥 동맥의 안쪽에 놓여 발의 가쪽을 지나 짧은 발가락 굽힘근 및 발바닥 네모근과 새끼 벌림근 사이에서 얕은 가지와 깊은 가지로 나뉜다. 이때 발가락 네모근과 새끼 벌림근을 향하는 근육 가지가 나온다. 깊은 가지(deep branch)는 가쪽 발바닥 동맥과 함께 긴 엄지 굽힘근과 엄지 모음근의 힘줄 깊은 곳을 지나며 넷째 발허리뼈사이공간에 위치하는 뼈

사이근을 제외한 모든 뼈사이근, 둘째, 셋째 및 넷째 벌레근과 엄지 모음근에 분포한다. 얕은 가지(superficial branch)에서는 넷째와 새끼 발가락을 향하는 고유 바닥쪽 발가락 신경이 나뉘는 온 바닥쪽 발가락 신경, 새끼 발가락 가쪽에 분포하는 고유 바닥쪽 발가락 신경, 그리고 짧은 새끼 굽힘근, 새끼 벌림근, 넷째 발허리뼈 사이 공간에 있는 뼈사이근 2개에 분포하는 근육 가지가 있다. 얕은 가지의 온 바닥쪽 발가락 신경은 안쪽 발바닥 신경은 셋째 온 바닥쪽 발가락 신경과 교통한다.

3) 깊은 종아리 신경

깊은 종아리 신경(deep peroneal n.)은 온 종아리 신경(common peroneal n.)의 깊은가지로 폄근 지지띠의 깊은면을 지나 가쪽과 안쪽 끝가지로 나뉘어 끝난다. 가쪽 끝가지(lateral terminal branch, external branch)는 짧은 발가락 폄근을 지나면서 점점 커져 짧은 발가락 폄근에 분포한다. 커진 부분에서는 작은 뼈사이 가지(interosseous branch) 3개가 나와 발목뼈

관절, 둘째, 셋째 및 넷째 발가락의 발허리 발가락 관절에 분포한다. 안쪽 끝가지(medial terminal branch, internal branch)는 발등 동맥과 함께 가다 첫째 발허리뼈 사이 공간에서 엄지와 둘째 발가락으로 가는 두개의 등쪽 발가락 신경(dorsal digital n.)으로 나뉘며 나뉘기 직전에 나오는 뼈사이가지는 엄지 발가락의 발허리발가락관절과 첫째등쪽뼈사이근에 분포한다.

한편, 얕은 종아리 신경은 발에서 근육 가지를 내지 않으며 안쪽 및 중간 등쪽 피부 신경(medial and intermediate dorsal cutaneous n.)을 내어 발가락에 분포한다. 안쪽 등쪽 피부 신경은 엄지 발가락 안쪽과 둘째와 셋째 발가락사이에 등쪽 발가락 신경을 내며 엄지 발가락 안쪽으로 가는 신경은 깊은 종아리 신경의 안쪽 끝가지에서 나오는 등쪽 발가락 신경과 교통한다. 중간 등쪽 피부 신경을 셋째 및 넷째와 넷째 및 새끼 발가락에 분포하는 등쪽 발가락 신경을 내며 장딴지 신경(sural n.)과 교통한다. 새끼 발가락의 가쪽의 등쪽 발가락 신경은 장딴지 신경에서 나온다.

2. 생체역학
Biomechanics

한양의대 정형외과 **성 일 훈**

I. 서론

족부 및 족근 관절의 기능들을 이해함에 있어서 기본적으로 해부학과 운동학, 동역학, 보행 기전 등의 생체 역학적인 요소들에 대한 지식은 족부의 정상적인 기능과 병적인 상태를 동시에 이해 할 수 있게 하는 지식 습득의 출발점과도 같다. 족부 및 족근 관절 영역에서의 병리 적인 상태에 대한 임상적 판단을 위하여는 해부학적, 기계 역학적인 기능적 고려가 요구되며 이러한 토대에서 임상 의학적으로 족부 질환을 진단하고, 치료와 예방 조치를 수행함에 있어서 근본적인 해결책을 찾을 수 있을 것으로 사료된다. 인간이 직립 활동 및 양발 보행(bipedal locomotion)을 하게 됨으로써 손을 사용할 수 있다는 크나 큰 기능을 얻게 되었고 반면에 보행 시 전체적인 안정성과 에너지 효율성 및 전진 속도 면에서는 일부 손해를 보는 동시에 족부 및 족근 관절은 보다 많은 부하를 견딜 수 있는 복잡한 구조물로 발전하였다. 족부는 체중을 지지하고 체부의 이동에 필요한 추진력과 진행 방향을 제공할 뿐만 아니라 그로 인하여 발생되는 물리적 충격을 흡수하며 지면에 대한 적응 및 체부의 중심 이동에 반응하여 균형을 유지하는 등의 많은 기능을 담당한다. 동시에 그러한 기능을 유지하기 위하여 족부 자체의 안정성을 유지하여야 하는 역할 또한 수행하고 있다. 이러한 역할을 담당하기 위하여 역학적으로 적응한 결과로써의 족부 및 족근 관절의 생체 역학적인 면을 고찰하고자 한다.

II. 본론

족부의 정적인 그리고 동적인 기능을 지속적으로 유지할 수 있도록 형성된 족부의 구조적 특성, 관절의 운동 등과 관련된 운동학, 그리고 능동적 또는 수동적으로 족부에서 발생하는 힘에 대한 동역학을 중심으로 족부의 생체역학과 보행에 관하여 기술하도록 하겠다.

1. 족부의 운동학 및 동역학

이론적으로 족부에서 관찰할 수 있는 운동학에 관련한 기본적인 관절운동을 3차원적인 기본평면, 즉 시상면(sagittal plane), 관상면(coronal 또는 frontal plane) 및 수평면(horizontal, axial 또는 transverse plane)에서 발생한다. 이러한 3차원 평면에 대한 수직축 (관절운동의 회전축)을 중심으로 관절의 원위부가 근위부를 기준으로 하여 회전하는 것은 관절 운동이라 정의하는 바, 시상면에서의 회전 운동을 굴곡과 신전, 관상면에서의 회전을 내번(inversion)과 외번(eversion)이라 하며 수평면 상에서의 관절 운동을 내회전과 외회전이라고 정의하지만 저자에 따라 후족부의 관상면상 회전을 내반(varus)과 외반(valgus)이라 하기도 하고, 전족부 및 중족부의 수평면상 회전은 내전(adduction)과 내전(abduction)이라 하기도 한다. 따라서 임상적으로 특정 관절의 회전축이 시상면의 수직축과 근접하여 그 회전축은 굴, 신을 주로 발생시키는 회전축으로, 관상면의 수직축과 근접하면 내, 외번을 주로 발생시키는 회전축으로 분류하는 바, 전자의 경우가 족근 관절, 후자의 경우가 거골하 관절이나 실제 그들 관절 축은 전술한 바와 같이 그리 단순하게만 정열되어 있지도 않고 개체차 또한 큰 것으로 알려져 있다.

족부에서 발생되는 동역학적인 사항들은 체중부하와 근육에서 발생되는 힘을 근간으로 그 사이의 작용에 의한 지면 반발력, 족저압, 관절 작용 힘(Joint reaction force)등이 있다.

1. 족부와 보행 주기

족부 및 족근 관절을 운행을 담당하는 자동차라고 비유하면 보행의 일차적인 목적은 몸통이라는 승객을 에너지 소비 면에서 효율적으로 또한 부드럽게 이동시키는 것이라 할 수 있다. 이러한 목적을 완수하기 위하여 성장 발달 중에 반복 학습되어 개체 차가 별로 없는 유사한 틀의 일반적인 보행의 형태(pattern)를 보이게 된다. 이는 제2 천추 앞에 놓인 몸체의 무게중심이 특징적인 편위(excursion)를 보이는 동안에 반복적인 보행의 형태를 보이게 되는 데 이런 반복의 단위를 보행 주기라 한다. 보행 주기는 보행 시에 한쪽 하지의 지면에 대한 연속된 최초 접촉 사이에서 일어나는 일련의 과정으로 정의하며 정상적인 상태에서의 보행 주기는 발뒤축 닿음(heel strike)에서 동일 족부의 연속된 다음의 발뒤축 닿음까지 이다. 단일 보행 주기의 전체거리를 활보 장(stride length)이라 정의하며 보장(Step length)은 보행 주기 중 한발과 이어지는 다른 발의 지면 접촉간의 거리이다. 보행의 속도는 분속수(cadence)라 하여 분당 발자국 수로 표시되며 성인에서 평균 분속 수는 약 100에서 110정도가 된다.

동일 족저부가 지면에 일부분이라도 접촉하고 있는 동안의 기간, 즉 발뒤축 닿음에서 발가락 들림(toe off)까지를 입각기라 하며 동일 족부의 발가락 들림에서 이어서 발생하는 발뒤축 닿음 까지를 유각기라 한다. 입각기는 보행 주기의 초반 62%를, 유각기는 후반 38%를 차지하고 있다. 정상적으로 항상 반대편 족부 보행 주기의 약 50%지점에서 보행 주기가 시작되며 동측 족부의 초반 약 12%지점에서 반대편 족부의 발가락 들림이 발생 하므로 보행 주기 12%에서 50%까지의 38%가 동측 단하지 지지 (single limb support) 기간이며 동측의 유각기, 즉 보행 주기의 62%에서 100%까지의 약 38%가 반대측 단하지 지지 기간이 된다. 이렇듯 반복되는 단하지 지지 기간 동안에 입각기의 하지가 체부를 지지하고 있는 동안에 유각기의 반대측 하지는 전방으로 전진하게 되어 체부의 전방 이동이 이루어진다. 따라서 양측 하지가 지면에 동시에 접촉하고 있는 입각기의 초반 약 12%와 보행주기의 50%에서 62%까지의 입각기의 후반 약 12%가 총 24%의 양하지 지지(double limb support) 기간이며(그림 2-1)보행속도가 빨라지면 양하지 지지기가 짧아지며 뛰게 되면 이는 없어지고 양 하지가 동시에 지면과 접촉하지 않는(float) 기간이 발생한다.

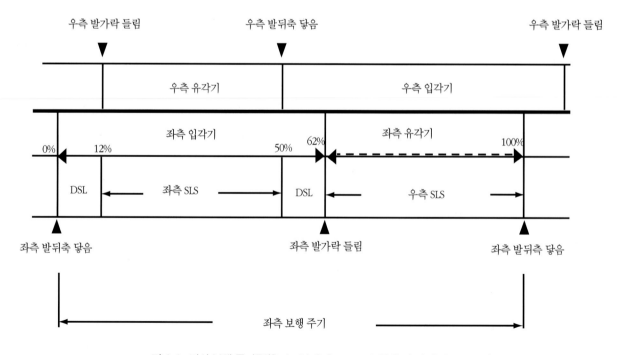

그림 2-1. 정상 보행 주기(DLS: double limb support, SLS: single limb support)

보행 시 족저부에서는 일련의 현상들을 관찰할 수 있는 바, 즉 입각기가 발뒤축 닿음으로 시작하여 보행 주기의 약7%에서 족저부 전체가 지면에 닿게 되는 발바닥 닿음(foot flat)이 발생하고, 약 34%의 시점에서 발뒤축 들림(heel off)이 시작하여, 약 62% 시점에서의 발가락 들림으로써 입각 기는 종료되고, 그리고 유각기의 시작이 반복된다. 또한 족부에서 발생하는 연속된 과정들에 따라서 보행 주기를 구분하기도 하는 바, 정상적인 상태에서 족부의 최초 접촉이 일어나는 발뒤축 닿음을 최초 접촉기(initial contact), 발뒤축 닿음에서 발바닥 닿음 까지를 체중 부하기(loading response), 발바닥 닿음에서 발뒤축 들림 까지를 중간 입각기(midstance), 발뒤축 들림에서 반대측 발의 발뒤축 닿음 까지를 종반 입각기(terminal stance), 체부 중심이 반대측 족부로 빠르게 이동하면서 발가락 들림이 발생하기까지를 전 유각기(preswing)로 나누며, 유각기를 또한 최초 유각기(initial swing), 선회기(midswing), 종반 유각기(terminal swing)으로 세분하기도 한다. 이들 각각의 과정에서도 각 과정의 업무, 중요 발생 사건, 동역학 및 운동학과 관련된 조건들이 발생한다(표 2-1). 이러한 보행 주기 내에서 각각의 하지는 체중을 받아 들이고(weight acceptance) 한발로 체부를 지지하고(single limb support) 하지를 전진시키는(limb advancement)

표 2-1. 보행 주기내 각 과정의 업무(Task) 및 주요 발생사건(Critical events)

	Interval of gait cycle	Task	Critical events
STANCE PHASE			
Initial Contact	0%	Weight acceptance	The ankle, positioned for the heel to strike the floor
Loading Response	0%-10%	Weight acceptance; shock adsorption, primarily by the quadriceps	Controlled ankle plantar flexion and knee flexion; hip stability
Midstance	10%-30%	Single-limb support; body progressing over the foot in a controlled manner; forward momentum, generated by the contralateral swing limb	Controlled tibial advancement
Terminal Stance	30%-50%	Single-limb support; the body passing in front of the foot, and forward progression, accelerated by kinetic energy generated primarily by the ankle plantar flexors	Heel rise
Preswing	50%-60%	Swing limb advancement; preparation and positioning of the limb for swing	Passive ankle, knee flexion
SWING PHASE			
Initial Swing	60%-75%	Swing limb advancement; variable acceleration is possible	Foot clearance
Midswing	75%-90%	Swing limb advancement	Vertical alignment of the tibia; foot clearance
Terminal Swing	90%-100%	Swing limb advancement, achievement of maximal step length, position the foot for initial contact and deceleration of swing limb	Knee extension to neutral

표 2-2. **보행주기의 각 단계별로 발생되는 반복되는 현상**

보행주기	입각기			유각기
	제1기	제2기	제3기	
보행 주기의 비율	0%-15%	15%-40%	40%-62%	62%-100%
하지의 회전	내회전	외회전	외회전	내회전
족근 관절의 운동방향	굴곡, 후반부에서 신전	신전	굴곡	신전
족부의 유연성	유연	경직	경직	유연
활동 근육	외재신전근	외재굴곡근, 내재근	외재굴곡근, 내재근	외재신전근

세가지 업무(task)를 수행 하게 된다.

기능적 반응에 따라서 입각기를 1, 2, 3기로 나누어 설명하기도 하며 각 단계별로 발생되는 일련의 현상들이 연속적으로 반복된다(표 2-2).

보행 시의 족저부 압력은 수직 압력뿐 만이 아니라 내, 외측 및 전, 후방으로의 전단력(shear force)이 추가되고(그림 2-2) 압력이 미치는 시간적 요소 및 압력의 반복 정도 등 기립 시와는 다른 요소들이 작용하므로 기립 시와 같이 족저부의 체중분담 역할을 단순화 할 수는 없다. 그러나 기립 시와 비교하여 족저부에 미치는 압력이 후족부 보다 전족부의 그것이 클 뿐만 아니라(표 2-3) 그 최고 압력 중심이 보행주기의 약 10% 정도에만 후족부에 있고 빠르게 전방으로 이동하여 입각기 후반 약 1/2 정도를 전족부에서 작용(그림 2-3)하는 등 기립 시와는 달리 보행 시에는 족부의 체중 분담 기능에 있어 전족부가 후족

부 보다 약 3배의 역할을 하는 것으로 알려져 있다.

일반적으로 정상적으로는 보행시의 족저부에 미치는 평균 압력은 약 75 Psi (pound/square inch) 이하로 보고된 바 있으며 잘 만들어진 신발을 시는 경우에는 약 50 Psi 정도로, 깔창을 착용하면 그 압력을 약 25 Psi 정도로 줄일 수 있다고 한다.

표 2-3. **정상 속도의 보행시(1.19m/sec) 족저부에 미치는 압력(단위 Kps)**

부 위	족저부 압력
발뒤축 중앙	358±87
내측 발뒤축	322±97
외측 발뒤축	210±58
중족부	57±44
제1 중족골두	299±137
제2, 3 중족골두	343±133
제5 중족골두	142±61
무지	317±116

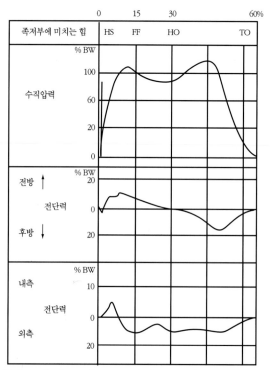

HS : Heel strike, FF : Foot flat, HO : Heel off, To : Toe off, Bw : Body weight

그림 2-2. **입각기 동안의 지면 반향력(Ground reaction forces)**

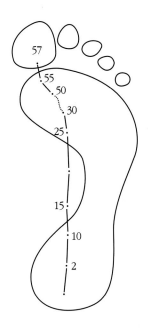

그림 2-3. 입각기의 족저부 압력 중심의 이동(숫자는 보행주기의 %)

4), 동적 안정은 외재 및 내재 근건 자체의 근력과 그에 기인되어 변화된 관절위치가 기여하는 지지력의 증대가 그 원동력으로 이해되고 있다.

체중 부하 시 사라지게 되는 전족부의 가로 궁과는 달리 중족부의 가로 궁과 족부 내, 외측 세로 궁에 의하여 족부는 체중 부하 시에도 아치 천장(vault)과 같은 형태를 유지하고 있으며 족근 관절을 통하여 전달 되어지는 체중에 의한 부하의 대부분이 지면과 닿고 있는 전족부와 후족부의 족저부로 전달되고 기립 시에는 근력 활동이 없기 때문에 전적으로 궁의 유지는 구성 골격과 지지 인대 등의 정적인 안정자들에 의하여 지지 된다.

기립 시 정상 상태에서의 족저부 체중 부하 분담은 족지부 3.6%, 족지를 제외한 전족부 28.1%, 중족부 7.8%, 후족부(발뒤축, heel)에 60.5%이며 후족부의 족저부 최고 압력은 전족부에 비하여 약 2.6배로 보고되고 있다(그림 2-5).

2. 족부 궁(arch)과 족부의 골격 구조

족부의 골격 구조는 열네개의 족 지골(족무지에 2개, 나머지 4개의 소족지에 각각 3개), 다섯 개의 중족골, 입방골, 주상골 및 세개의 설상골과 거골, 종골 및 각 개체마다 다양한 수의 부골(accessary bone)과 종자골(sesamoid bone)로 구성되어 있다. 이들을 전술한 족부 기능과 관련하여 족지골과 중족골을 전족부로, 입방골, 주상골 및 설상골을 중족부로, 거골과 종골을 후족부라는 기능적 단위로 분류한다.

시상면 상에서 종골, 거골, 주상골, 설상골 및 3개의 내측 중족골들은 내측 세로 궁을 형성하고 있으며 종골, 입방골 및 2개의 외측 중족골들이 외측 세로 궁을 이루고 있다. 관상면에서는 다섯 개의 중족골 두부들이 전족부 가로 궁을 형성하며 중족골 기저부와 중족부의 족근골들이 중족부 가로 궁을 이루고 있다. 이들 족부 궁의 유지는 동적 및 정적 안정력에 의하여 설명 되는 바, 족부 궁의 정적 안정은 족저 건막(plantar aponeurosis)의 기능에 주안점을 두는 형구(trust) 모델과 족부 골격들의 물리적 형태 및 그들을 연결하는 인대들의 기능을 주된 지지력으로 간주하는 보(beam) 모델로써 이해되며(그림 2-

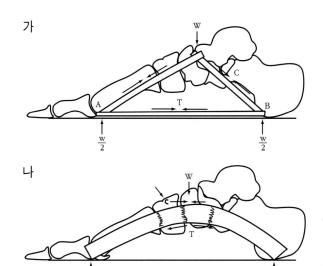

가. 형구(trust)모델, 나. 빔(beam)모델

AB: 족저 건막
C: compression(압력)
T: tension(장력)
W: load(부하)

그림 2-4. 족부궁의 정적 안정력을 유지하는 두가지 모델

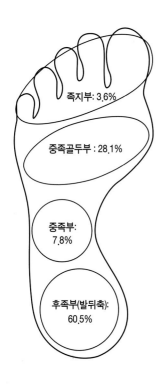

족지부: 3.6%

중족골두부 : 28.1%

중족부:
7.8%

후족부(발뒤축):
60.5%

그림 2-5. 기립 시 족저부의 체중 분담 비율

3. 족부의 관절 및 그 기능

전족부의 관절에는 각 족지골 사이의 족지 관절, 중족골과 족지골 사이의 중족족지 관절이 있다. 중족부의 관절은 Lisfranc 관절, 주상설상(1, 2, 3) 관절과, Chorpart 관절로 구성되어 있다. Lisfranc 관절은 중족설상(1, 2, 3) 관절과 중족(4, 5) 입방 관절로써 구성되어 있으며 거주상 관절과 종입방 관절이 포함되는 Chopart 관절은 횡족근 관절 또는 중족근 관절이라 하기도 한다. 후족부의 관절에는 엄격히 하자면 거골하 관절만이 있으나 족부의 관절 기능과 직접적 영향을 주고 받고 있는 족근 관절을 후족부의 관절에 포함시키기도 한다.

외재건이 작용하는 지렛대 축(moment arm)이 비교적 짧은 관계로 체중부하 하에서 이들은 관절 운동을 조절하는데 많은 근력이 필요하므로 관절에 미치는 힘은 상당히 커지게 되며 족부의 많은 관절들은 이들 관절에 전달되는 힘을 지연시키거나 서로 분산시키는데 도움이 될 수 있도록 구성되어 있다.

1) 전족부의 관절 기능

중족족지 관절들이 제2중족골 두부를 기점으로 외측으로 갈수록 근위부에 위치하여 족부의 장축에 대하여 평균 62도 경사지어 배열된 것을 중족골두간 경사(metatarsal break)라 하여 보행시 입각 기 제2기에 발생하는 하지의 외회전, 거골하 관절의 내번에 순응하는 구조로 설명한다. 보행시 입각기 후반에서 보이는 중족족지 관절의 배굴은 족저건막의 긴장도를 증가시켜서 족부 세로궁의 안정에 기여하며 특히 제1 중족골족지골 간 관절의 종자골은 이러한 역학적 이점을 증폭시키는 것으로 알려져 있다.

2) 중족부의 관절 기능

중족근골 간의 관절들은 다양한 인대들과 쐐기 모양의 중족근골 특유의 형태로 인하여 족부 궁의 안정자적 역할에 알맞은 구조를 보이고 있으며 전족부와 후족부의 연결부위인 Lisfranc 및 Chopart 관절에서의 관절운동은 지면에 대한 적응 및 균형에 중요한 역할을 담당하고 있다. 또한 이들은 족부궁의 윗쪽에 위치하여 이들 관절의 보전은 족부궁의 유지에 절대적이라 할 수 있다.

Lisfranc 관절에는 제2중족설상 관절과 같이 격자형태로 튼튼하게 고정된 관절(배굴각; 평균 0.6도)과 중앙부분에 있는 제3중족설상 관절(배굴각; 평균 1.6도)과 같이 움직임이 적어서 안정성을 제공하는 관절을 포함하고 있기도 하지만 변연부에 위치한 제1중족설상 관절(배굴각; 평균 3.5도)과 특히 제4,5중족입방 관절(배굴각; 평균 9.6 및 10.2도)에서는 비교적 큰 범위의 관절 운동이 관찰되는 바, 이는 전족부에 적응자(adaptor)로써의 기능을 제공하는 것으로 믿어진다.

횡족근 관절은 종입방 및 거주상 관절축의 배열과 관련되어 세로 궁의 정적 및 동적 안정에 특별한 역할을 담당한다. 거골하 관절의 외번 시 그 두 관절의 축이 평행한 정열을 이루어 횡족근 관절을 유연하게 하는 반면에, 내번근의 작용등에 의한 종골의 내번은 이들 관절축의 평행 배열을 사라지게 하여 횡족근골 간 관절이 강직 되게 한다는 역학적 효과는 보행 시 족부 궁 전반의 동적 안정에 중요한 역할을 담당하는 것으로 알려져 있다(그림 2-6). 또한 거주상 관절의 고정 시 후족부의 내, 외전

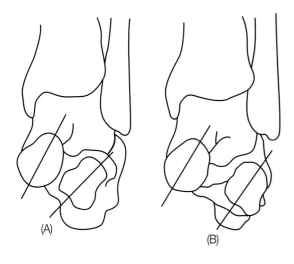

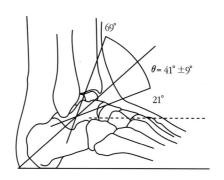

A. 내번시 횡족근 관절을 이루는 두 관절축의 평행배열이 소실된다.
B. 외번시 횡족근 관절을 이루는 두 관절의 축이 평행배열된다.

그림 2-6. 횡족근 관절축의 배열

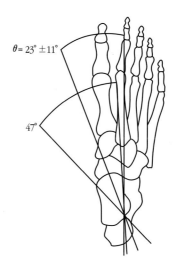

운동이 전적으로 제한되는 것으로 미루어 볼 때 이는 족부에 시상면상의 적응자적 기능에 중요한 역할을 하는 것으로 믿어진다.

그림 2-7. 거골하 관절 축

3) 후족부의 관절 기능

거골하 관절에서는 수평면상의 족부 종축에 대하여 전내측에서 후외측으로, 시상면상에서는 전상방에서 후하방을 향하고 있는 관절 축(그림 2-7)을 중심으로 관절운동이 발생하는 것으로 알려져 있다. 이 관절은 사접 경첩구조의 모델로써 이해하며 거골하 관절의 내번은 경골의 외회전을, 거골하 관절의 외번은 경골의 내회전을 유도하고 그 반대의 경우도 성립된다. 즉, 입각기에 발생하는 하퇴의 외회전력은 후족부의 내번을 유도하여 족부의 안정성에 기여하게 된다. 거골하 관절의 내번 및 외번은 지면에 대한 후족부의 적응과 균형에 관여할 뿐 아니라 입각 기 초반에서의 내번은 후족부에 미치는 체중에 의한 충격을 흡수하고 입각 기 후반에서의 내번은 전술한 바와 같이 횡족근 관절에 작용하여 족부의 동적 안정에 기여하는 것으로 알려져 있다.

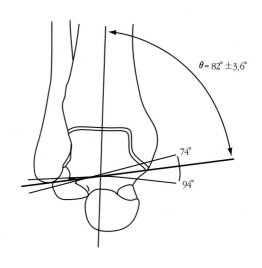

그림 2-8. 족근 관절 축

족근 관절의 관절축은 족근 관절 굴곡, 신전시의 위치뿐 아니라 다른 여러 가지 요소들에 의하여 변화하는 복잡한 역학 구조를 보이고 있으나 그 관절 축을 족근 관절의 주기능인 족부의 굴곡 및 신전과 관련하여 단순하게 표현한다면 족근 관절 내 과와 외 과의 말단부를 연결하는 선상에 있는 것으로 추정한다(그림 2-8). 이는 수평면상 족부의 종축에 대하여 전내측에서 후외측을 향하고 있어서 족부를 고정한 모델, 즉 보행주기의 입각 기로 이해할 때 그 회전축의 경사로 인하여 족근 관절의 신전은 하퇴부의 내회전을, 족근 관절의 굴곡은 하퇴부의 외회전을 초래하게 한다. 저자에 따라 다소의 차이를 보고하고 있으나 족근 관절의 운동범위는 신전 20도, 굴곡 50도의 범위이고 보행시에는 신전 10도, 굴곡 20도가 필요한 것으로 알려져 있으며 경사진 지면이나 계단 보행 및 주행 시에는 보행 시보다 더 큰 관절 운동이 요구된다.

4. 족부의 인대

전족부의 인대로는 족지골간 및 중족족지 관절막을 보강하는 족저 및 내, 외측 측부 인대가 있고 중족족지 관절의 족저 인대들은 심부 횡 중족 인대에 서로 연결되어 있어 족지골 및 중족족지골간 안정에 기여한다.

중족부의 인대를 족저부의 내, 외측 세로 궁과의 관계에 따라서 분류해보면 내측 세로 궁을 지지하는 인대로 족저부의 제1 중족설상 관절의 인대, 주상설상 관절의 인대, 및 주상골과 종골 간의 스프링 인대가 있고 외측 세로 궁을 지지하는 인대로는 제4, 5 중족입방 관절의 인대 및 장, 단 족저 인대(long and short plantar ligament)가 있으며 이들은 족저 건막과 함께 족부궁의 유지에 중요한 수동적 안정자(passive stabilizer) 역할을 담당한다.

중족골과 족근골간 관절은 격자형태의 제2 중족설상 관절을 중심으로 Lisfranc 인대를 포함하여 족저 중족족근 관절의 인대, 중족골간 인대에 의하여 지지된다. 그 외에도 내, 외측 세로 궁 및 중족부 가로궁에 속한 족부 골격들을 서로 연결시키고 있는 인대들과 중족부 관절들의 내측, 외측 및 배측에 위치한 다양한 인대들이 복합적으로 중족부 안정에 기여하고 있다.

특히 스프링 인대 복합체(spring ligament complex)는 중족부 뿐만 아니라 후족부의 안정성에도 기여를 하여 내측 세로궁 유지에 중요한 역할을 담당하고 있는 것으로 알려져 있다. 최근 스프링 인대를 고전적으로 스프링 인대로 알려진 족저 종주상 인대(plantar spring ligament)와 비교적 더 길고 두꺼운 상내측 종주상 인대(superomedial spring ligament)로 구분하는 바, 족저 종주상 인대는 좁고 전반적으로 섬유성 조직인 반면 상내측 종주상 인대는 섬유 조직 뿐 아니라 섬유성 연골 및 탄성체(elastin)를 포함하고 있는 더 튼튼한 인대로써 족부 아치 전반에 대한 하내측 방향의 안정에 기여할 뿐 아니라 족근 관절의 삼각 인대중의 한 부분인 경골-스프링 인대(tibiospring ligament)와 연결되어 후족부의 안정에도 일익을 담당하고 있다.

거골하 관절의 인대들 중에서 순수히 거골과 종골 간을 연결하는 인대로는 경인대, 거종 골간 인대, 후 거골하 관절의 전 관절막 인대, 외측 거종 인대 등이 있고 족근 관절의 안정성에도 동시에 기여하는 인대로는 외측에 종비 인대, 비거종 인대, 내측에 삼각 인대의 경종 인대가 있다. 하 신근 지대(inferior extensor retinaculum)도 외측 인대 복합체(lateral ligament complex)의 일부분으로 거골하 관절의 안정성에 기여하고 있다.

족근 관절의 인대에는 내측에 삼각 인대가 있으며 거골 외반에 대한 일차 방어자로 작용한다. 해부학적 부착부위에 따라 경주상 인대, 경골스프링 인대, 경종 인대, 경거 인대로써 분류하기도 하며 족근 관절 내측 안정성뿐 아니라 거골하 관절(경종 인대) 및 내측 세로 궁(경골-스프링 인대)의 안정성에도 기여하며 심부의 후 경거 인대는 거골 전방전이 제약 및 거골의 외회전 안정성에 기여한다.

외측에는 전 거비 인대, 후 거비 인대, 비종 인대, 비거종 인대 등이 있고 하 신근 지대와 함께 외측 인대 복합체를 형성하여 족근 관절 외측 안정성 및 거골 전방전이를 제약하는 기능을 담당하며 각각의 이들 인대가 내반력에 저항하는 기여도는 족근 관절의 위치에 따라 변화하는 것으로 알려져 있다.

원위 경비 인대 결합(syndesmosis)의 인대로는 전, 후 하 경비골간 인대, 하 횡 인대, 경비 골간 인대 및 골간 막이 있으며 이들은 거골의 외측 전이를 제약하고 족근 관절의 회전 안정성에 기여하는 것으로 보고되어 있다.

족저 건막(plantar aponeurosis)은 후족부(종골 하조면)로부터 전족부(족지 근위지골의 기저부)까지에 걸쳐서 족저부 전반에 걸쳐있는 구조물로써 족부 세로 궁에 중요한 수동적 안정자(passive stabilizer)로 알려져 있다. 기립에 의한 체중 부하 시 전족부와 후족부간에 발생되는 인장력은 족저 건막에 의하여 지지되어 세로궁이 유지되며 보행 시 입각기 후반부에 발생하는 중족족지 관절의 신전은 족저 건막을 감아 당기는 결과를 초래하여(windlass mechanism) 세로 궁을 거상시키고 종골의 내번을 유도하여 족부를 강직된 보(rigid lever)로써 변화시켜 궁을 보호하는 것으로 믿어진다.

5. 족부의 근건

족부의 골, 관절을 움직이는 근육에는 기시부와 부착부 모두를 족부골에 두고 있는 내재근과 족부에 부착부만을 가지고 있는 외재근이 있다. 관절 운동에 대한 이들 근건의 역할은 특정 관절의 회전축에 대한 이들 근건의 해부학적 위치에 의하여 결정된다. 즉, 족근관절 회전축에 의하여 구분된 족부 신전건 및 굴곡건이 다시 거골하 관절 축에 대한 위치에 따라서 족부 외번건 및 내번건으로 재분류 되는 것이다. 그러므로 족부에서

발생하는 실제적인 관절운동은 한 평면상에서 독자적으로 일어나지 않고 3차원적으로 발생하지만 편의상 지배적인 관절 운동만을 표시하는 경우가 많다. 관절 회전축에 대한 외재건의 배열 상태에 따라 분류하면 족근 관절 축 전방에 위치한 건의 근육을 족근 관절 신전근으로, 그 후방에 위치한 건의 근육을 족근 관절 굴곡근으로 분류하며 거골하 관절축 내측에 위치한 건의 근육을 내번근으로, 그 외측에 위치한 건의 근육을 외번근으로 분류한다(그림 2-9).

내재근에는 단 무지 굴근, 단 무지 신근, 단 족지 굴근, 단 족지 신근, 족저 방형근, 무지 내전근, 무지 외전근, 소족지 외전근, 소족지 굴근, 척측 및 배측 골간근과 충양근들이 있고 외재근에는 장 무지 굴근, 장 무지 신근, 장 족지 굴근, 장 족지 신근, 후 경골근, 전 경골근, 장 비골근, 단 비골근, 비복근, 가자미근, 장 족저근 들이 있다.

이들 근건의 기능은 그들이 부착된 족부 골에 작용하여 연관된 관절의 위치를 조절하며 체부의 이동에 필요한 추진력을 제공하는 동시에 그들 관절과 관련 인대를 보호하는 동적 안정자로써의 역할을 수행하여 체부의 이동에 관련하여 발생하는 추

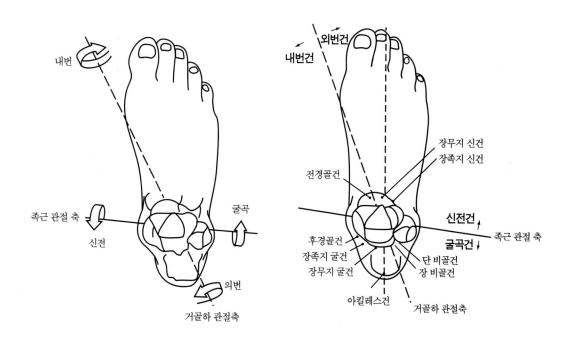

그림 2-9. 관절축에 의한 외재 근건의 작용과 분류

가적 스트레스를 감당케 한다. 특히 외재근 중 장 무지 굴근, 장
족지 굴근, 후 경골근 및 장, 단 비골근들의 건을 과 주위 근건
(perimalleolar tendons) 이라 하며 이들의 근건 단위들은 비복
근과 가지미근의 건인 아킬레스 건과 함께 족근 관절 굴곡건으
로서 족근 관절 굴곡을 지배하는 동시에 그들 간의 근력의 조
화에 의하여 족부의 내, 외번을 결정할 뿐만 아니라 보행 시 입
각기에서 지면에 부착된 족부에 대하여 하지가 전방으로 이동
할 때에 하지의 과도한 전방이동을 조절하여 유각기에 있는 반
대편 하지의 보다 긴 이동을 가능하게 한다.

족근 관절 신전건은 전 경골건, 장 족지 및 장 무지 신건으로
구성되며 이들은 유각기에 신전력을 제공하여 족부가 지면에
걸리지 않게 하며(foot clearance from ground), 특히 전 경골근
은 입각기 초반까지 그 활동을 유지하는 바 그 신전력으로 족
근 관절의 급격한 굴곡을 제어하여 족부가 지면에 대하여 착지
시에 강한 접촉(foot slap)을 방지하고 또한 그 내번력은 거골하
관절의 외번을 제어하여 족저부의 부드러운 착지를 가능케 하
여 입각기 초기의 조절된 슬관절 굴곡과 함께 충격 흡수(shock
absorption)의 기능을 제공한다.

족부 내재 근건의 역할은 장 족지 굴곡 및 신전 근건과 함께
균형을 이루어 중족지 및 근위지 관절의 움직임을 조절하고 보
행 시 입각기 후반에서 족부의 동적 안정력을 제공하는 것으로
알려져 있다. 또한 이들 모든 근건은 보행과 관련하여 위상 활
동성(phasic activity)을 보이는 바, 입각기에는 외재 굴근이, 유
각기와 입각기 초반에서는 외재 신근이 활동하게 된다(그림 2-
10). 이러한 위상 활동성은 건의 이전술(tendon transfer) 후에
도 변하지 않는 특징을 지니고 있으며 이들이 지니는 생체에서
의 절대 근력은 확인할 수 없으나 이론적으로는 생리적 단면적
(physiological cross sectional area)으로써 하퇴삼두근을 기준
으로 하면 후경골근은 그의 13%, 장무지 굴곡근은 7.3%, 장족
지 굴곡근은 3.7%, 장비골근은 11.2%, 단비골근은 5.3%, 전경
골근은 11.4%, 장무지 신전근은 2.4%, 장족지 신전근은 3.4%
의 상대적 근력을 보이는 것으로 알려져 있다. 족부 관절의 능
동적 운동은 상기 외재 및 내재 근건에 의하여 비롯되지만 특
정 관절에 종속되지 않은 골격의 위치변화에 의하여도 원격 관
절에 영향을 미치는 구조를 가지고 있으며 이러한 구조적 특성
을 이해함에 있어 족부를 하나의 꼬여 있는 판(twisted plate)의
모델을 이용하는 바, 특히 족부 관절의 유연성이 감소 또는 소

외재 및 내재 근육	0% HS	7% FF	34% HR	60% TO	100% HS
외재신근					
전경골근					
장족지 신근					
장무지 신근					
외재굴근					
하지삼두근					
후경골근					
장족지굴근					
장무지굴근					
장비근					
단비근					
내재근					

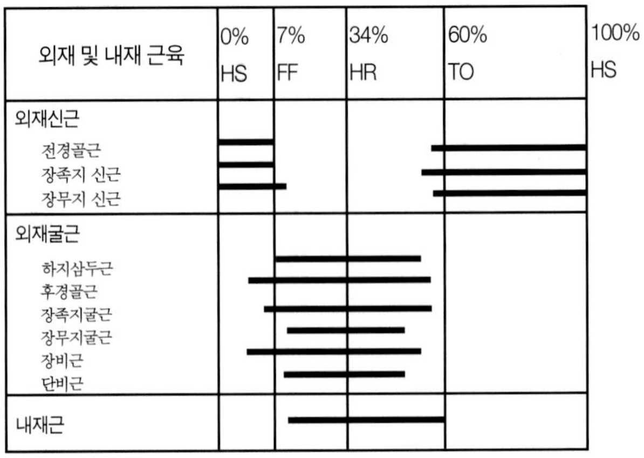

HS : Heel strike, FF : Foot flat
HR : Heel rise, To : Toe off

그림 2-10. 보행 시 족부 내, 외재 근의 위상 활동
(근육의 활동을 굵은 직선으로 표시하였다.)

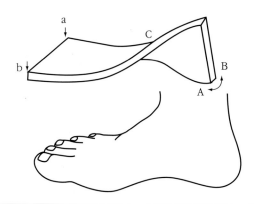

그림 2-11. 꼬여있는 부분(C)을 대표하는 횡족근 관절과 거골하 관절
등이 유연하지 못한 경우에는 꼬이는 정도를 조절함으로써 족부의 척
행(plantigrade)을 유지시키던 기능이 감소되므로 후족부의 내번이나
외번 위치가 직접적으로 전족부에 영향을 미치게 된다. 후족부의 내반
(A)은 전족부 외측 족저부의 압력을 증가 시키고(a), 후족부의 외반 (B)
은 전족부의 내측 족저부의 압력을 증가시킨다(b).

실되어 경직된 경우에 전족부 또는 후족부의 변형이 발생하는
경우 서로에게 영향을 주게 되며 후족부의 내반 변형은 전족부
의 외측 족저부에, 후족부의 외반 변형은 전족부의 내측 족저
부에 미치는 압력을 증가시키게 는 것이 그 좋은 예이다(그림
2-11).

III. 맺음말

족부의 다양한 기능을 이해하는 데 있어서 생체 역학이 그 근본적인 기본 지식을 제공하고 있음은 이론의 여지가 없으나 실험 방법론적 한계가 있는 것 또한 사실이다. 인체에 대한 지식의 한계와 생체 역학의 기술적 제약 등에 의하여 직접적인 임상으로의 접목에는 생체 역학이 지니고 있는 한계에 대한 많은 고찰이 필요하다. 그럼에도 불구하고 족부의 실제 기능에 근접한 실험 방법의 부단한 개선을 통하여 잘 알지 못하고 있었던 족부의 생체 역학에 대한 논리적 해석이 더 많이 가능하여지고 있다. 그 기능들을 중심으로 한 생체 역학적 구조물로써의 족부를 파악하는 것은 족부의 정상적인 기능과 역할에 대한 이해와 임상적으로 접하게 되는 병적인 문제들에 대한 해결과 예방의 기본이 될 것으로 사료된다.

■ 참고문헌

1. Basmajian JV and Stecko G: The role of muscles in arch support of the foot: An electromyographic study. J Bone Joint Surg, 45A:1184-1190, 1963.

2. Boulton AJ, Hardisty CA, Betts RP, Franks CI, Worth RC, Ward JD and Duckworth T: Dynamic foot pressure and other studies as diagnostic and management aids in diabetic neuropathy. Diabetes Care, 6:26-33, 1983.

3. Cavanagh PR and Ulbrecht JS: Biomechanical aspects of foot problems, in Boulton AJM Connor H and Cavanagh PR (eds): The foot in diabetes: 2nd ed. John Wiley & Sons Ltd. 1994, pp25-35

4. Cavanan PR, Rodgers MM and Liboshi A: Pressure distribution under symptom-free feet during barefoot standing. Foot Ankle, 7:262-276, 1987.

5. Davis WH, Sobel M, DiCarlo EF, Torzilli PA, Deng X, Geppert MJ, Patel MB and Deland J: Gross, histological, and microvascular anatomy and biomechanical testing of the spring ligament complex. Foot Ankle Int., 17:95-102, 1996.

6. Elftman H: The transverse tarsal joint and its control. Clin Orthop, 16:41-45, 1960.

7. Hamilton WG: Surgical anatomy of the foot and ankle. Clin Symp, 37:1-32, 1985.

8. Hicks JH: The mechanics of the foot: II. The Plantar aponeurosis and the arch. J Anat, 88:25-30, 1954.

9. Inman VT: The joints of the ankle. Baltimore, Williams & Wilkins, 1976.

10. Lundberg A, Goldie I, Kalin B, et al: Kinematics of the ankle/foot complex: Plantarflexion and dorsiflexion. Foot Ankle, 9:194-200, 1989.

11. Lundberg A, Svensson OK, Nemeth G, et al: The axis of rotation of the ankle joint. J Bone Joint Surg, 71B:94-99, 1989.

12. Mann R and Inman VT: Phasic activity of intrinsic muscles of the foot. J Bone Joint Surg, 46A:469-481, 1964.

13. Mann RA: Biomechanics of the foot and ankle, in Mann RA, Coughlin MJ(eds): Surgery of the Foot and Ankle. 6th, ed. St. Loui, MO, CB Mosby. 1993, vol 1, pp3-43.

14. Sarrafian SK: Anatomy of the Foot and Ankle: Descriptive, Topographic. Functional, 2nd ed. Philadelphia, PA, JB Lippincott, 1993.

15. Shereff MJ, Bejjani FJ and Kummer FJ: Kinematics of the first metatarsophalangeal joint. J Bone Joint Surg, 68A: 392-398, 1986.

16. Shereff MJ, Bregman AM and Kummer FJ: The effect of immobilization devices on the load distribution under the foot. Clin Orthop, 192:260-267, 1985.

3. 영상검사
Image

을지의대 을지병원 영상의학과 **최 윤 선**

족부질환이 의심되는 환자에서 적절한 영상검사를 선택하는 것은 정확한 진단과 치료 계획을 세우기 위하여 필요한 정보를 얻고자 하는 데 필수적이다. 적절한 영상검사의 선택과 이용은 특히 경비 절감 면에서도 중요하다고 본다.

족부질환의 진단에 이용되고 있는 영상검사로는 방사선촬영술, 초음파검사, 전산화단층촬영술, 자기공명영상, 관절조영술, 건막조영술, 핵의학검사, 혈관조영술 등이 있다. 본 장에서는 보편적으로 시행되고 있는 다양한 영상검사의 특수한 족부질환에 대한 적응증과 검사방법, 족부질환의 영상 소견을 중심으로 기술하고자 한다.

I. 방사선촬영술(Radiography)

족부질환을 평가하기 위해서 가장 먼저 실시되고 있는 검사이며 상용되고 있는 기본촬영 상과 특수촬영상이 있다(표 3-1).

1. 발목

상용되고 있는 단순촬영검사로 전후상(AP View), 측면상(Lateral View), 모티스(Mortise View)상이 있으며 특수촬영으로 사위상(Oblique View)이나 긴장부하상(Stress View)이 있다.

1) 기본촬영(Routine Views)

① 발목 전후상(Ankle Anteroposterior View) : 발목 전후상에서 관절 모양, 간격, 관절 면의 일치도, 경골에 대한 거골의 경사도 등을 평가한다. 정상적으로 경골 원위단(tibial plafond)과 거골 원개(talar dome) 사이의 거리는 5mm를 넘지 않는다(그림 3-1).

② 발목 측면상(Ankle Lateral View) : 발목 측면상에서 경거골 관절, 거골하 관절, 원위부 경골 및 비골, 후복사뼈를 볼 수 있으며 때로는 제 5중족골 기저부가 포함되기도 한다. 연조직 또한 주의 깊게 보아야 하며 아킬레스건 손상이나 발목 또는 종골 골절 시에 지방패드의 왜곡이 나타난다(그림 3-2). 발목 관절에 삼출액이 찰 때 경거골 관절 앞쪽으로 눈물방울 모양의 연조직 종괴 음영을 볼 수 있다.

③ 모티스상(Mortise View, Internal Oblique View) : 발목을 중립 자세에서 약 15-20도 내회전 시키고 촬영하며 구조물이 겹치지 않아 발목 관절을 잘 평가할 수 있다(그림 3-3). 경비인대 결합(tibiofibular syndesmosis)이 파열 될 때 원위부 경골의 내측 이동과 비골, 경골간 거리의 증가를 볼 수 있다(그림 3-4).

표 3-1. 발목 및 발의 단순촬영검사

	발목	발
기본촬영 (상용검사)	전후상 측면상 모티스상	전후상 측면상 사위상
특수촬영	외사위상 내사위상 긴장부하상 - 내반부하 - 외반부하 - 전후부하	지절골 사위상 지절골 측면상 종자골 접선상 거골하관절 국소상 축성 종골상 측면 종골상 전접선상 후접선상 체중부하상

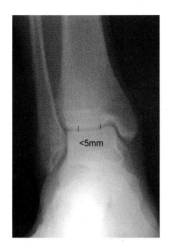

그림 3-1. 정상 발목관절의 전후상

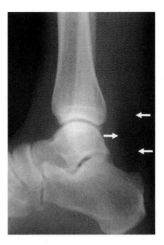

그림 3-2. 정상 발목관절의 측면상 아킬레스건 앞쪽에 삼각형 모양의 지방패드(fat pad, 화살표)가 있다.

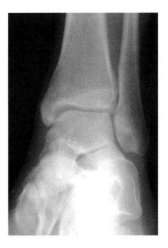

그림 3-3. 모티스상 발목을 20도 내전시키고 촬영한 모티스상에서 거골, 경골, 비골 관절간의 관계를 잘 볼 수 있다.

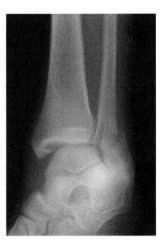

그림 3-4. 외과골절과 경비인대 결합의 파열을 보여주는 모티스상

2) 특수촬영(Special Views)

① 외사위상(External Oblique View) : 외상 진단을 위해 촬영하며 이 영상에서 내과, 경골의 후과 또는 제3과(malleolus tertius), 그리고 전방 경골 융기를 볼 수 있다(그림 3-5).

② 긴장부하상(Stress Views) : 급성 골절이 배제되면 외상 후 바로 양쪽 발목의 긴장 부하촬영을 하기도 한다. 심한 통증에 의하여 때로는 촬영이 어렵고, 가능하다면 국소 마취제로 통증을 줄인 후 촬영한다.

· 내반부하(Varus Stress)를 가한 전후상 : 내반부하 전후상에서 거골의 경사각(talar tilt angle)을 측정한다. 즉, 경골 원위단과 거골 원개의 접선이 이루는 각도를 측정하고 양측 발목의 측정치를 비교한다. 5도 이하는 정상, 15도 이상일 때 외측부인대(lateral collateral ligament) 손상을 의미한다(그림 3-6).
· 외반부하(Valgus Stress)를 가한 전후상 : 이 영상은 드물게 발생하는 내측부인대 또는 내과의 손상을 증명하기 위해 사용된다.
· 거골의 전방 전위를 보는 전후부하상(Anteroposterior Stress View, Anterior Draw Stress) : 거골의 전방 전위를 평가, 측정하며 측면 상에서 경골의 원위단과 거골 간의 거리를 측정한다. 이 영상은 인대 손상, 특히 전거비인대(anterior talofibular ligament) 손상의 간접적인 평가방법으로, 거골 전방 전위가 5mm일 때는 정상, 10mm이상 일 때 인대 손상을 의미한다(그림 3-7).

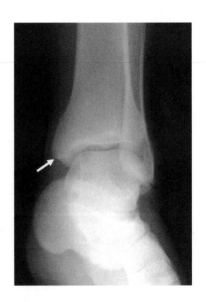

그림 3-5. 외회전 사위상 발목을 45도 외회전 시키고 촬영한 외사위상에서 내과(화살표)가 잘 보인다.

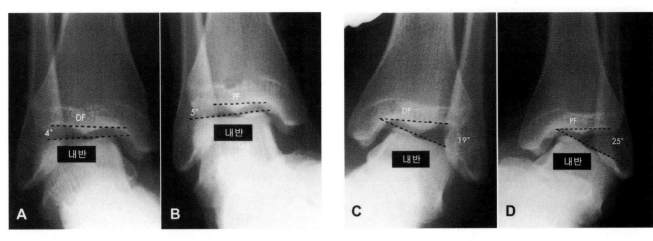

그림 3-6. 내반부하를 가한 전후상(A, B: 정상, C, D: 비정상) A. 발을 배굴 시킨 상태에서 내반력을 가할 때 거골의 경사각은 4도이며 B. 발을 저굴 시킨 상태에서 내반력을 가할 때 거골의 경사각은 5도로 정상이다. C. 발을 배굴 시킨 상태에서 내반력을 가할 때 거골의 경사각은 19도이며 D. 발을 저굴 시킨 상태에서 내반력을 가할 때 거골의 경사각은 25도로 외측부인대 손상을 의미한다.

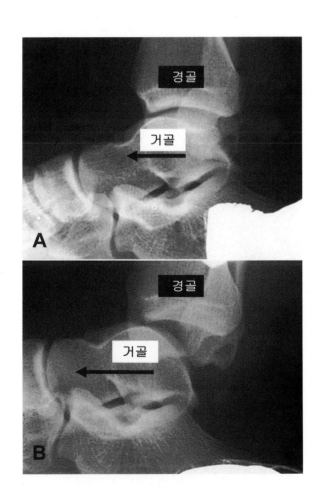

그림 3-7. 발목 전후부하상 A는 정상, B는 비정상으로 양측 발목은 거골 전방 전위에 현저한 차이를 보인다.

2. 발

1) 기본촬영(Routine Views)

상용되고 있는 단순촬영검사로는 전후상(AP View), 측면상(Lateral View) 및 사위상(Oblique View)이 있다.

① 발 전후상(Foot Anteroposterior View) : 중족(족근)과 전족(중족골 및 발가락)을 잘 볼 수 있다. 족골과 족근중족골, 중족지절 관절 및 지절간 관절간의 관계를 면밀히 보아야 한다. 제1중족골 및 제 2중족골 기저간의 거리가 넓어지면 리스프랑크(Lisfranc) 관절의 아탈구나 탈구의 가능성을 고려해야 한다. 정상적으로 거골과 종골의 종축을 연결하는 선은 대략 30도 각도로 개산한다.

② 발 측면상(Foot Lateral View) : 경거골, 거골하 관절 및 근위부 족근 관절을 볼 수 있다. 이 영상에서 비골의 후피질은 경골의 후연 앞에 있으며 중족골과 지골은 중복된다.

③ 발 사위상(Foot Oblique View) : 내사위상이 외사위상보다 구조물의 중복이 적어 발 질환을 평가하는 데 유용하다. 거골하 관절 전방부, 종골, 입방골, 거주 관절, 주설 관절, 종주 관절, 외측 설상골 및 외측 중족골을 보는 데 적당하다(그림 3-8).

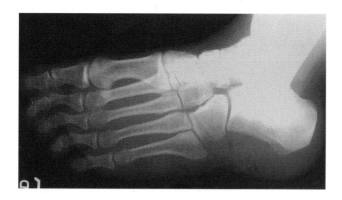

그림 3-8. 발을 30도 내회전 시킨 발 내사위상

2) 특수촬영(Special Views)

① 지절골 사위상(Oblique Phalangeal View) : 대부분의 지절골 장애는 발 전후상에서 발견되지만 중족지절 관절, 지절간 관절, 지절골을 더 잘 평가할 수 있다.

② 지절골 측면상(Lateral Phalangeal View) : 모든 발가락을 볼 수 있으며 한 발가락만을 검사하기 위해서 다른 발가락을 구부린 상태에서 촬영한다.

③ 종자골 접선상(Tangential View of Sesamoid) : 중족종자골 관절의 일치, 퇴행성 변화, 분절을 보는 데 유용하다(그림 3-9).

④ 거골하관절 국소상(Spot View of Subtalar Joint) : 45도 내회전 촬영상은 브로덴(Broden)촬영상으로 불리우며 거종주 관절 및 종골의 돌기를 평가하는 데 도움이 된다. 45도 외회전 촬영상에서 종골 구를 포함하여 거종주 관절을 잘 볼 수 있다.

⑤ 축성 종골상(Axial Calcaneal View) : 외상의 병력이 없으면 엎드린 자세에서 촬영하며 골절이 의심되면 똑바로 누운 상태에서 촬영한다. 거골의 활차돌기(trochlear process), 목발받침돌기(sustentaculum talus), 종입방 관절(calcaneocuboid joint), 종골 조면(calcaneal tuberosity)를 잘 볼 수 있다(그림 3-10).

⑥ 측면 종골상(Lateral Calcaneal View) : 종골의 측면을 잘 볼 수 있다.

⑦ 전접선상(Anterior Tangential View) : 이 영상에서 거주 관절을 잘 볼 수 있으며 목발받침돌기의 위치 또한 볼 수 있다.

⑧ 후접선상(Posterior Tangential View) : 이 영상에서 종골의 후부와 거골하 관절의 후소관절면 및 중소관절면을 잘 볼 수 있고 거종융합(talocalcaneal coalition)을 찾는 데도 도움이 된다.

⑨ 체중부하상(Weight-Bearing View) : 비체중부하상에서 발견되지 않는 구조적인 변화를 보기 위해서 검사된다(그림 3-11). 이 영상에서 중족골 두부와 종자골의 위치를 그릴 수 있으

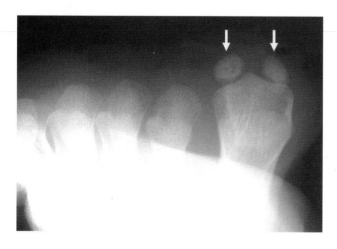

그림 3-9. 종자골 접선상 발가락을 배굴 시킨 상태에서 촬영한 종자골 접선상에서 내측 및 외측 종자골(화살표)과 중족종자골 관절 관계를 볼 수 있다.

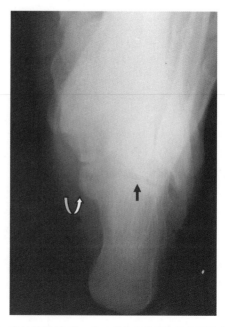

그림 3-10. 축성 종골상 엎드린 자세에서 촬영한 축성 종골상에서 목발받침돌기(곡선 화살표)와 종입방 관절(직선 화살표)을 볼 수 있다.

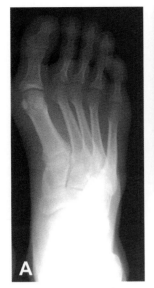
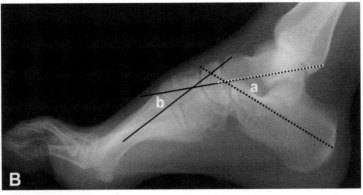

그림 3-11. 요족(pes cavus)의 체중부하상 체중부하 전후상(A), 체중부하 측면상(B)에서 거골하각(a)이 감소되고 거중족각(b)은 증가되어 있다. 전족에서 새발톱발가락(claw toe) 변형을 볼 수 있다.

며 궁(arch)의 높이를 측정할 수 있다. 소아에서는 발 변형을 보기 위하여 양측을 촬영하여 비교하는 것이 진단에 도움이 된다.

II. 초음파검사(Ultrasound)

최근 초음파 장비의 발달과 비교적 저렴한 가격으로 인하여 초음파검사는 족부질환을 평가하는 데 널리 이용되고 있으며 점차적으로 수요가 늘고 있는 추세이다.

1. 적응증과 검사 방법

가장 흔한 적응증은 4-6주 이상 동통이 있을 때 건병변이 의심될 때이다(표 3-2). 이런 환자에서 단순촬영검사는 대부분 정상이며 임상검사와 병력으로 건 병변이 의심된다. 인대 병변 또한 초음파로 검사가 가능하다. 관절검사가 가능하며 관절 삼출액의 평가와 흡인 시에 이용된다. 또한 연조직 종괴의 평가에도 이용되며, 조직검사, 흡인술, 주사약제 주입을 위하여 정확한 위치 선정이 필요할 때도 이용된다. 뼈 질환을 직접 보지는 못하지만 뼈의 표면의 변화와 연조직에 동반된 간접 소견을 볼 수 있다. 관절 안의 깊은 곳이나 뼈의 뒷면은 초음파 투과가 안되므로 검사가 불가능하고 MRI나 관절경 검사가 유용하다.

초음파검사가 일차적인 검사라면 MRI는 현재 선호도가 더 높은 검사이다.

족부질환의 초음파검사 시에 7-13 MHz의 고주파수 선상 탐촉자가 사용되며 검사자의 경험 정도와 초음파 장비의 종류가 진단에 영향을 미친다. 발목 및 발의 상용검사 시 후방 구조물과 족저막은 복와위 상태에서 검사하며 전방, 내측 및 외측 구조물과 관절은 앙와위 또는 앉은 자세에서 발을 검사 테이블에 붙이고 검사한다. 동통이 있는 부위의 직접 검사가 가능하며 증상이 없는 반대측과의 비교가 도움이 된다. 또한 동적 초음파검사 시 건이나 관절의 움직임을 직접적으로 볼 수 있다. 급

표 3-2. 발목 및 발 초음파검사의 적응증

손상 후 4-6주동안 지속되는 동통
건 병변
인대 병변
관절 병변 - 삼출액, 관절 연골
연조직 종괴 - 낭성 : 고형성
소성체 (loose body)
이 물 (foreign body)
족저부 근막염
혈관질환
뼈 - 골다공증 - 종골
치료 후 추적검사
수술 후 하드웨어의 존재로 CT 또는 MRI 검사에서 인공음영이 보일 때

성 염증이 의심될 때 색도플러(color doppler)나 파워도플러(power doppler) 초음파검사가 혈류의 증가 여부를 평가하는 데 이용될 수 있다.

2. 정상 소견

초음파검사에서 정상 건과 인대는 고에코의 선상 구조물로 보인다(그림 3-12). 족저막은 고에코의 구조물로 종골에 부착한다. 후종골 점액낭은 저 에코의 콤마 형태 모양으로 크기는 2.5mm를 넘지 않는다.

3. 병적 소견

1) 건(Tendons)

일반적으로 발목 및 발의 건 손상은 초음파검사로 진단이 가능하다. 흔하게 손상을 받는 건은 아킬레스건, 후경골건, 장비골건이다. 건염(tendinosis)의 초음파 소견으로 방추상의 종창과 에코의 감소를 볼 수 있고 건 내에 석회화를 볼 수도 있다(표 3-3). 건 열상의 초음파 소견으로(표 3-4) 건 내에 무에코의 액체 또는 혈액으로 찬 결손을 볼 수 있으며 원위부 및 근위부 건단의 수축과 종창, 불규칙한 변연, 인접한 연조직 안에 음향 음영을 보일 수 있다(그림 3-13).

후경골건이나 비골건 열상은 대개 종축 방향으로 발생한다. 종축 열상이 있으면 건의 종창과 더불어 연장된다. 또한 건 내

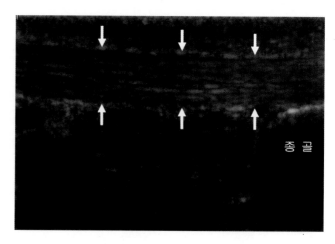

그림 3-12. **정상 아킬레스건** 발목 후방의 초음파 종단스캔에서 고에코의 선상 아킬레스건(화살표)을 볼 수 있다.

부에 종축 방향으로 분열을 동반한다. 류마티스 관절염에 의한 건활막염(tenosynovitis)이 있으면 유착성의 저에코 판누스(pannus)에 의하여 건의 경계가 불규칙하며 에코가 비균질 해진다.

2) 인대(Ligaments)

발목 인대 손상은 아주 흔하게 발생하며 외측부인대의 손상에 의한 것이 가장 흔하다(85%). 발이 저굴 상태에서 내반 손상(inversion injury)을 받을 경우 가장 약한 전거비인대가 가장 먼저 손상을 받으며 다음은 종비골인대, 후거비인대의 순으로 손상을 받는다. 종비골 손상의 대부분에서 전거비인대 손상을 동반한다. 손상된 인대는 정상 측과 비교하여 두꺼워지거나 에코가 감소한다(그림 3-14). 부분 열상이 있으면 동적 초음파검사 시 정상 직선 형태가 소실되어 보인다. 인대의 연속성의 단절이나 틈이 있으면 완전 열상을 시사한다. 종비골인대 열상 시 인대와 비골건이 가까이 있어 건막 안에 물이 보일 수 있다.

3) 관절(Joint)

관절 액은 관절 내부에 무에코의 액체가 축적되어 보인다. 발목 관절 외상 환자에서 때로는 관절 액의 존재가 측부인대가 손상 받지 않았다는 증후가 될 수 있다. 관절 내 유리체의 존재

표 3-3. **건염의 초음파 소견**

국소 또는 미만성 건종창
저에코
에코성 건섬유
석회화(만성) - 아킬레스건염

표 3-4. **건열상의 초음파 소견**

완전 열상	부분열상
건의 불연속성	건의 미세화
국소 혈종	건의 비후
	건열(fissure)

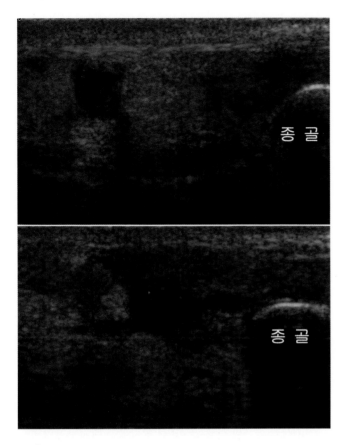

유무를 진단할 수 있으며, 발목 관절을 움직이며 스캔하여 에코성 병소가 관절 안에서 이동하면 진단이 가능하다.

4) 연조직 종괴(Soft Tissue Mass)

초음파검사는 연조직 종괴를 진단하는 데 정확하고 유용한 검사로, 특히 임상적으로 양성으로 생각되어지는 경우 일차적인 검사로 이용되고 있다.

연조직 종괴의 진단에 있어서 초음파검사의 일반적인 역할은 종괴의 존재 유무 확인 및 가성 종괴와의 감별, 낭성 종괴와 고형 종괴와의 감별, 종괴의 정확한 위치 및 주변 구조물과의 관계 파악, 생검 및 흡인을 위한 지침, 치료 후 합병증 또는 재발 종괴의 발견 등이다. 초음파 소견으로 양성질환과 악성질환을 구분하기는 어렵고 조직학적 진단을 하기는 어렵지만 결절종이나 족지간 신경종, 후종골 점액낭염은 비교적 특징적인 초음파 소견을 보인다.

① 결절종(Ganglion) : 발목관절의 주변이나 발의 배측 에서 발견된다. 대개 무에코나 저에코로 보인다.

② 족지간 신경종(Morton's Neuroma) : 족지간 신경 (interdigital nerve)의 신경주위 섬유화로 제 3족지간 공간에 호발 한다. 중족골 두부에서 횡단으로 검사하는 데 족저 면 또는 배측 면에 탐촉자를 위치시켜 검사한다. 횡단 스캔 후 종단 스캔을 하여 족지간 신경과의 관계를 본다. 크기가 5mm 이상이면 초음파검사에서 쉽게 진단할 수 있다(그림 3-15).

그림 3-13. 아킬레스건 열상 발을 족저시킨 후 종단스캔(상)에서 아킬레스건의 종창과 건 내에 액체로 찬 결손을 볼 수 있다. 발을 배굴시킨 후 종단스캔(하)에서 건 내 결손은 더 커져 있다. 수술 후 아킬레스건 완전 파열로 확진되었다.

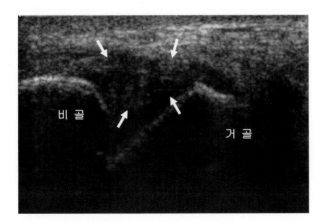

그림 3-14. 전거비인대 손상 발목의 전측방 종단 초음파스캔에서 인대가 종창 되고 에코가 감소되어 있다(화살표).

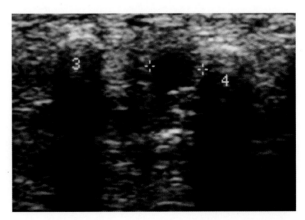

그림 3-15. 족지간 신경종 발 족저면 횡단 초음파스캔에서 제 3족지간 공간에 대략 5mm 크기, 저에코의 족지간 신경종이 있으며 수술로 확진 되었다.

③ 후종골 점액낭염(Retrocalcaneal Bursitis) : 아킬레스건의 종골 부착 부위의 바로 안쪽에 있는 점액낭 염증은 아킬레스건염과의 감별이 임상적으로 종종 어렵다. 아킬레스건의 바로 안쪽 또는 옆으로 저에코성 낭성 종괴가 보이면 점액낭염을 시사한다.

5) 방사선투과성 이물(Radiolucent Foreign Body)

초음파검사는 방사선투과성 이물을 찾는 데도 도움이 되며 이물은 초음파에서 고에코 병변으로 보이며 아급성 및 만성 시기에는 이물 주위에 저에코 반응이 보인다.

6) 족저부 근막(Plantar Fascia)

족저부 근막 병변은 발뒤꿈치 동통의 가장 흔한 원인이다. 족저부 근막염(plantar fasciitis)이 있으면 종골 부착 부위에서 두께가 5mm 내외로 증가되고 근막의 에코가 감소하며 근막 주위에 물이 보일 수 있다(그림 3-16).

족저막 섬유종(plantar fibroma)은 중간부 또는 원위부 건막에서 생기며 양측으로 존재하는 경우가 많다. 초음파에서 저에코로 보이며 난원형 모양을 보인다.

7) 혈관질환

도플러초음파검사(Doppler Ultrasound)는 혈류와 혈관의 개존성 유무를 평가하는 데 이용되고 있다. 특히 허혈성 질환을 가진 환자나 당뇨환자에서 혈관질환 유무, 급성 외상 후 원위부 혈관을 검사하는 데 유용하다(그림 3-17). 혈관조영술과 비교 시 정확도는 연구에 따라 차이가 있지만 크게 떨어지지 않는 것으로 알려져 있으며 상용되는 혈관조영술 만으로는 발의 말초혈관 평가가 어려울 수 있다.

최근 컬러 및 파워 도플러초음파검사가 이용되고 있으며 파워 도플러검사는 혈류의 방향이나 속도에 대한 정보를 주지 못하지만 소혈관의 관류 상태를 평가하는 데 도움이 된다.

III. 전산화단층촬영술 (Computed Tomography)

1. 적응증과 검사방법

CT검사는 족부의 복잡한 구조를 평가하는 데 유용하며 특수 단순촬영검사나 단층촬영술(Tomography)에서 보기 어려운 해부학적인 변화를 보여줄 수 있다. CT영상은 적응증과 환자가 스캐너 내에서 어느 정도 자세를 잡을 수 있느냐에 따라 다르다. 1-3mm 간격으로 축상면, 관상면 영상을 얻고 시상면 재

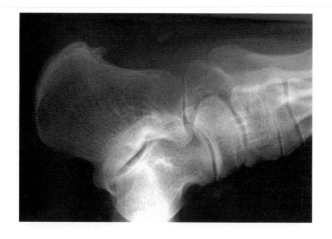
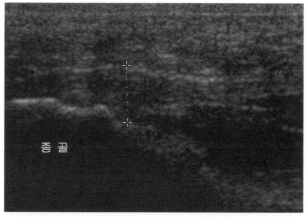

종골

그림 3-16. 족저부근막염 발측면상에서 종골하면에 골극이 있다. 종골 부착 부위의 종단 초음파스캔에서 족저부 근막은 두꺼워지고 에코가 감소되어 있다.

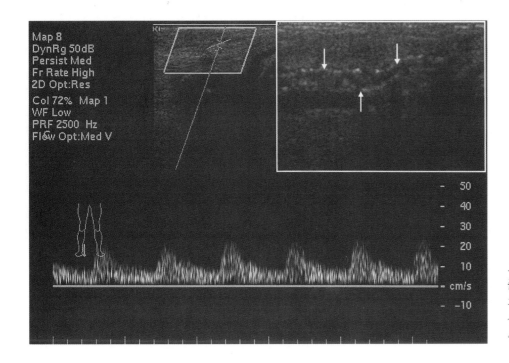

```
Map 8
DynRg 50dB
Persist Med
Fr Rate High
2D Opt:Res
Col 72% Map 1
WF Low
PRF 2500 Hz
Flow Opt:Med V
```

- 50
- 40
- 30
- 20
- 10

cm/s

- −10

그림 3-17. 당뇨병 환자의 발목 색도 플러초음파 후경골동맥 벽을 따라 석회화가 있다(화살표). 혈류검사에서 정상 삼상패턴이 소실되고 최고 수축기 속도가 감소되어 있다.

구성 영상을 얻는 것이 이상적이다. 환자의 비 협조로 오직 한 가지 영상면 만 검사가 가능하다면 1mm 간격으로 중족골 및 전족에서 축상면 영상을 얻고 관상면 및 시상면 재구성 영상을 얻는 것이 필요하다.

CT검사는 거골하관절을 평가하는 데 가장 적절하다. 그 외 종골 골절, 족근중족골 관절(Lisfranc joint) 손상, 골융합, 박리성 골연골 염(osteochondritis dissecans), 발 변형(foot deformity), 관절염 등을 평가하는 데 이용되며 치료 방법의 계획, 치유 정도를 평가할 때도 이용된다. 골종양은 빈도가 낮아서 드물게 적용되며 선경화인공물(beam-hardening artifact)과 지방의 부족으로 CT 가 MRI 보다는 해상능이 낮다. 최근에는 정맥 내로 조영제 투여 후 CT검사를 하기도 한다(표 3-5).

표 3-5. **CT검사 시 조영제 사용의 적응증**

골수염(연조직 파급)
일차 연조직 농양
골 종양의 연조직 성분
종양의 혈관 분포상태
혈관종과 같은 혈관 종양

최근 수술 전 정확한 치료 계획을 세우기 위하여 삼차원 CT 재구성 영상이 이용되고 있다(그림 3-18).

나선형 전산화단층촬영(Spiral CT)의 기술 발달과 다중검출기 CT(Multislice 또는 Multidetector CT; MDCT)의 출현으로 얇은 절편으로 CT 촬영이 가능하게 되었고 높은 공간 해상력의 다평면 재구성 영상을 얻을 수 있게 되어 CT검사는 더 많은 각광을 받게 되었다. 또한 뚱뚱한 환자나 금속 하드웨어(metal hardware)를 가지고 있는 환자의 경우에 고식적 CT검사 시 인공물로 인하여 영상의 질이 떨어졌으나 이런 인공물을 줄일 수 있게 되었다.

2. 정상 소견

거골하관절은 세 개의 방사선학적 및 해부학적 절편, 후소관절면(posterior facet), 중소관절면(middle facet), 전소관절면(anterior facet)으로 분류된다.

3. 병적 소견

1) 거골하 관절 이상(Subtalar Joint Abnormalities)

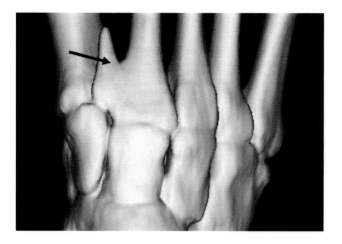

그림 3-18. 부골의 삼차원 전산화단층촬영 영상 삼차원적으로 재구성된 삼각형 모양의 중족골간골(os intermetatarseum, 화살표)을 잘 볼 수 있다.

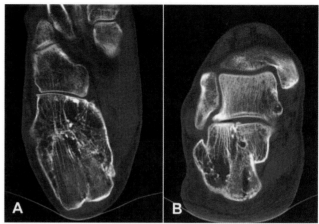

그림 3-19. 만성 종골 골절의 전산화단층촬영 영상 종골의 축상면 전산화단층촬영(A)에서 만성 골절을 볼 수 있고 관상면 전산화단층촬영(B)에서 종비골공 충돌 여부 및 거골하 관절의 변화를 볼 수 있다.

거골하 또는 다관절고정술(multiarticular arthrodesis)을 받은 경우에 뼈 구조에 대한 중요한 정보를 얻을 수 있다. 류마토이드 관절염을 가진 환자에서는 관절강 협착, 연조직 종창, 골미란, 편평족, 외반 변형을 볼 수 있다.

2) 거골 골절(Talar Fracture)

CT검사 시 원위 경골, 원위 비골 및 종골의 중복을 피할 수 있기 때문에 거골체, 거골경 및 거골의 후돌기(Stieda process) 골절 시 단순촬영보다 골절 선을 잘 볼 수 있다.

3) 종골 골절(Calcaneal Fracture)

CT검사는 종골 골절을 진단하는데 널리 이용되고 있다. 급성 및 만성 골절, 그리고 불량 유합 골절 시에 시행된다. 관상면에서 거골하 관절의 중절, 종골 외면의 외측 탈구 및 종비골공에서 충돌증후군(lateral impingement syndrome)에 대한 정보를 얻을 수 있다(그림 3-19). 종골 골절은 때때로 전방 종입방 골절을 동반하는 데 종입방 관절의 손상정도에 따라 단순촬영 검사만으로는 충분한 정보를 얻을 수 없기 때문에, 축상면 CT가 보조적 진단 방법으로 이용된다.

CT검사 시 종골 골절의 형태를 좀 더 정확히 이해할 수 있으며 수술 과정을 계획하는데도 도움이 된다.

4) 주상골 골절(Navicular Fracture)

주상골은 과다 또는 급성 손상에 의하여 손상 받을 수 있다. 주상골의 스트레스 골절은 단순방사선사진에서 잘 보이지 않아서 자주 진단이 어렵다. 소견으로 배측 탈구, 분쇄된 외측 또는 족저 골편, 거주관절의 조화의 소실 등을 볼 수 있다.

5) 중족 이상(Metatarsal Abnormalities)

중족 부위의 단순촬영 검사는 뼈가 중복되어 진단에 어려움이 있으나 CT검사 시 관절염이나 골절에 부가적으로 탈구가 있을 때 관절 수반의 정도를 더 잘 평가할 수 있다. 종족골 기저 골절 시 관혈적 또는 비관혈적 정복을 할 것인지를 결정하는 것이 어려우며 이때 관상면 CT검사가 도움이 된다.

또한 관절염의 치료로 중족설상 관절 고정술이 필요한 환자를 진단하는데도 도움이 된다. 족근중족(Lisfranc) 관절 손상을 평가하기 위하여 가능한 얇게 절편을 얻고 축상면 및 관상면 두 영상 모두를 얻는다.

6) 융합(Coalitions)

후족의 CT검사의 가장 흔한 적응증은 족근융합을 진단하거나 배제하는 것이며 관상면 및 축상면 두 영상 모두를 얻어야 한다. 종주상융합은 단순촬영에서 쉽게 진단이 가능하지만 거골하융합은 발견이 어렵다. 융합의 형태는 관상면 CT검사에서 좀 더 명백히 볼 수 있다. 관상면 CT영상은 융합의 진단뿐만 아니라 골성 바아(bony bar)의 넓이를 평가할 수 있다(그림 3-20). CT는 증상을 유발하는 융합의 치료 시, 수술 전 계획에도 도움이 된다.

7) 종양(Tumors)

CT검사는 중복음영으로 인해 단순촬영에서 발견하지 못하는 종양을 발견할 수 있고 종양의 범위 또한 잘 볼 수 있으며 치료 계획을 세우는 데도 중요한 정보를 준다(그림 3-21).

연조직 종양의 진단 시에는 주로 MRI가 대신하게 되었지만 다양한 조영제의 사용으로 연조직 CT검사의 진단적 가치가 향상되었다.

8) 감염과 이물

CT검사는 단순촬영에서 보이지 않는 발의 이물을 발견하는 데 효과적이다. 당뇨병 환자에서 발 족저구획 감염을 평가하는 데 있어 CT검사가 이용될 수 있으며 수술 전 계획을 세울 때 수술 범위에 대한 정보를 얻을 수 있다.

IV. 자기공명영상 (Magnetic Resonance Imaging)

1. 적응증과 검사방법

MRI검사는 발목 및 발의 뼈 및 연조직을 평가하는 데 이용되고 있으며 연조직 대조도가 높고 다평면 영상을 얻을 수 있는 장점이 있어 족부질환의 조기 진단 및 분석에 유용하다. 최근 새로운 기술의 발달로 MRI 검사시간이 단축되었고 혈관 영상 기술이 발달되었다. 흔한 적응증은 잠복골절, 특히 스트레스 골절이 의심될 때, 무혈성 골괴사, 족지간 신경종, 관절염, 연조직 감염, 골수염, 종양, 인대나 건 손상 등을 평가할 때이다.

발목 검사시 사지 코일을 사용하며 앙와위 또는 복와위 상태에서 검사하고 발목을 중립 또는 저굴 상태에서 검사한다. 앙와위 상태에서 발을 대략 20도 정도로 저굴 시킨 상태에서 검사하면 마술각(magic angle) 효과를 감소시키고 비골건 사이의 지방층을 강조시키며 종비골 인대를 더 잘 볼 수 있는 장점이 있다. 단점은 아킬레스건을 포함한 원위부 다리 및 정상 인대가 왜곡되어 보이는 것이다. 발목 영상은 일반적으로 검사 테

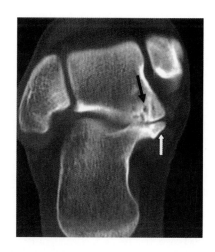

그림 3-20. 골성 거종골융합 거골하관절, 중소관절면의 관상면 전산화단층촬영에서 골성 바아(흰색 화살표) 및 관절하 낭종(검은색 화살표)으로 거종골 융합을 확인 할 수 있다.

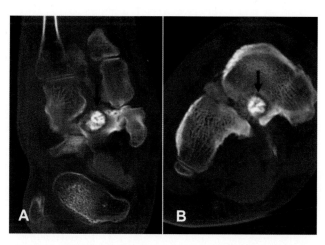

그림 3-21. 주상골의 유골골종 축상면 전산화단층촬영(A) 및 관상면 전산화단층촬영(B)에서 핵(nidus)에 석회화를 보이는 유골골종(화살표)을 확인할 수 있다.

이블에 평행하게 세 방향으로 축상면, 관상면, 시상면 영상을 얻는다. 염증성 병변, 종양, 혹은 건 병변이 있는 환자에서 지방 억제 조영증강 영상을 추가로 얻는다(표 3-6).

발 검사시에는 사위 축상(중족골의 종축에 평행하게), 사위 관상(중족골의 종축에 수직으로), 사위 시상영상을 얻는다.

2. 정상 소견

건이나 인대는 MRI상 모든 연쇄(sequence)에서 저신호강도로 보인다. 발에는 여러 종류의 부골과 종자골이 있으며 골절과 감별을 요한다. 때로는 이러한 정상 변이 구조물이 증상을 유발하기도 한다. 부근육(accessory muscle)이 종괴로 오인될 수 있으며 대표적인 경우가 부가자미근(accessory soleus muslce)과 제 4장비골근(peroneus quartus muscle)이다.

마술각 효과에 의하여 건이나 인대의 정렬이 자장과 55도 각도를 이룰 때 정상 건이나 인대 내부에 고신호강도가 보일 수 있으므로 건 손상과 감별을 요한다. 마술각 효과는 에코 시간이 짧은 연쇄(20초 이하)에서 흔히 볼 수 있으며 후경골건이 주상골에 부착하는 부위에서 나타난다.

3. 병적 소견

1) 건 이상(Tendon Abnormalities)

① 건염(Tendinosis) : 모든 건에서 공통적인 소견을 보이며 방추상 형태이고 건 직경이 증가하며 T1 및 양성자(proton)강조영상에서 건 내부에 증가된 신호강도를 보인다. 아킬레스건 삽입부 건염(Haglund syndrome)은 Haglund 변형과 관련되며 잘 맞지 않는 신발을 신을 때 발생한다. 아킬레스건이 종골로

표 3-6. MRI검사 시 조영제 사용의 적응증

골수염
종양 평가
팬누스(pannus) : 관절 삼출액의 감별
관절 및 건 손상
골절의 치유
골괴사 - 재혈관화

삽입되는 부위에서 두꺼워지거나 신호강도가 증가되고 건내 석회화, 종골 골수 부종, 후종골 점액낭염 등의 소견을 볼 수 있다. MRI상에서 정상 건과 건염, 건파열 등의 소견이 중복되는 경우가 있어 위양성 또는 위음성 소견을 보일 수 있다.

② 건활막염(Tenosynovitis), 건주위염(Paratendinosis), 외건초염(Peritendinosis) : 건활막염은 건막, 건주위염은 건 주위의 염증이나 기계적인 자극에 의해서 야기된다. MRI에서 건막 내에 액체 축적, 활막 증식, 반흔 등을 볼 수 있다. 건주위염은 건 주위의 염증, 외건초염은 외건초의 염증으로, 건주위염이나 외건초염 시 MRI에서 건은 정상으로 보이고 단지 건 주위 조직에만 변화를 보일 수 있다.

③ 건파열(Tendon Rupture) : 부분 파열은 진행된 건염과 유사한 신호강도를 보인다. 완전 파열은 완전한 분열로 보인다. 미세 파열 시는 섬유질 변성과 점액성 변성을 유발하고 건의 국소 종창을 일으키고 신호강도의 증가를 보인다(그림 3-22). 만성기로 가면 신호강도는 감소할 수 있다.

MRI는 수술 후 건 결합(union)이나 치유의 범위를 평가한다. 대부분은 추적 MRI에서 건이 치유되면서 건 내부의 신호강도가 감소하지만 건은 두꺼워진 상태로 남아있다. 정상에서도 소량의 물이 후경골건 건막 내에 보일 수 있으나 건막은 주상골 삽입 1-2cm 전에 끝이 나므로 삽입 부위의 액체는 항상 비정상이다. 또한 이 부위에서는 정상적으로도 건이 구상이고 신호강도의 증가를 볼 수 있다. 발목 관절에 삼출액이 있는 정상인의 20%에서 장무지굴근건 건막 내에 액체를 볼 수 있다.

2) 인대 손상(Ligament Injuries)

제 1등급 염좌는 인대 내에 국소 고신호강도를 보이며 제 2등급 염좌는 인대의 부분 불연속성을 보이고 제 3등급 염좌 시 인대의 완전한 분열을 볼 수 있다. MRI에서 인대가 불규칙하거나 파형 형태를 보일 경우, 인대의 방향이 바뀌어 있거나 인대 내에 T2강조영상에서 고신호강도가 보일 경우, 인대의 불연속이 보일 경우 인대의 손상을 진단할 수 있다(그림 3-23). 만성 염좌의 경우에 인대가 저신호강도로 두꺼워 보인다.

종비골인대의 손상이 있을 경우 진단이 가장 어려우며 비골건막 내의 액체, 인대와 종골 사이의 부종, 거골하 삼출액 등의 간접적인 소견이 진단에 도움이 된다.

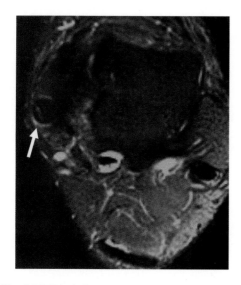

그림 3-22. 후경골건 파열 편평족 환자로, 축상면 지방억제 T2강조 고속스핀에코(fast spin echo) 자기공명영상에서 후경골건의 종창과 건내 선상의 고신호강도(화살표)를 볼 수 있다. 수술 후 후경골건의 부분 파열로 확진 되었다.

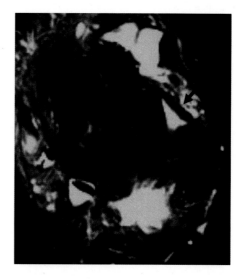

그림 3-23. 전거비인대 손상 축상면 지방억제 T2강조 고속스핀에코 자기공명영상에서 불규칙한 모양의 전거비인대 염좌 소견을 볼 수 있다.

3) 골성 병변

① 스트레스골절(Stress Fracture) : 스트레스골절과 부전골절(insufficiency fracture)이 자주 일어나며 제 2중족골, 종골, 주상골, 거골 등에 온다. 종자골의 스트레스 골절은 이분 종자골과 감별해야 한다. MRI상 불규칙적인 저신호강도의 선을 볼 수 있으며 주위에 부종, 충혈 등을 동반한다. 골절 후에 피질과 평행한 저신호강도의 골막 가골 형성을 볼 수 있다. MRI는 단순촬영보다 민감하며 잠복성 골절의 발견에 있어 골신티그라피보다 특이도가 높다.

② 골연골 골절(Osteochondral Fracture) : 골연골 골절은 단순촬영에서 진단이 어려운 경우가 많으나 MRI는 발견뿐만 아니라 골절의 단계까지 정확하게 진단할 수 있다(그림 3-24). MRI에서 불안정한 골편은 T2강조영상에서 골편 사이에 고신호강도를 보이거나 연골하 낭성 병변이 있을 때 진단할 수 있다. 골편의 안전성의 진단이 어려운 경우 MR 관절조영술이 도움이 된다. 골편의 신호강도가 모든 연쇄에서 저신호강도로 보이면 괴사를 의미한다. 조영제 투여 후 지방억제 T1강조영상에서 골편이 조영 증강되면 생존 가능한 조직을 의미한다.

③ 골괴사(Osteonecrosis) : 족부의 골괴사는 거골에 많으며

거골경 골절 후 올 수 있다. 주상골에도 골괴사가 오며 외측 면의 변형과 허탈, 골편의 상부 돌출과 함께 콤마 형태를 볼 수 있다. 제 2중족골 및 제 3중족골 두부에 오는 프라이버그(Freiberg)병과 주상골의 골괴사가 있을 때 T1 및 T2 강조 MRI 영상에서 저신호강도로 보인다(그림 3-25).

4) 족근융합(Tarsal Coalition)

MRI에서는 단순촬영이나 CT에서 어려운 연골성 혹은 섬유성 결합을 확인 할 수 있다.

5) 족근터널증후군(Tarsal Tunnel Syndrome)

진단은 근전도검사로 확진할 수 있지만 초기에 위음성을 보이므로 MRI가 진단에 중요한 역할을 한다.

6) 종괴

① 족지간신경종 : 중족골 두부사이에 아령 모양의 종괴로 보이며 T1 및 T2강조영상에서 저신호-중등도 신호강도를 보이며

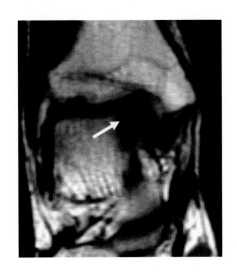

그림 3-24. **골연골 골절** 관상면 T1강조 스핀에코 자기공명영상에서 내측 거골 원개에 저신호강도의 골연골 골절(화살표)을 볼 수 있다.

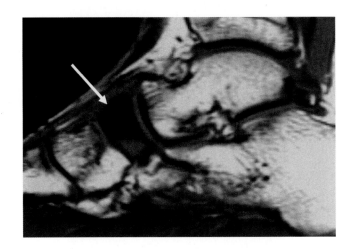

그림 3-25. **주상골 괴사** 시상면 T1강조 스핀에코 자기공명영상에서 주상골의 배측 골수가 저신호강도(화살표)를 보이며 주상골 골절 후 골괴사가 야기되었다.

조영증강 여부는 일정하지 않다.

② 족저섬유종증 : MRI상에서 하연은 잘 구분되나 상연은 침윤성 양상을 가진다. 콜라겐을 많이 함유하고 있기 때문에 T2강조영상에서 불균일하며 근육과 유사한 신호강도를 보인다.

7) 활막장애(Synovial Disorders)

염증성 관절염환자에서 MRI는 류마토이드 소결절, 족저근막염, 통풍결절 뿐만 아니라 인대의 파열, 점액낭염, 관절 연골의 변화를 보여준다.

8) 족저부 근막염(Plantar Fasciitis)

MRI상 근막과 주위조직의 증가된 신호를 볼 수 있으며 근막 두께의 증가(7-8mm이상)를 볼 수 있다. 근막염을 진단하는 데 있어서 초음파검사에 비하여는 고가검사이다.

9) 기타, 당뇨병성 족부질환

봉와직염, 연조직 농양, 골수염 등 족부 감염을 진단하고 병기화 하는 데 매우 민감하지만(그림 3-26) 때때로 골수염과 골수 부종의 감별이 어렵다. 당뇨병 환자에서 만성 신경병증성관절염과 골수염의 감별에 도움이 되나 급성 신경병증성 관절염의 경우에는 감별이 용이하지 않다. 골수염의 진단에 있어 MRI는 핵의학검사보다 특이도가 높고 공간해상능이 높으며 조기 진단이 가능하다.

V. 관절조영술(Arthrography)

발목 관절조영술은 인대, 피막, 발목 관절 면을 평가하기 위해 시행되는 검사이며 비교적 쉽게 할 수 있고 합병증의 위험도 적다.

1. 적응증과 검사방법

적응증에는 인대 손상, 박리성 골연골염, 관절강 내 유리체, 거골 골절, 유착성 관절염, 퇴행성 변화 등이 포함된다.

검사방법은 환자를 바로 눕히고 발목 앞쪽, 족부동맥의 내측에 바늘을 삽입하고 관절 액을 흡인한 후 조영제를 주사한다(그림 3-27). 인대 손상을 진단하기 위해서는 외상 후 48시간 이내에 시행하여야 하며 그렇지 않으면 유착, 혈액 응고 등에 의해 위음성 소견을 보일 수 있다. 최근에는 관절조영술 후 CT

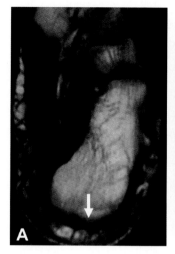
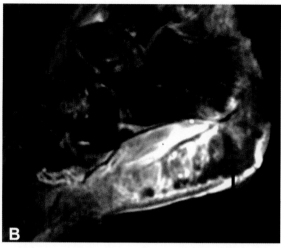

그림 3-26. 당뇨병 환자에서 발생한 골수염 축상면 T1강조 스핀에코 자기공명영상(A)에서 종골 조면에 골미란(화살표)이 있고 시상면 조영증강 T1강조 스핀에코 자기공명영상(B)에서 발 뒤꿈치 연조직 농양(화살표)과 종골 조면내의 조영증강은 골수염을 시사한다.

나 MRI검사를 병행하여 복잡한 구조물을 평가하고 있다.

발목 관절조영술의 금기증은 단지 소수만 보고 되어 있고, 합병증은 감염, 부적절한 주사에 의한 종창, 조영제에 대한 알레르기 반응이다.

2. 정상 소견

정상적으로 발목 관절은 조영제에 의해 균일하게 채워지며 전후 관절동이 부드럽게 경계지워진다. 관절 내로 유입된 조영제는 복사뼈의 말단까지 차고, 20%에서는 장수지굴근과 후경

골근 등의 내측 건막에도 조영제가 채워질 수 있다.

3. 병적 소견

전거비인대(anterior talofibular ligament) 손상이 있을 때 관절 내로 유입된 조영제가 비골의 전방, 외방으로 누출되는 것을 볼 수 있다. 누출 범위는 병변의 크기, 주사 할 때 가한 압력과 비례한다. 조영제가 외과의 내측에서 보일 때는 측면상을 추가 촬영하여 인대 결합의 파열인지 전거비인대 열상 인지를 감별하여야 한다. 비골 건막에 조영제가 보일 때는 종비골인대

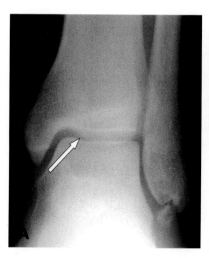
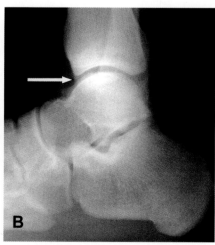

그림 3-27. 관절조영술의 전내방 접근법 바늘 끝(A, B 화살표)은 발목의 전내방으로 향한다.

(calcaneofibular ligament)의 열상을 의미한다.

거골의 견인 골절에 의한 골연골 병변이나 박리성 골연골염은 이중 조영법에서 가장 잘 보이고 정확한 크기와 병변의 경계를 확인하기 위해 고식적인 단층촬영상이나 CT검사가 필요하다. 발목 관절의 피막염이 있을 때 관절강의 용적이 매우 감소되고 전방과 후방 관절동의 충만성의 감소, 조영제 주사 시 압력이 증가되는 것을 볼 수 있다.

VI. 건막조영술(Tenography)

발목 관절 건막의 염증이나 외상 후 변화를 보기 위하여 건막조영술을 시행할 수 있다. 비골건, 후경골건, 장수지굴근건, 장무지굴근건 들의 손상을 건막조영술을 이용하여 진단할 수 있다. 조영제의 누출, 정지, 관절 내로 유입 등이 건 열상의 징후이다. 종비골인대 손상을 진단하는 데 건막조영술이 관절조영술보다 더 정확한 것으로 알려져 있으며 비골근 건막 내로 주입된 조영제가 발목 관절 내로 퍼지면 진단이 가능하다.

VII. 핵의학검사(Nuclear Medicine)

1. 적응증과 검사방법

핵의학검사는 골전이 유무와 골전이가 있을 때 추적검사로 가장 흔히 이용된다. 단순촬영에서 골절, 변형 등의 소견이 불확실할 때, 염증성, 감염성 관절질환, 골수염의 평가, 부골이 임상적으로 의미가 있는지, 혈관분포상태의 결정, 인공삽입물을 가진 환자가 동통이 있을 때, 비 특이적인 골통통 등을 평가하는 데 도움이 된다. 단순촬영, CT와 MRI는 한 부위에 국한하여 영상을 얻으나 핵의학 영상법은 쉽게, 빠르게, 그리고 값싸게 전신을 볼 수 있으며 방사선 노출도 상대적으로 적다. 단점은 CT나 MRI만큼 자세한 해부학적 영상을 보여주지 못하며 비특이적이다.

핵의학 영상법의 기본적인 검사는 technetium-99m labeled phosphonates를 이용한 골스캔(bone scan)이다. 골스캔은 질병에 의한 구조적 변화가 발생되기 전에 대사기능의 변화를 조기에 영상화할 수 있으며 민감도가 높다.

봉와직염과 골수염, 관절 질환을 검사하기 위해서 삼상골스캔(three phase bone scan)이 이용된다. 삼상골스캔은 관류기(perfusion), 혈액풀(blood pool), 지연영상기(delayed)로 구성된다. 관류기 영상은 주사 후 60초에 얻고 혈액풀 영상은 주사 후 2-5분에 얻으며 지연 영상은 주사 후 3시간에 얻는다. 정보는 양적 및 질적 모두 얻어야 한다.

영상은 대개 평면상을 얻는다. 그러나 영상의 중첩으로 인해 보고자 하는 병의 위치를 잘 알지 못할 경우가 있는 데 이러한 경우 단일광전자방출전산화단층촬영술(single photon emission computed tomography; SPECT) 검사를 이용한다.

염증성 병변에서 많은 정보를 얻기 위해 여러 가지 핵종이 이용된다. 이 검사법은 매우 민감하나 특이도는 낮다. Gallium-67 citrate, Technetium-99m Nanocoll, 또는 Technetium-99m-labeled immunoglobulins 등이 사용된다. 감염이 의심되면 백혈구스캔을 하여 보다 특이한 대사 소견을 볼 수 있다. 환자 자신에서 추출한 과립 백혈구(granulocyte)를 붙인 Indium-111이나 Technetium-99m-hexa-methyl propyleneamineoxime (HMPAO)를 이용한다.

이 검사의 단점은 공간해상능이 낮아 골, 골막, 연조직 감염을 구분하기가 어려우므로 위 음성이나 위 양성을 보일 수 있다. 또한 준비 시간이 길고 다른 핵의학검사에 비해 가격이 비싼 단점이 있다.

2. 병적 소견

1) 외상

임상적으로 골절이 의심되나 단순촬영에서 정상으로 보일 때, 임상적으로 스트레스 골절이 의심될 때, 골절의 나이를 알고자 할 때, 그리고 외상이나 치료 후 추적검사에 이용된다.

골절은 국소적 섭취 증가로 보이고 24시간에 80%, 72시간에 95%에서 볼 수 있다. 급성 골절 후 3-4주 후에 관류상은 정상화된다. 급성골절과 만성골절을 감별진단 하는 데 있어서 10일 간격으로 골스캔을 하면 급성골절 시에는 섭취의 양적 변화를 볼 수 있고 만성골절의 경우는 양적 변화가 없어서 두 골절을 감별진단 할 수 있다. 2년 후에는 골절의 90%가 정상으로 돌아온다.

2) 염증성 관절질환

임상적, 그리고 검사실 소견 상 염증성 관절 질환이 확실하지 않고 단순촬영에서 변화가 나타나기 전 시기에 도움이 된다. 골스캔은 삼상골스캔을 얻어야 한다. 정확한 원인을 모르는 관절질환이 있는 환자에서 관류기는 염증성 관절질환과 기타 관절질환과의 감별 진단에 도움을 준다. 그러나 활동성 만성 골관절염(active chronic osteoarthritis)과 급성 관절염(acute arthritis)을 감별하지는 못한다. 골스캔이 정상이면 염증성 관절질환이 없는 것이다. 류마티스양 관절질환은 화농성 관절염이나 관절 주위의 골수염과 반드시 감별해야 한다.

3) 골수염 및 감염성 관절 질환

급성 골수염은 단순촬영에서 방사선 소견이 나타나기 전에 신속한 치료가 요구되므로 조기 진단을 위하여 골스캔이 필요하다. 임상 증상이 발현한 후 수 시간에서 수 일 이내에 골스캔 제제의 뼈섭취 증가로 나타난다. 그러나 초기 급성 골수염에서 병소가 냉소로 나타나는 수가 있으며 이것은 아마도 골수의 팽창에 의하여 국소적인 압력이 높아져 혈류 장애가 나타나기 때문으로 생각되며, 혹은 급성 골괴사에 의한 것으로 생각되고 있다.

삼상골스캔 검사 시 골수염에서는 지연영상에서 골조직에 집적이 보이는데 봉소염에서는 방사능 집적이 점차 연해진다 (그림 3-28). 그러나 삼상골스캔은 골 교체율(turn over), 지역적 혈류 상태, 모세혈관 투과성, 조직관류, 다른 요인과 같은 여러 역동적인 요인에 의해 반응하므로 당뇨병성 신경병증성골관절증의 경우 특히, 중족과 후족의 경우 연조직 감염에 높은 위양성을 보일 수 있다. 급성 골수염의 경과 관찰에는 골스캔이 그다지 유용하지 않다. 병소의 회복기간 중에도 이상 섭취를 나타내기 때문에 활동성 여부를 판정하기는 어렵다.

임상적으로 골수염이 강하게 의심되는 데도 불구하고 골스캔에서 정상이거나 이상 소견이 부족할 경우에 갈륨스캔(gallium-67 citrate)이나 자기공명영상을 실시하여야 한다. 골스캔은 치료 후 오랫동안 양성 소견으로 나타나는 수가 있으나, 갈륨스캔은 적절한 치료로 국소 섭취가 감소되어 나타나므로 골수염의 치료에 대한 반응을 평가하는데도 가치가 있다. 그러나 당뇨병 환자의 신경병증성골관절증에서도 높은 위양성을 보이므로 특이도가 낮고 당뇨병 환자의 골수염을 평가하는데는 문제가 있다.

방사능표지 백혈구스캔은 핵의학검사 중 가장 민감도가 높다. 111In leukocyte 스캔은 당뇨병환자에서 골수염의 진단에 평균 87%의 민감도(최대 96%)를 보이나, 골수염 없이 신경병증성골관절증만 있는 환자의 31%에서, 특히 급속한 골 파괴가

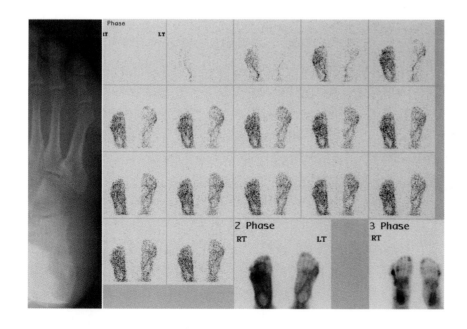

그림 3-28. 제 5중족골의 골수염 단순촬영에서 우측 제 5중족지절골 관절 주위의 연조직이 부어있으나 뼈에 이상소견은 보이지 않는다. 삼상골스캔 1기 및 2기에서 우 외측 발에 혈류 증가가 있고 지연영상에서 제 5중족골 두부에 골 섭취의 증가가 있어 골수염을 시사한다.

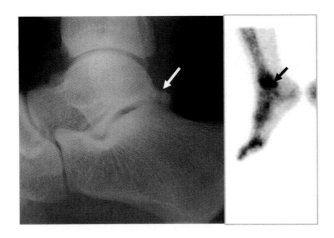

그림 3-29. 동통을 유발하는 삼각골 발목 측면상에서 정상 변이인 삼각골(화살표)을 볼 수 있다. 골스캔에서 삼각골의 섭취가 증가되어 있어 부골이 동통의 원인임을 확인할 수 있다.

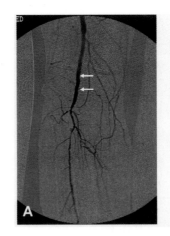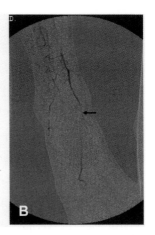

그림 3-30. 하지 파행을 가진 환자의 혈관조영술 슬와동맥에 협착(A, 화살표)이 있고 세 개의 분지 혈관도 좁아져 있다. 발목 부위에서 후경골동맥(B, 화살표)만 희미하게 조영되고 족배동맥은 조영되지 않는다.

있을 때에 위 양성을 보일 수 있다.

4) 종양

폐암의 경우에 발목 및 발로 골 전이가 되지만 발목 및 발에서 전이 종양은 드물며 원발성 종양 또한 드물다. 유골골종(osteoid osteoma)을 제외하고 양성 종양을 평가하는 데는 덜 유용하다. 종족 및 후족에서 비정상적인 섭취가 있을 때 CT 나 MRI검사를 실시하여 더 많은 정보를 얻을 수 있다.

5) 기타

그 외 족근융합이 의심될 때, 단순촬영에서 정상변이로 간주되는 부골 및 종자골이 동통의 원인이 되는지를 평가할 때 이용된다(그림 3-29). 또한 반사성교감신경이영양증(reflex sympathetic dystrophy)의 평가에 이용되는 데, 혈류 증가와 더불어 관절 주위의 강한 섭취를 볼 수 있다.

VIII. 혈관검사

과거부터 사용해온 혈관조영술(angiography)은 말초혈관질환의 가장 정확한 진단법으로 협착의 유무뿐만 아니라 협착 부위와 범위, 측부 순환 정도를 알 수 있으며 최근에는 주로 혈관질환의 중재적 치료가 필요할 때에 시행되고 있다(그림 3-30). 혈관조영술시 대혈관 질환을 배제하기 위해 양측 대퇴 동맥을 모두 평가해야 한다. 그러나 이 방법은 침습적이며 혈종, 출혈, 혈전증, 감염 등의 합병증이 생길 수 있고 신기능이 감소된 고령의 당뇨 환자 등에서는 조영제에 의한 급성신부전증의 합병증이 나타날 수 있다. 또한 상부 혈관이 폐쇄되어 있거나 조영제가 충분히 도달하지 못해 원위부 하지 및 족부의 혈관이 충분히 평가되지 못하는 경우가 있다. 그밖에 비침습적 검사로 초음파검사, 전산화단층촬영혈관조영술(CT Angiography), 2D 디지탈 TOF(time of flight) 기법을 이용한 자기공명영상혈관조영술(MR Angiography)이 이용되고 있다. 특히 자기공명영상혈관조영술은 내측족저, 외측족저, 족저궁 동맥의 혈류 평가가 가능하며 혈관조영술의 보완적인 검사로 이용되고 있으며 사용되는 조영제는 신독성이 거의 없는 것으로 보고 되어 있다(그림 3-31). 최근에 다중검출기 CT(MDCT)의 출현으로 전산화단층촬영혈관조영술(CT Angiography) 검사가 말초혈관 질환 평가에 이용되기 시작하고 있으며 이에 대한 연구가 진행 중이다.

다양한 영상검사를 숙지하고 각 영상검사의 적응증을 참고로 하여서 환자의 상태에 맞는 적절한 검사가 실시된다면 다양한 족부질환의 정확한 진단과 치료가 이루어질 수 있을 것으로

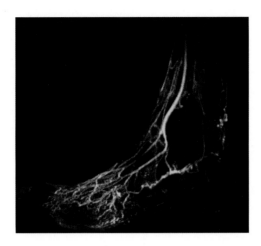

그림 3-31. 발뒤꿈치 궤양이 있는 환자에서 자기공명영상혈관조영술 조영증강 후 2D TOF 기법을 이용한 자기공명영상혈관조영술에서 족배동맥, 족저궁동맥의 혈류를 평가할 수 있다.

기대된다.

■ 참고문헌

1. Berquist TH. Radiology of the foot and ankle. Philadelphia: Lippincott Williams and Wilkins, 2000:41-104

2. Christman RA. Foot and ankle radiology. United Kindom: Churchill Livingstone, 2003: 317-343

3. Resnick D. Diagnosis of bone and joint disorders. Philadelphia: W.B. Saunders, 2002:3285-3343

4. Vanderschueren GM, Fessell DP, van Holsbeeck MT. Ankle. in Chhem RK, Cardinal E. Musculoskletal ultrasound. Canada: Wiley-Liss, 2003:213-246

5. Van Holsbeeck MT, Introcaso JH. Musculoskeletal ultrasound. St. Louis: Mosby, 1991

6. Berland LL, Smith KL. Mutidetector array CT. Once again technology creates new opportunities. Radiology 1998;209:327-329.

7. Guyer BH, Levinsohn EM, Fredrickson BE, Bailey GL, Formikell M. Computed tomography of calcaneal fracture. Anatomy, pathology, dorsimetry and clinical relevance. AJR 1985;145:911-919

8. Rosenberg ZS, Beltran J, Bencardino JT. MR imaging of the ankle and foot. Radiographics 2000;S153-S179

9. Aerts P, Disler DG. Abnormalities of the foot and ankle. MR image findings. AJR 1995;165:119-124

10. Schreibman KL, Gilula LA. Ankle tenography: a therapeutic imaging modality. In Tehranzadeh J. Interventional procedures in musculoskeletal radiology II advanced arthrography. RCNA 1998;36:739-756

11. Donohoe KH. Skeletal topics in orthopedic nuclear medicine. Orthop Clin North Am 1998;29:85-102

12. Abrams HL. Abrams angiography. Boston: Little Brown, 1983

13. Puttemans T, Nemry C: Diabetes: the use of color Doppler sonography for the assessment of vascular complications. Eur J Ultrasound 1998;7:15-22

14. Lee HM, Wang Y, Sostman HD et al: Distal lower extremity arteries: evaluation with two-dimensional MR digital subtraction angiography. Radiology 1998;207:505-512

15. Martin ML, Tay KH, Flak B, Fry PD, Doyle DL, Taylor DC, Hsiang YN, Machan LS. Multidetector CT angiography of the aortoiliac system and lower extremities: a prospective comparison with digital subtraction angiography. AJR 2003;180:1085-1091

16. 하권익, 최윤선 외. 근골격 질환의 진단과 검사의 핵심. 한미의학, 2002:308-389

17. 이경태, 최윤선 외. 당뇨병성 족부질환. 최신의학사, 2000:113-128

4. 마취
Anesthesia

을지의대 을지병원 마취통증의학과 **이 봉 재**

정형외과 수술을 위한 마취는 다른 어떤 분야보다도 다양한 마취기술을 필요로 한다. 전신마취뿐만 아니라 다양한 부위마취 지식과 기술이 요구되며 부위마취를 시행후 얕은 전신마취를 병행하기도 한다. 또한 수술과 관련하여 발생될 수 있는 합병증들이 선택된 마취방법과 전혀 무관하지 않을 때도 있어 수술과 관련된 절차, 기구 등에 대한 지식이 요구되기도 한다. 연령 범위는 선천성 이상을 가진 신생아부터 다발성장기부전을 가진 말기환자에까지 다양하며, 수술의 범위도 조그만 손가락 수술에서부터 천장골하지절단까지 범위가 넓다. 또한 류마티스양 관절염과 같은 기도관리가 어려운 환자에는 굴곡성 기관삽관법의 특별한 수기가 요구되며 수술중 기구사용과 수술의 종류에 따라 다량의 실혈을 적게 하기 위하여 저혈압 마취, 혈액희석법, 수술중 세포저장법(cell saver technique)등의 고도의 기술과 장비를 요구하기도 한다. 그리고 다양한 기구사용 및 수술을 위한 환자의 다양한 자세가 요구되므로 환자자세에 따른 손상을 주지 않도록 수술중에 세심한 주의가 필요하다.

노인인구의 증가로 인하여 족부수술 환자들에 있어 노인환자와 만성질환을 동반한 환자들이 많으므로 수술전에 심폐질환, 고혈압, 당뇨, 신기능 장애, 신경질환 등의 환자 상태에 따른 평가가 있어야 하며, 수술중에 환자감시에 주의를 기울여야 하고, 수술후에는 지방색전증, 정맥혈전증, 폐색전증등의 발생 위험이 있으므로 예방 및 치료방법에 따른 수술전 철저한 준비가 필요하다. 또한 수술전 약제와 마취약제간의 상호작용, 전신마취와 다양한 부위마취시 장단점을 면밀히 분석하여 마취방법을 선택하여야 하며, 수술환자의 빠른 회복을 위해서 적절한 통증관리에도 신경을 써야 한다.

I. 수술전 환자의 평가

1. 수술전 평가의 목적

수술전에 신체상태가 정상인 경우에는 수술에 잘 견디지만 비정상적인 경우에는 수술중이나 후에 이환율(morbidity)과 사망률(mortality)이 높기 때문에 수술전 신체상태가 비정상적이면, 무엇이 비정상이고 어느정도 심한가를 빨리 평가하여 될 수 있으면 수술전에 교정하여야 한다. 이를 위해 수술전에 마취과 의사는 반드시 환자를 만나보아야 하며 이 만남을 통하여 다음의 구체적인 사항들이 결정되어야 한다. 첫째로 추가적인 검사와 다른 과 의사와의 협의가 필요한 지 결정하기 위해 환자의 병력과 신체 및 정신 상태에 대한 정보를 얻고, 둘째로 알아낸 위험요소를 토대로 마취계획을 세우고, 셋째로 환자의 동의를 얻으며, 넷째로 환자에게 수술전후 처치, 통증치료 등에 대해 교육을 시키는 것이다.

수술전 평가를 잘 하기 위해서는 외과적 질환과 그에 수반된 내과적 질환에 대한 깊은 지식이 필요하며, 환자의 병력과 병상일지의 검토, 그리고 이학적 검사(physical examination)를 시행하여 마취과학적인 문제를 찾아야 한다. 기도의 평가는 마취과 의사에게는 가장 중요한 문제이므로 수술전 반드시 확인하여야 한다. 기관내 삽관이 원활하게 되지 않을 경우 이것은 마취에 의한 합병증 발생이나 사망을 초래할 수 있기 때문이다. 기도를 평가할 때는 환자의 목, 하악, 구강 구조와 운동성 등을 본다. 쿠싱병이나 장기간 스테로이드 복용, 갑상선 비대증, 비만환자 등에서 보이는 목의 연부 조직 비대, 목의 길이가 짧을 경우, 악관절 이상으로 인한 개구장애, 경부척추의 운동장애등은 기도관리에 어려움을 줄 수 있다. 이전에 기관절개를 받은 흔적이 있는 경우는 성문하 협착의 가능성을 시사하며 경부 종양 환자로 방사선 치료를 받았던 경우에는 마취유도후 갑잡스러운 환기 장애가 발생할 수 있기 때문에 조심하여야 한다.

2. 병존하는 일반 질환들

1) 심혈관계질환

허혈성 심장질환, 울혈성 심부전, 심근병증, 심장판막 질환, 고혈압등의 심혈관계 질환은 수술전에 최적의 치료를 받도록 수술전 검사를 해야 한다. 환자가 계단을 오르고, 운동을 하고, 집안일과 같은 것들을 숨차지 않고 할 수 있는지 알아야 한다.

허혈성 심질환은 심근의 산소요구량과 공급량사이의 불균형 관계를 말하며 지난 6개월이내 심근경색의 병력이 있었던 환자에서는 수술중 심근경색 재발 가능성이 병력이 없는 환자에서의 0.13%에 비해 5%이상 증가된다. 고혈압은 환자에게 마취와 수술중 큰 영향을 주는 가장 흔한 순환기 질환이다. 고혈압 환자의 20-25%가 기관내 삽관직후 높은 혈압상승을 보이며 환자의 치료에 기여하는 모든 심혈관계 약제는 수술당일까지 계속 투여하여야 한다. 중등도 이상의 고혈압은 반드시 내과적 자문을 얻어서 수술전에 치료하고 고도의 고혈압 환자는 수술을 연기하여야 한다.

2) 호흡기 질환

호흡기계는 수술전중후기에 많은 문제가 발생할 수 있는 부분이므로 주의깊은 이학적 검사가 필요하다. 수술전에 호흡기에 문제가 있는 환자에서는 호흡저하, 무기폐, 저산소혈증, 호흡기감염등이 동반되기 쉽고 수술후 폐합병증의 발생빈도를 증가시킬 수 있다.

원통형 흉곽(barrel-shaped thorax)은 만성폐쇄성 폐질환을 시사하며, 척추후측만증(kyphoscoliosis), 비만, 누두흉(pectus excavatum), 화상반흔등이 있을 경우에는 제한성 폐질환의 가능성에 대해서 생각해 봐야 한다. 청색증, 곤봉지등 폐질환의 가능성을 나타내는 말초성 증후도 관찰해야 한다. 또 심호흡과 기침을 잘 할 수 있는지 보아야 하며 이것은 수술후 적절한 분

비물의 배출과 무기폐방지에 중요하다.

천명(wheezing)이 들리는 천식환자는 β_2 촉진제와 theophylline으로 수술전 최적상태가 되게 기관지 확장 치료를 받아야 한다. 만성 폐쇄성 폐질환은 수술후 호흡의 기계적 도움을 필요로 하는 폐합병증의 빈도는 1초간의 강제호기량(FEV1)이 50%이하이거나 CO_2축적이 있을 때 증가한다. 1회 호흡량의 증가(10-15ml/kg)와 호흡횟수의 감소(6-8회/분)는 호기를 위한 충분한 시간을 갖는데 유용하다. 빠른 호흡양상은 환기/호흡비의 불균형과 가스의 축적(trapping)을 가져올 수 있다.

상기도 감염을 가진 환자에서는 기관지 경련, 후두경련, 기도분비물 증가와 산소불포화(oxygen desaturation)를 동반하여 위험을 초래할 수 있기 때문에 계획수술을 할 환자에서 상기도 감염이 있으면 수술을 연기함이 바람직하다.

3) 뇌혈관성 질환

무증상 잡음(asymptomatic bruit)은 상경부 경동맥(carotid artery)부위에서 들리는 경동맥 잡음(carotid bruit)을 말하며 경동맥의 죽상경화성 협착(artherosclerotic stenosis)의 중요한 징후이며 일과성허혈발작(transient ischemic attack; TIA)에 의한 실신이 일어날 수 있다. TIA가 있으면 뇌졸중도 일으킬 수 있고 심근경색을 일으킬 가능성도 높다.

4) 당뇨

전체인구의 2-4%에서 발생하는 것으로 추정되는 가장 흔한 대사성 질환이다. 선택수술에 앞서 혈당조절의 적정도와 케토산혈증이 없음을 확인하는 것이 중요하다.

3. 정형외과 환자의 특수한 질환들

1) 류마티스 관절염

하악골 발육부전과 측두하악관절 강직으로 기관삽관이 어렵고 윤상피열 관절염으로 가급적 작은 튜브를 사용하여야 한다. 그리고 환자의 약 80%에서 경추의 해부학적 변화(환축추 아탈구 등)가 동반되므로 경부의 과도한 굴절운동을 피해야 하며

심한 경우에는 굴곡성 후두경을 사용해야 하며 다른 일반적 환자들과 다르게 호흡하는 근육중 흡기근력(inspiratory muscle strength)이 감소되어 있어 수술후에 진통제나 진정제에 의해서 기도폐쇄가 일어날 수 있으므로 이들 약제 주입시 신중해야 한다.

2) 강직성 척추염

흥곽의 유연성이 떨어지면서 폐기능이 떨어지며 척추골절과 경추의 불안전성 위험성이 항상 동반되므로 수술실에서 체위를 고정할 때는 항상 주의를 요한다.

II. 수술의 체위

정형외과 수술에서 환자는 다양한 체위를 취할 수 있으며 이 때 부적절한 체위는 수술중, 수술후 좋지 않은 결과를 가져올 수 있다. 측와위시 주의할 점은 패드를 겨드랑이 밑에 댈 때 액와동맥과 상완신경초에 압박이 오지 않도록 하며, 복부가 눌러서 호흡기능이 방해받지 않도록 주의하여야 하며 복와위시에는 안와가 압박되어 망막동맥폐쇄, 말초신경 압박으로 신경손상을 초래할 수 있다.

공기색전증은 수술부위가 심장위치보다 상부에 있을 경우에 발생하며 발생빈도는 매우 적으나 일단 발생하면 매우 치명적이 될 수 있고 관절 및 사지는 과도한 신장, 비정상적인 체위 유지시 신경, 인대, 골, 관절부위의 손상을 초래할 수 있다. 골융기 부분이 직접 압박시 조직허혈, 괴사(특히 저혈압하 장기간 수술시)를 동반할 수 있다. 류마티스양 관절염이나 강직성 척추염 환자에게는 경추와 흥추가 일치되게 하여 척추손상이 되지 않도록 하여야 한다.

III. 마취수기의 선택

마취방법 선택시 고려하여야 할 사항은 환자의 건강상태, 수술시간, 골절부위뿐만 아니라 마취과 의사의 숙련도, 외과의사의 선호도 등을 충분히 고려하여야 한다. 발목수술은 경막외마취보다 척추마취가 선호되고 있다. 특히 L5-S1부위의 신경근은 굵기 때문에 경막외마취로 시행시에는 쉽게 국소마취가 통과

하지 않기 때문에 척추마취가 선호되고 있다. 수술시간이 길고 복잡한 동종이식편 대치술, 중요 종양수술, 재건수술, 주요 외상복원 수술 등은 대체적으로 전신마취하에서 이루어지며 부위마취는 수술시간이 짧고 간단한 사지수술에서 많이 선택되어 진다. 진정된 환자에서 부위마취의 장점과 기도를 안정적으로 확보할 수 있는 전신마취의 장점때문에 지속적 부위마취와 더불어 가벼운 전신마취를 함께 병행하기도 한다. 말초신경차단술에 의한 방법은 심혈관계와 호흡기에 대한 부작용이 적고, 경막외마취나 척추마취와 관련되어 나타날 수 있는 소변의 저류를 피할 수 있기 때문에 외래환자에서도 이용할 수 있는 방법이다. 그러나 말초신경차단술의 지속적인 성공을 위해서는 전문적 기술이 필요하다. 부위마취에 대한 선택은 수술부위, 지혈대의 사용여부, 수술후 보행유무, 수술후의 통증조절의 필요성 등을 다양하게 고려하여야 한다.

일반적으로 부위마취가 전신마취보다 안전하나, 수술후 장단기 사망율은 유의한 차이가 없고, 환자의 나이, 성별, 골절형태, 동반질환등이 더 큰 영향을 줄 수 있다.

1. 전신마취

마취유도시 심근억제와 저혈압을 초래할 수 있으며 특히 노인환자에서 약물투여시 순환시간이 짧기 때문에 약제를 점차적으로 증가시키는 점증요법(incremental manner)을 이용하여야 한다. 이때 흡입마취는 혈관확장과 심근억제를 일으킬 수 있다. 마취제 중 propofol은 thiopental 과 비슷한 작용을 가진 진정 최면제인데 오심, 구토의 빈도가 낮으며 회복시 숙취(hang-over)현상이 없기 때문에 빠르고 부드러운 회복을 필요로하는 외래수술환자나 간단한 정형외과 수술의 마취에 많이 이용되고 있으며 최근에는 흡입마취제중 desflurane과 sevoflurane이 마취유도와 마취후 각성이 빠른 이유로 많이 사용되고 있다.

2. 부위마취

하지에 주로 사용되는 부위마취의 방법은 척추마취와 경막외마취가 있는데 발목수술은 천부신경근과 요부신경근이 굵어 경막외 차단시 국소마취 차단시간이 길어 경막외마취보다 척

추마취가 선호된다.

척추마취는 노인에서 비교적 잘 적용되며 후부하를 줄일 수 있어 울혈성 심부전이 있는 환자에게 좋으나 혈압하강, 호흡억제 및 정지, 오심, 구토, 전척추마취등의 합병증이 있으므로 항시 조심하여야 한다.

3. 말초신경차단

전신마취, 경막외마취, 척추마취에 비하여 혈액학적 변화가 거의 없어 고위험도 환자에게 사용할 수 있다. 수술방법과 골절 부위 및 신경차단이 되어야 할 부위, 지혈대 사용여부등을 고려하여야 한다. 국소마취제의 선택은 다른 중요한 요인들이 있지만 주로 수술 시간에 좌우된다. bupivacaine 같은 장시간형 국소마취제는 12시간이상의 수술에도 사용할 수 있다. 어떤 국소마취제를 선택하든지 총량을 계산하고 안전범위를 반드시 지켜야 한다. 흔히 사용되는 국소마취제의 최대허용량은 lidocaine 7mg/kg, procaine 15mg/kg, chloroprocaine 20mg/kg(500mg이하), mepivacaine 7mg/kg(500mg이하), tetracaine 0.5mg/kg(200mg 이하), bupivacaine 3mg/kg(200mg이하)등이며 필요에 따라 adrenaline을 혼합하여 사용할 수 있으나 그 농도가 1:200,000을 넘지 않도록 주의를 요한다. 국소마취제의 부작용으로는 국소마취제의 혈중농도가 높아져서 중추신경계를 자극하여 술취한 것같은 상태에서부터 심하면 전신경련, 혼수상태 및 사망하는 경우까지 생길 수 있다. 부작용 발생시에는 먼저 기도를 확보한 후 인공호흡으로 산소를 공급하고 경련발작은 diazepam, barbiturate 및 근육이완제등을 정주하여 억제할 수 있다. 중추신경계 흥분증상후에는 억제(depression)가 수반되는데 이 때에는 수액을 공급하면서 뇌압을 감소시키고 혈압상승제를 사용하여 혈압을 유지하며 충분한 산소공급을 하는 것이 중요하다. 또한 국소마취제가 직접 심장과 혈관계에 작용하여 심근의 흥분성과 수축력을 감소시키고 서맥과 혈압하강을 초래하며 심하면 심정지까지 일으킬 수 있다. 독성을 막는 가장 좋은 방법은 계속 혈액의 역류여부를 확인하면서 천천히 간헐적으로 국소마취제를 주사하는 것이다. epinephrine(5mcg/ml)을 포함한 국소마취제를 정맥내로 주사하면 혈압과 맥박의 상승을 가져온다. 환자에게 이명이나 입주위의 혼몽(numbness), 어지러움 같은 국소마취제의 중추

신경계 독성과 관계있는 증상을 질문하면서 약물을 천천히, 간헐적으로(30초당 2.5ml) 주입하면 정맥내로 많은 양의 마취제가 들어가기 전에 혈관내 주사의 최초 징후를 포착하여 주사를 멈출 수 있다. 혈관내 주사나 과량을 피하면 국소마취제의 전신적인 독작용은 매우 드물며 중추신경계나 심혈관계의 부작용을 즉시 치료하면 그 결과는 매우 양호하다. 이러한 부작용 발생시에 환자가 사망하는 주원인은 처치방법의 미숙 및 필요한 기구와 약품의 불비가 가장 많은 원인이므로 항상 준비를 갖추고 있어야 만일의 사고를 예방할 수 있다.

발목에서의 신경차단은 내·외과 아래쪽 수술에 적용된다. 발목에 분포하는 말초신경은 5가지로 좌골신경의 말초분지인 4개의 종말지들 즉, 후경골신경(posterior tibial n.), 심·천비골신경(deep·superficial peroneal n.), 비복신경(sural n.)과 대퇴신경의 종말지인 복재신경(saphenous n.)이다. 다리는 무릎을 구부려서 발바닥을 평평하게 바닥에 대도록 위치를 잡는다. 동맥수축과 허혈이 일어날 수 있기 때문에 epinephrine을 섞은 국소마취제는 사용하지 않는다. 후경골신경은 후경골동맥이 박동하고 있는 뒤쪽을 통과하는데 바늘을 동맥의 후외측으로 뼈에 닿을 때까지 찌른다. 다시 약간 뒤로 뺀 뒤 침윤마취를 시킨다. 비복신경은 외측과(lateral maleolous)에서 아킬레스건쪽으로 얕게 침윤시켜 차단한다. 심부비골신경은 경골근(ant tibial m)과 장무지신근(extensor hallucis longus)사이의 융기된 건(tendon) 사이에 넣고, 주사침이 뼈에 닿으면 약간 뒤로 빼고 적당량의 국소마취제를 침윤시킨다. 이 지점으로부터 내·외과에까지 얕게 침윤하면 복재신경과 표재성 비골신경이 각각 차단된다.

4. 정맥부위마취

가능한 원위부 정맥내에 유지침을 거치한다. 수술하지 않는 부위에 정맥로를 확보하여 수액과 응급약이 주사될 수 있어야 한다. 이중 지혈대를 근위부에 감고 다리를 올리고 Esmarch붕대를 원위부에서 부터 시작해서 다리주위에 꼭 감아서 정맥혈이 완전히 빠져나가게 한다. 두 지혈대 모두 바람이 새지 않고 압력계가 작동함을 확인해야 한다. 원위부의 구혈대를 팽창시킨후 근위부의 구혈대를 팽창시키는데 압력은 둘다 350mmHg까지 올린다. 동맥의 맥이 없어져야 한다. 국소마취제의 총량

은 epinephrine없이 0.5% lidocaine을 3-6mg/kg를 계산하여 다리에서는 80-100ml의 용적으로 만들어 분당 20ml의 속도로 천천히 주사한다. 마취작용은 즉시 나타난다. 보통 지혈대 통증은 45분 후에 나타난다. 원위부의 지혈대를 팽창시키고, 그 다음에 근위부의 지혈대의 바람을 빼면 추가로 마취지속시간을 연장시킬 수도 있다. 수술조작이 끝나면 지혈대의 공기를 빼준다. 혈액순환이 다리로 되돌아와서 국소마취제가 전신순환으로 씻겨 나가고 수분내에 감각이 돌아온다. 지혈대의 공기를 빼주는 것은 조직에 국소마취제가 고정되게끔 하기 위하여 주사후 최소 30분 이내에는 하지 않는다. 혈중 최고 농도는 소량씩 다리로부터 유리되게 하거나 한번에 10초가 넘지 않는 시간으로 간헐적으로 지혈대 공기를 빼줌으로써 최소화시킬 수 있다. 독작용은 보통 서맥과 같은 일시적 심혈관계 변화의 형태로 나타난다. 가장 무서운 합병증은 예기치 못한 지혈대의 조기 공기 배출로 일어날 수 있는 국소마취제의 전격성 (fulminant) 전신 독 작용이다. 이런 이유로 반대편 다리 혹은 팔에 정맥주사용 카테테르를 따로 거치하고 즉시 사용할 수 있는 소생기구를 갖추고 있어야 한다. 이 방법의 장점은 시행하기가 쉽고 마취발현이 빠르고 근육이완이 잘 되며, 작용시간을 어느정도 조절할 수 있다는 것이며 단점으로는 전신독작용의 위험이 있고 수술범위가 제한되며 시야가 깨끗하지 못하다는 것이다.

IV. 지혈대의 영향

지혈대 사용과 관련하여 마취시 가장 빈번하게 직면하는 것이 지혈대 통증이다. 지혈대로 인한 통증은 지혈대의 팽창후 45분 정도에 발생하며 이러한 통증은 둔한 통증으로 시간이 지남에 따라 충분한 신경차단에도 불구하고 발생한다. 정확한 원인은 밝혀지지 않았지만 척수마취하에서 나타나는 지혈대 통증은 국소마취제의 용량, 감각차단의 높이, 국소마취제의 baricity, 그리고 국소마취제 자체와 관련이 있다고 한다. 국소마취제의 농도와 신경섬유 직경과의 관계에 대해 Cole은 척수마취로 적절히 마취되었음에도 불구하고 지혈대 통증이 나타나는 것으로 보아 원인이 심부 조직성이며 특히 좌골신경의 압박과 허혈이 관련되는데, 허혈이 진행되어 통증을 유발하기에 충분한 강도가 되었을 때 이를 차단할 국소마취제의 농도가 신경섬유에 충분하지 않아 유발된다고 하였다. Egbert 등은 시간이 지나 국소마취제 농도가 다른 종류의 통증성 섬유보다 큰 신경섬유에서 빠르게 감소하여 충분히 차단하지 못할 때 유발되며 척수마취시 tetracaine 용량을 증가시키면 지혈대 통증의 빈도가 감소한다고 하였다. 통증은 A와 C fiber를 통해 전달되며, C fiber가 국소마취제의 전도차단에 저항적이어서 농도가 높을 때는 모든 신경섬유 활성전위가 모두 억압되지만 농도가 감소되면 C 신경섬유의 활성전위 진폭이 먼저 나타나는데 척수마취하에서 유발된 지혈대 통증도 척수내 국소마취제 농도가 감소될 때 C 신경섬유 전도가 먼저 회복되어 일어난다. 또한 통증차단 효과는 bupivacaine이 tetracaine보다 좋은 것으로 되어 있으며, 통증차단 효과는 전신마취, 척추마취, 경막외마취, 정맥부위마취 순서로 통증차단효과가 크다고 알려져 있다. 전신마취하에서도 지혈대 사용시 발생되는 통증으로 인하여 심박수의 증가, 혈압증가등이 나타날 수 있다. 지혈대 감압시에는 혈압의 감소가 일어나는데 노인이나 심근이상 등 위험도가 높은 환자나 양측지혈대 팽창 환자에서 빈도가 증가한다. 이 때 심박수는 10-15% 증가, 혈장 칼륨치는 5-10% 증가하며 이산화탄소 분압은 1-8mmHg 증가한다. 이러한 전신대사증과 동맥혈 이산화탄소 분압 증가는 건강한 환자에게는 크게 영향이 없으나 지혈대 팽창 시간이 길었거나 양측 지혈대을 동시에 풀면 노인이나 심근이상 등 위험도가 큰 환자에서 임상적으로 유의한 산증을 야기할 수 있다. 일시적 중심체온 하강과 산소 소비 증가가 일어나며 지방, 골수요소, 혈전 등으로 인하여 대량의 폐색전으로 혈역학적 불안정이 발생할 수 있다. 신경학적 변화로는 30분내 체성 감각 전위와 신경전도 소실이 일어나며 2시간이 넘으면 술후 생리적 신경차단(neurapraxia)상태가 초래된다. 근육변화로는 8분내 세포내 저산소증이 초래되고 2시간후 모세혈관 내피 손상이 생긴다. 비만인 사람은 말초신경손상이 생기기 쉽고, 오랫동안 움직이지 못한 환자는 폐색전을 조심하여야 하며, 사지 혈관수술을 받은 적이 있는 환자는 동맥폐쇄나 혈전색전증이 생길 위험이 크다.

일단 지혈대 통증이 발생하면 치료는 조기에 시행되어야 한다. 아편양 제재를 혈관내로 투여하기도 하는데 효과적이지 못한 경우가 많다. 유일한 효과적인 방법은 지혈대를 푸는 것이다. 최근에는 국소마취제를 사용한 척수마취나 경막외 마취시 아편양 제재를 첨가함으로써 마취의 질을 향상시키는 방법이 추천되고 있다.

V. 수술후 통증관리

술후 통증은 교감신경계 항진(전신혈관저항 증가, 빈맥, 혈압상승, 심근산소소모량 증가), 호흡기계억제(폐활량 및 기능적 잔기량 감소, 분비물 제거 기능 억제, 무기폐 발생), 소화기계 및 비뇨기계 억제(장운동 억제, 장폐쇄증, 뇨저류)와 호르몬변화(이화호르몬 증가 및 동화호르몬 감소) 등 여러 가지 생리적 영향을 나타내므로 환자의 고통완화 목적외에 정상적인 생리기능 상태로의 회복을 촉진시키기 위해서도 적절한 통증치료가 요구된다. 정형외과 수술의 통증관리는 수술부위, 범위, 수술전에 환자에게 진통제 사용여부에 좌우된다.

최근에는 통증자가조절 장치가 개발되어 환자 각 개인간의 약동학 및 약역학 차이에 의한 혈중농도 변화를 감소시키고 진통제의 총사용량도 줄일 수 있게 되었다. 통증자가조절 장치는 소량의 약물이 지속적으로 주입되게 되어 있고 주입되는 약이 부족하여 통증이 올 때 이 장치에 달려있는 단추를 누름으로써 펌프가 작동되어 미리 정한 양의 진통제가 환자에게 들어가게 되고, 펌프의 시간조절기가 있어서 어느 일정 기간(lockout interval)이 경과될 때까지는 추가량이 들어갈 수 없게 되어 있다. 말초신경차단술은 bupivacaine이나 ropivacaine을 사용하면 수술후 강력한 진통효과를 12-24시간까지 작용한다. 관절내 국소마취제 투여는 강력한 진통효과가 있으며 외래수술후에 조기퇴원을 가능케한다. 저용량의 국소마취제(0.05-0.1% bupivacaine)와 narcotics(2-5ug/ml fentanyl)를 병용하여 사용하면 하지수술후 강력한 진통작용을 갖는다.

최근에는 bupivacaine대신에 ropivacaine을 많이 사용한다. Compartment syndrome을 일으킬 위험성이 있는 환자들은 국소마취제의 경막외투여나 하지 신경차단을 금해야 하는데 그 이유는 초기에 나타날 수 있는 증상이 없어져서 진단상 착오를 일으킬 수 있기 때문이다. 또한 외반변형(valgus deformity)나 광범위하게 경골 절제술(tibial osteotomy)을 받은 환자에서 수술후에 비골신경 마비가 올 위험성이 크다. 마비가 일찍 발견

되면 무릎을 굽혀주고 붕대를 바꾸어 주면 신경손상을 줄일 수 있다. 이 경우에도 경막외마취는 통증을 적게 하여 진단을 늦출 수 있으므로 주의하여야 한다. 결과적으로 정형외과 수술후의 통증관리 방법에는 여러가지 방법이 있는데 환자의 증상과 조건에 따라 금기사항여부를 반드시 확인하고 시행하는 것이 바람직하다.

■ 참고문헌

1. Atlee JL: Complications in anesthesia. 1st ed, philadelphia: W.B Saunders. 1999, pp 889-906.

2. Barash PG, Cullen BF, Stoelting RK: Clinical anesthesia. 4th ed, Philadelphia: Lippincott-Raven pp 1103-18, 2001.

3. Concepcion MA, Lambert DH, Welch KA, et al : Tourniquet pain during spinal anesthesia: a comparison of plain solution of tetracaine and bupivacaine. Anesth and Analg 1988; 67: 828-32

4. Dickson M, White H, Kinney W, et al : Extremity tourniquet deflation increases end tidal PCO_2, Anesth Analg 1990; 70: 457-8.

5. Johnson MJ, Lucas GL : Fat embolism syndrome. Orthopedics 1996; 19: 41-9.

6. Longnecker DE, Tinker JH, Morgan GE: Principle and practice of anesthesiology. 2nd ed, St. Louis: Mosby-Year Book. 1998, pp 2113-37.

7. Miller RD, Cucchiara RF, Miller EDJ, Roizen MF, Savarese JJ: Anesthesia. 5th ed. New York: Churchill Livingstone 2000, pp 2118-39.

8. Rosenfeld BA : Benifits of regional anesthesia on thromboembolic complications following surgery. Reg Anesth 1996; 21: 9-12.

9. Skues MA, Welchew EA : Anesthesia and Rheumatoid arthritis. Anaesthesia 1993; 48: 989-97.

제 2 부
전족부(Forefoot)

5. 무지 외반증
Hallux Valgus

을지의대 을지병원 족부정형외과 **이 경 태**

I. 정의(Definition)

무지 외반증은 엄지 발가락의 제1 중족지 관절이 발의 외측으로 치우치게 되는 변형으로 중족지골은 내측으로, 근위 지골은 외측으로 비틀어지면서, 제1 중족지 관절에 점액낭(bursa)이 발생하기도 하는 발의 대표적인 변형 질환이다. 일반적으로 여러 책에서 무지 외반증을 2차원적인 변형으로 기술을 하지만, 실제 변형은 3차원적인 변형이라는 점을 간과해서는 안된다(그림 5-1).

II. 발생 빈도와 역학
(Incidence & Epidemiology)

1. 발생 빈도

미국에서의 보고는 약 3-17%로 다양한 보고가 있지만, 국내에서의 보고는 흔하지 않은 것이 사실이며, 농촌의 한 지역을 대상으로 방사선 촬영에 의하지 않은 연구에서는 약 10%라는 보고도 있다[1]. 다면적 환자 연구에 의하면 무지 외반증의 발생률은 맨발인 경우를 포함하여 약 4%이다.

본 저자들의 경험으로는 약 인구의 10%정도에서 방사선적 정의에 합당하는 무지 외반증이 있는 것으로 추산하고 있다.

2. 원인(Etiology)

대개의 원인은 선천적 요인과 후천적 요인이 복합적으로 작용하는 것으로 알려져 있다[31,15].

그중 후천적 요인으로는 대개 하이힐 등의 앞이 뾰족한 신발(pointed shoe)이라는 것이 널리 입증되었고(그림 5-2), 선천적인 요인으로는 평발과 넓적한 발(splay foot) 원발성 중족 내전증(metatarsus primus varus) 과 원위 중족 관절면각(Distal Metatarsal Articular surface Angle)이 과다한 경우 및 제1열이

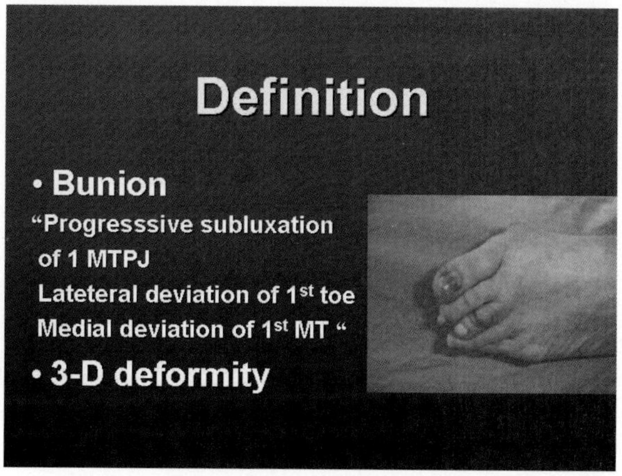

그림 5-1. 무지 외반증의 정의

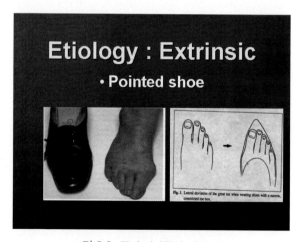

그림 5-2. 무지 외반증의 외부 요인

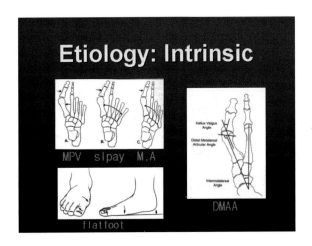

그림 5-3. 무지 외반증의 내부 요인 : high DMAA, 평편족, 중족내전증 등등

청년기의 무지 외반증은 관절의 불안정성에 기인한다기 보다 DMAA각의 증가와 같은 관절각 변화로 보는 경향이 있다. 게다가 관절 일치이외의 중족골 내전, 과운동성, 인대 이완과 같은 인자를 고려해야한다. 이러한 청년기에서의 해부학적인 요인들이 신을 신지 않은 그룹에서도 무지 외반증이 발생하게 하는 원인이 되는 것으로 추측된다. Piggott, Hardy, Clapham은 변형되기 쉬운 환자들을 연구하였다. 이 연구에 의하면 족지간 관절의 불안정성이 발가락의 외반과 회내에 선행하고, 중족지 간 각의 증가와 내반 제일 중족골이 따른다. 따라서 많은 경우에 첫 번째 변형은 족지간 관절에 있고 작은 퍼센트의 경우에 변형의 시작은 내반 제일 중족골과 과운동성과 관련된 중족골 불안정성에서 기인한다.

과다하게 유연한 발(hyperlaxity)들이 속하게 된다(그림 5-3).

다시 말해, "유전적 요인이 있는 사람이 20대 30대경에 앞이 뾰족한 구두를 신었을 때 발생한다" 고 하면 쉬운 설명이 될 수 있을 것이다.

다만, 청소년기에 발생하는 무지 외반증(Juvenile Hallux Valgus)도 그 원인이 매우 다양해 그 원인에 대해 많은 논란이 있는데, 이에 대한 일반적 견해는 다음과 같다. 청년기에 생기는 무지 외반증은 성인의 무지 외반증에 비해 족지간 관절이 안정하지만 비정렬이 더 많다. 그러므로 방사선적 관점에서의

III. 병리 기전(Pathophysiology)과 생체역학 (Biomechanics)

1. 병리해부학(Patho-anatomy)

족부의 제1열의 해부학은 매우 복잡한데, 이는 제1 중족 관절과 제1 중족 설상 관절로 나누어 얘기하고자 한다 . 먼저 제1 중족지 관절의 경우 이 관절의 안정성을 유지시켜주는 구조물로는 크게 정적 구조물과 동적 구조물로 나눌 수 있으며, 정적 구조물로는 제1 중족 관절을 이루는 중족지 골두와 근위 지골

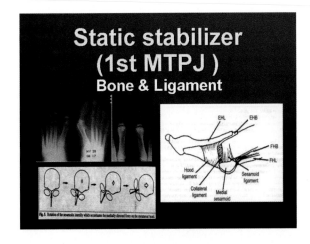

그림 5-4. 제1 중족지 관절의 정적 안정화 구조물 : 제1 중족지 관절의 형태와 종자골, 종자인대들이 안정화를 이룬다.

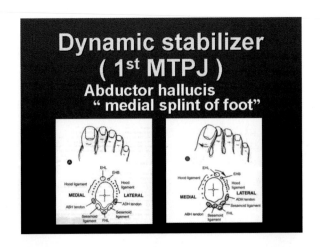

그림 5-5. 제1 중족지 관절의 동적 안정화 구조물 : 무지 외전근이 내측 스프린트 근육으로 이 근육이 족저로 움직이면서 근육 균형이 깨지게 된다.

기저부의 관절면과 종자골의 골조직과 각종 인대들로 구성되어 있으며(그림 5-4), 동적 구조물로는 각종 내재근(그림 5-5)이 있게 된다.

첫 번째 중족 족지 관절은 인대, 낭, 건, 종자골로 구성된다. 종족골 두부는 수직 길이보다 좌우 길이가 더 크다. 첫 번째 중족골 머리의 크기는 15mm이다. 머리는 두 개의 관절면을 갖는데 볼록한 원위면은 근위 족지의 바닥과 관절하고 있고 오목한 종자골을 위한 두 발바닥면은 능(crista)에 의해 분리되어 진다. 중족골 머리에는 근육이 붙지 않는다. 근위 족지의 바닥은 단 족무지 신전근, 단 족지 굴근, 무지 내전근, 무지 외전근, 족저판의 부착점이 된다. 첫 번째 중족 족지 관절의 측부 인대는 근위 족지의 양 측면에 붙는다. 족무지 신전 건은 원위 족지의 등측 입술 면을 따라 삼각 슬립에 붙는다. 장 족무지 신전 건은 첫 번째 선(ray)위에서 단 족무지 신전 건의 내측에 위치한다. 여러 섬유성 슬립은 장 족무지 신전 건으로부터 족저판으로 넓어져 나가는 신전 줄을 형성한다. 신전 줄은 중족 족지 관절의 신전을 돕는다.

종자골은 단 족무지 굴근 건 안에 있는 동안 중족골 머리의 족저면과 관절한다. 종자골은 또한 두터운 족저판에 싸여 있다. 외측 종자골의 부착물은 단 족무지 굴근건, 무지 내전근의 경사성 그리고 가로지르는 머리, 심층 무지 가로 인대, 외측 중족 종자골 인대, 그리고 장 족무지 굴근의 섬유성 터널의 외측면을 포함한다. 종자골의 내측 부착물은 단 족무지 굴근의 내측 머리, 무지 외전근 건, 내측 중족 종자골 인대, 그리고 장 족무지 굴근의 섬유성 터널의 내측 면을 포함한다. 두 종자골은 각각 족저판과 얇은 종자 사이 밴드에 의해 연결된다. 그것들은 단 족무지 굴근 건의 지레 팔의 신장을 도움으로써 건의 물리학적 이득을 증가시킨다. 한편, 시상구(sagittal groove)는 중족골두의 내측면에서 관찰되며, 연골이 가장 많이 퇴행성 변화를 보이는 부위(point od maximal cartilage degeneration)로, 이 부위에서는 중족골 두가 근위 지골이나 내측 측부 인대 어느 것에도 접촉하지 않는다.

무지 외반증이 진행됨에 따라 첫 번째 중족 족지 관절의 내측 낭은 외측 구조물이 수축하는 동안 약해지게 되어, 첫 번째 중족 족지 관절에 대한 신근, 굴근, 내전근, 그리고 중족골사이 인대의 변형력을 증가시킨다. 중족골 사이 인대, 무지 내전근 그리고 건적 구조물, 중족골 머리의 외측에 위치한 종자골은

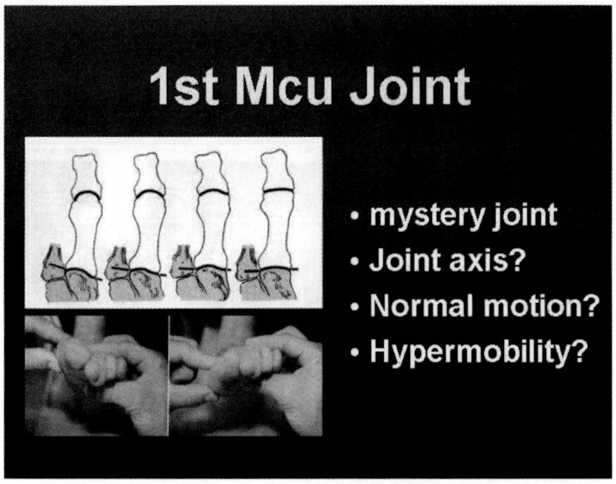

그림 5-6. 제1중족 설상 관절

무지 외반 변형이 증가함에 따라 내측으로 변향된다. 결과적으로 엄지 발가락의 회내전(pronation)이 증가하게 된다.

관절 운동범위는 정상개체에서 111° 강직 족무지에서 69°, 무지 외반증에서 47°이다. 강직 족무지에서 배부 굴곡이 제한되는 반면 무지 외반증에서는 족저 굴곡이 제한된다.

이러한 비정상적인 운동이 관절의 퇴행률을 높이고 무지 외반증 환자의 첫 번째 중족 족지 관절의 통증을 유발시키는 원인이 된다.

제1 중족지의 저부는 내측 설상골과 관절한다 이 제1 중족지는 족저측의 설상 중족골 인대에 의해 안정화된다. 내측 설상골은 5개의 면으로 이루어져 있으며 원위부 면은 볼록하다(그림 5-6).

현재까지 제1 중족 설상 관절의 정확한 관절축(joint axis)이나 운동 방향과 범위에 대해서 논란이 많은 상태이고 현재 연구가 진행중이나 관절면이 oblique한 경우 무지 외반증이 잘 발생한다고 알려져 있다. 제1 중족골의 변형의 정점은 MC joint인 것으로 보이는데, Tanaka등은 컴퓨터 분석을 통해서 MPV의 각 형성은 MC joint에서 발생한다고 하였다. 이 관절의 정상적인 내측 경사도(medial inclination)는 10도인데, 만약 이 각도가 25도이상이면 MC 관절의 고정술이 필요하다고도 하였다.

2. 혈관 해부학

첫 번째 중족지와 제1 중족지 수지 관절은 배측 중족지 동맥

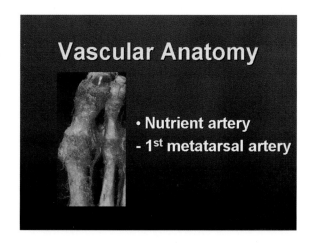

그림 5-7. 제1 중족지 관절의 혈관분포 : 영양동맥에서 분지 하는 제1 중족지 동맥이 주로 관장

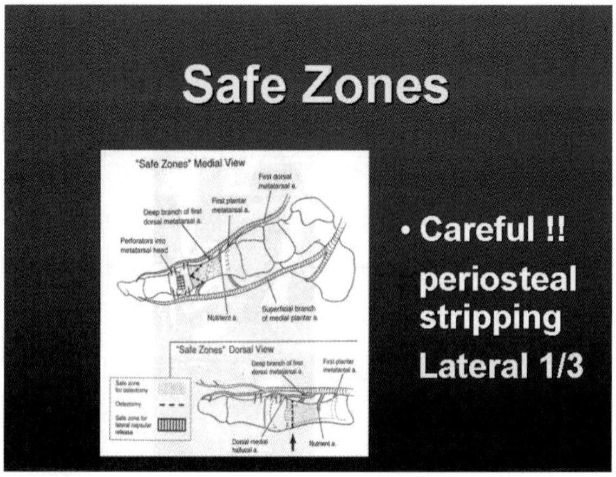

그림 5-8. 안전 지대 : 혈관 분포에 의해 제1 중족지골 원위부에서 절골 술시 제1 중족지 관절의 외측 1/3의 골막은 보존을 해야 무혈성 괴사가 발생하지 않는다.

과 제1 족저측 중족지 동맥, 내측 족저 동맥의 표재성 분지에 의해 혈액 공급을 받는다(그림 5-7). 골내 혈관 분포는 제1 중족지 원위부의 내측 면을 관통하는 혈관에 보다 더 우세하게 공급받는다. 배부 측면 동맥 그물망은 족배 동맥의 분지인 배부 골간 근육의 배부를 지나는 제1 족저 중족지 동맥이다(그림 5-8) .이것은 측부 배부 동맥의 최종 분지이며 종자골 주위에 원을 형성하기위해 FHS 아래를 지난다. 후 경골 동맥은 내측 족저 동맥의 표재성 분지를 내측으로 공급한다.

원위부 쐐기 절골술은 30° 이하의 무지 외반증과 족지의 회내전이 없는 15° 이하의 중족골간 각에서 추천된다. 어떤 저자들은 무지 외반증을 교정하기 위한 측부 연부 조직 제거나 원위부 쐐기 절골술이 제1 중족지골의 두부의 무혈성 괴사 발생 조장의 가능성이 있다고 주장한다. 이론적으로 측부 관절낭 절개술이 골외 혈액 공급을 방해할 수 있는 반면, 원위부 골 절개술은 골내 혈액 공급의 방해를 이룰 수 있다. 한 저자는 원위부 쐐기 절골술 이후 40%에서 골 괴사가 이루어졌다고 주장한다. 최근 원위부 쐐기 절골술과 내전근 건 절개술에서 대한 방사선적 연구가 이루어지고 있다. 비록 술후 2-9일경 골 괴사의 가능성을 경고하였으나 1년간의 추적 조사에서는 없었다. 다른 연구에선 원위부 쐐기 절골술, 외측 연부 조직 제거술을 시행한 23 증례를 평균 50개월간 조사했으나 방사선적 조사에서 무혈성 괴사의 흔적은 보이지 않았다.

이 저자들은 골 절개술은 중족지의 측부 피질골의 천공을 피하면서 관절낭의 근위부와 영양공급 동맥의 근위부에서 이루어져야 한다고 주장한다.

3. 무지 외반증의 자연력(Natural history) 및 병인(pathogenesis)

무지 외반증의 자연력(natural history)에 대해서는 많이 알려진 바가 없다. 즉 무지 외반증을 조기에 치료하지 않으면 향후에 변형이 진행되는지 아니면 정체해 있는지를 연구 한 보고가 많지 않은데, 결국 이것이 조기 치료를 해야 할지 말아야 할 지를 결정하게 되는 것이다. 아무튼, 가장 유사한 자연력에 대한 보고는 Piggot의 방사선 연구인데, Piggot은 제1 중족지 관절의 형태를 3가지로 나누어 상합군(congruent group)은 비진행이며, 아탈구군(subluxate group)과 전이군(deviated group)은 무지 외반증이 진행하며, 제1 중족지골이 이상 변형되고, 종자골이 부정 정렬(malalignment)된다고 보고하였다. 그 외 Hardy와 Clapham이 소아와 어른의 무지 외반증에 대해 연구한 논문에 의하면, 중족지간 각(IMA)의 증가 이전에 무지 외반각이 증가한다고 발표해 제1 중족지 관절의 불안정성이 1차성 중족 내반증(metatarsus Primus Varus)보다 먼저 나타나 후천적 요인이 선천적 요인보다 중요하다고 주장하였다. 어떤 보고에서는

50%의 성인 무지 외반증이 청소년기에 발생한다고 하였고, 어떤 보고에서는 40%의 청소년기 무지 외반증이 10세 이전에 발생하였다고 하였다.

무지 외반증은 적어도 세 개의 소그룹으로 나눌 수 있다. 환자의 약 4%는 신발과 관련 없이 발생한다. 환자 그룹 중 가장 큰 그룹은 신발과 같은 외부 자극에 의해 발생한다. 세 번째 그룹은 무지의 안정성을 해치는 손상(예를 들어 염증성 질환이나 심각한 외상에 의해 인대의 손상을 가져오는)으로 인해 변형이 생긴 환자들로 구성된다.

첫 번째 그룹은 첫째열의 비정렬이 중요 요인이다. 이들은 내반 제일 중족골을 가지고 있어 그 변형의 초기 요인이 되며 이미 말했듯이 병리의 첫째 요인이 된다. 이런 환자에게서 무지 외반증은 나타나지만 족지간 관절은 병의 후기까지 정렬된 채로 남아있다. 이 관절에서 회전 변형과 관절 불안정성은 나타나더라도 병의 후기에 나타난다.

가장 흔한 두 번째 그룹에서의 무지 외반증은 무지 족지 관절의 불안정성과 관련된다. 초기에는 발가락의 외반이 무지 외전기능의 감소와 신발의 압력에 기인하는 무지 내전근의 수축 증가와 관련된다. 이 편향은 외재 굴근과 신전 인대를 외측으로 옮기고 발가락을 시상단면에서 외반시키며 첫째 중족지골두에 내반력을 증가시킨다. 이러한 외재 굴근과 외재 신전근의 재배열은 무지 외반증을 더 진행시킨다.

변형의 악화는 측부 인대와 관절낭을 포함한 족지간 관절의 내측 해부학적 제한력에 의해 억제된다. 내측 막성 인대 구조는 지속적인 외반력에 의해 약화된다. 종자골은 근위 족지골에 각각 종자골간 인대에 의해 단단히 고정되어있어 하나의 구조물처럼 움직인다. 족지간 관절의 아탈구의 진행은 중족지골 두 능선에 있는 경골 종자골의 충돌에 의해 제한된다. 능선의 미란이 생기면 족지간 관절은 불안정하게 된다. 외측 종자골의 인대와 외측 측부 인대는 손상되지 않은 채로 남아서 중족골 두의 배외측에 사슬처럼 붙게 된다. 비슷하게 횡행 중족 인대는 변하지 않은채 남아 종자골의 둘째 중족골에 대한 위치는 변하지 않는다. 따라서 외측 종자골은 둘째 중족골의 경부에 붙어있다.

중족골 두의 내측 변위가 진행됨에 따라 내측 종자골은 중족골의 외측부 아래에 위치하게 되며 외측 종자골은 외측 종자골 인대에 붙어 배측으로 변위된다. 비슷하게 외측 측부 인대는 근위 족지에 붙는다. 이러한 움직임은 무지에 회전력을 주어 결과적으로 무지의 내측 족저에 굳은살을 생기게 하는 무지 내회전과 회내를 일으킨다. 이러한 회전 변형은 무지 외전근을 내측에서 족저로 움직이게 한다. 외측 측부 인대와 종자골 인대가 약화될때만 족지간 관절의 변위를 일으킨다. 중족지 골두는 내측으로 움직여 근위 족지와 종자골이 제일 중족골 두의 외측에 위치하고 심재성 횡행 중족 인대는 제이 중족골에 붙어 있게된다.

4. 생체역학(biomechanics)

제1 중족지 관절의 가장 중요한 생체 역학적 기능은 체중의 지탱(weight bearing)과 제1 중족지 관절에 부착하는 족저 근막의 windlass 기능을 수동적 배굴시 도와주는 기능(windlass effect)이다. 따라서, 무지 외반증이 발생하면, 제1 중족지 관절의 체중 부하 기능이 저하되면서 체중이 소족지로 이전되는 체중 전이(weight transfer) 현상이 발생하여 소족지에 굳은 살이나 신경종이 나타나게 된다. 한편, 무지 외반증으로 보행 주기의 windlass 기능이 상실되면 보행 주기의 순환 구조가 깨지게 되어, 비효율적인 보행 주기를 이루게 된다(그림 5-9).

Lamur 등은 무지 외반증을 가진 발의 다양한 해부학적 요소의 기하학적 관계를 분석했다. 그들은 무지와 외반각, 위치, 장 굴곡근, 신전근의 건의 지레대, 무지와 중족골 두의 길이와 폭을 측정했다. 이러한 변수들 중에서 장 무지 굴곡근의 건과 첫

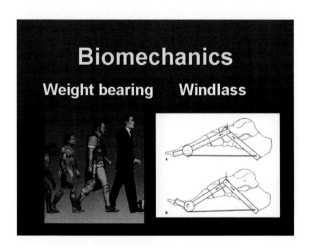

그림 5-9. 제1 중족지관절의 생체 역학 A. 체중 부하 B. Windlass 효과

번째 중족골 두 사이의 거리가 무지 외반증의 각과 전족의 폭에 가장 강력한 연관성을 가지고 있다.

무지 외반증의 평가에서 보행 분석을 실제적으로 이용한 두 가지 연구가 있다. Markel 등은 Mitchell 절골술 후 환자의 보행을 분석했다. 이러한 결과들은 Mitchell 절골술 후 환자들은 나이와 성별을 일치시킨 대조군에 비해 보행 속도, 보폭, 분속수, 단일한 몸의 지지기의 비율과 입각기의 비율의 감소를 나타냈다. 이 연구의 주요한 단점은 동일한 환자의 절골술 전 후의 비교가 부족하다는 것이었다(그림 5-10).

Vittas등의 연구는 Mitchell 절골술 전 후 환자의 보행 분석을 시행함에 의해 Merkel 연구의 문제점을 피했다. 수술 전 후 저자들은 무지 외반각을 측정했다. 보행 분석은 Jansen 등의 기술에 따른 유효한 밟아 돌리는 바퀴(treadmill)를 이용하였다. 지면 반발력 수직적, 횡적 시상면적인 힘을 계산할 수 있는 압력-판 체계(force-plate system)에 의해 측정되었다. 저자들은 보행기외 이중의 몸의 지지기, 보폭, 활보장, 보행의 불안정성과, 보행의 외적 일을 측정할 수 있었다.

Vittas는 무지 외반증 환자의 각도가 평균 각도에서 19도로 증가한 것을 관찰하였다. 단지 통계적인 중요한 결과는 비수술 발의 보폭 감소이고, 비수술 발과 비교할 때 수술 발의 stance phase의 감소이다. 그리고 수술 발과 비수술 발의 양발의 보폭 속도의 감소이다. 이러한 Mitehell 절골술 전 후의 변화에 대하여 저자는 Mitehell 절골술 후의 무지 외반증 환자의 걸음걸이

분석은 임상적 큰 변화는 없었다고 결론지었다. 분명히 무지 외반증을 교정하는 수술 술기는 여러 가지이므로 걸음걸이 분석 관점에서는 좀 더 조사가 필요하다.

여러 가지 힘의 발판과 발바닥의 압력을 측정하는 장비는 무지 외반증과 관련된 압력 중심의 이동을 보여준다. 무지 외반증이 진행되면 엄지 발가락의 전족의 체중 부하 기능은 감소한다고 할 수 있다. 사실 무지 외반증이 증가하면 엄지 아래의 압력은 감소한다.[9,15,16] 이런 힘이 외측으로 옮겨지면서 압력의 중심은 외측으로 이동하게 된다(그림 5-11). 이러한 현상은 무지(엄지발가락)의 절단 환자나 중족지골 관절 근위부의 절단 환자에서 나타난다. 많은 조사인들은 무지 외반증과 관련된 특징적인 걸음걸이를 기록하였다.

중증도의 무지 외반 변형을 가지고 있는 환자는 종종 발에 걸리는 작은 물체에도 통증을 호소한다. 무지의 중족 족지 관절 내부의 변화에 의해 무지 중족 족지 관절의 체중 지탱 능력이 떨어지는 경우 앞쪽 발이 받는 압력이 외측으로 벗어나게 된다. 특히 이 경우는 종자골의 외측 변형이 일어나는 경우, 원위부 근위부 족지의 무게 지탱 능력이 떨어지는 경우의 외반 변형이 일어나는 경우, 그리고 첫 번째 중족지의 내측 변형이 일어나는 경우가 포함된다. 무지에 의해 제2 족지의 등쪽, 외측 변형이 일어나는 경우에는 외측 압력이 더 증가하게 된다. 제 2 족지의 변형의 경우에는 망치 족지 변형이나 갈퀴 족지 변형을 일으키거나 가속화시킨다. 더 나아가서는 제 2 중족 족지 관절

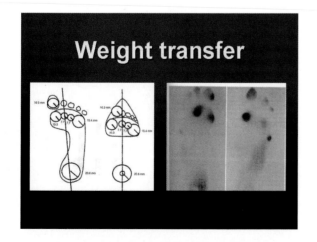

그림 5-10. 무지 외반증과 정상인의 보행 주기 비교

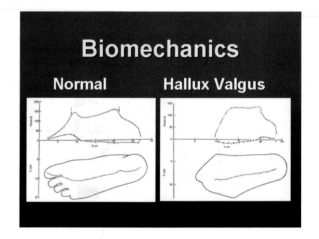

그림 5-11. 체중 전이 현상 : 제1 중족지골의 체중 부하 기능이 무지 외반증 등에 의해 방해되면 체중부하가 소족지 방향으로 전이된다.

의 족저 지방조직의 원위부 전위를 유발시킨다. 의사나 환자 모두 발바닥 넓게 깔려 있는 각질을 인식할 것이다. 무게 중심의 외측 전위로 증가된 압력은 중족 족지 관절의 외측에서 측정할 수 있다. 해리스 매트는 이런 변화를 시각적 그리고 양적인 근거로 보여줄 수 있다고 주장했다. 페도바로 그래프는 양적, 그리고 질적인 외측으로의 압력 증가를 인식할 수 있게 하였다. 이런 여러 가지 방법들은 첫 째 중족 족지 관절의 무게 지탱 능력을 재 평가하면서 결정지어진다.

여러 가지 보존적인 치료 방법들이 무지 외반증을 처음 치료하는데 쓰일 수 있다. 그러나 대부분의 신발을 이용한 보존적 치료 방법은 생역학적으로 세밀하게 평가될 수 없다. 중족지 패드는 무지 외반증, 지방조직 위축, 갈퀴 족지 변형, 모톤 신경절, 그리고 발바닥의 각질에 의해 생기는 중족지의 동통을 치료하는데 유용하다. 중족지 패드의 원리는 중족지로 가해지는 압력을 분산 시키는데 있다. 페도바로 그래프를 사용해보면, 최대 압력을 받는 곳에서 부터 근위부에 중족지 패드를 사용함으로써 중족지 두의 압력이 60%가량 줄어드는 것으로 나타났다.

무지 외반증과 편평족에 의해 발생한 발의 회내는 근접한 안쪽 슬관절 동통을 유발한다. 이는 슬관절에 내반 압력이 가해지기 때문이다. 이는 이런 종류의 환자들이 내측을 지지하는 보조 기구 치료를 받는 이유가 된다. 보조 기구 목적은 전족과 후족의 회내와 이에 의해 생기는 슬관절과 경골의 영향을 줄이기 위함이다. 그러나 생역학적으로 발의 회내와 무지의 회전 변형이 얼마나 슬관절과 경골에 영향을 미치는지는 정확하게 규명되지 않았다.

무지 외반증 변형의 가장 고통스러운 생역학적 결과 중 하나는 발의 족저면이 아니라 내측면이다. 흔히 신발을 신거나 평편한 기구로는 측정할 수 없다. 명백히도 무지 외반증의 증상들은 대부분 내측 융기의 돌출을 지나는 표면 배측 및 족저 신경의 눌림에 기인한다. 이 융기는 첫 중족지의 내측각과 내측 융기의 돌출의 조합으로 표현된다. 명백하게도 이 생역학적 결과를 유발하는 핵심 요소는 골 융기 하방의 신경을 누르는 신발의 효과 때문이다. 그러므로 생역학이 신발의 앞심, 넓이, 봉합 양상의 변형을 요구하게 된다. 이러한 경고는 무지 외반증의 초기 보전적 중재의 표지이다.

신발이 무지 외반증 변형의 고정을 마침내 야기하는 힘의 시작에 중요한 역할을 한다는 강한 증거가 있다. 몇 몇 저자들은 신발 없는 시대에 반해서 신발 신는 시대에 무지 외반증이 명백히 더 높은 비율임을 보여준다. 특히 어떤 여성들의 뾰족 구두나 힐에서 신발의 영향은 맨발의 윤곽과 좁은 앞심의 신발의 윤곽과 겹쳐 보여질 수 있다. 무지 외반증의 두 번째 영향은 발 압력의 외측 이동을 포함하여 하이힐과 연관하여 좁은 앞심과 높은 뒤꿈치에 의해 악화된다.

보행 분석에서 바닥에 작용하는 힘과 발바닥 압력의 평가는 무지 외반증의 관점에서는 아직도 비교적 기본적인 상황이다. Mitchell 골학적 관점에서 무지 외반증의 치료에 대한 노력들은 보행의 향상을 고려하지 않는다고 한다. 보행에 대해 초승달과 Chevron 골학같은 곳에서 술기의 결과에 대해 평가가 필요하다. 보행에서 무지 외반증의 기능의 이해를 근본적으로 증진하는 것도 첫 중족지 관절과 발 전체의 정적인 그리고 동적인 기능을 향상하는 조사를 위한 중요한 기초이다.

IV. 치료 결정(Decision Making)

무지 외반증의 문제를 잘 해결하기 위해서는 여러 가지 조건들이 구비되어야 하는데, 일반적으로 무지 외반증이 외과적 질환이란 점을 고려하면 수술전 정확한 치료 결정(preoperative precise decision making)수술 중 훌륭한 수술 수기(intra-operative good surgical technique) 수술 후 섬세한 재활 치료(postoperative meticulous rehabilitation)등이 필수적이다(그림 5-12).

1. 치료 결정에 고려되어야 할 사항

수술 전 치료 결정에 고려되어야 할 사항들로는 1) 환자의 주소(chief complaint) 2) 이학적 검사 소견 3) 방사선 소견 4) 환자의 연령 5) 환자의 기대 내용과 기대치 등이다(그림 5-13).

1) 환자의 주소

환자가 제일 불편하게 생각하는 것이 건막류의 돌출에 의한 통증인지 무지의 문제로 인해 2차로 발생한 소족지(lesser toe)의 문제인지를 구별해야 한다. 즉 무지의 문제 특히 돌출된 뼈

To furfill satisfaction

- Preop. 1) precise decision
- Intraop. 2) Good technique
- Postop. 3) meticulous rehab.

그림 5-12. 무지 외반증 치료 결정의 필수 사항

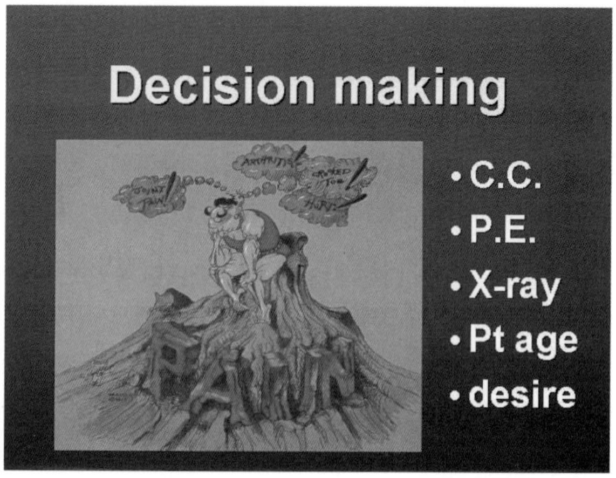

Decision making

- C.C.
- P.E.
- X-ray
- Pt age
- desire

그림 5-13. 무지 외반증 치료 결정시 고려해야 할 사항

로 인한 문제이면 치료를 할 때 돌출된 부분을 없애는데, 최대의 관심과 노력을 기울여야 할 것이고, 소족지의 신경종이나 굳은 살 등이 문제라면 이들의 해결에 주된 관심을 기울여 환자가 치료에 만족해야 한다. 그리고, 혹시 통증보다는 미용적인 문제가 주소인지도 신경을 써야 한다(그림 5-14).

2) 이학적 검사 소견

환자의 이학적 검사상 무지에서 건막류가 있는지, 압통이 있는 부위와 소족지의 신경종, 굳은 살 등의 체중 전이 소견

(weight transfer lesion)이 있는지, 무지의 과운동성이나 운동 범위는 어떤지등이 수술 방법을 결정하는데, 중요한 역할을 할 수 있다(그림 5-15).

3) 방사선학적 소견

다른 정형외과 질환과는 달리 무지 외반증의 진단은 단순 방사선 촬영으로 대부분의 정보를 다 얻을 수 있기 때문에 치료 결정에 방사선 소견이 매우 중요한 역할을 하게 된다.

이 중에서 제1 중족 관절의 상관여부(congruency), 무지 외

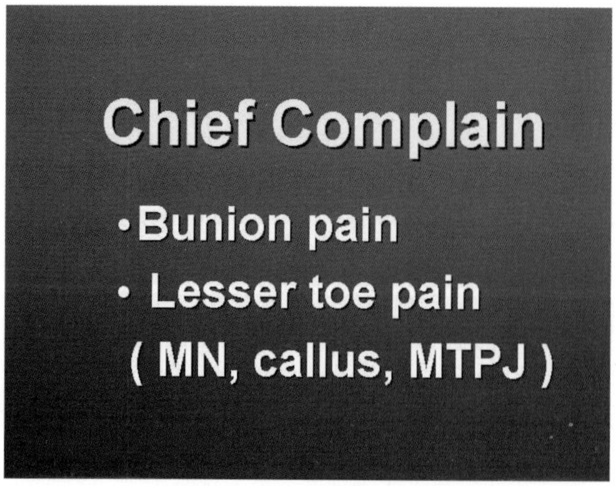

Chief Complain

- Bunion pain
- Lesser toe pain
  (MN, callus, MTPJ)

그림 5-14. 무지 외반증의 주소

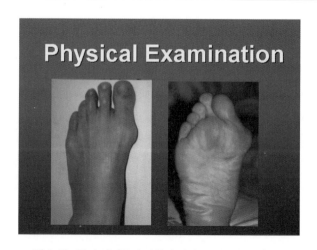

Physical Examination

그림 5-15. 무지 외반증의 이학적 검사 건막류, 굳은 살, 압통

반각, 제1 중족지간 각 등이 중요하고 그 외에도 종자골의 전이 정도도 영향을 미치는 것으로 되어 있다. 자세한 내용은 다음에서 다루도록 한다.

4) 환자의 연령

환자의 연령도 치료 방법에 중요한데, 특히 관절 근처의 절골술을 시행하게 되면, 일반적으로 관절 운동 범위가 감소하게 되는데, 고령의 경우 더욱 관절 운동 범위가 저하되어 수술 후 결과가 안 좋을 수 있다는 점과 환자의 평균 연령을 고려해서 관절 절제술과 고정술을 결정할 때 고려 사항이 된다. 하지만, 최근 논문들 중에는 노령이라도 관절 주위 절골술 후 운동범위의 심각한 감소가 없기 때문에 상관없다는 보고도 있다.

5) 환자의 기대 내용과 기대치

환자들이 수술을 받을 때는 특별히 수술 후 주어지는 대가를 기대하게 되는데, 무지 외반증의 기대 내용은 "통증의 완화와 제거" 및 신발 사용의 편리성 등이라는 것을 강조해야 한다. 젊은 여성의 지나친 미용에 대한 기대치는 때로 의학적으로 성공적인 수술을 실패로 몰고 갈 수 있기 때문이다. 하지만, 현실적으로 한국인의 미용 선호 성향이 있다는 것을 알고 이에 대해 지나치게 무관심을 보이는 것 또한 문제가 될 수 있다는 것을 명심해야 한다.

따라서 환자의 기대 내용이 "통증 제거와 발 모양이 전보다 꽤 예뻐지는 것"이라고 정의하는 것이 옳을 것이다.

2. Mann's Algorythm

최근까지 가장 널리 사용되어진 방법으로 방사선 소견을 기본으로 치료 방법을 나누었다(그림 5-16).

먼저 방법의 기본적인 내용은 관절을 제1 중족지 관절을 상관관절(congruent joint), 비 상관관절(incongruent joint) 및 관절염 관절(arthritic joint)로 대별해서 치료 방법을 설정한다. 상관관절일 경우에는 관절의 상관 관계가 변하지 않는 관절 외 술법(extraarticular procedure ; distal chevron, mitchell 등) 이 사용되고, 비상관 관절일 경우에는 관절 내 술법(intraarticular procedure : 원위 연부 조직 교정술)이 시행되어 비상관을 상관 관절로 바꾸어야 하고, 관절염 관절인 경우에는 원칙적으로 관절 고정술이나 관절 절제술을 시행해야 한다. 각 과정은 무지 외반의 정도에 따라 세분하게 된다. 그리고 제1 족지열에 과 운동성이 있는 경우에는 제1 설상 중족 관절 고정술(Lapidus 술식)을 고려해야 한다.

Mann은 무지 외반증의 정도를 무지 외반각과 제1 중족지간 각을 기준으로 하여 3등급으로 구분하였다. 경도(mild)는 제1 중족지간 각이 13도 이내, 무지 외반각이 30도 이내인 경우, 중등도는 제1 중족지간 각이 13-20도, 무지 외반각이 30-40도인 경우, 심도(severe)는 제1 중족지간 각이 20도 이상 무지 외반

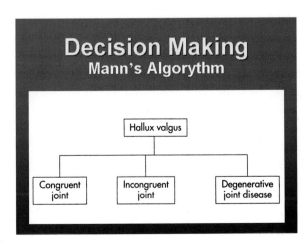

그림 5-16. Mann씨 결정법

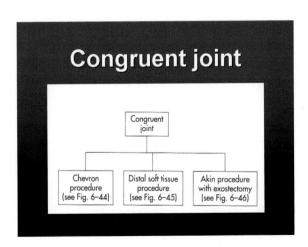

그림 5-17. 제1 중족지 관절이 상관관절인 경우

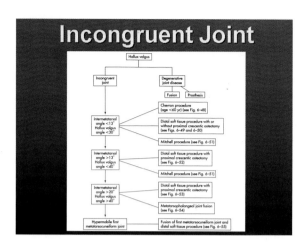

그림 5-18. 제1 중족지 관절이 비상관관절인 경우

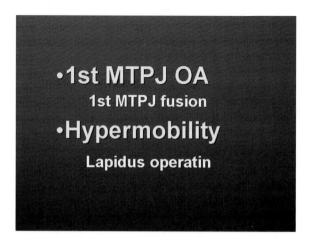

그림 5-19. 제1 중족지 관절이 관절염관절이나 제 1중족 설상관절이 과운동성인 경우

각이 40도 이상인 경우라 정의하였다.

1) 제1 중족지 관절이 상관 관절인 경우

그 정도에 따라 원위 중족 절골술(쐐기, 미첼씨)을 시행하거나 단순 buniectomy를 시행한다(그림 5-17).

2) 제1 중족지 관절이 비상관 관절인 경우

경도인 경우 원위 중족 절골술(쐐기, 미첼씨) 또는 원위 연부 조직 교정술, 중등도인 경우는 원위 연부 조직 교정술 및 근위 중족 절골술, 심도인 경우는 원위 연부 조직 교정술 및 근위 중족 절골술, 제1 중족지 관절 고정술을 시행한다(그림 5-18).

3) 제1 중족지 관절이 관절염 관절인 경우

나이에 따라 제1 중족지 관절 고정술 이나 관절 절제 성형술을 시행한다(그림 5-19).

4) 제 1 족지열이 과 운동성을 갖는 경우
제 1 중족 설상 관절 고정술 및 원위 연부 조직 교정술

하지만, 이 Mann씨 해법으로 모든 것을 해결할 수 없는 것이

사실인데, 비상관 관절인데 심도인 경우에 어떤 수술을 할 것인가에 대해서 본 저자는 되도록 제1 중족지 관절 고정술은 피하라고 권유하고 싶다. 그 이유는 분명 생체 역학적으로 고정술이 문제가 없는 수술이지만, 한국인의 문화적 정서상 무지 외반증 때문에 관절을 못 움직이게 한다는 것은 납득이 잘 안되는 수가 많기 때문이다. 따라서 이때는 후일 고정술을 할 수 있다는 전제 하에 근위 중족 절골술을 먼저 시행하는 것이 현명할 것으로 판단된다.

제1 족지열이 운동성이 중증도인 경우에 어떤 수술을 할 것이냐에 대해서 아직은 정확한 운동 범위를 계측하는데, 문제가 있는 것이 현실이므로 중등도라는 것도 정확한 정의가 없는 것이 현실이지만, 어떤 수술을 해야 할지 즉 설상 중족 관절 고정술을 해야 할지 근위 중족 절골술을 해야할지 난감할 때가 있는 것도 사실이다. 본 저자들의 경험으로는 수술 후 어떤 형태로든지 과 운동성이 감소되는 양상을 보이는 관계로 근위 중족 절골술이 1차로 요구되는 것으로 사료되나, 좀 더 과학적인 연구가 필요하다.

3. 난치성 무지 외반증(Difficult Hallux Valgus) 및 그 외의 고려사항

무지 외반증을 이루고 있는 요소 중에서 치료의 예후에 나쁜 영향을 미치는 것 들에는 선천적 요인(지간 무지 외반증, 원위

중족지 관절면각이 큰 경우, 편평족, 중족 내전증이 동반된 경우)이 대부분인데, 많은 경우에 이들 중 한 가지이상이 동반되어 있다. Brodie와 Grave는 이를 "less than adequate procedure"라 명명하였다.

본 저자들의 연구 결과에 의하면 수술 환자 100명 가운데 난치성 무지 외반증의 요소를 하나도 갖지 않은 경우는 12% 밖에 되지 않았고, 대부분은 이들 요소를 갖고 있었으며, 2개 이상의 요소를 갖는 경우에는 수술의 결과에도 영향을 미친다고 하였다. 본 저자들은 이런 무지 외반증을 "난치성 무지 외반증" 이라 명명하였다(그림 5-20, 5-21).

1) 지간 무지 외반증(Hallux Valgus Interphalangeus)이 있는 경우 모든 술식에 Akin 술식을 더해 시행하면 된다.

2) 원위 중족지 관절면 각(Distal Metatarsal Articular surface Angle)이 큰 경우 상관관절인 경우에는 Biplane osteotomy를 시행하고, 비 상관관절인 경우 중등도까지는 double, 심도라면 triple osteotomy를 시행하는 것이 현재의 치료 방법으로 알려져 있다(그림 5-22).

3) 편평족이 동반된 경우 수술 중 편평족을 교정하는 일은 드물고, 수술 후 깔창을 깔아서 족부의 회내전을 막아 재발을 방지하도록 한다.

4) 중족 내전증(Metatarsus Adductus)이 동반된 경우 중족 내전증이 있으면 제1 중족 지간 각의 교정이 어려우므로 무지 외반증의 완벽한 교정이 어려운 경우가 많다. 일부 학자들은 이 경우 소족지의 내전증에 모두 절골술을 시행하기도 하지만, 수술이 너무 광범위하다는 것이 일반적인 의견이다.

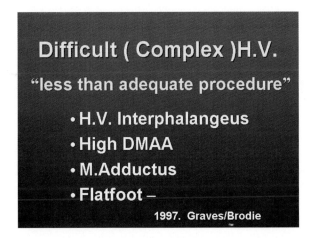

그림 5-20. 난치성 무지 외반증 1) 지간 무지 외반증 2) 원위 중족 관절면각 증가 3) 중족 내전증 4) 평편족

■ 참고문헌

1. 김 태경 일부농촌지역 성인의 발유형과 변형에 대한 연구 한양대 학위논문 P 18

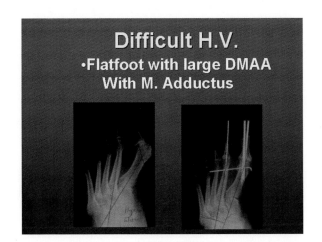

그림 5-21. 난치성 무지 외반증 증례 DMAA가 큰 중족 내전증의 평편족

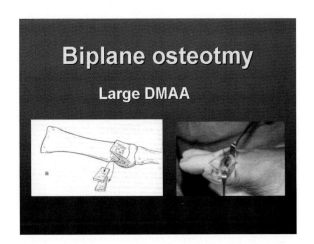

그림 5-22. 원위 중족지 관절면각이 큰 경우 시행하는 Biplane 절골술

2. Easley ME, Kiebzak GM, Davis WH , Anderson RB : Prospective〈Randomized Comparision of Proximal Crescenteric and Proximal Chevron Osteotomies for Correction of Hallux Valgus deformity Foot Ankle Int 17 (6) P 307 - 306 , 1996

3. Coughlin MJ : Hallux Valgus ICL 1997

4. Sammarco GJ, Brainard B, and Sammarco VJ. : Bunion correction using proximal chevron osteotomy. Foot Ankle 14 (1) 8 - 14 1993

5. Austin DW, Leventen EO, : A new osteotomy for hallux valgus: a horizontally directed "V" displacement osteotony of the metatarsal head for hallux valgus and primus varus. Clin. Orthop., 157: 25 - 30, 1981

6. Johnson KA, Cofield RH, and Morrey BF : Chevron osteotomy for hallux valgus Clin. Orthop. 142 : 44 - 47, 1979

7. Jahss MH, Troy AI , Kummar F. : Roentgenographic and mathmatical analysis of first metatarsal osteotomies for metatarsus primus varus : A comparative study Foot Ankle 5(3)280 - 321, 1985

8. Kummer F. : Mathmatical analysis of first metatarsal osteotomies. Foot Ankle, 9(6) 281 - 289 1989

9. Mann RA, Rucidel S., and Graves S. : Repair of hallux valgus with a distal soft tissue procedures and proximal metatarsal osteotomy. A long term follow-up . J . Bone Joint surg. / 74A (1) : 124 - 129 , 1992

10. Kitaoka, H., Alexander I, Adellar R, Nunley J, Myerson M, and Sanders M. : Clinical rating system for ankle-hindfoot , midfoot, hallux, and lesser toes. Foot Ankle Int., 15(7) : 349 - 353 1994

11. Thompson F, Markbreiter L : Comparision of proximal crescenteric and chevron osteotomy in hallux valgus reconstruction . Foot Ankle intl 18 (2) 71 - 78 , 1997

12. Hamilton WG : Advanced Reconstructive and Traumatic Surgery of the Foot Course syllabus Other proximal osteotomy1993.

13. Anderson, RB, Davis HG : Techincal tip: Internal Fixation of The Proximal Chevron Osteotomy. Foot Ankle Intl 18 (6) 371 - 372 , 1997

14. Barton D,and Stephans M : Basal metatarsal Osteotomy for hallux valgus . J. Bone Joint Surg., 76 B : 204 - 209 1994

15. Pearson SW, Kitaoka HB, Cracchiolo A, and Leven

16. Schotte M : Zur operativen korrektur des hallux valgus in s Ludloffs. Klin. Wochenschr., 50 : 23 - 33 , 1929

V. 치료

먼저 무지 외반증 환자의 치료결정은 환자의 주소, 이학적 검사와 방사선학적 검사등이 중요한데, 대개 1도 정도에서는 비 수술적 요법을 2, 3도의 증상이 있는 경우에는 수술을 시행하는 것이 일반적이다. 한편 비 수술적 방법으로 사용되는 보조기는 그 효과가 없다는 것이 일반적이고, 주로 변형에 적응하도록 특수신발을 사용하거나 신발을 변형시키는 방법을 사용하게 된다.

수술을 시행할 경우의 수술의 목표로는 1) 돌출부의 제거 2) 무지 외반각과 제1 중족 지간 각의 감소 3) 상관 관절 4) 제1 중족지 관절의 양호한 운동 범위 확보 5) 정상적인 체중 부하 양상 등이다(그림 5-23).

수술의 적응증

① 엄지 발가락의 내측 돌출부가 아플 때

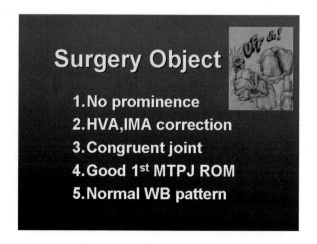

그림 5-23. 무지 외반증 수술의 목표

② 돌출부로 인해 오래 걷기에 불편하거나, 신발 신기에 불편한 경우

③ 엄지 발가락이 비틀어져 옆의 2, 3번째 발가락도 같이 비틀어질때

④ 엄지 발가락이 체중을 못 받아 옆 발가락의 굳은 살로 인해 아플 때

⑤ 너무 보기에 흉할 때

수술 방법은 수십 개가 되지만, 일반적으로 통용되는 Mann의 결정법에 따라 수술 방법을 결정할 수 있고, 대개 원위 연부 조직술법(distal soft tissue procedure), 원위 중족 절골술, 근위 중족 절골술, 제1 중족 지골 고정술, 제1 중족 설상 관절 고정술 등등이 자주 사용되는 방법이다. 본 장에서는 흔히 사용되는 수술에 관해서만 언급을 하고자 한다.

1. 원위 연부 조직 교정술 (Distal Soft Tissue Procedure)

원위 연부 조직 교정술(disatal soft tissue procedure)은 근위부 중족골 절골술(proximal metatarsal osteotomy)과 함께 가장 많이 사용되는 술식이다.

1923년 Silver[1]는 무지 내측 융기부의 제거(exotectomy of medial eminece), 외측부 관절막의 절제(release of lateral joint capsule), 무지 내전건의 유리술(release of adductor tendon)등을 포함하는 술식으로 무지 외반증의 수술적 치료에 관한 내용을 발표하였다. 이후 Mc Bride[2,3]가 Silver의 술식에 몇 가지의 변형(modification)을 첨가하여 보고하였고 이것은 Du Vries[4]에 의해 다시 변형되었다. Mann 과 Coughlin[5]은 Du Vries의 변형의 문제점을 지적하고 또다시 술식을 변형시켰다. 이후 Mc Bride 술식은 많은 임상학자들에 의해 변형되어 "원위 연부 조직 교정술(distal soft tissue procedure)" 이라는 정확하며 적절한 용어로 불리어지게 되었다. 원위 연부 조직 교정술은 경도(mild)에서 중등도(moderate)정도의 무지 외반증에 사용할수 있으나 단독 사용시 무지 내반증(hallux varus), 무지 외반증의 재발(recurrent hallux valgus)등의 위험이 높아진다. 무지 내반증은 최초 Mc Bride 술식에서와 다르게 무지의 비측 종자골(fibular sessamoid)을 절제하지 않는 술식으로 가능성을 감소시킬 수 있다. Mann과 Coughlin[5]은 원위 연부 조직 교정술만으로 무지 외반증을 치료한 결과를 보고하였는데 그들은 중족골간 각(intermetatarsal angle)이 15도이내인 경우 만족할 만한 결과를 얻을 수 있었고 중족 설상 관절(metatarsophalangeal joint)에서 평균 5.2도의 중족골간 각의 교정이 일어났다고 보고하고 있다. 그러나 비록 수술 시에는 족지열의 올바른 정렬을 이룰 수가 있었으나 영구적인 교정을 얻을 수는 없었다고 보고하고 있다(그림 5-24, 5-25).

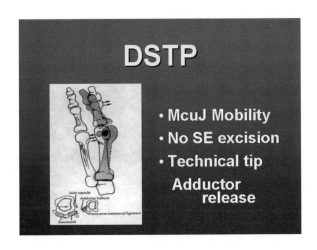

그림 5-24. 원위 연부 조직 교정술

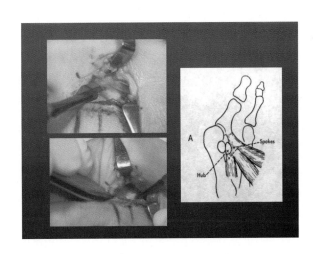

그림 5-25. 원위 연부 조직 교정술(내전건 해리)

1) 적응증

관절의 일치성(congruent)여부와 관계없이 무지 외반각 (hallux valgus angle)이 30도 이하이고 중족골간 각 (intermetatarsal angle)이 13도 이하인 무지 외반증에 시행할 수 있는 수술이고 족근 중족 관절(tarsometatarsal joint)이 충분히 움직일 수 있어 중족골간 각의 감소가 될 수 있어야 한다. 만약 중족골간 각이 술 후에도 감소하지 않으면 변형이 재발하게 되어 이럴 경우에는 중족골 근위부 절골술을 추가로 시행하여 완전한 교정이 이루어지도록 해야 한다.

2) 금기증

무지 외반각(hallux valgus angle)이 30도 이상 이거나 중족 골간 각(intermetatarsal angle)이 13도 이상인 경우와 중족 지간 관절(metatarsophalangeal joint)에 관절염이 있는 경우, 뇌성 마비(cerebral palsy)나 뇌혈관 질환이 동반된 경우 원위 중족골 관절면각(disatal metatarsal articular angle)이 13도 이상인 경우 에서는 원위 연부 조직 교정술(distal soft tissue procedure)만을 시행할 경우 조기에 재발하는 경향이 두드러진다.

3) 결과

Mann과 Coughlin[5]은 100례의 무지 외반증을 원위 연부 조직 교정술(distal soft tissue procedure)만을 이용하여 치료한 다음 그 결과를 분석하고 다음과 같은 결과를 보고하였다. 무지 외반각(hallux valgus angle)과 중족골간 각(intermetatarsal angle)의 평균 교정 각은 각각 14.8도와 5.2도였으며 20도 이상 의 무지외반각의 교정이 필한 경우와 중족골간 각이 15도 이상인 경우에는 완전한 교정을 하기 어려우므로 중족골 근위부 절골술(proximal metatarsal osteotomy)을 동시에 시행해야 한다고 하였다. 무지 내반증(hallux varus)은 11례에서 있었으며 그중 4례에서만 증상이 있었다고 했다. 환자의 주관적 만족 도는 92% 만족한다고 하였으며 이유로는 동통의 소실이 74%로 가장 많았고 변형의 감소가 18%, 건막류(bunion) 크기의 감소가 8%등이었다고 보고하였다. 그들은 경도나 중등도의 변형을 가진 환자에서는 만족할 만한 결과를 얻을 수가 있었으나 변형이

심한 경우에는 만족할 만한 결과를 얻기가 힘들었다고 하였다.
Kitaoka[6]등은 33명 49례에서 원위 연부 조직 교정술을 시행하고 평균 4.8년 추시 관찰 결과를 발표하였는데 전체 수술군 중 24%에서 수술의 실패를 보였고, 그중 외측 관절막 절제술 (lateral capsular release)을 시행하지 않은 군의 29%에서 5년 안에 재수술이 필요하였다고 보고하였다.

4) 합병증

(1) 무지 외반증의 재발(recurrence of hallux valgus)
① 부적절한 술 후 드레싱
② 내측 관절막의 주름 성형술(medial capsular plication)을 불충분하게 한 경우
③ 외측 연부조직 유리술(lateral release)이 불충분하게 된 경우
④ 중족골 원형 내반증(metatarsus primius varus)이 있는데 이것을 감지하지 못하거나 치료를 하지 않은 경우

(2) 관절 강직증(arthrofibrosis)
① 수술 부위의 감염이 있었던 경우
② 중족지 관절(metatarsophalangeal angle)에 관절염이 있었던 경우

(3) 신경 손상

(4) 무지 내반증(hallux varus)
① 과다하게 내측 융기부(medial eminence)를 제거한 경우
② 비측 무지 종자골(fibular sessamoid)을 제거한 경우

■ 참고문헌

1. Silver D : The operative treatment of hallux valgus, J Bone Joint Surg 5:225, 1923

2. Mc Bride ED : The conservative operation for bunion, J Bone Joint Surg 10:735, 1928

3. Mc Bride ED : The conservative operation for "bunions" : end results and refinement of technique, JAMA 105:1164, 1935

4. Du Vries HL : Surgery of the foot, St Louis, 1959, Mosby

5. Mann RA, Coughlin MJ : Hallux valgus : etiology, anatomy, treatment, and surgical consideration. Clin Orthop 157:31, 1981

6. Kitaoka HB, Franco MGV, Weaver Al, et al : Simple bunionectomy with medial capsulorrhaphy. Foot Ankle 12:86-91, 1991

2. 원위 쐐기 절골술(Distal chevron osteotomy)

원위 쉐브론 절골술은 경도와 중등도의 무지 외반증을 교정하는데 있어서 가장 많이 사용되어진 술식이다. 기술적으로 쉬운 술식임에도 불구하고 골유합(union)이 잘되는 해면골에서 절골술이 이루어지기 때문에 좋은 결과를 나타낸다. 이 술식은 1976년 Corless[1]에 의해 처음 문헌에 소개되었으며, Austin과 Leventen[2]은 수술 과정을 묘사하고, 1962년에서 1980년 사이에 시술한 1200례의 결과에 대해 발표하였다. Johnson[3,4]은 이 술식의 장점을 소개하고 대중화하는 데 공헌을 했다(그림 5-26).

1) 적응증

증상이 있고, 동통을 유발하는 건막류를 가진 경도 및 중등도의 무지 외반증.

(1) 증상이 있으며 보전적 치료에 반응하지 않는 무지 외반증

(2) 무지 외반각(hallux valgus angle)이 35도 이내

(3) 제 1, 2 중족골간 각(intermetatarsal angle)이 15도 이내

(4) 일치성 관절(Congruent joint)

(5) 술 전 수동적으로 변형의 교정이 가능할 정도로 유연한 경우

(6) 제 1 중족지 관절(1st metatarsophalangeal joint)에 관절염이 없는 경우

2) 금기증

(1) 심한 변형을 가진 무지 외반증

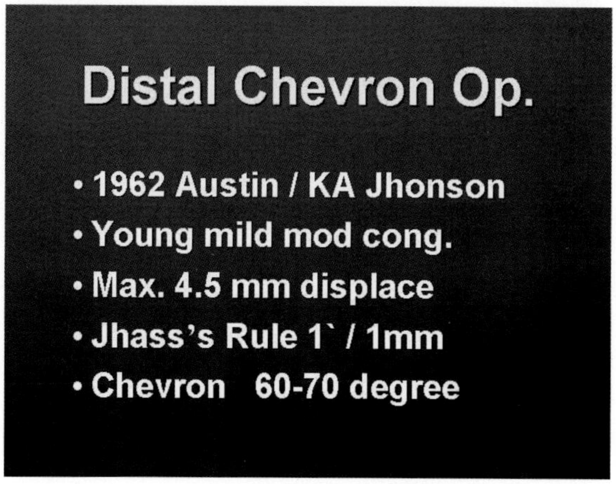

그림 5-26. 원위 쐐기 절골술

(2) 무지 외반각이 35도 이상

(3) 제 1, 2 중족골간 각이 15도 이상인 경우

(4) 불일치성(incongruent) 관절인 경우

(5) 술 전 변형의 수동적인 교정이 불가능한 경우

(6) 제 1 중족지 관절에 관절염이 있는 경우

무지 외반각은 반드시 35도, 제 1, 2 중족골간 각은 15도 이내여야 하고 제 1 중족 지골 관절에 퇴행성 변화가 없어야 하며 변형의 수동적 교정이 가능하여야 하며 엄지 발가락의 회내전(pronation) 정도가 적어야 한다. 이러한 기준을 무시하고 수술을 시행하게 되면 술 후 무지 외반증의 재발률이 높아지게 된다.

3) 수술방법 (그림 5-27)

(1) Medial Approach and Exposure of Metatarsal Head

① 피부 절개는 중족 족지 관절의 내측면을 따라 이루어지고 근위 족지의 중간 부위에서 시작하여 내측 융기의 상방 1cm까지 이른다. 절개는 관절낭까지이며 배측과 족저쪽에 전층의 피부판이 형성되고 배측 피부판을 형성할 때는 배내측의 피부 신경을 주의깊게 보호해야한다. 족저쪽 피부을 형성할때는 족저 피부 신경을 보호해야한다.

② 관절낭 절개는 원위 연부 조직에 대한 첫 번째 절개와 비

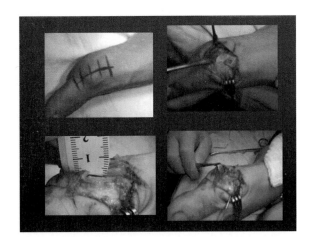

그림 5-27. 원위 쐐기 절골술 수술방법

숫하게 지골 기저부의 2-3mm 근위부에서 시작하여 평행하게 피막 절제술을 시행한다. 두번째 절개는 첫번째 절개와 평행하게 좀더 2-4mm 근위부에서 시행한다. 두개의 절개는 역 V자 형태로 배측에서 만난다. 관절낭편은 겸자로 잡고 족무지 외전 인대를 통해 족저쪽으로 V자 절개를 넣는다.

절개시 칼날은 반드시 관절의 안쪽에 있어야하며 족저 정중 피부 신경의 손상을 막기 위해 절개첨부에 있는 경골 종자를 보존해야한다. 갈매기형 절골술에 있어 관절낭은 4mm이상 절개하지 않는다. 관절낭 피부판을 만들기 위해 관절낭편은 족저쪽으로 당겨서 중족골 두를 노출시키고 절개는 중족골 두의 배측 정중쪽에서 이루어진다.

(2) Creation of osteotomy

① 내측융기는 톱이나 골 절단기를 이용하여 절제한다. 시상구의 외측경계에서 시작하여 근위부로 이행한다. 골 절단면은 중족지 골간과 평행하지 않으며 약간 경사지게 이루어져서 골 두 단편의 넓은바닥을 만들고 이것은 외측으로 전위된 절골면에 안정을 가져다 준다.

② 배외측에서 중족골 두에 혈액 공급이 이루어지기 때문에 내전 인대나 외측 관절낭 구조물을 박리하지 않으며 그렇지 않으면 중족골 두에 무혈성 괴사가 일어날 수 있다. 어떤 이들은 주위 혈관에 합병증 없이 관절을 지나거나 관절낭 박리를 할수 있다. 이론적으로 두 단편의 외측 전위는 내전 인대 복합체에 이완을 가져다준다. 그러나 변형이 심할 경우엔 갈매기형 절골

술의 적절한 적응증이라기 보다는 다른 방법이 혈관 손상을 줄일 가능성이 높다.

③ 갈매기형 절골술은 기저부에서 근위부로 실행된다. 2mm 드릴 구멍은 중족골 두의 절골술 정점을 표시하는데 도움이 된다. 드릴 구멍은 원위 관절면에 만들 가상의 원주의 반지름중심이 된다. 드릴 구멍은 관절면과 발바닥에 평행하게 바깥쪽을 향한다. 수평 절골술은 날카로운 이빨 모양을 가진 진동 톱을 이용한다. 약 60도 각도로 갈매기형 절개를 한다. 족저 절개는 활막 주름의 근위에 있는 종자골의 근위부에서 이루어진다. 따라서 관절 외부에서 이루어진다. 절골술이 진행됨에 따라 술자는 톱의 칼날이 외측 피질을 지나 조심스럽게 전체 외측 피질을 통과하는 것을 느낄 수 있고, 중족골 두의 혈행 장애를 일으키지 않게 과도하게 외측 연부 조직까지 절제되지 않게 조심해야한다.

④ 절골술 부위는 중족지 간부의 1/3을 넘지 않게 외측 부위로 전위시킨다. Badwey 등은 해부학적인 연구를 통해 남자는 6mm, 여자는 5mm 정도 외측으로 전위 되었으며 중족 지간부 직경의 30%에 해당한다고 밝혔다. 중족골의 근위부를 작은 타올 파악기로 잡고 중족골 두를 외측으로 밀어내는 것이 도움이 된다.

(3) Reconstruction of Joint

① 일단 절골 부위가 전위되고 근위 지골이 중족골 두의 관절면 중심에 위치하여도 주목할 만한 외반이 남아있으면 중족골의 내측쪽에서 2~3mm정도 뼈를 제거한다. 즉 내측 폐쇄성 쐐기형 절골술을 시행한다. 제거될 뼈는 2~3mm를 넘지않는다.

② 절골부위는 그 자체로 가능한 한 단단히 밀착시키고 0.062 K-강선을 이용하여 배측에서 족저쪽으로 수직하게 또는 약간 수평하게 고정시킨다.

③ 내측 관절 피부판은 3-0 크로믹 봉합으로 발가락이 중립 위치에서 다시 접합한다. 만약 관절 조직 절개가 충분치 않아 교정이 완전치 않다면 교정 전에 관절낭을 더 제거한다.

④ 불완전한 외반증 교정은 세가지 해부학적 원인에서 기인한다. (a) 내측 관절낭에서 더 많은 관절낭 조직 제거가 필요한 경우, (b) 원위 중족 관절각이 증가하여 교정시 갈매기형 절골술 부위에서 내측 폐쇄성 절골술이 필요한 경우 (c) 족지간의

무지 외반증이 존재하여 교정이 필요한경우이다.

⑤ 피부는 단속적인 봉합술로 한다. 피부 소독전에 핀이 박힌 부위에 긴장이 없는지 확인한다. 작은 절개로 긴장을 제거한다.

⑥ 수술후 압박 소독을 한다. 환자는 특수 신발을 신고 무게를 지탱하며 걷는 것이 허용된다.

(4) 결과 (그림 5-28)

대부분의 연구에서 수술을 시행 받은 환자의 80% 이상에서 우수 또는 최우수의 결과를 보이며 Johnson 과 Hattrup[5]은 평균 36세의 환자 225례를 수술하여 92%의 환자 만족도를 보고하였으며 50세 이상의 환자와 무지 외반각(hallux valgus angle)이 40도 이상인 경우, 제 1, 2 중족골간 각(intermetatarsal angle)이 16도 이상 인 경우들에서 높은 불만족이 있었음을 보고하였다. Meier와 Kenzora[6]도 89%의 환자 만족도와 10 - 13도의 무지 외반각, 2도에서 7도의 제 1, 2 중족골간 각(intermetatarsal angle)의 교정력을 보고하였고, Baxter[7]는 원위 쉐브론 절골술과 Akin씨 절골술을 동시에 시행하여 95%의 환자 만족도를 보고하였다. Mann[8]은 원위 중족골 관절면 각(distal metatarsal articular angle, DMAA)의 교정을 위해 절골부에서 내측 쐐기(medial wedge)를 제거하는 양면 원위 쉐브론 절골술(biplane distal chevron osteotomy)을 35명의 청년기(adolescent)의 환자에서 시행하여 85%에서 동통의 완전 소실과 90%에서 미용적인 면에서 만족감을 보였다고 보고하였다. 일반적으로 원위 쉐브론 절골술은 85%의 성공률을 보고하고 있으며 10% 정도에서 재발이 될 수 있다고 보고되고 있다.

(5) 합병증 (그림 5-29)

원위 절골술의 합병증은 드물지만 생길 수 있으며 술 후 지속되는 동통, 무지 외반증의 재발, 절골부의 불유합, 중족골 두의 무혈성 괴사, 제 1 중족골의 단축, 중족 지간 관절(metatarso phalangeal joint)의 관절 운동 범위의 감소, 피하 감각 신경(subcutaneous sensory nerve)의 손상으로 인한 신경통, 감염 등이 있을 수 있다.

이들 합병증들 중 여타의 무지 외반증 교정술에서와 달리 원위 쉐브론 절골술에서만 특징적으로 나타날 수 있는 합병증은 중족골 두(metatarsal head)의 무혈성 괴사이며, 원위 쉐브론 절골술 후 0 -40%에서 무혈성 괴사 발생률이 보고되고 있다. 이러한 합병증은 중족골두 주위 연부 조직의 박리를 최소화하고 외측부 유리술(lateral release)과 내전건 유리술(release of adductor)을 시행하지 않으므로써 최소화시킬 수 있다.

몇 몇 저자들[2]은 원위 쉐브론 절골술과 외측부 유리술을 동시에 시행하면 변형의 교정력을 증가 시킬 수 있다고 보고하였지만 최근 장기 추시 연구[9]에 따르면 이 두가지 술식을 동시에 시행하였을 경우 어느정도 기간이 지나게 되면 원위 쉐브론 절골술 단독시행 했을 때 보다 교정 각도가 더 잘 유지되지 않았

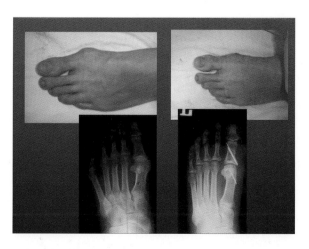

그림 5-28. 원위 쐐기 절골술 증례 수술 전후 실물 및 방사선 사진

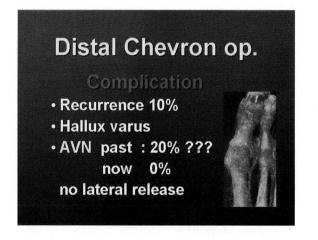

그림 5-29. 원위 쐐기 절골술 합병증

고 외측부 유리술은 중족골 두의 안정성을 감소 시켜 외반 부정유합(valgus malunion)과 불유합을 초래하게 된다고 보고하였다. 무혈성 괴사(AVN)가 발생되면 관절의 퇴행성 변화를 유발하지만 환자가 이에 대한 증상을 호소하는 경우는 적은 것으로 되어 있다. 변형의 재발은 부적절한 환자의 선택이나 수술 중 기술적 문제에서 기인한다.

관절 운동의 감소는 내측 관절막을 심하게 단축시키거나 기존에 있던 관절염에 의해서 기인하는 것으로 보이며, 환자에게 술 후 4주 경에 관절 운동을 시작해야하며 약간의 관절 운동 범위가 감소할 수 있으나 문제되지 않는다는 내용에 대하여 교육을 실시하여야 한다.

원위 쉐브론 절골술을 시행받은 후 평균 제 1 중족 지골 관절의 운동 범위는 족저 굴곡(plantar flexion)이 44도 이며 족배 굴곡(dorsiflexion)이 24도로 보고되고 있다[9]. 원위 쉐브론 절골술후 발생하는 피부 감각 신경의 장애는 16% 정도로 보고되고 있으나[9] 대부분 무증상이며 수술시 비골 신경(superfacial peroneal nerve)의 분지인 내측 족배 피하 신경(medial dorsal cutaneous nerve branch)과 내측 족저 신경(medial plantar nerve)의 무지 내측 하방(medioinferior)의 분지에 대한 손상이 가지 않도록 주의를 기울여야 한다.

■ 참고문헌

1. Corless JR : A modification of the Michell procedure. J Bone Joint Surg 58B: 138, 1976

2. Austin DW, Leventen EO : A new osteotomy for hallux valgus : A horizontally directed "V" displacement osteotomy of the metatarsal head for hallux valgus and primius varus. Clin Orthop 157:25-30, 1981

3. Johnson KA : Chevron osteotomy of the first metatarsal : Patient selection and technique. Contemp Orthop 3:707-711, 1981

4. Johnson KA, Cofield RH, Morrey BF : Chevron osteotomy for hallux valgus. Clin Orthop 142:44-47, 1979

5. Hattrup SJ, Johnson KA : Chevron Osteotomy : Analysis of factors in patients' dissatisfaction. Foot and Ankle 5:327-332, 1985

6. Meier PJ, Kenzora JE : The risks and benefits of the distal first metatarsal osteotomies . Foot and Ankle 6:7-17, 1985

7. Mitchell LA, Baxter DE : A chevron-Akin double osteotomy for correction fo hallux valgus. Foot and Ankle 12:7-13, 1991

8. Man RA, Coughlin MJ : Adult hallux valgus. In Mann RA, Coughlin MJ(eds) : Surgery of the foot and ankle, ed 6. St. Louis, Mosby, 1993

9. Johnson JE, Claton TO, Baxter DE, et al : Comparison of chevron osteotomy and modified McBride Bunionectomy for correction of mild to moderate hallux valgus deformity. Foot and Ankle 12:61-68, 1991

3. 근위 중족 절골술 (Proximal metatarsal osteotomy)

1929년 Schotte가 무지 외반증의 근위횡 V 절골술이라는 이름으로 횡으로 전이시키는 중족 지골의 근위 절골술을 처음으로 소개시킨 후 , Johnson등에 의해서 원위 중족 지골 절골술로 많이 사용되다가, Sammarco에 의해서 근위부에서의 절골술로 처음 기술되었으나, 한동안 주목을 받지는 못하던 실정이었다 (그림 5-30).

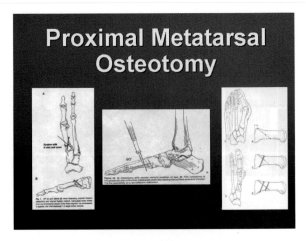

그림 5-30. 근위 중족 절골술 방법

1) 장점 및 단점

이 절골술은 매우 안정된 절골술로 굴곡면에 대해서 위치가 변하지 않기 때문에 체중 부하의 변화를 예측할 수 있는 장점과 절골면이 넓어서, 골유합이 빠르다는 장점 그리고 중족지골 단축이 적다는 등의 장점을 갖고 있다. 특히 Sammarco는 중족지 단축률이 1.3%로 매우 적은 단축률을 보였는데, 이는 절골술이 내전력을 받게되는 골조직에 수직으로 이루어지기 때문이라고 하였다. 즉 원위 중족 지골이 외측으로 회전할 때, 원위 중족골 자체가 약간 원위부로 전진되기 때문이라고 했다. 이는 원위 중족 지골의 회전은 폐쇄성 쐐기 절골술이나 반월상 절골술에서처럼 중족 지골의 단축을 초래하지만, 근위 쐐기 절골술에서는 약간의 원위부 전진이 이를 보상하기 때문이다. 한편, 단점으로는 아직 수술 결과에 대한 다양한 보고가 없다는 점이다(그림 5-31).

2) 기술적인 측면

(1) 쐐기의 방법

쐐기 근위 절골술의 방법에 대해서 Markbreiter와 Tompson는 전이법 (displacement), 경사법 (tilt), 전이 및 경사 (displacement & tilt)의 세가지 방법이 있다고 했고, 대개는 주로 경사와 전이법이 사용되어 지는데, 교정 각도가 많이 필요할 때는 전이 및 경사의 방법을 쓰기도 한다. 한편, 절골술의 정점 (apex)를 정하는 것에 대한 연구는 다양한데, 원위 정점을 이용한 Barton과 Stephans, Sammarco등의 결과에서 좋은 결과를 얻었고, 근위 정점을 이용한 Thompson과 Easely등의 결과에서도 역시 좋은 결과가 나와 두 방법에 의한 차이는 없는 것으로 사료되며, Tompson은 제1 설상 중족 관절에서 10, 12mm 떨어진 부위에서 근위 정점으로 절골술을 시행하면, 신뢰있는 절골술이 된다고 기술하였다. 본 저자는 근위 정점의 절골술을 주로 시행한다(그림 5-32).

(2) 교정각도

원위 중족지 절골술에 의한 제1 중족 지간 각의 교정 각도는 Jahss의 연구에 따라 최대 5도 정도로 교정각도의 한계를 보이고 있는 반면, 근위 중족 절골술의 교정 각도는 수학적 계산에 따라 반월 절골술의 경우 회전 각도의 60%라고 하는데, Mann의 보고에 의하면, 약 평균 8.3도, 쐐기 절골술의 경우에는, 10.9도라는 다양한 보고가 있고, 본 저자의 연구에서도 평균 7.6도의 교정각이 있어서, 중등도 이상의 변형을 교정하기에 적합했다.

(3) 골이식술

Barton과 Stephans는 절골술 후 골 쐐기를 절골술의 상지에 삽입하여 좋은 결과를 얻었다고 하였고, Thompson은 골 이식

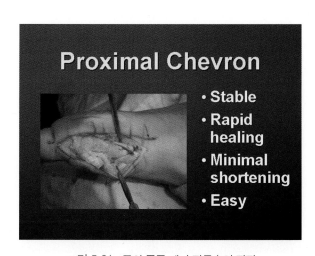

그림 5-31. 근위 중족 쐐기 절골술의 장점

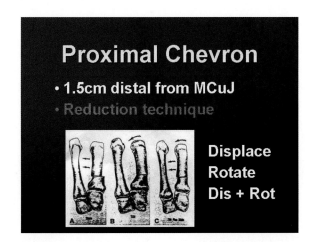

그림 5-32. 근위 중족 쐐기 절골술의 중족지간각 감소 방법 A. 전이 B. 회전 C. 전이 + 회전

술은 꼭 필요하지는 않다고 하였다. 본 저자들의 연구에서는 제1 중족 지골 두부에서 떼어낸 골 조직을 이용하여 80%의 례에서 골 이식술을 시행하였고, 술 후 골 이식의 유무가 수술 결과에 영향을 주거나 골 이식을 하지 않았다하여 불유합이 발생하지는 않았다.

(4) 고정 방법

고정 방법에 대해서 두개의 k-강선을 사용하거나 (Tompson), 한개의 k-강선과 screw를 사용하는 방법이 있는데, Anderson등은 screw를 이용하는 방법이 제1 중족 지간 간격을 좁힐 수 있는 장점이 있다고 하였다. 본 연구에서는 두개의 k-강선을 제1 중족 설상 관절에서 삽입하는 방법을 사용하였고, 절골 부위의 견고한 고정을 얻을 수 있었지만, 후일 골 유합이 다 진행된 후 다시 내고정 강선을 제거해야하는 불편함이 있었다.

3) 수술방법 (그림 5-33, 그림 5-34, 그림 5-35)

수술은 환자를 앙와위로 누인 뒤, 첫 번째 지간 간격을 배측으로 약 3내지 4센티미터 정도의 피부절개를 시행한 후, 심부 제 1 중족 지간 인대가 노출될 때까지 해부학적 절개를 진행하였다. 종자골과 제 1 근위지골의 부착부에서 무지 내전건의 부착부를 절제해 내고, 동시에 심부 중족 지간 인대를 절개하여 외측 이완을 완성하였다. 제 1 중족지 관절의 외측 관절낭에 다발성 횡천공을 실시하고, 중족지 관절에서 도수로 수동내전력을 이용 단축된 관절낭을 이완시켰다. 충분한 이완을 확인한 상태에서 무지 내전건의 이동을 위하여 2-0 Ethibond를 이용하여 제 1중족지 관절의 외측낭과 무지 내전건의 절제건, 그리고 제 2 중족지 관절의 내측 관절낭을 관통하는 봉합사 연결을 통해 건전이술을 시행하였다.

환자의 족내측이 위로 향하도록 발의 위치를 변화시킨후, 족내측에서 제 1 설상 중족 관절과 제 1 중족지 관절을 잇는 5cm 정도의 내측 피부 절개를 하였다. 제 1 근위 중족골의 내측 골막 박리후 제 1설상 중족골에서 1.3센티미터 떨어진 제 1 중족골의 중심에 근위 정점을 표시한 후 이를 정점으로 V자형 골표면 절골예정선을 표시한 후 제 1 중족지 관절의 내측 관절낭에 T자형 절개를 이용하여 제 1 중족골 두부의 내측 돌출부를 노

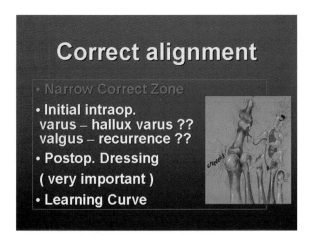

그림 5-33. 수술 시 올바른 정렬

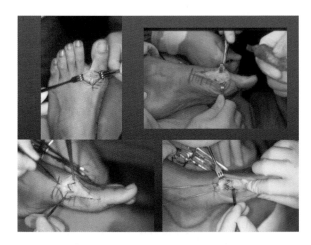

그림 5-34. 근위 중족 쐐기 절골술 수술방법

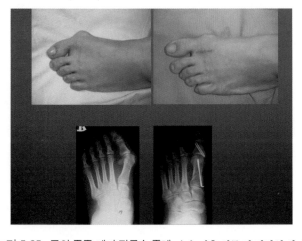

그림 5-35. 근위 중족 쐐기 절골술 증례 수술 전후 실물 및 방사선 사진

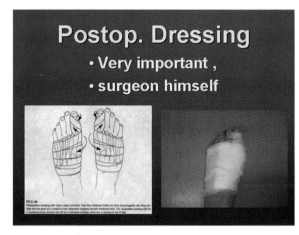

Postop. Dressing
- Very important ,
- surgeon himself

그림 5-36. 수술 후 드레싱

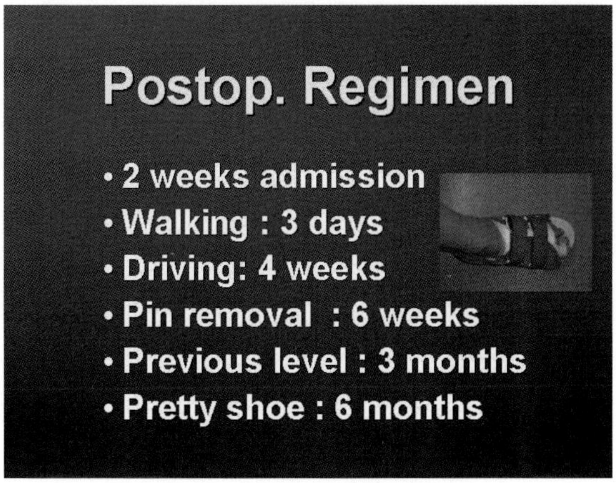

Postop. Regimen
- 2 weeks admission
- Walking : 3 days
- Driving: 4 weeks
- Pin removal : 6 weeks
- Previous level : 3 months
- Pretty shoe : 6 months

그림 5-37. 수술 후 재활치료 계획

출시켰다. 내측 돌출부의 시상 굴절선에서 제 1 중족골의 내측 면에 평행한 가상선을 따라 전기톱을 이용하여 골절제를 시행 한 후 절제된 표면을 돌출부가 없도록 하였다. 이어서, 제 1 중족골의 근위부골표면에 표시한 선을 따라 전기톱을 이용하여 중족골 절골을 시행한 후, 원위 중족골이 내전 및 외반각 형성 이 되도록 압력을 주면서 전이 시키고서 족내측의 제 1설상 중족 관절 부위에서 절골부를 관통하는 두 개의 K-선을 삽입하여 고정하였으며 중족골 내측 돌출부 절제에서 얻은 골편을 이용하여 절골부 사이에 골이식도 함께 시행하였다. 제 1 중족지 관절의 내측 관절낭은 종자골의 정복 정도를 고려하여 필요한 정도의 관절낭을 종으로 절제후 봉합하였다. 모든 피부 절개선은 단순 봉합후 압박 꺼즈붕대를 이용하여 고정된 자세를 유지하도록 하였다.

4) 술후 처치

무지 외반증은 일반적으로 수술을 원칙으로 하는 질환이기 때문에 대개 수술 후 외래에서 그 처치가 필요하게 되는데, 매 주 방사선 사진과 술후 드레싱을 해야 하는데, 이 드레싱이 최종 무지의 외반 정도를 결정하기 때문에 매우 신중하게 수술시 행자가 직접 시행하는 것을 원칙으로 하고 있다(그림 5-36).

한편 수술 후 환자들의 일상 생활로의 복귀의 계획은 중족 절골술을 기준으로 다음과 같다(그림 5-37).

(1) 걷기 시작하는 시기: 3일부터 특수신발을 신고 걷기 시작

(2) 운전이 가능한 시기: 3주에서 4주
(3) 직장 여성의 직장 복귀 가능 시기: 4 내지 6주
(4) 발의 붓기가 빠지고, 색깔이 비슷해지는 시기: 3개월
(5) 평소의 신발(하이 힐) 을 신을 수 있는 시기: 약 6개월

수술후의 재활 특히 관절 운동 범위의 회복이 매우 중요한 데, 재활의 목표는 ① 제1 중족 지골 관절의 운동 범위가 족배 굴곡 40도이상 ② 도움없이 한쪽의 heel rise를 시행할 수 있는 근력 등이다. 이를 위해 술자에 따라 다르지만 제 1 중족 지골 관절의 능동 운동은 수술후 3일 에서 3주부터, 수동 운동은 약 6주 경부터 시작하도록 되어 있고, 특히 운동 범위가 잘 회복되지 않는 환자에게는 joint play, joint mobilization등을 이용하게 도와주게 하고 있다(그림 5-38).

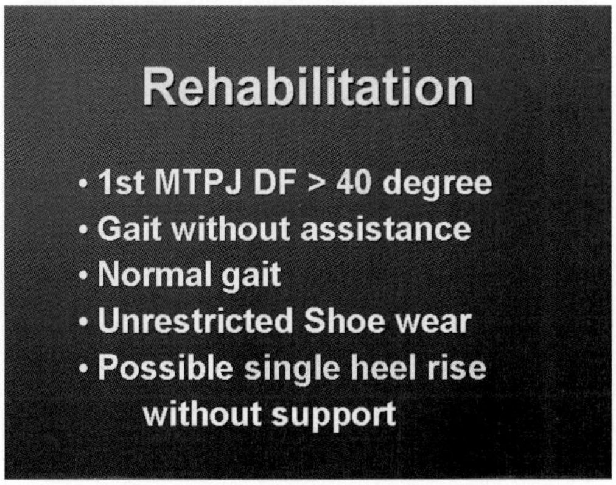

Rehabilitation
- 1st MTPJ DF > 40 degree
- Gait without assistance
- Normal gait
- Unrestricted Shoe wear
- Possible single heel rise without support

그림 5-38. 수술 후 재활치료 목표

5) 수술 결과의 비교 (그림 5-39, 그림 5-40)

Sammarco등은 51례의 쐐기 근위 중족 절골술을 전향적으로 시행하여, 평균 제1 중족 지간 간이 8.3도 감소하였다고 하였고, 합병증률이 매우 낮으며, 환자의 만족도는 매우 높았다고 했다. 특히 중족 지골 단축이 1.3%정도로 매우 낮았고, 소족지로의 전이성 질환이 발생하지 않았다고 보고하였다. 한편, Tompson과 Markbreiter는 각각 25례의 쐐기와 반월 절골술의 비교에서 쐐기 절골술시 평균 중족 지간 각의 교정이 10.9도였고, 미국 족부 정형외과 판정법에 의한 점수 평가에서도 술전 48.5에서 92.9로 향상되었다고 보고하였다. Easley 등에 의하면, 반월상 절골술과 쐐기 절골술의 전향적 비교 연구에서 둘 다 좋은 결과를 얻었고, 제1 중족 지간 각의 감소나 기능상의 문제 해결에는 둘 다 비슷한 결과를 보였지만, 제 1 중족 지골의 유합에 있어서 쐐기 절골술이 현저하게 짧은 경향을 보이고 있고, 술 후의 제1 중족지의 단축이나 배굴 부정 유합 등의 합병증이 적게 되어 전이성 환부의 발생을 적게 한다는 장점을 갖는다고 했다.

술 후 제 1 중족지 관절의 운동 범위에 관하여는 Mann의 경우 술후 60도를 보였으며, 본 저자의 연구에서는 약 50%의 환자에서 운동 범위 감소를 보였는데, 술 후 운동 범위가 65도로 변화되어 유사하였다. 본 저자들의 연구에서는 특히 여자들의 하이힐 등에 적응할 수 있도록 최소 45도의 배굴각이 나오도록, 운동을 시켰고, 대개 술 후 3일부터 능동 운동을 시작하였다. 본 저자의 연구에서의 관절 운동 범위 회복에 문제가 있었던 것은 타 연구에서는 별반 언급된 적이 없는 높은 제1 원위 중족 지간 관절각에 기인한 것으로 사료되는데, 술전 평균 제1 원위 중족 지간 관절각이 17.5도로 정상보다 매우 높은 상태였다.

(1) dome osteotomy에 대해서

중등도및 심도의 무지 외반 변형에 대해서 연부 조직 절제술 및 근위 반월 절골술은 매우 우수한 수술 방법으로 절골부가 근위부에 위치함으로써 중족 지골의 혈액 순환에 문제를 일으킬 위험이 없으며, 반월상의 절골술로 중족지 골단축의 염려가 없을 뿐더러 심한 변형에도 상당히 큰 교정 각도로 인하여 교정이 용이한 장점이 있는 반면에 기술적으로는 쉽지 않은 단점이 있다(그림 5-41). 특히 반월상의 톱날이 필요하고 금속정 고정이 필요한데 흔히 시상면에서의 불안정성이 발생하여, 제1 중족 지골의 배측 변형이 발생, 소족지로의 전이성 질환을 유발하게 되는 단점이 있다(그림 5-42).

4. 중족지 관절 고정술(Metatarsophalangeal Arthrodesis) (그림 5-43)

무지 외반증의 치료로서 중족지 관절의 고정술은 1852년

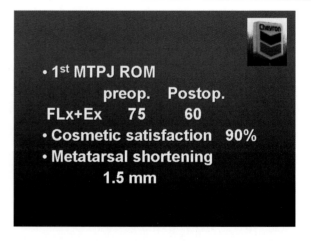

그림 5-39. 근위 중족 쐐기 절골술 수술 결과 1   그림 5-40. 근위 중족 쐐기 절골술 수술 결과 2

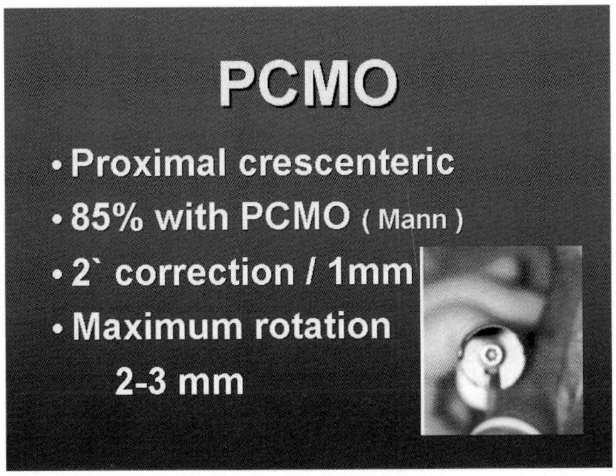

PCMO
• Proximal crescenteric
• 85% with PCMO (Mann)
• 2` correction / 1mm
• Maximum rotation
2-3 mm

그림 5-41. 근위 중족 반월 절골술

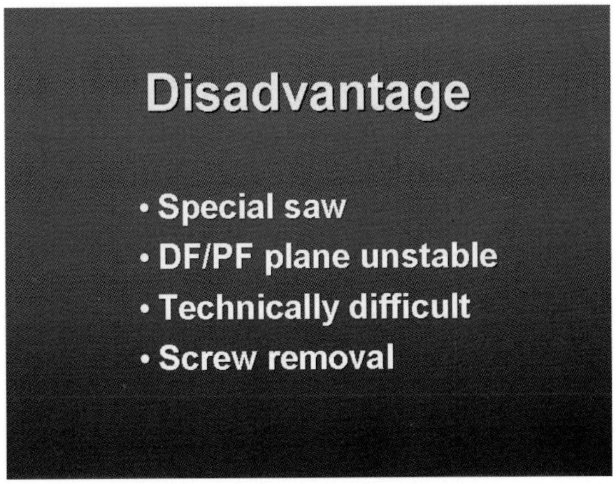

Disadvantage
• Special saw
• DF/PF plane unstable
• Technically difficult
• Screw removal

그림 5-42. 근위 중족 반월 절골술 단점

Broca[1]와 이어 Clutton[2]에 의하여 처음 기술되었다. 대다수의 저자들은 중족지 관절 고정술을 심한 무지 외반 변형이 있는 경우와 류마티스 관절염(rheumatoid arthritis), 무지 강직증(hallux rigidus), 외상후 관절염(post-traumatic arthritis)등과 동시에 무지 외반증이 있는 경우에 처음부터 사용할 수 있는 술식이라 생각하고 있으며 또한 무지 외반증 교정술 후 감염이 있어 재수술이 필요하거나 뇌혈관 질환이나 뇌손상, 뇌성마비가 무지 외반증의 원인이 된 경우에서도 유용하게 사용할 수 있고 다른 술기로 무지 외반증을 치료 후 실패한 다음 구제술(salvage operation)로 사용할 수 있는 술식이다. 이 술식은 무지의 길이 보존이 가능하고 안정된 중족지 관절을 가질 수 있는 장점이 있다. 지금까지 이들은 유합을 위한 관절면 처리 방법, 관절의 고정방식 및 고정 위치 등에 변화를 주는 다양한 수술적 방법들이 소개되었다(그림 5-44).

1) 적응증

(1) 무지 외반각(hallux valgus angle)이 50도 이상인 심한 무지 외반증

(2) 류마티스 관절염 환자에서 무지 외반증이 있는 경우

1st MTPJ Fusion

그림 5-43. 중족지 관절 고정술의 방법

• Avr. 4.5` IMA correction
• Severe deformity / OA
• Articular surface
Flat cut vs ARC technique
• Fixation

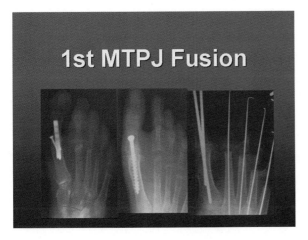

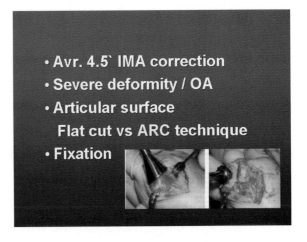

그림 5-44. 중족지 관절 고정술

(3) 무지 강직증(hallux rigidus)이 동반된 환자

(4) 뇌 혈관 질환이나 뇌성 마비로 인해 무지 외반증이 생긴 경우

(5) 기존 수술 후 재발된 무지 외반증이나 고정물의 실패, 심한 무지 내반증(hallux varus) 등으로 구제술(salvage operation)이 필요한 경우.

2) 금기증

중족지 관절 고정술의 절대 금기증은 없으며, 상대적 금기증으로는 지간 관절염(arthritis of interphalangeal joint)이 있는 경우, 발에 감각이 없는 경우, 기존에 중족 설상 관절 고정술(metatarsocuneiform joint arthrodesis)을 시행한 경우.

3) 술식

(1) surgical approach

① 중족 족지 관절은 장 무지 신근의 정중부를 따라 배측 절개를 하여 접근한다. 절개는 지골간 관절의 근위부로부터 중족 족지 관절을 통과하여 근위부 5cm까지 한다.

② 절개는 신근 지대를 통해 깊게 한다. 이러한 방법으로 해야 배내측 피부 신경을 보존한다. 신근 건은 보통 옆으로 당긴다. 중족 족지 관절의 활막 절제술을 내, 외측 측부 인대를 횡단하여 완전하게 이룬다.

(2) Preparation of joint surfaces

① 제일 중족골의 원위 부위는 진동 톱으로 자르고, 약간 배쪽과 측쪽으로 각도를 주어 편평한 표면을 만들기 위해 관절 표면만을 제거한다. 만약 류마티스성 환자에서 이 방법을 사용하여 더 많은 단축을 시켜야 할 때, 중족골 두를 더 많이 제거한다. 만약 길이를 유지해야 한다면, 관절면만을 제거한다.

② 종적 견인을 무지에 유지하고, 근위 지골의 바닥면의 모든 조직은 날카로운 절개로 풀어준다.

③ 무지는 외반 약 15도와 발 바닥 면에 대한 10-15도 정도의 배측 굴곡으로 놓이도록 위치한다. 그리고 나서 수술자는 중족골 두를 자른다. 그 후 이 절골선을 지표로 삼아 이와 평행하도록 전체의 관절면과 연골하골을 잘라낸다. 이때 가능하면 근위

지골의 중족골단과는 유지한다.

④ 앞에서 평행하게 그은 두개의 절개선이 일직선이 되는지 주의 깊게 관찰한다. 만약 일직선이 되지 않으면, 다른 절개선을 만든다. 이때는 중족골 두를 꼭 일직선으로 해야 한다. 만약 이 방법이 류마티스성 족부 질환의 복원시에 연결을 위해 사용된다면, 중족골 두를 자르고 제일 중족골의 마지막 길이가 정해질때 까지는 중족 족지 관절의 단축은 더 시행하지 않는다.

(3) Alternative approach: creation of curved surfaces

위에서 제시한 편평하게 자르는 것 보다 관절 고정의 표면을 만드는 다른 방법이 있다. 한 가지 방법은 공과 소켓 형태를 만드는 것으로, 이 유합은 두개의 편평한 표면을 만드는 것보다 기술적으로 더 복잡하지만, 관절 유합을 위해 더 쉬운 위치를 가질수 있다. 또 다른 방법으로 컵 모양의 전기 송곳을 이용하여 일치하는 곡선의 표면을 만드는 것이 있다.

① 위에서 언급한 것처럼 중족골 두를 노출한 후에, 내측 융기를 제거한다. 근위 지골의 바닥면과 중족골 두로부터 뼈의 작은 조각을 잘라낸다.

② 0.062 K-강선을 중족골 두의 중심부로 넣는다. 중족골 두와 골간단을 자르고 동일한 넓이를 갖는 원통으로 만들기 위해 유관 구멍 톱을 사용한다. 중족골 두를 볼록한 컵 모양의 표면으로 만들기 위해 중족골 두 확공기를 사용한 K-강선을 통하여 위에 놓는다. K-강선을 제거한 후 근위 지골의 기저부를 통해 다시 넣는다. 볼록한 긴 관 모양의 남성용 확공기를 근위 지골 기저부를 오목한 컵 모양의 표면으로 만드는데 사용하고, 강선은 제거한다.

③ 두개의 곡선의 만나는 표면은 적당한 선(외반 15도와 발의 족저면에서 족배 굴곡 15도 정도)으로 돌린다. 이 때는 외내전이 되서는 안된다.

④ 코발트-크로미움(비탈리움) 미세조각 판은 배측에서 사용한다.

(4) Internal fixation of arthrodesis

① 두개의 편평한 표면의 정렬을 주의깊게 관찰한다. 만약 엄지 이외의 발가락들이 약간 내측으로 기운다면, 관절 유합 지점은 근위 지골을 제일 중족골에 비해 내측쪽으로 밀어서 만든다. 일반적으로 근위 지골은 중족골 두의 측면으로 놓게한

다. 0.04 K-강선은 일시적인 고정을 위해 관절 표면 배쪽의 25%를 따라서 삽입한다. 일직선이 되는지 확인한 후 괜찮다면, 두 번째 K-강선을 첫 번째의 오른쪽 각도에 넣는다.

② 4.0-mm 유관 구멍 단편조각 나사는 내측에서 외측으로 관절 유합 부위가 통과하도록 삽입한다. 유도 핀은 근위 지골의 중심부 약간 아래에 근위부 외측 방향으로 향하도록 놓는다. 지골의 내측 부위의 피질은 파서 구멍이 반대쪽에 있도록 한다. 나사는 보통 24-30mm 길이를 쓴다. 나사를 꽉 조인후 K-강선은 나사 오른쪽에 두고 단편 조각 압박을 가능한 한 많이 제거한다.

③ 6-구멍 1/4 관모양의 판은 4.0mm 해면 나사나 피질 나사를 이용하여 배쪽에 둔다. 보통 소아에서 5-구멍 판을 사용한다. 성인 남자에서는 1/3 관모양의 판을 1/4 판 대신 사용한다.

④ 내측 융기를 제거하고 가장자리를 부드럽게 만든다.

⑤ 상처는 신근 건 아래를 덮는 피막으로 두층을 덮고, 피부는 미세한 절단 봉합으로 덮고 압박 소독을 한다. 환자는 몸무게 지탱이 가능한 수술 후 신발을 신고 걷도록 허용한다.

(5) Alternative method of fixation

관절 유합 부분의 고정은 여러 가지 방법이 있다. 고정의 원리는 융합되는 속도에 도달하는 동안에 기브스 없이 걸을수 있을만큼 단단해야 한다는 것이다. 동시에 Keller 방법을 시도하거나 의지를 제거한 후에 근위 지골에 부적절한 뼈 축적이 일어날 수 있다. 보통, 심한 골다공증을 보이는 류마티스성 환자에서 판과 나사를 사용하는 방법은 사용할 수 없다. 그래서 관절 유합 부위의 고정을 위해 가는 스타인만 핀을 사용한다. 이 핀은 지골간 관절을 통과하는 단점이 있지만 임상적으로 큰 문제는 없다.

수술적 방법은 다음과 같다.

① 관절면은 처음에 언급한 것과 같이, 아니면 일치된 곡선 표면으로 만든다.

② 1/8 인치 이중 종말 스타인만 핀은 무지 끝의 근위부에서 원위부로 드릴을 한다.

③ 두 번째 핀은 첫 번째 핀과 평행하게 드릴을 한다.

④ 근위부 지골의 끝을 통과한 핀은 스타인만 핀의 원위부 끝에 놓일수 있도록 하나는 반으로 자른다.

⑤ 중족 족지 관절을 줄이고, 반대쪽은 드릴로 유지하고, 스타인만 핀은 중족으로 관절 유합 부위를 통과하도록 드릴을 한다. 수술자가 중족 피질을 통과했다고 느낄 때까지 아니면 중족 족지 관절에 닿았다고 느낄때까지 드릴을 한다. 핀은 피부의 끝에서 약 5mm정도에서 자르고 두 번째 핀은 비슷한 방법으로 관절 유합 부위를 통과하여 드릴한다.

⑥ 상처는 미세하게 봉합하고 압박 소독을 한다. 환자는 가능하면 걷는다.

⑦ 수술 후 관절 유합술의 다른 방법처럼 치료한다.

4) 결과

일반적으로 중족지 관절 고정술로 무지 외반증을 치료한 환자의 90%이상에서 만족을 표시한다[3]. 대부분의 수술을 시행받은 환자에서 신발 선택의 자유에서 만족을 하고 비교적 정상적인 보행이 가능하며, 활동의 제약도 거의 없다. 족저압 분석연구에서 고정술 후 절제 관절술을 시행한 경우보다 체중의 부하를 더 많이 받을수 있고 족부 내측으로 체중이 이동하게 되어 다른 족지에 걸리는 압력의 감소가 일어난다고 했다[5].

금속판과 나사못으로 고정을 시행한 경우 94%의 골 유합율이 보고되고 있으며, Coughlin[3]은 35명의 환자를 구형 관절 모양으로 만들어 고정술을 시행하여 100%의 유합율을 보고하였다. 내고정물에 의한 관절 고정술은 술후 빠른 보행을 가능하게 하고 석고 고정을 하지 않는 장점이 있다.

특히 류마티스 관절염 환자에 있어서 술 후 장기간의 고정은 환자에게 치명적인 결과를 초래하기 때문에 술 후 조기에 보행을 할 수 있게 하는 것이 매우 중요하다. Mann과 Katchurian[4] 등은 중족지 관절 고정술을 시행 할 때 가장 많은 중족골간 각의 교정을 얻을 수 있다고 보고하였다. 일반적으로 중족지 관절 고정술 후 6에서 15%에서 지간 관절에 퇴행성 관절염이 생기는 것으로 보고되고 있다[5,6,7]. Fitzgerald[8]는 중족 지간 관절 (metatarsophalangeal joint) 고정술 후 발생되는 지간 관절염은 관절 고정시 배부 굴곡과는 관계가 없고 고정부의 외반 정도와 관련이 있는 것으로 생각하고 중족 지간 관절 고정시 20도의 외반 상태에서 고정하는 것을 추천하였다. 중족 지간 관절 유합술 시행후 방사선학적 골유합 시기는 10에서 20주 인 것으로 알려져 있다[3].

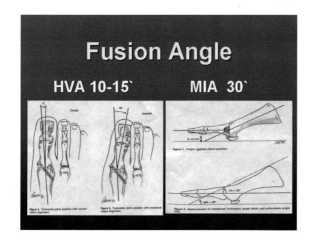

그림 5-45. 중족지 관절 고정술 고정 각도

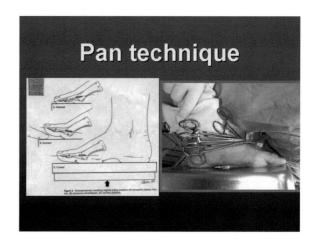

그림 5-46. 중족지 관절 고정술시 pan을 이용한 고정각도 결정

5) 합병증

중족 지간 관절(metatarsophalangeal joint) 고정술 후 생길 수 있는 합병증은 불유합, 부정 유합, 지간 관절 관절염 등이 있다.

고정술 후 유합 성공률은 일반적으로 94-96% 정도로 보고되고 있고 불유합이 있다고 하더라도 통증이 없는 경우가 대부분이지만, 통증을 호소하는 경우에는 재수술이 필요하다. 재수술시에는 기존 수술로 관절의 고정력이 충분한 경우에는 골 이식만을 시행하고 내고정물(internal fixation)의 이완이 있는 경우에는 고정물 제거와 재 고정 및 골 이식 등을 함께 시행하여야 한다. 고정 부위의 정렬(alignment)은 매우 중요하며 족배 굴곡(dorsiflexion)되어 고정된 경우 무지의 끝이 신발의 등과 부딪히게 되고 중족골 두 하방에도 통증이 생길 수 있다. 그리고 적절한 족배 굴곡 상태에서 고정이 되지 못하면 지간 관절(interphalangeal joint)로 과다한 힘이 전달되게 되어 지간 관절의 퇴행성 변화와 근위지 골두 밑에 굳은살(callosity)이 생길 수 있다. 외반과 내반의 위치도 중요한데 Fitzgerald[8]는 20도 이하의 외반 상태에서 고정이 된 군에서 20도 이상에서 고정된 군에 비해 지간 관절염이 3배정도 더 발생하는 것을 보고하였다. 일반적인 중족지 관절 고정 각도는 15에서 20도 사이의 외반(valgus)과 30도의 족배 굴곡(dorsiflexion) 상태에서 고정하는 것을 권한다(그림 5-45, 그림 5-46). 또 무지를 과다한 회내전

(pronation) 상태에서 고정하게 되면 무지의 내측에 굳은살을 유발시키고 지간 관절(interphalangeal joint)의 관절염을 조장하게 되므로 주의하여야 한다.

■ 참고문헌

1. Broca P : Des difformites de la partie anterieure 여 pied produite par faction de la chaussure, Bull Soc anat 27:60-67, 1852

2. Clutton HH : The treatment of hallux valgus, St Thomas Hosp Rep, 22:1-12, 1894

3. Coughlin MJ : Arthrodesis of the first metatarsophalangeal joint with mini fragment plate fixation, Orthopedics 13:1037-1044, 1990

4. Mann RA, Katchurian DA : Relationship of metatarsophalangeal joint fusion to the intermetatarsal angle, Foot Ankle, 10:8-11, 1989

5. Henry APJ, Waugh W, Wood H : The use of foot prints in assessing the results for hallux valgus, J Bone Joint Surg 57:478-481, 1975

6. Moynihan FJ : Arthrodesis of the metatarsophalangeal joint of great toe, J Bone Joint Surg 49:544-551, 1967

7. Riggs SA, Johnson EW : McKeever arthrodesis for the painful hallux, Foot Ankle 3:248-253, 1983

8. Fitzgerald JAW : A review of long term results of arhtrodeses of the first metatarsophalangeal joint, J Bone Joint Surg 51:488-493, 1969

5. 족근 중족 관절 고정술(Tarso-metatarsal arthrodesis) (그림 5-47)

족근 중족 관절 고정술(tarso-metatarsal arthrodesis)의 개념은 1911년 러시아의 Albrecht[2]에 의해 처음 발표되었고 1925년 Truslow[1]는 "중족골 원형 내반증(Metatarsus primius varus)" 이라는 용어를 처음 소개하였고 이에 대한 치료로서 중족 설상 관절의 내측에 폐쇄성 설상 절골술(medial closing wedge osteotomy)을 시행하는 것을 주장하였다. 1931년 Lapidus는 그의 이름을 수술 수기에 집어넣어 처음 수술을 시행하고 1934년 이에 대한 결과를 발표하였는데[3] 그 수술 수기의 내용은 원위 연부 조직 교정술(distal soft tissue procedure), 무지 중족지 관절(metatarsophalangeal joint)의 내측 융기부 절제술(medial eminence excision), 제1 중족 설상 관절 유합술(fusion of first metatarsocuneiform joint), 제2 중족골 내측부 유합술(arthrodesis on medial portion of 2nd metatarsal bone)등을 포함한다. Lapidus는 이 술식은 중족골간 각(intermetatarsal angle)이 15도 이상이면서 변형이 도수 교정(manual reduction)이 잘되는 무지 외반증을 첫 번째 적응증이라 하였다. 많은 저자들은 중족골 원형 내반증(metatarsus primius varus)이 동반된 무지 외반증의 치료로서 중족 설상 관절고정술(metatarsocuneiform joint fusion)의 개념을 받아들이고, 장기간의 회복 기간, 불유합 및 부정 유합 등과 같은 이 술식을 시행할 때 생기는 문제점을 해결하기 위해 많은 기술적 변형을 시도하였다.

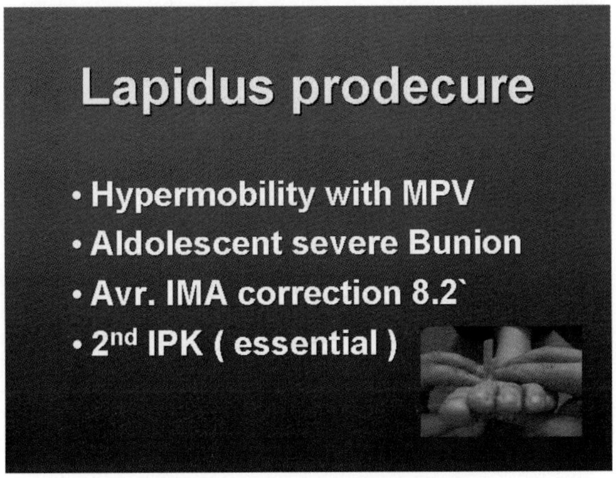

1) 적응증

(1) 심한 중족골 원형 내반증이 있으며(15도 이상), 교정을 얻기 위해서나 재발을 예방하기 위해 골 관절부에 교정술이 필요한 경우
(2) 도수 조작으로 중족골 기저부(base of metatarsal bone)나 중족 설상 관절(metatarso cuneiform joint)부에서 가장 변형 교정의 가능성이 큰 경우
(3) 중족 설상 관절의 과운동성(hypermobility)이 있는 경우
(4) 증상이 있는 중족 설상 관절에 관절염이 있는 경우

2) 금기증

(1) 제1 중족골의 길이가 짧은 경우
(2) 성장판이 열려 있는 경우
중족 설상 관절에 과운동성(hypermobility)이 없을 때는 관절고정술 보다는 다른 수술 수기로 치료하는 것이 더 합당하다.

3) 술식 (그림 5-48)

(1) 5cm 정도의 배 내측 절개를 통하여 중족 설상 관절에 도달한다.
(2) 중족 설상 관절막을 배측과 배내측에서 절개하고 족배동맥을 주의하면서 제일, 제이 중족골 기저부 사이에서 골막 박리를 한다.
(3) 제일 중족골의 외측 조면을 제거 한 후 관절 고정을 위해 중족골에서 쐐기 모양으로 매우 작은 부분을 제거한다.

Lapidus prodecure

- **Hypermobility with MPV**
- **Aldolescent severe Bunion**
- **Avr. IMA correction 8.2`**
- **2nd IPK (essential)**

그림 5-47. 족근 중족 관절 고정술

(4) 관절 고정을 좋게 하기 위해 제이 중족골 내측부와 제일 중족골 외측부를 거칠게 해둔다.

(5) 중족 설상 관절의 외측부에서도 쐐기 모양으로 매우 작은 부분을 제거한다.

(6) 제일 중족골과 제일 설상골 사이의 족저 굴곡과 내전이 필요하다(그림 5-49).

(7) 우선 중족 설상 관절을 0.062 K-강선을 이용하여 일시적으로 고정하고 수술방내 방사선 사진등을 이용하여 관절 고정의 형태를 확인한다.

(8) 때때로 자가 골 이식이 성공적인 유합에 도움을 줄 수 있다. 해면골은 경골 골간단 근위부, 장골능 또는 종골에서 얻을 수 있다.

(9) 3.5mm 전 나선 지연 나사 또는 4.0mm 해면골 나사를 이용하여 관절 고정을 할 수 있다. 첫 번째 나사는 제일 중족골 기저부의 배측, 관절 고정부의 1.5cm 원위부에서 시작하여 제일 설상골로 45도 기울기로 고정한다. 두 번째 나사는 제일 설상골의 배측에서 제일 중족골 기저부로 고정한다. 제삼 나사를 이용하여 제일 중족골 기저부에서 제이 중족골 기저부로의 고정을 함께 하기도 한다.

4) 결과 (그림 5-50)

족근 중족 관절 고정술의 결과는 다양하게 보고되고 있다.

Maguire[4]는 33명 47례에서 Lapidus가 제시한 방법으로 수술을 시행하여 79%의 최우수-우수의 결과를 얻었다고 보고하였으나 평가의 기준을 제시하지 않았고 불유합의 빈도도 언급하지 않았다. 그는 "비록 불유합이 일어난다고 하더라도 그것은 정상 관절 내에서 일어나기 때문에 증상을 호소하는 경우는 드물다" 라고 주장했다.

Goldener와 Gain[5]은 폐쇄성 설상 중족 설상 관절 고정술(closing wedge metatarsocuneiform joint arthrodesis) 40례를 시행하고 동통의 제거, 전이성 중족골통(metatarsalgia)의 유무, 미용 증상 개선의 정도, 중족지 관절(metatarsophalangeal joint)의 가동 범위, 족부 제 1열(the first ray)의 안정성과 재발 여부 등을 기준으로 수술 후 결과를 분석하여 최우수 23례, 우수 12례, 보통 3례와 2례에서 불량의 결과를 보고했다. Buston[6]은 78명 119례의 무지 외반증을 기존의 중족 설상 관절의 고정술을 변형시켜 치료를 시행하고 2년에서 16년 동안 추시 관찰 후 결과를 발표하였다. 그는 내측 융기부(medial eminence)를 절제하여 절골술 후 관절을 고정하는 데 골이식물(bone graft)로 사용하였고, 제 1, 2 중족골 절골술 후 K-강선으로 고정하는 변형된 Lapidus 술식을 시행하였다. 결과의 평가로 기능, 운동범위, 모양새와 편안함을 평가하여 모두 만족할 경우 최우수로 이들 중 한가지가 만족스럽지 못할 경우를 우수라고 정의하였다. 결과 46%에서 최우수, 46%에서 우수의 결과를 나타내었고 오직 5례에서만 불량의 결과를 나타내었다. 3례

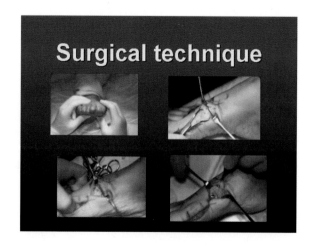

그림 5-48. 족근 중족 관절 고정술 수술 방법

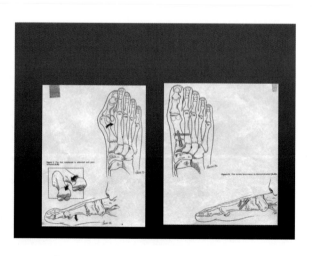

그림 5-49. 족근 중족 관절 고정술 수술시 고정 정도

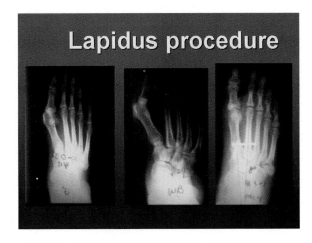

그림 5-50. 족근 중족 관절 고정술 증례 수술전 후 방사선 소견

에서 술 후 무지 내반증이 나타났지만 불유합이나 감염은 없었다고 보고하였다. Maudlin[7]등은 내측 도달법(medial approach)을 이용하여 유합술을 시행하면서 중족 설상 관절(metatarsocuneiform joint)을 내반과 족저 굴곡(varus & plantarflexion)을 시킨 상태에서 스타인만 핀 또는 피질 골 나사로 고정하고 내측에서부터 골이식을 위한 홈(trough)을 만들고 중족골 내측 융기부(medial eminence)에서 골 이식에 필요한 골을 채취하여 내재골 이식(inlay bone graft)을 시행하였다. 51례를 수술한 후 90%의 환자에서 매우 만족 또는 만족의 주관적 결과를 보였지만 추시 관찰 중 15.7%에서 의인성 무지 내반증(iatrogenic hallux varus)과 높은 빈도의 불유합이 있었음을 보고하였다. Myerson8)등은 67례의 중족설상 관절 고정술(arthrodesis of metatarsocuneiform joint)을 시행하고 그에 대한 결과를 보고하였다. 수술을 받은 환자 중 15%가 청년기(adolescent)의 나이였고 변형 교정의 결과로 중족골간 각(intermetatarsal angle)의 교정 정도를 보고하였는데 술 전 14.3도에서 술 후 5.8도로 감소했다고 보고하였고 무지 외반각(hallux valgus angle)은 술 전 34.5도에서 13도로 감소하였음을 보고하였다. 77%의 환자에서 완전한 증상의 소실이 있었으며, 15%에서는 부분적인 증상의 소실이 있었고, 8%에서는 전혀 좋아진 점이 없다고 보고하였다. 방사선학적으로 9.5%에서 불유합이 보였지만 이 7례 중 재수술을 해야 할 정도로 증상이 있는 경우는 1례에 불과했다고 보고하였고 7%에서 제 1 중족골

의 배측 부정유합(dorsal malunion)이 관찰되었고 무지 내반증(hallux varus)은 1례에서 있었다고 보고했다.

■ 참고문헌

1. Truslow W : Metatarsus primius varus or Hallux valgus. J Bone Joint Surg 7:98-108, 1925

2. Albrecht GH : The pathology and treatment of hallux valgus. Russk Varch 10:14-19, 1911

3. Lapidus PW : Operative correction of the metatarsus varus primius in hallux valgus. Surg Gynecol Obstet 58:183-191, 1934

4. Maguire WB : The Lapidus procedure for hallux valgus. J Bone Joint Surg 55B:221, 1973

5. Goldener JL, Gain RW : Adult and juvenile hallux valgus : Analysis and treatment. Orthop Clin 7:863-887, 1976

6. Buston ARC : A modification of the Lapidus operation for hallux valgus. J Bone Joint Surg. 62B:350-352, 1980

7. Maudlin DM, Sanders M, Whitmer WW : Correction of hallux valgus with metatarsocuneiform stabilization. Foot and Ankle 11:59-66, 1990

8. Myerson MS, Allon S, McGarvey W : Metatarsocuneiform arthrodesis for treatment for hallux valgus. Foot and Ankle 13:107-115, 1992

6. Akin씨 절골술

1925년 Akin[1]은 내측 무지 융기부(medial eminence) 절제술과 근위지 기저부의 내측에서 폐쇄성 설상 절골술(closing wedge osteotomy)을 시행하여 무지 외반증을 치료하는 술식을 발표하였다. 그러나 추시 결과 이 술식 자체로는 무지 외반증의 주 원인인 중족지 관절의 역동적인 교정이 불가능하게 되어 대부분 불만족스런 결과를 나타내어 주로 무지 지간 외반증의 치료와 원위 중족골 관절면 각(distal metatarsal articular angle, DMAA)이 증가되어 있는 경우 사용할 수 있는 술식이다.

1) 술식

(1) surgical approach

① 피부 절개는 무지의 지간 관절 근위부에서 시작하여 무지의 내측 방향으로 주행한 후 내측 융기를 지날 때까지 이행한다. 배측과 족저측에 전층의 피부판이 형성되고, 이때 배 내측과 족저 내측의 피부 신경을 보호한다.

② 11번 칼날을 이용하여 근위 지골 기저부의 2-3mm 근위부에서 시작하여 수직의 피막 절개술을 시행한다. 이것에 평행하게 두 번째 절개를 넣은 후 2-4mm를 넘지 않게 관절막을 제거한다. 이 제거하는 양은 내측 융기의 크기에 의해 좌우된다.

③ 근위 지골 기저부의 골막을 제거하여 근위 지골 근위부의 반을 노출시킨다.

(2) creation of osteotomy

① 내측 융기는 시상 고랑의 외측면에서 시작하여 제1 중족골 외측면에 맞추어 제거한다. 제거된 면 특히, 중족골 두의 배내측 면 부분을 골 겸자를 이용하여 매끄럽게 해준다.

② 근위 지골의 절골술은 내측 폐쇄성 쐐기 절골술을 이용하여 시행한다. 절골할 부분중 근위부의 것은 관절면 보다 2-3mm 원위부에서 시행한다. 수술자는 절골술 시행시 절골술 면이 오목면이라는 것을 항상 기억해야 한다. 두 번째 절골술은 3-4mm정도 원위부에서 시행한다. 수술자는 골막 경첩을 외측에서 유지하도록 시도해보아야 한다.

(3) reconstruction of joing capsule and osteotomy

① 지골 절골술 후 교정 정도를 예측할 수 있기 때문에, 내측 관절낭 봉합술을 먼저 시행한다.

② 관절낭을 봉합하면서, 수술자는 중족골 두에 대하여 근위 지골이 돌아가지 않도록 주의하면서 절골술 내측부를 주의 깊게 봉합해야 한다. 만약 교정이 적정하지 않으면, 근위지골 내측부에서 뼈가 좀더 제거되어야 한다.

③ 절골술한 곳에 대한 고정은 여러 가지 방법에 의해 시행될 수 있다. 우리는 절골술의 배내측과 족저 내측에 각각 천공 구멍을 뚫은 후 이곳을 통한 봉합을 이용하고 있다. 이방법은 고정물이 피부 밖으로 나오지 않는다는 장점이 있다.

④ 피부는 가는 재질의 실로 봉합하고 압박 드레싱을 한다.

환자는 수술 후 신발을 신고 보행할 수 있다.

Akin씨 절골부의 안정성은 무지 근위지(proximal phalanx)에 절골술을 시행할 때 원위지 골간단부(metaphyeal area)에서의 시행 여부와 외측 피질골 관통 여부에 따라 좌우된다. 외측부의 피질골을 남겨 경첩의 역할을 할 수 있게 하고 외측부 안정성을 가지게 하는 데 기여하게 하여야 한다. 합병증으로는 근위지 절골술 중 무지 신전건의 파열이 일어날 수 있는데 이를 예방하기 위해서 절골술을 시행할 때 건을 보호하는데 주의를 기울여야 한다.

■ 참고문헌

1. Akin OF : The treatment of hallux valgus: a new operative procedure and its results, Med Sentinel 33:678-679, 1925

VI. 무지 외반증 수술의 합병증 (Complications in Hallux Valgus Surgery)

무지 외반증은 족부 변형 중 가장 많은 질환으로 수술이 주된 치료 방법으로 알려져 있으며, 다양한 합병증이 보고되어 있다. 대개는 경한 합병증이 대부분이지만 때로는 수술이 필요한 경우도 있으므로 수술 전 계획(preoperative plan), 수술 중 수술 수기(intraoperative technique) 수술 후 재활(postoperative rehabilitation)등에 세심한 주의를 기울여야 한다.

1. 수술 실패의 원인 (그림 5-51)

1) 부적절한 수술전 계획

일반적인 알고리즘에서 지적한 바와 같이 적절한 술식을 선택하기 전에 각각의 변형 정도를 주의 깊게 분석해야 한다.

또한 수술시 하나의 술식 만으로 변형을 모두다 만족스럽게 교정할 수는 없다는 것을 염두에 둬야한다.

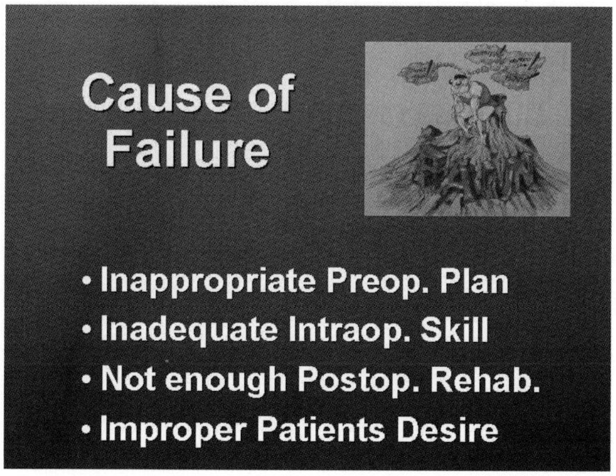

그림 5-51. 무지 외반증 수술 실패의 원인

2) 부적당한 수술기법

무지 외반증의 수술은 비교적 제1 족지와 주변 조직의 해부학과 족부의 수술 경험이 필요한 수술이며, 수술시의 조심해야 할 부분도 상당히 있다. 또, 다양한 수술 방법이 고안되어 있기 때문에 이러한 부분을 적절히 습득한 후에 시행하지 않으면, 예기하지 못한 합병증이 발생할 수 있다.

3) 부적절한 술후 관리

다른 정형외과적 수술과는 달리 무지 외반증에 있어서는 만족스러운 결과를 위해서는 연부 조직에 대한 세심한 관리가 필요하다.

4) 환자의 비현실적인 기대

수술 전에 환자가 가능한 수술의 한계점을 이해하지 못할 경우 환자와 의사 모두 만족하지 못할 수 있다.

2. 합병증의 종류

1) soft tissue
2) nerve
3) metatarsal

non-union

malunion

infection(osteomyelitis)

AVN

shortening

4) stiffness(decreased ROM)

5) recurrence

3. 연부 조직 문제

1) 감염

수술후 감염이 되는 경우는 매우 드문데, 대개 표재성 감염이고, 국소 봉소염이나 상행 림프관염의 양상을 보인다. 염증 부위 피부에 발적과 온감을 느낄 수 있으나 관절 운동이 심한 통증을 유발시키긴 않는다. 대체로 발열은 일어나지 않고 좌측 편향된 백혈구 수치의 증가를 보인다. 치료는 경구 혹은 전신 항생제 요법으로 가능하다. 매우 드물게 발생하는 중족 족지 관절을 포함하는 심부 감염은 정도가 훨씬 심하며 중족 족지 관절의 심한 통증과 종창을 보인다. 상처에서 화농성의 배출이 있을 수 있다. 중족 족지 관절을 촉진하거나 관절 운동을 시키면 극심한 통증을 보이고, 발열과 백혈구 수치, 혈침 속도의 증가를 보인다. 원인 생물에 대한 배양 및 민감도 검사가 시행되어야하며 즉시 비 경구적 항생제 치료가 시작되어야 한다. 화농성 감염의 양상을 보인다면 관절이나 괴사 조직에 대한 변연 절제술을 시행할 것인지 혹은 관절 세척술을 시행할 것인지에 대한 신속한 결정이 이루어져야 한다.

2) 상처의 지연 치유

3) 피부 가피

가피는 조직의 탈 혈관화에 의해 야기되는데 주로 술 후 7-14일 후에 나타나며 크기에 따라서 큰 문제를 유발시킬 수 있다.
치료는 정도에 따라서 달라지는데 작고 부분층일 때는 국소 치료와 시간이 지나면 치유되고 크고 전층일 때는 피부 이식이 필요할 수 있다(그림 5-52).

4) 유착성 반흔(그림 5-53)

5) 지연성 피부 결손

수술과 상처치유가 잘 이루어진 이후에 가끔 상처가 부어오르고 민감해지는 경우가 있는데 이는 수술 후 4주 혹은 그 이상, 또는 몇 달 후에도 일어날 수 있다. 이는 대부분 봉합사에 의한 이물 반응에 의하며 silk가 가장 연관이 있다. 대부분의 경우 시간이 지나면 이물은 그냥 배출되며 종종 시험 절개가 필요할 수도 있다.

4. 무지의 이상감각(Paresthesia)
(그림 5-54, 그림 5-55)

족부 수술후의 매우 흔한 합병증 중 하나는 피부 신경의 포착 또는 절단(부분적 혹은 전체적)인데 이는 관련 부위나 그 원위부의 이상 감각증이나 무 감각증을 일으킨다.

가장 흔히 손상되는 신경 중 하나는 무지로 가는 배내측 피부 신경이고, 때로는 족저 내측 피부 신경, 공통 지간 신경 등이 침범되기도 한다. 대개는 시간을 두고 지켜보는 것이 일반적인 치료 방법이다. 다만, 이때 환자를 안심시키고, 심적 안정을 유도하는 것이 중요하다.

5. 중족골에서의 합병증(그림 5-56)

1) 단축 (Shortening)(그림 5-57)

단축은 대부분의 중족골 절골술후 일어난다. 일반적으로 단축은 전기톱날 (power saw blade)에 의해 1-2 mm, 절골술 부위의 골 괴사에 의해 약 2 mm, 골유합 반응 자체에 의해 약 2-3mm 이상 단축을 보이는 것으로 알려져 있다. Chevron 술식 후 평균 단축 길이는 2.2mm로 보고되었고, Mitchell 술식 후에는 심한 단축이 보고되었다. 단축은 Wilson절골술이 가장 심하며 평균 11mm이다. 원위 연부 조직 술식과 근위부 절골술 후에는 평균 2.2mm의 단축을 보였다. 두번째 중족골 두 아래의 전이 병변이 단축과 관련된 주요 문제이다. 중족골 통증을 야기시키는 단축 길이는 어느 정도인지 정하는 것은 쉽지 않은데 그것은 1)약 40%의 발에서 제1 중족골이 제2 중족골보다 짧고, 2)동반되는 족배 굴곡과 단축과의 연관 여부를 모르는 등의 많은 요인에 의한다. 무지 외반증의 교정 정도와 관절의 안정성도 요인의 하나인데 교정이나 안정성이 부적절하다면 제 1 중족골이 체중 부하를 분담하지 않기 때문이다.

치료는 일반적으로 먼저 깔창을 깔아 체중을 균등하게 배분하도록 해야하는데, 이 방법으로 해결이 되지 않는 경우는 중족골 연장술을 고려 할 수 있지만, 이는 해부학적, 기술적으로 힘든 방법이며, 만일 제 2 중족골이 제1, 제 3 중족골에 비하여

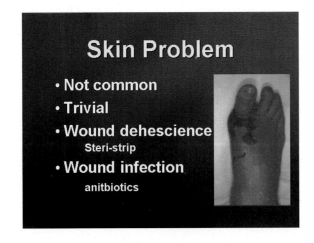

그림 5-52. 피부 합병증

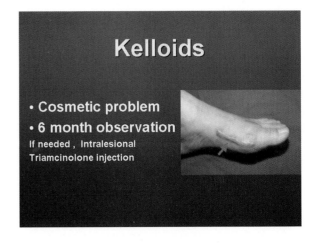

그림 5-53. kelloid

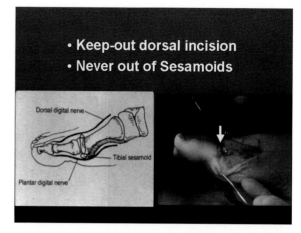

그림 5-54. 신경 합병증   그림 5-55. 신경 합병증을 피하기 위한 수술 시의 피부 절개

상당히 길 경우 제2 중족골을 단축시켜 정상적인 체중 부하 방식으로 되돌리는 방법이 도움이 될 수 있다. 종종 제 1 중족골의 체중 부하 기능을 증가시키기 위하여 제 1 중족골에 대한 족저 굴곡 절골술을 시행하기도 한다.

2) 족배 굴곡 (Dorsiflexion)

족배 굴곡은 대부분의 근위부 절골술후에 일어나며 chevron, Mitchell, Wilson 절골술 후에도 원위부에서 일어날 수 있다. 중족 설상 관절 융합술 후에도 중족골의 족배 굴곡은 보고된 바 있다.

족배 굴곡이 과도하게 된 경우 제2 중족골을 올려줌으로써 체중 부하 방식을 바꾸는 방법보다는 족저 굴곡 절골술로 교정한다. 이때 제 2 중족골을 올려주는 것은 제 3 중족골 아래에 전이 병변을 가끔 일으키기도 한다. 제 1 중족골의 족배 굴곡이 제 1 중족골 아래의 전이 병변에 증상을 유발시키거나 제 1 중족골 두의 지지를 잃음으로써 발의 세로 궁을 편평하게 할 경우에도 이의 교정을 위하여 족저 굴곡 절골술을 시행한다.

3) 족저 굴곡 (Plantar flexion)

빈번하지는 않지만 절골술을 시행한 부위의 불안정으로 인하여 제 1 중족골이 족저 굴곡되기도 한다. 이로 인해 제 1 중

족골로의 체중 부하가 많아져 굳은 살이 생기며 이는 제 1 중족골로의 체중 부하를 다른 중족골 두쪽으로 전이시키는 보조기로 교정한다. 그러나 변형이 심할 경우는 절골술을 시행하기도 한다.

4) 제1 중족골 골간부의 과도한 외반(외측 편위)

때때로 중족골간 각을 교정할때 음각이 초래되기도 한다. 정도가 미미하면 후유증은 일어나지 않지만 과교정이 심할 경우 관절면이 외측으로 경사지게 되어, 근위 족지가 중족골 두 쪽으로 치우치게 될 경우 관절면의 불일치가 일어나 통증을 유발시키고 빠른 퇴행성 변화가 일어나게 된다. 근위부 반월형 절골술을 시행한 이후 절단 곡선이 원위부로 오목하게 이루어질 경우 절골 부위가 회전할 때 중족골 간부를 내측으로 전위시키려 하게된다. 이때 종족골 두는 훨씬 외측으로 전이된다. 만일 동시에 내측 융기부가 과도하게 제거되면 더 불안정해지고 무지 내반 변형이 초래된다. 이런 이유로 원위 연부 조직 술식과 근위 반월형 절골술을 시행할 때는 내측 융기부를 제거하기 위한 절골술은 시상 구에서 2mm 내측에서 행해야 한다.

치료로는 가능하다면 예방이 가장 좋은 해결 방법이다. 그러나 변형이 일어났을 때 작은 경우에서는 중족골에 대해 절골술이 필요할 수 도 있으며, 중족골 재교정과 함께 중족 지골간 관절의 재교정도 시행한다. 대부분 이런 경우에는 중족 지골 관

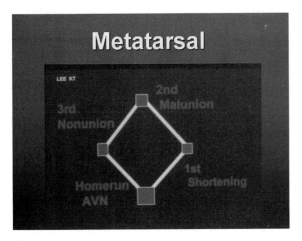

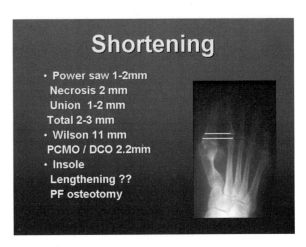

그림 5-56. 중족골의 합병증: 단축, 부정유합, 불유합, 무혈성괴사

그림 5-57. 중족골 단축

절에서 연부 조직을 교정하지 않은 채 제1 중족골을 교정할 수가 없다. 만약 중족 지골 관절의 퇴행성 변화가 있거나 혹은 관절면의 부적절한 배열(incongruency)이 너무 심한 경우 관절 고정술이 치료의 선택이 될 수 있다.

5) 중족골의 불유합 (그림 5-58, 5-59)

중족골의 불유합은 어떠한 절골술 후에도 올 수 있으나 내고정술과 같이 시행하는 경우 더 나은 결과를 가져올 수 있으나

흔하지는 않다. 종종 지연 유합이 유발되나 충분한 시간이 주어지면 약 4-6개월 정도 적절한 고정이 있으면 치유는 대부분 일어날 것이다.

불유합은 보통 골 표면의 적절한 준비와 좋은 압박으로 예방 가능하며 이런 것들이 빠른 치유를 자극 할 수 있다. 불유합의 결과로 생기는 문제는 중족골 몸체의 위치 소실과 혹은 단축, 혹은 둘 다 인 경우이다. 이런 조건하의 치료는 문제의 성격으로 결정되며 불유합 자리를 교정하기 위해 골이식 에서부터 정확한 절골술과 적절한 내고정술 까지 변할 수 있다.

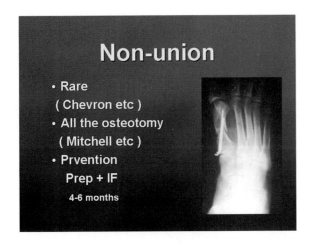

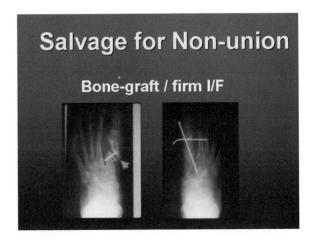

그림 5-58. 중족골 절골부 불유합

그림 5-59. 중족골 절골부 불유합 수술 방법

6) 중족골두 내측 돌출부의 과다 절제

건막류 절제 수술시 시상면구에서 외측으로는 절제하지 말아야 하는데, 1-2mm정도 내측을 남겨 두고 절제해야한다. 만약 더 많은 종족 골두를 절제했을 때는 어느 정도의 불안정성이 야기되고 무지 내반증의 결과를 가져올 수 있다. 중족골 두 근처에서 절골술이 시행되면 내외측 혹은 등배부 및 족저 방향으로 이동시키게 될 수 있다. 아울러, 교정의 손실을 예방하기 위해서 절골술의 자리를 안정화시키는 것은 필수적인 것이다. 중족골 두를 너무 많이 제거했을 때 관절면이 맞지 않는 경우에는 초기에 퇴행성 관절염을 유발시킨다.

중족골 두 과다 제거 시 치료는 어려운데, 프랑스의 보고에는 골이식술을 시행해서 좋은 결과를 얻었다는 보고도 있지만, 대개는 중족 지골 관절을 유합시켜서 관절의 배열을 맞추고 통증을 제거시킨다.

7) 중족골 두의 무혈성 괴사 (그림 5-60, 5-61, 5-62)

원위부 절골술 후 중족골 두의 무혈성 변화는 골두 조각에 대해 혈액 순환이 방해되어 생기는데 대개는 과다한 연부 조직 박리가 주원인이다. 그러나 무혈성 괴사가 반드시 관절의 증상을 유발하는 것은 아니기 때문에 증상의 유무를 확인하는 것이 중요하다.

특히 Chevron 수술 후 생기는 무혈성 괴사의 발생률은 매우 다양한데, Meier 와 Kenzora는 20%의 발생률과 외측 연부 조직 박리술을 같이한 경우 40%의 발생률을 보고 하였다. 그러나 15%만 증상을 호소하였다고 하였고, 다른 저자들은 무혈성 괴사가 없었다고도 보고하였다. 한편, 무혈성 괴사의 원인은 내고정술에 의한 것이거나 중족골 두의 연부 조직을 과다하게 박리하는 것이다. 그리고, Chevron 수술과 외측 연부 조직 박리술에 대해서도 의견이 분분한데, Peterson은 58례중 1례에서만 무혈성 괴사를 보고하였고, Pochaplco 등도 23례에서 무혈성 괴사는 없는 것으로 보고하였는데, 이들은 외측 연부 조직 박리술이 족저부 접근 방법으로 비골측 종자골 제거가 시행되었다. 따라서 아직은 Chevron 술식과 연부 조직 박리술을 같이 해도 되는 지의 여부는 미해결의 문제라고 얘기할 수 있다.

증상이 있는 무혈성 괴사는 보통은 체중 부하 시 통증이 생

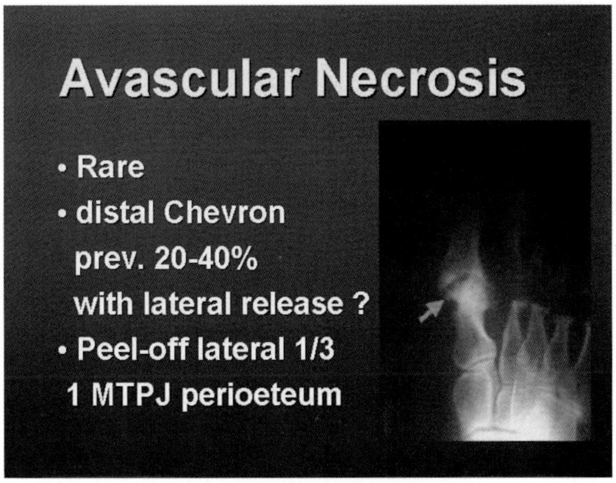

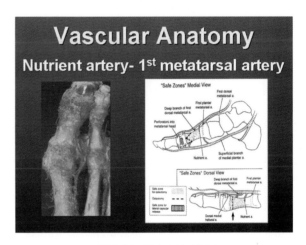

그림 5-60. 중족골 무혈성 괴사

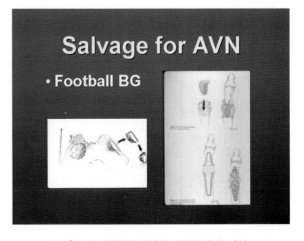

그림 5-61. 중족골 혈관 분포

그림 5-62. 중족골 무혈성 괴사의 수술 방법

기는 섬유성 관절증이 형성된다. 이 합병증의 치료는 관절 고정술이다. 관절 고정술 시행 시, 무혈성 괴사된 부분은 제거하고 무지는 남겨두며, 그 사이에 골이식을 시행한다.

6. 근위 지골에 대한 합병증

근위 지골에 대한 합병증은 흔하지는 않으나, 일어날 수 있는데, 이는 대개 수술 결과에 영항에 미치지 않는 미미한 것들이다.

1) 불유합

일반적으로 지골의 지연 유합이나 불유합은 절골술이 지골의 중간부 혹은 근위부 1/3보다 원위부에서 가해진 경우 대부분 발생된다. 일반적으로 절골술 후 대분분 유합이 되기 위해서는 충분한 시간과 고정이 필요하며, 불유합이 의심되면 절골술 부위가 유합되는데 4-5개월이 소요된다.

2) 부정 유합

부정 유합은 주로 절골술 위치에서 부적절한 고정이나, 고정의 소실로 발생한다.
다른 형태의 절골술이나 내고정술이 부정 유합을 예방하는데 도움을 줄 수 있다.
일반적으로 위치 소실의 정도는 교정 수술을 받아야 할 정도의 크기는 아니다.

3) 무혈성 괴사

종종 근위 지골 절골술 후 무혈성 괴사가 생길 수 있다. 원인은 과다한 연부 조직 및 관절막을 박리하는 경우와 절골술 위치에서의 과도한 조작이다. 무혈성 괴사의 치료는 Keller 수술이나 관절 고정술이 된다.

4) 중족지 관절의 침해

근위 지골 절골술 시 중족 지골 관절을 침해할 수 있다. 근위 지골은 오목한 관절면을 가지고 있으며, 절골술 시행 시 근위 절골술 위치는 관절면보다 원위부이어야 한다. 이 합병증이 생기면 섬유성 관절증 혹은 퇴행성 변화가 생길 수 있으며 이것은 중족 지골 관절의 고정술이 요구된다.

7. 중족 지골 관절의 섬유성 관절증 (그림 5-63)

무지 외반증이 교정된 후 종종 섬유성 관절증이 생긴다. 이 섬유성 관절증은 관절 운동을 제한하여 심각한 문제를 유발시킨다. 만약 이런 문제가 수술 후 빨리 발견되면 고정기간 6주보다 더 빨리 관절 운동을 시작한다. 늦게 발견되면 물리 치료의 강도가 커진다.
일반적으로 이 섬유성 관절증은 기능적 관절 운동은 가능하게 되나, 많은 양의 운동이 소실된다. 재수술로 관절 운동이 더 좋아지게 하는 것은 기대하기 어렵다. joint play와 accessory motion을 이용한 강력한 재활 치료가 필요하다

8. 무지 내반증

1) 무지 내반증의 정의

무지 내반증은 방사선학적으로 axial plane에서의 중족 근위 지간각이 음수이며 임상적으로 제 1 중족 지골에 대해 무지가 내전된 상태로 시상면, axial, 관상면에서의 3차원적인 변형이다. 중족 지골 관절은 신전, 지간 관절은 굴곡되고, 근위 지골은 회내전되어 있는 것이 일반적이다.

2) 무지 내반증의 발생 빈도 및 원인(그림 5-64)

(1) 빈도
무지 내반증은 여러 가지 원인으로 인해 발생할 수 있는데, 무지 외반증의 수술 후 발생하는 경우가 가장 많고, 2-13%의 빈도를 보이고 있다.

(2) 원인
한편, 수술 후 발생한 무지 내반증의 원인은 다양한데, 이를 크게 골 조직 및 연부 조직에 의한 원인으로 구분되어 진다. 골

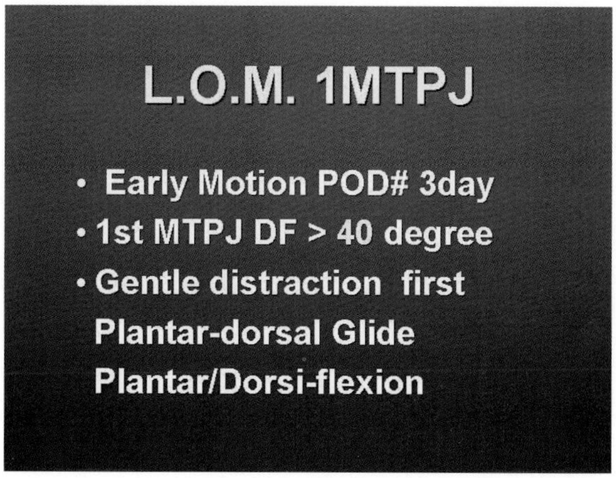

L.O.M. 1MTPJ

- Early Motion POD# 3day
- 1st MTPJ DF > 40 degree
- Gentle distraction first
  Plantar-dorsal Glide
  Plantar/Dorsi-flexion

그림 5-63. 섬유성 관절증

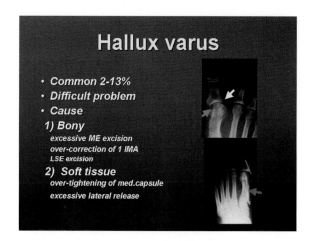

그림 5-64. 무지 내반증의 원인

조직의 원인으로는 과다한 내측 융기의 절제와 외측 종자골의 절제, 과다한 제1 중족 지간 각의 교정 등이 원인 될 수 있고, 연부 조직의 문제로는 과도한 긴장의 관절낭 봉합이나 과도한 외측 절개 등이 원인이 된다고 하며, 이는 수술 방법에 따라 차이가 있다.

Bony
    1) excessive ME excision
    2) LSE excision
    3) over-correction of 1st IMA
Soft tissue
    3) excessive capsular reafing
    4) excessive lateral release

과도한 외측 절개에 의한 무지 내반증은 대개 내전건과 단무지 굴건을 동시에 절개하는 경우에 발생한다고 하고, 과도한 긴장의 내측 관절낭 봉합은 1) 과다한 관절낭 절제 2) 수술 후 과도한 내반 상태의 드레싱이 원인이 된다고 하였다. 한편, 과다한 내측 융기의 절제는 중족 지골 두의 지지 기반을 감소시켜 내반에 이르게 하고 내측 종자골을 불안정하게 만들어, 내반을 악화시키게 한다. 따라서, Sagittal Groove에서 2mm 내측에서 절제를 시작해야 하고 절제의 방향도 배외측에서 족내측으로 시행하여 족내측 골두의 골성 지주를 유지해야 한다. 마

지막으로 제1 중족 지간 각의 과다 교정에 관한한 근위, 원위 중족 절골술 모두에서 내반이 발생할 수 있지만 교정각이 큰 근위 절골술 시 더 많이 발생한다고 한다.

많은 보고(Johnson, Myerson, Mann)에서 무지 내반증이 발생한 술식은 Mc Bride 수술법으로 대개 외측 종자골을 절제한 것이 원인이었고, Tranka 등이 보고한 경우의 술식이 19예 중 18예가 중족 지골 절골술을 동반한 연부 조직 유리술이었으나, 교정 수술 후의 결과에 대한 언급은 없었다.

3) 증상 및 임상 양상 (그림 5-65)

미용 상의 문제가 환자들의 주소이고, 신발 신는데 불편함, 통증 등의 순이다. 그리고, 대개는 임상적으로 견딜 만한 정도의 변형이어서, 수술적 가료가 필요하지 않은 것으로 알려져 있다. Tranka 등은 18.5년 후의 원격 추시를 통해 19예의 무지 내반증 중 심한 경우의 7예에서만 임상적으로 문제가 되었다고 보고하였고, 필자의 연구에서도 총 26예의 무지 내반증 환자에서 10예의 환자만 수술이 필요한 정도의 임상적 적응도는 양호한 편이었다.

4) 치료

무지 내반증의 치료는 크게 비 수술 방법과 수술 요법으로

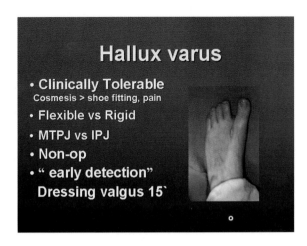

Hallux varus
• Clinically Tolerable
Cosmesis > shoe fitting, pain
• Flexible vs Rigid
• MTPJ vs IPJ
• Non-op
• " early detection"
Dressing valgus 15`

그림 5-65. 무지 내반증

Postop. Dressing
• Very important ,
• surgeon himself

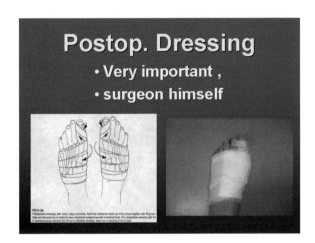

그림 5-66. 무지 내반증의 초기 발견시 비 수술적 치료

나뉠 수 있는데, 이를 결정하는 인자로는 변형이 골성 변형인지 연부 조직 변형인지 여부와 유연성인지 강직성인지 등이다. 비 수술 요법은 약 22%의 성공률을 보이고 있는데, 성공의 여부를 결정짓는 요인은 "조기 진단"이다. 이는 조기발견으로 고정변형이 발생하지 않기 때문이다. 따라서 수술 후 3. 4 주 이내에 발견되어야 하고 발견 즉시 제1 중족 지간 각이 15도 외반이 되도록 일주일 간격으로 3개월 간 드레싱을 시행해야 한다(그림 5-66).

증상이 있는 무지 내반증은 유연성인 경우 제1 중족 지간 각이 25도 이상, 고정성인 경우 10도이상으로 보고 있는데, 고정성인 경우 특히 시상면에서의 변형이 동반된다고 한다.

수술적 치료는 비 수술 요법으로 해결되지 않는 경우 시행하며 유연성이면 대개 건 이전술을 시행하여 건의 균형을 회복시키는 것을 원칙으로 하고 있다. 이때, 지간 관절은 상태에 따라 고정술을 첨가하기도 한다. 이식 건에 관한 한, 처음 Johnson은 장 무지 신전건의 전부를 Mann은 외측 2/3를, 다시 Johnson 등은 외측 1/2을 사용하였는데, 이런 변화는 장 무지 신전건의 기능이 없어지면서 중족지 관절의 운동 제한이 남거나 지간 관절의 고정이 불가피해져 이를 피하기 위한 노력으로 사료된다. 한편, Myerson은 이런 단점을 없애기 위해 아예 단 무지 신전건을 이용하였다. 고정성 변형에 대해서는 제1 중족지 관절 고정술이나 절제 관절 성형술을 시행하는 것이 원칙인데, 대개 관절 고정술이 선호되고 있는 실정이다(그림 5-67).

Rochwerger 등은 과다 절제된 내측 융기로 발생한 무지 외반에 대해 골이식술을 시행하고 총7예중 6예에서 좋은 결과를 보고하였다. 이때, 이식된 골편은 나사로 고정하였다.

수술 결과는 대개 성공적인데, 건 이식술에 대해 장 무지 신전건을 사용한 Johnson의 보고에서는 93%에서 우수, 양호의 결과를 보였고, Mann과 Coughlin은 80%에서 만족을 보였다. 이에 대해 단 무지 신전건을 사용한 Myerson등은 비교적 적은 환자이지만, 모두 우수한 결과를 보여 주었고, 국내에서의 필자의 보고에서는 총 6예 중 만족3예, 불만족 3예로 이들의 결과와는 대조적인 결과를 보였다(그림 5-68, 69). 이는 타보고가 Mc

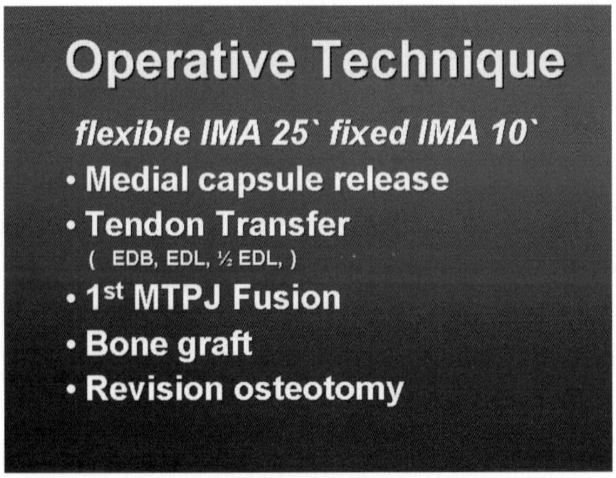

Operative Technique
flexible IMA 25` fixed IMA 10`
• Medial capsule release
• Tendon Transfer
(EDB, EDL, ½ EDL,)
• 1st MTPJ Fusion
• Bone graft
• Revision osteotomy

그림 5-67. 무지 내반증 수술 방법

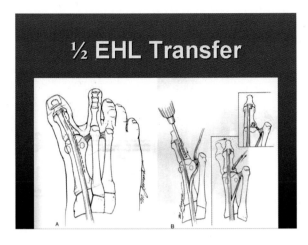

그림 5-68. 무지 내반증 수술 치료(1/2 장모지 신전건 이전술)

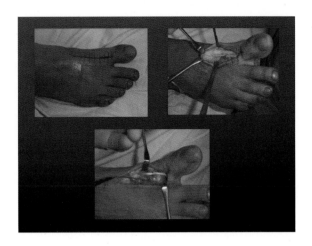

그림 5-69. 1/2 장모지 신전건 이전술 방법

Bride 술식이나 연부조직 수술 후에 발생한 건의 균형에 의해 발생한 무지 내반증의 수술 결과인데 비해 필자에서의 기존 수술 방식이 근위 중족 절골술이었고 무지 내반증의 원인 자체로 제1 중족 지간 각의 과다 교정이 원인이었기 때문에 단순한 연부 조직의 건 이전술로는 완전하지 못했기 때문으로 추정된다. 아울러 국내의 최근 미용에 대한 강한 집념이 극소의 변형도 용납하지 못했기 때문으로 추정된다.

■ 참고문헌

1. Donley BG: Acquired hallux varus. Foot Ankle Int, 18-9: 586-592, 1997.

2. Eldeman RD: Iatrogenic induced hallux varus. Clin Podiartr Med Surg, 8-2: 367-382, 1991.

3. Juliano PJ, Meyson MS and Cunningham BW: Biomechanical assessment of a new tenodesis for correction of hallux varus. Foot Ankle Int, 17-1: 17-20, 1996.

4. Mann RA, Coughlin MJ ,: Surgery of the Foot Ankle 7th Edition Mosby ,1999 P 134 * Mills JA and Mallus MB: Hallux varus. J Bone Joint Surg(Br), 71-3: 437-440, 1989.

5. Myerson MS and Komenda GA: Results of hallux varus correction using an extensor hallucis brevis tenodesis. Foot Ankle Int, 17-1: 21-27, 1996.

6. Richardson EG, : COmplications After Hallux Valgus Surgery ICL 48. 1999 P 331* Sklley TC and Meyerson MS: The operative treatment acquired hallux varus. Clin Orthop, 306: 183-191, 1994.

7. Tourne Y, Saragaglia D, Plicard F, De Sousa B, Montbarbon E. and Charbel A: Iatrogenic hallux varus surgical procedure: a study of 14 cases. Foot Ankle Int, 16-8: 457-463, 1995.

8. Trnka HJ, Zettl R, Hungerford M, Muhlbauer M and Ritschl P: Acquired hallux varus and clinical tolerability. Foot Ankle Int, 18-9: 593-597, 1997.

9. Zahari DT and Girolamo M: Hallux varus: a step wise approach for correction. J Foot Surg, 30-3: 264-266, 1991.

6. 무지 강직증
Hallux Rigidus

을지의대 을지병원 족부정형외과 **양 기 원**

무지 강직증은 제1 중족 족지 관절 퇴행성 변화로서 이 관절의 운동 장애와 동통을 특징으로 하는 질병이다. 외국에서는 엄지에 생기는 질병 중에 무지 외반증 다음으로 많이 생기는 질병으로 흔하다. 하지만 우리나라에서는 그리 자주 보는 질환이 아닌데, 그 이유는 발병 자체도 적을 뿐 아니라 비록 진단이 되어도 불편함을 가지고 사는 경우가 대부분인 것 같다.

외국의 통계에 의하면 50대 이상에서 약 45명에 한명 정도로 발병하는 흔한 질환이다. 치료를 하지 않고 그냥 둔 경우에 다른 관절의 퇴행성 관절염에서와 같이 점차로 진행이 되어 관절의 운동과 기능을 소실하게 된다. 무지 강직증은 다른 여러 이름으로 불리고 있다.

I. 병인 & 원인
(Pathophysiology & Etiology)

그 원인과 병인은 일반적인 다른 관절에서 관절염과 같다. 손상에 의해서 관절연골이 손상이 되어 관절염이 진행이 될 수 있고, 선천적으로 중족 족지 관절의 형태가 불규칙하다든지, 첫

표 6-1. hallux rigidus의 다른 이름들

· hallux limitus : MTP 관절의 운동의 장애
· dorsal bunion : 대부분 dorsal에 osteophyte에 의해 솟아오르는 경우가 있다.
· localized arthrosis : 주로 dorsal 쪽에 잘 생긴다.
· hallux flexus : dorsal에 osteophyte가 큰 경우에는 엄지의 위치가 flexion 상태에 있게 되는 경우
· metatarsus elevatus : 더 심해지는 경우에는 중족골이 올라갈 수도 있다.

번째 중족골의 길이가 긴 경우, 족부의 회내, 비정상적인 걸음, 등등이 원인이 될 수가 있다. 그 외에도 신발을 잘못 신는 경우나, 몸무게가 많이 나가는 경우도 원인이 된다는 보고가 있다. 다른 관절에서와 마찬 가지로 류마티스성 관절염이나 혈청 음성 관절염 등에 의해서도 발생이 된다.

예전에는 역학적으로 첫번째 중족골이 올라가 있는 경우에 무지 강직증이 발생할 수 있다고 설명을 하기도 한다(그림 6-1).

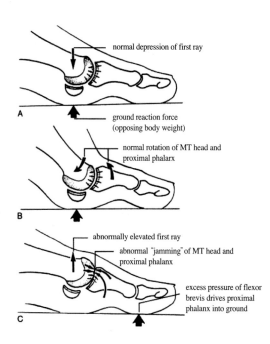

그림 6-1. 정상인 경우는 보행시 발이 지면에 평행하거나 보행이 진행이 되어 입각기가 될 때에도 MTP 관절에서 일정하게 균일한 힘을 받게 되지만 첫째 중족골이 올라가 있는 변형(metatarsus primus elevatus)이 있는 경우에는 MTP 관절의 족배부쪽에 많은 스트레스를 받게 되고 관절염으로 진행이 된다.

표 6-2. hallux rigidus와 연관관계

연관관계가 없는 요인들
pes planus
first metatarsal length
metatarsus primus elevatus
first ray hypermobility
hallux valgus
기타 shoewear, job, obesity, metatarsus adductus
연관이 있는 요인들
hallux valgus interphalangeus
family history
trauma in unilateral cases

하지만 요즘은 중족골이 올라가 있는 변형은 단지 이차적인 현상으로 수술을 하는 경우 제 위치로 돌아온다는 보고가 있다. 따라서 절골술을 시행하여 중족골이 올라가 있는 것을 내려주는 술식이 예전에 많이 시행이 되었으나 요즘은 점점 이런 종류의 수술은 하지 않는다.

그 원인에 대해서 많은 가설이 있지만 현재는 중족골이 올라가는 변형(metatarsus primus elevatus), 제1중족골의 과운동성(hypermobility), 발의 변형(postural foot deformity)은 관계가 적은 것으로 되어있고, 유전적인 요인이나 외상성(trauma or microtrauma)가 그 원인이지 않나 생각하고 있다.

II. 임상적 징후(Clinical Manifestations)

1. 과거력(History)

여자가 남자보다 두배 정도 많고 양측으로 오는 경우가 많다. 발병하는 나이는 크게 두 그룹으로 사춘기와 성인으로 나누고 있는데 대부분이 나이가 많은 그룹에서 주로 생긴다. 가족력이 있는 경우가 60%이고, 양쪽을 침범하는 경우가 약80%로 보고되고 있다.

환자 자신이 엄지발가락이 잘 움직이지 않고 특히 잘 젖혀지지 않는다고 호소를 하며, 엄지발가락을 젖히는 경우에 동통이 있다고 한다. 걸어 다닐 때 발이 땅에서 떨어지는 동작에서 아프다고 호소를 하는 경우가 대부분이다. 동통은, 무지외반증에서 중족 족지 관절의 내측에 있는 것과는 달리, 무지 강직증인 경우에는 주로 족배부의 외측에 있는 것이 특징적이다.

동통은 많이 걸을수록 더 심하고 쉬면 좋아진다. 족배부에 골극이 심한 경우에는 이 부위가 솟아 올라 있고 신발과 자극이 되어서 홍반이나 부종이 동반될 수 있다.

2. 임상 소견(Clinical findings)

이학적 검사상 족배부에 두드러진 골극을 촉지할 수 있으며 홍반이나 부종이 관찰 될 수도 있다. 압통이 있는 부위는 주로 족배부에서 중족 족지 관절면을 따라서 주로 있고 외측 부위에도 있을 수 있다.

발가락을 족배굴곡 하는 경우 동통 과 함께 제한이 있다. 발가락을 족저굴곡 하는 경우에도 족배부 쪽으로 동통이 있는 경우가 많은데 이는 장 무지 신전건이 골극(osteophyte)에 의해서 긴장을 받아서 동통이 발생하는 경우이다. 족배부 족지신경이 골극에 의해 자극을 받는 경우에는 작열감이나 이상감각이 나타날 수 있고, 이학적 검사상 Tinel sign이 나타날 수 있다.

엄지 발가락의 족배굴곡에 의해서 동통이 심한 경우에는 보행에도 이상이 올 수 있는데 무게를 주로 발의 외측으로 이동시켜 걷는 경우도 있고, 고관절에서 외회전을 하여 보행할 때 엄지가 수동적으로 족배굴곡이 되는 것을 방지하는 경우도 있다.

3. 방사선적 소견(Radiographic findings)

체중 부하 상태에서 발의 전후면, 측면, 사면 사진을 찍는다.

표 6-3. Hattrup and Johnson classification

Grade I : mild to moderate osteophytes with preservation of the joint space
Grade II : moderate formation of osteophytes with narrowing of the joint space and subchondral sclerosis
Grade III : marked formation of osteophytes and loss of the joint space

측면 사진에서 가장 잘 관찰할 수 있다. 골극이 근위지골이나 중족골 골두에 있는지 잘 관찰한다. 관절의 좁아진 정도를 잘 관찰하고, 연골하골 부위에 경화나 낭종등도 관찰한다.

Hattrup과 Johnson은 방사선학적으로 심한 정도를 구분하여 분류를 하였다.

그외의 임상적인 분류로는 이학적 검사에서 운동범위와 방사선사진, 증상을 종합하여 grade를 나누는데

1) Grade 1 (8.5%)
ROM-D/F : 30-40도
· 정상운동범위의 20-50%의 소실
· 방사선학적으로 minimal dorsal osteophyte 가 보인다.
· 증상으로 가끔 아프고 maximal D/F 혹은 P/F에서 동통이 있다.

2) Grade 2 (37%)
ROM-D/F : 10-30도
· 정상운동범위의 50-75%의 소실
· 방사선 사진에서 내측 혹은 외측에 osteophyte가 보이면서 중족골두가 편평변형(flattening) 소견을 보인다. 측면사진상 1/4 이하로 침범한 소견
· 증상으로 엄지발가락을 움직였을 때 maximal D/F 혹은 P/F전에서 동통이 발생을 한다.

3) Grade 3 (46%)
ROM-D/F : 10도 이하
· 정상운동범위의 75-100%의 소실
· 방사선 사진상 grade 2 소견에서 더 많은 침범을 보이고 낭종, 미란, 종자골 비대증 등의 소견을 보인다.
· 증상으로 계속적인 중증도 이상의 동통이 있다.

4) Grade 4 (8.5%)
· 강직 하다
· 방사선상 유리체나 박리성 골연골염 소견과 함께 관절의 전면적인 침범을 보인다.
· 증상으로 mid range motion에서도 동통이 관찰된다.

III. 치료(Treatment)

초기의 치료는 비 수술적 요법으로 시도해 본다. 신발이나 깔창 등을 이용하여 다양하게 비 수술적 요법을 시행 할 수 있다. 이러한 비 수술적 요법에도 계속적인 통증이 있을 경우에는 수술적 요법을 시행한다. 수술적 요법은 아주 다양하다. 보통 각각의 grade에 맞는 수술적 요법을 시행하는 것이 좋은 결과를 얻을 수 있다.

IV. 비수술적 치료 (Non Operative Treatment)

비스테로이드성 소염제를 사용한다. 이는 증상의 완화와 활액막염을 줄이고 다른 염증성 전신 질환에 의한 증상을 호전시킬 수 있다. 일상 생활이나 운동에 있어서 엄지에 심한 압력을 가하는 동작들을 피하게 한다. 주로 달리기를 금지하고 수영이나 자전거 타기 등을 권유한다.

신발을 통해서 많은 도움을 줄 수 있다. Dorsal 부위의 자극을 덜기 위해서 high toe-box를 시행할 수 있고 걷거나 뛸 경우에 충격을 줄이기 위해서 soft rubber sole이 도움이 된다. 중족족지 관절의 움직임을 줄여주기 위해 inner sole이나 outer sole에 딱딱한 물질을 이용해서 몸대 또는 자루를 넣을 수 있고 호상족 모양을 주어 보행시 엄지가 많이 족배굴곡이 되는 것을 방지하여 증상을 호전 시킬 수 있다.

V. 수술적 치료(Operative Treatment)

수술적 방법은 크게 두가지로 나눈다. 하나는 절골술 그룹이고 나머지는 골연 절제술 그룹이다. 절골술의 이론적 배경은 중족골이 길거나 올라가 있는(elevatus)변형이 원인이라 생각하고 이를 교정하여 중족골두에 가해지는 압력을 줄이려는 노력이다. 앞서 기술한 바와 같이 요즘은 거의 사용하지 않는다.

나머지는 골연 절제술로 현재 가장 많이 사용이 되는 수술적 방법으로 grade에 따라 주로 사용하는 방법을 보면 다음과 같다.

● 절골술(Ostotomy)
Hohmann osteotomy

표 6-4. 비 수술적 요법들

> Modification of activity
> Rigid sole shoe or rigid insole
> High toe box
> Rocker bottom

표 6-5. 각각의 Grade에서 가장 많이 사용하는 대표적인 수술적 요법

> Grade I, II : Cheilectomy
>
> Grade III : Cheilectomy with or without proximal phalanx dorsiflexion osteotomy
>
> Grade IV : Fusion or Inter positional soft tissue arthroplasty

족배부의 골연 절제술을 시행하고 중족골두를 족저 방향으로 내려 고정을 한다.

● Watermann osteotomy

폐쇄성 쐐기 모양으로 골연 절제술을 시행하고 중족골두를 족저 방향으로 내려 고정을 시행한다.

● basilar osteotomy

여러 종류가 있다. 중족골의 근위부에서 절골술을 시행하고 원위부를 내린다.

(골연 절제술)

관절의 족배부족 1/3 를 골극과 함께 제거한다.

수술장에서 중족 족지 관절 운동이 90도 이상이 되는 것을 확인한다.

조기 관절 운동을 시행한다.

(근위 지골 폐쇄성 쐐기 절골술)

Grade II, III 에서 가장 많이 시행하고 있다. 술식을 하기전에 반드시 족저 굴곡이 잘되는지 확인해야 한다. 골연 절제술은 위 술식과 같다. 골연 절제술후에 중족 족지 관절의 운동이 거의 90도까지 되게 한 다음에 근위 지골의 족배부에서 폐쇄성 쐐기 절골술을 시행하여 족배굴곡을 더 향상시키고 이 부위의 압력을 감소시킨다.

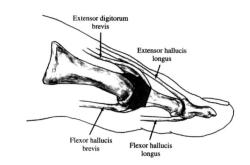

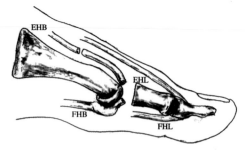

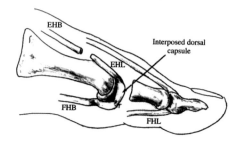

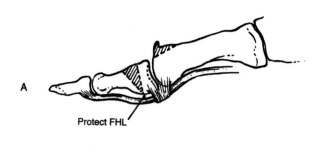

(연부조직을 이용한 개재 관절 성형술)

Grade III에서 유합을 하지 않고 중족 족지 관절의 운동을 살리는 술식이다.

유합을 시행하지 않는 장점이 있지만 주위의 연부조직의 힘이 균등하지 않을 경우 동통과 변형의 원인이 되기도 한다.

먼저 중족골 골두 부위에 있는 골극을 제거를 한 다음에 근위 지골의 일부를 제거를 한다. 그림과 같이 뼈의 일부와 골극을 제거 시행한다. 이때 근위 지골의 족배 부위에 있는 골막을 남겨 놓는다.

단 무지 신전건과 남겨 두었던 근위 지골의 족배측 골막을 이용하여 이미 많이 손상이 온 중족골 골두를 덮는다.

중족 족지 관절이 잘 움직이는지 확인을 하고 일정기간 K강선을 이용하여 고정을 해 둘 수도 있다.

VI. 결론

무지 강직증은 무지 외반증 다음으로 많은 질환이다. 하지만 우리나라의 경우는 특수한 상황으로 그리 많이 보지 못하는 질병으로 수술적 치료를 요하는 경우도 그리 많지 않다.

중족골이 조금 거상된 경우에는 근위 지골이 족배굴곡 되면서 중족 족지 관절의 족배측 부위에 많은 스트레스를 받는 것이 한 원인이 된다고 알려졌으나 요즘은 이차적인 요인으로 생각하고 중족골에 절골술을 하여 아래로 내리는 술식은 요즘은 하지 않는다.

동통이 있고 족배굴곡에 제한이 있는 것이 특징적인데 동통은 무지 외반증과는 달리 족배측 부위나 외측에 있는 것이 특징적이다. 일반 사진상 외측면 사진에서 가장 잘 관찰이 가능한데, 방사선학적으로 grade I, II, III 단계로 나누고 있다.

여러가지 보존적인 치료가 있지만 반응을 하지 않는 경우에는 수술적 치료를 시행한다. 현재까지 많은 수술적 치료가 소개되었지만 대표적인 것은 I 단계인 경우에는 골연 절제술, II단계인 경우에는 골연 절제술과 근위 지골의 족배측 폐쇄성 쐐기 절골술을 시행하고 III단계로 심한 경우에는 유합을 시행하거나 주위에 있는 연부 조직을 이용하여 관절성형술을 시행할 수 있다.

■ 참고문헌

Bibliography

1. Bingold, A., Collins, D.: Hallux rigidus. J Bone Joint Surg 32B;214-222, 1950.

2. Bonney, G., MacNab, I.: Hallux valgus and hallux rigidus. J Bone Joint Surg 34B:366-385, 1952.

3. Cavalo, D., Cavallaro, D., Arrington, L.: The Watermann ostedtomy for hallux limitus. J Am Podiatr Assoc 69:52-57. 1979..

4. Cohn, I., Kanat, I.: Functional limitation of motion of the first Metatarsophalangeal joint. J Foot Surg 23:477-484,1984.

5. Cotterill, J.: Condition of stiff great toe in adolescents. Edinb Med J 33:495-462, 1887.

6. Coughlin, M.: Arthritides. In Surgery of the Foot & Ankle, 7th ED., M. Coughlin & R. Mann, Eds., St. Louis, Mosby, 1999,pp. 605-650.

7. Coughlin, M.; Arthrodesis of the first metatarsophalangeal Joint with minigragmest Fragment plate fixation. Contemp Ortho 13:1037-1044, 1990.

8. Coughlin, M., Mann, R.: Arthrodesis of the first mstatarsophalangeal joint as Salvage for the failed Keller procedure. J Bone Joint Surg 69A:68-75,1987.

9. Dananberg, H.: Gait style as an etiology to chronic postural pain. Part I Functional hallux limitus. J Am Podiatr Med Assoc 83:433-441, 1993.

10. Dananberg, H.: Gait style as an etiology to chronic postural pain. parti II Proximal compensatory process. J Am Podiatr mrd Assoc 83:615-624, 1993.

11. Davies, G.: Plantarfwxory based wedge osteotomy in the treatment of functional and structural metatarsus primus elevatus. Clin Podiatr Med Surg 6:93-102,1989.

12. Dinapoli, D.: Gait analysis based on first MTPJ function: the functional hallux limitus concept. In Reconstructive surgery of the foot and leg update, Tucker, Podiatry Institute, Inc., 1993, pp. 27-32.

13. Drago, J., Oloff, L., Jacobs, A.: A comprehensive review of

hallux limitus. J Foot Surg 23:213-220, 1984.

14. Easley, M., Davis, W., Anderson, R.: Intermediate to long-term follow-up of Medial-approach dorsal cheilectomy for hallux rigidus. Foot Ankle Int 20:147-152, 1999.

15. Gelswert, J., Rock, G., McGrath, M., Mancuso, J., Cheilectomy: still a useful technique for grade I and Grade II hallux limitus/rigidus. J foot Surg 31:154-159, 1992.

16. Hattrup, S., Johnson, K.: Subjective results of hallux rigidus follwing treatment with chelilectomy. Clin Orthop 226:182-191, 1988.

17. Horton, G., Prak, Y., Myerson, M.: Role of metatarsus primus elevatus in the Pathogenesis of hallux rigidus. Foot Ankle Int20:777-780, 1999.

18. Jack, E.A.: The aetiology of hallux rigidus. B J Surg 27:492-497, 1940.

19. Kessell, L., Bonney, G.: Hallux rigidus in the adolescent. J Bone joint Surg. 40B:668-673, 1958.

20. Klaue K, Hansen S, Masquelet A: Clinical, quantitative assessment of first Tarsometatarsal mobility in the sagittal plane and its relation to hallux valgus Deformity, Foot Ankle Int 15:9-13, 1994.

21. Lambrinudi, P.: Metatarsus primus elelvatus. Proc R Soc Med 31:1273, 1938.

22. Lombardi, C., Silhanek, A., Connilly, F., Dennis, L., Keslonsky, A.: First Metatarsophalangeal arthrodesis for treatment of hallux rigidus: a retrospective Study. J Foot Ankle Surg 40:137-143, 2001.

23. Mann, R., Clanton, T.: Hallux rigidus: treatment by cheilectomy. J Bone Joint Surg 70A:400-406, 1988.

24. Mann, R., Coughlin, M., DuVries, H.: Hallux rigidus: a review of the literature and a method of treatment. Clin Orthop 142:57-63, 1979.

25. McMaster, M.: The pathogenisis of hallux rigius. J bone Joint Surg 60B:82-87,1978.

26. Meyer, J., Nishon, L., Weiss, L., Docks, G.: Meraraesus primus elevatus and the etiology of hallux rigidus. J Foot Surg26:237-241,1987.

27. Moberg, E.: A simple operation for hallux rigidus. Clin Orthop 142:55-56, 1979.

28. Nilsonne, H.: Hallux rigidus and its treatment. Acta Orthop Scan 1:259-303,1930.

29. Regnauld, B.: Disorders of the great toe. In The Foot, Berlin, Springer Verlag, 1986, pp. 269-281, 344-349.

30. Wanivenhaus A, Pretterklieber M: First tarsometatarsal joint: anatomical biomechanical study, Foot Ankle 9:153-157, 1989.

7. 작은 족지의 질환
Lesser Toe Abnormalities

인제의대 상계 백병원 정형외과 **정 형 진**

I. 서론

작은 족지는 그 크기로 인해 간과되기 쉽지만 작은 족지의 통증 및 변형등으로 인해 심각한 문제를 야기할 수 있다. 또한 작은 족지의 질환은 족부의 질환 중 가장 흔한 질환중의 하나로써 2-20%의 유병율이 보고되고 있다. 이러한 변형들은 천천히 진행하며 특히 나이가 들면서 흔히 발생하게 된다.

원인으로 신발, 염증성 관절염, 외상, 선천성 변형, 신경근육성 질환 등을 생각할 수 있다.

굽이 높고 족지 공간(toe box) 부분이 좁은 신발이 관련이 있을 것으로 생각되며, 한 연구에서는 망치 족지(hammer toe)나 신경종(neuroma)등이 여성에서 더 많이 발생한다고 하여 간접적으로 증명하고 있다[1]. 발에 맞지 않는 신발은 발가락에 비정상적인 axial load를 주게 되며, 이로 인해 중족지간 관절의 과신전을 초래하게 된다.

제 2 중족골이 긴 경우 족근 중족 관절이 비정상적이고 반복적인 부하를 받게 되고, 결과적으로 족장판(plantar plate)과 측부인대(collateral ligament)에 변화를 초래하게 된다. Coughlin 등은 제 2 중족지간 관절의 불안정성을 갖는 환자의 약 90%가 제 2 중족골이 길다고 하였다[2]. 무지 외반증의 경우 제 2 족지에 외력을 가함으로 망치 족지(hammer toe)변형 뿐만 아니라 중족지간 관절의 아탈구나 탈구를 일으키기도 한다.

통풍, 류마티스성 관절염, 건선성 관절염, 전신성 홍반성 낭창(Systemic lupus erythematosus, SLE), 비특정 활액막성 염증 질환 등은 중족지간 및 작은 족지 질환의 원인이 될 수 있다.

지간 관절이나 중족지간 관절의 단독 또는 반복된 외상으로 인해 추족지(wallet toe), 망치 족지(hammer toe), Freiberg`s infraction 등이 발생할 수 있다[3,4]. 전족부와 관련된 선천성 변형으로는 제 5 족지의 교차 변형(crossover fifth toe), 족지의 구축(contracted lesser toes), 중족지간 관절의 부정 열(malalignment)등이 있다.

중족지간 관절이나 지간 관절의 구축을 유발할 수 있는 신경근육성 질환으로는 Muscular dystrophies, Charcot-Marie-Tooth disease, Poliomyelitis 등이 있다. 환자의 기존 원인 질환에 대한 연구와 증상 및 변형에 대한 관찰등은 치료 방법의 결정 뿐만 아니라 질병의 예방에 중요한 과정이다.

본론에서는 전족부에 발생할 수 있는 추족지(wallet toe), 망치 족지(hammer toe), 갈퀴 족지(claw toe), 중족지간 관절의 불안정성, 피부 못(corn) 등에 대해 서술하겠다.

II. 추족지(Mallet toe)

추족지는 중위 지골에 대해 원위 지골이 족저 굴곡된 변형으로 내측 또는 외측으로의 변형이 동반되기도 한다. 족지의 끝부분이 지면에 닿아 통증이 유발되며, 종종 발톱의 변형이 발생하는 경우도 있다.

망치 족지보다는 빈도가 적으며(약 1:9)[5] 말초 신경증을 가지는 당뇨병 환자에서 자주 볼 수 있다. 또한 주변 족지보다 긴 족지에 잘 생긴다. 이때 좁거나 작은 신발을 신게 되면 족지 끝부분에 압력을 받게 되고 이로 인해 원위 지절이 구부러지게 된다. 시간이 지나면서 족지 신전근이 더 이상 원위 지절을 신전하는 기능을 잃게 되고, 장족지 굴곡건이 원위 지절을 굴곡시키면서 변형이 고정되게 된다.

이학적 검사상 원위 지절의 굴곡 변형을 보이고 근위 지절도 어느 정도는 굴곡된 소견을 보이게 되나 중족 족지 관절의 변형은 드물다(그림 7-1). 족지 끝이나 원위 지절 관절의 배부에

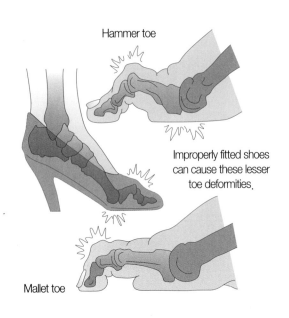

그림 7-1. 추족지(mallet toe)와 망치 족지(hammer toe)

피부 못(callus) 소견을 보이게 된다. 당뇨병 환자에서는 족지 끝의 종말 피부 못(corn)에 궤양 및 감염이 발생하게 된다(그림 7-2).

1. 치료

보존적 치료로 통증 감소 및 변형을 치료하기 위해 신발의 변형이나 족지 패드등을 이용할 수 있으나 결과가 확실하지는 않다.

수술적 치료로는 ① 원위지절 굴곡 주름(flexion crease)에서 굴근건 절단술, ② 절제 관절 성형술(Resection arthroplasty) 및 피부 고정술(Dermodesis), ③ 말단 Syme 수술법 등을 고려할 수 있다. 그외 중위 지골 제거후 원위지절 관절 고정술 방법도 고려할 수 있다.

1) 원위지절 굴곡 주름(flexion crease)에서 굴근건 절단술

원위지절 굴곡 주름 부위에서 횡절개를 가한뒤 장족지 굴근건을 절단하는 방법으로, 수술 방법이 간단하여 주로 나이가 많은 환자나 당뇨병 환자에게 사용할 수 있다. 수술 시 변형된 관절에 수동으로 교정을 같이 하기도 한다.

수술 후 실밥을 제거하는 2주간은 바닥이 딱딱한 신(wooden-soled shoe)을 신고, 이후 길고 넓은 신발(long shoes with wide toe-boxes)을 신게 한다.

2) 절제 관절 고정술(Resection arthrodesis)[3]

추족지의 변형이 오래 되었고, 변형이 심한 경우 중위 지골의 일부 또는 전체를 제거하고, 장족지 굴곡건의 절단술 및 배부 피부 고정술을 할 수 있다.

● 수술 방법 (그림 7-3)
① 원위 지절의 굴곡 주름에 횡절개를 가한 후 장족지 굴근

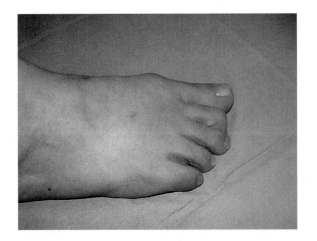

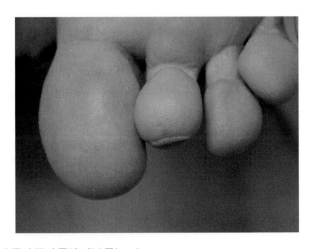

그림 7-2. 추족지(mallet toe) 환자에서 족지 끝의 종말 피부 못(corn)

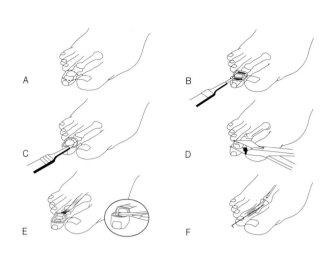

그림 7-3. 절제 관절 고정술(Resection arthrodesis)

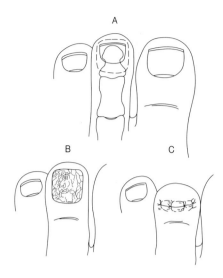

그림 7-4. 말단 Syme 수술법(Terminal syme procedure)

건을 절단한다.

② 원위 지절의 배부 중앙에 횡형으로 타원 절개를 가한후 피부를 제거한다. 이 때 nail matrix에 손상을 주지 않도록 주의 한다. (그림 7-3A)

③ 신전건과 관절막의 배부 일부를 절제한다. 이때 신전건이 근위부로 딸려 올라가지 않도록 주의한다. (그림 7-3B)

④ 양측 측부 인대를 잘라낸다. (그림 7-3C)

⑤ 원위 지골을 과굴곡시킨 상태에서 중위 지골의 골두와 경부를 노출시킨 상태에서 경부에서 절단한다. (그림 7-3D)

⑥ 절단면을 부드럽게 한 후 원위 지절을 신전시켜 관절 간격이 너무 좁은지 확인한다. 절제된 중위지골 부분과 원위지골 간격이 너무 팽팽하면 좀 더 절제한다.

⑦ K-강선으로 종적 고정을 하고 피부 봉합을 한다. K-강선은 술 후 3-4주경에 제거한다. (그림 7-3E)

⑧ 술후 바닥이 딱딱한 신을 신고 체중부하를 하게 하고, 족지가 중립에 오도록 주의하면서 약 6 주간 드레싱 또는 테이핑을 해주어야 한다.

3) 말단 Syme 수술법(Terminal syme procedure)

원위 지절에 심한 굴곡 구축이 있는 경우, 발톱 원위 부에 피부 못이나 궤양이 있는 경우 고려할 수 있다. 족지 말단의 증상

이 있는 pulp 부분이 수술 후 배부로 올라가기 때문에 굴곡건의 절단이 꼭 필요하지는 않게 된다.

● 수술 방법 (그림 7-4)

① nail matrix를 완전히 제거하기 위해 nail 주변 2-3mm에 타원형의 절개를 가한다. (그림 7-4A)

② 원위 지골의 일부(원위 1/2)를 제거하며, 이 때 굴곡건이 손상되지 않도록 주의한다. (그림 7-4B)

③ 절단면을 부드럽게 한 후, 근위부에 nail matrix가 남아있는지 확인하고, 남아있는 조직은 제거한다.

④ 원위부의 pulp 피부를 근위 배부쪽으로 이동시켜 비흡수성 봉합사로 봉합한다. (그림 7-4C)

⑤ 술후 원위 지절이 불안정해지지 않으므로 특별한 고정은 필요하지 않으며, 봉합사 제거할 때까지만 드레싱을 한다.

III. 망치 족지(Hammer toe)

망치 족지는 작은 족지의 근위 지절이 굴곡된 형태를 말하며, 단독 또는 다발성으로 나타날 수 있다. 변형은 가장 긴 족지에서 많이 발생한다.

굴곡 변형은 수동적으로 교정이 가능할 수도 있으나 고정된 경우도 있다. 굴곡 구축이 오랜 기간 지속되어 심한 경우에는

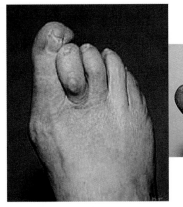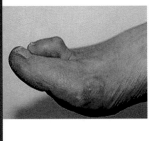

그림 7-5. 망치 족지(hammer toe) 변형

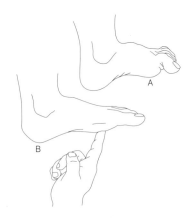

그림 7-6. Push-up test

중족 지간 관절은 반대 방향으로 변형되어 과신전되는 양상을 나타낸다. 원위지절은 굴곡, 신전 또는 중립위를 취하게 된다.

갈퀴 족지(claw toe)는 주로 신경 근육성 질환에서 발생하며, 모든 작은 족지에서 발생하는 양상이나, 추족지는 모든 족지에서 항상 나타나지는 않는다. 또한 갈퀴 족지는 중족 지간 관절의 신전, 원위 지절의 굴곡이 항상 나타나지만, 추족지는 그렇지 않다.

망치 족지의 원인으로는 과도하게 좁은 신발의 착용으로 족지 관절의 변형을 들 수 있고, 비정상적으로 긴 제 2족지에서 많이 발생한다[5]. 그 외 무지 외반증에 의한 2차 변형, 외상등이 원인이 될 수 있다.

1. 증상 및 이학적 검사

망치 족지의 주증상은 근위 지절의 배부 통증 및 피부 못이며, 이 부위의 압박과 동통으로 신발 신기가 힘들어 진다. 중족 족지 관절이 신전되면서 중족 골두의 바닥에 피부 못과 통증이 발생할 수 있으며, 그 외 족지 끝부분이 신발 바닥에 마찰되면서 피부 못(end corn)이 발생할 수 있다(그림 7-5).

환자가 앉은 자세(sitting position)와 선 자세(standing position)에서 검사를 하게 되며, 근위 지절의 굴곡 변형외에 원위 지절은 다양한 형태를 나타내게 된다. 중족 족지 관절은 과신전되거나 중립위를 취하게 되며, 근위 지절의 변형이 오래되고 심하면 중족 족지 관절은 과신전 형태를 나타낸다.

환자가 앉은 자세에서 중족 골두의 바닥을 손가락으로 들어 올리면서 족관절을 수동적으로 신전시킬 때 근위 지절의 굴곡 변형이 교정되면 유연한 망치 족지로 판단한다(Push-up test)[6]. 이 검사로 근위 지절의 변형이 수동적으로 중립위까지 교정이 가능한 유연성(flexible) 변형과 체중 부하나 족관절의 위치에 상관없이 교정이 되지 않는 고정된(rigid) 변형으로 구분할 수 있으며 이에 따라 치료 방법이 결정되어 진다(그림 7-6).

전족부의 중족 족지 관절 주위의 통증이 있는 부위에 검사등을 통해 다른 원인(지간 신경종 등)등을 확인하고, 그 외 무지 외반증의 동반 여부도 확인해야 한다.

2. 치료

1) 보존적 치료

보존적 치료로 변형이 교정되기는 어려우나 증세를 호전시킬 수는 있다. 근위 지절의 배부와 족지 끝부분, 심한 경우 중족 골두의 족저부의 압력을 줄이기 위해 신발 변형이나 패드를 이용할 수 있다(그림 7-7). 신발의 앞부분이 넓고, 높은 신을 신게 되면 근위 지절의 배부와의 마찰이 줄면서 통증이 조절될 수 있다. 중족 족지 관절의 신전 변형이 있는 경우에는 굽이 높은 신을 신을 경우 변형이 악화될 수 있으므로 굽이 낮은 신을 신어야 한다. 중족 골두 족저부의 못(callus) 등으로 통증이 있을 경우 여러가지의 중족골 패드(pad)를 신발 안창에 붙여서 중족

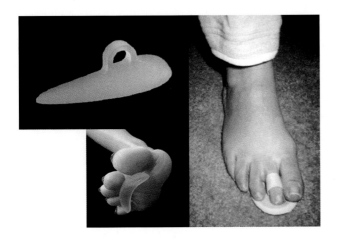

그림 7-7. 중족부 패드(metatarsal pad)

골두의 압력을 줄이는 방법을 사용할 수 있다.

그외 매일 도수 조작(manipulation)과 테이핑을 하는 방법도 있으나 이는 대개 일시적이며, 영구적인 변형의 교정은 수술적인 방법에 의해 가능하다.

2) 수술적 치료

망치 족지의 수술 방법을 결정할 때 족지의 변형 정도를 분류하여 변형에 맞는 수술법을 선택하는 것이 중요하다[7].

① 경도 변형; 중족 족지 관절이나 근위 지절에 고정된 변형이 없는 상태로 체중 부하 시 변형이 증가한다.

② 중등도 변형; 근위 지절의 굴곡 구축(flexion contracture)이 있으나 중족 족지 관절의 신전 구축은 없는 상태이다.

③ 중증 변형; 근위 지절의 굴곡 구축과 중족 족지 관절의 신전 구축이 있는 경우이며, 여기에 중족 족지 관절의 아탈구나 탈구가 동반되기도 한다.

외관상의 이유만으로는 수술을 하지 않으며, 증상이 있는 경우 수술의 적응이 된다. 경도의 변형에 대해서는 굴곡건 이전술을 실시할 수 있으며, 중등도의 변형에 대해서는 근위 지절의 절제 관절 성형술을 사용할 수 있다. 근위 지절을 유합하는 방법도 있으나 흔히 사용되지는 않는다. 중증의 변형에는 근위 지절의 절제 관절 성형술 및 피부 고정술에 족근 중족 관절의 연부 조직 유리술, 장족지 신전건의 연장술, 단족지 신전건의 절제술등을 추가하게 된다.

(1) 굴곡건 이전술(Girdlestone-Taylor operation)

변형의 원인이 될 수 있는 장족지 굴곡건을 장족지 신전건으로 이전하여 장족지 굴곡건이 근위 지골을 굴곡시키는 역할을 하도록 하는 수술 방법이다. 관절 성형술이나 관절 고정술을 하지 않은 연부 조직 수술만으로 완전한 교정을 얻기 힘들 수 있지만 중족 족지 관절과 근위 지절의 고정된 변형이 없는 경

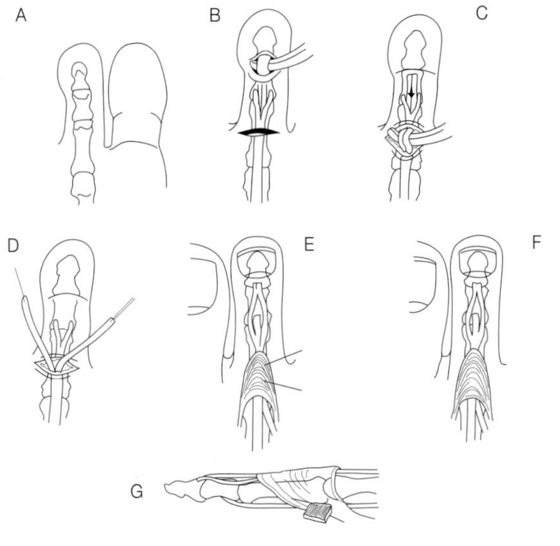

그림 7-8. 굴곡건 이전술(Girdlestone-Taylor operation)

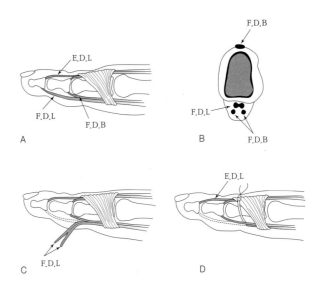

그림 7-9. 굴곡건 이전술의 측부 모식도

도의 망치 족지를 가진 젊은 환자가 적응이 될 수 있다.

● 수술 방법 (그림 7-8)

① 족지의 근위 굴곡 주름(proximal flexor crease)에 횡절개 후 신경 및 혈관을 손상시키지 않도록 주의하면서 연부 조직을 벌려 굴곡건을 노출시킨다(그림 7-8A).

② 근위 지절을 고정시킨 상태에서 원위 지절을 관절 운동시키면서 장족지 굴곡건을 확인한다. 대개 중앙 부위에 위치한 건이 장족지 굴곡건에 해당한다(그림 7-8B).

③ 원위 지절의 족저부에 횡절개 후 장족지 굴곡건을 절단한다(그림 7-8C).

④ 근위 절개 부위에서 장족지 굴곡건을 빼낸 후, 두 가닥으로 분리한다(그림 7-8D).

⑤ 근위 지골의 배부에 종절개를 한 후, 신전건 확대(extensor expansion)를 노출 시킨다(그림 7-8E).

⑥ 두 가닥으로 가른 장족지 굴근건의 각각을 근위 지골의 양쪽 옆으로 넣어 배부의 절개 부위로 빼낸다(그림 7-8F).

⑦ 배부로 나온 양쪽 두개의 장족지 굴근건을 extensor hood에 비흡수성 봉합사로 봉합한다. 또는 굴곡건끼리 봉합할 수도 있다. 이 때 족관절은 중립위이며, 중족 족지 관절은 10도에서 20도 정도 족저 굴곡된 상태를 유지한 상태로 봉합해야 한다.

봉합시 긴장도를 유지하는 것이 어려우며, 너무 느슨하거나 타이트한 경우가 수술 실패의 흔한 원인이 된다(그림 7-8G).

⑧ 적절한 위치를 유지하기 위해 K-강선 고정을 할 수도 있으며, 술후 수술 후 신(postoperative shoe)을 신고 후족부 체중 부하로 보행하도록 한다.

⑨ K-강선 고정을 했을 경우 술 후 2-4주경에 제거하도록 한다. 술 후 합병증 중 관절 강직이 많으므로 K-강선은 가능한 빨리 제거하도록 하며, 술 후 6주까지는 족지 굴곡을 유지하도록 테이핑을 할 수 있다.

● 결과

유연한 망치 족지에서 굴근건 이전술의 결과는 50-94%의 만족도를 보였고[8-10], Thompson과 Deland는[11] 수술 후 모든 경우에서 증상의 호전을 보였지만 중족 족지 관절 불안정성 환자의 46%에서는 최종 추시시 완전한 정복이 되지 않았고, 상당수에서 관절 강직 소견을 보였다고 하였다.

주된 합병증으로 많은 경우에서 지관절의 굴곡의 장애를 보였다. 이는 굴곡건 이전술을 함으로써 원인이 되는 힘을 제거하면서 굴곡건이 역동적으로 작용하여 근위 지절이 굴곡되도록 하기 위한 목적으로 시행하였지만, 이전된 굴곡건에 의해 중족 족지 관절의 신전을 제한하게 된다. 시간이 지나면서 수

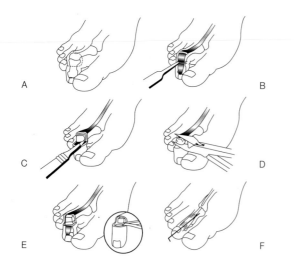
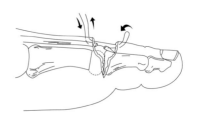

그림 7-10. 절제 관절 성형술(Resection ovthroplasty)

동적인 운동은 가능하지만 능동적인 운동이 제한되는 건고정술(tenodesis) 효과에 의한 것으로 생각된다.

(2) 절제 관절 성형술

근위 지골의 두부(head)와 경부(neck)를 절제하고 피부 고정술(dermodesis)을 한다. 이 수술의 목표는 약 15도의 관절운동을 유지하면서 근위 지절의 섬유성 유합(fibrous union)을 얻는 것이다.

● 수술방법 (그림 7-10)

① 근위 지절의 배부에 타원형의 절개를 한 후에 피부를 제거한 후 신전건과 근위 지절 배부의 관절낭 일부를 제거한다. 이 때 중위 지골 기저부에 신전건이 약 2mm 정도 남아있게 하고, 절단된 신전건의 근위단이 근위부로 많이 당겨 올라가지 않도록 한다(그림 7-10A).

② 원위 지골과 중위 지골을 잡고 당기면서 약 20도 정도 굴곡시킨 후 양측 측부 인대를 절단하게 되면 근위 지절을 90도까지 굴곡시킬 수 있게 되며, 근위 지골의 두부와 경부를 완전히 노출시킨다(그림 7-10B, C).

③ rongeur나 작은 톱날로 근위 지골의 경부에서 절제한 후 절단면을 부드럽게 처리한다. 근위 지절을 신전시키고 관절이 타이트한지 확인한다. 만약 관절부위가 타이트하게 느껴지면 근위 지골을 약 2-3mm 정도 더 절제한다(그림 7-10D).

④ 3-0 또는 4-0의 비흡수성 봉합사로 근위 피부를 꿰고, 신전건의 근위단을 찾아 꿴 후에, 신전건의 원위단을 꿰고 원위 피부를 꿰어서 근위 지절이 신전된 상태를 유지하도록 하는 피부 고정술을 한다. 주변부는 피부만 봉합한다.

⑤ 족관절이 중립위치에서 중족 족지 관절이 신전되어 있다면 장족지 신전건을 중족골 경부 주위에서 경피적으로 절제한 후 중족 족지 관절이 60-70도까지 굴곡되도록 조작한다. 중등도의 망치 족지에서는 이와 같은 방법으로 중족 족지 관절이 중립 위치를 유지하도록 한다. 그 외 단족지 신전건도 절단할 수 있다. 중족골의 경부에서 단족지 신전건은 장족지 신전건의 바로 외측에 위치한다.

⑥ 술후 2-3일 경과 후 바닥이 딱딱한 수술 후 신을 신고 가능한 정도로만 체중부하를 허용한다. 4주간 족지가 중립 위치를 유지하도록 드레싱을 하면서 수술 후 신을 신게 한다. 만약 변형이 재발할 우려가 있을 경우 2주-4주 정도 더 지속한다.

● 결과

대개 근위 지절이 약간 굴곡된 상태에서 어느 정도의 관절 운동이 가능하므로 만족스러운 결과들이 보고되고 있다[12]. 그러나 불충분하게 근위지골을 제거하였거나 굴곡건이 타이트한 경우에는 재발할 수 있으며 증상이 있는 경우 재수술을 고려하게 된다. 또한 과도하게 근위지골이 제거된 경우 족지가 불안정하게 되며, 부정 정렬의 결과를 보인다[12]. 이를 방지하기 위해서는 K-강선을 고정하기도 한다.

IV. 갈퀴 족지(Claw toe)

갈퀴 족지는 족부의 내재근의 기능 장애를 일으키는 염증성 관절 질환, 요족등의 발의 변형, 하지의 외상, 신경 근육성 질환 등 다양한 원인에 의해 발생하며[13-15], 망치 족지나 중족 족지 관절의 불안정성을 치료하는 여러 방법들이 사용되지만, 무엇보다도 결과나 예후를 결정하는 원인 질환을 밝혀내려는 노력이 필요하다. 요족이나 첨족등 발의 변형이 동반된 경우에는 이를 동시에 교정해 주어야 하고, 뇌의 질환으로 인한 경직성 마비의 경우 족지 굴곡건의 경직에 의해 갈퀴 족지가 발생하게 되므로 굴곡건의 절단술이 필요하다.

1. 증상 및 이학적 검사

갈퀴 족지의 주된 증상은 작은 족지들의 구축과 동반된 통증이다. 근위 지절의 배부와 중족 족지 관절의 족저부에 피부못이 생기게 되며, 변형이 심해지면 지면에 대한 압력으로 인해 족지 끝부분에도 피부 못이 생기게 된다(그림 7-11).

고정된 망치 족지와 갈퀴 족지의 변형된 외관은 비슷하나[1], 두 질환을 구분하는 데 중요한 요소는 중족 족지 관절의 과신전이다. 망치 족지에서도 중족 족지 관절의 과신전이 동반할수도 있지만, 갈퀴 족지에서는 항상 동반하게 된다.

변형은 이환 기간에 따라 유연할 수도 있고 고정될 수도 있다. 중족 족지 관절의 과신전으로 인해 중족 골두의 족저부에 생기는 중족통과 족저부 피부못이 발생하며, 심해지면 궤양이 발생하는 경우도 있다.

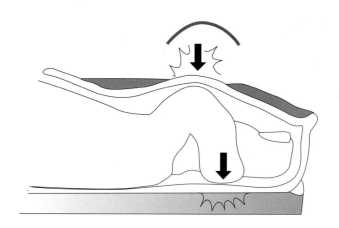

그림 7-11. 갈퀴 족지(Claw toe) 변형

형의 범위와 유연성 여부이다. 족지 변형이 근위 지절과 원위 지절 모두에서 유연하다면 굴곡건 이전술을 선택할 수 있으며, 중족 족지 관절의 연부 조직 유리술이 필요하지 않을 수 있다. 고정된 중증의 변형일 경우에는 근위 지절의 굴곡 변형에 대해서는 망치 족지에서와 마찬가지로 절제 관절 성형술을 실시하고, 중족 족지 관절의 교정은 장족지 신전건의 연장술, 단족지 신전건의 절단술, 배부 관절낭 절개술, 측부 인대, 족장판 등의 유리술 등이 필요하게 된다.

변형이 더 심한 경우에는 중족골 골두의 성형술이나 중족골 단축 절골술 등을 고려할 수 있다. 중족골 골두의 절제를 할 경우에는 가능한 절제를 최소화하여 전이 중족골 통증이 발생하지 않도록 유의한다.

(1) 중증 변형의 치료

중족 족지 관절과 근위 지절에 모두 고정된 변형이 있으므로 양쪽 관절 모두를 교정해야한다.

● 수술 방법 (그림 7-12)

① 중족 족지 관절 배부의 외측에 중심을 두고 직선 또는 각진 절개를 한다(그림 7-12A).

② 단족지 신전건은 장족지 신전건보다 외측 심부에 위치하고 중족골 경부 근처의 신근 확대(extensor expansion)에 합쳐지는데, 바로 근위부에서 단족지 신전건을 2-3mm 절제한다(그림 7-12B).

③ 장족지 신전건을 Z-성형술로 연장한다. 중족 족지 관절의 신전 구축이 20-30도 이내이고 아탈구가 없다면 위의 수술 후 족지를 30-40도 정도 굴곡시킬 수 있다. 족관절이 중립인 위치에서 중족 족지 관절이 중립을 유지한다면, 앞에서 기술한 근위 지절의 변형을 교정한 후에 장족지 신전건을 봉합하고 수술을 끝낼 수 있다(그림 7-12C).

④ 그러나 아직도 중족 족지 관절의 신전 구축이 10-20도 정도 남아있다면, 족지를 굴곡시킨 상태에서 배부 관절낭을 횡으로 절제한다. 이와 같이 신전 구축이 교정될 때까지 측부 인대 절제, 족저부 관절낭과 족장판 등을 단계적으로 실시한다(그림 7-12D).

⑤ 변형의 재발을 최소화하고, 교정의 정도를 파악하기 위해 수술 중에 push-up test를 실시하여 중족 족지 관절의 정복 여

이학적 검사상 중족부 요족, 후족부 내반, 아킬레스건 구축등의 중족부 및 후족부의 변형 여부를 확인해야 하며, 이는 신경 근육성 질환과 관련이 있을 수 있다. 변형이 고정된 것인지 유연한 것인지를 판단하기 위해 앉은 자세에서 검사를 한다(push-up test). 족저 굴곡시 안보이던 변형이 족관절 신전시 갈퀴 족지 변형이 나타났다면 유연성(또는 역동성) 갈퀴 족지의 소견이다.

2. 치료

1) 보존적 치료

압력 감소와 통증 경감을 위해서 편한 신발(넓은 toe box), 패딩, toe crest등을 사용할 수 있으나, 변형 자체를 치료하는데는 제한적이다.

2) 수술적 치료

갈퀴 족지의 수술적 치료의 목표는 망치 족지의 치료 원칙에 중족 지간 관절을 중립위로 정복시키는 것이 추가된다. 내재근의 역동적인 근력을 유지하면서 근위 지절을 건너가는 신전건의 기능을 회복시켜 중족골 통증을 교정하는 것이 필요하다.

갈퀴 족지에 대한 적절한 수술 방법을 결정하는 요소로는 변

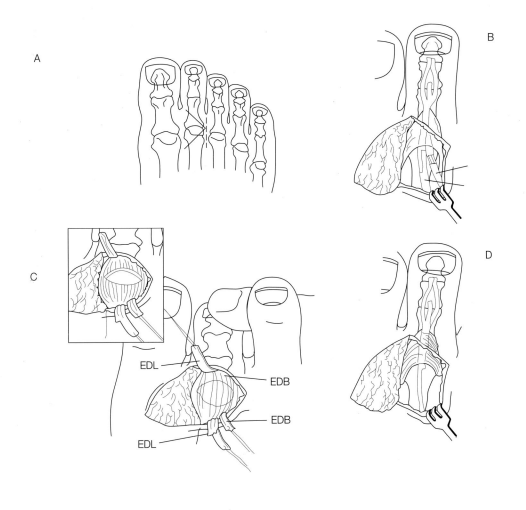

그림 7-12. 중증 갈퀴 족지(claw toe)의 수술적 치료

부를 확인할 수 있다.

⑥ 교정이 끝난 후 K-강선을 이용하여 고정할 수 있으며, 이때 족관절 중립 위치에서 중족 족지 관절을 유지한 상태에서 고정한다.

⑦ 수술 후 바닥이 딱딱한 수술후 신을 신고 체중 부하를 시키고, 변형의 정도에 따라 약 3-6주 후에 핀 제거를 하게 된다. 추가적으로 약 6주간 테이핑을 실시한다.

● 합병증

가장 흔한 합병증은 불완전한 교정으로 인한 변형의 재발이다. 따라서 굴곡건 이전술 및 연부 조직 유리술은 유연한

(flexible) 변형에서만 실시해야 하며, 근위 지절의 변형이 고정된 경우에는 관절 성형술이 필요하다[15]. 또한 적절한 정렬과 조화를 얻기 위해서는 중족 족지 관절막의 유리와 신전건의 연장술 모두 중요하다.

그 외 중족 족지 관절과 근위 지절의 강직, 중족골 통증 등이 발생할 수 있으며, 족지에 대한 광범위한 수술로 인한 혈액 순환 장애도 발생할 수 있다. 중족 족지 관절 유리술, 굴곡건 이전술, 관절 성형술 등의 수술로 혈액 순환의 장애를 초래할 수 있으며, 수술 후 이에 대한 세심한 관찰이 필요하고, 혈액 순환 장애가 발생하였을 경우 K-강선은 제거하여야 한다.

V. 중족 족지 관절의 불안정성 (Metatarsophalangeal Joint Instability)

중족 족지 관절의 불안정성은 외상, 활액막염, 염증성 관절염 등에 관련되어 발생하는 흔한 질병이다[16,17]. 특발성으로 아탈구나 탈구가 발생하는 경우가 가장 많고, 주로 제 2 중족 족지 관절에 발생한다. 제 2 중족 족지 관절에 발생하는 흔한 이유는 ① 제 2 중족골이 다른 중족골에 비하여 긴 경우가 많고, ② 보행의 입각기(stance phase)중 진출기(push off stage)에 제 2 중족골두에 많은 힘이 가해지는 것으로 설명할 수 있다.

불안정성은 단순히 시상면상에서 족배부로 한 방향의 불안정성이 있을 수 있고, 제 2 족지가 내측으로 변형되어 제 1 족지와 겹쳐지는 교차 변형(cross-over deformity)과 같이 여러 방면으로의 불안정성이 복합된 경우도 있다.

활액막염, 관절낭염, 교차 변형, 아탈구, 탈구 등은 불안정성의 진행 경과에 따른 표현이며, 진행에 따라 손상되는 구조물(족장판, 측부 인대등)에 따라 중족 족지 관절은 단순한 과신전 변형, 외측 변형, 내측 변형등을 나타내게 된다. 시간이 경과함에 따라 외측 측부 인대(fibular collateral ligament)와 족저부의 외측 관절막 부위가 마멸되면서 족지는 배내측(dorsomedial)으로 향하게 된다[18,19].

1. 기전 및 원인

중족 족지 관절의 과신전과 측부 인대와 족장판(plantar plate)과 같은 정적인 구조물의 마멸에 의한 점진적인 약화 및 파열이 흔한 원인이고, 그 외에 외상에 의해 관절낭과 인대가 파열되면서 급성으로 불안정성이 발생하거나, 염증성 관절염에 의한 만성적인 활액막염으로 불안정성이 발생하기도 한다.

장족지 신전건은 중족 족지 관절이 중립이거나 굴곡 상태에서만 근위 지절을 신전 시키는 기능이 있다. 중족 족지 관절이 신전된 상태에서는 장족지 신전건이 근위 지절을 신전시키는 대신에 중족 족지 관절을 과신전(hyperextension)시키게 된다. 중족 족지 관절의 과신전에 저항하는 동적인(dynamic) 구조물로는 내재근이 있고, 정적인(static) 구조물로는 족장판(plantar plate)과 측부 인대(collateral ligament)가 있다. 위의 내재근으로는 골간근(interosseus muscle), 충양근(lumbrical muscle)등이 있다.

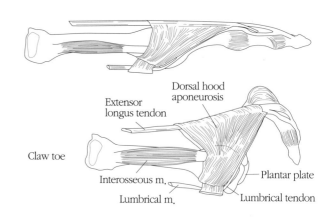

그림 7-13. 중족 족지 관절의 불안정성의 기전

그런데 이와 같이 중족 족지 관절의 과신전을 방지하는 골간근이 중족 족지 관절이 과신전된 상태에서는 굴곡-신전 축의 배부로 이동하게 되어 중족 족지 관절의 굴곡 기능을 할 수 없게 되고, 과신전이 만성화되면 정적인 구조물도 이완, 마멸, 파열되면서 아탈구와 탈구에 이르게 된다. 장, 단족지 굴곡건은 주로 지절 관절을 굴곡시키고 중족 족지 관절을 굴곡시키는 기능은 약한데, 중족 족지 관절이 과신전되면서 자연히 증가되는 굴곡력에 따라 근위 지절의 굴곡 변형이 증가하게 된다(그림 7-13).

제 2 중족골이 긴 경우에는 중족골두 아래의 압력이 증가하고 만성적으로 족장판이 마멸된다. 또한 하이 힐같이 앞이 좁고 굽이 높은 구두를 신게 되면 중족 족지 관절의 과신전을 초래하게 된다. 이와 같이 만성적인 경과 외에 젊은 사람의 과사용(overuse)에 의해서도 발생할 수 있다.

2. 증상 및 이학적 검사

1) 임상 증상

초기의 증상으로는 불분명한 전족부 통증을 호소하게 된다. 이때는 족지나 중족 족지 관절의 변형이 명확하지 않다. 시간이 경과함에 따라 발생할 수 있는 망치 족지 변형으로 인해 신

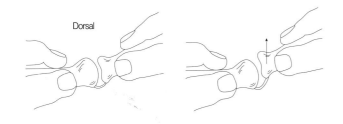

그림 7-14. 중족 족지 관절의 당김 검사(drawer test)

발 신을 때 증상이 발생하고 휴식하면 증상이 감소하게 된다.

2) 이학적 소견

초기에는 활액막염으로 관절의 부종이 발생하게 되며, 부종으로 인해 신전근의 모양이 보이지 않게 되기도 한다. 부종은 제 2 족지 전반적으로 발생하는 경우가 많고, 중족 족지 관절에 전반적인 압통이 있다. 굴곡 운동 범위가 감소하게 되며, 진행함에 따라 족지의 변형이 동반하게 된다.

Push-up test를 통해 횡단면(transverse plane)의 변형을 파악할 수 있다. 또한 비체중 부하 때보다 체중 부하시 변형을 명백하게 알 수 있다.

중족 족지 관절의 불안정성을 진단하는 유용한 이학적 검사로 당김 검사(drawer test, digital Lachman test)로 불안정성의 정도를 파악하게 된다. 한 손으로 중족골을 잡고 고정시킨 후 다른 손으로 족지를 잡고 배부로 이동시키면 족저부의 관절낭에 전단력이 작용하면서 통증이 유발되어 불안정성을 진단할 수 있고, 또한 당김 검사로 불안정성의 정도를 다음과 같이 분류할 수 있다(그림 7-14).

stage 0 ; 발등으로 전위(dorsal translation)가 되지 않는 경우

stage 1 ; 아탈구(subluxation)가 되는 경우

stage 2 ; 탈구(dislocation)가 되지만 정복이 가능한 경우

stage 3 ; 탈구(dislocation)되어 고정된 경우

일반적으로 불안정성은 지간 신경종(interdigital neuroma)이 동반되지 않는 한 족지로의 방사통은 보이지 않고, 횡아치를 압박했을 때 통증이 유발되지 않는다. 지간 신경종의 경우 종적 부하 검사시 불안정성을 보이지 않는다.

그 외 불안정성과 구분해야 하는 질환들로는 결절종, 활액낭종, 퇴행성 관절염, 중족골두의 무혈성 괴사, 류마티스성 질환의 활액막염 등이 있다.

3) 방사선 검사

방사선 검사를 통해 부정열(malalignment)의 정도를 파악하고 Freiberg's infraction, 퇴행성 관절염, 염증성 관절염 등을 구분할 수 있다. 방사선 검사시 지표로 사용할 수 있는 제 2 중족족지간 관절 간격은 평균 2-3mm로써[19], 관절 간격이 감소된 경우 아탈구가 동반된 과신전 변형을 생각할 수 있고, 관절 간격이 완전히 소실된 경우에는 근위 지골이 중족 골두 위로 완전히 탈구된 경우를 의미하게 된다. 활액막염으로 관절이 팽창된 경우 관절 간격이 증가하게 되며, 관절 팽창이 지속되게 되면 관절막 및 인대 구조물의 천공이 발생할 수 있다.

제 2 중족골의 길이가 인접 중족골보다 4mm 이상 길경우 비정상적으로 긴 중족골로 분류되며 이로 인해 변형이 발생할 가능성이 높아지게 된다[2].

3. 치료

1) 보존적 치료

비수술적 치료의 목표는 변형의 교정보다는 주위 조직을 이완시키고 궁극적으로 불안정성을 초래하는 염증성 활액막염을 치료하여 변형의 진행을 조절하는 것이라 할 수 있다.

소염 진통제, 관절내 스테로이드 주사 등을 사용하고 여러 가지의 신발 변형 및 신발내 삽입물과 테이핑 등으로 활액막염의 증세를 감소시키고 변형의 진행을 조절할 수 있다.

관절내 스테로이드 주사는 0.5ml의 주사로 1-2회 실시함으로 염증의 과정을 억제하게 되며 테이핑이나 보조기등을 병행하여 사용함으로 효과를 얻을 수 있으나 과다 용량을 사용할 경우 관절막의 파열을 초래할 수 있다.

중족 족지 관절의 배굴을 방지하기 위해 테이핑을 할 수 있지만 수개월간의 테이핑 처방 시 족지의 만성 부종이나 궤양이 문제가 될 수 있다.

비수술적 방법의 복합 치료로 활액막염을 중단시키고,

scarring effect를 통해 관절의 안정성을 도모하여 효과를 얻을 수 있지만 그 한계로 수술적 치료를 고려할 수 있다.

2) 수술적 치료

수술적 치료시 우선적으로 고려되어야 할 요소는 불안정성의 정도(경도, 중등도, 고도)이며, 그 외 무지 외반증의 유무, 변형의 유연성 및 범위, 교차 변형(crossover deformity)등과 같은 다면(multiplane) 변형의 유무 등을 고려하여 수술 방법을 고려하여야 한다. 다음 치료 방법들은 변형과 불안정성의 정도에 따라 기술하였으나 변형 정도 사이에 뚜렷한 경계가 있는 것은 아니므로 수술 방법들이 서로 병행되기도 한다. 예를 들면 중족 족지 관절의 불안정성에 흔히 동반되는 망치 족지의 치료 방법인 굴곡건 이전술의 경우 주로 유연성 망치 족지에서 적용되지만 중족 족지 관절의 안정 및 정렬시키기 위해 근위 지절의 관절 성형술과 함께 사용되어지기도 한다.

(1) 아탈구나 변형은 없으나 활액막염이 있는 경우 또는 경도의 아탈구가 있는 경우

보존적 치료에도 만성 부종이나 통증이 지속되는 경우 중족 족지 관절의 활액막 절제술 및 굴곡건 이전술을 실시할 수 있다.

● 수술 방법
① 중족 족지 관절 배부에 피부 절개(종적 절개 또는 Z-plasty 절개)
② 장족지 신전건 연장술 및 단족지 신전건 절제술
③ 관절낭의 횡적 절개
④ 중족 골두로부터 측부 인대 유리 또는 이완된 측면의 인대 봉합
⑤ 염증성 활액 제거
⑥ 중족 골두의 골연골 골절 등의 확인 및 제거
⑦ 중족 골두로부터 족장판 유리 또는 족저부의 중족골 두의 과(condyle) 일부 제거
⑧ 정복후에도 불안정성이 남는 경우 굴곡건 이전술 실시
⑨ 필요 시 K-강선 고정술
⑩ 수술 후 드레싱을 일주일 간격으로 바꾸어 주고 K-강선은

약 3주경에 제거한다.
술 후 6주간은 족저 굴곡된 상태로 테이핑 실시한다.

(2) 중등도 또는 고도의 아탈구 및 탈구가 동반된 변형의 경우
경도의 아탈구가 있는 경우 위의 연부 조직 유리술만으로도 안정된 정복을 얻을 수 있다. 정복은 되지만 불안정한 경우에는 굴곡건 이전술을 실시하게 된다. 연부 조직을 충분히 유리한 후에도 정복이 되지 않는 경우 과도한 견인이나 무리한 연부 조직 수술로 정복을 하게 되면 신경 손상을 초래할 수도 있고, 혈관 손상으로 인한 중족 골두 무혈성 괴사, 관절면 압력 증가로 인한 연골하부 함몰, 퇴행성 변화 등을 초래할 수 있다.

이와 같은 경우 구축이 중족 족지 관절의 내재근과 관절막-인대 조직에 존재하므로 연부 조직 유리술만으로는 교정이 어려우므로 근위 지골이나 중족 골두에 대한 치료가 필요하다. 방법으로는 근위 지골 절제 성형술, 근위 지골 기저부 반절제술(basilar hemiphalangectomy), DuVries 중족 골두 성형술, 중족골 단축 절골술 등이 있다. 근위 지골의 길이를 줄이는 수술의 경우 발가락이 불안정해지거나 이차적인 교차 변형이 발생할 수 있어 외견상 만족스럽지 못한 경우가 생기게 된다.

제 2 중족골이 긴 것이 근본적인 원인 중의 하나이므로, 중족골을 짧게 하는 방법이 가장 좋은 치료 방법이라고 할 수 있는데, 중족골 단축 절골술은 주변 연부 조직의 연장 효과를 얻음으로써 관절 감압(decompression)을 얻는 데 효과적이라 할 수 있다.

다음은 각각의 수술법에 대해 알아보도록 하겠다.
① DuVries 중족골 두 성형술 (그림 7-15)
중족 족지 관절의 연속적인 연부 조직 유리술과 함께 중족골두 일부를 제거하는 방법으로써, 중족 골두의 50%가 제거되어도 골두 족저부의 과(condyle)가 보존되어 체중부하에 큰 지장을 주지 않는다.

수술 방법은 연부 조직 유리술 후 중족골 두의 원위부를 3-4mm정도 microsagittal saw를 이용하여 절제한다. 수동적으로 push-up 검사를 하면서 근위 지골이 정복되어 유지되는지 관절 내부를 확인한다. 관절 정복이 유지되지 않을 경우 추가로 중족골 두를 절제한다. 이후 rasp이나 microburr를 이용하여 중족골 두를 둥근 모양으로 만들어준다. 관절 부위에 절제된 단

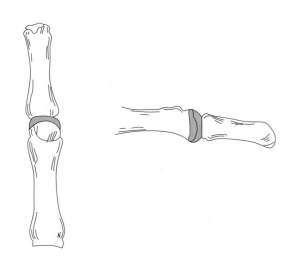

그림 7-15. Du Vries 중족골 두 성형술

족지 신전건이나 관절막의 배부를 넣어주면(interposition) 관절 간격과 관절 운동면의 유지에 도움이 될 수 있다.

불안정성이 남아 있으면 굴곡건 이전술을 추가로 실시할 수 있다. 족관절 중립 상태에서 족지를 0도에서 10도 신전한 상태로 K-강선을 고정한다. 지혈대를 풀고 혈액 순환 상태를 검사한 후 드레싱을 실시한다. 수술 후 약 6주간 수술 후 신을 신고 K-강선을 제거한다. 추가로 6주간 족지 중립위에서 테이핑을 실시한다.

합병증으로는 중족 족지 관절(특히 배부)의 강직, 만성 족지부종, 편향 등의 족지 변형 등이 발생할 수 있다.

② 중족골 절골술

· 단축 사선형 중족골 절골술 : 원래는 계단식 절골술(step-cut osteotomy)이었으며, 족배부 중족 족지 관절 바로 원위부에서 시작해서 약 5cm의 종절개를 가한 후 해당 중족골에 대해 골막하 절개를 한다. 사선형의 절골술을 실시하고 단축한 후에 정복을 bone holding forcep으로 유지한다. 이 때 단축은 5mm 이상 하지 않는다. 절골부위를 횡방향으로 나사 고정이나 wiring으로 고정한다. 수술 후 약 4주간 단하지 석고 붕대 고정을 한다.

· 배부 폐쇄성 쐐기 절골술 : 중족골 경부 배부에 base를 둔 쐐기 모양으로 중족골을 절제한다. 이 때 족저부의 피질골을 완전히 절골하지 않고 일부 남겨 놓아 절골 후 중족골 두를

발등 쪽으로 밀어올려 족저부의 피질골을 골절시키면서 쐐기를 폐쇄시킨다. 절골 부위에 2개의 K-강선을 교차시켜 고정하거나 2.7mm 나사로 고정한다. 수술 후 석고 붕대 고정을 하게되며 3주간 비체중 부하, 3주간은 부분 체중 부하를 시키고 석고 붕대 제거 후에는 바닥이 딱딱한 수술 후 신을 착용시켜 절골 부위가 유합될 때까지는 보호를 해준다.

· 중족골 경부 수평 절골술 (Weil Osteotomy) (그림 7-16) : 중족 족지 관절의 배부에 종절개를 가하고 관절낭의 배부를 종절개한 후, 발가락을 완전히 굴곡시킨 상태에서 중족골 두 배부의 관절 연골 바로 근위부에서 시작하여 근위부로 절골을 한다. 이 때 절골면이 발바닥과 평행하게 하여 절골후 근위부로 전위된 원위 골편의 근위부가 족저부로 튀어나오지 않게 한다. 절골 후 원위 골편을 근위부로 계획된 정도로(2-6mm) 전위시킨다. 절골 근위 골편의 원위부에 튀어나온 날카로운 뼈 끝을 제거한 후 배부에서 나사로 고정한다. 수술 후 바닥이 딱딱한 수술후 신을 착용하며 6주경에는 전체중부하가 가능하도록 한다. 관절내 수술이 아니므로 관절 강직의 가능성이 적다. 중족 족지 관절의 아탈구나 탈구가 동반된 경우 구축된 배부의 연부 조직과 내재근등의 유리 효과를 기대할 수 있으므로 정복이 용이하다.

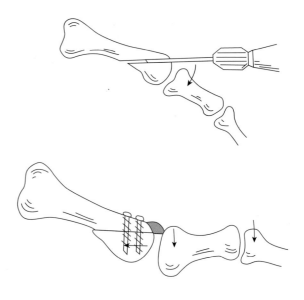

그림 7-16. 중족골 경부 수평 절골술 (Weil Osteotomy)

(3) 교차 변형

제 2 중족 족지 관절의 불안정성이 시상면 및 수평면상에서 편향을 초래함으로써 제 2 족지가 모지의 배내측에 위치하는 변형을 말한다. 이는 외측 측부 인대와 외측 관절막의 파열 그리고 제 1 배부 골간근의 약화 또는 파열로 발생하게 된다. 또한 족장판의 약화 및 파열이 동반되기도 하며, 반대로 내측의 구조물인 측부 인대, 관절막, 내재근(골간근 및 충양근)의 구축이 발생한다.

시상면상의 중족 족지 관절의 변형과 같이 교차 변형도 초기 활액막염 단계, 아탈구 단계, 배내부 탈구의 단계로 나뉘며, 보존적 치료도 시상면상의 불안정성의 치료와 유사하면서 무지 외반증 변형을 최소화하는 노력이 동반된다.

수술적 치료는 시상면상에서의 중족 족지 관절의 불안정성의 치료 단계와 비슷하다. 정도에 따라 연부 조직 유리술에서 중족골 단축 절골술등의 골감압 술식(bone decompression)까지 실시하게 되며, 교차 변형에 추가되는 수술은 다음과 같다.

① 연부 조직 유리술 시 내측 구조물(측부 인대, 관절낭, 내재근)은 유리하면서 외측 측부 인대와 관절낭을 단축시켜 봉합(imbrication)한다.

② 단족지 신전건 이전술[20] ; 단족지 신전건을 근위 지골 기저부의 외측 측부 인대 부착부에 이전시켜 약한 외측 부위를 보강한다. 배부 골간근을 이전하여 보강하는 방법[21]도 있지만 단족지 신전건 이전술의 결과가 더 좋은 것으로 보고되고 있다.

③ 무지 외반이 동반된 경우 무지 외반증 교정 수술을 동시에 실시한다. 고질적 족저 각화증(Intractable Plantar Keratosis, IPK)이 동반된 고도의 변형인 경우에는 무지의 중족 족지간 관절 고정술과 제 2 족지의 중족골 두 절제 성형술을 같이 하는 경우도 있다[22].

VI. 제 5족지 관절의 병변

1. Bunionette Deformities(Tailor's Bunion)

제 5 족지의 외측에는 다른 족지가 없고, 신발과 바로 마주치는 부분으로 족무지 외반증과 같은 질환인 소건막류(bunionette)가 발생할 수 있다. 제 5 중족골 두의 외측부의 뼈가 돌출되어 증상을 일으키는 경우를 다른 말로 재봉사 건막류(Tailor`s bunion)이라고도 한다.

이는 무지 외반증이 있으면서 벌어진 발(splay foot)인 경우에 흔하며, 원인으로는 제 5 중족골 간부가 외측으로 휘어진 경우(bowing), 제 5 중족골 두가 선천적으로 또는 외상에 의해 비정상적으로 큰 경우 등이 있다.

좁은 신발을 지속적으로 착용함으로 인해 돌출 부위에 만성 자극으로 점액낭이 발생하게 되고, 심한 경우 궤양도 발생하게 된다. 또한 제 5 중족골 두의 외측이나 족저부에 피부 각화증이 생기면서 증상을 유발하기도 한다.

이학적 검사상 제 5 족지의 변형을 일으킬 수 있는 족부의 변형 (planovalgus, cavovarus), 족 관 절 의 첨족(equinus contracture), 거골하 관절의 회내전(pronation), 하지 길이 부동(leg-length discrepancy), 피부 못의 위치 등에 대해 살펴 본다.

1) 방사선 검사

체중 부하 방사선 검사로 다음과 같은 항목에 대해 살펴본다.

① 중족골-근위 지골간 각 (metatarsal-5th toe angle) ; 근위 지골과 중족골의 중심선이 이루는 각으로 대개 16도 이내이다.

② 제 4, 5 중족골간 각 (4th-5th intermetatarsal angle) ; 제 4, 5 중족골의 장축이 이루는 각으로 평균 8-9도 정도이다.

③ 제 5 중족골의 외측 편향각 (lateral deviation angle) ; 중족골 간부가 외측으로 휘어진 정도를 나타내며[23], 원위 관절면에서 중족골 경부를 bisect하는 선과 중족골의 근위 내측 피질골에 평행한 선이 이루는 각으로, 평균 3도 이내이다. 한 연구에서는 8도에서 증상을 나타낸다고 한다[24].

④ 전족부 넓이 (forefoot width)

⑤ 중족골 두 모양 (morphology)

Bunionette 변형은 방사선 검사 소견에 따라 수술 전에 크게 3가지로 분류하여 이에 따른 치료법을 생각하게 된다[25]. (그림 7-17)

제 1 형 ; 제 5 중족골 두가 큰 경우로써 선천적으로 크거나, 제 5 중족골이 회내전함으로 족저부의 외측 과(condyle)가 더 외측으로 위치한 경우(그림 7-17A)

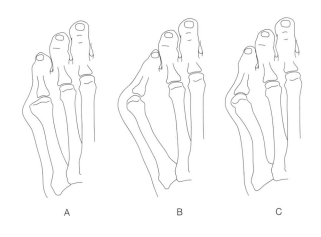

그림 7-17. Bunionette 변형의 분류

제 2 형 ; 제 5 중족골 간부가 외측으로 휘어져 있는 경우(그림 7-17B)

제 3 형 ; 제 4-5 중족골간 각이 큰 경우로, 제 3 형의 50% 이상이 수술을 필요로 하게 된다[26](그림 7-17C).

2) 보존적 치료

중족골 패드(pad), 중족골 바(bar), 앞부분이 넓은 신발(wide toe-box shoes), 신 바닥이 중간 정도로 딱딱하고 제 5 중족골

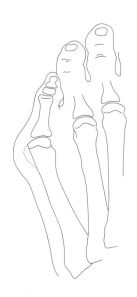

그림 7-18. 중족골 두의 외측 과(condyle) 부분 절제술

두의 바닥이 약간 들어가게 하여 압력을 줄이는 신발 등을 사용할 수 있다.

3) 수술적 치료

(1) 중족골 두의 외측 과(condyle) 부분 절제술 (그림 7-18)

가장 많이 사용하는 수술 방법이다. 주로 제 1 형에 적용되며, 증상의 완화를 얻을 수는 있으나 외관상으로는 뚜렷한 변화는 없다. 수술 전에 증상이 있는 돌출된 뼈는 제거하지만 전족부의 넓이에는 큰 변화가 없다는 것을 환자에게 주지해 주어야 한다. 불충분한 절제, 중족 족지 관절의 아탈구, 벌어진 전족부(forefoot splaying)의 경우 재발하기 쉽다. 중족골 두 밑에 피부 못의 증상이 있을 경우 족저부 쪽도 일부 제거한다.

(2) 중족골 절골술

중족골 경부나 간부에서 외측으로 휘어져 있는 경우 또는 제 4-5 중족골간 각이 큰 경우에 사용할 수 있는 방법으로, 무지 외반증과 같이 여러가지 방법이 있다. 제 1 중족골에 비해 뼈가 가늘기 때문에 정확성이 요구되며, 중족골 두의 외측 부위 제거와 중족 족지 관절의 연부 조직 수술(관절낭 봉합술)을 같이할 수 있다. 중족골 두 외측부는 2-3mm, 중족골 두 관절면은 1-2mm 이상 절제하지 않도록 주의한다. 그렇지 않으면(특히 원위 절골술의 경우) 절골 부위의 접촉면 감소로 인하여 절골 부위 유합에 문제가 생길 수 있다.

① 원위부 절골술 (그림 7-19)
· 갈매기 절골술 : 무지 외반증과 같이 갈매기형 절골술을 실시하여 내측 전위와 동시에 발등 쪽으로 2-3mm 회전시키면 외측에 눌린 것으로 인한 증상을 치료할 뿐 아니라 바닥 쪽의 피부 못도 치료가 된다. 그러나 중족골 두가 작고 절골술 후의 접촉면이 좁아서 수술 시 정확한 술기가 요구된다(그림 7-19C, D).
· 사선형 절골술 : 어려운 갈매기 절골술의 수술 술기 대신 경부에서 사선형 절골술을 실시하여 골두를 근위 배부로 전위시킴으로 변형 교정과 족저부 압력을 줄이도록 하는 술식이다(그림 7-19A,B).
② 골간부 절골술 (그림 7-20)
원위부 절골술로 하기에는 변형이 심한 경우 사용할 수 있으

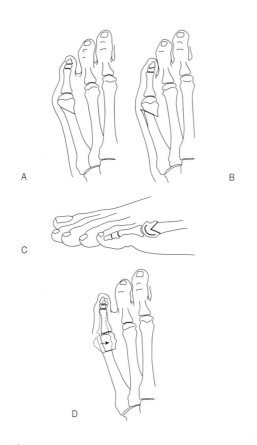

그림 7-19. 중족골 원위부 절골술

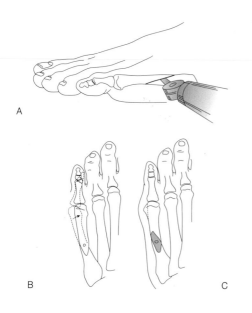

그림 7-20. 중족골 골간부 절골순

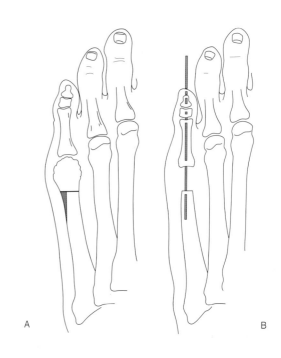

그림 7-21. 중족골 두 절제술

며, 골간부에 긴 사선형의 절골술을 한 후에 원위부를 내측으로 회전시켜 교정하는 방법이다. 원위부 절골술보다 교정력은 좋지만 지연 유합이나 불유합의 가능성이 높다. 수술 후 2.7mm 나사로 고정하고, 6-8주간 석고 고정을 하며, 수술 후 3-4 개월간은 활동을 조절한다.

③ 중족골 두 절제술 (그림 7-21)

중족골 경부에서 중족골을 절제하는 수술 방법으로, 전이 중족골통이 발생하거나 외측부의 돌출이 지속되는 경우가 많아서 Bunionette의 일차 수술 방법으로는 사용하지 않고 중족골 두의 피부못이나 궤양이 동반되면서 족부 감각이 저하된 당뇨족이나 신경병증성 족부의 Bunionette의 경우 고려할 수 있다.

VII. 피부 못(Corns)

피부 못은 뼈가 튀어나온 부위에 발생하는 과각질성(hyperkeratotic) 병변으로 피부의 stratum corneum 또는 horny layer에서 발생하는 것으로 과도한 압력이나 마찰에 의해 표피 각질층의 축적에 의해 생긴다. 여성에서 압도적으로 많이 발생하므로 유행하는 신발(뒷 굽이 높고, 앞부분이 좁고 뾰족한 구두)이 주된 원인으로 생각된다.

피부 못은 임상적으로 경성(hard)과 연성(soft)으로 구분하며 족저부에 생기는 피부 못은 경성 피부 못이지만 별도로 족저 각화증(plantar keratosis)이라고도 한다. 주로 발생하는 위치에 따라 제 5 족지 외측부의 피부 못(lateral 5th toe corn)과 족지간 피부 못(interdigital corn)으로 구분되기도 하지만 이는 각각 경성 및 연성 피부 못의 주된 호발 부위이다.

1. 분류

1) 경성 피부 못(hard corn)

피부 위의 신발의 압력과 마찰에 의해서 족지골의 과 (condyle) 부분에 발생한다. 주로 제 5 족지의 근위 지절의 배부, 외측에 발생하고, 병변은 딱딱하고, 건조하며, 압통이 있다. 급성으로 자극이 가해지면 주위에 발적이나 국소열이 발생하고, 점액낭이 생기게 된다. 사마귀(warts)와 혼동하지 않도록 주의한다.

2) 연성 피부 못(soft corn) (그림 7-22)

주로 발가락 사이에 발생하여 족지간 피부 못(interdigital corn)이 좀 더 정확한 표현이라 하겠다. 족지간 피부 못은 두 가지가 있다.

① 가장 흔한 것은 두 발가락 중 짧은 발가락의 원위지골의 기저부와 그에 대응하는 부위인 긴 발가락의 근위 지골의 골두 부분에 발생한다.

② 위의 경우보다 더 근위부의 발가락 사이에서 발생하는 것은 제 4 족지의 근위 지골의 기저부의 외측과 제 5 족지의 근위 지골 골두의 내측 부위가 만나서 발생한다. 이 경우는 위치가 물갈퀴 부위(web space)에 위치하여 연성 피부 못 중 web space corn이라고도 한다. 이 경우에는 정확한 위치를 알기 어렵고 굳은 살이 생기고 궤양이 발생하고 감염이 될 수 있다.

3) 족저 피부 못(Plantar corn, Plantar Keratosis)

중족골 두의 바닥 부분에 굳은 살이 생기면서 통증이 동반되

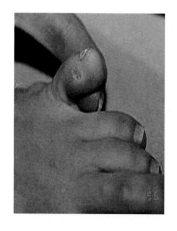

그림 7-22. 연성 피부 못(soft corn)

는 경성 피부 못의 일종이며, 주로 작은 족지(lesser toes)의 중족골 두의 비골측 과(condyle) 족저부에 생기며, 제 1 중족골 두에 생기는 경우에는 경골측 종자골(sesamoid) 밑에 생긴다. Mann과 DuVries는 보존적 방법에 잘 치료되지 않는 경우 고질적 족저 각화증(Intractable Plantar Keratosis, IPK)이라고 하였다. 이러한 피부 각화증은 원인에 따라 광범위하게 발생하기도 하며, 국소의 좁은 부위에 한정되어 발생하기도 한다.

4) 신경 혈관 피부 못

매우 통증이 심하며 제 1 또는 제 5 중족골 두 아래에 위치하고 족저부 사마귀(plantar wart)와 혼동하기 쉽다.

2. 치료

1) 보존적 치료

피부 못 주변의 압력을 줄이는 것이 보존적 치료의 목표로, 내부가 넓고, 뒷굽이 낮은 신발, 증상 부의 패딩 등이 도움이 될 수 있고, 피부 못을 깎아주는 것이 증상을 완화시킬 수도 있다.

특히 연성 피부 못의 경우 하루에 두 번 비누로 씻고 완전히 말린 후에 항진균, 항생제가 포함된 분말을 바르고 발가락 사이에 lamb`s wool이나 self-adherent rubber web spacer (doughnut) 등을 끼워 닿지 않게 하는 것이 좋다. 그래도 통증

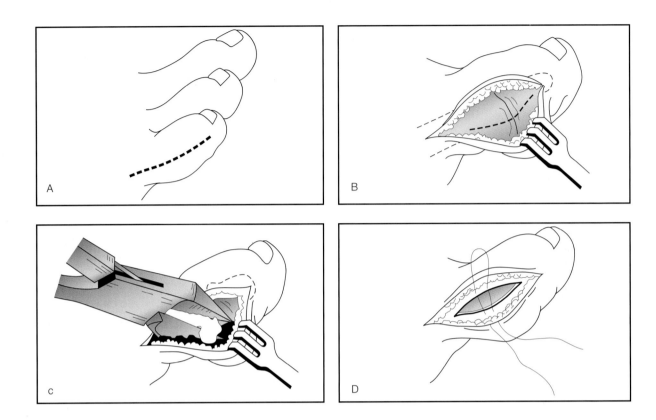

그림 7-23. 경성 피부 못(hard corn)의 수술적 치료

이 있고, 감염, 궤양이 발생하면 수술적 치료를 고려해야 한다.

2) 수술적 치료

(1) 경성 피부 못(hard corn)

호발 부위인 제 5 족지의 배부, 외측에 발생한 피부 못에 대한 수술 방법을 기술한다.

수술 방법 (그림 7-23)

① 발톱의 5-6mm 근위부에서 시작하여 근위부로 1.5cm 정도 절개한다(그림 7-23A,B).

② 근위 지골 골두의 배부 외측에 튀어나온 부분을 rongeur로 절제하는데, 중위 지골의 기저부도 돌출된 경우 그 부분도 같이 절제한다(그림 7-23C,D).

③ 돌출된 부분을 완전히 제거하다 보면 근위 지골의 골두와 경부 대부분을 절제하는경우가 생긴다. 재발 측면에서는 확실

한 방법이지만 불안정성이 문제가 될 수 있으므로 3-4주간 드레싱, 이후 3-4주간은 테이핑을 하여 발가락의 위치를 유지해 주어야 한다.

④ 돌출된 부분만을 제거하는 경우 환자에게 재발 가능성에 대해 설명하고, 재발한 경우에는 절제 관절 성형술을 실시한다.

⑤ 수술 후 3-4주간 바닥이 딱딱한 수술 후 신을 신거나 족지 상자(toe-box)의 외측부가 없는 신을 신는다.

(2) 연성 피부 못(soft corn)

원인이 되는 부위의 돌출된 뼈를 절제하는데, 두 군데 중 한 부위를 절제하지만 한쪽을 절제한 후 만져봐서 돌출된 부분이 남아있거나 심한 경우에는 양 쪽을 모두 절제한다. 특히 web space corn인 경우 제 4 족지의 근위지의 기저부와 제 5 족지의 근위지의 골두 및 경부를 제거하는 것이 효과적이다.

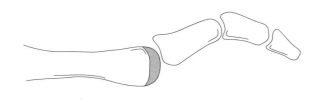

그림 7-24. 중족 족지 관절 성형술

궤양이 있는 경우에는 궤양이 있는 부위를 피하여 절개를 하고, 절제 후에 궤양은 봉합하지 않는다. 돌출된 뼈에 의한 압박이 없어지면 궤양은 자연 치유될 수 있다.

수술 후 3주간 적절한 위치에서 발가락을 유지하도록 드레싱을 하고, 이후 발가락 사이에 항생제 용액 치료를 하고 lamb`s wool을 끼우고 건조하도록 유지하면서 테이핑을 한다. 재발하는 경우에는 syndactylization이 효과적일 수 있다.

(3) 족저 피부 못 (Plantar corn, Plantar Keratosis)

대부분 보존적인 치료를 통해 호전되나, 충분한 기간의 치료에도 호전되지 않을 경우 수술을 고려할 수 있다. 어떤 수술을 하더라도 10-15%에서는 재발하거나 다른 부위에 피부 못이 발생할 수 있다. 적절한 수술 방법을 선택하기 위해서 신중한 이학적 검사와 방사선 검사가 필요하다.

작은 크기의 족저 각화증의 경우에는 관절 성형술을 할 수 있으며, 광범위하면서 중족골 두가 옆의 골두에 비해 튀어 나왔거나 굴곡된 경우 신전 절골술이 도움이 된다. 비정상적으로 긴 중족골 소견이 있을 경우에는 단축 절골술을 사용할 수 있다.

① 중족 족지 관절 성형술 (그림 7-24)

제 2-5 중족골두 중 한 개의 외측과 아래 부분에 발생하는 피부 못의 경우 시행된다. Mann과 Duvries[27]가 시행하여 79%에서 완전히 치유되었고, 5%에서 재발하였으며, 13%에서 인접 부위에 새로운 병변이 발생하였다. 전반적인 만족도는 93%였다. 합병증으로는 중족 족지 관절 배부의 강직, 망치 족지, 중족골 두의 무혈성 괴사, 골절 등이 있다.

족배부 도달법으로 중족골 두의 원위부 2-3mm와 족저부의 일부(50%까지)를 제거하고 발가락은 드레싱이나 K-강선 고정

으로 형태를 유지하게 된다. 합병증으로 중족 족지 관절의 운동 범위 감소가 문제가 된다.

족저부 도달법으로 중족골 두의 관절면에 손상을 주지 않고 돌출된 과(condyle) 부분만을 절제함으로 중족 족지 관절의 강직을 줄일 수 있으나 족저부의 반흔으로 인한 통증이 발생할 수도 있다.

② 중족골 배부 쐐기 신전 절골술

중족골의 근위 관절면에서 6-7mm 원위부에 2mm 의 배부 절골을 실시한 후쐐기를 제거한 후 절골 부위를 폐쇄하고 나사나 K-강선으로 고정한다.

③ 중족골 단축 절골술

광범위하게 족저 각화증이 있으면서 긴 중족골의 경우 중족 족지 관절의 불안정성에서 언급했던 단축 사선형 중족골 절골술이나 Weil 절골술이 적용된다.

중족골 경부에서 수평 절골을 하는 Weil 절골술이 주변 중족골로의 전이 증상이 적고 또한 골간단부(metaphysis)에서 시행함으로 지연유합이나 불유합이 적은 장점이 있다.

■ 참고문헌

1. Coughlin MJ, Mann RA : Lesser toe deformities, in Coughlin MJ, Mann RA(eds): Surgery of the Foot and Ankle, 7th ed. St. Louis, Mosby-Year Book, 1999, pp 320-391

2. Coughlin MJ : Second metatarsophalangeal joint instability in the athlete. Foot Ankle, 1993;14:309-319

3. Coughlin MJ : Operative repair of the mallet toe deformity. Foot Ankle, 1995;16:109-116

4. Thompson FM, Hamilton WG : Problem of the second metatarsophalangeal joint. Orthopaedics, 1987;10:83-89

5. Coughlin MJ, Dorris J, Polk E : Operative repair of the fixed hammer toe deformity. Foot Ankle Int, 2000;21:94-104

6. Mann RA, Mizel MA : Monoarticular nontraumatic synovitis of the metatarsophalangeal joint: a new diagnosis. Foot Ankle, 1985;6:18-21

7. Murphy GA : Lesser toe abnormalities. In: Canale ST ed.

Campbell`s Operative Orthopaedics,10th ed. St. Louis, C. V. Mosby:4047-4083, 2003

8. Barbari SG, Brevig K : Correction of clawtoes by Girdlestone-Taylor flexor-extensor transfer procedure. Foot Ankle, 1984;5:67-73

9. Parrish TF : Dynamic correction of clawtoes. Orthop Clin North Am, 1973;4:97-102

10. Taylor RG : An operative procedure for the treatment of hammer-toe and claw toe. J Bone Joint Surg, 1940;22:608-609

11. Thompson FM, Deland JT : Flexor tendon transfer for metatarsophalangeal instability of the second toe. Foot Ankle Int, 1996;17:385-388

12. Coughlin MJ, Dorris J, Polk E : Operative repair of the fixed hammertoe deformity. Foot Ankle Int, 2000;21:94-104

13. Coughlin MJ : Arthritides, in Coughlin MJ, Mann RA (eds): Surgery of the Foot and Ankle, ed 7. St. Louis, MO, Mosby Yearbook, 1999, pp560-650

14. Mann RA, Coughlin MJ : The Rheumatoid foot: Review of literature and method of treatment. Orthop Rev, 1979;8:105-112

15. McClusky W, Lovell WW, Cummings RJ : The cavovarus foot deformity: Etiology and management. Clin Orthop, 1989;247:27-37

16. DuVries H : Dislocation of the toe. JAMA, 1956;160:728

17. Coughlin M : When to suspect crossover second toe deformity. J Musculoskel Med, 1987;4:39-48

18. Coughlin MJ : Subluxation and dislocation of the second metatarsophalangeal joint. Orthop Clin North Am 1989;20:535-551

19. Coughlin MJ : Crossover second toe deformity. Foot Ankle 1987;8:29-39

20. Haddad S, Sabbagh M, Myerson M, et al : Correcting and stabilizing the crossover second toe: a comparison of the medium term result of flexor to extensor transfer and of extensor tendon transfer. Presented at the 13th Annual American Orthopaedic Foot and Ankle Society Summer Meeting; Monterey, CA, July, 1997.

21. Deland JT, Sobel M, Arnoczky SP, et al : Collateral ligament reconstruction for the unstable metatarsophalangeal joint: an in vitro study. Foot Ankle, 1992;13:391-395

22. Mann RA : Complications in surgery of the foot. Orthop Clin North Am, 1976;7:851-861

23. Yamamoto H, Okumur AS, Moria S : Surgical correction of foot deformity after stroke. Clin Orthop Rel Res, 1992;282:213-218

24. Coughlin MJ : Treatment of bunionette deformity with longitudinal diaphyseal osteotomy with distal soft tissue repair. Foot Ankle, 1991;11:195-203

25. Coughlin MJ : The bunionette deformity: etiology and treatment. In Gould JS (ed): Operative Foot Surgery. Philadelphia, WB Saunders, 1994, pp 54-68

26. Coughlin MJ, Mann RA : Lesser toe deformities, in Coughlin MJ, Mann RA(eds): Surgery of the Foot and Ankle, 6th ed. St. Louis, Mosby-Year Book, 1999, pp 341-465

27. Mann RA, DuVries HL : Intractable plantar keratosis. Orthop Clin North Am,1973;4:67-73

8. 표재성 과각화성 질환
Superficial Hyperkeratotic Lesion

경북의대 피부과 **이 석 종**

이 장에서는 족부의 변형 또는 손상을 초래할 수 있는 족부의 과각화성 질환 중 근골격계의 이상을 제외한 피부의 표재성 과각화성 질환에 대해서만 기술하고자 한다.

I. 굳은살과 티눈

1. 정의 및 증상

발의 뼈에는 많은 돌기들이 있는데 이 돌기들은 꼭 끼는 신발에 의해 또는 걷는 동안 피부 아래의 딱딱한 뼈에 의해 상대적으로 부드러운 피부에 압박을 가하게 된다. 이에 따라 신체는 피부의 각질층을 증가시킴으로써 신체의 바깥 층인 피부와 연부 조직을 보호하려는 소극적이나마 정상적인 보호 작용이 일어난다. 그러나 그 결과로 두꺼워진 각질층(과각화증)은 피부에 다시 압력으로 작용하여 계속적인 악순환 과정을 거쳐 과각화증을 악화시킨다. 각화증을 악화시킬 수 있는 내적인 요인들로는 정상보다 많이 돌출된 뼈의 돌기와 발 또는 발가락의 기형 및 변형이 있으며 외적인 요인으로는 부적절한 신발 착용 및 운동선수에서와 같은 과도한 운동 등을 들 수 있다. 이러한 작용으로 발생하는 발의 과각화성 질환으로는 굳은살(callus)과 티눈(corn)을 들 수 있다. 굳은살은 반복되는 마찰과 압력으로 비교적 넓은 범위에 발생하는 과각화성 판으로 발을 침범하는 가장 흔한 과각화성 질환이다. 경계가 불명확한, 황색을 띠는 밀랍 모양의 두꺼워진 판 모양을 보이며 통증이나 동통이 뚜렷하지 않고 칼로 깎았을 때 밀랍 모양의 중심부를 보이지 않는다. 발생 원인에 따라 침범되는 부위가 다양할 수 있는데 가장 많이 생기는 부위는 제 2, 3 중족골 부위의 발바닥이며 정상적인 보행 주기동안 중족골 부위가 가장 많이 지속적으로 압

력을 받음으로써 발생한다. 해부학적으로 볼 때 정상인의 60%에서 제 1 중족골은 제 2 중족골보다 짧은 동시에 제 2, 3 중족골은 보다 안정적으로 운동성이 적으므로 제 1 중족지절관절의 운동 범위가 과다한 경우 제 2, 3 중족골, 드물게는 제 4 중족골 부위까지 발바닥에 광범위한 굳은살이 발생할 수 있다(그림 8-1). 반면 제 4, 5 중족골 부위는 상대적으로 관절들간의 운동성이 뛰어나므로 굳은살이 드물게 발생한다.

티눈은 반복된 마찰과 압력으로 국소적으로 발생하는 원추형 과각화성 비후를 의미한다. 그 어원이 돌 쐐기(그리스어) 또는 뿔(라틴어)이란 것에서 알 수 있듯이 마치 원뿔과 같은 모양을 보이는데 그 기저부가 피부 표면을 향하며 뾰족한 첨단부가 피부의 안쪽으로 향하므로 이로 인해 통증이 유발된다. 티눈은 발생 부위와 임상 양상에 따라 경성 티눈(hard corn)과 연성 티눈(soft corn)으로 나뉜다. 경성 티눈은 발등, 특히 발가락의 위쪽이나 발바닥에 많이 발생하는데 딱딱하고 건조한 병소로 통

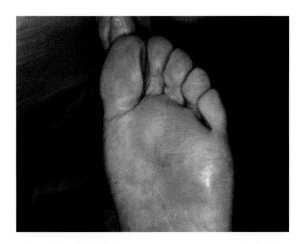

그림 8-1. 제 2 중족골부터 제 5중족골에 걸쳐 광범위하게 발생한 굳은살

증을 유발한다(그림 8-2). 칼로 티눈을 깎았을 때 유백색의 중심이 보이며 중심으로 인한 자극이 많을 경우 티눈 주위에 홍반이나 열감이 발생하고 점액낭이 형성되어 누공이 발생하기도 한다. 반면 연성 티눈은 두 가지 형태를 보이는데 좀더 흔한 형태로는 마주보는 발가락 중 짧은 발가락의 원위 지골의 기저부에 발생하는 경우를 들 수 있다(그림 8-3). 이와 달리 드물기는 하지만 심각한 문제를 초래할 수 있는 형태로 발가락 사이의 기저부, 특히 4, 5번 발가락 사이에 흔히 발생하고 양측에 대칭적으로 마주 보게 발생하기도 한다. 발가락 사이의 습기로 인해 과각화 부위가 희게 변하게 되고 심한 통증을 느끼는 경우가 많으며 세균 감염에 의해 염증이 생기거나 무좀이 동반되기도 한다. 꽉 끼는 신발을 신은 경우에 많이 발생하고 병소의 하부에 중족지절관절의 외골증(exostosis), 무지외반증(hallux valgus)을 동반하거나 제 5 중족골이 병적으로 짧은 경우도 있으므로 진단시 방사선 촬영이 필요할 수도 있다.

2. 원인

티눈 또는 굳은살을 초래할 수 있는 족부 기형 또는 변형으로는 족관절의 첨족(equinus), 평발, 새발톱 발가락(갈퀴족지, claw toe), 장도리 발가락(추상족지, hammer toe), 망치 발가락(추족지, mallet toe) 등을 들 수 있다. 이러한 발의 기형은 선천적일 수도 있고 당뇨병, 매독, 중풍이나 신경질환 등에 의해 후천적으로 생기기도 한다(그림 8-4). 또한 선천적으로 제 1 중족골이 너무 짧은 경우나 과거 골절이 잘 치유되지 않아 발생하는 부정유합(malunion)에 의해서도 발생한다. 그 외에 환자의 특이한 형태의 습관, 예를 들어 소위 양반 다리로 장시간을 앉아 있는 경우 외측복사(lateral malleolus)와 족근골의 돌기 부위에 굳은살이 생기는 일이 흔하며(그림 8-5) 무릎꿇고 앉는 자세를 많이 취하거나 소건막류(bunionette) 변형에 의해서도 독특한 형태의 굳은살 또는 티눈이 발생한다. 그밖에 일상에서 보이는 흔한 원인으로 잘못된 신발 착용을 들 수 있다. 예를 들어 꼭 끼는 신발의 대표적인 예라고 할 수 있는 고대 중국의 전족 풍습이나 현대의 하이힐에서 볼 수 있듯이 발의 원래 형태와 무관한 신발에 의해 티눈이나 굳은살 나아가 발의 심한 변형까지도 초래될 수 있다. 발바닥과 발의 측면과의 경계부나 발뒤축에 발생하는 굳은살은 도리어 신발이 발에 비해 너무 느슨해서 발생할 수 있다. 발에 비해 신발 크기의 여유가 너무 많은 경우 그 크기 차이로 인해 오히려 신발 안에서의 위치 이동이 과도해짐으로써 발생한다. 발을 수술한 후 발생하는 티눈 또는 굳은살은 수술 후 발생한 현저한 흉터조직으로 인해 발생하는데 술후 활동, 과도한 전기소작, 산에 의한 부식, 방사선 치료, 수술전후 감염으로 인한 심부 조직의 손상 또는 이로 인한 완충지방층의 소실이 그 원인이다. 제 5 중족골 부위의 광범위한 굳은살은 전족부 내반(varus), 테일러 건막류에 의한 제 5 중족골의 족저 굴곡에 의해 초래될 수 있다.

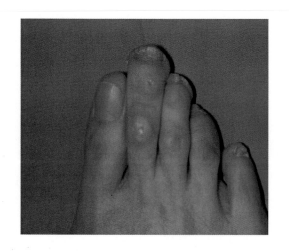

그림 8-2. 발가락 위에 발생한 경성 티눈

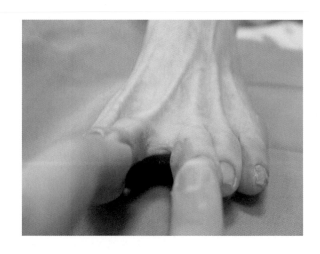

그림 8-3. 중지골 근위부에 발생한 연성 티눈

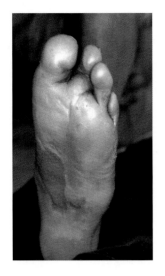

그림 8-4. 당뇨병성 신경병증으로 인해 발바닥의 감각 소실과 발의 기형(새발톱 발가락)으로 인해 제 2, 3 중족골 부위에 발생한 티눈

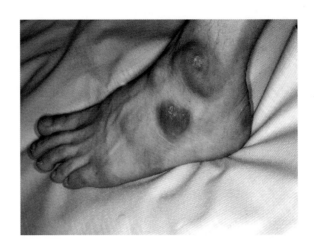

그림 8-5. 양반다리 자세를 많이 취하는 사람에게서 볼 수 있는 굳은살

3. 감별 진단

발바닥의 티눈 또는 굳은살과 감별이 어려운 질환으로 족저 사마귀, 유전성 혹은 후천성 각피증이나 모공성 홍색 비강진 등을 들 수 있으며 특히 족저 사마귀가 있는 부위에 티눈이나 굳은살이 생기면 감별이 더욱 어렵다. 족저 사마귀의 경우 임상증상이 매우 유사하나 두 질환간의 치료 방침이 일부 다르기 때문에 감별진단이 필수적이다. 실례를 들면 최초에 중곡골 부위의 발바닥 굳은살로 진단되어 치료를 받던 중 발생한 궤양이 일반적인 치료에도 낫지 않아 굳은살 부위를 조직검사하여 유두종바이러스 항체를 이용한 면역조직화학검사를 한 결과 족저 사마귀로 진단된 예에서 보듯 두 질환간의 구분은 전문가에게 조차 어려울 수 있다(그림 8-6). 구별 방법으로 티눈은 표면을 칼로 점차 깎아 들어가면 딱딱한 밀랍 모양의 중심을 보이며 원뿔형의 중심으로 인해 위에서 눌렀을 때 동통을 느끼는데 반해 사마귀는 깎는 도중 중심이 없는 대신 부드럽고 잘 부서지며 출혈하는 반점 또는 검은 점을 보이고 옆에서 잡았을 때 동통을 느낀다. 그 외에 티눈은 발의 지문이 병소에 의해 단절되지 않는 경향을 보이며 대개 압력을 받는 부위와 일치하여 발생하고 최초에 점진적으로 발생하고 치료 후에도 최소 수주 이상에 걸쳐 서서히 재발하는 특징을 보인다. 반면 사마귀는 지문이 병소에 의해 단절되는 경향을 보이며 압력을 받는 부위

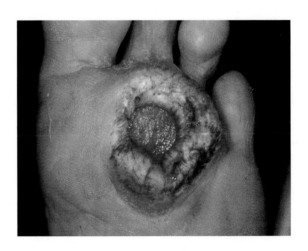

그림 8-6. 기존의 굳은살에 족저 사마귀가 병발한 예

와 무관하게 발생할 수 있고 초기에 빨리 발생하고 치료 후 빠른 재발을 보이는 경우가 많다.

4. 관리 및 치료

각화성 질환의 일반적인 치료 원칙은 ① 증상 제거, ② 내적 악화 요인의 진단 및 제거, ③ 신발이나 보장구 사용 및 필요한 경우 ④ 수술로 요약할 수 있다.

1) 검사

우선 발의 각화성 질환을 보이는 환자를 대하는 경우 발의 비정상적인 돌기, 기형 또는 변형을 포함한 일반적인 발 검사 외에도 과거 발의 손상 및 수술 유무를 알아보고 족부 압력검사를 실시하거나 환자의 보행모습을 관찰하는 것도 중요하며 이후 유사한 질환을 감별하는 과정 또한 필수적이다.

2) 보존적 방법

흔히 잊기 쉬우나 반드시 고려해야 할 보존적인 치료의 시작점은 환자에게 적절한 신발을 신도록 하는 것이다. 여기서 적절한 신발의 조건은 신발의 폭이 발의 그것보다 넓어야 하며 낮은 뒤축과 높은 신발 코, 부드러운 바닥을 가진 신발이 좋고 가능하다면 바닥의 깔창을 교체할 수 있는 신발이 좋다. 발이 신발에 맞도록 깔창을 추가로 보태어 사용할 수 있다. 이 경우 문제된 부위의 근위부에 깔창을 위치시켜야 하는데 이렇게 하면 처음에는 어색하지만 보행을 거듭함에 따라 점차 위치가 변경되어 수일 내에 적당해 지기 때문이다.

가장 대표적인 보존적 치료 방법은 굳은살이나 티눈을 규칙적으로 깎는 것인데 칼이나 손톱깎이, 특별히 고안된 면도기 또는 여러 종류의 메스 등을 사용할 수 있으며(그림 8-7) 전문

적인 발 관리를 할 경우 사포를 두른 각질 연마기도 사용할 수 있다(그림 8-8). 그러나 이 때 조심해야 할 점은 한꺼번에 너무 많이 깎지 말라는 것인데 우리가 규칙적으로 손톱이나 발톱을 적당히 깎는 것과 마찬가지로 질환의 발생 원인이 해결되지 않는 한 티눈이나 굳은살도 계속 생겨날 것이기 때문이다.

각화된 부위를 녹이는데 흔히 사용되는 각질용해제로는 유레아와 살리실 산(10~50%)이 있는데 사용되는 기제나 형태에 따라, 바른 다음 침투를 용이하게 하기 위한 막을 형성하는 콜로디온, 액체 또는 약용 반창고 등으로 나뉜다. 유레아나 살리실 산을 바른 다음 24~48 시간 후 제거하고 부드러워진 조직을 문지르거나 깎아서 제거하기를 주기적으로 반복하는 것이 일반적이다. 콜로디온 형태가 반창고보다 효과적이며 가끔 일반 면반창고에 병소 크기로 구멍을 내고 붙인 다음 구멍 부위에 약을 바르고 다시 반창고를 밀봉하면 더욱 효과적이다. 그러나 40% 살리실 산의 경우 과도하게 사용하면 약품에 의한 피부 화상도 가능하므로 고농도의 약품을 너무 장기간 사용할 경우 조심해야 한다. 발을 물에 담그는 침족(soaking)은 연성 티눈의 치료에 유효한데 보습제나 각질용해제와 같은 약품을 도포하기 전 30분정도 담그면 약품의 피부 흡수가 증가되어 우수한 치료 효과를 나타낸다.

적절한 신발 외에도 발을 보호하기 위한 여러 큐션이나 패드들이 사용될 수 있는데 우선 연성 티눈의 경우 발가락 사이의

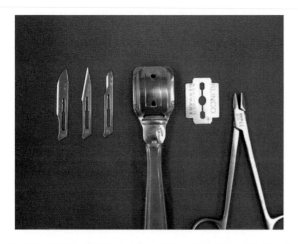

그림 8-7. 각질을 제거할 수 있는 여러 가지 형태의 도구 (좌로부터, 10번 메스, 11번 메스, 15번 메스, 각질 칼, 티눈가위)

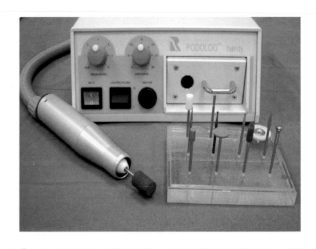

그림 8-8. 사포로 둘러싸인 말단부가 회전하면서 각질을 가는 연마기

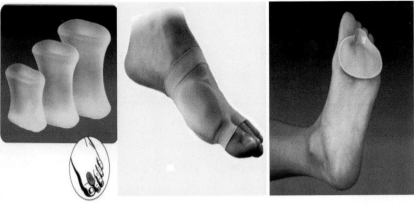

그림 8-9. 발가락 사이의 압력을 줄이기 위한 실리콘 재질의 toe spreader와 건막류와 중족골 부위를 보호하기 위한 실리콘 패드(슬리브)

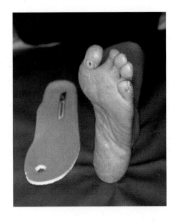

그림 8-10. 신발 깔 창에 구멍을 내어 티눈 부위에 압력을 감소시킴

압력을 감소시키기 위해 발가락 사이에 끼우는 부드러운 재질의 toe spreader(그림 8-9)가 있다. 발가락을 온전히 감싸는 실리콘 재질의 패드나 슬리브도 있으며 첫째 또는 다섯째 중족골 골두의 외측면 부위나 중족골의 발바닥 부위의 압력을 감소시키기 위한 실리콘 제품을 사용할 수도 있다. 또한 티눈과 유관한 부위의 신발 깔 창에 구멍을 내어 그 부위의 압력을 줄여주는 시도를 하기도 한다(그림 8-10).

3) 수술적 방법

수술적 방법은 보존적 방법이 실패했을 때만 시행하는 것이 일반적이다. 티눈이나 굳은살의 단순 절제, 특히 발바닥의 절제술은 향후 더 나쁜 티눈이나 굳은살을 만들 가능성이 있으므로 가급적 가장 마지막 방법으로 사용해야 한다. 부득이한 경우 중곡골두 사이나 돌기 사이의 피부를 절개하면 그 가능성을 줄일 수 있으며 가급적 주변조직을 많이 제거하지 말고 중심부의 핵만을 제거하는 것이 원칙이다. 그 외에 아래와 같이 각각의 경우에 맞는 수술 방법이 시도되고 있다.

① 비골 과상돌기 돌출 : DuVries 중족골 과절제술, 중족골 과절제술의 Coughlin 변형
② 경골 종자골 : 면도 절제술
③ 소건막류 변형 : 측면 과절제술 등 다양한 수술방법

④ 수술 후 발생한 굳은살 : 흉터의 전 층을 절제하고 충분한 언더마이닝을 통해 완충작용을 하는 피하지방층을 재건하여 봉합한 다음 약 4주 이상 압력을 가하지 않도록 주의를 요한다.

II. 족저 사마귀

1. 정의 및 증상

사마귀는 인유두종 바이러스에 의한 피부의 감염성 질환으로 압력이 가해지는 부위, 예를 들어 발뒤꿈치, 중족골 하방 또는 발톱 주위에 많이 발생한다. 처음에는 작은 구진으로 발생하나 점차 경계가 명확한 원형의 구진 또는 판으로 발전하며 거친 각화성 표면을 보인다(그림 8-11). 위로 돌출되는 일반적인 사마귀와는 달리 발바닥에 발생하는 족저 사마귀는 걸어 다니는 압력에 의해 돌출 되지 않고 안으로 파고 들어가면서 넓적한 판을 형성하는 경우가 많다. 표면을 조심스럽게 칼로 깎을 경우 티눈의 딱딱한 유백색 중심과는 달리 부드럽고 잘 으깨지는 중심부가 나오면서 검은 점 또는 출혈하는 반점이 보이는데 이는 피부 직하방의 유두 진피내에 있는 모세혈관의 혈전 형성 내지 혈관 확장 때문에 나타나는 현상이다. 통증은 걸어 다닐 때 주로 나타나는데 아주 심한 경우부터 통증이 전혀 없는 경우까지 다양하여 심지어 다른 피부 질환으로 진단되기도 한다.

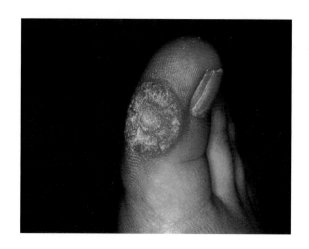

그림 8-11. 족저 사마귀

때때로 먼저 발생한 사마귀 주위에 아주 작은 사마귀들이 마치 위성같이 나타날 수도 있으며 작은 사마귀들이 서로 인접하여 모여 커다란 판을 형성하는 경우를 모자이크 사마귀라 부르기도 한다. 드물게 족저 사마귀가 일정시간이 지난다음 사마귀는 저절로 사라지고 하부에 표피낭종이 발생하기도 한다.

2. 원인

분류학상 DNA 바이러스인 인유두종 바이러스는 피부 또는 점막과 같은 상피세포를 침범한다. 현재 약 80여 개의 아형으로 분류되어 있으며 족저 사마귀는 이 중 주로 1 형에 의해 많이 발생하고 그 외에 2, 4, 57, 60 아형에 의해서도 가능한 것으로 알려져 있다. 바이러스의 피부 감염은 드물게는 대중목욕탕이나 수영장과 같이 매개물을 통한 전파도 가능하지만 주로 사람간의 직접 접촉에 의해 일어나며 발생 확률에 있어 개인차가 심하고 피부의 장벽 기능이 파괴된 경우에 더욱 흔히 발생한다.

3. 감별 진단

앞서 언급한 바와 같이 티눈, 굳은살, 유전성 혹은 후천성 각피증이나 모공성 홍색 비강진, 건선 등과 감별이 필요하며 특히 티눈이나 굳은살과 감별이 어렵다(구별 방법은 앞서의 티눈

/굳은살을 참고).

4. 치료

치료로는 보존적 치료와 수술적 치료가 있는데 어떠한 방법도 치료 실패와 재발의 가능성이 많으며 특히 발바닥의 압력으로 인해 바깥보다 피부 내부로 많이 침윤된 사마귀의 경우에는 치료가 더욱 어렵다. 완치의 판정은 육안으로 사마귀가 소실되고 원래의 정상적인 발 지문이 회복되는 것을 보고 결정할 수 있다.

1) 보존적 치료법

약품의 도포는 먼저 부석, 금강사 줄을 이용하여 표면을 갈아 각질을 제거한 후 사용하면 효과적이며 도포 후 비닐로 밀봉을 하면 효과가 증대되지만 과도한 연마는 바이러스를 주위 조직으로 전파시키는 역효과를 낳기도 한다.

살리실 산은 10~30%의 농도로 사용되는데 젖산이 첨가된 제재가 더욱 효과적이며 단순 용액보다 사용을 편리하게 하기 위해 40% 살리실 산을 포함한 반창고도 사용된다. 5-플루오로유라실은 단독 또는 살리실 산과 혼합하여 사용되며 그 외에 부식제로써 트리클로로아세틱 산이나 질산은 용액도 이용된다.

비타민 A 유도체인 에티레티네이트를 복용할 수 있는데 대개 일시적이며 제한적인 효과를 보이므로 다른 치료법을 선택하기 어려운 광범위한 다수의 족저 사마귀 때 사용된다.

2) 수술적 방법

항암제의 일종인 블레오마이신을 국소 주사하거나 바늘로 찔러 사마귀의 건조 괴사를 유도한다. 효과적이긴 하지만 주사 시 통증이 심하고 경우에 따라 뜻하지 않게 주위의 정상 조직을 많이 파괴할 수 있으므로 사용에 주의를 요한다.

가장 많이 추천되는 방법으로 냉동 수술을 들 수 있다. 주로 빙점이 영하 196℃인 액체질소를 이용하는데 이 역시 수술 도중 통증이 심하고 술 후 부종이나 불편감이 크며 여러 번 반복하면 하부의 신경이나 건의 손상이 가능하지만 치료 효과가 크므로 많이 사용된다. 먼저 메스로 각질을 제거한 후 실시하고

매 3~8주 간격으로 수 차례 반복해야 한다.

전기소작 수술은 과거로부터 가장 많이 사용되는 방법이었으나 수술의 불편에 비해 재발이나 불완전 치료가 많고 특히 족저 사마귀를 치료할 때 수술 후 큰 흉터를 남겨 장차 굳은살이나 티눈이 생길 수 있으므로 최근 사용이 줄고 있는 실정이다.

레이저 수술은 사마귀 조직을 직접 파괴하는 이산화탄소 레이저를 이용하거나 사마귀의 혈관을 파괴하고 면역 반응을 야기하여 치료하는 혈관 레이저가 이용되는데 전자는 효과가 좋은 반면 통증이나 흉터의 가능성이 크고 후자는 그 반대의 양상을 나타낸다. 단순 절제술은 사마귀의 실제 경계를 알기 어려우므로 재발의 가능성이 크고 흉터가 발생하기 쉬워 요즘은 대개 사용되지 않는다.

3) 자연경과

족부에 발생하는 사마귀의 자연 경과는 매우 다양하다. 사마귀의 특징 중 하나인 자연 치유는 소아에서 흔한데 사춘기 이전의 환자는 대개 1년 이내로 지속되며 특히 약 30~50%에서 첫 6개월 내에 자연 소실되지만 성인에서는 매우 드문 것으로 알려져 있다. 자연 치유는 병소의 수효와는 무관하며 다한증이나 골격 기형이 있는 경우 오래 지속되며 모자이크 사마귀도 오래 지속되는 경향이 있다. 자연 치유될 때 양상은 대개 사마귀가 자연히 건조되어 떨어져 나가며 가끔 마치 염증이 생긴 것과 같은 모양을 보이다가 소실되기도 한다. 그러나 실제 임상에서 이러한 자연 치유의 가능성으로 인해 치료의 적기를 놓치는 경우가 많으므로 개개인에 맞는 방법을 조기에 선택할 필요가 있다.

III. 기타

1. 각피증(keratoderma)

유전적(선천적) 또는 후천적으로 발생하는, 발에 각질이 과도히 형성되는 질환으로 특히 발바닥에 많이 발생한다. 발생 범위에 따라 전반적인 형태와 국소적인 형태로 나뉘며 국소적 형태 중 점 모양으로 발생하는 경우는 티눈과도 감별이 필요하다.

중년 이후 발바닥, 특히 발뒤꿈치에 발생하는 후천성 각피증은 갱년기에 따른 각피증으로 여자에 흔하다(그림 8-12).

2. 모공성 홍색 비강진(pityriasis rubra pilaris)

모낭에 일치하는 작은 구진과 손발바닥의 각화증을 특징으로 하는 만성 피부 질환으로 발바닥 중 주로 압력을 받는 부위의 각질이 두꺼워진다. 원인은 명확하지 않으나 가족력이 있으며 비타민 A 결핍과 관련이 있는 것으로 알려져 있으므로 치료로 비타민 A 유도체인 아이소트레티노인이 권장된다(그림 8-13).

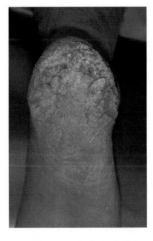

그림 8-12. 갱년기 각피증

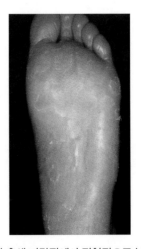

그림 8-13. 모공성 홍색 비강진에서 전형적으로 보이는 족저 각질화

■ 참고문헌

1. Singh D, et al. Fortnightly review: Callosities, corn and calluses. BMJ 1996;312:1403-1406

2. Murphy GA. Lesser toe abnormalities. In: Campbell 's Operative Orthopaedics. 10th eds. Mosby. 2003

3. 대한피부과학회. 피부과학. 4rd eds. 여문각. 2001

4. Odom RB, et al. Andrews' diseases of the skin. 9th eds. W. B. Saunders. 2000

5. Fitzpatrick TB, et al. Dermatology in general medicine. 5th eds. McGraw-Hill. 1999

6. Champion RH, et al. Textbook of dermatology. 6th eds. Blackwell. 1998

7. Moschella SL, et al. Dermatology. 3rd eds. W. B. Saunders. 1992

제 **3** 부
소아(Pediatric Foot)

9. 소아 족부 질환
Pediatric Foot

울산의대 서울아산병원 정형외과 **이 호 승**

본 장에서는 소아에서 비교적 흔하게 볼 수 있는 족부 및 족 관절의 질환에 관하여 살펴보고자 한다. 외상이나 선천성 만곡족, 유연성 편평족, 족부의 부골등은 다른 장에서 따로 기술이 됨으로 그 외의 소아 족부 질환에 대하여 다루어 보고자 한다.

I. 다지증(polydactyly)

다지증은 족지가 6개 이상인 경우로 1000명 출생 당 1.7명 정도 발생한다.

족무지에서 기원하는 축전성(pre axial)다지증과 2, 3, 4 족지에서 기원하는 중심성(central), 제 5족지에서 기원하는 축후성(post axial) 다지증으로 나눈다. 수부에서는 축전성 다지증이 많은 반면, 족부에서는 축후성 다지증이 더 흔하여 95% 이상이 축후성 다지증이다.

1. 축후성 다지증

정상지와 잉여지 사이가 부분적 또는 완전 합지 되어 있는 경우에 합다지증이라고 별개로 분류하기도 하며, 다지증과 합다지증 모두 기본적으로 족지가 6개 이상임으로 다지증에 포함시켜 분류하기도 한다. 잉여지가 기원한 부위는 중위지골부터 중족골까지 다양하게 기원하는데 기원한 부위를 고려하면 단순히 다지증과 합다지증으로 분류하기 보다는 합다지증을 다지증에 포함시켜 분류하는 것이 타당할 것이다. 지간의 합지 정도는 원위부에서 잉여지가 기원 할수록 더 심한 형태로 나타나고 발톱의 형태도 더 심한 융합 형태를 보인다. 대개 미용상의 문제로 수술이 필요한 경우가 대부분이며 보행에 지장을 주지는 않으나 신발 착용시 가장 외측지가 압박을 받거나 발바닥

에 굳은살을 형성하여 불편할 수 있다. 합지증이 동반되어 있는 경우 성장이 저하되기도 한다.

잉여지가 기원한 정상지의 부위에 따라 분류하면 중위지골 기원형, 근위지골 기원형, 중족골 기원형 및 중족 족지 관절 주변에서 기원하며 연부 조직이나 일부 연골만 있는 부유지형으로 나눌 수 있다. 중위지골 기원형은 제 5지의 내측지가 잉여지로 잉여지와 정상지가 대부분 합지되어 있고 부유지형과 제 5 중족골 기원형은 잉여지가 외측으로 기원하며 합지되지 않는다. 근위 지골 기원형은 근위지골 외측으로 잉여지가 기원한 경우 합지 소견은 보이지 않으나 잉여지가 내측으로 기원한 경우 잉여지는 정상지보다 저 성장 되어 있고 잉여지와 정상지는 대부분 합지 되어있다. 제 5중족골 기원형은 중족골이 다양한 형태이며 정상 중족골이 내측으로 휘어 있으며(bowing) 잉여

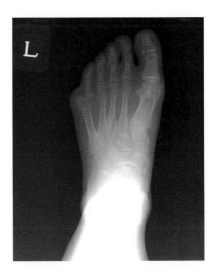

그림 9-1. 잉여지의 일부가 남아 있는 경우

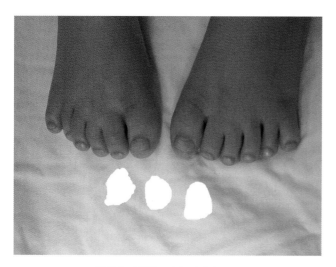

그림 9-2. 중족골에서 기원한 다지증

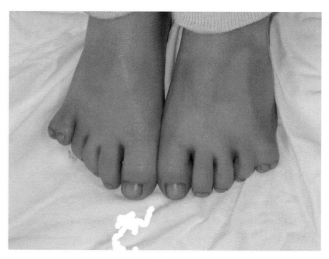

그림 9-3. 제 4지와 5지가 합지되어있는 좌측 족지와 4지와 5지가 합지 되지 않은 소견

지를 제거한 후에 내반 변형을 보일 수 있어 환자의 나이가 들수록 중족골의 교정 절골술이 필요할 수 있다. 제 4중족골 기원형은 제 4중종골에서 기원한 잉여지가 원위부로 가며 제 5족지와 다양한 형태로 융합되어 잉여지와 정상지가 대부분 합지되어 있다. 이렇게 잉여지와 정상지 사이의 합지 소견은 기원한 부위와 밀접한 관계가 있으나 제 4지간 즉, 제 4지와 잉여지간의 합지 정도는 일정하지 않고 다양하게 나타난다.

수술 시기는 약 1세 전후가 적당한데 이 시기에는 족지가 미처 골화되지 않아 방사선 검사상 원래의 형태가 관찰되지 않을 수 있다. 따라서 방사선 소견상의 축성 정렬만으로 절제지를 선택하기 보다는 기원한 부위와 합지 여부를 고려하여 잉여지를 제거하여야 한다. 수술시 잉여지를 제거할 때는 골화되지 않은 연골 부분의 족지를 염두에 두고 정상지와 잉여지를 잘 구분하여 잉여지만을 제거하는 것이 중요하며 연골 부분을 남기지 않아야 재발하지 않는다. 이와 같이 잉여지를 제거하는 것이 원칙이나 성인에서는 비정상적 잉여지를 제거한 후 발가락 사이가 너무 넓어지거나 정상지가 휘어 기능적으로 좋지 않을 수 있어 오히려 정상지를 제거하여 하는 경우도 있음으로 가능한 조기의 수술적 치료를 시행하는 것이 좋다.

잉여지를 제거 후 제 4지간의 합지 정도에 따라 전층 피부이식술이 필요하며 부족한 연부 조직으로 무리하게 연부조직 결손부위를 봉합하려 하면 피부가 괴사 될 수 있고 족지의 회전

변형 또는 굴곡 구축이 남을 수 있다.

수술시 횡 중족 인대나 측부 인대를 재건해 주어야 한다고 주장하는 술자들도 있으나 1세 전후 환아의 수술시 횡 중족 인대나 측부 인대를 재건하는 것은 불가능한 경우가 많아 인대 재건보다는 연부 조직 균형을 맞추는 것이 중요하다. 연부 조직으로써 어느 정도 안정성을 얻을 수 있다면 k-강선 고정 등은 필요하지 않다. 내측지를 제거 한 후 가장 외측지는 일시적으로 외반 변형을 보일 수 있으나 일상생활 중 신발 속에서 지속적으로 내반력을 받아 점차로 호전된다.

2. 기타 족지의 다지증

축전성 다지증은 드물지만 양측성으로 나타나거나 다른 기형이 동반되기 쉬우며 기능적 장애가 더 크다. 절제지의 선택도 방사선적 정렬과 기능을 고려하여 결정하여야 하며 외측지를 제거할 경우 축후성과는 달리 무지 내반증이 발생할 수 있어 족무지 내전근을 남겨 정상지에 부착시켜 한다.

II. Curly Toes

족지의 망치족지와 유사한 변형이지만 근위지절 관절과 원위지절 관절의 굴곡 변형과 함께 회전 변형이 동반된 변형으로

제 4족지에 가장 많이 이환되며 대개 양측성이다. 제 4족지가 굴곡 회내전 되어 제 3족지 밑에 위치하며 소아에서는 통증을 호소하지는 않지만 성인에서는 신발속에서 동통을 호소하기도 한다. 제 4족지 원위지의 외측연으로 굳은살이 생기거나 발톱 외측연의 내향성 발톱이 동반되기 쉬어 동통을 호소할 수 있다. 제 4족지외에도 제 3족지, 제 5족지에 발생할 수 있다. 단순 방사선 소견 상 지골이 휘어 보일 수 있으나 이는 골 자체의 변형이라기 보다는 굴곡변형에 의하여 방사선 소견상 휘어 보이는 소견이다.

경과는 자연 소실되기도 하고 미용적인 문제 외에는 불편함을 호소하지 않는 경우가 많아 동통이 없으며 수동적으로 교정이 가능한 유아나 아동기 환자에서는 신연(stretching)이나 테이핑을 시도해 볼 수 있다. 그러나 신연이나 테이핑의 효과에 회의적인 견해도 있으며 저자의 견해로도 신연이나 테이핑의 효과보다는 질환의 자연 경과에 의한 호전이라고 생각하며 이러한 방법을 장기간 지속적으로 시행하기도 어려워 주기적인 추시 후 호전되지 않고 불편함이 있는 경우 수술적 치료를 시행하는 것이 바람직할 것이라고 생각한다.

수술은 변형이 심하지 않고 유연성이 있는 경우 장족지굴곡근(FDL), 단족지굴곡근(FDB)의 건절단술(tenotomy)을 시행하며 고정된 변형이 심한 경우 근위지골의 회전 절골술을 시행할 수 있다. 근위지절 관절고정술(PIP fusion)은 잘 시행하지 않는다.

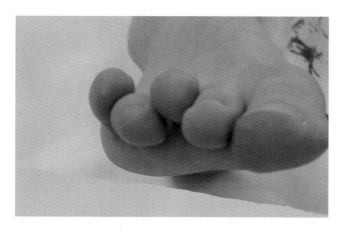

그림 9-4. 제 4족지의 curly toe

III. 단중족증(brachymetatarsia)

단중족증이란 비정상적으로 짧은 중족골로 인하여 발가락이 짧게 보이는 경우를 말한다. 외상이나 감염에 의한 성장판 손상에 의해 나타날 수도 있으나 대부분 선천적 영향으로 인한 성장판의 조기 유합 때문에 발생한다. 제4 중족골에 흔하며 남녀비는 대략 1:25로 대부분 여자이다. 소족지가 이환된 경우 족배부 쪽으로 돌출되어 있는 경우에 신발 착용시 불편함을 호소하지만 대개는 기능상의 장애보다는 외견상의 문제로 환자가 치료를 원하는 경우가 많다. 그러나 제 1족지의 경우 중족골이 족저부로의 굴곡 변형 되어 있는 경우가 있어 축성 방향으로 길이 연장시 오히려 술 후 중족 통증을 유발할 수 있으며 특히 중족 족지 관절의 부전 강직이 동반될 경우 이에 따른 기능적 손실이 필연적이다.

가장 많이 쓰이는 수술적 치료 방법으로 중족골 절골술 후 한 번에 골을 연장하고 연장부에 자가골 이식을 하는 일단계 연장술과 가골 신연술을 이용한 점진적 연장술이 이용된다. 두 가지 방법 모두 장 단점이 있어 술 전 환자에게 충분한 설명과 동의가 필요하다.

일단계 연장술은 절골 부위를 신연 후 골 이식을 하는 방법으로 점진적 가골 신연술보다 치료 기간이 짧고 외고정 장치를 사용하지 않아 경제적이며 핀 삽입 부위 주변의 감염 등의 합병증을 줄일 수 있으며 치료 기간 동안 외고정 장치가 필요하지 않다는 점이 장점이라 하겠다. 그러나 길이 연장이 충분하지 못할 수 있다는 점과 골 공여 부위인 장골 부위의 반흔이 남을 수 있는 점이 단점이다. 또한 이식골과 절골 부위 사이의 골 유합이 지연될 수 있다. 실제로 이식골과 절골 부위 사이의 골 유합 정도를 방사선적으로 확인하기 어려워 고정 기간이 불 충분할 수 있으며 이런 경우에 굴곡 변형이나 심지어는 불 유합이 합병증으로 남을 수 있다. 역으로 고정 기간이 너무 길 경우 중족 족지 관절의 부전 강직이 남게 되어 기능적 손실을 초래한다.

가골 신연술은 중족골 절골술 후 작은 일측성 신연 기기를 이용하여 하루에 0.5mm 내지 0.75mm정도씩 가골을 신연시키는 방법으로 중족골 단축증의 치료 방법으로써 일단계 연장술과 함께 가장 많이 이용되고 있는 치료 방법이다. 가골 신연술은 일단계 연장술에 비하여 골이식에 따른 공여부의 부작용이

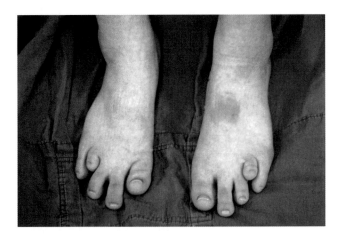

그림 9-5. 양측 족지의 단중족증

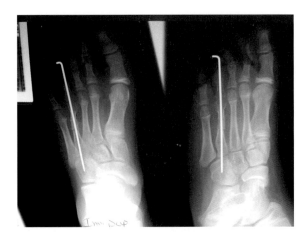

그림 9-6. 일단계 연장술의 술후 사진

없으며 이식골의 흡수나 불유합 등의 단점을 배제할 수 있고 골과 연부 조직의 충분한 연장이 가능하다는 장점이 있다. 반면 외고정 장치로 인한 나사 주위 감염은 가장 흔한 합병증이나 대개는 경구용 항생제 투여로써 치료가 잘 된다. 그러나 중족 족지 관절의 강직이 남을 경우 수술 전 기능적으로는 별 문제가 없던 발에 기능적 문제를 남기게 됨으로 골 연장 기간 동안 중족 족지 관절의 관절운동이 필수적이다.

그 외 가골 신연술의 합병증으로 신연 부위의 신생골 형성이 지연될 경우 가골이 가늘어 질 수 있고, 신생골의 고질화가 충분하지 않을 경우 외고정 장치 제거 후 신생골이 골절될 수 있다. 반면에 신생골의 고질화가 너무 조기에 이루어질 경우 조기 골 경화에 의하여 가골 신연이 되지 않을 수도 있다. 그 외에 일단계 연장술에 비하여 미용상 수술 반흔이 좋지 않은 점도 단점이라 하겠다.

중족골 단축증의 경우 중족골 뿐만 아니라 근위지골의 단축이 동반된 경우가 흔하며 길이 연장시 발가락 끝의 선열을 맞추다 보면 과교정이 되어 중족 골두의 선열이 맞지 않아 오히려 술 후 중족골통을 남길 수 있어 길이연장의 목표를 발가락 끝의 선열보다는 중족골두의 선열을 맞추도록 하여야 한다.

제 1중족골과 제 4중족골이 단축되어 있는 경우 제 2 중족골과 제 3중족골은 길어져 있는 경우가 대부분으로 이런 경우 제 2중족골과 제 3중족골을 단축시키고 제 1중족골과 제 4중족골을 연장시킬 수도 있다.

중족골 단축증은 주로 미관상의 목적 때문에 수술을 시행하게 되지만 수술의 합병증으로 기능적인 손실이 남을 수 있으며 특히 제 1 족지는 술 후에 길이는 회복되었지만 오히려 기능적 손실이 오기 쉬워, 술 전 충분한 설명과 환자의 이해를 구하여야 한다.

IV. 선천성 중족골 내전 (Congenital Metatarsus Adductus)

중족골 내전증은 유아기에 흔하게 발견되는 선천성 족부 변형으로 후족부에 대하여 전족부가 내전 및 회외(supinated)되

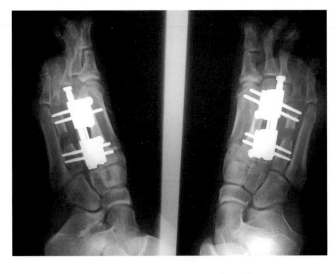

그림 9-7. 가골 신연술의 술 후 사진

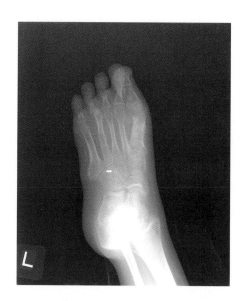

그림 9-8. 제 4 단중족증의 과교정

어 있고. 후족부는 중립 위 또는 약간 외반될 수 있다. 확실한 원인을 알 수 없지만 근육 불균형으로 인한 내측 연부 조직의 구축 또는 자궁 내에서의 비정상적인 위치로 인한 자궁내에서 지속적인 외력에 의하여 발생하는 것으로 생각 된다. 관절 운동 범위는 정상이나 내족지 보행(intoeing gait)의 원인이 된다.

빈도는 매 1000명 출생 당 1명 정도이며 약1/2에서 양측성으로 발생한다. 선천성 중족골 내전은 자연교정이나 보존적 치료에 잘 반응하지만 조기 치료가 필수적인 몇가지 질환은 반드시 감별하여야 한다. 선천성 만곡족은 심한 전족부 내전과 후족부 내반 및 족관절의 첨족변형이 함께 있는 변형이며 사형족은 전족부 내전과 후족부의 심한 외반이 동반된 변형이다. 사형족은 매우 드물지만 선천성 만곡족은 사형족보다는 흔하며 가능한 초기에 치료를 시작하여야 함으로 중족골 내전과의 감별이 필요하다. 발달성 고관절 이형성증 또한 선천성 중족골 내전이 있는 경우 동측에 동반될 수 있고 조기치료가 필요함으로 고관절 이형성증에 대한 검사가 필요하다.

Kumar는 약 10%까지 발달성 고관절 이형성증이 동반될 수 있다고 하여 전족부 내전이 있는 환아 모두에서 고관절에 대한 검사를 권하기도 하였지만 발달성 고관절 이형성증이 동반되는 경우는 1% 이하로 추정된다. 따라서 중족골 내전증 환아에서 고관절에 대한 검사가 항상 필요하지는 않지만 발달성 고관

절 이형성증의 고 위험군인 초산, 둔위 태향(breech), 가족력이 동반된 경우는 반드시 발달성 고관절 이형성증 유무를 검사하여야 한다.

변형은 족저측에서 보았을 때에 족부 외측단이 곧지 않고 "C"자형으로 굽어 있으며, 후족부를 양분하는 선이 제 2 물갈퀴 공간보다 외측을 지난다.

분류는 Bleck의 분류가 많이 쓰이는데 힘을 뺀 상태에서 후족부를 양분하는 선이 제 2 물갈퀴 공간보다 외측을 지나는 정도에 따라 경도, 중등도, 고도로 나눈다. Crawford 등은 치료 및 예후와 관련되어 능동적 및 수동적으로 과교정 가능한 제1형, 수동적으로만 교정 가능한 제2형, 수동적으로도 교정 불가능한 제3형으로 분류하였다.

대부분의 환아에서 방사선적으로 내전의 정도를 평가하는 것은 의미가 없지만 제 1 중족골이 짧고 넓은 형태이면 수술적 치료가 필요할 수 있다. 치료 방법으로 경도의 변형은 자연 교정이 되는 경우가 많지만. 중등도 또는 고도의 변형은 도수 교정 및 단하지 석고 고정이 필요하다. 특히 중족부 내측부에 깊은 피부 주름이 있으면 자연 교정이 되기 어려워 적극적인 치료를 요한다. 많은 환아에서 자연 교정이 되므로 생후 6개월 이후 석고 교정을 권하나 고도 변형의 경우 가능한 조기에 도수 교정 및 연속적 단하지 석고 고정으로 치료 효과가 좋다. Denis-Browne 보조기는 교정 효과가 적고 사형족을 유발할 수 있어 최근에는 많이 사용하지 않는다. 교정 신발의 효과에 대하여는 이견이 있지만 보행이 가능하고 환아가 잘 적응한다면

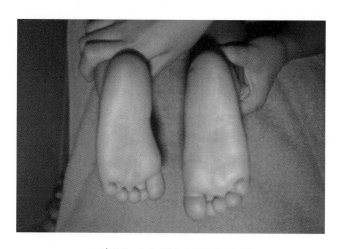

그림 9-9. 우측 족부의 중족골 내전증

적용해 볼 수 있다. 발 외측연의 굳은살이나 동통으로 신발 착용의 어려움이 있는 경우는 드물지만 보존적 치료 후에도 교정되지 않을 경우에는 3-4세 이후 수술적 치료를 고려할 수 있다. 3-4세 이후 내족지 보행이 문제일 경우는 중족골 내전 뿐 아니라 경골 내회전 변형이나 대퇴 전염각의 증가 소견이 동반되어 있는 경우가 대부분으로 내족지 보행을 교정하기 위하여 단순히 중족골 내전만을 교정하여서는 안 된다. 수술 방법으로 내측 족근 중족 관절 유리술 및 연부 조직 유리술, 내측 설상골의 개방성 쐐기 절골술과 입방골의 폐쇄성 쐐기 절골술이 있을 수 있으나 다발성 중족골 절골술이 비교적 결과가 좋다. 유연한 전족부 내전증에 대하여 전 경골건의 외측 전이술이 필요 할 수도 있다.

V. 족근골 유합(tarsal coalition)

족근골 유합이란 족부의 두 개 혹은 그 이상의 뼈들이 부분적으로 유합되어 있는 상태이다. 발생학적으로 태아의 후족부 골 형성시 거골 주변의 분절 부전(failure of segmentation)에 의하여 발생하였을 것으로 생각된다. 연결 조직에 따라 섬유성 유합(fibrous coalition), 연골성 유합(cartilaginous coalition), 혹은 골성 유합(bony coalition)으로 분류하며, 연결된 골에 따라 거종골 유합(talocalcaneal coalition), 종주골 유합(calcaneonavicular coalition), 주상 설상골 유합(naviculo cuneiform coalition)등으로 나눌 수 있으며 드물게는 어느 족근골간의 유합도 발생할 수 있다.

1. 발생 빈도

단독으로 발생되는 경우는 1% 이하로 보고되고 있으며 50~60%에서 양측성으로 나타난다. 종주(calcaneonavicular) 유합과 거종(talocalcaneal) 유합이 가장 흔하여 전체 유합의 90%정도를 차지한다. 과거에는 상대적으로 종주 유합이 가장 많다고 알려져 있으나 최근에는 MRI나 CT와 같은 진단 기술의 발달로 거종 관절 유합의 빈도가 증가하여 가장 흔하게 발견된다. 특히 국내의 경우 외국 문헌과는 달리 종주 유합이 상대적으로 드물며 거종 유합이 비교적 흔하다.

족근골 유합은 비골 형성 부전, Apert 증후군등 선천성 기형의 동반 변형으로 나타나기도 한다.

2. 임상적 소견

환자들은 대개 동통 부위가 국소화 되기보다는 둔통을 호소하며 특히 운동이후 후족부의 둔통을 호소한다. 자세히 문진을 해보면 아동기 말이나 청소년기부터 동통을 느꼈던 경우가 많다. 통증의 시작은 유합 조직이 골화되면서 나타나는데 종주 관절의 골화는 8~12세에, 거종 관절은 12~16세에 골화된다.

동통은 유합 부위의 피로, 골막이나 골막에 분포된 신경단의 자극 또는 부분적 유합으로 인하여 관절운동이 제한되어 이로 인한 둔통 또는 인접 관절이나 주변 근육의 통증이나 경직에 의한 증상이라고 생각된다. 특히 비골건 경직은 족근골 유합으로 인하여 이차적으로 비골건의 단축에 의하여 나타나는 증상으로 전형적인 비골건 경직은 족근골 유합의 20~30% 정도에서 나타나지만 운동이나 장거리 보행 후 비골건의 동통은 많은 경우에서 호소한다. 반복적인 족관절 염좌의 과거력이 있다. 거골하 관절 운동이 제한되며. 후족부의 외반 변형과 함께 경직성 편평족이 나타날 수 있다.

3. 방사선 검사

방사선 검사로 확진하는데, 종주 유합은 족부 사면 촬영상 종골과 주상골 사이의 간격이 종골의 돌기로 연결되어 있는 소견을 보면 확진할 수 있으나 섬유성 유합이나 연골성 유합은 확진이 어려워 MRI가 도움이 된다. 거종 유합은 측면 사진상 거종 관절의 중 관절면의 경화 소견이나 거골하 돌기의 둔화(blunting)소견이 보이거나 거골의 후방 면과 종골 제거 돌기의 하부 면이 "C"자의 선을 이루는 "C-sign"이 나타날 수 있다. 족근골 유합에 따른 후족부 관절 운동 제한으로 이차적 소견이 나타날 수 있는데 거골두 배부의 골극이나 심한 경우 족관절 전후방 촬영상 절구공이 족관절(ball-and-socket joint)이 관찰되기도 한다.

컴퓨터 단층촬영은 가장 중요한 확진 검사로써 골 유합 정도를 가장 정확히 볼 수 있어 임상적으로 의심이 되는 경우에 시행해 보아야 한다. 자기공명영상 검사는 섬유성 및 연골성 유합을 볼 수 있다는 장점이 있지만 골성 유합의 정도를 판정하기에는 컴퓨터 단층 촬영보다 정확도가 떨어진다. 그러나 족부는 해부학적 구성이 복잡하여 컴퓨터 단층촬영이나 자기공명 영상 검사를 시행할 때 의심이 되는 골 유합 부위에 대하여 수직면의 영상을 얻을 수 있어야 진단율을 높일 수 있다.

골 주사 검사도 유용한 검사인데 유합 부위는 종종 흡수가 증가된다. 그러나 유합된 범위를 정확히 알기 어렵고 골성 결합일 경우에만 도움이 된다는 제한이 있다. 그러나 유합 부위 뿐 아니라 인접 관절의 퇴행성 여부를 확인할 수 있어 검사의 의미가 있으나 항상 필요한 검사는 아니다.

4. 치료

석고 붕대 고정 및 종아치를 높혀 주는 insole등의 보존적 요법으로 동통을 완화시킬 수 있다. 환자 중 약 30%는 비수술적 요법에 반응 한다는 보고도 있으나 완전한 골성 유합일 경우 조기의 제거술이 필요할 것이다. 보존적 요법에 반응하지 않는 경우 수술적 치료가 필요하며 수술적 방법은 유합 부위의 단순 절제부터 관절 유합술까지 다양하다.

유합 부위의 단순 절제술은 술 후 다시 유합될 수 있어 재 유합을 예방하기 위하여 지방 조직이나 대퇴근막(fasica lata) 또는 장무지 굴근이나 단족지 신전근의 일부를 개재 (interposition)시킨다. 최근 Westberry는 거종 유합에 대하여 개재술등을 시행하지 않고 제거돌기를 광범위하게 제거한 후 종아치가 유지되고 재발되지 않았다고 보고하였다. 무엇보다

도 유합 부위의 확실하고 광범위한 절제가 재발 방지를 위하여 중요하며, 관절면이 노출될 때가지 유합 부위를 쐐기 모양으로 절제하고 관절 운동을 확인하면 개재술은 필요하지 않을 것이다.

관절 유합술은 단순 절제술에 비하여 재발의 염려가 없고 유합 부위 절제 후 거골하 관절의 지지가 불 충분할 수 있어 시행되는 술식으로 삼중 관절 고정술이 주로 사용되었다. 그러나 거종 유합에 대하여 거종 관절 유합술만으로도 비교적 결과가 좋으며 유합시켜야 할 관절을 결정하는데는 골 유합 정도보다는 이에 따른 인접관절의 퇴행성 여부 및 증상이 중요하며 최근에는 삼중 관절 유합술보다는 단순 절제술 또는 해당 관절만을 유합시키는 방법들이 추천되고 있다. 그 외에 경우에 따라 외반 변형에 대한 종골 내측 폐쇄성 쐐기 절골술등이 추가로 사용될 수 있다. 소아나 청소년기에는 일단 보존적 치료를 시도해 보고 증상이 계속 남아있을 경우 단순 절제술을 시도하는 것이 좋다.

VI. 선천성 절구공이 족관절 (Congenital Ball-and-Socket Ankle)

하지 단축이나 족지의 선천성 결손등과 동반되며 절구공이 족관절 자체의 특별한 증상은 없다(그림 9-11 참조). 족근골 유합과 동반되는 족관절의 선천성 이상으로 생각되었지만 Takakura등은 선천적 이상보다는 거골하 관절이나 족부 관절 운동의 제한에 의하여 이차적으로 생기는 변형이라고 하였다. 즉 족부 관절 운동 특히 거골하 관절 운동이 제한되었을 때 이를 보상하는 과정에서의 골 재형성에 의하여 나타나는 변형이다(그림 9-12).

하지 단축이나 족지의 선천성 결손등과 동반된 족근골 유합 시 족관절의 절구공이 변형은 상대적으로 심하나 단순히 족근골 유합에 의한 경우에는 상대적으로 변형은 심하지 않다. 거종 유합도 골성 유합일 경우 절구공이 족관절 변형이 상대적으로 심하며, 어느 정도의 관절운동이 가능한 섬유성 유합이나 연골성 유합의 경우 족관절 변형은 확연하게 나타나지 않는다. 이와 같이 방사선상 관찰되는 족관절의 절구공이 소견이 역으로 족근골 유합과 같은 질환을 진단하는 단서가 될 수 있다. 절구공이 족관절 자체에 대하여 치료를 요하지는 않지만 이를 유

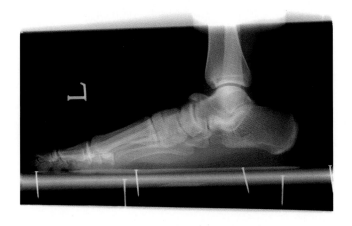

그림 9-10. 거골 배부의 골극과 거골하 관절 후면의 "C sign"

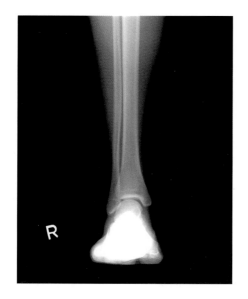

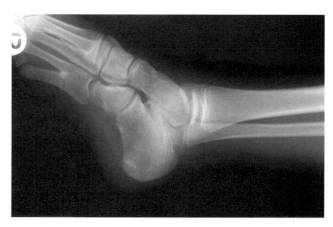

그림 9-12. 거종골 유합과 거골-주상골유합이 동반된 절구공이 족관절

그림 9-11. 절구공이 족관절

발하는 일차적 질환에 대하여 치료가 필요하다.

VII. 거대지(Macrodactyly)

족지가 전반적으로 비대되는 드문 선천성 기형이다. 골과 관절을 포함한 신경과 임파 조직, 피하 지방의 선천성 비대가 있고 신경섬유종증(neurofibromatosis)과 관계가 있다. 분류로는 태어나면서부터 수지가 크지만 성장에 비례하여 자라는 정지형(static type)과, 성장하면서 거대지 부분이 정상 부분보다 더 빠른 속도로 커지는 진행형(progressive type)으로 나눌 수 있으며 수지의 거대지에 비하여 족지의 거대지는 진행형이 많다.

족지 거대지의 치료의 목표는 수부와 달리 섬세한 기능보다는 일반적인 신발을 착용하고 동통 없이 걷도록 하는 것이다.

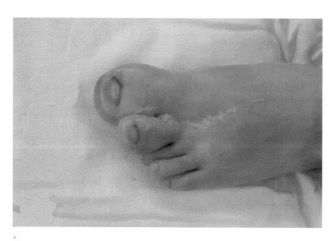

그림 9-13. 제 1, 2족지의 거대지 소견

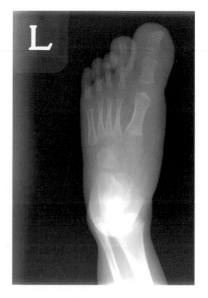

그림 9-14. 제 1, 2족지 거대지의 방사선 소견

일반적으로 연부 조직의 용적 축소(debulking)와 더불어 성장판 유합술이나 족지골 절단 또는 중족골의 열 절제술등을 시행하는데, 수술의 결과는 좋지 않다. 특히 둘레를 줄이기는 쉽지 않아 용적 축소 후 연부 조직 괴사의 가능성이 높고 재발 가능성이 높다.

성장판 유합술이나 중위 지골 절제를 시행하기도 하나 수부와 달리 족지는 족지 절단술이 상대적으로 결과가 좋으며 넓어져 있는 발의 둘레 자체를 좁혀주기 위하여 중족골의 열 절단술을 시행 할 수 있다. 그러나 소아에서의 절단술에 동의하지 않는다면 연부조직에 대하여 2단계 용적 축소술과 거대지의 성장판 유합술을 시행 해 볼 수 있다. 그러나 재발하였을 때 반복적으로 용적 축소술을 시행하는 것은 효과적인 방법이 아닐 것이며 절단술을 고려하는 것이 좋다.

■ 참고문헌

〈다지증(Polydactyly)〉

1. Chung MS, Choi IH and Lee SH: A new classification of polydactyly and its application to the treatment. J of Korean Orthop Assoc, 19: 23-32, 1984.

2. HS Lee: Classification and Treatmeat of Post axial Polydactyly of Foot. 14th Annual Congress of Korean Society of Foot surgery. 2004.

3. HS Lee, JO yoon, CH won, YM kim, ES choi and JP kim: Analysis of the Post axial Polydactyly of the Foot. J. of Korean Society of Foot Surgery; 6-1, 2002.

4. Nogami H: Polydactyly and polysyndactyly of the fifth toe. Clin Orthop, 204: 261-265, 1986.

5. Phelps DA and Grogan DP: Polydactyly of the foot. J Pediatr Orhtop, 5: 446-451, 1985.

6. Venn Watson EA: Problems in polydactyly of the foot. Orthop. Clin North Am., 7: 909-927, 1976.

7. Watanabe H, Fujita S and Oka I: Polydactyly of the foot: Analysis of 265 cases and a morphologic classification. Plast Reconstr Surg, 89: 865-876, 1992.

〈Curly Toes〉

1. Hamer AJ, Stanley D, Smith TW. Surgery for curly toe deformity: A double-blind, randomized, propective trial. J Bone Joint Surg. 75B:662, 1993.

2. Ross ERS, Menelaus MB. Open flexor tenotomy for hammer and curly toes in children. J Bone Joint Surg 66B:770, 1984.

3. Sweetham R:congenital curly toe; an investigation into the value of the treatment, Lancettii ; 398-399; 1959

〈단중족증(brachymetatarsia)〉

1. Choi IH, Chung MS, Baek GH, Cho TG and Chung CY: Metatarsal Lengthening in Brachymetatarsia: One stage lengthening versus Lengthening by callotasis. J. Pediatr Orthop, 19: 660-664, 1999.

2. De Bastiani G, Aldegheri R and Renzi-Brivio L: Limb lengthening by callus distraction (callostasis). J. Pediatr Orthop, 7: 129-134, 1987.

3. Baek GB and Chung MS: Treatment of congenital brachymetatarsia by one stage lengthening. J Bone Joint Surg, 80-B 6: 1040-1044, 1998.

4. HS Lee, JO Yoon, SS Park, EG Kim; The Outcome of the Treatment of Lesser toe Brachymetatarsia J. of Korean Society of Foot Surgery. 7-1:12-20, 2003.

5. JO Yoon ,EG Kim and SW Hong : Treatment of brachymetatarsia, J Korean Orthop Assoc, 33-7: 1790-1794, 1998.

6. Tabak B, Lefkowitz H, Steiner K: metatarsal slide lengthening without bone grafting. J Foot Surg. 25: 50-53, 1986.

〈선천성 중족골 내전(Congenital Metatarsus Adductus)〉

1. Bleck EE. Metatarsus adducturs: classification and relationship to outcomes of treatment. J Pediatr Orhtop, 3:2, 1983

2. Crawford AH, Gabriel KR. Foot and ankle problems. Orthop. Clin North Am, 18:649, 1987.

3. Farsetti P, Weinstein SL, Ponseti IV. The long-term functional and radiographic outcomes of untreated and non-operatively treated metatarsus adductus. J Bone Joint Surg, 76A:257, 1994.

4. Kollmer CE, Betz PR, Clancy M et al. Relationship of congenital hip and foot deformities: a national Shriner's Hospital survey. Orthop Trans. 15:96, 1991.

5. Kumar S, MacEwen G. The incidence of hip dysplasia with metatarsus adductus. Clin Orthop, 164:234, 1982.

6. Stark JG, Johanson JE, Winter RB. The Heyman-Hern-don tarsal-metatarsal capsulotomy for metatarsus adductus: Results in 48 feet. J Pediatr Orhtop, 7:305, 1997.

〈족근골 유합(tarsal coalition)〉

1. Kumar SJ, Guille JT, Lee MS, Couto JC: osseous and nonosseous coalition of the middle facet of the talocalcaneal joint, J Bone Joint Surg, 74A:529, 1992.

2. Mann RA: Surgery of the foot. 7th ed. St Louis,: 720. 1999, Mosby

3. Olney BW, Asher MA: Excision of symptomatic coalition of the middle facet of the talocalcaneal joint, J Bone Joint Surg, 69A:539-544, 1987.

4. Pineda C, Resnick DL, Greenway G: Diagnosis of tarsal coalition with computed tomography, Clin Orthop, 208:282, 1986.

5. Stormont DM, Peterson HA: The relative incidence of tarsal coalition, Clin Orthop, 181:28, 1983.

6. Stoskopf CA, Hermandez RJ, Kelikian A: Evaluation of tarsal coalition by computed tomography J Pediatr Orhtop, 4:365-369, 1984

7. Westberry DE, Davids JR, Oros W: Surgical management of symptomatic talocalcaneal coalitions by resection of the sustentaculum tali. J Pediatr Orthop. 23(4):493-7. 2003

〈선천성 절구공이 족관절(Congenital Ball and Socket Ankle)〉

1. Pappas AM, Miller JT. Congenital ball-and-socket ankle joints and related lower-extremity malformations. J Bone Joint Surg 64A:672, 1982.

2. Takakura Y, Tamai S, Masuhara K: Genesis of the ball-and-socket Ankle. J Bone Joint Surg 68B: 834-837, 1986

〈거대지(Macrodactyly)〉

1. Barsky AJ: Macrodactyly. J Bone Joint Surg, 49-A:1255-1266, 1967.

2. Dennyson WG, Bear JN and Bhoola KD: Macrodacly in the foot. J Bone Joint Surg, 59-B:355-359, 1977.

3. Kotwal PP, Farooque M: Macrodactyly. J Bone Joint Surg 80-B: 651-3, 1998

10. 발과 족관절의 종자골
Sesamoid Bone of Foot and Ankle

을지의대 을지병원 족부정형외과 **김 재 영**

종자골(sesamoid bone)의 어원은 참깨(sesame seed)와 유사한 것에서 유래하였다. 고대 히브리 인들과 중세 기독교인들은 이 종자골이 절대 깨지지않는 존재라고 생각하였고 심지어 죽은 후에도 계속 남아있는 다고 생각 하였다.

종자골은 인체의 다양한 해부학적 위치에 발생할 수 있지만 대부분 건 속에 들어있으며 가끔 관절면을 이루고있는 부위는 초자 연골로 덮여 있는데, 이것은 건의 활주(gliding)기능과 건이 손상되는(fraying) 것을 막아주는 기능이 있는 것으로 생각된다. 종자골은 압력에 매우 잘 견디는 특성을 가지고 있고 특히 건의 방향이 바뀌는 곳에서 도르래(pulley)와 같은 역할을 하고 또 지렛대의 중심인 관절로부터 멀리 떨어지게 하여 지레대의 lever arm을 길게 하여 운동의 강도를 증가 시키는 역할을 한다. 족부와 족 관절주위의 종자골들은 지간관절과 중족지골관절의 족 저측에 위치하고 이외에도 Lisfranc 관절, Chopart 관절 주위와 단무지 굴건, 2, 3, 4, 5 족지의 내재근, 전경골건, 후경골건, 비골 건 내에 위치 한다(그림 10-1 a~d).

본 장에서는 족부와 족관절주변에서 나타날 수 있는 각종 종자골들에 관하여 그 특성과 임상양상, 치료에 대해 임상적으로 중요한 종자골 순으로 정리 하였다.

I. 무지 종자골(sesamoid Bone of Hallux)

1. 발생학 (Embryology)

Inge와 Ferguson은 무지의 종자골은 관절 연골의 일부가 발아(budding) 한 것이 아니고 독립적인 연골 중심에서 발생한다고 보고 하였다[25]. 무지 종자골은 가끔 여러 개의 골화 중심을 가지며 이러한 골화 중심의 유합이 실패한 경우 다양한 분리(Partition)양상으로 나타난다. 종자골은 발생 5주경에 나타나게 되며 생후 10세 경 X-ray에 보이게 된다.

2. 해부학(Anatomy)

총론에서 설명한 일반적인 종자골의 역할이외에도 무지 종자골은 무게를 지탱하는 추가기능을 가진다. 무지의 종자골은 한 쌍이 있으며 위의 역할을 잘 수행할 수 있게 한다. 단무지 굴곡 근은 내측과 외측 두 개의 구역으로 나누어져있으며 무지의 원 위지의 기저부에 각각의 부착부를 가지고 있고 위의 두개의 건 내에 각각 종자골이 들어있는데 이는 강력한 종자골간인대(intersesamoid ligament)에 의해 연결되어 있다. 이 인대는 두 개의 종자골 사이를 지나는 장족지 굴곡 건(flexor hallucis longus)의 천 층부에 위치한다. 내측 종자골에는 무지 외전건, 내측 중족-종자골간인대(medial metatarso-sesamoid ligament)와 족저 건막(plantar fascia)등 이 부착하고 외측 종자골에는 무지 내전 건(adductor hallucis)의 oblique head, 심부 중족골간인대(deep intermetatarsal ligament), 외측 중족-종자골간 인대(lateral metatarso-sesamoid ligament)와 족저 건막이 부착한다. 건강한 상태에서는 위의 종자골에 부착되어 있는 근육과 인대들 간의 균형이 잘 유지되고 있으나 무지외반증(hallux valgus), 무지 내 반증(hallux varus), 무지의 망치 족지(hammer toe deformity of hallux)와 같이 병적인 상태에서는 균형이 깨져 종자골이 무지 중족골두 밑의 구(groove)에서 탈구되거나 아 탈구 된다. 두 종자가 위치해 있는 구(groove)는 종자골능(sesamoid ridge or crista)에 의해 분리되어 있으나 병적인 상태에서는 이러한 능에 미란(erosion)이 발생하고 능이 소실된다(그림 10-2 a~c).

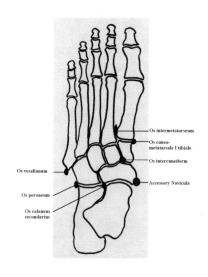

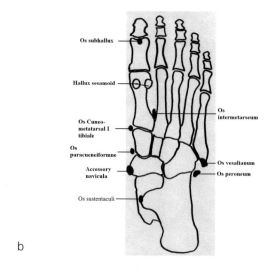

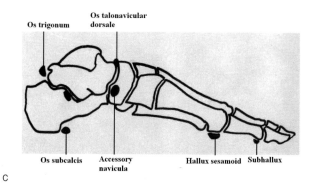

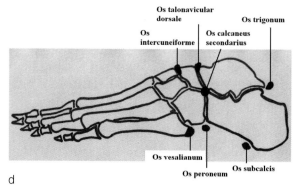

그림 10-1a~d. Sesamoids and accessory bones of foot

3. 임상 양상(General Clinical Manifestation)

무지 종자골의 병적 상태에서 발생하는 통증은 대부분 이환된 종자골에 국한되어 나타나고, 환자는 보행 시 불편을 호소하고 무지에 체중을 부하하지 않기 위해 전족부를 회외전(supination) 시킨 상태에서 보행하는 것을 관찰 할 수 있다. 종자골의 이상으로 인해 종자골염이 유발되면 이로인해 무지 중족지골 관절의 강직이나 통증, 부종 등이 발생할 수 있다. 환자의 과거력 상 낙상, stumble, crush, stubbing 손상 혹은 kick같은 명백한 손상의 과거력이 있거나 혹은 조깅이나 무용, 체조 같이 저 강도의 반복되는 손상등에 의해 종자골이 문제를 일으킬 수 있는 경우가 있다.

4. 이학적 검사(Physical Examination)

문제가 있는 종자골의 족 저면에서 직접 압력을 가해 압통을 유발 시킬 수가 있고 무지를 수동적으로 족배굴곡 시킴으로써 통증을 유발시킬 수가 있다. 종자골의 연골 연화 증이나 골 극(osteophyte)이 자라나 있는 경우는 촉발 음(crepitus)을 느낄 수 있다. 환자를 걷게 하면 무지 열에 체중을 피하면서 걷는 것을 관찰할 수 있다.

5. 방사선학적 검사(Radiologic Examination)

종자골에 문제가 있는 것으로 보이면 우선 체중부하 상태에

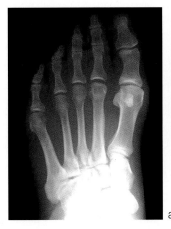
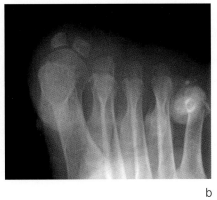
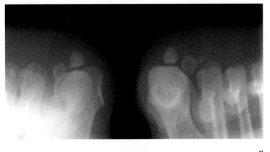

그림 10-2a~b. hallucial sesamoids and 5th metatarsal sesamoids   그림 10-2c. 2nd metatarsal sessamoid

서 발의 전후면과 측면 방사선 사진을 찍어서 확인하고 종자골의 수직 조영상(axial view)과 중족 골두의 접선면(tangential view) 사진을 찍고 내외 사면상(medial and lateral oblique view)을 찍어 경골과 비골측의 종자골을 각각 확인할 수 있다. 그러나 종자골의 전후면 사진상 위치는 접선면 사진에는 보이는 위치와 일치 하지 않을 수 있으며 이는 중 족 제 1열의 회전 정도에 기인한다[54]. 더 자세한 무지 종자골의 이상 여부는 전산화 단층촬영(CT)의 전두면(frontal)과 시상면(sagittal) 영상에서 알 수가 있고 Technetium 99 diphosphonate 골 주사 검사를 시행하여 종자골이 통증의 원인임을 확인할 수가 있을 뿐 아니라 발의 타 부위에 있을 수 있는 병 변을 동시에 확인할 수 있다. MRI와 족저압검사(pedobarograph)를 시행하여 도움을 받을 수도 있다. 병변에 대한 국소 마취제의 주사는 외래에서 쉽게 종자골이 통증의 원인임을 알 수 있는 검사이며, 최근 제1 중족지골관절의 관절 경을 시행하여 종자골 관절면 상태의 이상여부를 진단하기도 한다.

6. 일반적인 치료(General Treatment of Sesamoid Disorder)

종자골에 대한 치료는 각각의 종자골의 병리에 의하여 결정되고 무지의 종자골이 슬관절의 슬개골과 매우 유사한 형태의

기능을 가지고 있으므로 탈구나 아 탈구, 관절면의 이상, 종자골 자체의 이상과 같은 슬개골과 유사한 형태의 질병이 나타난다. 종자골에 발생한 질환에는 대부분 보존적 치료를 시행 할 수 있으며 이러한 보존적 치료는 대부분 제1 중족골두 하부에 가해지는 압력을 감소시키는 데 초점이 맞추어져 있다.

① 활동량의 감소
② 높은 굽의 신발착용을 피하고
③ 부드러운 깔 창의 사용
④ 체중부하를 감소 시키는 패드의 착용
⑤ 무지의 중족지골 관절의 운동량을 감소 시키기 위한 rocker-bottom sole의 착용
⑥ 물리 치료
⑦ 체중 감량

등을 시행할 수 있고 이와 더불어 단순 진통 소염제등을 함께 처방 할 수 있다.

7. 각론

1) 발달성 이상(Developmental Abnormalities)

종자골의 다분증의 여러 저자들에 의해 다양하게 보고 되어

왔고[25,29] (그림 10-3 a~b) 선천 적 무지 종자골 부전 등도 드물지만 보고 되고 있고 특히 비골측의 종자골 부전은 문헌을 고찰해봐도 매우 드문 것으로 되어 있다.(그림 10-3 c~d) Jeng은 8 예의 경골측 종자골 부전증과 2례의 경골 비골측 종자골 부전증을 보고 하였다[27]. 무지 종자골 이분 증이 다분 증보다 2배 정도 혼한 것으로 되어 있고 문헌을 고찰해보면 이분 증의 발생 빈도는 저자 마다 다양하게 보고 되어 있다. Inge 와 ferguson 등은 10.7%의 발생 빈도를 보고 한 반면 Kwenter는 34%의 발생 빈도를 보하였고 그 중 단지 2%에서만 비골측 무지종자골 이분 증이 발생함을 보고 하였다. 종자골의 발생학적 이상을 이해 하는 것은 종자골의 골절과 감별진단을 시행 하는 데 도움이 된다.

2) 무지 외반증에서의 종자골(hallux valgus)

무지외반증이 발생하게 되면 무지 중족골이 제 2 중족골에서 멀어 지면서 무지의 원형 내반증(metatarsus primius varus)이 발생되고 중족골간각이 넓어지게 된다. 이어 무지 중족지골 관절의 내측 관절막 이완이 발생하게 되면서 종자골이 중족골두 밑에 있는 구(groove)에서 이탈 하게 되고 중족골두 능선(crista)은 중앙으로 이탈된 경골측 종자골에 의해 사라지게 된다. 이러한 상태가 더 진행이 되면 경골측 종자골이 비골측 종자골구내(groove for fibular sesamoid)에 위치하게 된다(그림 10-4). 그러나 이때 관과 하기 쉬운 것 중 하나는 종자골이 이탈된 것이 아니라 무지 중족골이 종자골에 대해 이탈되어있고 특히 비측 종자골은 제 2 중족골두 옆면에 심부 횡중족골 인대에

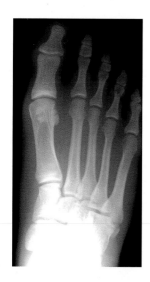

a

그림 10-3a.
Bipartite sesamoids of hallux

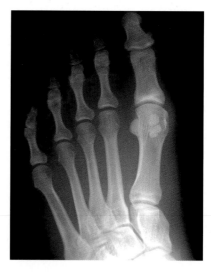

b

그림 10-3b.
Multipartite sesamoid of hallux

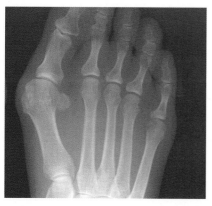

c

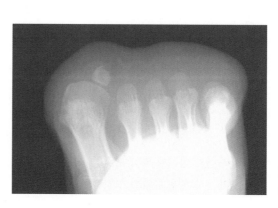

d

그림 10-3c~d.
Absence of tibial sesamoid

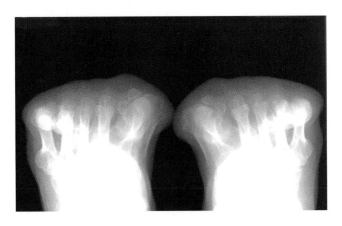

그림 10-4. Sesamoids in Hallux valgus : Both sesamoids are dislocated laterally from their original site

의해 붙어 있게 된다. 종국에 가서는 종자골과 연관된 장 족지 굴건과 신건의 활줄현상이 발생하게 되며 족저 건막 기전이 소실된다. 또한 이와 맞물려 무지 외반증의 수술적 치료 시 종자골의 정복이 이루어 지지 않으면 변형의 재발로 인한 수술의 실패를 유발할 수 있는 요인이 될 수 있다.

3) 무지 강직증(hallux rigidus)

무지 종자골 관절면의 관절염은 무직 강직증에서 종종 나타날 수 있고 종종 골 극의 형성(osteophyte formation), 관절의 경화 소견(sclerosis)와 연골하 낭종(subchondral cyst)등이 방사선학적 검사에서 종종 관찰될 수 있다. 무지 강직증에 골연절제술(cheilectomy)을 시행할 때 관절을 족배 굴곡을 시켜 중족골두 하방와(recess)와 연결된 섬유조직의 사슬 효과(tethering effect)가 있는 지를 확인하고 이것이 존재할 경우 이를 절제 하는 술식을 시행 하여야 한다.

4) 전신 질환(systemic disorders)

섬유소 질환(collagen disease), 건선, 류마치스성 관절염과 Reiter 씨 증후군 등도 종자골에 영향을 줄 수 있으며 통풍도 드물지만 종자골통을 유발한다는 보고가 있다[46].

5) 감염(infections)

Gordon 등은 1974년 발톱의 천공에 의해 발생한 종자골 골수염 2예를 발표 하였다[16]. 종자골 골수염의 원이 균은 대부분 포도상구균이며 발생빈도는 매우 드물고 치료는 소파술을 시행 하고 항생제를 투여 하는 것이 일반적이다. 이후 1969년 Colwill은[10] 3예의 혈행성 무지 종자골의 골수염을 보고 하였다. 당뇨병 있는 환자군에서는 무지 중족골의 골수염이 있는 경우와 감염된 족저 궤양이 있는 경우 발생할 수 있다. 이러한 경우의 치료로는 감염된 종자골의 부분 또는 완전절제를 시행 하여야 하며 또는 감염 상태에 따라 종자골 적출 술이나 무지 중족지골 관절의 절제 성형술이나 절단술을 시행 하여야 한다.

6) 외상(Trauma)

전 문단에서 언급한 바와 같이 무용이나 달리기 같은 반복적인 만성 손상은 골절 편을 발생시킬 수가 있고 이러한 골편의 조직학적 검사를 시행 하면 다양한 정도의 무혈성 괴사가 있었음을 알 수 있다. 방사선학적 검사상 종자골의 분절화나 점상의 소견을 보이며 치료는 내측 도달 법에 의한 종자골의 절제술 등을 시행 할 수 있고 비측 종자골은 종자골 직하 방이나 종자골 바로 외측의 족 저면에 절개술을 가하여 절제술을 시행할 수 있으나 반드시 체중이 부하 되는 곳의 절개술은 피해야 한다. 그러나 체중부하가 되는 곳에서 절개술을 시행 하였다고 하더라도 압력을 증가 시키는 종자골이 제거 되므로 이로 인한 큰 문제는 잘 발생하지 않는다. Stumbling과 강한 족배 굴곡 손상에서도 위성 골편이 관찰될 수 있으며 이럴 경우 보통 횡 골절 형태로 나타난다. 종자골 이분증과의 감별진단이 필요하고 골절인 경우 골절면이 날카롭고 불규칙하며 어떤 방향으로 나 골절선이 나타날 수 있는 반면 선천적 종자골 이분증인 경우 보통 횡적이며 종축이나 사면인 경우는 드물다. 두개 골편사이 간격은 골절인 경우는 넓은 것이 보통이지만 선천적 이분증인 경우 간격이 증가되어 있는 경우는 드물다.

치료로 Hobart[22]는 급성골절 시에는 6주간의 비체중 부하 고정으로 치료하였다고 보고하였고 Bizzaro[5]는 60개의 종자골 골절 중 6예의 비측 종자골 골절, 1예의 양측 종자골 골절이 있었고 나머지는 경골측 종자골 골절 이었다고 보고 하였다.

Anderson과 McBryde등[1]은 증상이 있는 21예의 경골 종자골 골절의 불유합을 소파 술과 자가 해면 골 이식술로 치료 하여 19예에서 성공하였다고 보고 하였다. Anderson과 McBryde는 또 종자골의 절제술을 되도록 피하였다고 하였는데 종자골을 절제 할 경우 무지 외반 증이나 내반 증이 발생할 수 있고 단 무지 굴곡 근의 약화로 인한 무지 족배 굴곡 변형으로 인한 치유가 힘든 족저면의 각화증(intractable plantar keratosis)이 발생할 수 있고 보행 시 무지의 지면을 미는 힘이 약해질 수 있음을 강조 하였다.

7) 과부하(Overload)

종자골의 과다한 돌출은 족저 면의 통증을 유발할 수 있고 요족 변형(cavus foot), 무지열의 족저 굴곡 변형(Plantar flexed first lay), 족관절의 고정된 첨족 변형등에서 흔히 관찰된다. 또한 전족부의 외반 변형은 경골측 종자골 밑에 군은살을 발생시킬 수 있으며 대부분 이러한 변형에 의해 발생하는 군은 살은 매우 치료하기 힘든 것으로 알려져 있다[10]. 이러한 경우 치료로는 수술적 치료가 주를 이루는데 족관절의 첨족변형이 있을 때는 아킬레스건 연장술을 실시하거나, 무지열의 족저굴곡변형이 있을 때는 제 1 중족골 기저부에서 족배 굴곡 절골술을 시행하는 것 등이 대표적이다. 이외 족저압을 증가 시킬 수 있는 국소적 원인으로는 종자골의 크기와 모양, 중족골두 하방의 능(crista)의 부재, 무지열의 회전변형 등이 있으며[50] 이러한 종자골 내적 이상보다는 의인성으로 종자골의 부하를 증가 시키는 경우가 더 많으며 원인은 다음과 같다.

① 무지 중족골 절골 술을 시행 할 때 너무 많이 족저굴곡을 시킨 경우
② 무지외 다른 중족 골 특히 제 2 중족 골의 족배굴곡절골 술을 시행 한 경우
③ 한쪽의 종자골을 제거 한 경우
④ 한쪽 종자골을 너무 많이 갈아 낸 경우

이외에도 Keller씨 수술과 같이 단 무지 굴곡 건을 근위지 부착부에서 떼어 내면 종자골이 근위부로 이동하게 되고 결과 종자골에 가해지는 하중이 감소하고 무지의 굴곡력이 감소하여

중족골두 외측부의 통증유발의 원인이 될 수 있다.

상기기원에 의하여 발생 하는 무지중족골두의 통증이나 군은살 혹은 과다하게 돌출된 종자골은 1922년 Mann이 소개한 종자골의 하부 1/2을 제거 함으로써 종자골에 걸리는 과다한 하중을 제거 할 수 있다[35].

8) 종자골 연골 연화증(chondromalasia)

종자골의 연골 연화증은 단독으로 발생할 수가 있으나 대부분 종자골 이분증, 골절이나 종자골의 함몰이나 분절이 발생할 수 있는 다른 병변의 이차적인 현상으로 발생된다. 단독으로 발생한 종자골 연골 연화 증은 오직 관절경이나 관절 절제술로 확진 할 수 있고 이럴 경우 치료는 슬개골의 연골연화증과 마찬 가지로 연골의 shaving을 시행 할 수 있다.

9) 종자골 주위 연부 조직 손상(peri-sesamoid soft-tissue injuries)

무지의 과다한 신전은 무지 중족지골관절의 탈구나 아 탈구를 일으키고 족저부 관절막이나 단무지 굴건 등의 손상을 유발할 수 있다(예> 잔디 손상).

종자골간인대(intersesamoid ligament)의 파열은 양 종자골의 분리를 유발시키며 쉽게 단순 방사선 사진으로 확인할 수 있는 매우 드문 손상이다. 이외에도 종자골 사이를 지나가는 장 무지 굴건의 종자골 부위에서의 종 파열이나 손상 등이 있는 경우와 종자골 전낭염이 있는 경우에도 무지 종자골통을 유발 할 수 있고 이러한 연부 조직 손상은 MRI로 가장 잘 감별진단을 할 수 있다.

10) 무지의 족지골간 부골(interphalangeal sesamoid of the hallux, subhallux sesamoid)

무지하부골은 무지근위지골두의 직하 방 장무지굴골건의 배측에 존재하며 무지 지간 관절과 관절을 형성하는 비교적 흔히 발생하는 종자골이다(그림 10-5 a~c). 일반적인 크기는 3-5mm 정도이며 발생 빈도는 여러 저자들에 의하여 다양하게 보고 되었다[6,27,55].

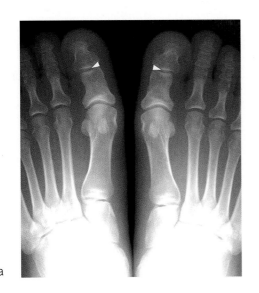
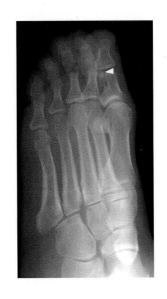
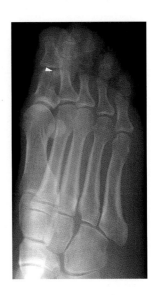

그림 10-5a~c. Subhallux (arrow head)

일반적으로 편측만 발생하지만 양측성도 종종 관찰된다. 무지의 굴곡 증이 있는 경우 무지하 부골의 족저면에 굳은 살이나 궤양이 발생 하기도 하며 특히 당뇨병 족과 같이 감각이 떨어져 있는 환자에서 흔히 보고 되고 있다.

II. 주상골 부골(Accessory Navicular, Prehallux, Os Tibialis Externum)

주상골 부골은 발에서 나타나는 부골 중 가장 크고 보통 10-14%에서 존재하는 것으로 되어 있다[39]. 주상골 부골은 골편의 크기와 위치, 주상골과의 연결방법에 따라 세 가지의 형태로 분류된다. 제 1형은 타원형의 골편이 주상골과의 연결을 보이지 않고 후경골건 내 실질에 있는 경우이고 2형은 삼각형 또는 하트모양의 골편이 1-3mm 두께의 연골 결합이나 섬유 결합에 의해 주상골과 연결되어 있는 경우이다. Sella 와 Lawson은 2형을 골편의 위치에 따라 2A 와 2B 형으로 나누었다. 2B 형은 2A 형 보다 더 하방에 위치하며 2A형은 tension type의 힘을 받고 B형은 shearing force를 주로 받게 되고 특히A 형은 견열손상 (avulsion injury)이 쉽게 발생 할 수 있는 구조적 특성을 가진다. 3형은 흔히 이야기 하는 뿔이 난 주상골(cornuate navicular)로 부주상골이 주상골과 골성 연결에 의해 결합된 경우를 이야기한다. 1형과 3형은 환자에게 증상을 유발하는 경우는 매우 드물며 주로 2형에 의해 증상의 발현과 편평족 변형이 나타나게 된다[14,43](그림 10-6 a~e). 일부 저자들은 부주상골이 있는 경우 후 경골건의 기능에 영향을 주어 족부의 내측 종 아치를 유지 시키는 힘을 감소 시킨다고 보고 하였다[30,60]. Kidner[30]는 부주상골이 존재할 시 후경골건이 본래 부착하는 부위보다 상방, 안쪽에 부착되어 후경골건이 잡아 당기는 힘의 방향이 변하게 되어 후경골근의 본래 운동인 회 내전운동 (supination) 대신에 내전(adduction)운동을 하게 하여 편평족을 유발할 뿐 아니라 발을 내전 시킬 때 부주상골이 족 관절 내과와 충돌이 일어 나기 때문에 발을 외전 된 상태로 유지시키려는 작용으로 편평족이 유발된다고 하였다.

그러나 최근 다른 저자들[15,28]은 부주상골이 후경골건의 내측 종아치를 유지시키는 힘을 변하게 하지 않을 뿐 아니라 편평족을 유발시키지 않는 다고 보고 하기도 하였고, 부주상골이 있는 그룹과 일반 군에서 arch index를 비교해 보면 양측간에 차이가 없다는 보고도 있다.

1. 진단(diagnosis)

임상 증상은 13-15세 사이에 처음 나타나게 되며 그 이전에

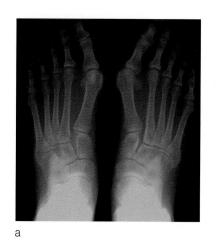

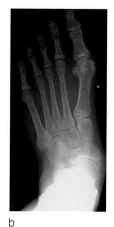

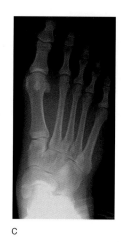

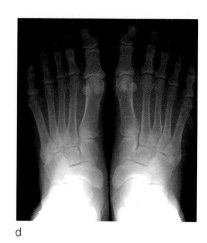

a   b   c   d

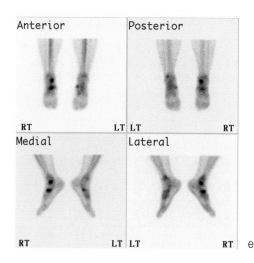

e

그림 10-6a~e.

a : Accessory navicular (type I)
b : Accessory navicular (type IIa)
c : Accessory navicular (type IIb)
d : Accessory navicular (type III)
e : Accessory navicylar (bone scanning)

증상이 나타나는 경우는 튀어 나온 뼈가 신발등에 눌려 발생하는 경우가 대부분이며 이 시기에서부터 발의 종아 치가 점진적으로 편평해진다. 성인의 경우 대부분 발에 발생하는 외상 특히 발이 비틀리는 손상 이후에 임상증상을 호소 하게 된다. 이학적 검사 상 주상골 내측부에 압통을 호소하고 단순방사선 전후면 사진상 주상골 부골이 있음을 확인할 수 있다. 주상골 내측부에 증상이 있으나 모호 한 경우에는 골 주사 검사(Bone scanning)를 실시 하여 주상골이 증상의 원인임을 확인할 수가 있다.

2. 치료(treatment)

증상이 없이 우연히 발견된 경우는 특별한 치료는 필요하지 않다. 외상 후 급성 증상이 있는 경우 단하지 고정을 시행 하거나 종아치를 받쳐줄 수 있는 깔창 등을 이용하여 증상을 완화 시킬 수가 있고 이외에도 보조기 등을 이용하여 치료 할 수가 있으나 이러한 치료에도 불구하고 대다수에서는 종국에 수술적 치료를 필요로 하는 경우가 많다[17].

수술적 치료로서 Kidner씨 술식은 젊은 환자에서 증상이 있는 부주상골이 있으면서 편평족이 진행하고 있는 경우 사용할 수 있는 술식이다. 이 술식은 증상이 있는 주상골을 제거하고 후경골건을 주상 골에 드릴로 구멍을 뚫고 배측에서 복측으로 건의주행 방향을 바꾸어 주는 술식이다. 이외에도 이와 유사한 방법들이 많이 소개 되고 시행되어 지고 있다[9,43]. 본 저자도 주상골에 드릴로 구멍을 뚫고 후경골건을 관통 시키는 방법은 기술적으로 까다롭기 때문에 부 주상골을 제거 후 주상 골의 측면 및 하 방에 후경골건을 부착시켜주는 술식을 사용하여 우수한 결과를 얻었다.

3. 수 술 방 법 (Modification of Kidner procedure Lee's technique)

국소마취(ankle block)하에서 환자를 앙와위로 눕히고 부 주상골의 1cm 전방에서 후 경골건의 주행을 따라 3cm 정도의 피부 절개를 시행한 다음 후 경골 건을 확인하여 이를 따라 부 주상골과 후 경골건의 부착 점을 확인한다. 후 경골건의 부 주상골 부착부를 건의 상 방에서부터 박리한다. 부 주상골을 확인하고 주상골과 연결된 곳의 연골부를 확인하고 이곳에서 부 주상골을 제거 한 뒤 osteotome으로 주상골의 돌출부위와 내측면과 일부 아래면의 피질 골을 제거 하여 해면 골이 들어 나게 한다. 주상 골의 해면 골에 towel clip으로 2개의 구멍을 낸 후 3-0 ethibond를 이용하여 후 경골건의 실질을 주상골에 부착 시킨다. 피부 봉합 후 발을 내전 약간의 족저 굴곡 시킨 상태에서 단 하지 고정을 실시 한다.

수술 후에 2주간 단 하지 고정 후 2주 더 cast를 시행하고 이후 보조기로 바꾼 후 재활치료를 시작한다.

III. 삼각골(Os trigonum)과 후방 충돌 증후군(Posterior impingement syndrome)

삼각골은 Rosenmuller[45]가 가장 처음 보고 하였고 1822년

Shepherd[53]는 거골체의 후외방 융기부의 골절이라고 이야기 하였다. 삼각골은 크기와 모양이 다양하고 항상 거골체의 후방와(recess)와 연골관절을 이루고 있다. 대부분의 골편은 증상을 유발하지 않으며, 발이나 발목사진에서 우연히 발견되는 경우가 많고 흔히 거골 체부의 골절로 오인 되는 경우가 많다. 정상인에서 삼각골은 8-11세 사이에 나타나게 되고 7%의 빈도를 보인다[6](그림 10-7 a~c). 이 골편은 거골에서 분리되어 증상을 발현 하게 되는데 특히 족관절의 족저 굴곡시 통증을 유발 할 수 있다. 삼각골은 거골 후면의 외측 돌기의 변형중의 하나라고 생각되며 골편의 길이가 1cm 이상으로 큰 경우도 있다.

또한 무지 굴곡건의 거골측 구(groove)와 인접되게 위치하게 되어 족관절의 En Pointe 위치에서 무지 굴곡건을 압박하고 자극하여 증상을 발현하게 할 수 있다. 삼각골이 증상을 유발하는 경우 종골의 후방 공간(retrocalcaneal space)에서 증상을 호소하며 걸을 때 심해지고 특히 발이 족저 굴곡 상태에서 증상이 악화된다. 일반적으로 젊은 운동선수에서 흔하게 증상을 호소 하는데, 특히 힘을 가해 족관절을 족저 굴곡 시켜야 하는 무용수에서 흔히 발생한다. 이러한 경우 삼각골이 무지 굴곡 건과 충돌을 일으켜 장 무지 굴건 건염(무용수 건염)을 발현 시키므로 후방 충돌 증후군이라는 불리우기도 한다. 삼각골이 있으면서 증상이 있을 때는 삼각골 자체의 증상인지 후방 충돌 증후군에 의한 증상인지를 구별 해야 하고 Shepherd 골절과 같은 거골 체 후방의 골절과도 구별해야 한다. 골절 인 경우는 일반적으로 갑자기 증상이 발현 되나 삼각골과 무지 굴곡건염은 천

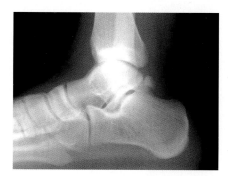
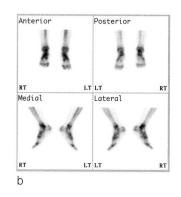
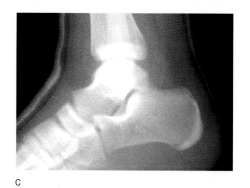

그림 10-7a~c. a : Os trigonum b : Os trigonum (bone scaning) c : postoperative; removal of ossicle

천히 증상이 발현되므로 감별 진단이 가능하고 삼각골 자체의 증상인지 아니면 후방 충돌증후군인지와 동시에 두개가 같이 있는 것인지의 진단은 골 주사 검사나 MRI등으로 감별이 가능하다. 이외에도 후 종골낭염과 부착성 아킬레스 건염과도 감별 진단을 하여야 한다.

치료로는 족관절의 운동범위를 감소 시키는 활동의 제한과 고정, 소염제등을 처방할 수 있으며 국소 스테로이드 주사는 건의 파열이 종종 발생할 수 있으므로 제한적으로 사용한다.

이러한 보존적 치료에 실패한 경우는 수술적 치료를 시행 하여야 하며 내측과 외측 도달법이 있으나 본 저자는, 내측 도달법의 도달 거리가 가깝고 무지굴곡건의 병리 상태를 직접 확인 할수 있으나 신경이나 혈관손상의 가능성이 있고 술후 족근관 증후군이 발생가능성이 있어, 외측 도달법을 이용하여 골편을 제거 한다.

Hedrick과 McBryde[20]는 후방충돌증후군에 대해 보고하였는데, 증상은 대부분 족저굴곡 손상에 의해 발생하며 삼각골이 존재 했던 경우는 63% 였으며 40%에서 만 수술적 치료가 필요하였다고 보고 하였다.

1. 수술 방법(외측 도달법)

환자를 측와위로 눕힌 후 국소 마취나 전신 마취 하에서 비골의 후면을 따라 종골후방공간에 3-5cm의 피부 절개를 시행한 후 근막을 절개하고 견인하여 후종골 공간에 도달한다. 이때 후종골낭이 손상되지않게 하면서 일부의 지방조직을 떼어내면서 삼각골로 도달 할 수가 있다. 손가락으로 삼각골을 촉지 하면서 삼각골로 도달 한다. 삼각골을 주위 인대와 분리 시키는 데 이때 삼각골이 무지굴곡건과 인접하게 있어 주의를 기울인다. 삼각골을 제거 하고 엄지 발가락을 구부려 무지굴곡건을 관찰 할 수 있다. 손가락의 끝으로 골편의 제거와 관절면의 상태를 확인 하면서 Rongeur등으로 제거 한다. 근막과 피부를 봉합하고 Drain을 위치 시킨다. 수술 후 3주 정도 고정을 시키고 이후에는 재활 및 보행을 시작한다.

Marrota와 Micheli등[37]은 16례의 증상이 있는 삼각골을 후외방 도달법으로 제거를 시행 하고 수술 후 50%에서 약간의 통증이 남아 있으며 수술 후 회복시기는 평균 3개월이라고 보고 하였다.

IV. 비골 하 부골(Os subfibulare)

비골 하 부골은 족 관절 외과 하 방에 존재하는 종자골로 보통 5-10mm 정도의 직경을 가진 원형으로 방사선 전후면에서 잘 관찰 할 수가 있고 발생빈도는 0.2%정도로 보고 되고 있다[32].(그림 10-8) 족관절 비골 원위 단에서 관찰할 수 있는 골편은 세 가지의 경우로 ① 원위 비골 단의 견인 골단(apophysis)의 불 유합 ② 비골 하 부골이외 Os calcaneus secondarium 과 같은 다른 종자골 ③ 비골 하 부골(Os subfibulare) 등 이다. 이 중 견인 골 단의 불 유합이 가장 흔히 관찰되고 비골의 전방에 위치하며 50% 이상에서 양측에 동시에 발생한다. 비골 하 부골은 비교적 드물며 비골의 후방에 관찰되어 위 두 가지의 골편은 단순 방사선 사진상 구별이 가능하다. 환자에서 족관절 외측에 통증 및 압통이 있고 이것이 골편이 원인이가의 구별이 명확히 되지 않을 때는 골 주사 검사를 시행 하여 외과 하 부골이 증상의 원인임을 알 수 가있다. 일단 증상이 있는 골편이 발견되면 이는 비골 골단 불 유합이던 비골 하 부골이던 만성 비골 견열 골절이든 관계없이 고정, 약물, 물리 치료, 국소 주사 등으로 보존적인 치료를 시행하고 치료에 실패 한 경우 골편을 제거 하고 인대를 재건 해주는 술식을 사용할 수 있다. 증상이 없이 발견된 외과 하 부골은 특별한 치료를 시행 하지 않는다. 그러나 증상이 있는 골편은 제거를 해야 하는 경우 골편이 일반적으로

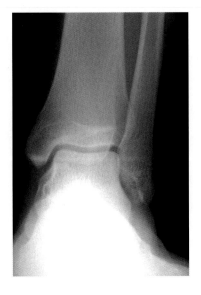

그림 10-8. Os subfibulare

족관절의 외측 측부 인대(전방 거-비 인대) 실질 내에 들어 있는 경우가 많아 반드시 외측 측부 인대의 재건술을 해주어야 한다[8,34]. Lee 등은 증상이 있는 골편을 제거 하고 절제한 인대를 변형 Brostrom 술식을 이용하여 치료한 예가 다수 있으며 그 대부분은 운동 선수로 매우 우수한 결과를 나타내었다고 하였다. 비골하-부골과 족관절의 만성불안정성이 있으면서 환자가 증상을 호소 하게 되면 대부분 수술적 치료를 필요로 하게 된다.

V. 내과하 부골(Os submalleolare)

내과하 부골은 족관절의 내측 하방에 존재하는 모든 골편을 지칭하는 말로 경골하부골, 경골 내과 골단의 불유합과 경골의 만성 견열 골절을 포함한다. 경골하부골(Os subtibiale)은 0.2-1.2%의 발생 빈도를 보이며 보통 4mm이상의 둥글고 경계가 명확한 형태를 취하며 내과의 후방 colliculus의 하 방에 위치한다. 내과 골단의 불유합은 약 2.1%의 발생 빈도를 나타내며 역시 둥글지만 경골 하 부골 보다는 작고 전방 colliculus 하방에 위치한다. 만성 내과 견열골절은 4.6%의 빈도를 보인다고 보고 되고 있으며 골편의 모양이 각이 지고 경계가 불명확하다. (그림 10-9 a~c)

임상증상이 있을 경우 위 3 가지 경우 모두다 경골의 내과주위에 동통을 호소 하며 동일 부위에 압통을 호소 한다. 단순 방사선 검사상 전후면 사진에서 쉽게 골편이 있음을 확인할 수 있으며 환자의 임상증상과 단순방사선 상의 골편이 원인인지가 명확하지 않을 때는 골 주사 검사를 시행하면 증상의 원인이 골편인지를 쉽게 감별 할 수가 있다. 치료로는 증상이 심한 경우 단기간의 고정이나 보조기 등을 처방 할 수 가있고 NSAID등을 처방 하거나 국소 주사 요법을 시행할 수 있다. 그러나 이러한 보존적인 치료에도 불구하고 증상이 개선 되지 않는 경우는 수술적 치료를 고려한다. 수술적 치료로는 증상의 원인이 되는 골편을 제거하고 내측 측부 인대를 다시 봉합하는 술식으로 간단히 치료가 가능하다. 수술 후에 족관절의 외반 불안정성은 인대를 면밀하게 잘 봉합해준다면 발생하지 않는다. 본 저자는 골편의 모양과 위치에 따른 분류와 각각의 골편의 이름이 명명 되어 있기는 하지만 분류가 어렵고 각각의 골편이 나타내는 임상 증상과 진단방법이 같고 치료 방법도 같기 때문에 이러한 증상이 있는 골편을 하나로 묶어서 내과 하 부골 증으로 명명 하였다.

1. 수술적 치료

전신마취나 발목 마취 하에서 환자를 앙와위로 눕히고 족관절의 내과에서부터 원위부를 향하여 수직으로 3cm 정도의 피부절개를 시행한다. 이때 방사선 사진상 골편의 위치를 참고하여 피부 절개를 시행한다. 피하조직을 잘 박리하여 족관절 내

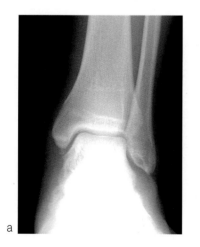
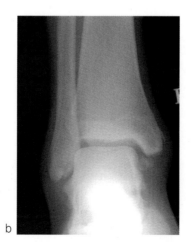
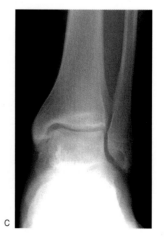

그림 10-9a~c. a : OSM(apophysis nonunion) b : OSM(chronic avulsion fracture) c : OSM(os tibiale)

측 측부 인대를 노출 시키고 탐 침이나 주사 바늘이 C-arm을 이용하여 골편의 위치를 확인한 후 내측 측부 인대의 외 층에 인대결의 사이를 벌려 골편을 찾아 내고 이를 제거 한다. 대부분의 골편을 내측 측부 인대의 심층부에 위치하며 주의를 기울여 골편을 인대에서 박리 하여야 한다. 골편을 제거 후에는 C-arm이나 Portable x-ray를 찍어 골편이 남아 있지 않음을 확인한 후 먼저 3-0 vicryl로 심층부를 봉합하고 측부 인대의 외 층은 Running Suture로 봉합한다. 이 후 3주간 고정을 시행 후 재활치료와 선수 인 경우에는 달리기를 실시 한다. Lee 등은 27명의 환자에서 위와 같은 술식으로 치료한 후 전례에서 증상의 개선이 있었고 91%에서 우수 이상의 결과를 보고 하였으며 내측 측부 인대의 불안정성은 전혀 나타나지 않았다고 보고 하였다. 그 중 85%가 운동선수 였으며 전례에서 3개월 내에 선수로서 복귀 할 수 있었다고 보고 하였다. 내과하 골편은 위와 같이 원인이 무엇이던 증상과 진단 방법이 같고 보존적 치료방법 뿐 아니라 수술적인 치료 방법이 같고 단순 절제 후 인대의 봉합만으로도 우수한 결과를 나타내는 질환 군이다.

VI. 중족골간 부골(Os Intermetatarseum)

중족골간 부골은 내측 설상골과 제 1, 2 중족골의 기저부에서 발생하는 종자골로 1856년 Guber[18]에 의해 가장 처음 보고 되었다.(그림 10-10) 중족골간 부골은 방추 형태(spindle shape)의 모양으로 내측 설상골에 근위부가 부착 되어있고 원

위부는 제 1, 2 중족골간 공간에 위치하는데 두개의 중족골과 관절을 이루는 경우가 종종 관찰된다. Henderson[21]은 양측에 동시에 발생한 중족골간 부골을 4예 발표 하였는데 모두 무지 외반증이 동반되어 있었고 이중 3예에서 가족력이 있었다고 보고 하였다. 발생빈도는 1.2-10 %로 보고 되어 있으며 통증을 동반한 경우는 매우 드물며 천 비골 신경을 압박할 수 있다. 발생위치도 대부분 제 1중족골과 제 2 중족골 사이에 발생하나 제 4, 5 중족골간에도 발생했다는 보고도 있다[12,51,55]. 진단 시에는 족배동맥의 석회화나 중족골과 설상 골의 견열 골절과 감별 진단 하여야 한다. 중족골간 부골이 있는 환자에서 무지 외반증이 동반될 수 있고 이러한 환자에서 골편 제거술과 함께 무지 외반증에 대한 수술 특히 근위부 절골 술을 고려할 수 있다. Scarlet등과 Reichmister[44,48]는 증상이 있는 중족골 부골 제거 술을 보고 하였고 Lee등[31]은 증상을 동반한 2례의 중족골 부골을 가진 축구 선수에서 골편을 제거 한 후 다시 운동선수로의 복귀가 가능하였다고 보고 하였다.

VII. 베자리우스 부골(Os vesalianum)

베자리우스 부골은 제5 중족골 근위단에 위치한 드문 골편으로 1%이하의 발생 빈도를 나타낸다. 제5 중족골의 근위단에 골편이 발견되면 다음과 같은 여러 가지 골편들을 감별 진단할 수 있다(그림 10-11).

1) 제 5 중족골 골단의 골화(an ossifying apophysis of the

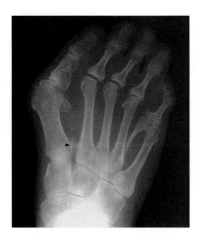

그림 10-10. Os intermetararseum(arrow head)

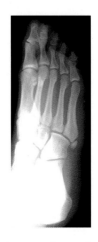

그림 10-11. Os vesalianum

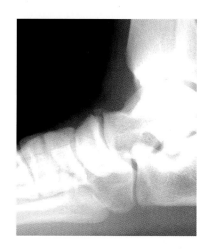

그림 10-12. Os tarsonaviculare dorsale

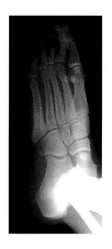
그림 10-13. Os peroneum

fifth metatarsal base)

2) 제 5 중족골 골단염(apophysitis of the fifth metatarsal base)

3) 제 5 중족골 조면 골절(a fracture of the tuberosity)

4) 제 5 중족골 조면 골절의 불유합(non-union of tuberosity fracture)

5) 제 5 중족골 골단의 불유합(an ununited apophysis of the fifth metatarsal base)

6) 베자리우스 부골(Os vesalianum)

Sarrafian[47]은 위와 같은 골편들과 베자리우스 부골을 감별 진단하기 위한 몇 가지 의견을 제시하였다. ① 제 5중족골 기저부나 골단의 골절은 중족골의 축과 같거나 사면 방향으로 일어나고 ② 골단의 골화 중심은 처음에는 선상으로 나타나며 중족골의 종축과 평행한 방향으로 발생하고 ③ 베자리우스 부골은 조면이 완전한 형태를 가진 제 5중족골의 근위 단에 위치하고 ④ 골편이 중족골과 접하고 있는 면이 경화(sclerotic) 되고 이것은 만성적인 상태임을 시사한다. 골단염의 경우 손상의 과거력이 있을 수 있다. 증상이 있는 경우 보통 국소적이며 시간이 지나가면 사라지는 양상을 나타내어 보존적 치료를 시행한다. 골단염이 있는 경우 중족골 기저부의 모양이 불규칙적(irregular) 해질 수 있고 외관상 기저부 부위가 돌출 될 수도 있으나 기능적인 이상은 없다[49].

VIII. Os Talonaviculare Dorsale, Os Supratalare

Os Talonaviculare Dorsale은 발등의 거골과 주상골 사이에 존재하는 종자골로 11-15%의 발생 빈도로 보고 되고 있으며[23] 거 주상골 관절염에서 골극과 감별진단이 필요하다.(그림 10-12) Os Supratalare는 talus secondarius라고도 불리 우며 거주상골 관절과 족관절 사이에 위치하며 거골과 유합이 되기도 하나 보통 크기는 4mm이상 되는 경우는 드물다.

위 두개의 골편들은 증상을 유발하는 경우는 드물지만 증상이 있는 경우 거주상골 관절염이나 견열 골절과 감별 해야 하며 보존적인 치료에 실패한 경우 골편을 제거 해야 하는데 이 때 심 비골 신경과 족배동맥의 손상을 조심하여야 한다.

1. 비부골(Os perineum)

비부골은 장비골근의 건 내에 존재하는 종자골로 종골의 외측부, 종입방골 관절, 입방골의 하 방과 관절면을 이루고 있다.(그림 10-13) 발생빈도는 비교적 다양하게 보고 되고 있는데 방사선 검사상에는 2.3-8.3%로 보고 되고 있으며[6,12,13] 해부학적으로 모든 비골 건 내에 비부골이 존재하지만 단지 적은 수에서만 골화가 되어 방사선 사진상 나타나는 것으로 알려져 있다[47]. 비부골이 증상을 유발하는 경우는 관절염이 왔을 때인데 위의 원인은 골연골염이나 이분증 등이 원인이 될 수 있다.

2. 임상 증상

일반적인 증상은 족부 외측부 입방 골 하방의 동통과 압통이며 발생 가능한 원인으로는 위에서 언급한 두 가지 이외에도 장 비골 건의 건염이나 만성 또는 급성 파열, 비부골의 골절, 종골 비골과의 과 성장으로 인한 장 비골 건의 포착 증후근 등이 원인이 될 수 있다[7,42]. 급성 손상에의한 비부골의 골절이나 장비골건의 파열은 부종이나 피부에 멍이 든 것을 발견할 수 있고 건 파열이 있는 경우 사면 방사선 사진상 골편이 근위부로 이동하는 것을 관찰 할 수 있다.

3. 치료

건의 파열이 있는 경우는 건 파열이 비부골의 원 위부에서 일어나 경우에는 고정이나 보조기 등 다양한 비수술적 치료가 적용이 된다.[24,56] 골절이 일어나거나 관절염이 발생한 경우에는 골편의 제거가 합당하며 이것이 불가능할 경우에는 골편을 제거한 다음 단비골건으로 건고정술을 시행 하여야 한다[40,41,57,58]. 일반적인 골편 근위부의 건 파열은 건의 복원을 시행 하여야 한다. 종골 비골과의 과성장으로인한 장비골건 포착 증후군이 나타난 경우에는 비골과의 절제술을 시행하여야 한다.

IX. 기타 족부의 종자골들

1. Os Calcaneus Secundarius

종골의 전내측, 입방 골과 주상 골의 근위부, 거골두 사이에 발생하는 부골로 둥글거나 삼각형모양으로 3-4mm정도의 크기이며 발의 사면상의 방사선 사진에서 잘 보인다. 발생빈도는 2-4.4% 정도로 보고되고 있으며[6,36] 증상을 나타내는 경우는 매우 드물면 방사선 사진상 거-종골 간 결합(talo-calcaneal coalition)이나 종골, 입방골의 견열 골절과 감별 진단을 하여야 한다[13].

2. Os Cancaneus Accessorius

매우 드문 부골로 몇예 만이 증례로 보고 되었을 뿐이며 종골의 측면 비골의 하 방에 위치하며 비골 하 부골과 감별진단

이 필요하다[38].

3. Os Sustentaculi

재거 돌기 부골은 종골의 재거 돌기의 후방에 발생하는 부골로 그 발생 빈도는 1.5-3% 정도로 보고 되고 있으며[4] Harris와 Beath[19]는 족근 골 결합(tarsal coalition)이나 이로 인한 비골 근 경직성 평편족과 관련이 있을수 있기 때문에 반드시 CT 검사를 하여야 한다고 하였다. 위 부골 자체의 증상은 없으며 특히 평발인 경우 족근 골 결합에 대해 주위 하여야 한다.

4. Os Cuboides Secundarium

종골, 거골, 주상골과 입방골 사이의 족 저면에서 관찰할 수 있으며 1-3%의 빈도로 보고 되고 있으며 증상을 나타내지 않는 것으로 되어있다[23,33].

X. 족 근골의 이분증 (Bipartite of tarsal bone)

1. 주상골 이분증(bipartite of navicula)

발의 전후면 사진상 경골측과 비골측으로 명확하게 두개의 분절로 나누워지며 골편은 내측면을 기저면으로 하는 쐐기 모양으로 보이며 측면 방사선 사진상에서는 기저부가 배측에 나타나있는 삼각형모양의 골편을 나타낸다. Shawdon등[52]은 주상골 이분증에 대한 CT검사를 시행하여 명확히 진단할 수 있다고 이야기 하였고 축성영상에서는 골편이 쐐기 모양이면 그 정점으로 갈수록 가늘어지는 양상을 보이며 주상골의 골절이나 피로 골절과도 감별진단이 가능하다고 보고 하였다.

주상골의 이분증은 매우 드물며 특별한 손상의 과거력이 없이 중족부 내측에 동통과 압통을 호소 하며 단순 방사선 사진상 쐐기 모양의 골편이 있는 것을 확인할 수가 있고 CT 검사를 시행하여 골절이나 피로 골절과 감별을 할 수 있고 증상이 지속되면 골주사 검사 등을 시행하여 골편이 증상의 원인임을 확인한다.

2. 설상골 이분증(Bipartite of Cuneiform)

설상골 이분증의 발생 빈도는 0.33-2.4%로 보고 되고 있으며 제 1설상골의 이분증이 대다수를 이룬다[55]. 제 1설상 골 이분증은 큰 배측 골편과 작은 복측 골편이 수평면으로 분리되어 있다. 배측 골편은 주상골과 제 1 중족골의 기저부와 관절면을 이루고 있으며 복측의 작은 골편은 주상골과 제 2 중족골의 기저부와 관절을 이루고 있다. 복측골편의 하 방에 후경골건이 부착된다. 단순 방사선 전후면과 측면 사진에서는 구별이 힘들고 사면 사진에서 약간 더 잘 보이며 CT 검사를 시행하면 명확히 알 수가 있다[2,3,11]. 임상적으로는 거의 증상을 유발하지 않아 치료가 필요 없으나 중족부 내측에 증상을 호소하는 경우 골절이나 족근 결합등과 감별진단을 하여야 하며 이를 위해 CT나 MRI를 시행하는 것이 도움이 된다.

■ 참고문헌

1. Anderson RB, McBryde AM Jr : Autogenous bone grafting of hallux sesamoid nonunion. Foot Ankle 18(5):293-296, 1997

2. Barclay M : A case of duplication of the internal cuneiform bone of the foot(cuneiform bipartitum), J Anat 67:175-178, 1932

3. Barlow TE : Os cuneiform I bipartitum, Am J Phys Anthropol 29:95-111, 1942

4. Bierman MI : The Supernumeray bone pedal bones, Am J Roentgenol 9:404-414, 1922

5. Bizzaro AH : On the traumatology of the sesamoid structures. Ann Surg LXXXIV:783, Dec, 1921

6. Bizarro AH : On sesamoid and supernumerary bones of the limbs, J Anat 55:256-268, 1921

7. Berenter J, Goldman F : Surgical approach for enlarged peroneal tubercles, J Am Podiatr Med Assoc 79:451-454, 1989

8. Bowlus T, Korman S, Desilvio M, et al : Accessory os fibulare avulsion secondary to the inversion ankle injury, J Am Podiatr Assoc 70:302-303, 1980

9. Chater EH : Foot pain and the accessory navicular bone, Ir J Med Sci 442-471, 1962

10. Colwill M : Osteomyelitis of the metatarsal sesamoids. J Bone Joint Surg:51B:464, 1969

11. Dellacorte M, Lin P, Grisafi P : Bilateral bipartite medial cuneiform: a case report, J Am Podiatr Med Assoc 82:475-478, 1992

12. Dwight T : Variations of the bones of the hands and feet: a clinical atlas, Philadelphia, 1907, JB Lipponcott, pp 14-23

13. Geist ES : Supernumeray bones of the foot-a roentgen study of the feet of one hundred normal individuals, Am J Orthop Surg 12:403-414, 1914

14. Geist ES : The accessory navicular bone. J Bone Joint Surg. 7:570-574, 1925

15. Giannestras NJ : Foot disorders: Medical and surgical management , Philadelpia, Lea & Febiger, 1973.

16. Gordon SL, Evans D, Greer RB: Pseudomonas osteomyelitis of the great toe. Clin Orthop 99:188, 1974

17. Grogan D, Gasser S, Ogden J : The painful accessory navicular a clinical and histopathological study, Foot Ankle 10:164-169, 1989

18. Guber W : Auftreten der Tuberositas des Os metatarsale V sowohl als persistirende Epiphyse, als auch mit einer an ihrem ausseren Umfange aufsitzenden Epiphyse, Arch Pthol Anat Physiol Klin Med 99:460-471, 1885.

19. Harris RI, Beath T: Etiology of peroneal spastic flat foot, J Bone Joint Surg 30B: 624-634, 1948

20. Hedrick M, McBryde A : Posterior ankle impingement, Foot Ankle 15:2-8, 1994

21. Henderson RS : Os intermetatarseum and a possible relationship to hallux valgus, J Bone Joint Surg 45B:117-121, 1963

22. Hobart M : Fracture of the sesamoid bone of the foot . J Bone Joint Surg 11:299,1929

23. Hoerr NL, Pyle DI, Francis CC : Radiographic atlas os skeletal development of the foot and Ankle; a standard of reference Springfield, III, 1962, Charles C Thomas, PP 41-44.

24. Hogan J : Fractures of the os perineum: case report and

literature review, J Am Podiatr Med Assoc 79:201-204,1989

25. Inge GAL, Ferguson AB : Surgery of the sesamoid bone of greater toe , Arch Surg 27:466, 1933

27. Jeng CL, Maurer A, Mizel MS : Congenital absence of the fibular sesamoid : A case report and review of the literature. Foot Ankle 19(5):329-331, 1998

28. Kanatli U, Yetikin H, Yalcin N : The relationship between accessory navicular and medial longitudinal arch: Evaluation with a plantar pressure distribution measurement system. Foot Ankle Int 24: 486-489, 2002

29. Kewenter Y : Die sesambeine des 1 metatarsphalangeal gelenks des Menschen. Acta Orthop Scand 2(suppl):1, 1936

30. Kidner FC: The pre-hallus(accessory scaphoid) in its relation to flat foot. J Bone Joint Surg. 11:831-937, 1929

31. Lee KT, Young KW, Bae SW : Symptomatic Os intermetatarseum in Soccer player, J Korean Orthop assoc, 38:653-655, 2003

32. Leimbach G: Beitrage zur Kenntnis der Inkonstanten Skeletelemente des Tarsus, Arch Orthop Trauma Surg 38:431-448, 1938

33. Logan M, Connell D, Janzen D: Painful os cuboideum secundarium: cross-sectional imaging findings, J Am podiatr Med Assoc 86:123-125, 1996

34. Mancuso J, Hutchison P, Abramow S, et al : Accessory ossicle of the lateral maleolus, J Foot Surg 30:52-55, 1991

35. Mann RA, Wapner KL : Tibial sesamoid shaving for the treatment of intractable plantar keratosis. Foot Ankle 13:196-198,1992

36. Man RW : Calcaneus secondarius: Description and frequency in six skeletal samples , Am J Phys Anthropol 81:17-25, 1990

37. Marrota J, Micheli I : Os Trigonum impingement in dancers, Am J Sports Med 20:533-536, 1992.

38. Mercer J : The secondary os calcis, J Anat 66:84-97, 1931

39. O'Rahilly R : A survey of carpal and tarsal anomalies. J Bone Joint Surg. 35-A:626-642, 1953

40. Peacock K, Resnick E, Thoder J : Fracture of the os perineum with rupture of the peroneus longus tendon, Clin Orhtop

202:223-224, 1986

41. Perlman M : Os perineum fracture with sural nerve entrapment neuritis, J Foot Surg 29:119-121, 1990

42. Pierson J, Inglis A : Stenosing tenosynovitis of the peroneus longus tendon associated with hypertrophy of the peroneal tubercle and os perineum. J Bone Joint Surg 74A:440-442, 1992

43. Ray S, Goldberg VM : Surgical treatment of accessory navicular. Clin Orthop. 177:61, 1983

44. Reichmister JP : The painful os intermetatarseum: A brief review and case reports, Clin Orthop 153:201-203, 1980

45. Rosenmuller J : De mon nullis musculorum corpus humani varietatibu, Leipzig, 8, 1804

46. Robert PU, Patel AG, Noesberger B: Gout: Rare cause of hallucal sesamoid pain: A case report. Foot Ankle 12(18):818-820,1997

47. Sarrafian SK : Osteology. In anatomy of the foot and ankle, Philadelphia, 1983, JB Lipincott, PP 35-106

48. Scarlet JJ, Gunther R, Katz, et al : Os intermetatarseum-one, case reports and discussion, J Am Pdiatr Assoc 68:431-434, 1978

49. Schwartz B, Jay R, Schoenhaus H : Appophysis of the fifth metatarsal base: Iselin' s disease, J Am Podiatr Med Assoc 81:128-130, 1991

50. Scranton PE Jr, Rutkowski R : Anatomic variations in the first ray. Part II : Disorders of the sesamoids . Clin Orthop 151:256-264,1980

51. Shands A : A accessory bones of the foot, South Med Surg 93:326, 1931

52. Shawdon A, Kiss Z, Fuller P : The bipartite tarsal navicular bone:radiographic and computed tomography findings, Australa Radiol 39:192-194, 1995.

53. Shepherd FJ : A hithero undescribed fracture of the astragalus, J Anat Physiol 17:79-81, 1883

54. Talbot KD, Saltzman CL : Assessing sesamoid subluxation: How good is the AP radiograph ? Foot Ankle 19(8):547-554, 1998.

55. Tolle D : Accessory bones of the human foot: a radiological, histoembryological, comparative anatomical and genetic study, Copenhagen 1948, Musksgaard, pp 20-53.

56. Turong T, Dussault R, Kaplan P : Fracture of the os perineum and rupture of the peroneus longus tendon as a complication of diabetic neuropathy, Skeletal radiol 24:626-628, 1995

57. Wander D, Galli K, Ludden J, et al : Surgical management of a ruptured peroneus longus tendon with a fracture multipartite os perineum, J Foot Ankle Surg 33:124-128,1994

58. Wilson R, Moyles B : Surgical treatment of the symptomatic os perineum, J Foot Surg 26:156-158, 1987

59. Zadek I, Gold A : The accessory tarsal scaphoid. J Bone Joint Surg. 30-A:957-968, 1948

제**4**부
관절염(Arthritis)

11. 골성 관절염
Osteoarthritis

서울 보훈병원 정형외과 **김 학 준**

족부(foot) 및 족근 관절(ankle)의 관절염은 류마티스 관절염(rheumatoid arthritis), 통풍(gout), 당뇨병성 신경증(diabetic neuropathy) 등의 타 질환과 동반되어 주로 발생하고 골성 관절염은 중년이나 노년에서 주로 발생하며 젊은 연령층에서는 골연골의 손상이나 외상후에 발생하게 된다. 골성 관절염을 일으키는 원인은 명확히 알려져 있지 않으나, 관절내 및 관절외의 생화학적, 조직학적 변화에 의해 관절면의 변형을 유발하여 발생하며, 환자의 활동력, 직업 및 체중 등과 연관성이 있는 것으로 알려져 있다[32,80]. 외상후성 관절염이 골성 관절염의 가장 많은 빈도를 차지하고 있으며, 전족부(forefoot)에서는 주로 제1 중족지 관절(1st metatarsal joint)을 주로 침범하며 무지 외반증(hallux valgus)을 동반하는 경우가 많고, 중족부 및 후족부의 관절염은 외상에 의한 탈구 및 관절내 골절에 의해 중족부(midfoot) 및 후족부(hindfoot)의 족부의 생역학적 변화를 유발함으로서 관절염이 발생하게 된다. 또한 족근 관절(ankle)의 관절염은 비교적 흔히 관찰 될 수 있으며 골절 및 탈구 후의 합병증 뿐만 아니라 족관절 불안정성(ankle instability), 박리성 골연골염(osteochondritis dissecans)(그림 11-1) 등의 원인에 의해서 발생하는 것으로 알려져 있다.

관절염이 발생된 관절에서는 동통, 관절 운동의 제한, 마찰음(crepitation) 및 변형을 관찰 할 수 있으며, 방사선학적으로 관절 간격의 협소화, 관절 주위골의 경화증(sclerosis), 연골 융해(chondrolysis) 및 연골하 낭포(subchondral cyst) 등을 관찰 할 수 있다.

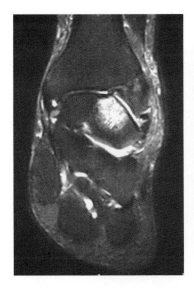
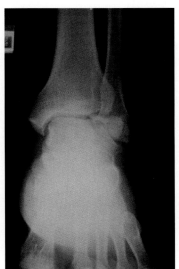
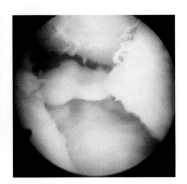

그림 11-1. MRI상 내측 거골부의 박리성 골연골염과 함께 단순 방사선 사진상 족근 관절의 골성 관절염과 관절경 소견

골관절염의 치료는 우선 증상의 개선을 위해 비스테로이드성 항염증제(NSAIDS) 등을 투여하고, 신발 또는 하퇴 보조기(AFO) 등으로 보행 기능을 보조해주며 체중 조절 및 활동 제한 등의 보존적 요법을 우선 시행한 후 지속적이고 조절되지 않는 동통과 변형이 발생하였을 때 수술적 요법을 고려해 볼 수 있다. 수술적 방법으로는 관절 고정술(Arthrodesis), 절제 관절 성형술(Resection Arthroplasty), 절골술(Oseteotomy) 및 인공 관절 치환술(Arthroplasty) 등이 있다[32].

I. 전족부의 골성 관절염 (Osteoarthritis of Forefoot)

1. 지간 관절의 골성 관절염 (Osteoarthritis of Interphalangeal joint)

지간 관절의 관절염은 주로 무족지(Greater toe) 지간 관절에 발생하며, 외상후성 관절염(그림 11-2)이나 중수지절 관절(Metatarsophalangeal joint)의 고정술 후에 주로 발생하며 갈퀴족(clawing toe)이 오랫동안 지속되어 고정상태(fixed)일 때도 발생한다. 소족지(Lesser toes)의 지간 관절의 관절염은 주로 외상과의 연관성이 많으며, 프라이버그 골괴사증(Freiberg's Infarction) 과도 관계가 있다[32].

치료 방법으로는 압력이 가해지는 부위에 패딩(padding)을 덧대거나, 깔창(insole)을 이용하여 지간 관절에 가해지는 압력을 줄이며, NSAIDS 등의 약물 요법을 시행을 시행할 수 있으며 동통이 지속되거나 고정된 갈퀴족(fixed clawing toe) 변형이 있을 때는 수술적 방법으로 지간 관절 고정술(IP joint arthrodesis)을 시행할 수 있으며, 소족지(lesser toes)에서는 지간 관절 고정술 또는 절제 관절 성형술(excisional arthroplasty)을 시행 할 수 있다. 지간 관절 고정술은 교차 K 강선 고정술에 의한 관절 고정술시에는 불유합율이 44%에 달한다는 보고[93]가 있으므로 나사못에 의한 관절 고정술이 불유합율을 최소화 할 수 있을 것이다.

2. 중족지절 관절의 골성 관절염(Osteoarthritis of Hallux Metatarsophalangeal joint)

중족지절 관절의 관절염은 주로 무족지에 발생하며 주로 양측성으로 발생한다. 무족지 중족지절 관절의 동통을 동반한 관절운동의 장애와 퇴행성 관절염이 있을 시에는 무지 강직증(Hallux Rigidus)이라 부르며 이는 무지 외반증과는 다른 형태의 질환으로서 주로 배부 굴곡(Dorsiflexion)의 장애가 동반된다. 또한 진행된 무지 외반증(advanced Hallux Valgus) 및 외상후에도 중족지절 관절의 골성 관절염이 발생 할 수 있다(그림 11-3).

무지 강직증(Hallux Rigidus)는 Davies-Colley[35]가 1887년 처음으로 무족지의 모양을 중심으로 Hallux Flexus로 기술한 것

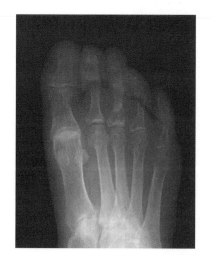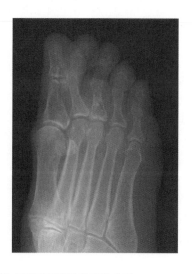

그림 11-2. 제3 근위 지절의 골절후 근위지간절의 관절염 소견

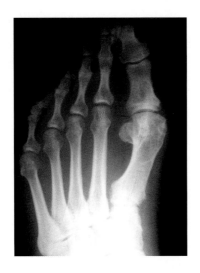
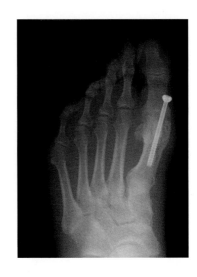

그림 11-3. 무지 외반증과 동반된 제1중족지절 관절의 관절염과 나사못을 이용한 중족지절 관절의 고정술

을 Cotterill[29]이 Hallux Rigidus로 명명하여 현재 널리 쓰이고 있으며 무족지 중족지절 관절에 국한된 관절염을 말하는 통칭이다. Nilsonne 등[87]은 이를 두 가지 형으로 분류하였으며 청소년기 형(adolescent type)은 박리성 골연골염(Osteochondritis Dissecans)과 부분적인 관절의 변형과 동반된 형을, 성인형(adult type)은 퇴행성 관절염에 의해 전반적인 관절의 변형이 동반된 형으로 분류하였다. 무지 강직증의 병리 발생학적 원인은 명확하지 않으나 중족골 상위증(Metarsus levatus), 박리성 골연골염(Oseochondritis Dissecans of metatarsal head), 긴 무족지(long first ray) 및 편평족(Pes Planus)등과 연관이 있는 것으로 알려져 있다[12,14,18,29,35,53,65,73,75,94,111,114].

오랫동안 지속된 진행된 무지 외반증에서는 족지(phalanx)의 외측 아탈구(lateral subluxation)와 중족지절 관절의 적합성(congruity)이 소실되며 비대칭적인 관절 간격의 협소 소견과 함께 종자골(sesamoid)의 골극(osteophyte) 형성을 특징적으로 보여 준다. 소족지(lesser toes)의 중족지절 관절염은 주로 외상과 동반되어 있으며, 특히 제 2 족지의 관절염은 Freiberg's Infarction과의 연관성이 높다(그림 11-4).

치료 방법으로는 볼이 넓은 신발(wide toe-box shoes)을 착용하여 신발 의 압박에 의한 증상 및 피부 궤양을 감소 시키고, 비스테로이드 성 소염 진통제(NSAIDS) 등의 약물 요법으로 동통을 경감 시킬 수 있으며 조절되지 않는 동통이나 변형이 있을 시에는 수술적 방법을 고려해 볼 수 있다. 수술적 방법으로는 변연절제술(Debridement), 골연 절제술(Cheilectomy), 관절 고정술(Arthrodesis), 인공 관절 치환술(Joint Replacement), 절제 관절 성형술(Resection Arthroplasty), 무지 외반증의 교정 및 절골술(osteotomy) 등이 있다[1,7,13-17,25,32,40,43,46,50,54,56,59,64,71,75,84,94,95,108,114].

1) 변연 절제술(Debridement)

관절염의 분명한 포커스가 존재하거나 골연골의 결손이 있을 시에 병변 부위의 절제(resection) 및 천공술(drilling)을 시행

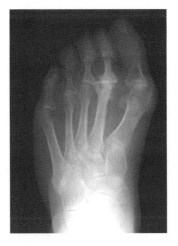
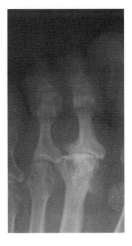

그림 11-4. Freiberg's infarction 후에 발생한 제2 중족지절 관절의 관절염과 고도의 무지 외반증

할 수 있으며 활액막 절제술(Synovectomy)에 의한 증상의 호전을 기대할 수 있다.

2) 골연 절제술(Cheilectomy)

골연 절제술은 DuVries[38]가 처음 도입 한 술식으로서 관절면 배부의 관절염 변화가 있고 대부분의 관절 연골이 보존되어 있는 상태에서 시행 할 수 있는 술식으로서 중족 골두의 배부 20~30%를 절제 함으로서 충돌(impingement)을 해소하여 증상의 완화를 가져 올 수 있는 술식이다. 관절 연골이 50%이상이 파괴가 되어 있을 때 에는 적응증이 되지 않는다.

3) 관절 고정술(Arthrodesis)

관절 고정술은 중족지절 관절의 골성 관절염의 치료에 있어 효과적인 방법으로 다양한 형태의 술식이 제시되고 있으며, 고정 각도는 지면에 대해 배부 굴곡 15°, 5°~10°의 외반 상태가 추천되고 있다. 견고한 관절 고정을 위하여 관절면의 평평한 절제(Flat cut) 또는 컵과 콘 모양의 관절 절제(Cup and Cone arthroplasty)를 시행한 후 K-강선, 나사못, 금속판, Threaded 핀 등을 이용하여 고정을 할 수 있다[19, 21, 30, 31, 33, 57, 60, 70, 76, 78, 83, 105].

4) 인공 관절 치환술(Joint Replacement)

실리콘으로 된 인공 보형물(Prosthesis)을 관절을 대치하여 삽입함으로서 관절염이 병발된 관절에서 관절 운동 범위가 유지된 상태에서 관절을 대치하기 위해 Swanson[98]이 시도한 술식이다. 이 술식의 단점은 관절 강직, 인공 보형물에 대한 조직 반응, 인공 보형물의 해리(lossening) 및 실리콘 debris 에 의한 골 파괴 등[109]이므로 제한된 경우에서 시도해볼 수 있는 술식이다.

5) 절제 관절 성형술(Resection Arthroplasty)

Keller[63]에 의해 대중적으로 알려진 술식으로 근위 족지의 기저부 절제를 통해 감압(decompression)을 함으로써 연부 조직의 긴장도를 줄여 동통의 감소를 시킬 수 있으며 여러 저자들에 의해 좋은 결과가 보고되고[4,16,102] 있으나, 족지 굴곡력의 약

화, 중족통 및 cockup 변형 등을 유발함으로써 젊은 환자에서는 추천되지 않고 활동력이 떨어지는 노인 환자에서는 추천 될 만한 방법이다.

6) 절골술(wedge osteotomy)

젊고 활동적인 환자에서 중족지절 관절의 배부 골곡 장애가 있으나 배부의 골극이 없을 때 근위 족지 또는 중족 골두의 절골술을 통해 중족지절 관절의 배부 굴곡을 향상 시킬 수 있다. 술식으로는 Moberg[82]의 근위 족지의 배부 폐쇄성 설상 절골술(dorsal closed wedge osteotomy), Davies[34]의 중족 골두 족저 굴곡 폐쇄성 설상 절골술(plantar flexion closing wedge osteotomy), Green-Watermann[30]의 중족 골두 족저 굴곡 갈매기형 절골술(plantar flexion osetotomy with modified chevron osteotomy) 등이 있다.

II. 중족부의 골성 관절염 (Osteoarthritis of Midfoot)

중족부의 골성 관절염은 족근 중족 관절(Tarsometatarsal joint, Lisfranc's joint) 골절 및 탈구의 후유증에 의해 주로 발생한다[7,32,51](그림 11-5). 또한 체중 부하 상태에서 세로궁(Longitudinal arch)에 과도한 스트레스가 지속적이고 반복적으로 집중되는 상태에서 족근 중족 관절(Tarsometatarsal joint, Lisfranc's joint)의 파괴가 발생하기도 한다[7,32,48].

족근 중족 관절은 해부학적으로 3개의 주(three column)를 가진다. 내측주(Medial column)는 제 1 중족-설상골 관절(1st Metatarsocuneiform joint), 중앙주(Middle column)는 제 2, 3 중족-설상골 관절(2nd, 3rd Metatarsocuneiform joint), 외측주(Lateral column)는 제 4, 5 중족-입방골 관절(4th, 5th Metatarsocuboid joints)로 이루어져 있으며 방사선학적으로 제 1 중족골(1st metatarsal)의 내측연(medial border)과 내측 설상골(medial cuneiform)의 내측연과 일치하고, 제 2 중족골(2nd metatarsal)의 내측연과 중앙 설상골(intermediate cuneiform)의 내측연이 일치하며 제 4 중족골(4th metatarsal)의 내측연이 입방골(cuboid)의 내측연과 일치하게 된다[45]. 이러한 방사선학적 특성으로 족근 중족 관절의 올바른 정열을 확인할 수 있으며

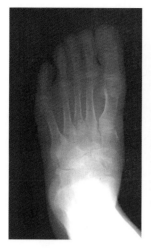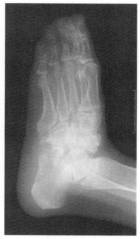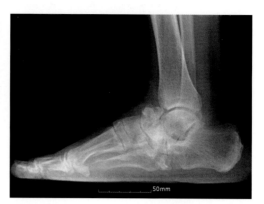

그림 11-5. 외상에 의한 tarsometatarsal joint 와 hindfoot joint의 osteoarthritis와 이로 인한 편평족(Flat foot)

관절면의 모양으로 인해 관절 운동 제한을 보이므로 비정상적인 stress에 의해 쉽게 관절의 손상을 유발 할 수 있다[44].

중족부의 관절염이 발생시 대부분 편평-외반족(plano-valgus foot)의 발 모양을 관찰 할 수 있으며 전족부의 외전(abduction) 및 배부 굴곡(dorsiflexion) 변형을 보인다.

치료 방법으로는 보존적 치료로 족부 내측궁(longitudinal arch)을 지지해 줄 수 있는 보조기를 사용하거나 견고한 내창과 호상 외창(stiff insole with rocker bottom outer sole)을 사용함으로 인해 동통의 경감 및 보행의 개선을 가져 올 수 있으며, 단하지 석고 고정(short leg cast or brace)을 함으로서 동통의 감소를 얻을 수 있다. 동통 및 변형이 지속적으로 진행하는 소견이 관찰되면 수술적 치료의 적응증이 되며 중족부의 관절염과 동반되어 후족부의 외반 변형이 동반되는 경우가 많으므로 이에 대한 세심한 검사가 수술 전에 요구된다.

수술적 방법은 관절염이 이환된 관절의 관절 고정술이며, 제 2, 3 중족-설상골 관절(2nd, 3rd metatarsocuneiform joint) 가장 흔히 이환되며, 제 1 중족-설상골 관절(1st metatarsocuneiform joint)이 덜 이환되는 것으로 알려져 있으며, 제 4, 5 중족-입방골 관절(4th, 5th metatarsocuboid joints)을 침범하는 예는 흔하지 않는 것으로 알려져 있다[68].

관절 고정술시에는 중족부의 정열 상태를 결정하는 것을 고려해야 되는데, Johnson 과 Johnson[61] 은 변형된 위치 그대로 K-강선을 이용한 관절 고정술의 결과가 좋다고 발표하였으나, Komeda 등[68], Sangeorzan 등[92] 및 Mann 등[77]의 많은 저자들이 정상적인 중족부의 정열을 회복하여 관절 고정술을 시행하는 것이 술 후 결과가 우수하다고 발표하였으므로 가능한 중족부의 정상적인 정열을 회복하는 것이 중요하다고 할 수 있다(그림 11-6).

중족부 관절 고정술의 절개(incision) 방법은 제1 중족-설상 관절의 절개, 제 2 중족골 상방의 중심 절개(midline incision), 및 제 5중족-입방골 관절 상방의 절개를 포함한 3-절개방법(3-incision technique)[7], 내측 도달법(medial approach)[58], 제 1, 2 중족골 사이의 절개법[92], 및 제 2 중족-설상관절의 내측 절개와 제4 중족골 외측 기저부 절개를 통한 도달법[103] 등 다양하게 있다.

III. 후족부의 골성 관절염 (Osteoarthritis of Hindfoot)

후족부의 생역학적 연구는 그 중요성만큼 다양하게 연구되어 왔다. 체중 부하 보행시 하중은 족부 관절을 통해 다리를 통해 고관절로 전달되게 된다. 그러므로 보행시 중요한 역할을 하는 후족부의 관절은 하나의 유닛으로 또는 각각의 관절로서 생역학적인 연구가 많이 진행되어 왔다. 보행시 초기 접지기

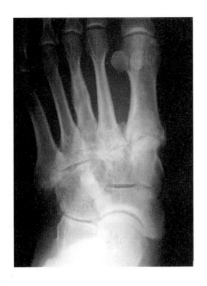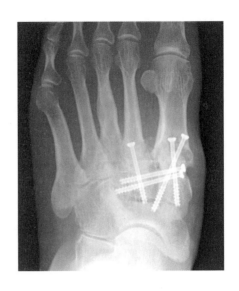

그림 11-6. Medial Lisfranc's joint의 arthritis 소견과 arthrodesis

(heel strike)에서 하중이 족근 관절(ankle joint) 및 거골하 관절(subtalar joint)의 외측으로 가해짐으로 인해 거골하 관절의 외반(inversion)을 유발하여 거골(talus) 및 경골(tibia)이 내외전(internal rotation)되게 한다. 즉, 후족부의 관절은 축성 하중(axial loading)을 회전 벡터(rotational vector)로 변화시킴으로써 체중 부하시 각 관절로 가는 응력(stress)을 줄이는 역할을 한다. 입각기(stance phase)때 후족부는 외반(valgus) 위치가 되며 거골하 관절(subtalar joint)과 횡 족근관절(transverse tarsal joint)은 평행을 이루게 된다. 거주상 관절(talonavicular joint), 종입방 관절(calcaneocuboidal joint)과 거골하 관절(subtalar joint)은 동기화(synchrony)되어 움직이므로 불규칙한 지면을 보행시 족부가 잘 적응할 수 있게 해준다. 발가락들림(toe off)시에는 거골하 관절이 반대 방향으로 움직임으로써 종골의 내반(inversion)을 유발하여 거골하 관절과 횡 족근관절의 축이 비틀림으로 인해 중족부의 잠김(locking)이 발생하여 발가락들림시의 튼튼한 지지대 역할을 하게 된다. 이와 같이 거골하 관절의 움직임은 정상 보행에 중요한 역할을 하며 보행시 족부의 지면에 대한 적응을 가능하게 만들어 준다[32,74].

거주상 관절은 후족부 운동의 중요한 역할을 담당하는 관절로서 거주상 관절의 고정은 횡 족근관절과 거골하 관절의 운동을 심하게 제한되게[69] 하나, 종입방 관절의 고정시에는 거골하

관절의 운동에 심한 제한이 일어나지 않게 된다[37]. 후족부의 골성 관절염의 치료시 이러한 생역학적 특성을 잘 고려하여야 한다.

후족부의 일차성 골성 관절염의 원인은 명확하지 않으나 질소 유리 염기(nitrogen free radical)가 병리발생학적으로 중요한 역할을 한다고 알려져 있다[39]. 2차적 후족부의 관절염은 주로 골절이나 만성 족관절 불안정성 등의 외상과 관계가 깊으나, 후경골근 기능이상증(posterior tibial tendon dysfunction)에 의한 거주상 관절의 지속적인 아탈구 및 선청성 족부 이상(결합증, tarsal coalition 등)등에 의해 발생하기도 한다. 후경골근 기능이상증에서는 관절염이 진행하면서 족부의 세로궁(longitudinal arch)이 심하게 소실되나, 거주상 관절이나 종입방 관절에 국한된 관절염시에는 세로궁의 소실이 심하지 않은 특징을 볼 수 있다. 외상후에 발생하는 후족부의 관절염은 종입방 관절 단독으로 침범하는 경우가 있으나 일차성 관절염에서는 단독으로 침범하는 예는 드물다. 또한 활동적인 사람에서는 거주상 관절 및 종입방 관절의 관절 고정술이 추천되고 있으며[26,32], 종골 골절 후 발생하는 후유증에서는 거골하 관절 고정술의 적응증이 된다.

후족부의 골성 관절염은 깔창(insole)이나 하지 보조기(AFO)를 통해 후족부 및 중족부의 움직임을 최소화하게 하거나 호상

외창(rocker bottom outer sole)을 가진 신발을 착용하게 하여 보행 기능의 개선을 시킬 수 있으며, 동통에 대해서는 비스테로이드성 진통제(NSAIDS)등을 투여하는 등의 보존적인 치료를 우선 시행해 볼 수 있다. 보존적인 치료에도 동통 등의 증상 개선이 이루어 지지 않을 때 거주상 관절 고정술(Talonavicular arthrodesis)(그림 11-7), 종입방 관절 고정술(Calcaneaocuboidal arthrodesis), 이중 관절 고정술(Double arthrodesis) 또는 삼중 관절 고정술(Triple arthrodesis)(그림 11-8)을 고려해 볼 수 있다. 관절 고정술시 환자의 나이를 고려하여 50세 이하에서는 주로 거주상 관절의 단독 고정술을 선호하며, 50세 이상에서는 관절의 안정성을 증가 시키기 위해 이중 관절 고정술을 선호하게 된다. 최근에는 적응증에 따라서 거주상 관절이나 종입방 관절의 단독 고정술 보다는 후족부의 제한적 관절 고정술 (limited arhtrodesis)이 추천되고 있다[26]. 그러나 거골하 관절을 침범한 심한 관절염이나 심한 족부의 변형이 동반 되었을 때는 고식적인 삼중 관절 고정술을 고려하여야 한다.

후족부의 관절 고정술 후에는 후족부의 운동성이 감소되어 후족부의 충격 흡수 기능이 저하 됨으로 인해 주변 관절부로 응력(stress)이 집중되어 주변 관절의 퇴행성 관절염이 높은 빈도로 발생하게 된다. 여러 저자들의 연구에서 타관절의 퇴행성 관절염의 발생률은 저자들 마다 10%에서 50%로 다양하나 족근 관절 보다는 중족 관절을 더 높은 빈도로 침범하게 된다고[6, 8,26] 보고되고 있다.

IV. 족근 관절의 골성 관절염 (Osteoarthritis of ankle joint)

족근 관절의 일차성 골성 관절염은 그 원인이 명확하지 않으나 해부학적, 생역학적인 특성에 의해 슬관절의 일차성 골관절염보다 그 빈도가 낮다. 족근 관절은 해부학적 특성상 격자 구

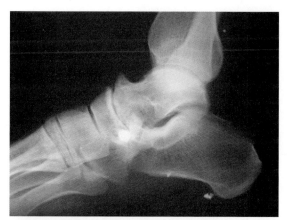

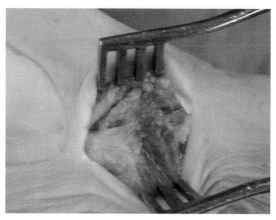

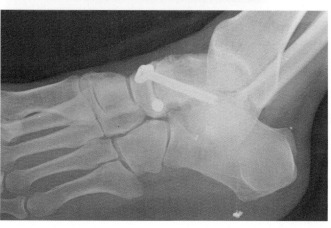

그림 11-7. Talonavicular joint의 osteoarthritis와 수술 소견 및 Talonavicular arthrodesis

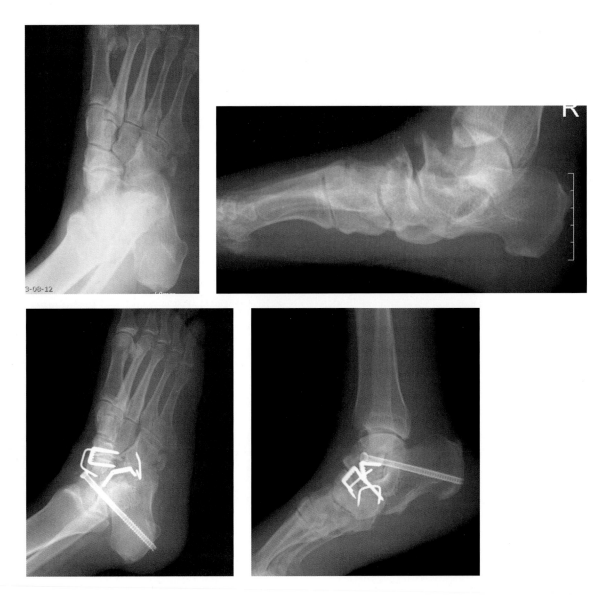

그림 11-8. Talonavicular dislocation 후 발생된 Hindfoot 의 Osteoarthritis 와 Triple arthrodesis

조에 쌓여 있으므로 움직임이 적으므로 슬관절 보다 관절염의 빈도 낮으며 족관절의 연골(cartilage) 자체가 타관절과는 다른 특성을 가지고 있다. 족근 관절의 연골은 단백 다당 (proteoglycan)의 생성률이 더 높으며 수분 함유량이 적고, 이화 매개물(catabolic mediator)에 덜 민감하며, 골형성 인자 (bone morphogenic protein)에 대한 반응력이 높으므로 관절면의 손상이 적으면서 손상된 관절면의 회복력이 타관절(특히 슬관절)에 비해 우수하므로 일차성 골관절염이 비교적 적은 빈

도로 발생하게 된다[1,28,62,67,104].

족근 관절의 골성 관절염은 주로 외상후 발생하는 이차성 족근 관절 골성 관절염(secondary osteoarthritis of ankle)이 대부분으로 주로 축구 선수나 발레 무용수 경우에 관찰 할 수 있다. 족근 관절의 이차성 골관절염의 원인으로는 만성 족관절 불안정성, 경비 간격 이개증(tibiofibular diastasis), 족근 관절 및 거골의 골절 후 발생하는 합병증 및 족근 관절의 박리성 골연골염(osteochondritis dissecans of ankle), 편평족 등과 같은 족부

질환 및 족근 관절 부위의 변형등이 있다.

족관절 골성 관절염의 증상은 동통 및 관절 운동의 장애이며 특히 장시간의 기립 상태나 보행에 의해 악화되는 경향을 보이며, 수동적, 능동적 관절 운동이 모두 감소하는 소견을 보인다. 또한 관절내의 탄발음이나 관절내 삼출액(effussion)이 발생하기도 한다. 족근 관절의 관절염 발생시 비골근(peroneus muscle)의 약화에 의해 족부의 배부 굴곡력(dorsiflexion)이 약화되며 거골하 관절의 관절염이나 인대염, 인대의 파열등이 동반되기도 하므로 진단시 리도카인(lidocaine) 등의 국소 마취제를 이용하여 동통의 원인이 족근 관절인지를 감별하여야 한다.

족근 관절의 방사선 촬영시 전후면(AP), 측면(lateral) 및 격자(mortise) 방사선 사진에 추가하여 후족부의 정렬 상태(heel varus or heel valgus)의 관찰을 위해 체중 부하 상태에서의 전후면 및 측면 방사선 사진 촬영을 꼭 시행하여 하지의 정렬 상태에 대한 평가를 시행하여야 한다. 필요하다면 추가적으로 컴퓨터 단층 촬영(CT)이나 자기 공명 영상 촬영(MRI) 및 골주사 검사(Bone scan)등을 시행 할 수도 있다.

족근 관절의 골성 관절염의 초기 치료는 동통의 경감, 기능 회복 및 변형의 방지를 목표로 시행하여야 한다. 동통의 경감과 기능 회복을 위해 비스테로이드성 진통제(NSAIDS) 등의 약물 요법, 초음파 전기 자극 등의 물리 치료등을 시행하고, 족근 관절 주위의 변형에 대한 수술적 교정을 시행함으로써 족근 관절면의 파괴의 진행을 막는 노력을 기울여야 할 것이다. 족근 관절의 골성 관절염에 대한 수술적 치료는 다양하게 제시되고 있으므로 환자의 상태나 의사의 술기에 따른 적절한 수술적 방법을 선택하여야 최선의 결과를 얻을 수 있을 것이다.

1) 변연 절제술(Debridement)

변연 절제술은 경도나 중등도의 족근 관절 골성 관절염에서 사용하는 방법으로 골극(osteophyte), 염증이 있는 활액막(synovium) 및 유리체(loose body)를 제거함으로써 환자의 증상 및 기능 개선이 가능하게 한다. 방법으로는 절개술에 의한 방법과 관절을 이용한 방법이 있는데 최근에는 관절경 기구 및 수기의 발달로 관절경을 이용한 방법[41,81,101]이 보편적으로 사용되고 있다(그림 11-9). 또한 족근 관절의 불안정성과 동반된 경우에는 인대 재건술을 통해 족근 관절의 안정성을 얻음으로서 증상의 개선을 가져 올 수 있다[42,52].

2) 관절 신연술(Joint distraction)

족근 관절면에 가해지는 압력를 줄이기 위해 외고정 장치를 이용한 관전 신연술을 시행하여 환자의 동통 경감, 관절 운동의 기능 개선 및 방사선학적으로 수년간 관절 간격의 증가를 유지하여 족근 관절의 유합술의 시기를 좀더 늦출 수 있다는 보고가 있다[79,106,107].

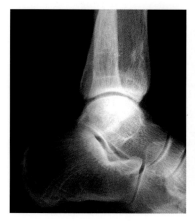 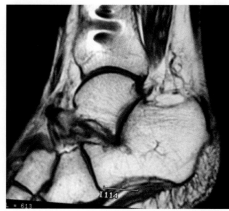 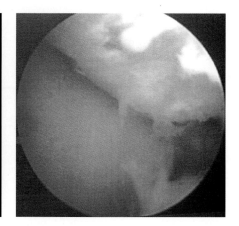

그림 11-9. Ankle soft tissue impingement와 동반된 mild Osteoarthritis의 관절경 소견

3) 절골 교정술(Osteotomy)

족근 관절의 골성 관절염의 치료 중 간혹 실시하는 술식으로서 족근 관절의 정열이 정상에서 벗어난 내반(varus) 또는 외반(valgus) 상태를 정상적인 정열 상태로 만들어 줌으로써 족근 관절의 일부분에 집중되는 응력을 분산시켜 환자의 동통 감소 및 관절 운동의 증가를 가져와 기능적으로 우수한 결과를 보였다는 보고가 있다[23,97,99]. 절골 교정술은 선천적인 족근 관절 주위의 변형이나 족근 관절 골절의 부정 유합에 의해 발생한 골 관절염 시에 사용할 수 있는 방법으로서 족근의 상과골(supramalleola) 부위에서 절골술을 시행하며 정상의 정열 상태보다 조금 더 외반으로 과교정(valgus overcorrection)을 시행하여야 한다[99].

4) 관절 고정술(arthrodesis) [2,9,24,74]

족근 관절의 골성 관절염 치료시에 가장 많이 시행되어 지고 있는 술식으로서 족근 관절의 고정을 위해 외고정 장치를 이용한 방법, 나사못을 이용한 방법, 다양한 방법의 골편 이식을 이용한 방법, 금속판을 이용한 방법 및 해면골 이식후 석고 고정하는 방법 등 다양하게 제시되고 있다.

족근 관절 고정술시의 각도는 족저 굴곡(plantar flexion) 0°~5°, 외전(valgus) 0°~5°, 외회전(external rotation) 5°~10° 및 거골의 후방 전위 상태로 고정 하는 것이 보편적이며 여자의 경우는 뒷굽이 높은 신발의 착용이 가능하도록 족저 굴곡 10°~15°의 상태로 고정하는 것이 바람직하며 족근 관절이 내전(varus) 상태로 고정되지 않게 주의를 기울이는 것이 중요하다.

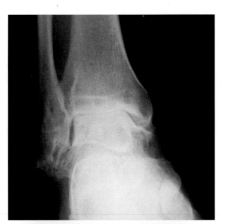
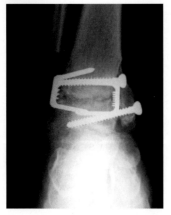
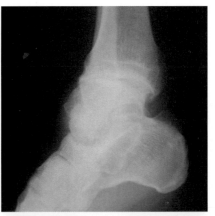
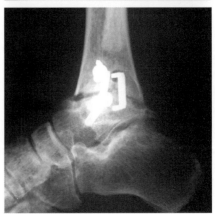

그림 11-10. 외상후 발생한 Ankle Osteoarthritis 와 Chevron osteotomy를 이용한 Ankle fusion

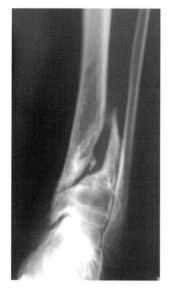
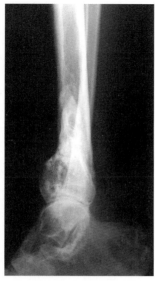
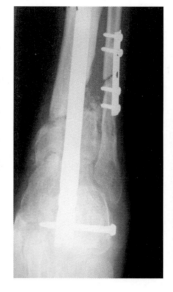
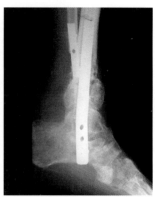

그림 11-11. Tibia open fracture 후 발생한 nonunion과 Ankle joint의 Osteoarthritis 소견과 Retrograde IM nail을 이용한 fracture stabilization과 ankle joint arthrodesis.

족근 관절 고정술후에 환자의 동통이 감소하고 부정 정렬(malalignment) 상태가 해소되어 만족할 만한 일상 생활이 가능하며 보행 능력에 있어서도 우수한 결과를 보인다[11,24, 115].

족근 관절 고정술에는 다양한 방법의 술식이 있다. 압축 고정술(compression arthrodesis)은 1951년 Chanley가 처음 기술한 것으로서 스스로 고안한 외고정 클램프(clamp)를 이용하여 족근 관절의 관절면을 재단한 후 압축력을 가함으로써 관절의 유합을 이루는 술식[22]이다. 근래에는 외고정 장치의 발달로 다양한 외고정 장치를 이용하고 있다[10,20,96].

족근 관절 고정술에서 견고한 관절 유합을 얻기 위해 다양한 금속 고정물을 이용하는데 스테플(staple), 나사못(screw), 금속판(plate) 및 골수강내 금속정(IM nail) 등을 이용하며(그림 11-10, 11) 나사못의 삽입 방법 또한 다양하게 제시되고 있다[2,9,11,24,49,72,85,86,112].

현재는 관절경의 발달에 의해 변형이 심하지 않은 족근 관절 관절염에서는 관절경을 이용한 족근 관절 고정술을 통해 조기의 체중 부하 및 관절 유합율의 증가를 기대 할 수 있게 되었다[41,90,115].

5) 인공 족관절 치환술(Total ankle arthroplasty)

족근 관절의 골성 관절염의 치료는 전통적으로 족근 관절 고정술을 시행하여 만족할 만한 임상적 결과를 얻어 왔으나, 고정술후 족근 관절 운동의 제한 소견에 의해 울퉁 불퉁한 지면

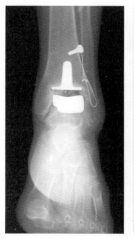
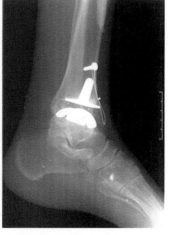

그림 11-12. New Jersey type total ankle arthroplasty

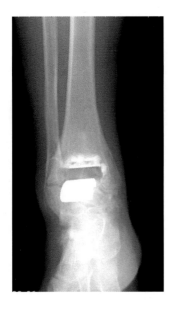
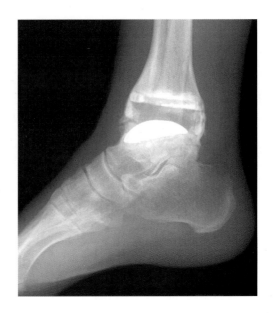

그림 11-13. Odland type total ankle arthroplsty

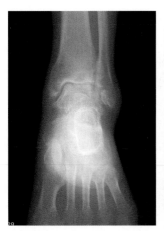
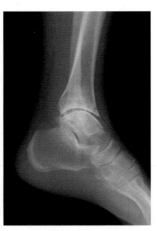
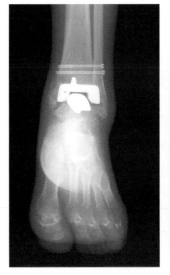
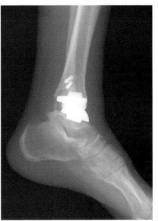

그림 11-14. Ankle osteoarthritis 와 Agility total ankle arthroplasty를 시행한 소견

이나 맨발 보행이 제한되었으며, 족근 관절 고정 후에 다른 관절에 응력이 집중되어 관절염이 유발될 가능성이 높아졌다. 이에 고관절이나 슬관절에서 사용되었던 인공관절을 족근 관절에 도입하여 통증이 없고 안정적이며 정상적인 족근 관절의 운동을 목표로 시도 하였으나 초기에는 감염이나 해리 등의 많은 문제점이 있어[66,113] 그 사용이 제한 되었으나 최근에는 새로운 디자인의 인공 관절이 등장함으로써 그 사용의 유용성이 다시 주목 받고 있다[3,5,47,55,91,100,110](그림 11-12, 13, 14).

■ 참고문헌

1. [Surgical treatment of Hallux rigidus]. Rev Chir Orthop Reparatrice Appar Mot, 83 Suppl 3: 35-54, 1997.

2. Abidi NA, Gruen GS and Conti SF: Ankle arthrodesis: indications and techniques. J Am Acad Orthop Surg, 8: 200-9, 2000.

3. Alvine FG: The Agility ankle replacement: the good and the bad. Foot Ankle Clin, 7: 737-53, vi, 2002.

4. Anderl W, Knahr K and Steinbock G: [Long term results of the Keller-Brandes method of hallux rigidus surgery]. Z Orthop Ihre Grenzgeb, 129: 42-7, 1991.

5. Anderson T, Montgomery F and Carlsson A: Uncemented STAR total ankle prostheses. Three to eight-year follow-up of fifty-one consecutive ankles. J Bone Joint Surg Am, 85-A: 1321-9, 2003.

6. Angus PD and Cowell HR: Triple arthrodesis. A critical long-term review. J Bone Joint Surg Br, 68: 260-5, 1986.

7. Banks AS, Downey MS, Martin DE and Miller SJ: Foot and Ankle Surgery, Philadelphia, Lippincott Williams & Wilkins,2001.

8. Bennett GL, Graham CE and Mauldin DM: Triple arthrodesis in adults. Foot Ankle, 12: 138-43, 1991.

9. Berend ME, Glisson RR and Nunley JA: A biomechanical comparison of intramedullary nail and crossed lag screw fixation for tibiotalocalcaneal arthrodesis. Foot Ankle Int, 18: 639-43, 1997.

10. Berman AT, Bosacco SJ, Parks BG, et al.: Compression arthrodesis of the ankle by triangular external fixation: biomechanical and clinical evaluation. Orthopedics, 22: 1129-34, 1999.

11. Bertrand M, Charissoux JL, Mabit C and Arnaud JP: [Tibio-talar arthrodesis: long term influence on the foot]. Rev Chir Orthop Reparatrice Appar Mot, 87: 677-84, 2001.

12. Bingold AC and Collins DH: Hallux rigidus. J Bone Joint Surg Br, 32: 214-222, 1950.

13. Blyth MJ, Mackay DC and Kinninmonth AW: Dorsal wedge osteotomy in the treatment of hallux rigidus. J Foot Ankle Surg, 37: 8-10, 1998.

14. Bonney G and Macnab I: Hallux valgus and hallux rigidus; a critical survey of operative results. J Bone Joint Surg Br, 34-B: 366-85, 1952.

15. Brage ME and Ball ST: Surgical options for salvage of end-stage hallux rigidus. Foot Ankle Clin, 7: 49-73, 2002.

16. Breitenseher MJ, Toma CD, Gottsauner-Wolf F and Imhof H: [Hallux rigidus operated on by Keller and Brandes method: radiological parameters of success and prognosis]. Rofo Fortschr Geb Rontgenstr Neuen Bildgeb Verfahr, 164: 483-8, 1996.

17. Brennan RL: Surgical correction of hallux rigidus. J Am Podiatry Assoc, 48: 392-3, 1958.

18. Bureau G: [Hallux rigidus]. Ann Chir, 14: 81-9, 1960.

19. Calderone DR and Wertheimer SJ: First metatarsophalangeal joint arthrodesis utilizing a mini-Hoffman External Fixator. J Foot Ankle Surg, 32: 517-25, 1993.

20. Campbell P: Arthrodesis of the ankle with modified distraction-compression and bone-grafting. J Bone Joint Surg Am, 72: 552-6, 1990.

21. Chana GS, Andrew TA and Cotterill CP: A simple method of arthrodesis of the first metatarsophalangeal joint. J Bone Joint Surg Br, 66: 703-5, 1984.

22. Charnley J: Compression arthrodesis of the ankle and shoulder. J Bone Joint Surg Br, 33: 180-184, 1951.

23. Cheng YM, Chang JK, Hsu CY, Huang SD and Lin SY: Lower tibial osteotomy for osteoarthritis of the ankle. Gaoxiong Yi Xue Ke Xue Za Zhi, 10: 430-7, 1994.

24. Chou LB, Mann RA, Yaszay B, et al.: Tibiotalocalcaneal arthrodesis. Foot Ankle Int, 21: 804-8, 2000.

25. Citron N and Neil M: Dorsal wedge osteotomy of the proximal phalanx for hallux rigidus. Long-term results. J Bone Joint Surg Br, 69: 835-7, 1987.

26. Clain MR and Baxter DE: Simultaneous calcaneocuboid and talonavicular fusion. Long-term follow-up study. J Bone Joint Surg Br, 76: 133-6, 1994.

27. Coester LM, Saltzman CL, Leupold J and Pontarelli W: Long-term results following ankle arthrodesis for post-traumatic arthritis. J Bone Joint Surg Am, 83-A: 219-28, 2001.

28. Cole AA, Margulis A and Kuettner KE: Distinguishing ankle and knee articular cartilage. Foot Ankle Clin, 8: 305-16, x, 2003.

29. Cotterill JM: Condition of stiff great toe in adolescent. Edinburgh Med J, 33: 459-462, 1887.

30. Coughlin MJ: Arthrodesis of the first metatarsophalangeal joint with mini-fragment plate fixation. Orthopedics, 13: 1037-44, 1990.

31. Coughlin MJ and Mann RA: Arthrodesis of the first metatarsophalangeal joint as salvage for the failed Keller procedure. J Bone Joint Surg Am, 69: 68-75, 1987.

32. Coughlin MJ and Mann RA: Surgery of the Foot and Ankle, St.Louis, Mosby,1999.

33. Curtis MJ, Myerson M, Jinnah RH, Cox QG and Alexander I: Arthrodesis of the first metatarsophalangeal joint: a biomechanical study of internal fixation techniques. Foot Ankle, 14: 395-9, 1993.

34. Davies GF: Plantarflexory base wedge osteotomy in the treatment of functional and structural metatarsus primus elevatus. Clin Podiatr Med Surg, 6: 93-102, 1989.

35. Davies-Colley: Contraction of metatarso-phalageal joint of great toe. Br Med J, 1: 728, 1887.

36. Davis JL and Giacopelli JA: Transfibular osteotomy in the correction of ankle joint incongruity. J Foot Ankle Surg, 34: 389-99, 1995.

37. Deland JT, Otis JC, Lee KT and Kenneally SM: Lateral column lengthening with calcaneocuboid fusion: range of motion in the triple joint complex. Foot Ankle Int, 16: 729-33, 1995.

38. DuVries HL: Static deformities. In Surgery of Foot, St Louis, CV Mosby,1959.

39. Evans CH, Stefanovic-Racic M and Lancaster J: Nitric oxide and its role in orthopaedic disease. Clin Orthop: 275-94, 1995.

40. Feldman RS, Hutter J, Lapow L and Pour B: Cheilectomy and hallux rigidus. J Foot Surg, 22: 170-4, 1983.

41. Fitzgibbons TC: Arthroscopic ankle debridement and fusion: indications, techniques, and results. Instr Course Lect, 48: 243-8, 1999.

42. Fortin PT, Guettler J and Manoli A, 2nd: Idiopathic cavovarus and lateral ankle instability: recognition and treatment implications relating to ankle arthritis. Foot Ankle Int, 23: 1031-7, 2002.

43. Geldwert JJ, Rock GD, McGrath MP and Mancuso JE: Cheilectomy: still a useful technique for grade I and grade II hallux limitus/rigidus. J Foot Surg, 31: 154-9, 1992.

44. Gellman H, Lenihan M, Halikis N, Botte MJ, Giordani M and Perry J: Selective tarsal arthrodesis: an in vitro analysis of the effect on foot motion. Foot Ankle, 8: 127-33, 1987.

45. Goldwyn RM: Gray's anatomy. Plast Reconstr Surg, 76: 147-8, 1985.

46. Gould N: Hallux rigidus: cheilotomy or implant? Foot Ankle, 1: 315-20, 1981.

47. Greisberg J and Hansen ST, Jr.: Ankle replacement: management of associated deformities. Foot Ankle Clin, 7: 721-36, vi, 2002.

48. Greisberg J, Hansen ST, Jr. and Sangeorzan B: Deformity and degeneration in the hindfoot and midfoot joints of the adult acquired flatfoot. Foot Ankle Int, 24: 530-4, 2003.

49. Gunter U, Jentsch P and Heller G: [Anterograde intramedullary tibio-talo calcaneus arthrodesis(aIMTCA) with spongiosaplasty in pseudarthrosis]. Unfallchirurg, 105: 474-7, 2002.

50. Hamilton WG and Hubbard CE: Hallux rigidus. Excisional arthroplasty. Foot Ankle Clin, 5: 663-71, 2000.

51. Hardcastle PH, Reschauer R, Kutscha-Lissberg E and Schoffmann W: Injuries to the tarsometatarsal joint. Incidence, classification and treatment. J Bone Joint Surg Br, 64: 349-56, 1982.

52. Harrington KD: Degenerative arthritis of the ankle secondary to long-standing lateral ligament instability. J Bone Joint Surg Am, 61: 354-61, 1979.

53. Hawkins BJ and Haddad RJ, Jr.: Hallux rigidus. Clin Sports

Med, 7: 37-49, 1988.

54. Hellberg S, Jensen JS and Jensen CH: [Hallux rigidus treated by dorsal-wedge osteotomy]. Ugeskr Laeger, 144: 552-3, 1982.

55. Henne TD and Anderson JG: Total ankle arthroplasty: a historical perspective. Foot Ankle Clin, 7: 695-702, 2002.

56. Hoffmann Z: [The hallux rigidus of young girls.]. Z Orthop Ihre Grenzgeb, 85: 626-30, 1955.

57. Holmes GB, Jr.: Arthrodesis of the first metatarsophalangeal joint using interfragmentary screw and plate. Foot Ankle, 13: 333-5, 1992.

58. Horton GA and Olney BW: Deformity correction and arthrodesis of the midfoot with a medial plate. Foot Ankle, 14: 493-9, 1993.

59. Iqbal MJ and Chana GS: Arthroscopic cheilectomy for hallux rigidus. Arthroscopy, 14: 307-10, 1998.

60. Johansson JE and Barrington TW: Cone arthrodesis of the first metatarsophalangeal joint. Foot Ankle, 4: 244-8, 1984.

61. Johnson JE and Johnson KA: Dowel arthrodesis for degenerative arthritis of the tarsometatarsal (Lisfranc) joints. Foot Ankle, 6: 243-53, 1986.

62. Kang Y, Koepp H, Cole AA, Kuettner KE and Homandberg GA: Cultured human ankle and knee cartilage differ in susceptibility to damage mediated by fibronectin fragments. J Orthop Res, 16: 551-6, 1998.

63. Keller W: The surgical treatment of bunions and hallux valgus. NY Med J, 80: 741-742, 1904.

64. Keogh P, Nagaria J and Stephens M: Cheilectomy for hallux rigidus. Ir J Med Sci, 161: 681-3, 1992.

65. Kessel L and Bonney G: Hallux rigidus in the adolescent. J Bone Joint Surg Br, 40-B: 669-73, 1958.

66. Kitaoka HB and Romness DW: Arthrodesis for failed ankle arthroplasty. J Arthroplasty, 7: 277-84, 1992.

67. Koepp H, Eger W, Muehleman C, et al.: Prevalence of articular cartilage degeneration in the ankle and knee joints of human organ donors. J Orthop Sci, 4: 407-12, 1999.

68. Komenda GA, Myerson MS and Biddinger KR: Results of arthrodesis of the tarsometatarsal joints after traumatic injury. J Bone Joint Surg Am, 78: 1665-76, 1996.

69. Lapidus PW: Subtalar joint, its anatomy and mechanics. Bull Hosp Joint Dis, 16: 179-95, 1955.

70. Lipscomb PR: Arthrodesis of the first metatarsophalangeal joint for severe bunions and hallux rigidus. Clin Orthop: 48-54, 1979.

71. Lombardi CM, Silhanek AD, Connolly FG, Dennis LN and Keslonsky AJ: First metatarsophalangeal arthrodesis for treatment of hallux rigidus: a retrospective study. J Foot Ankle Surg, 40: 137-43, 2001.

72. Madezo P, de Cussac JB, Gouin F, Bainvel JV and Passuti N: [Combined tibio-talar and subtalar arthrodesis by retrograde nail in hindfoot rheumatoid arthritis]. Rev Chir Orthop Reparatrice Appar Mot, 84: 646-52, 1998.

73. Mann RA: Hallux rigidus. Instr Course Lect, 39: 15-21, 1990.

74. Mann RA: Surgical implications of biomechanics of the foot and ankle. Clin Orthop: 111-8, 1980.

75. Mann RA and Clanton TO: Hallux rigidus: treatment by cheilectomy. J Bone Joint Surg Am, 70: 400-6, 1988.

76. Mann RA and Oates JC: Arthrodesis of the first metatarsophalangeal joint. Foot Ankle, 1: 159-66, 1980.

77. Mann RA, Prieskorn D and Sobel M: Mid-tarsal and tarsometatarsal arthrodesis for primary degenerative osteoarthrosis or osteoarthrosis after trauma. J Bone Joint Surg Am, 78: 1376-85, 1996.

78. Mann RA and Thompson FM: Arthrodesis of the first metatarsophalangeal joint for hallux valgus in rheumatoid arthritis. J Bone Joint Surg Am, 66: 687-92, 1984.

79. Marijnissen AC, van Roermund PM, van Melkebeek J and Lafeber FP: Clinical benefit of joint distraction in the treatment of ankle osteoarthritis. Foot Ankle Clin, 8: 335-46, 2003.

80. McGuire JB: Arthritis and related diseases of the foot and ankle: rehabilitation and biomechanical considerations. Clin Podiatr Med Surg, 20: 469-85, ix, 2003.

81. Meislin RJ, Rose DJ, Parisien JS and Springer S: Arthroscopic treatment of synovial impingement of the ankle. Am J Sports Med, 21: 186-9, 1993.

82. Moberg E: A simple operation for hallux rigidus. Clin Orthop: 55-6, 1979.

83. Molitor PJ: A modified method for screw arthrodesis of the first metatarsophalangeal joint. J R Coll Surg Edinb, 32: 315-6, 1987.

84. Molster AO, Lunde OD and Rait M: Hallux rigidus treated with the Swanson silastic hemi-joint prosthesis. Acta Orthop Scand, 51: 853-6, 1980.

85. Moore TJ, Prince R, Pochatko D, Smith JW and Fleming S: Retrograde intramedullary nailing for ankle arthrodesis. Foot Ankle Int, 16: 433-6, 1995.

86. Muir DC, Amendola A and Saltzman CL: Long-term outcome of ankle arthrodesis. Foot Ankle Clin, 7: 703-8, 2002.

87. Nilsonne H: Hallux rigidus and its treatment. Acta Orthop Scand, 1: 295-303, 1930.

88. Ogilvie-Harris DJ and Sekyi-Otu A: Arthroscopic debridement for the osteoarthritic ankle. Arthroscopy, 11: 433-6, 1995.

89. Pearce MS, Smith MA and Savidge GF: Supramalleolar tibial osteotomy for haemophilic arthropathy of the ankle. J Bone Joint Surg Br, 76: 947-50, 1994.

90. Raikin SM: Arthrodesis of the ankle: arthroscopic, mini-open, and open techniques. Foot Ankle Clin, 8: 347-59, 2003.

91. Saltzman CL, Amendola A, Anderson R, et al.: Surgeon training and complications in total ankle arthroplasty. Foot Ankle Int, 24: 514-8, 2003.

92. Sangeorzan BJ, Veith RG and Hansen ST, Jr.: Salvage of Lisfranc's tarsometatarsal joint by arthrodesis. Foot Ankle, 10: 193-200, 1990.

93. Shives TC and Johnson KA: Arthrodesis of the interphalangeal joint of the great toe--an improved technique. Foot Ankle, 1: 26-9, 1980.

94. Smith NR: Hallux valgus and rigidus treated by arthrodesis of the metatarsophalangeal joint. Br Med J, 2: 1385-7, 1952.

95. Southgate JJ and Urry SR: Hallux rigidus: the long-term results of dorsal wedge osteotomy and arthrodesis in adults. J Foot Ankle Surg, 36: 136-40; discussion 161, 1997.

96. Speiser P: [Compression arthrodesis of the ankle joint]. Arch Orthop Unfallchir, 51: 187-200, 1959.

97. Stamatis ED and Myerson MS: Supramalleolar osteotomy: indications and technique. Foot Ankle Clin, 8: 317-33, 2003.

98. Swanson AB: Silastic single-stem implants in the treatment of hallux rigidus. Foot Ankle Int, 16: 809, 1995.

99. Takakura Y, Tanaka Y, Kumai T and Tamai S: Low tibial osteotomy for osteoarthritis of the ankle. Results of a new operation in 18 patients. J Bone Joint Surg Br, 77: 50-4, 1995.

100. Takakura Y, Tanaka Y, Sugimoto K, Tamai S and Masuhara K: Ankle arthroplasty. A comparative study of cemented metal and uncemented ceramic prostheses. Clin Orthop: 209-16, 1990.

101. Tol JL, Verheyen CP and van Dijk CN: Arthroscopic treatment of anterior impingement in the ankle. J Bone Joint Surg Br, 83: 9-13, 2001.

102. Toma C: [Keller-Brandes operation in treatment of hallux rigidus. Clinical radiologic analysis of long-term results]. Wien Klin Wochenschr, 106: 381-3, 1994.

103. Treadwell JR and Kahn MD: Lisfranc arthrodesis for chronic pain: a cannulated screw technique. J Foot Ankle Surg, 37: 28-36; discussion 79-80, 1998.

104. Treppo S, Koepp H, Quan EC, Cole AA, Kuettner KE and Grodzinsky AJ: Comparison of biomechanical and biochemical properties of cartilage from human knee and ankle pairs. J Orthop Res, 18: 739-48, 2000.

105. Turan I and Lindgren U: Compression-screw arthrodesis of the first metatarsophalangeal joint of the foot. Clin Orthop: 292-5, 1987.

106. van Roermund PM and Lafeber FP: Joint distraction as treatment for ankle osteoarthritis. Instr Course Lect, 48: 249-54, 1999.

107. van Valburg AA, van Roermund PM, Lammens J, et al.: Can Ilizarov joint distraction delay the need for an arthrodesis of the ankle? A preliminary report. J Bone Joint Surg Br, 77: 720-5, 1995.

108. Vogl A: [Hallux rigidus; surgical procedure]. Z Orthop Ihre Grenzgeb, 93: 595-8, 1960.

109. Weinfeld SB and Schon LC: Hallux metatarsophalangeal arthritis. Clin Orthop: 9-19, 1998.

110. Wood PL and Deakin S: Total ankle replacement. The results in 200 ankles. J Bone Joint Surg Br, 85: 334-41, 2003.

111. Wulker N: [Hallux rigidus]. Orthopade, 26: 731-40, 1997.

112. Wulker N, Flamme CH, Muller A and Wirth CJ: [10 years follow-up of athrodeses of the hindfoot joints and upper ankle joint]. Z Orthop Ihre Grenzgeb, 135: 509-15, 1997.

113. Wynn AH and Wilde AH: Long-term follow-up of the Conaxial (Beck-Steffee) total ankle arthroplasty. Foot Ankle, 13: 303-6, 1992.

114. Zollinger H: [Hallux rigidus and its treatment]. Ther Umsch, 48: 832-5, 1991.

115. Zvijac JE, Lemak L, Schurhoff MR, Hechtman KS and Uribe JW: Analysis of arthroscopically assisted ankle arthrodesis. Arthroscopy, 18: 70-5, 2002.

12. 류마티스 족부 질환
Rheumatoid foot disorders

한양의대 정형외과 **성 일 훈**

한양의대 류마티스내과 **김 태 환**

I. 서론

류마티스 관절염은 원인 미상의 전신성 만성 염증질환으로써 주로 말초 관절을 대칭적으로 침범하는 만성 다발성 관절염을 특징으로 한다. 활액 막의 증식과 비후, 연골의 손상, 골 미란에 의해 결국에는 관절의 변형을 초래한다. 본론에서는 이러한 류마티스 관절염의 일반 양상과 족부에서 발생되는 류마티스 병변과 그에 대한 치료에 대하여 서술하겠다.

II. 본론

1. 류마티스 관절염

1) 역학

유병율은 인구의 1%(0.3-2.1%) 정도가 발병할 것으로 추정된다. 성비는 남녀비가 1: 3-4로 여성에서 많다. 그러나 환자의 나이가 많아질수록 남녀 비는 감소한다. 호발 연령은 35-50세이며 60대 이상에서 20대보다 발생율이 6배 정도 높다.

2) 원인

정확한 원인 및 항원은 규명되지 않았으나 유전적으로는 류마티스 관절염 환자의 직계 가족은 10%에서 발생할 수 있어 질병 발생율이 정상인보다 4배정도 높다. 또한, 일란성 쌍생아에서 이란성 쌍생아보다 4배정도 발생 가능성이 높다. 이란성 쌍생아인 경우는 약 5%의 빈도를 보이지만, 일란성 쌍생아는 약 20%의 발생빈도를 보이는 것처럼 유전적 감수성을 가진 환자에서 HLA-class II: HLA DR의 연관성(60-70%, 정상 대조군 30% 내외) 상대 위험도가 약 2-4배인 것과 같은 유전적 요인뿐만이 아니라 감염이나 면역의 이상 반응과 같은 환경적 요인이 복합적으로 작용해서 발병하는 것으로 추정하고 있다.

3) 병리 및 발생 기전

(1) 병리 소견

병리적인 소견만으로는 류마티스 관절염에 고유한 특정의 진단적 가치가 있는 병리학적 결과는 없으나 초기 병변에서는 활액막 세포의 증식 및 비후, 미세혈관 손상, 신생 혈관생성 등이 주로 나타나고 후기 병변에서는 혈관 주위의 만성 염증세포 침윤과, 부종, 혈관의 변화(thrombosis, high endothelial venule 등), 섬유화 등이 나타난다. 비교적 초기에 특징적이라 할 수 있는 소견으로는 뼈와 연골 이행부위에 위치하여 활액막 세포의 종양양 성장(tumor-like growth)을 하는 병변으로서 관절의 파괴가 이 부위에서부터 시작되는 판누스(Pannus) 형성이 있지만 이것도 류마티스 관절염만의 고유한 병리소견은 아니다.

(2) 발병 기전

활액막에 침윤한 T 세포가 중요한 역할을 하는 것으로 알려져 있으나 한가지 세포의 영향을 받아 질병이 발생하기보다는 매우 다양한 여러 가지 세포의 영향을 받아 질병이 발생한다. 초기에는 T 세포 주도의 기전(T cell dependent mechanism)이 질병의 발병에 더 중요하지만 후기에는 T 세포와는 독립적인 기전(T cell independent mechanism), 즉 활액막 세포, 단핵구 등의 작용이 관절의 염증 현상이나 파괴에 더 중요한 역할을 한다. 그 증상은 염증성 시토카인(cytokine) 과 항염증 시토카인의 불균형에 의해 심해지기도, 완화되기도 하며 이러한 시토카인의 균형, 또는 불균형이 국소적, 전신적 증상과 연관되어 있다.

4) 임상 증상

(1) 관절 증상

많은 환자들에게서 전신무력감, 피로감, 식욕이 떨어지는 증상들이 나타난 후에 관절증상이 나타난다. 그러나 10% 환자에서는 어느 날 갑자기 관절 증상이 나타나기도 한다. 관절 증상은 주로 손, 발의 작은 관절의 통증과 압통, 열감 등의 관절염 증상이 대칭적으로 나타난다. 그 외에도 손목, 팔꿈치, 무릎, 발목에서도 증상이 흔하게 나타나고 관절염이 심한 환자들은 아침에 일어났을 때 1시간이상 지속되는 관절의 뻣뻣함을 호소한다.

(2) 임상 경과 및 예후

발병은 10%에서는 급성 발병, 2/3에서는 전구 증상이 발생하면서 잠행성 발병을 한다.

환자의 1/3에서는 몇 관절에만 관절염이 국한된다. 15%의 환자에서는 짧은 병 경과 후 회복되기도 하고, 20% 이하의 환자에서는 10년 정도가 지난 후 변형 없이 불활성화를 보이기도 하며 10%의 환자는 현재까지의 치료에 저항하는 반응을 보이기도 한다. 이처럼 임상 경과는 매우 다양하고, 예후를 미리 예견하기 어렵다. 그러나 좋지 못한 예후와 연관된 임상적 특징은 ①류마티스 열, ②높은 급성 염증 반응물(CRP, haptoglobulin), ③피하 결절, ④조기에 생긴 미란 변형 : 미란 변형은 일반적으로 증상이 발병한 2~3 년에서 70% 환자에서 발견된다. ⑤지속적인 병변(활동도가 1년 이상)이며 60세 이상에서의 류마티스 관절염의 경우에는 증상이 만성적으로 나타날 수 있고 전신 증상이 많고 방사선적인 변화가 더 빨리 나타나므로 예후가 좋지 않고 더 높은 용량의 약을 필요로 한다.

(3) 관절 외 병변

관절 외에서 보이는 병변은 ①20-30%의 빈도로 관절 주위 조직, 압력을 받는 부위에 잘 생기는 류마티스 결절, ②피부 궤양, 피부 괴사, 손가락 괴저, 장간막 혈관염, 신경병증(다발성 단일 신경염, 다발 신경 병변) 등의 형태로 나타나는 류마티스 혈관염은 류마티스 인자의 역가가 높은 환자에서 더 흔히 발생한다. ③남자 환자에서 더 잘 발생하는 폐침범 ④임상적으로 불확실한 무증상 심낭염과 같은 심장병, ⑤혈관염에 의한 신경염(다발성 단일 신경 염), 경추의 아탈구에 의한 척추 병변, 수근관 증후군, 족근관 증후군과 같은 포착 신경병증 등의 신경 병변, ⑥15-20%에서 발생하는 이차성 쉐그랜 증후군, ⑦공막염: 충혈을 동반하거나 동반하지 않은 안통으로 전신적 혈관염의 증상이다. ⑧만성 류마티스 관절염, 비장 거대증, 호중구 결핍(<1,500/dl), 면역 중합체 병변, 활성 보체에 의한 빈혈, 혈소판 감소증, 높은 류마티스 인자, 피하 결절등이 잘 동반되는 Felty's 증후군 ⑨관절 주위나 전신의 골다공증 등이 있다.

5) 검사 소견

류마티스 관절염의 진단에 100%의 특이도를 보이는 검사는 없다. 류마티스 인자는 IgG의 Fc 부분에 대한 자가 면역 항체로서 보통 IgM이 IgG, IgA보다는 많다. 발현 빈도는 정상인에서도 5% 이하에서 보일 수 있으며 65세 이상에서는 10~20%에서 보일 수 있다. 저색소성 정상크기 빈혈(만성질환에 의한 빈혈), 저색소성 저크기 빈혈(철 결핍성 빈혈), 용혈성 빈혈이 발생할 수 있다. 급성기 반응물(ESR, CRP. Ceruloplasmin, thrombocytosis)이 증가 소견이 보이고, 활액막에서는 염증의 소견을 보인다.

6) 방사선학적 소견

(1) 단순 방사선 검사(Plain X-ray)

양측 관절에 균형적으로 관절 면이 좁아지면서 미란이 보이고 관절 주위에 골다공증이 보인다. 방사선 소견에서 질환의 기간이 중요한 인자로서 가장 처음에는 관절 주위의 골에서 골다공증이 생기게 된다. 초기에는 관절 주위의 미란, 후기에는 관절염의 변화로서 관절이 좁아지면서 골극이 발생한다. 중족과 후족에 섬유화와 골경화가 발생한다.

(2) 자기 공명 검사 (MRI)

미란형 변화와 활액막의 증식, 이차성 변화를 초기에 발견할 수 있다.

(3) 골주사 검사(Bone scan with 99mTc biphosphonate)

3-상 골 주사 검사는 염증성 관절염의 정도를 파악하기가 일반 골주사 검사보다 유리하다

7) 진단

1987년에 개정된 미국 류마티스학회의 분류 기준을 이용한다.

1987년 미국 류마티스 학회에서 개정된 진단기준 (1987 revised ACR criteria for the classification of Rheumatoid Arthritis)

① 1시간 이상 지속되는 조조강직

② 3개 이상의 관절염 (14 관절 영역에서)

③ 손목을 포함한 수부의 관절염

④ 대칭적 관절염

⑤ 류마티스 결절

⑥ 양성 류마티스 인자

⑦ 방사선학적인 변화

7개의 기준 중 4개 이상을 만족하면 류마티스 관절염으로 진단한다.

※ 증상은 적어도 6주이상 지속되어야 한다.

8) 일반적 치료

치료의 목적은 ①통증 해소, ②염증 현상의 감소, ③기능의 유지, ④병리현상의 원인 해소, ⑤치유 촉진이다.

(1) 내과적 치료

류마티스 관절염 환자에서 관절의 미란과 같은 변화는 대개 2-3년 내에 주로 발생하고, 한번 발생한 관절의 파괴는 정상으로 회복되지 않는다. 약물치료는 조기에 더 적극적인 치료가 필요하다. 과거에는 단계적으로 환자를 치료하는 피라미드형의 치료 방법을 선호하였으나 최근에는 단계적 치료, 조기 혼합 요법, saw tooth strategy 등 적극적인 치료법이 개발되었다.

① 비스테로이성 항염증 제제(Nonsteroidal anti-inflammatory agent: NSAID); 어느 약제나 공히 사이클로옥시겐네이즈(cyclooxygenase; COX)의 활성을 억제하여 아라키도닉 산(arachidonic acid)에서 프로스타그란딘(prostaglandin)으로의 대사과정을 차단한다. 빠른 효과를 나타내는 반면, 질병의 경과를 변화시키지 못한다. 프로스타그란딘(Prostaglandin)차단 효과로 인하여 소화성 궤양, 신장의 장애, 고혈압, 간장애 등과 같은 다양한 부작용이 나타난다. 항상 조직에서 발현되는 COX-I 과, 염증 조직이나 일부 암조직 등에서만 발견되는 COX-II가 있고, 최근에는 위장관 부작용을 현격하게 개선시킨 COX-II 억제제가 개발되어 국내에서도 시판중에 있다. 같은 기전을 가진 2개의 NSAID를 병용할 필요는 없으나 아세트아미노펜(acetaminophen) 등의 진통제는 필요한 경우에 병용 사용이 가능하다.

② 스테로이드(Corticosteroid); 항 류마티스 제의 효과가 나타날 때까지 연결 치료(bridge therapy)로서 사용하거나, 심각한 전신 장애가 있을 때 pulse therapy로 경구 사용하며 한 두 관절에 관절강 내 주사요법 등으로 사용한다.

③ 제 2계열 서방형 항 류마토이드 제재(Second line slow-acting antirheumatic drugs; SARRD) / disease modifying antirheumatic drugs(DMARD); DMARD의 특징은 작용 시간이 1-6개월로 느리고 다양한 독성을 가지고 있으며 질병의 경과를 바꿀 수 있으나 그 효과는 완전하지 못하다. DMARD의 종류로는 금[gold salt (oral & parenteral)], d-페니실라민(D-penicillamine), 항 말라리아제(antimalarials: (hydroxychloroquine, chloroquine), 설파살라진(sulfasalazine), 낮은 용량의 메토트렉세이트 (low dose methotrexate-weekly pulse therapy), 사이토톡식제제[cytotoxic agents(azathioprine, cyclosporin A, cyclophosphamide)] 등이 있다.

④ 생물학적 제재(Biologic agents); 항 사이토카인 요법

⑤ 실험적인 치료법(Experimental modalities); 림프혈정분리반출법(Lymphoplasmapheresis), 림프방사선요법(total lymphoid irradiation)

⑥ 유전자 치료(Gene therapy); 류마티스 관절염은 다발인자성 유전을 하므로 한 가지 유전자로 치료 효과를 거두기 어렵고, 향후 치료에 이용할 수 있으나 현재는 시험적인 단계에 있다.

(2) 물리치료, 재활치료

근육 스트레칭과 인대 스트레칭이 도움이 되고, 관절운동을 유지한다.

(3) 방사능 활액막 제거술

관혈적 혹은 관절경을 이용한 수술적 활액막 절제술(surgical synovectomy)은 난치성 류마티스 활액막 비후를 치료하는 전형적인 방법이다. 관절의 종류에 따라 다소의 차이가 있을 수 있으나 비후된 활액막을 일시에 제거(debulking)할 수 있는 유용성에도 불구하고 수술적 활액 절제술의 단점으로는 마취(anesthesia)로 인한 합병증, 수술 후 약 2주 이내의 입원과 최대 6개월 정도의 재활이 소요되며 수술 후 관절 운동 제한이 나타날 수 있다는 점이 있다. 관절경을 이용한 활액막 제거술이 슬관절에서는 류마티스성 활액막염의 치료에 가치 있는 고식적 방법으로 동통의 감소와 활액막염의 감소를 보고하고 있다. 관절경을 이용한 수술을 통해 활액막 절제를 하게 되면 비용과 재활기간을 줄일 수 있지만 일반적으로 3 내지 5년 후에 재발을 하고 이어지는 다음의 재수술 때마다 이전 수술에서 형성된 반흔으로 인하여 염증조직을 제거 해야 하는 데에 어려운 점이 있다.

방사선 활액막 절제술(radiosynovectomy)은 연골이 저산소성(hypoxic)이고 상대적으로 방사능에 대한 저항력이 강하다는 점을 고려해 봤을 때 매력적인 대안이라 할 수 있으며 방사선 약물을 직접 관절에 투여 하면 관절내 활액막 내층(synovial lining)은 영향을 받지만 인접 연골은 영향을 받지 않게 된다. 방사선 활액막 절제술이 수술과 비교할 때의 장점은 입원할 필요가 거의 없고 물리 치료도 필요하지 않으며 비용도 적게 들고 반복적으로 약물 주입을 할 수 있으며 수술을 했을 경우와 동일한 결과를 얻을 수 있다는 점이다. Au-198, P-32 chromic phosphate, Y-90, Dy-165 등의 방사선 동위원소를 이용한 방사선 활액막 절제술(radiosynovectomy)이 보고 되었고 방사선 동위원소의 주입으로 인한 누출, 지연된 방사선에 의한 종양이 발생(lateradiation-induced neoplasm)이나 염색체 이상의 발생 등의 이론적인 우려도 없지 않으나 60%에서 70%정도의 류마티스 관절염 환자가 이 방법을 통해 임상적 효과를 보았다고 보고 되었다.

(4) 외과적 치료

내과적인 치료로써는 해결이 되지 않는 통증과 변형에 대하여 개방성 또는 관절경하 활액막 제거술, 수부와 족부의 재건술, 관절 고정술 또는 전 치환술 등의 수술을 내과적인 치료를 병행하며 시행할 수 있다.

2. 족부 및 족근 관절의 침범

류마티스 환자에 있어서 족부 및 족근 관절의 증상이 최초 증상인 경우가 17%이며 류마티스 관절염 경과 중 활동성의 족부 및 족근 관절의 증상이 50%의 경우에서 발견되는 것처럼 류마티스 환자에 있어서 족부 및 족근 관절의 침범은 수부 못지않게 비교적 흔하게 발생한다.

연골 파괴에 의한 정상적인 관절 형상의 붕괴와 활액 막의 비후로 인한 인대의 신연(stretching)으로 기인되어 족부 구조물에 대한 정적 지지(static support)가 소실 됨으로써 변형을 초래하게 하는 주된 원인을 제공한다. 또한 이로 인하여 근건 단위의 정상적인 생역학적 기전의 변화를 초래하게 함으로써 동적인 지지(dynamic support)의 소실을 야기 시킬 뿐 만이 아니라 일상 생활에의 보행, 신발 등에 의한 반복적인 기계적, 역학적 스트레스가 족부 및 족근 관절의 변형 형성에 부가적으로 작용한다.

1) 방사선학적 소견

류마티스 관절염 환자에서 방사선학적으로 족부 관절의 파괴와 변형을 쉽게 확인 할 수 있다. 이러한 변화는 제 1,4,5 중족 관절, 거골입방골 관절에서 비교적 조기에 발견될 수 있으며 제 1, 2, 3, 4, 5 중족 관절의 내측과 제 5 중족 관절의 외측에서 관절 주위 탈구 소견과 함께 초기에 변연부의 미란을 볼 수 있다(그림 12-1). 족부 변형을 확인하기 위해서는 반드시 체중 부하 하에서 족부 및 족근 관절 모두를 포함하는 방사선 촬영이 필요하다. 족부 및 족근 관절 모두를 검사하여야 하는 이유는 변형의 주된 부위가 족부 및 족근 관절의 여러 관절에 의한 복잡한 침범에 의한 것인지 또는 어느 한 관절에서 집중적으로 발생하였는가를 확인하기 위하여, 또한 유사한 변형이 각기 다른 관절의 침범에 의하여도 야기 될 수 있으므로 이를 감별하기 위하여도 필요하다(그림 12-2). 체중 부하 촬영이 아닌 경우에는 관절간의 협소에 대한 오진의 소지도 있으며 추시 방사선 검사에서 일정한 위치를 잡을 수 없으므로 이전 소견과 비교가 쉽지 않은 경우도 있으므로 체중 부하 하에서 검사가 반드시

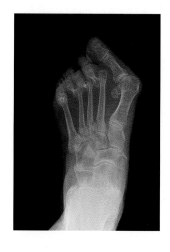

그림 12-1. 류마티스 관절염 환자의 족부 중족-족지 관절의 변형

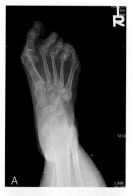
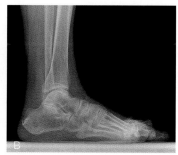
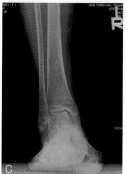

그림 12-2. (A) 족부의 전후면 및 (B) 측면, (C) 족근 관절의 전후면 체중 부하 방사선 사진

필요하다.

2) 류마티스 족부 관절염의 정형외과적 치료의 일반적 고려 사항

류마티스 관절염 치료에 있어 시기는 질병의 활동 정도와 진

행 상황에 따라 다르다. 병변이 비교적 초기일 때는 약물이나 재활치료 같은 보존적 치료를 시행하는데 관절운동 범위를 유지하고, 근육과 건을 늘리는 운동이 도움이 된다. 넓고 깊은 전족부로 구성되고 호상의 밑창으로 된 신발과 완전 접촉 보조기 (깔창)를 이용하여 우선 신발을 교정해 본다. 보존적 치료는 초기에는 발가락 부분이 넓은 신발과 뼈의 돌출부위에 맞도록 성형된 신발과 깔창(extra-deep shoes with a wide, high toe box and a molded insert)을 신게 한다.

경거골 관절이 침범 될 때는 족근 관절의 운동을 제한한 보조기(double upright brace)를 착용하고 외반변형을 방지하기 위해 내측 T 형의 대를 착용한다. 수술적 치료는 지속적으로 통증이 있거나, 변형이 심할때 수술을 고려한다. 또한 이전의 변형이 진행하거나 새로운 변형이 발생하는 경우와 환자가 변형으로 인하여 자주 신발의 모양을 바꾸는 것을 원치 않은 경우에서도 고려할 수 있다.

완전히 변형이 고정 된 말기 변형에서는 신발의 교정과 함께 수술적 방법 또한 고려하고 특히 전족부 변형이 고착되었을 때는 신발을 교정할 수도 있으나 수술을 주로 시행하며, 족근 관절 그리고 후족부의 변형이 있을 때는 보조기 또는 수술을 고려한다. 족부 및 족근 관절의 어느 부분에 대한 치료를 고려할

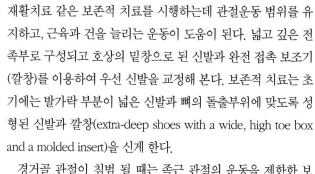

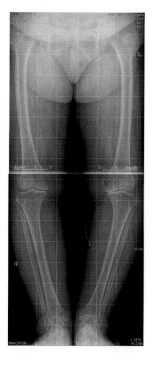

그림 12-3. 슬관절의 심한 각 형성

때에는 이환 된 부분 뿐만이 아니라 그 근위부의 상태도 확인해야 한다. 임상적으로 그리고 방사선학적으로 중족부 그리고 후족부을 완벽하게 확인하기 전에는 전족부의 수술을 하지 말아야 하며, 슬관절이나 고관절에 심한 각 형성이 발생하였을 때는 족근 관절이나 후족부의 변형에 대한 재건 수술을 선행하지 말아야 한다(그림 12-3).

물론 전족부의 고정술도 후족부의 변형을 먼저 교정한 후에야 시행한다. 이는 류마티스 질환의 특성처럼 족부에서도 여러 부분이 이환 될 수 있으므로 항상 환자의 족부 증상을 어느 부분에서 주로 발생시키는지 또는 그 부분을 치료하더라도 다른 부분이 치료에 영향을 미치지 않을 지에 대한 고려가 중요하며 특히 변형 등을 교정하는 재건 수술의 경우에는 근위부의 정렬 상태에 맞추어 수술을 해야 하므로 정렬 교정이 중요한 관절 고정 또는 치환술의 경우에는 근위부의 상태를 간과하지 않아야 한다.

3. 류마티스 족부 관절염의 수술적 치료의 일반적 고려 사항

수술장내에서 피부를 철저하게 세척 및 소독을 하여야 하며 예방적으로 광범위 항생제를 사용하여야 한다. 수술 1주 전 길게 는 2, 3주 전에는 스테로이드와 메토트렉세이트 (methotrexate)를 중단해야 한다. 발바닥으로의 맥박이 있는지 강도를 확인하여야 한다. 당뇨가 없는 류마티스 환자에서는 족근 관절에서의 수축기 동맥 압력이 90mmHg, 족근-상박 압력비가 0.7 이상이어야 90% 환자에서 수술 창상의 치유를 기대할 수 있다. 류마티스 혈관염이 있는지 하퇴와 발 쪽의 피부를 확인해 보아야 한다. 보통 피부 병변은 반점, 구진이 보이며 경골 원위부 전외측, 족부의 배외측에 생긴다.

다발성 단일신경염 (mononeuritis multiplex) 은 하지의 혈관염에 의한 말초 신경염에 의한 것인 것처럼 감각, 운동에 이상이 있는지 면밀히 관찰하여 필요하면 수술 전에 류마티스 전문의에게 문의 하거나 피부 또는 비복 신경의 생검이 필요하다. 환자가 스테로이드를 복용하고 있다면 발사는 수술 후 3 주에 해야 한다. 수술 후에는 48에서 72 시간 동안 부종의 최소화를 위하여 최대한 발을 올려야 한다.

4. 류마티스 족부 관절염의 임상 양상 및 치료

1) 전족부의 류마티스 관절염

(1) 특징

비교적 초기에 병발하고 초기 증상은 중족 족지 관절의 활막염에 의한 증상이 주된 증상으로 류마티스 발병 10년이 지나면 거의 모든 예에서 정도의 차이만이 있을 뿐 족부의 병변을 가지게 되며 그 발병 빈도와 중증도는 유병기간과 깊은 연관성이 보고되고 있다.

(2) 임상 소견

임상 소견으로는 활액막 염, 점액낭 염 및 류마티스 결절을 보일 수 있으며 주로 변형의 결과로 인한 증상이 발생한다. 족 무지는 무지 외반, 무지 내반 무지 강직 등 다양한 변형의 형태를 보일 수 있으나 무지 외반 변형이 비교적 흔하다(그림 12-4). 소 족지의 변형의 주된 출발점은 중족지 관절의 아탈구 또는 탈구이며 이로 인한 이차적인 망치 족지, 갈퀴 족지 변형이 보일 수 있다. 중족 족지 관절이 신전 됨으로써 전족부 패드가 원위 부로 이동하며, 족저의 중족골두 위치에서 동통이 있는 피부 경결의 소견 및 골 융기부에서는 피부 궤양이 생겨있는 소견이 보일 수 있다. 족지의 지간 관절의 굴곡 구축의 변형을 보여 근위 지간 관절 및 조 수질 (nail pulp) 말단에 동통성 굳은 살이 생길 수 있다.

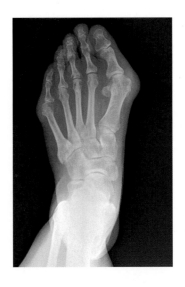

그림 12-4. 비교적 관절 파괴가 심하지 않은 류마티스 관절염 환자의 무지 외반 변형

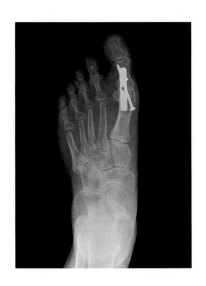

그림 12-5. 제1 중족골 고정술과 소 중족골두 절제술 후 전후면 족부 방사선 사진

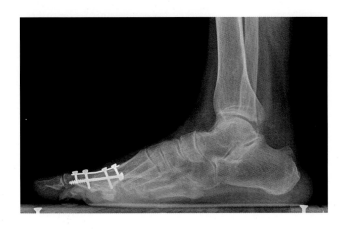

그림 12-6. 제1 중족골 고정술과 소 중족골두 절제술 후 측면 족부 방사선 사진

이러한 현상은 전형적인 류마티스 관절염에서는 단독 족지에서는 발생하지 않으며 혈청 음성 강직성 척추 관절염이나, 건선 관절염에서는 근위 지골 관절에 변형과 망치 족지 변형이 중족 관절 침범 없이 단독 발생이 흔하다.

(3) 치료

치료의 목적은 통증의 경감, 보행기능의 향상, 추형의 개선 및 다양한 신발 선택이 가능하게 하는데 그 목적이 있다. 환자들의 많은 경우에서 치료 후 좋은 결과를 얻을 수 있으나 환자들에게 병의 경과는 계속 진행할 수 있으며 변형의 교정술은 확정 치료가 아니라 고식적 치료임을 인식 시켜야 한다. 수술의 방법으로는 활액막 제거술, 절제 관절 성형술, 관절 고정술, 인공 관절 삽입술, 전족부 절단이 있다. 족무지에서의 절제 관절 성형술은 주로 활동이 적은 환자들에게 시행할 수 있으나 재발의 가능성이 높고, 거상지 변형이 발생할 수 있는 단점이 있다. 관절 고정술을 받은 환자는 6%에서 만이 통증을 호소하나 반면, 족무지의 절제 관절 성형술을 받은 20%의 환자에서는 지속적으로 통증을 호소한다. 족무지에서의 관절 고정술의 장점은 보행 시 안정성을 제공하고 재발을 방지하며 소족지와 지방 패드을 안정화할 수 있다.

또한 충분한 체중 부하를 가능하게 하여 소족지 부위의 스트레스를 경감케 하고 기성화를 신을 수 있는 장점이 있다. 고정의 위치는 무지의 지간 관절에서 스트레스를 감소하여 유합 후 지간 관절에 관절염의 빈도를 줄이기 위하여 제 2 족지의 위치와 잘 적응을 할 수 있게 외반 15~30도, 유합 후 지면이나 신발에 의한 자극을 줄이기 위하여 신전 15도가 이상적이다. 그러나 체중 부하 시 무지의 위치는 개인마다 다른 제 1 중족골의 방위(orientation)에 따라서 다르므로 수술 시 임상적 판단에 의한 고정 위치를 정하는 것이 최근의 경향이다(그림 12-5). 삽입물을 사용한 인공 관절술은 높은 합병증과 실패율이 높고, 실리콘에 의한 활액막 염, 관절 강직, 계속되는 중족 관절의 신전 변형이 발생하며 또한 실리콘 인공 관절술은 수술 결과가 실패한 경우에 그 구제술이 용이하지 않으므로 제한된 경우에 있어서 만이 인공 관절술을 사용한다. 소족지에서 시행되는 절제 관절 성형술은 중족 족지 관절 부위에서 연부 조직이 충분히 유연해 지도록 충분한 길이의 뼈를 제거하고 원위단이 체중 부하가 되는 족저 부위에 튀어나오지 않도록 하며 골조각 부분을 잘 제거 하는 것에 주의를 하면 어떤 종류의 수술적 성형술보다도 그 결과가 좋은 것으로 보고되고 있다. 한편 무지 중족 관절을 고정하고 소족지의 중족 관절의 절제 관절 성형술을 병행 시행하는 전족부 성형술의 경우에는 현재까지의 보고를 종합하면 다음과 같은 결론에 이른다.

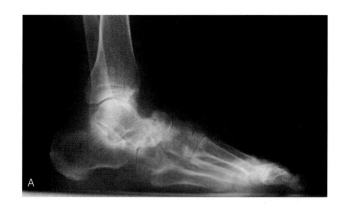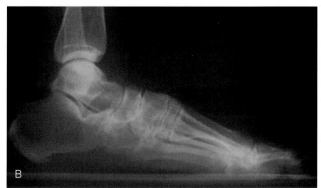

그림 12-7. 중족부의 관절 침범 (A) 거골-주상골간 관절의 침범 (B) 종골-입방골간 관절의 침범

제1 중족 족지 관절을 유합시키는 것이 재발의 위험성 및 작은 중족골 밑의 굳은살을 예방하는 효과가 있으며 시간 경과에 따라 결과가 나빠지는 것을 방지하는 효과도 있다. 그리고 장기적인 결과의 측면에서 볼 때 어떤 방법으로 유합 하든지 고정 방법이 중요한 것은 아니고 고정 각도가 중요한 것이다. 소족지에서는 절개의 위치와 방법은 결과에 중요하지 않으나 정상발에서 소 중족골두의 경사(metatarsal break)와 같이 제2 중족골에서 제5 중족골로 점차 약간씩 짧아지는 모양을 유지하도록 절제하여야 하며 적절한 각도로 절골하여야 하고(그림 12-6) 족저부에 뼈가 돌출된 부위가 있지 않게 하며 충분한 길이의 뼈를 제거하여야 한다. 이러한 모든 수술적 조작 시에 연부 조직은 조심스럽게 다루는 것이 중요하며 지혈을 잘하여야 한다. 80~90%에서 만족스러운 결과를 얻을 수 있고 변형이 진행되는 가능성이 감소하나 소족지의 변형은 중족골 원위부의 밑에 시간이 지나면서 피부 경결이 발생하여 만족도가 감소 할 수 있다는 주지하여야 한다.

2) 중족부의 류마티스 관절염

(1) 특징

임상적으로 중족 족근 관절의 침범은 흔하지 않고 중족 관절의 침범이 흔하다. 방사선학적 변화에 비해 증상은 심하지 않는 경우가 많다(그림 12-7).

(2) 임상 소견

주로 관절병증이나 자연적 관절 유합, 변형에 의한 증상이다.

(3) 치료

중족부 단독 침범의 경우는 수술적 치료를 필요로 하지 않으나 족부 궁의 소실로 인한 보행 장애나 궤양 형성의 원인이 될 것으로 예상되는 변형 등의 경우에는 관절 고정술 등이 적응이 된다.

3) 후족부의 류마티스 관절염

(1) 특징

임상적으로 전족부에 비하여 늦게 그리고 덜 심하게 침범한다. 거골하 관절이 중족 관절의 침범과 동반하여 흔히 침범 된다. 거골하 관절이나 거골입방골간 관절의 침습적 활액막 염에 의해 그리고 후방 경골 근이 파열되거나 부전이 발생되어 외반 변형이 발생한다.

(2) 임상소견

임상 증상으로는 국소 염증과 건활막염, 관절병증에 의한 결과로 나타난다. 국소염증으로는 건, 인대 부착부 병증(enthesopathy), 점액낭증, 족저 건막염에 의한 건활막 염은 비골건 그리고 후방 경골 건염이 흔하다. 후족부는 체중의 기계적 부하에 따른 편평 외반형의 변형이 흔히 나타나지만 내반

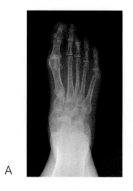
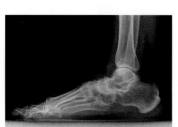
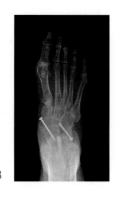
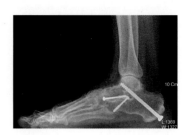

A

B

그림 12-8. (A) 중족근 관절의 관절염의 전후면, 측면 방사선 사진 (B) 중족근 관절염의 삼중 관절 고정술 후 방사선 사진

상태로 자연 유합된 변형도 종종 볼 수 있다.

(3) 치료

병변에 따라서 활액막 제거술, 관절 고정술이 시행될 수 있다. 활액막 제거술은 거골하 관절에 대하여 단독으로는 적응이 되지 않으나 증상이 있는 외반 변형이 보존적 치료에 반응이 없는 경우에는 족근 관절과 중족근 관절에 문제가 없으면 단독으로 거골하 관절 유합술을 시행할 수도 있다. 중족근 관절에도 관절염이 동반된 경우에는 삼중 관절 고정술을 요한다(그림 12-8). 관절 고정의 위치는 후족부를 5도 외반의 위치에서 고정한다. 만일 심각한 중증의 외반 변형이 있는 경우에는 수술 창상의 문제점 때문에 거골 절제술 후 경골 종골간 고정술을 고려하는 경우도 있다.

류마티스 환자에게서 후경골 근건 부전이 있더라도 외반 변형이 있는 경우, 편평족을 근건 이전술, 건이식 또는 건 연장술 등의 연부 조직 재건술로는 치료하지 않으며 관절 고정술로 치료한다. 만일 외반 변형이 심하지 않고 관절의 가동성이 있어 변형이 고착되지 않은 경우에는 후 경골 근건의 활액막 제거술이 증상의 호전을 주는 경우도 있다.

4) 족근 관절의 류마티스 관절염

(1) 특징

임상적으로는 50% 이상의 환자에서 침범하며 증상이 방사선학적 변화에 비하여 심한 증상 경우도 많으나 비교적 진행된 관절 중에도 불구하고 치료의 요구가 적은 경우도 적지 않다.

(2) 임상소견

활액막염, 원위 비골의 피로 골절, 관절병증 그리고 변형에 의한 증상이 나타날 수 있다.

(3) 치료

6개월 이상의 보존적 치료에 반응을 하지 않는 활막염에는 활막 제거술이 시행될 수 있으며 관절 자체의 파괴가 없는 경우에 한하여 적응이 될 수도 있다. 관절 고정술은 후족부 외반 5도, 중립 굴곡, 외회전 5도 위치에서 고정한다(그림 12-10). 족근 관절에서의 인공 관절 치환술은 류마티스 환자에서 가장 적절한 적응이 될 수 있으며 중, 단기의 추시 결과에서도 만족도가 많이 향상된 보고가 다수 있어 현재 구미 지역에서는 활발히 사용되고 있다.

III. 요약

류마티스 족부 질환은 관절뿐 만이 아니라 골 조직, 근건, 인대, 혈관 및 신경 등의 많은 구성 조직에 걸쳐 다양한 병변들을 발생 시키며 또한 이들을 치료하기 위하여는 다양한 분야의 전문적인 지식과 협진이 요구되며 정형외과적인 치료 방법의 선택은 그 기능의 회복에 초점을 맞추어야 할 것으로 사료된다.

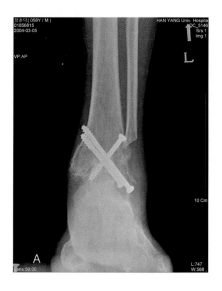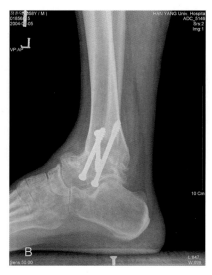

그림 12-9. 류마티스 관절염 환자에서의 족근 관절염 진행 후 족근 관절 고정술 후 (A) 전후면, (B) 측면 사진

■ 참고문헌

1. Adam W and Ranawat C: Arthrodesis of the hind foot in rheumatoid arthritis, Orthop Clin North Am 7:827, 1976.

2. Amuso SJ, Wissinger HA, Maeglois HM, et al: Metatarsal head resection in the treatment of rheumatoid arthritis, Clin Orthop 74:94, 1971.

3. Barton NJ, Arthroplasty of the forefoot in rheumatoid arthritis, J bone joint surg 55-B:126, 1973.

4. Benjamin A and Helal B: surgical repair and reconstruction in rheumatoid disease, Macmillan Press, London, 1980.

5. Beauchamp CG, Kirdy T, Rudge SR, et al: Fusion of the first metatarsophalangeal joint in forefoot arthroplasty, Clin Orthop 190 : 249, 1984.

6. Broomhead R: Painfull feet, Rheumatism 11:19, 1955.

7. Clayton ML: Surgery of the forefoot in rheumatoid arthritis, Clin Orthop 16:136, 1960.

8. Dwyer WM: Correction of severe toe deformities, J Bone Joint Surg 52-B:192, 1970.

9. Faithful DK and Savill DL: Review of the results of excision of the metatarsal heads in patients with rheumatoid arthritis, Amm Rheum Dis 30:201, 1971.

10. Geppert MJ and Sobel M and Bohne WH: The rheumatoid foot, Part I, Forefoot, Foot Ankle 13:550, 1992.

11. Gould N: Surgery of the forepart of the foot in rheumatoid arthritis, Foot Ankle 3:173, 1982.

12. Fowler AW: A method of forefoot reconstruction, J Bone Joint Surg 41-B:507, 1959.

13. Gainor BJ, Epstein RG, Henstorf JE, Olson S: Metatarsal head resection for rheumatoid deformities of the forefoot, Clin Orthop 230:207, 1988.

14. Harris ED: Pathogenesis of rheumatoid arthritis, Clin Orthop 182:14, 1984.

15. Kates A, Kessel L and Kay A: Atrrhroplasty of the forefoot, J Bone Joint Surg 49-B:552, 1967.

16. Kelley WN, Harris ED Jr, Ruddy S and Sledge CB: Textbook of rheumatology. 5th ed. Philadelphia, W.B. Saunders. 1997.

17. Kuhns JG: The foot in chronic arthritis, Clin Orthop 16:141, 1960.

18. Mann RA: Biomechanics of the foot and ankle, In Mann RA and Coughlin MJ(eds): Surgery of the Foot and Ankle. 6th, ed. St. Loui, MO, CB Mosby. 1993, vol 1, pp3-43.

19. Mann RA: Reconstructing the rheumatoid foot, Strat Orthop Surg 3:1, 1984.

20. Marmor L:Resection of the forefoot in rheumatoid arthritis, Clin Orthop 108:223, 1975.

21. Michelson J, Easley M, Wigley FM, Hellmann D: Foot and ankle problems in rheumatoid arthritis, Foot Ankle 15:608, 1994.

22. Lutter, L.D., Mizel, M.S., and Pfeffer, G.B.: Orthopaedic knowledge update: foot and ankle. Rosemont, IL, American Academy of Orthopaedic Surgeons, 1994.

23. Richardson EG: Rheumatoid Foot in Campbell's Operative Orthopaedics, 9th ed. Canale St. (ed), St. Louis, Mosby Ins. 1998.

24. Ruff ME and Turner RH: Selective hindfoot arthrodesis in rheumatoid arthritis, Orthopedics 7:49, 1984.

25. Schwartzmann JR: the surgical management of foot deformities in rheumatoid arthritis, Clin Orthop 36:86, 1964.

26. Shapiro JS: Forefoot resection in rheumatoid arthritis: evolution and results of a technique. Paper presented at the tenth annual meeting, Americaan Orthopaedic Hoot Society, Atlanta, Feb 6, 1980.

27. Siegel HJ, Luck JV and Siegel ME: Advances in radionuclide therapeutics in orthopaedic. J Am Acad Orthop Surg, 12:55~64, 2004.

28. Spielgel TM and Spiegel JS: Rheumatoid arthritis in the foot and ankle: diagnosis, pathology and treatment, foot Ankle 2:318, 1982.

29. Swanson Af: Implant arthroplasty for the great toe, Clin Orthop 85:75, 1972.

30. Thompson TC: The management of the painful foot in arthritis, Med Clin North Am 21:1785, 1937.

31. Watson MS: A long-term follow up of forefoot arthroplasty, J Bone Joint surg 56-B:527, 1974.

13. 관절 유합술
Arthrodesis

단국의대 정형외과 **정 홍 근**

I. 족관절 유합술(Ankle arthrodesis)

1. 서론

족관절 유합술은 1882년 Albert에 의해 처음 보고가 되었으며[1], 경골-거골간과 거골-종골간 유합술은 후방 관절 방법에 의해 Staples 등이 보고하였다[23]. 1950년대 이전에 보고된 족관절 유합술과 범거골 유합술(pantalar arthrodesis)에 대한 문헌은 내고정이나 외고정의 필요성을 거의 언급하지 않았으며, 단순히 석고 고정으로 치료하였다. 1951년 Charnley는 족관절과 견관절의 고정 기법에 대해 보고하면서 유합 관절의 압박시의 가장 큰 장점은 전단력의 제거와 관절간의 간격의 최소화라고 하였다[3]. 현재 많이 시행되고 있는 압박 기법에 의한 골편 간 나사 고정(interfragmentary screw fixation)은 내고정의 방법으로 관절을 고정하는데 있어서 만족할만한 강도의 압박력을 얻을 수 있다. 뿐만이 아니라 이 기법은 외고정에 따른 핀 고정 부위 염증이나 기계 역학적인 문제점을 피할 수 있다[8].

2. 적응증

족관절 유합술의 적응증은 ① 족관절 골관절염, ② 족관절 류마치스 관절염, ③ 족관절 화농성 관절염, ④ 족관절 외상성 관절염, ⑤ 경골 원위부의 재건 불가능한 심한 관절 내 분쇄골절, ⑥ 족관절 인공관절 치환술이 실패할 경우 등이 해당이 된다.

3. 술 전 환자에 대한 분석

1) 이학적 검사 및 방사선 검사

족관절의 심한 관절염이 있는 환자는 관절의 동통, 부종 및 강직을 호소하며 대부분에서 통증성 보행(antalgia gait)을 동반한다. 거골하 관절이나 중족근 관절이 정상인 경우는 그렇지 않은 경우에 비해 더 나은 보행 상태를 보인다.

족관절 뿐만이 아니라 같은 쪽 하지의 고관절과 슬관절의 운동 범위 및 거골하 관절과 중족근 관절의 운동 범위도 측정하여야 하며, 족관절 주위의 주요 근육의 근력도 검진하여야한다. 또한 직립시의 족관절 및 후족부의 정렬을 검사하여 내반이나 외반 변형을 확인하여야 한다. 통증의 근원이 확실치 않은 경우에는 약 5cc의 1% lidocaine injection을 이용하여 거골하 관절이나 다른 주변 관절이 통증에 원인이 아닌 지를 확인하여야 하겠다. 족관절 부위의 족배 동맥과 후 경골 동백의 혈류 상태도 진찰하여야 하며, 신경학적 검사를 통해 관절 신경병증(neuroarthropathy)를 배제하여야 하겠다.

모든 일반 방사선 사진은 직립상태에서 측정하여 체중 부하 생태하의 관절 상태 및 하지 정렬을 분석하는 것이 중요하다. 또한 거골의 무혈성 괴사가 의심이 되면 자기공명영상 촬영을 해서 거골의 혈관 분포 상태를 분석하는 것이 필요하다[17].

2) 관절 고정 위치 및 고정 방법

관절의 이상적 고정 위치는 시상면의 족배 족저 굴곡 상 중립 위치가 바람직한데, 소아마비성 하지와 같이 대퇴직근의 마비가 있을 경우는 약 5도 족저 굴곡 상태에서 족관절을 고정한다. 또한 고정시 약 5도 외회전과 5도 외반 상태에서 고정하여야 하는데 이때 각도의 정도는 반대편 발의 각도를 기준한다. 고정 시 거골을 후방으로 밀어 후방 전위 상태에서 고정하여 족부의 지렛대 거리를 감소시키는 것이 바람직하나, 족관절 접촉 면적의 최대 확보가 더 우선이라 하겠다.

관절의 고정은 외고정과 내고정이 있는데, 외고정은 Ilizarov 와 같은 ring형태의 fixator를 이용해서 족관절 부위의 연부 조직의 상태가 안 좋거나 신경병증성 관절증의 경우 등에서 시행한다. 반면에 내고정은 주로 3개의 6.5mm나 7.3mm의 유관 나사를 이용해서 압박 기법으로 고정하는데(triple lag screw technique), 나사만으로 고정이 약하거나 거골하 관절까지 고정을 포함해야할 경우에는 금속판 고정을 할 수 있겠다.

4. 수술 방법

족관절 고정술은 수술기법 상 다음과 같이 크게 4가지로 구분할 수 있다.

① 관절경적 고정술(arthroscopic arthrodesis)
② 최소 관절 절개에 의한 관절 고정술(miniarthrotomy arthrodesis)
③ 경 비골적 접근에 의한 고정술(transfibular arthrodesis)
④ 전방 접근에 의한 고정술(anterior approach arthrodesis)

1) 관절경적 고정술(arthroscopic arthrodesis)

관절경적 고정술은 족관절 관절경술을 이용하여 족관절 고정술을 시행하는 것으로 다른 족관절 관절경술을 시행할 때와 같은 방법으로 마취 하에 환자를 앙와위로 눕힌 상태에서 족관절 주위의 전경골건, 제삼 비골건과 표재 비골 신경의 분포를 피부 위에 표시한다.

비관혈적인 방법으로 strap을 이용하여 발목을 견인한 상태에서 족관절을 전내측과 전외측 관절 입구를 약 5mm 피부만 절개하고, 지혈 겸자를 이용해서 관절막까지 접근하여 벌리고 투관침(trocar)을 포함한 관절경 도관을 관절내로 삽입한다. 이때 족관절 간격이 좁고 거골 돔이 곡면 형태를 이루어 관절경이나 변연 절제기를 관절 내에서 움직일 때 무리하게 힘을 가할 경우 관절경 막대가 휘어질 수 있으므로 주의를 요한다.

한쪽 관절 입구로 관절경을 통해 들여다보면서 4.0mm 또는 2.7mm 변연절제기(debrider)나 burr를 이용해서 손상된 관절면의 연골에 대해 연골 하 해면골이 보일 때 까지 변연부 절제술을 시행한다. 연골을 절제한 후의 연골하 골은 지혈대를 푼

후 해면골 부위의 출혈이 많이 발생하는지를 확인한다. 족관절의 고정은 3개의 6.5mm 또는 7.3mm 유관나사(cannulated screws)를 이용해서 래그 나사 기법(lag screw technique)으로 시행하는데 전외측, 전내측과 후외측에서부터 고정한다.

관절경적 족관절 유합술은 가장 비관혈적인 방법으로 족관절 주변의 혈액 순환 손상이 적어, 피부 및 연부조직 손상을 적게 주면서 관절 유합률을 높이고 유합까지 걸리는 시간이 적은 장점이 있으나, 관절경 시술에 숙달되는데 시간이 걸린다는 단점이 있다.

2) 최소 관절 절개술에 의한 관절 고정술 (miniarthrotomy arthrodesis)

본 족관절 유합술 기법은 관절경적 유합술을 변형시킨 것으로 관절경적 유합술의 비관혈적 장점을 살리면서 기술적으로 비교적 쉬운 방법으로 관절경 입구를 넓힌 두 개의 피부 절개선을 이용한다. 첫 피부 절개선은 족관절 전내측부에 족관절 내과와 전경골건 사이에 약 2cm 길이를 긋고 피하 연부 조직까지 들어간다. 족관절 외측부에 제삼 비골건과 비골 사이에 같은 길이의 피부 절개선을 가한다. 이때 표재 비골 신경의 외측 분지는 절개선의 내측부에 위치하는데 이를 확인하여 제삼 비골건과 같이 내측으로 견인하고 피하 연부조직까지 깊이 절개를 가한다. 내측 절개선을 관절막까지 절개하고 weitlander retractor를 절개부위에 삽입하여 추가적인 연부조직의 박리를 rongeur를 이용하여 시행한다. 족관절 전내측 부위의 골극, 유리 골과 관절 분절(fragments)를 완전히 제거한다. 같은 방법으로 전외측 절개선을 통해 weitlander retractor와 rongeur를 이용하여 연부조직의 박리와 관절 내 골극과 유리골(loose body) 제거를 시행한다. 외측 gutter 의 비골과 거골의 잔존하는 연골 조직을 chisel과 rongeur를 이용해서 피가 나는 연골하 골이 나올 때까지 제거한다. 먼저 내측 절개선으로 toothless 와 tooth 있는 lamina spreader를 연속해서 삽입하여 관절을 최대한 벌린 후 외측 절개선으로 chisel, curette과 rongeur를 이용하여 원위 경골과 거골 관절면의 손상된 연골을 완전히 제거한다. 이어서 lamina spreader를 반대로 외측 관절부위에 삽입하여 벌리고 내측 경골 거골 관절 연골을 제거한다. 이어서 내측 gutter 의 내과와 거골 내측부의 연골을 연골 하 골에서 출혈이 될 때

까지 chisel을 이용해서 제거한다. 관절 내 연골 제거가 완전히 끝난 후, 좋은 경골 - 거골 관절 접촉과 출혈하는 해면골을 얻었는지를 확인하기 위해 충분한 세척술을 시행한다.

Lamina spreader를 관절 내에서 제거 후 내고정을 하기 위한 족관절 위치를 c-arm을 이용하여 확인한다. 족관절 고정 위치는 발을 배부 굴곡시켜 신전 90도, 외전 약 5도 및 외회전은 약 5도 정도로 고정하되 외전과 외회전은 반대측 발의 위치를 참고한다. 배부 굴곡이 90도가 안 될 경우에는 피하 삼중 아킬레스 건 반쪽 절개술(triple hemisection)을 시행하여 족관절 신전을 증가시킨다. 족관절의 고정은 3개의 6.5mm 또는 7.3mm 유관나사(cannulated screws)를 이용해서 시행한다. 먼저 3개 의 유관 유도 핀을 삽입하는데, 첫 유도 핀은 내과 골로부터 비스듬히 족근동의 전측부를 향해 삽입한다. 둘째 핀은 경골 후외측방 아킬레스 건과 비복 신경 사이에서 기시하여 거골 두를 향해 삽입한다. 세번째 핀은 비골 바로 옆 경골 전 외측에서 거골 체부 내측부를 향해 삽입한다. 경골 후방부에서 6.5mm partially threaded 유관나사를 거골 경부 전내측을 향해 맨 처음 삽입하고, 내과에서 제2 나사를 삽입하고, 제 3 나사는 전외측에서 삽입하며 fluroscopy 를 이용해서 나사의 위치를 확인 조정한다. 족관절의 바람직한 고정 위치와 견고함을 확인한 후 유도 핀을 제거한다(그림 13-1, 13-2, 13-3).

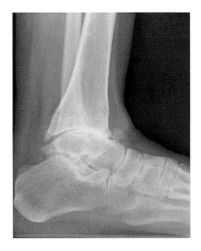

그림 13-2. 여자 58세로 우측 특발성 족관절 관절염으로 심한 통증과 중등도의 관절 강직을 호소함

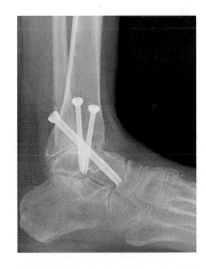

그림 13-3. 관절경술을 변형한 최소 절개술과 3개의 6.5mm 유관나사를 이용해서 견고한 족관절 고정술을 시행하였다.

관절을 충분히 세척한 후 3-0 vicryl을 이용해서 피하조직을 봉합 후 3-0 nylon으로 피부를 봉합한다. 탄력 붕대를 이용해서 압박드레싱을 시행하고, 발목을 90도 신전 상태에서 단하지 후방 부목을 시행한다.

3) 경 비골적 외측 접근법에 의한 고정술 (transfibular arthrodesis)

본 수술법은 외측 도달법에 의한 족관절 유합술로 외과 끝

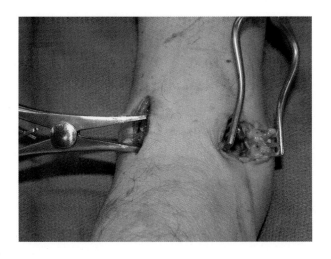

그림 13-1. 최소 절개술을 이용한 족관절 고정 수술 장면으로 전내측 절개구로 lamina spreader를 삽입하여 관절 간격을 넓힌 상태에서 반대측 전외측 절개구는 관절 연골을 제거하고자 weitlander retractor로 벌린 상태이다.

10cm 상방에서 절개선이 기시하여 외과 하단까지 내려와 4번째 중족골을 향해 족근동 위로 연장된다. 연부 조직과 비골의 골막을 박리하여 비골을 노출시킨다.

Oscillating saw를 이용해서 족관절에서 약 4-5cm 상방에서 비골을 사선으로 절단한다. 이때 필요에 따라서는 비골을 비구확공기(acetabular reamer)를 이용해서 분쇄하여 자가 이식 골로 이용할 수 있다. 주변 인대 등 연부 조직을 박리하여 절단한 비골을 하방으로 제끼면 경골-거골의 족관절이 노출이 된다. 치슬(chisel), 소파기(curet), lamina spreader 등을 이용해서 관절면의 연골과 연골하 피질 골을 제거한다.

발을 최대한 내반시켜 내측 거터(gutter)의 관절연골도 절제한다. 관절면의 해면골이 모두 노출되면, 족관절의 정렬을 c-arm하에서 확인하여 유관나사를 이용해서 관절을 견고하게 고정한다. 이때 관절이 충분히 압박이 됐는지 확인해야 하며, 나사가 거골 하 관절을 침범하지 않도록 유의해야한다[9](그림 13-4).

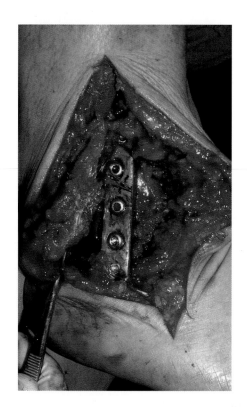

그림 13-4. 비골을 절제하고 외측 접근법으로 족관절에 접근하여 blade plate를 고정한 모습

5. 술 후 처치

술 후 2-4일에 수술 상처를 처음 치료하면서 배농관(drain)을 제거하고, 술 후 2주째 발사를 시행하면서 단하지 석고붕대로 발목을 고정한다. 술 후 첫 6주는 체중 부하를 절대 금한다. 술 후 6주째 석고붕대를 제거한 후 방사선 촬영을 시행하여 족관절 고정의 유합 상태를 확인하고 다시 4-6주간 석고붕대 고정을 한다.

관절 유합의 진행 상태에 따라 체중 부하의 시기가 조정될 수 있으나 문제점이 없으면 대개 술 후 6주째 석고붕대 상태에서 완전 체중부하를 시행한다. 술 후 10-12주째 석고붕대를 완전히 제거 후 관절운동 및 발목 주위의 근력 운동을 시행하면서, 일반 신발 착용과 완전 체중 부하를 시행한다.

6. 합병증

1) 불유합/ 지연유합

불유합이나 지연 유합 소견을 보일 때는 석고붕대 고정 기간을 3개월 이상으로 연장할 수 있으나, 이외에 교정 수술로 관절 유합 부위의 섬유조직을 제거하고 좀 더 견고한 내고정을 시행하면서 골 이식술을 같이 시행할 수 있다. 이때 내고정은 나사 고정에 금속판이나 blade plate 고정을 병행할 수 있으며, 골 유합을 좀 더 촉진하기위해 전기 골형성 자극기나 혈소판 농축제를 추가로 사용할 수 있겠다.

2) 부정 정렬

약 3-5도의 외반 상태에서 족관절 고정이 바람직하며, 내반 상태에서의 고정은 절대 금물이다. 거골하 관절의 강직이 있는 환자는 특히 족관절 고정시 신중을 기해야 한다.

3) 신경마비

전방 도달법에 의한 고정 시 비골 신경을 안전하게 견인하지 않을 경우, 심부 및 표재 비골 신경 손상이 올 수 있으며, 외측 도달법을 이용하는 경우에도 표재 비골 신경의 중간 분지나 비골 후방의 비복 신경을 확인하여 손상을 피해야 하겠다.

4) 술 후 감염

술 후 감염이 의심될 경우 조기에 수술 상처 부위를 개방하여 염증이 관절 고정 부위에 광범위하게 퍼지는 것을 방지해야 하며, 이식 골에 염증이 모두 스며든 경우는 철저한 변연부 절제술을 통해 염증을 치료하고, 필요에 따라서는 내고정을 일리자로프 등 외고정 장치로 전환해야할 필요가 있다. 또한 신체의 타 부위에 감염 병변이 있을 경우에는 수술을 연기하는 것이 현명하다.

II. 거골하 관절 유합술(Subtalar arthrodesis)

1. 서론

거골하 관절의 유합술은 임상적으로 후족부의 변형이나 관절염을 수술적으로 교정 치료하는데 매우 믿을만한 수기라는 것이 여러 문헌 보고를 통해 입증된 바 있다[20]. 과거에는 족근 삼중 관절인 거골-종골, 거골-주상골과 종골-입방골간의 긴밀한 생체역학적 유대 관계 때문에 거골-종골간 관절만의 문제일 경우에도 많은 이들이 삼중 관절 고정술의 필요성을 주장하였다. 그러나 많은 보고에 의해 거골하 관절 유합술 후 횡 족근 관절의 방사선학적으로 퇴행성 변화가 일어나도 임상적으로는 증상은 거의 동반하지 않는다는 것이 입증되었다. 반면에 삼중 관절 고정술을 시행한 경우 장기 추시상 족관절과 중족부에 이차적 퇴행성 변화가 확인되었다[16]. 거골하 관절 유합술은 기술적으로 삼중 관절 고정술에 비해 쉬우며, 술 후에 횡 족근관절이 유지되어 후족부의 유연성이 보존되어 족관절이나 중족부의 퇴행성 변화를 늦출 수 있다. 또한 in-situ 와 realignment 고정술이 있으나 많은 경우에서 후족부의 내외반 변형을 동반하므로 이에 대한 충분한 교정 하에 고정이 필요하겠다.

2. 적응증

거골하 관절 유합술의 적응증으로는 거골하 관절에 국한된 퇴행성 관절염, 외상성 골관절염과 류마치스 관절염 등이 있다. 이외에 후경골건 파열에 의한 경직된 후족부 변형과 신경 근육질환에 의한 후족부 변형의 교정이 적응증이 되며, 진구성 하퇴부 구획증후군이나 비골건 파열에 의한 후족부 내반 변형의 교정도 적응증이 된다. 또한 동통을 동반하는 족근 결합(tarsal coalition)을 호소하는 장년층의 수술적 치료법이기도 하며, 지속적인 통증을 호소하는 족근동 증후군의 적응증이 된다. 외상으로는 종골의 심한 관절 내 분쇄골절로서 해부학적 정복이 불가능할 경우 일차적 관절 유합술을 시행하여 환자로 하여금 조속히 일에 복귀할 수 있게 한다.

3. 수술방법

피부 절개는 후족부 외측 비골의 끝에서 기시하여 원위 하방으로 족근동을 지나 종골-입방골 관절까지 가한다. 피부 절개선은 피하조직으로 조심스럽게 깊이 들어간다. 절개선의 하방으로는 비골 건막을 확인할 수 있으며, 절개선의 원위부로는 비복신경의 말단 분지를 확인할 수 있다. 비골 건막과 비복 신경 분지를 모두 하방으로 견인한 상태에서, 절개를 종골 위의 골막까지 깊이 가한다. 비골 건막 밑의 지지대를 종골 외측벽에서 박리해서 분리한다. Weitlander retractor를 연부조직 내에 삽입하여 족근동내에 대해서 연부조직을 박리한다. 족근동 내의 내용물을 족근동의 바닥에서 들어 올려 거골하 관절의 후방 소관절면의 전방 부분이 노출되도록 한다. 종골의 외측벽이 비골까지 완전히 노출이 된다.

비골 끝이 튀어나온 종골 외측벽에 추돌하는 것을 확인되는 경우, 비골 건막을 하방으로 최대한 견인하여 종골의 전체 외측벽을 노출시킨다. 1.5cm curved osteotome을 이용해서 외측벽을 충분히 제거하여 후방 관절이 완전히 노출되게 하며 관절 외측단이 거골의 외측끝의 내측에 위치하도록 한다. 제거한 뼈는 5×6mm 크기로 짤라서 나중에 골 이식에 사용한다. 이때 종골 벽에 금속판 등 내고정물이 있을 경우 연부 조직을 박리하여 금속 고정물을 제거한다.

족근동에 이빨이 있는 lamina spreader를 삽입한다. 이를 최대한 확장하여 골간 인대를 최대로 신장시켜서 이를 15번 수술 칼로 잘라서 거골하 관절의 후방과 중간 소관절면에 쉽게 도달하도록 한다. Lamina spreader를 더 신장시켜 후방 소관절면을 최대한 노출시킨다. Flexible chisel을 이용해서 후방 관절의 연골 하골을 최소한으로 제거하면서 연골을 제거한다. 그러나 후방 관절면이 피가 나는 좋은 해면골이 노출될 때까지 충분히 denudation을 시행한다.

같은 방법으로 거골의 하방 관절 연골을 완전히 제거하고, 전방 및 중간 소관절면(facet)의 연골도 이어서 완전히 제거한다. 골 이식은 초기 종골 벽 절제술에서 얻은 것을 사용하거나 동종 이식골을 이용하여 4×5mm 크기로 bone cutter를 이용해서 잘라 족근동 및 빈 공간에 이식한다. 거골하 관절의 빈 공간을 bone block으로 채우거나 신장시킬 경우 동종 대퇴 골두 골을 톱을 이용해서 원하는 모양으로 잘라서 거골하 관절에 삽입한다. 이때 후족부가 내반이 안되도록 각별한 주의가 요망된다.

C-arm fluroscopy를 보면서 6.5mm partially threaded cannulated 나사를 발 뒷꿈치부터 삽입한다. 이때 체중 부하 부위는 피해서 약간 위에서 삽입하며 거골 체부를 향하도록 한다. 두번째 나사는 거골 경부의 전 경골건의 내측부에서 삽입하여 하방 외측을 향해서 종골의 전방 돌기 쪽을 향한다. 거골하 관절의 고정은 중립에서 몇 도 외반에서 고정하며, 나사의 길이는 c-arm을 이용해서 확인한다.(그림 13-5, 13-6)

수술 부위를 충분히 세척하고 봉합한다. 가장 깊은 연부 조직은 2-0 vicryl로 봉합하고, 3 -0 vicryl 로 피하 봉합 후 피부는 3-0 nylon로 봉합한다. 탄력 붕대를 이용해서 압박드레싱을 시

행하고, 발목을 90도 신전 상태에서 단하지 후방 부목을 시행한다.

4. 술 후 처치

술 후 2-4일에 수술 상처를 처음 치료하면서 배농관을 제거하고, 술 후 2주째 발사를 시행하면서 단하지 석고붕대나 보조기(walker boots)로 발목을 고정한다. 술 후 첫 6주는 체중 부하를 절대 금한다. 술 후 6주째 석고붕대를 제거한 후 방사선 촬영을 시행하여 족관절 고정의 유합 상태를 확인하고 다시 4-6주간 석고붕대나 보조기를 고정 한다.

대개 술 후 6주째 석고붕대 상태에서 완전 체중부하를 시행한다. 술 후 10-12주째 석고붕대/보조기를 제거 후 관절운동 및 발목 주위의 근력 운동을 시행하고 일반 신발 착용 상태에서 완전 체중 부하를 시행한다.

5. 합병증

1) 부정 유합

거골하 관절 고정술의 가장 흔하고 특징적인 합병증은 내반

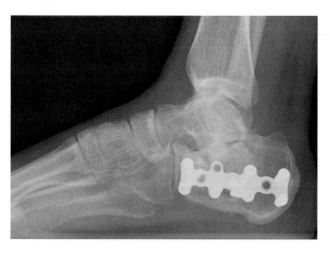

그림 13-5. 54세 남자 환자로 추락 사고에 의한 관절내 종골 골절에 따른 관혈적 정복술 후 이차적인 외상성 거골하 관절염으로 체중 부하 시 심한 후족부 동통을 호소함

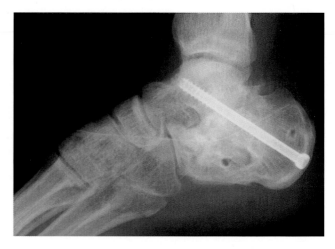

그림 13-6. 보존적 치료에 호전이 없어 내고정물 제거 후 6.5mm 유관 나사를 이용해서 거골하 관절 고정술을 시행하였다.

변형과 외반변형 등의 부정유합이다. 후족부가 외반변형이 계속 남아 있을 경우 비골하 추돌 증후군이 있게 되며, 과교정되어 내반 변형을 보이면 발의 외측부에 과부하가 걸린다. 외반변형이 지속될 경우 환자는 족근동 통증을 호소하며 족부 제1열에 과부하로 피로 골절 등을 유발할 수 있다. 부정 유합이 심할 경우 교정술이 필요한데, 외반 변형에 대해서는 삼중 피질골이식(tricortical bone graft)으로 교정하며, 내반변형에 대해서는 외측 폐쇄성 설상 절골술(lateral closing-wedge osteotomy)로 교정하여 정상적인 족부 형태 및 체중 부하를 얻도록 한다[2].

2) 표재 비골 신경마비는 수술 부위 절개선이 지나치게 연장될 경우 손상을 줄 수 있으며, 수술 과정 중 무리한 견인이 신경 손상의 원인일 수 있다.

3) 불유합은 거골하 관절 유합술에서는 비교적 빈도가 낮다.

III. 경골-거골-종골 유합술(Tibio-talar-calcaneal arthrodesis, TTC Fusion)

1. 서론

족관절과 후족부에 대한 광범위한 고정술(유합술)은 기술적으로 만만찮으며 쉽게 합병증을 유발할 수 있다. 그러나 최근 추세는 경골-거골-종골 고정술(TTC Fusion)이 만족할만한 결과를 가져올 수 있는 구제술의 하나로 간주되고 있다. 따라서 성공적으로 시행될 경우 심한 불구나 절단해야할 하지에 대한 합리적인 대안이 될 수 있다[22].

2. 적응증

경골-거골 관절 뿐만이 아니라 거골하 관절에도 관절염, 염증이나 변형이 동반된 경우 족관절이외에 거골하 관절의 고정을 같이 시행해야한다. 따라서 후족부의 상하 2개 관절의 여러 가지 관절염이나 강직성 변형이나 염증 또는 신경병증 관절증 특히 당뇨병성 신경병성 관절증이 있을 경우에 시행할 수 있다.

3. 수술 방법

경골-거골-종골 유합술은 비골 절골에 따른 외측 도달법(transfibula approach)을 이용하여 2개의 관절에 동시에 비교적 용이하게 접근하여 관절면의 연골을 정리한 후 여러 종류의 내고정물로 관절 유합술을 시행할 수 있다. 3-5개의 6.5mm 와 5.0mm 유관 나사를 이용해서 래그 기법(lag technique)으로 두 개의 관절을 고정하거나 blade plate 나 anatomical plate를 이용해서 고정할 수 있다[6, 21]. 이외에 같은 외측 도달법으로 관절 연골을 제거한 후 후족부 바닥을 통해 금속정으로 고정하는 방법이 있으며[10] 과체중의 당뇨병성 관절증처럼 보다 견고한 고정을 요구하는 경우에 특히 선택된다(그림 13-7, 13-8).

1) 비골 절골에 따른 외측 도달법(transfibular approach)

외측 도달법은 비골을 족관절 약 5cm 상방에서 절골하여 비골건, 전후방 거비 인대 등 주위 연부조직을 비골로부터 박리하여 하방으로 비골 편을 제끼면 족관절과 거골하 관절의 외측면이 넓게 노출이 된다.

Lamina spreader를 이용해서 관절을 벌리고 chisel이나 burr로 족관절과 거골하 관절의 연골을 완전히 제거하여 bleeding하는 해면골 표면을 확보한다.

2) 역행 골수강 내 금속정 고정술 (Retrograde Intramedullary Nailing)

환자를 앙와위로 c-arm이 투과되는 수술 테이블에 눕힌 상태에서 뒷꿈치 패드의 바로 앞에 종적 피부 절개를 가하고 족저 근막까지 둔 박리(blunt dissection)를 시행하고 근막을 종으로 벌리고 그 밑의 내재근과 내측의 신경 혈관 다발을 보호하면서 견인한다. 뾰족한 수술 송곳을 이용해서 거골과 경골의 중심부를 잇는 종의의 족저 피질골을 관통해서 유관 드릴(cannulated drill)을 위한 entry point를 만든다. 유도 철사(guide wire)와 유관 드릴을 이용해서 투시술하에 경골 골수강을 관통하고 구멍 확장기로 골수강을 확장해서 확장 지름보다 0.5-1mm 큰 지름의 금속강을 유도 철사를 통해 삽입한다. 금속강의 하단은 종골 족저면에서 몇 밀리미터 상방에 위치하도록 삽입하고, 교합

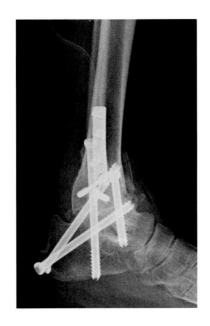

그림 13-7. 경골-거골-종골 유합술을 6.5mm 유관나사를 이용해서 2개의 관절을 고정한 경우로 후족부의 크지 않은 작은 여자의 경우 특히 적합한 고정 방법이다.

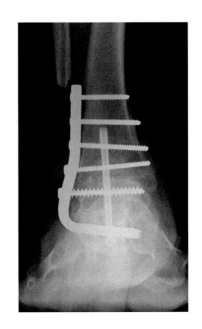

그림 13-8. 경골-거골-종골 유합술을 blade plate를 이용해서 고정한 경우로 비골 절골술 후 추가 절개가 필요 없으며, 칼날 금속판과 여러 나사를 고정함으로써 견고한 안정성을 얻을 수 있다.

나사(interlocking screw)를 종골 거골에는 후방-전방향으로, 원위 및 근위 경골에는 좌우로 고정한다. 이때 투시술(fluroscopy)을 이용해서 교합나사로 종골과 거골을 특히 견고하게 고정하여야 하며 나사에 의해 비골이 추돌(impinge)되지 않도록 한다.

4. 술 후 처치

술 후 2-4일에 수술 상처를 처음 치료하면서 배농관을 제거하고, 술 후 2주째 발사를 시행하면서 단하지 석고붕대로 발목을 고정한다. 술 후 첫 6주는 체중 부하를 절대 금한다. 술 후 6주째 석고붕대를 제거한 후 방사선 촬영을 시행하여 족관절 고정의 유합 상태를 확인하고 다시 4-6주간 석고붕대 고정을 한다.

관절 유합의 진행 상태에 따라 체중 부하의 시기가 조정될 수 있으나 문제점이 없으면 대개 술 후 6주째 석고붕대 상태에서 완전 체중부하를 시행한다. 술 후 10-12주째 석고붕대를 완전히 제거 후 관절운동 및 발목 주위의 근력 운동을 시행하고

일반 신발 착용과 완전체중 부하를 시행한다.

IV. 삼중 관절 고정술(Triple arthrodesis)

1. 서론

거골하 관절, 종골-입방골관절과 거골-주상골 관절로 이루어져 있는 삼중 관절 고정술은 과거 1900년대초에 소아마비, 뇌성마비, 잔류성 만곡족 소아 발 변형의 치료로써 사용되었다. 당시 골 설상편 제거로 변형 교정을 하였고 내고정을 최소한으로 하면서 석고 몰딩을 통해 변형 교정을 주로 시행하였다.

현재에는 삼중 관절 고정술이 성인에서 후경골건 파열후의 편평외반족, 신경 근육성 질환에 따른 후족부 변형이나 거골하 관절과 횡 족근 관절의 류마치스 관절염, 외상성 골관절염의 수술 기법으로 사용되며, 관절 절제는 최소한으로 하고, 주로 관절의 회전, 전이로 변형을 교정하며, 래그 나사를 이용해서 관절간의 고정을 시행한다[5].

2. 적응증

거골하 관절 고정술과 삼중 관절 고정술 간의 시행 결정은 횡 족근 관절이 보존하지 못할 정도로 관절 손상이 됐는지 여부에 따라 결정이 된다. 더욱 어려운 것은 후족부의 심한 외반 변형을 보이는 편평족도 어느 정도까지는 거골하 관절 고정술로 치료가 된다는 것이다. 후족부를 중립으로 교정 후 전족부가 15도이상의 잔여성 내반 변형을 보이면 삼중 관절 유합술이 바람직하겠다. 따라서 적응증으로는 거골 주위 관절염, 경직성 편평 외반족, 마비성 또는 강직성 내반족 또는 첨족 등이 해당이 되겠다.

3. 수술 방법

피부 절개는 후족부 외측비골의 끝에서 기시하여 원위 하방으로 족근동을 지나 종골 -입방골 관절 까지 가한다. 피부 절개선은 피하조직으로 조심스럽게 깊이 들어간다. 절개선의 하방으로는 비골 건막을 확인할 수 있으며, 절개선의 원위부로는 비복신경의 말단 분지를 확인할 수 있다. 비골 건막과 비복 신경 분지를 모두 하방으로 견인한 상태에서 절개를 종골 위의 골막까지 깊이 가한다. 비골 건막 밑의 지지대를 종골 외측 벽에서 박리해서 분리한다. Weitlander retractor를 연부 조직 내에 삽입하여 족근동내의 연부조직을 박리한다.

족근동 내의 내용물을 족근동 바닥에서 들어 올려 거골하 관절의 후방 소관절 면의 전방 부분이 노출되도록 한다. 족부 내측부에 2 번째 절개선을 가하여 거골 - 주상골 관절을 노출시킨다. 절개선은 전 경골건의 내측을 따라 족관절에서 시작하여 연부조직과 지지대를 절개하고 정맥을 결찰하여 주상골 - 설상골 관절까지 진행한다. 종골 -입방골 관절까지 절개선을 진행하고, 큰 periosteal elevator를 이용해서 종골과 입방골 위의 연부조직을 박리하여 들어 올린다. 칼을 종골 - 입방골에 삽입하여 연결 인대를 절개하고, chisel, rongeur와 curette를 이용해서 관절 내 연골을 완전히 제거한다. 이때 smooth lamina spreader를 관절 사이에 넣어 연골이 모두 제거된 것을 확인한다. 거골-주상골에 대해서는 weitlander retractor를 삽입해서 전 경골건을 제 낀 후 주상골 위의 골막을 절개하여 관절을 노출한다. Smooth lamina spreader를 삽입하여 관절을 벌리고

flexible chisel을 이용해서 먼저 주상골의 관절 연골을 모두 제거하며 이때 전체적인 윤곽은 유지한다. 이어서 거골두 면의 연골을 같은 방법으로 제거한다[19].

족근동에 이빨 있는 lamina spreader를 삽입한다. 이를 최대한 확장하여 골간 인대를 최대로 신장시켜서 이를 15번 수술 칼로 잘라서 거골하 관절의 후방과 중간 소관절면에 쉽게 도달하도록 한다. Lamina spreader를 더 넓혀 후방 소관절면을 최대한 노출시킨다.

Flexible chisel을 이용해서 종골 후방 관절의 연골을 연골하 골을 최소한으로 제거하면서 제거하나 피나는 좋은 해면골이 노출될 때까지 충분히 denudation을 시행한다. 같은 방법으로 거골 하방의 관절 연골을 완전히 제거하고, 이어서 전방 및 중간 소관절면(facet)의 연골도 같은 방법으로 제거한다. 3개의 족근 관절면이 교정하려는 발의 위치에서 서로 잘 맞는지, 그리고 모든 연골이 깨끗이 제거됐는지 확인한다. 삼중 관절의 고정은 유관 나사를 이용해서 c-arm 하에 시행하며, 제일 변형이 심한 관절부터 고정한다. 편평 외반족에서 거골-주상골 교정을 먼저 시행할 경우, 뒤꿈치를 중립으로 고정한 상태에서 전족부를 내전, 족저 굴곡 및 회내시킨 위치에서 2개 의 유도 핀을 이용해서 4.0mm 유관나사로 거골-주상골을 고정한다.

이어서 후족부 거골하 관절의 위치를 중립 상태로 잘 잡고 6.5mm 유관 나사를 발 뒤꿈치에서 부터 거골 경부를 향해 고정한다. 종골-입방골 관절은 관절 1 센티 근위부에 나사를 박기 위한 홈(notch)을 만들고 5mm 나사를 종골에서 입방골로 향해 고정한다. C-arm을 이용해서 관절 교정 위치와 나사의 위치 및 길이를 확인한다.

수술 부위를 충분히 세척하고 봉합한다. 가장 깊은 연부 조직은 2-0 vicryl로 봉합하고, 3-0 vicryl로 피하 봉합 후 피부는 3-0 nylon로 봉합한다. 탄력 붕대를 이용해서 압박드레싱을 시행하고, 발목을 90도 신전 상태에서 단하지 후방 부목을 시행한다.

4. 술 후 처치

술 후 2주째 단하지 석고붕대로 발목을 고정한다. 술 후 첫 3주는 체중 부하를 금하나 그 후 약간의 체중부하(Touch down with some weight)는 가능하다. 술 후 6주째 석고붕대를 제거한 후 방사선 촬영을 시행하여 족관절 고정의 유합 상태를 확

인하고, 다시 4-6주간 석고붕대 고정을 한다. 관절 유합의 진행 속도에 따라 체중 부하의 정도가 조정되나 문제점이 없으면 대개 술 후 6주째 석고붕대 상태에서 완전 체중부하를 시행한다. 술 후 10-12주째 석고붕대를 완전히 제거 후 발목 주위의 관절 운동 및 근력운동을 시행하고 일반 신발 착용과 완전 체중부하를 시행한다.

5. 합병증

1) 불유합

세 개의 족근관절 중 어느 관절에도 불유합은 일어날 수 있으나, 거골-주상골 관절의 불유합 빈도가 높으며, 이는 이 관절의 시야 확보가 어려우며 내고정이 어려운 것이 원인으로 추정된다. 충분한 시야를 위해서는 내측 2차 절개가 필수이다.

2) 부정 유합

삼중 관절 고정술 후 부정 유합의 합병증은 비교적 흔하다. 수술 후 발의 내반 변형이 남아 환자가 발의 외측부로 걷는 경우가 종종 있다. 내반 변형은 발의 유연성의 소실을 가져와 보조기 착용이 어려우며, 다른 관절통도 유발해서 약간의 내반 변형에도 환자가 불편해하는 경우가 많다.

외반 부정 유합도 비골 추돌 통증을 가져오나 환자의 허용정도(tolerance)는 내반 변형에 비해 양호한 편이다. 상기 합병증의 많은 경우에 교정술을 필요로 하며, 전족부 변형이 문제인 경우에는 횡 족근 관절에 걸쳐 절골술을 시행하고, 후족부의 내외반 변형이 문제인 경우에는 종골의 교정 절골술을 시행한다[7].

V. 족근 중족골간 유합술(Tarsometatarsal arthrodesis, TMT joint fusion)

1. 서론

족근 중족골 관절은 배부 족저 양면으로 많은 인대에 의해 연결돼있어 전반적으로 견고한 안정성을 유지하나 제1과 제2 중족골간 만은 인대 결합이 없고 대신 제2 중족골내측 기저부와 내측 설상골 사이에 두꺼운 인대로 연결돼 있다. 제1 중족골은 상대적으로 불안정한 반면에 제2 중족골 기저부는 설상골 사이의 격자 홈에 위치하여 매우 견고하고 상하 움직임도 거의 없다.

임상적으로 중족부를 3개 열(column)으로 구분하는 것이 치료하거나 손상을 분석하는데 편리하다. 내측 열은 제1중족골과 내측 설상골, 중간 열은 제2, 3중족골과 중간, 외측 설상골로 이루어져 있고, 외측 열은 제4, 5 중족골과 입방골로 구성되어 있다. 상기 3개 열의 구분은 안전성, 운도범위와 구조적인 견고성을 고려하여 구분하였으며, 외측 열은 가장 모션이 많은 반면에 관절 증상이 가장 적다. 관절염에 따른 변형은 제 1열이 가장 심해, 족근 중족골 관절 고정시 이에 대한 재정렬 교정이 많은 경우에서 필요하다[11, 15].

2. 적응증

가장 흔한 적응증은 족근 중족골 관절의 골절 및 탈구성 손상 (Lisfranc joint injury)이후의 외상성 관절염과 특발성 중족부 관절염이다. 이외에 드물게 당뇨병성 중족부 관절증과 류마치스 관절염에 의한 통증도 수술의 대상이 된다.

3. 수술 방법

족근 중족골 관절 유합술시 관절 고정이외에 다른 추가적인 수기도 동반하는 경우가 많은데 이들은 신경종 제거술, 중족골 절골술, 종골 교정 절골술, 아킬레스건 연장술, 무지 외반증 교정술 등이다. 관절 유합술은 대개 중간열이나 내측열에서 시행하며, 1개 족근 중족골 관절만 고정하는 경우도 드물지 않게 있다. 절개선은 고정하려는 중족골의 중심으로 종적 절개선을 가하며 1, 2번일때는 1, 2번 중족골 사이에 절개를 가하나 1, 2, 3번 3개의 고정시에는 2, 3번 중족골 사이와 내측의 2개의 절개선을 가한다. 피부 절개선을 가하고 피하 표재 및 심부 비골 신경을 확인 견인하고 관절을 박리 노출하여 관절 연골을 완전히 제거한다. 고정은 대개 4.0 또는 3.5mm 나사를 이용해서 압박 고정을 시행하고, K-강선 고정은 약해서 피하며, 중족골간과 설상골과 중족골간의 고정을 필요에 따라 적절히 고정한다(그림 13-9, 13-10, 13-11).

중간열만 고정시는 변형이 없는 경우가 많아 대개 제자리 상태(in-situ) 고정을 하나, 더 많은 경우에서 편평 외반족이나 호상족 변형을 동반하고 있어, 관절 고정시 재정렬 고정술(realignment fusion)에 의해 족근 중족골 관절을 회전과 전이(rotation and translation)를 이용해 변형을 정복하여 고정한다. 대부분은 이런 회전 정복으로 교정이 가능하나 일부 심한 호상족은 내측 족저 폐쇄성 설상 절골술에 따른 관절 유합술로 변형을 교정한다. 특히 외상과 관련이 없는 특발성 관절염의 경우 대부분 심한 평편 외반족 변형을 동반하여 종골 내측 전이 절골술 등 보조적 골 교정 절골술이나 아킬레스 건 연장술이 동반되는 경우가 많다.

4. 술 후 처치

수술 후 석고붕대 고정 및 체중 부하 일정은 상기 삼중 고정술과 동일하다. 석고 붕대 고정은 술 후 약 10-12주간 시행하며, 체중 부하는 첫 3주는 금하며 3-6주는 부분 체중 부하, 술 후 6-12주까지는 석고 고정 하에 완전 체중 부하를 허용하며, 그 이후는 일반 신발 착용 하에 완전체중 부하를 한다.

5. 합병증

1) 부정유합

종족부 관절염에 따른 편평족이나 호상족(rockerbottom foot)을 재 정렬 고정시 과 교정에 따른 전족부 중족골두 특히 제1 중족골두하의 동통을 유발한다. 그러나 내측 종아치의 재건을 위해서는 상기 합병증은 어느 정도 불가피한 것으로 보인다. 전족부의 패딩으로 대부분 증상이 호전되나 심한 경우에는 중족골 근위부의 배부 절골술로 치료한다.

2) 의인성 족 배부 신경 손상

수술 후 족배부의 표재 및 심부 비골 신경 손상은 족근 중족골 관절 유합술시 매우 빈번하게 발생하는 합병증이며, 난치성이므로 신속하게 대처해야한다. 일차적으로 심부 조직 마사지, 경피 전기 자극치료(TENS)와 신경통증에 대한 경구 치료제를 같이 사용한다.

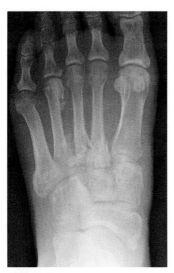
그림 13-9

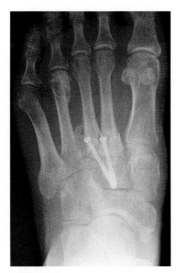
그림 13-10

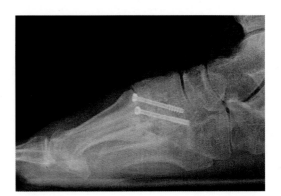
그림 13-11

그림 13-9 (술전 전후면)과 그림 13-10 (술후 전후면), 그림 13-11 (술후 측면) : 남자 50세로 교통사고로 인한 제2, 3번 족근-중족골관절의 외상성 관절염으로 체중 부하시 심한 중족부 통증을 호소하였음. 4.0mm 유관나사를 이용해서 제 2, 3 족근-중족골관절 고정술을 시행하였다(술 후 6개월 사진).

VI. 제1 중족지절 관절 유합술
(1st metatarsophalangeal arthrodesis, 1st MTP Fusion)

1. 서론

제1중족지절관절 유합술은 심한 정도의 무지외반증, 무지내반증, 무지강직증, 외상성 무지 섬유성 강직증과 실패한 무지외반증 등의 수술적 치료법으로 기술되어왔다. 상기의 질환에 대해 관절 유합술이 훌륭한 치료법이긴 하나 절제 관절 성형술, 인공 관절 성형술, 변연부 절제술과 다른 많은 절골술의 하나의 대체 수술법(surgical alternative)으로 고려하여야한다.

Clutton(1894)가 무지외반증에서 중족지절관절 유합술을 처음 보고한 이후로 McKeever(1952)는 관절 유합술의 기법에 대해 기술하였다[18]. Mann 과 Oates는 OA 와 RA에서 90%이상의 성공적인 유합률을 보고하였으며[14] Mann과 Katchurian(1989)는 심한 무지 외반증을 관절유합술 만으로 치료하여 평균 4-5도의 제1중족골간각도(IMA)의 감소를 보고하였다[13].

2. 적응증

수술 적응증으로는 ① 심한 무지외반증(IMA > 22도, HVA > 45도), 특히 무지의 심한 회내 변형이나 2, 3 중족골두하의 동통성 굳은살이 있을 때, ② 심한 무지 강직증, ③ 중등도의 무지외반증에 동통을 동반하는 관절운동 범위의 제한이 있을 때, ④ 재발성 무지외반증, ⑤ 신경근육성 질환을 동반한 무지외반증과 ⑥ 류마치스 관절염을 동반한 무지외반증 등이 있다[12].

금기(contra-indication)로는 주변 관절인 무지 지골간 관절이나 족근중족골간 관절의 관절염이 있거나 발의 신경병성 관절증이 있는 경우가 해당이 된다.

3. 수술 방법

1) 수술 접근법

제1중족지절 관절 유합술을 위한 수술 기법은 중족지절 관절을 준비하는 기법과 관절 고정 기법에 따라 구분될 수 있다. 수술 접근법은 배부 도달법과 내측 도달법이 있는데 각각 장단점이 있다. 배부 도달법은 보다 완전한 시야 확보가 가능하나 건 손상의 위험성이 높다. 반면에 내측 도달법은 배측 연부조직의 손상이 적으며 족저 종자골 등의 접근이 용이하다.

2) 관절면 처리술

관절 유합을 위한 관절 절제술은 평면 골 절제술(flat ostectomy)과 구형 골 절제술(spherical ostectomy)로 크게 구분된다. 평면 골 절제술은 기술적으로 정확하고 골 접촉이 뛰어나나 유합 부위의 각도 교정이 어렵고 무지 길이가 짧아지는 경향이 있다.

구형 골 절제술은 리머(reamer)나 burr를 이용해서 중족골두는 돌출되고 근위지골은 관절면이 중족골두에 맞서서 들어가게 하여 음양의 관절의 일치(congruency)를 이루게 하는 기법으로 길이의 감소가 적고 각도나 회전 조정이 용이하여 권장되는 방법이다.

3) 관절의 고정방법 및 고정 위치

중족지절 관절의 고정은 4.0mm 유관나사를 내측 면에 엇갈리게 고정하거나 스테이플로 고정하거나 배측에 미니-골편 금속판으로 고정하게 된다. 고정시의 위치는 매우 중요하며 기술적으로 견고하게 바람직한 위치로 고정하기는 용이하지 않다. 먼저 발이 평발이냐 요족이냐에 따라 달라지며 직립시 무지의 표면이 바닥에서 5-10mm 정도 떨어져야하며 바닥에 대해 무지가 약 10도 신전 상태를 이루어야한다.

또한 무지를 회외(supination)시켜 발톱이 다른 발톱과 평행을 이루어야 하며 약간 무지외반 상태에서 고정해야 한다.

4) 수술과정

제1중족지절관절을 중심으로 배부에 장무지신근의 내측을 따라 약 4cm 길이의 피부를 절개하고 장무지 신근을 외측으로 제끼고 관절막까지 한번에 절개하고 골막하 박리를 통해 중족골두와 근위지골의 관절면을 박리한다. 근위지골을 최대한 굴곡시켜 관절면을 노출시킨 상태에서 5.0mm burr를 이용해서 음양 곡면 형태(cup and cone shape)로 관절면의 해면골(bleeding cancellous bone)을 노출시킨다. 고정 방법은 유관나사 고정이 기본이며 c-arm 하에서 최대한 압박을 하면서 고정한다.

4. 술 후 처치

수술한 발은 여러 겹의 압박 붕대로 드레싱하며 수술신발(surgical shoe)을 착용한다. 수술신발은 취침 시에도 착용하여야 하며, 다리를 거상하고 얼음 massage를 시행한다. 드레싱 교체는 술 후 2-4일에 처음 시행하며 이때부터 발의 외측과 뒤꿈치에 체중 부하를 하면서 수술신발을 착용한 상태 하에서만 보행이 가능하다.

술 후 7일째부터 조심스럽게 운전이 가능하며, 술 후 4주에 x-ray사진을 찍어 상태를 점거하고, 진행 경과가 양호하면 수술신발 착용 하에서 서서 타는 자전거를 시작한다. 수술 8주 경과 후 수술신발을 벗고 일반화를 착용하되 한 달간 엄지발가락의 rolling-off를 삼가고, 높은 굽 구두 착용은 2달간 삼가 한다.

5. 합병증

합병증으로는 불유합으로서 내고정물의 골절이나 관절의 지속적인 움직임을 보이는 경우이거나 부정유합이 있을 수 있다. 외반 부정유합을 보일 경우 미관 상 뿐만이 아니라 2번째 족지에 압력을 가해 통증을 유발한다. 신전-굴곡 유합시 종자골이나 발가락 끝의 통증이 올 수 있으며 다른 전족부 부위에 압력 증가에 따른 전이 병변이 생길 수 있다. 회전 부정유합시는 엄지 내측부에 굳은살이 생길 수 있다[4].

VII. 지간 관절 유합술(Interphalangeal arthrodesis, IP Fusion)

1. 서론

무지 지간절 고정술은 무지의 불안정증, 외상 후나 고정된 변형을 치료하기위해 시행한다. 무지 지간 관절의 배측 불안정증은 장애를 많이 유발할 수 있으며 제1중족지절 관절 강직과

많이 동반이 된다. 시간이 경과할수록 무지 지간 관절의 수장판(volar plate)와 장무지굴근의 지골 부착 부분이 얇아지고 따라서 지관절이 더욱 불안전해지면서 배부굴곡이 증가한다. 지관절 불안정증은 특히 중족지절관절의 강직과 동반된 경우 치료가 어려우며, 일차적으로 패딩, 부목이나 테이핑으로 보존적 치료를 해서 호전이 안될 경우 지관절 고정술을 시행하게 된다.

2. 적응증

지관절 고정술의 적응증으로는 ① 보존적 치료에 반응하지 않는 퇴행성, 외상성, 류마치스성 근위지골간관절의 관절염, ② 족지의 망치 족지 혹은 추지변형, ③ 요족에 동반된 족지 변형, ④ 강직성 근위지골간관절의 굴곡변형 또는 각 변형, ⑤ EHL 건 전이술과 동반한 Jones 형태의 관절 유합술, ⑥ 무지 내반증 등이 있다.

3. 수술 방법

근위지골간관절의 배측에 종 또는 횡으로 피부를 절개한다. 신전건과 관절막을 절개하여 근위지골간관절을 노출시킨다. 관절 연골을 saw를 이용하여 제거한다. 근위지 골간 관절을 5도 굴곡 중립위에서 한 개 또는 두 개의 K 강선을 이용하여 견고히 고정한다. (무지의 지골간절의 경우 5~10도 굴곡시킨 상태에서 하나의 4.0mm 해면골 나사와 K강선을 이용하여 고정한다) 관절 골극을 제거한다. 관절낭과 피부를 봉합한다. 거즈, 붕대를 이용하여 압박 dressing을 시행한다.(그림 13-12과 13-13)

4. 술 후 처치

술 후 처치 일정은 무지 중족지절 관절 유합술(1st MTP Fusion)과 동일하다.

5. 합병증

지관절 고정술 후 불유합의 빈도는 중족지절관절 고정술 보

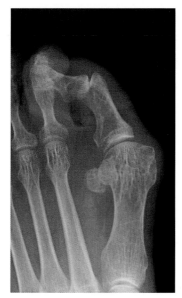

그림 13-12

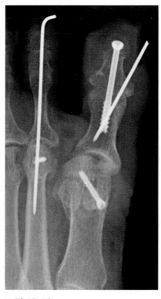

그림 13-13

그림 13-12 (술 전)과 그림 13-13 (술 후) : 59세 여자 환자로서 외상에 의한 무지 지관절의 외반 변형에 따른 제2족지와의 중복에 따른 제2 족지의 동통과 망치족 소견을 보여, 무지 지관절 고정술을 시행함.

다 더 높다. 이는 골 접촉 면적이 더 작고 이 부위의 내고정의 강도가 더 약한 것이 원인일 수 있겠다. 만약 통증을 동반할 경우 불유합에 대해 골이식과 보다 견고한 내고정으로 치료하여야 겠다.

■ 참고문헌

1. Albert E: Einige Falle vonkunstlicher Ankzlosen bildung an Paralytischen Gleidmassen. Weiner Medizinische Press, 1882.

2. Bibbo, C. Anderson,R.B. and Davis,W.H. : Complications of midfoot and hindfoot arthrodesis. Clin. Orthop., 391:45-58, 2001.

3. Charnley J: Compression arthrodesis of the ankle and shoulder. J Bone Joint Surg 1951 33B:180-191.

4. Fitzgerald, JAW: A review of long term results of arthrodesis of the first metatorsophalangeal joint. J Bone Joint Surg. 51B: 488-493, 1969

5. Graves SC: Triple arthrodesis in adults: indications, technique, and results. Operat Tech Orthopaed 1992 2:151-156.

6. Gruen GS, Mears DC: Arthrodesis of the ankle and subtalar joints. Clin Orthop Rel Res 1991 268:13-20.

7. Haddad SL, Myerson M, Pell RF, Schon LC: Clinical and radiographic outcome of revision surgery for failed triple arthrodesis. Foot Ankle Int 1997 18:489-499.

8. Holt ES, Hansen ST, Mayo KA, Sangeorzan BJ: Ankle arthrodesis using internal screw fixation. Clin Orthop Rel Res 1991 268:21-28.

9. Kenneth A. Johnson: Master Techniques in Orthopaedic Surgery. The Foot And Ankle. Lippincott-Raven, Philadelphia, PA, 1997.

10. Kile TA, Donnelly RE, Gehrke JC, et al: Tibiocalcaneal arthrodesis with an intramedullary device, Foot Ankle Int 1994 15:669-673.

11. Komenda, G. A. Myerson,M.S. and Biddinger,K.R.: Results of arthrodesis of the tarsometatarsal joints after traumatic injury. J. Bone Joint Surg., 78A:1665-1676, 1996.

12. Mann, RA, Coughlin MJ: Adult hallux valgus, In Surgery of the foot and Ankle, RA Mann and MJ Coughlin Eds. CV Mosby., St. Louis, 1993, pp. 167-296

13. Mann, RA, Katcherian DA: Relationship of metatarsophalangeal joint fusion on the intermetatarsal angle.

Foot Ankle 1989, 10(8).

14. Mann RA, Oates JC: Arthrodesis of 1st metatarsophalangeal joint. Foot ankle 1980; 1:159.

15. Mann, R. A. Prieskorn,D. and Sobel,M. : Mid-tarsal and tarsometatarsal arthrodesis for primary degenerative osteoarthrosis or osteoarthrosis after trauma. J. Bone Joint Surg., 78A:1376-1385, 1996.

16. Mann RA, Baumgarten M: Subtalar fusion for isolated subtalar disorders. Clin Orthop 1988 226:260-265.

17. Mann RA: Arthrodesis of the foot and ankle. In Mann RA (ed): Surgery of the Foot and Ankle, 6 th ed. St. Louis, CV Mosby, 1993, pp 673-716.

18. McKeever DC: Arthrodesis of 1st metatarsophalangeal joint for hallux valgis, hallux rigidus and metatarsus primus varus. J.

Bone Joint Surg Am 1952; 34:129.

19. Myerson MS: Foot and Ankle Disorders. W.B. Saunders Company, Philadelphia, PA. 1st edition. pp: 244-245, 2000.

20. Myerson M, Quill GE Jr: Late complications of fractures of the calcaneus. J Bone Joint Surg Am 1993 75:331-341.

21. Papa J, Myerson MS, Girard P: Salvage with arthrodesis, in intractable diabetic neuropathic arthropathy of the foot and ankle. J Bo ne Joint Surg Am 1993 75:1056-1066.

22. Papa JA, Myerson MS: Pantalar and tibiotalocalcaenal arthrodesis for post-traumatic osteoarthrosis of the ankle and hindfoot, J Bone Joint Surg 1992 74-A:1042-1049.

23. Staples OS: Posterior arthrodesis of the ankle and subtalar joints, J Bone Joint Surg 1956 38A(1):50-58.

14. 족관절 전치환술
Total Ankle Replacement

을지의대 을지병원 족부정형외과 **양 기 원**

족관절 전치환술은 현재 우리나라에서 크게 많이 시행되지는 않고 있다. 그 이유로는 족관절에 관절염의 발생 빈도가 슬관절이나 고관절에 비해서 높지가 않고, 몇 년 전까지만 해도 족관절 전치환술의 결과가 좋지 않았으며, 족관절 전치환술을 하는 대신 족관절 고정술을 하여도 술기가 비교적 쉽고 별 문제가 되지 않은 이유들을 들 수 있다. 하지만 관절의 고정술이 주위 관절에 끼치는 영향이 보고되고, 되도록 관절 운동을 살리는 것이 좋으므로 현재에는 족관절 전치환술에 대한 연구와 시술이 점차 증가하고 있는 추세이다.

이 장에서는 족관절 전치환술의 역사와 대표적인 족관절 전치환술로 사용되는 종류에 대해서 간단히 알아보고, 여러 가지 상황에서 족관절 전치환술의 주의할 점에 대해서 알아보고자 한다.

I. 족관절 전치환술의 역사(History)

족관절 고정술에서 벗어나 관절 치환술에 대한 시도는 1970년대 슬관절 치환술(TKR) 시기와 같은 때 시도가 되었다. 1970년 Dr. Morton Murdock에 의해서 처음으로 고관절 치환술(THR)을 거꾸로 해서 시도를 했으나 실패 하였다. 하지만 관절 고정술의 결과에 만족을 못하고 여러 시도가 있었다.

1세대 족관절 치환술은 대개 70년대와 80년대 여러 종류의 인공물(prosthesis)을 여러 병원에서 시도 하였다. 처음 1-2년 내의 결과는 비교적 만족스러웠지만 시간이 지남에 따라 치환물의 불안정으로 실패하는 경우가 많았는데 대표적으로 Mayo clinic 에서는 15년간 추시해서 단지 19%만 만족스러운 결과를 보여 족관절 치환술은 시행해서는 안된다고 결론을 내리기도 하였다.

이러한 1세대 족관절 치환물의 실패의 원인을 분석해보면 4가지를 들 수 있다. 실패한 치환물이 전부가 과다 혹은 과소한 구속형태(over or under constraint), 불일치(incongruence), 그리고 골시멘트(cement)에 속하는 것이다. 이러한 유형들은 족관절의 생역학과 상반되는 요소들이 많아 실패의 원인이 된다.

계속되는 실패에도 불구하고 족관절 전치환술이 꾸준히 대두되고 있는 이유는 족관절 고정술이 오랜 기간 경과한 후에는 주위에 있는 관절의 관절염을 유발할 수 있다는 것과 관절의 운동이 제한이 된다는 큰 두가지 이유가 있다. 따라서 요즘은 이러한 실패의 여러 요소들을 많이 향상시킨 2세대 치환물이 나와 점차 많이 사용되고 있는데 그 대표적인 것이 Agility ankle(Depuy, Warsaw, IN)과 Scandinavian Total Ankle Replacement or STAR(Link Inc., Hamburg, Germany)를 들 수 있다.

II. 족관절 전치환술의 발달

족관절의 관절염은 대부분 족관절 관절 고정술로 치료를 해왔고, 결과도 그런데로 만족할 만한 수준으로 대체 수술의 욕구가 그리 많지 않았다. 그런데 관절 고정술을 하고 난 이후에 오래 걷기가 불편하다든지, 편평하지 않은 곳을 걷기가 불편하고 관절 고정 후 장기간 추시 관찰시 주위 관절의 관절염이 발생하고 동통이 생긴다는 보고가 많이 있었다. Coester 등은 2001년에 관절 고정 후 20년 추시 관찰에서 무릎 관절을 제외한 주위 관절(거골-주상골 관절, 거골하 관절, 종골-입방골 관절)에 관절염이 온다고 발표하였다.

이에 족관절의 관절 운동 범위를 살리는데 관심이 다시 많이 생기게 된다. 처음에 족관절 관절 전치환술은 결과가 좋지 않

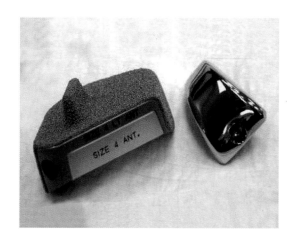

그림 14-1. Agility Ankle

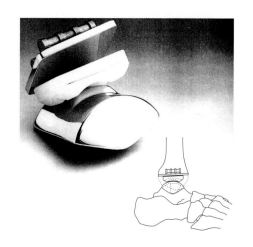

그림 14-2. STAR Ankle

왔다. 대표적으로 HSS(Hospital for Special Surgery), Mayo, 등에서 초창기에 주로 류마티스에 의한 족관절 관절염 환자에게 시멘트를 이용한 족관절 전치환술을 시행하여 초기에는 60~70%의 성공률을 보였으나 장기 관찰에서 50%이하로 실패가 많아 결론적으로 족관절 전치환술에는 시멘트를 이용한 전치환술은 더 이상 권하지 않는 것으로 결론지었다.

연구를 거듭하여 시멘트를 쓰지 않고 경골과 비골을 고정을 하여 치환물과 골이 힘을 받는 부위를 넓혀 주는 것이 좋다는 실험이 많이 나오고 1998년 Alvine 등이 이러한 것을 이용하여 Agility 치환물을 쓰기 시작하였다. 현재는 시멘트를 이용하지 않는 족관절 치환술이 80% 이상의 좋은 결과를 보이고 있고 앞으로 계속 발전하고 있다. 하지만 learning curve가 있는 술식

표 14-1. 족관절 전치환술의 결과. 초기 cemented 치환술은 결과가 좋지 않아 더 이상 사용하지 않는다. 최근 시멘트를 사용하지 않고 시행하여 비교적 좋은 결과를 보였다.

	Type	No of case	F/U기간 (년)	Good & Excellent (%)
HSS(88)	cemented(RA)	23	5.6	65
Mayo(96)	cemented	160	9	43
Takakura	cemented	39	8.1	27
Takakura	uncemented	30	4.1	67
Alvine(98)	uncemented	83	4.8	83
Buchell	uncemented	23	3.1	87

으로 최소한 20례 이상의 시술을 하여야만 어느 정도 일정 수준의 결과를 얻을 수 있다고 요즘 보고하고 있다. 아직도 연구와 경험을 많이 필요로 하는 술식으로 생각된다.

III. 족관절 치환물의 비교 (Ankle Prostheses Compared)

현재 가장 많이 사용되고 있는 Agility와 STAR의 각각의 특징을 간단히 살펴보자.

Agility는 가장 큰 특징이 경골 비골 인대 결합(syndesmosis)을 유합하는 것이다. 얼마나 잘 유합이 되느냐에 따라서 결과가 달라지기도 한다. 경골 삽입물은 경사진 사각형의 (obliquely rectangular) 모양으로 경골과 비골 모두에 힘이 전달이 된다. 그리고 수술을 할때 외고정 장치를 이용하여 신연을 하는 것이 특징이다.

STAR는 경골 삽입물(tibial component)이 1 cm 로 얇기 때문에 골손상을 최소화 시키는(minimal bone cutting) 장점이 있다. 골손상의 최소화(minimal bone cutting)는 경골의 비교적 단단한 부위에 삽입물이 놓이기 때문에 삽입물의 해리 (loosening)가 적다. 또한 실패를 한 경우에 2차 수술이 비교적 용이하다. 경골과 거골의 재표면화(resurfacing distal tibia and talus)이고, 폴리에틸렌 삽입물(polyethylene meniscus)이 6-10mm로 경골측 면은 편평하여 움직임(free motion)이 있고 거

표 14-2. Agility와 STAR 치환물

(Agility Ankle)

Dr Alvine에 의해서 개발.

1979 비골(fibular)의 체중 부하 기능(weight bearing function)을 실험하고 경골과 비골의 인대 결합 유합(syndesmosis fusion)을 시행하여 치환물을 삽입함.

1981-1983 : Cadaveric study.

1984년 최초로 apply.

5년전까지 약 50-60/year를 시행하였고 현재에는 800/year(2000년) 이상 시행되고 있음.

(STAR : Scandinavian Total Ankle Replacement)

유럽에서 개발하여 미국에서는 Dr. Mann에 의해서 많이 사용됨.

1981년 초창기 cemented model이었으나 cementless로 바꿈. 주로 유럽에서 사용

평균 약 1000/year(2000년) 이상 시행되고 있음.

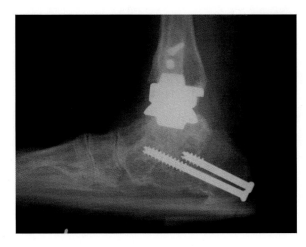

그림 14-3. 족관절 주위 관절을 고정한 경우에 족관절 마저 고정(Pan talan fusron)하는 경우 발의 기능에 치명적 일 수 있다. 따라서 이런 경우 족관절 운동을 살릴 수 있는 족관절 전치환술의 좋은 적응증이 된다.

골측 면은 오목하며 종축의 구렁(longitudinal groove)이 있어 내측 및 외측 움직임의 안정화(medial and lateral movement stabilizer)역할을 한다. 따라서 배측굴곡은 거골 삽입물(talar component)에서 이루어지고 회전은 경골 삽입물(tibial component)에서 이루어져 많은 뒤틀림(torque)이 한 곳으로 걸리는 것을 방지해 준다.

IV. 적응증 및 비적응증 (Indications & Contraindications)

족관절 전치환술에 좋은 요소를 들자면 다음과 같은 것을 들 수 있다.

나이가 많은 사람, 몸무게가 많지 않은 사람, 활동이 많지 않은 사람, bone stock이 좋은 사람, 혈관과 피부에 문제가 없는 사람, 후족부의 변형이 많지 않은 사람, 인대가 안정된 사람 등이다. 적응증으로는 원발성 족관절 골관절염(Primary ankle arthritis), 외상후 골관절염(post traumatic OA), 류마티스 관절염(rheumatoid arthritis), 등을 들 수 있다. 혈우병성 관절염(hemophilic arthritis), 거골 무혈성괴사(Talus AVN)에 대해서는 논란이 있다.

그 외에 논란의 대상이 되고 있는 상황을 살펴보면,

1) 이미 유합이 된 상태[특히 류마티스 관절염(RA)으로] 이나

좋지 않은 위치인 경우 다시 고정된 부위를 자르고 족관절 전치환술을 하는 것은 별로 좋지 않다. 그냥 차라리 절골술로 교정을 하는 편이 더 좋다.

2) 보통 50세 이상인 경우에 시행을 하는데 류마티스 관절염 환자인 경우 나이 50대로 제한할 필요는 없다. 왜냐 하면 보통 류마티스 관절염 환자가 보통 활동성이 적고 몸무게가 많이 나가지 않기 때문이다. 나이보다는 몸무게가 더 문제이다.

표 14-3. 비적응증은 절대적 비적응증(absoute contraindication)과 상대적 비적응증(relative contraindication)으로 나눌수 있다.

●절대적 비적응증

감염(infection), 인슐린 의존성 당뇨(insulin dependent DM), 샤르코 관절염(charcot arthritis), 거골 무혈성괴사(osteonecrosis of talus), 피부와 연부조직의 상태가 좋지 않을때(inadequate skin and soft tissue), 중증의 변연부 혈관질환(severe peripheral vascular disease), 족관절 유합의 과거력(previous ankle arthrodesis), 감각, 운동의 기능 저하(sensorimotor dysfunction), 발의 마비(paralysis of the foot), 이상 정렬[malalignment(20도 이상의 varus or valgus deformity)]들을 들 수 있다.

●상대적 비적응증

젊은 연령(young age), 활동성이 큰 경우(high physical demands), 장기 스테로이드 사용(long-term steroid use), 중증의 골다공증(severe osteoporosis), 거골의 무혈성 괴사(Talus AVN)을 들 수 있다.

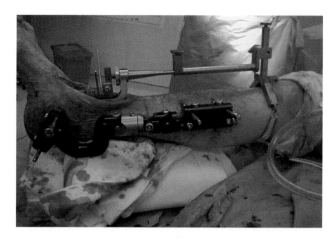

그림 14-4. Agility에서 외고정 장치를 하고 삽입물을 넣기 위해 bone cutting을 준비하는 단계

V. 족관절 전치환술 수술 및 수술 후 관리

수술은 어느 치환물을 사용하느냐에 따라 다르다. 저자는 Agility에 대한 수술 경험 및 참관으로 이에 대해 중요한 점만 간단히 설명을 하기로 한다.

먼저 수술 전에 치환물의 크기를 결정하는데 보통 방사선 사진을 이용하여 결정하고 얼마만큼 골제거(bone cutting)를 해야 하는지 수술전에 준비를 해야 한다. 변형이 동반되어 있거나 불안정성이 동반된 경우에는 이에 대한 치료를 동시에 시행

할지 나누어 시행할 지를 정하고 술식을 언제 시행할지 결정을 한다. 피부 절개는 전방 도발법을 사용하는데 주로 장무지 신전근과 장족지 신전근 사이로 들어가는 것이 원칙이다.

피부 절개는 충분히 하여야 상처의 문제를 일으키지 않는다. 조금 열어서 지그의 삽입이나 골 제거를 시행할 때 긴장(tension)을 주어서 상처 문제가 생기지 않게 주의한다.

외고정 장치를 원위부는 발내측의 거골과 종골에 부착하고, 근위부는 경골의 내측에 부착시킨다. 정렬이 올바르게 되었는지 확인을 하고 hinge가 족관절에 오게 한 다음, 외고정 장치를

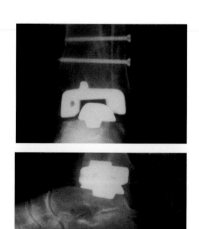

그림 14-5. Agility 수술후 방사선 사진

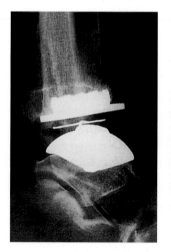
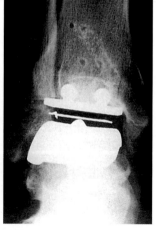

그림 14-6. STAR 수술후 방사선 사진

늘려 족관절면 사이를 벌린다. 가장 알맞은 위치에 지그를 부착시키고, C-arm을 이용해서 위치를 확인한 다음 지그를 고정시키고 bone cutting을 시행한다. 치환물을 삽입하고 원위 경골 비골 부위에 연부 조직을 제거하고 남은 해면골을 이용하여 골유합을 시키고 나사못을 이용하여 고정시킨다.

수술후 사진에서는 모든 면에서 치환물의 위치가 4도 이상 어긋나 있지 않아야 한다. 고정은 석고 고정을 이용하여 6주에서 8주간 시행하고 그후 관절 운동을 시작한다.

VI. 외고정 장치의 Tension

Agility는 외고정 장치를 써서 족관절의 정렬과 cutting의 정도를 결정하는데 이때 장력(tension)을 얼마만큼 주느냐가 중요하다.

장력(Tension)이 없는 경우에는 골절제(bone cutting)가 많이 되어 인대의 긴장이 약해져 해리(loosening)가 되기 쉽다. 반대로 장력(Tension)을 너무 많이 준 경우에는 골절제(bone cutting)가 많이 되지 않아, 삽입물의 삽입 후에 외고정 장치를 풀었을 때 주위 관절의 인대에 긴장이 심해지고 내반 변형(varus deformity)이 올 수 있다. 이 경우가 더 좋지 않다.

보통 족관절은 5 mm 는 인대에 문제없이 신연(distraction)이 가능하다. 족관절 관절경이 가능한 이유도 여기에 있다. 하지만 5 mm 이상 늘어날 때에는 압력(pressure)이 갑자기 증가하게 된다. 보통 갑자기 긴장이 증가하는 시점(deltoid end point)에서 보통 2 mm를 더 늘여 고정을 하는 것이 좋다.

이를 이용하면 평발로 후족부의 외반(valgus)변형이 있을 경우에는 장력(tension)을 조금 더 늘여 외반(valgus)를 어느 정도 교정할 수 있다.

VII. 아킬레스건 Lengthening에 대해 (Heel cord lengthening)

보통 족관절에 관절염이 오래 되면 대부분 어느 정도의 첨족(equinus) 변형이 생긴다. 이 변형이 충분히 교정이 되지 않으면 걸을 때 다리를 외회전(external rotation)하면서 걷기 때문에 rolling off에 문제가 생기고, 발의 내측에 무리를 주고 또 족관절 치환물에도 비정상적인 자극(stress)가 생겨 치환물의 해

리(loosening)의 이유가 된다.

수술 도중 아킬레스건을 늘이느냐 마느냐는 논란에 대상이 많다. 수술도중에 후방 관절막(posterior capsule)을 박리(release)하는 것으로 충분히 배측 굴곡(dorsiflexion)을 얻을 수 있지만 수술시 배측굴곡(dorsiflexion)을 얻더라도 완전 치유(healing) 후에는 어느 정도 신전에 제한이 다시 온다. 따라서 수술장에서 충분히 족관절 신전이 되지 않는 경우는, 아킬레스건 연장술(Achilles lengthening)을 할 수 있는 상황이라면 해주는 것이 좋다.

VIII. 주위관절의 관절염이 있는 경우 족관절 전치환술(Multiple Adjacent Arthritic Joints)

족관절 전치환술은 족관절을 유합하여 장기 추시관찰 하여 본 결과 발과 발목 주위 관절에 관절염이 오는 것을 관찰할 수 있었고, 이는 족관절의 움직임이 없는 것이 그 원인으로 생각되어, 족관절 주위에 관절염이 있는 경우는 족관절의 움직임을 조금이라도 살려두는 것이 좋다는 큰 장점이 있는 것이다.

그런데 족관절 주위의 관절에 이미 변형이 와 있는 경우도 많다. 이러한 변형은 크지 않는 경우는 관절 전치환술을 시행하면서 교정이 가능하지만 심한 경우에는 교정이 어렵다.

족관절 전치환술에서 가장 기본이 되는 원칙은 plantigrade foot beneath the prosthetic replacement이다. 수술하기 전에 변형 교정(deformity correction)시에 어떻게 될까를 먼저 생각하고 plantigrade한 발이 되지 못한다면 나머지 관절유합을 먼저 생각해야 한다.

차례로(staging) 수술을 할 것인지 아니면 동시에 주위관절 고정술과 족관절 전치환술을 할 것인지는 그때의 상황에 따라서 다르다.

류마티스 관절염(RA)인 경우에는 후족부 정렬(hindfoot alignment)를 먼저 하고 나중에 족관절 치환술(ankle replacment)를 시행하는 것이 좋다. 하지만 외상후 관절염인 경우에는 족관절의 움직임 감소로 인해 주위 관절의 관절염이 오는 경우가 있으므로 족관절 치환술(ankle replacement)을 먼저 하면, 나머지 관절의 증상이 좋아질 수 있다.

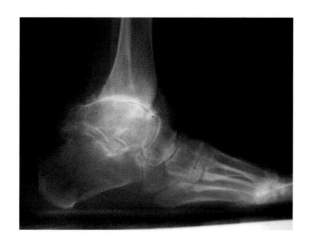

그림 14-7. 족관절 주위에 관절염이 있는 경우 주위 관절 고정술을 시행하고 족관절 전치 환술을 시행할 수 있다. staging 수술을 할 것인지, 동시에 수술을 할 것인지는 그때 그때의 상황에 따라 다르다.

IX. 족관절의 변형, 인대 불안증, 부정유합이 있는 경우(Deformities, Laxities and Malalignments)

족관절 전치환술을 하면서 변형(deformity)나 이완(laxity) 및 부정정렬(malalignment)를 동시에 교정하는 것은 변형의 정도가 아주 작은 경우를 제외하고는 대부분 어렵다. 경골에 변형이 있을 경우, 먼저 경골 전장(full length tibia)을 정상쪽과 같이 검사를 한다. 보통 5도 이내의 경우는 족관절 전치환술을 시행할 때 족관절 절제(ankle cutting)로 보정할 수 있다. 하지만 10도 이상인 경우에는 반드시 절골술(osteotomy)를 시행해야 한다. 비록 절골술(osteotomy)를 시행하더라도 족관절 전치환술 후에 고정의 기간이 있기 때문에 이 기간내에 골유합을 얻을 수 있다.

STAR 인 경우에는 Agility 보다 절제(cutting)하는 길이가 짧기 때문에 그만큼 교정력은 떨어진다. 관절 전치환술을 하면서 변형을 교정 하려한다면 STAR 보다는 Agility가 더 유리한다.

변형은 족관절 상방에서 있는 경우도 있지만 외상후 관절염인 경우에는 대부분 Pilon골절로 인하여 생기기 때문에 경골에서 보다 족관절에서의 변형이 많다. 하지만 변형이 경골의 원위 1/3에 위치하는 경우에는 변형 교정을 먼저 하고 난 다음에

족관절 전치환술을 시행하는 것이 좋다.

오래 방치된 외측 인대의 불안정성이 족관절에 관절염이 된다는 사실은 여러 보고를 통해서 알려지고 있다. 관절염이 있는 경우 족관절 주위 인대의 불안정성이 얼마나 되는지 수술 전에 반드시 검사를 하여야 한다.

STAR prosthesis는 인대의 안정성(ligament stability)에 전제를 두고 있다. 따라서 먼저 인대 안정성(ligament stability)부터 검사하고 이완이 있으면 관절 전치환술을 할 때 같이 복원을 해야한다.

대개의 경우는 족관절 관절염은 내측에서 시작이 되고 진행이 되면 족관절의 내반(varus)이 되어 외측 인대가 신장(stretching)이 된다. 이런 경우 족관절 전치환술로 정상정렬로 교정을 했을 때, 족관절의 외측 인대가 느슨해진다. 이런 경우는 변형 브로스트롬(Modified Brostrom) 술식이나 외측 인대 형성술(lateral ligament reconstruction)을 동시에 시행하여 반드시 인대의 균형을 맞추어 줘야 한다. 이때 주의해야 할 것으로, Agility의 경우는 원위 비골에 구멍을 뚫는 것은 하지 않는 것이 좋다.

관절 전치환술 후에 내반(varus)은 절대로 좋지않다. 내측 삼각인대 연장술(Deltoid ligament Lengthening)도 장기간 지속된 내반(extremely long standing varus)인 경우 시행할 수 있다.

X. 합병증(Complications)

합병증은 크게 초기 합병증(early complications)과 후기 합병증(late complications)으로 나눌 수 있다. 초기 합병증은 대부분 기술적인 문제이다.

과(Malleolar) 골절이 많다. 내과 골절은 외과 골절 만큼 문제가 되지 않는다. 외과 골절이 생긴 경우는 고정을 해줘야 치환물의 해리(loosening)이나 이동(shift)를 방지 할 수 있다. 류마티스 관절염 환자인 경우 피부 문제가 많이 발생할 수 있으니 주의해야 한다. 초기에는 주로 상처 치유(wound healing)와 관계된 문제들이 많다. 감염은 보통 6주 이내에 생긴다.

XI. 결론

족관절 전치환술은 슬관절이나 고관절 전치환술 만큼 활발

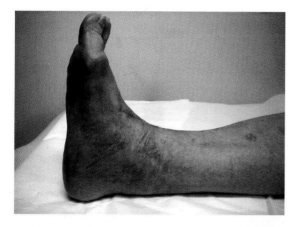

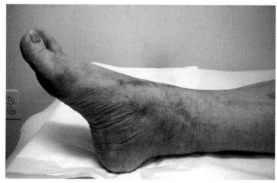

그림 14-8. 족관절 전치환술후 관절의 운동

하지 않다. 하지만 요즘들어 연구가 많이 되고 시도도 많이 되고 있어 빠르게 발전하고 있다. 기술적인 문제도 많이 작용하여 다른 수술보다 긴 learning curve가 필요하다. 좋은 결과를 얻으려면 정확한 적응증으로 이미 기술한 기본적인 원칙을 반드시 만족시켜야 한다.

■ 참고문헌

1. Brett Fink, Mark S Mizel.: Specially update: What's new in foot and ankle surgery Journal of Bone and Joint Surgery(American volume).Vol. 83;791, 2001.

2. Frederick F., Buechel, Sr., Michael J, Pappas, Ph.D: Ten-year evaluation of cementless Buechel-Pappas meniscal bearing total ankle replacement. Foot and Ankle international.24; 462-472, 2003.

3. George C Babis, Robert T Trousdale, Bernard F Morrey.: The effectiveness of isolated tibial insert exchange in revision total knee arthroplasty. Journal of Bone and Joint Surgery(American volume).Vol.84;64, 2001.

4. Khaled J Saleh, Daniel P Hoeffel, Rida A Kassim, Gideon Burstein.: Complications after revision total knee arthroplasty. Journal of Bone and Joint Surgery(American volume).Vol.85;71, 2003.

5. Michael T Pyevich, Charles L Saitzman, John J Callaghan, Frank G Alvine.: Total ankle arthroplasty: A unique design. Journal of Bone and Joint Surgery(American volume).Vol.80;1410, 1998.

6. Myerson, Mroczek: Perioperative complications of total ankle arthroplasty. Foot and Ankle International.24; 17-21, 2003.

7. Thomas Anderson, Fredrik Montgomery, Ake Carlsson.: Uncemented STAR total ankle prostheses: Three to eight-year follow-up of fifty-one consecutive ankles. Journal of Bone and Joint Surgery(American volume).Vol.85;1321, 2003.

8. Saltzman, Amendola, Anderson et al: Surgeon training and complication in TAA, Foot and Ankle International.24; 514-518, 2003.

제 5부
건 및 막(Tendon & Fascia)

15. 건의 병리학
Tendon Pathology

울산의대 서울아산병원 정형외과 **이 호 승**

I. 건의 구성 및 성상

건은 기본적 기능은 근육과 골을 연결 시켜주는 역할을 하며 갑작스러운 충격에 대하여 길이가 변화하면서 충격 흡수 역할도 한다.

건은 전체 건(dry weight tendon)의 70%-86%정도를 차지하는 교원질(collagen)과 1%-5%정도의 기질(ground substance)로 구성되어 있다. 우리 몸에는 약 20여종의 교원질이 존재한다고 알려져 있으며 건을 이루는 교원질은 주로 제 1형 교원질이다. 기질(ground substance)은 수분, 단백다당(proteoglycan)과 당단백질 대분자(glycoprotein macromolecule) 및 무기염(inorganic salt)으로 구성되어 있으며, 단순 filler역할이 아닌 구조적 지지(structural support) 및 윤활(lubricant) 역할을 하며 건의 운동을 돕는다. 또한 혈관이 없는 건의 양분과 gas의 확산(diffusion)에 관여하며 energy를 분산시키는 중요한 역할을 한다.

단백다당(proteoglycan)은 핵심 단백질(core protein)로 수많은 글리코스아미노글리칸 측쇄(glycosaminoglycan side chain)를 갖고 당단백질(glycoprotein)과 함께 단백 당질 결합을 갖는다. 당질은 수소 결합에 의하여 물분자를 붙잡아(binding) 기질이 젤(gel)과 같은 성상을 유지하도록 한다. 기질(ground substance)을 구성하는 그 외의 당단백질 대분자(glycoprotein macromolecule)로 fibronectin은 세포간의 유착(adhesion) 및 섬유 모세포(fibroblast)와 교원질이 유착되도록 하고, decorin은 수분과 탄력소(elastin)를 끌어들여 건의 탄성을 유지한다. 그 외의 세포외 기질(extracellular matrix)을 구성하는 단백질이 건의 점탄성을 유지하는데 기여한다.

교원질의 기본 단위(unit)는 세 가닥의 단백쇄(aminoacid chain)가 나선형으로 연결되어 있는 tropocollagen이다. tropocollagen은 주로 세 가지 단백질로 연결되어 있는데 glycine(30%)과 proline(15%) 그 외 hydroxyproline(15%) hydroxylycine(1.5%) 으로 구성되어 있으며 glycine-proline-hydroxyproline순서가 반복되는 구조로 되어 있다. 세 가닥의 단백쇄는 서로 glycine과 수소 결합(hydrogen bond)으로 연결되어 있다. 각 tropocollagen의 길이는 약 280nm이며, 이러한 짧은 tropocollagen은 hydroxylycine에 의하여 장축으로 연결되어 있다. hydroxyproline은 건의 섬유 모세포에서 proline이 합성되고 난 후 수화(hydroxylation)반응에 의하여 생성됨으로 건 조직 대사의 생화학적 지표(biological marker)가 되고 있다. 건 세포의 주 기능은 교원질 합성 및 건의 대사를 조절하는 역할을 하는데, 그 위치에 따라 구성이 다르다. 표면의 섬유 모세포(fibroblast)는 심층부의 섬유 모세포에 비하여 세포 배양시 유착(adhesison)이 덜 되며 glycosaminoglycans의 합성이 적으며 교원질 성분이 적다. 반면에 심층부의 섬유 모세포에서는 건의 주가 되는 제 1형 교원질과 glycosaminoglycans의 합성이 왕성하게 일어난다. 건 형성 초기에 tropocollagen은 서로 연결(cross link) 되지 않다가 16일 정도 경과 한 후 횡적으로 연결(cross link)되기 시작되어 12주간에 걸쳐 기질화(organize) 된다. 교원 섬유는 처음에 일정하지 않게 배열되어 있다가 점차로 장력(tensile load)에 의하여 장력과 평행한 종축 방향으로 일정하게 배열된다. 근육에 의한 인장력은 교원질 대사(turnover) 에 중요한 역할을 하여 운동은 교원질의 성숙(maturation)과 대사에 도움이 된다.

건을 좀더 자세히 보면 5개의 tropocollagen이 합쳐져 미세 원섬유(microfibril)를 구성하고 미세 원섬유는 서로 합쳐져 subfibril을 이루고 subfibril은 다시 원섬유(fibril)를 구성하면 비로소 건의 기본 단위가 된다(그림 15-1). 원섬유는 서로 뭉쳐 건 섬유(fibre)가 되고 이는 장축으로 파형을 보이며 건 섬유가 모여 건 속(束, fascicles)을 형성한다. 각 각의 건 속(束, fascicles)은 내건막(endotendon)이라는 결체 조직에 의하여 둘러쌓여 있는데 이는 단백다당(proteoglycan), 탄력소(elastin) 및 림프관과 혈관, 신경을 지지하게 된다. 건 속은 서로 뭉쳐 외건막(epitendon)에 둘러쌓이게 되고 이보다 바깥층에는 부건(paratenon)이 둘러싸고 일부 건은 건막(tendon sheath)이 둘러싸고 있어 활주 운동을 돕고 건의 양분 공급을 담당하게 된다(그림 15-2).

건은 연결되는 골과 근육에 따라 다양한 모양과 크기 및 물리적 성상이 다르지만 종적으로 근육과 건의 연결부위인 근건 이행부(myotendinous junction), 건 실질(tendon profer), 골과 건의 연결부위인 골건 이행부(osteotendinous junction)로 구분할 수 있다.

각 건의 근건 이행부에는 골지체(Golgi tendon organ)라는 구심성 유수 신경 섬유(myelinated afferent nerve fiber)가 있는데 이는 약 10개의 근 섬유 조직당 1개 꼴로 존재한다. 근육이 수축하면 인장력에 의하여 골지체가 압박되고 이는 활동 전위(action potential)를 유발한다.

건이 골단에 부착되는 부위는 건이 결체 조직에서 점차로 골 조직으로 이행되는 소견을 보이는데 조직학적으로 보면 섬유성 건(fibrous tendon) - 섬유 연골(fibrocartilage) - 석회화 된 섬유 연골(calcified fibrocartilage) - 골 조직(bone)의 순서로 4개의 구역(zone)으로 나눌 수 있다. fibrous tendon zone에서 fibrocartilage zone으로 이행되는 부위는 단백다당과 기질이 풍부하며 교원질 다발사이의 방추형(spindle) 결체 세포가 점차로 둥근 연골 세포로 변화된다. fibrocartilage zone과 calcified fibrocartilage zone사이에는 tide mark가 관찰되며 tide mark와 골 조직 사이에는 연골 세포가 별로 관찰되지 않는다. fibrocartilage zone에서는 혈관이 관찰되지 않는다. 건의 단면상의 위치에 따라서도 다른 특징을 보이는데 건의 표면은 인장력을 받고 심층부는 압박력을 받아 표면 부위는 교원질이 종적으로 배열되지만 심층부로 갈수록 섬유 연골과 유사한 조직 소

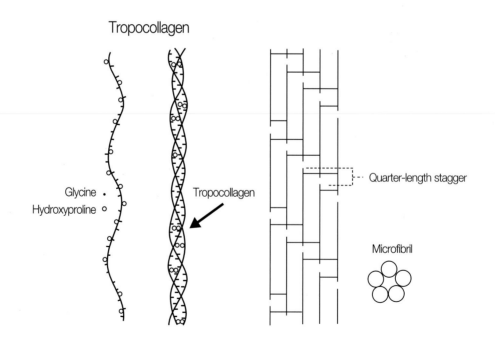

그림 15-1. Structure of Microfibril and Tropocollagen

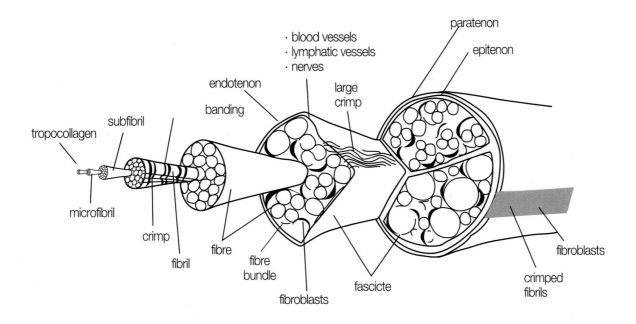

그림 15-2. Structure of Tendon

견을 보이는데 이는 일종의 적응(adaptive) 현상이다. 또한 건이 골과 마찰이 많은 부위에서는 섬유 연골과 유사한 형상을 갖는다.

건은 비록 혈관이 풍부하지 않지만 대사가 왕성한 구조이다. 건은 주로 골막에 종지하는 부위(periosteal insertion)와 근건 이행부(perimysium) 근육을 감싸는 혈관이 기시부로부터 내건막(endotenon)을 따라 들어오고 경우에 따라서는 부건(paratenon) 또는 중간 건막(mesotenon)으로부터 작은 혈관으로 부터 혈행이 공급된다. 부건은 건막에 쌓여있지 않은 곳을 싸고 있는 loose alleolar tissue로 주변 모세 혈관과 다양한 문합을 이루고 있어 건의 혈액 공급에 중요한 역할을 한다. 그러나 모세 혈관이 직접 교원 섬유(collagen bundle) 속까지 공급되지 못하고 건세포는 주로 활액막의 확산(diffusion)에 의하여 영양 공급을 받는다.

II. 건의 물리적 성상 (physical property)

건의 전형적인 stress strain curve는 그림 15-3과 같은데 이는 단일 건에 일정한 인장력을 주었을 때 건의 변화를 나타낸 그림이다(그림 15-3).

toe region은 건이 그다지 큰 힘을 주지 않아도 쉽게 늘어나는(elongation) 단계로 굽었던 교원질 섬유가 서로 평행하게 배열되는 단계이며 변형율(strain) 즉, 원래의 크기에 비하여 변화하는 비율은 약 3% 이하이다. 이보다 더 큰 응력(stress)을 부하하면 약 4%-5%의 변형율(strain)을 갖는 linear region의 성상을 갖는데 이 때는 응력을 제거하면 원래 형태로 돌아오는 가역적 단계이다. linear region의 곡선의 기울기는 건의 영의 계수(Young's modulus of tendon)라 하며 포유류의 경우 건의 영의 계수는 약 1.25GPa에서 1.65GPa 정도이다. 이러한 linear region보다 더 큰 응력을 부하하면 교원 섬유의 연결이 분리되는 최대 응력 점(ultimate strain)에 도달하며 이는 가역적 영역과 비가역적 영역의 전환점이며, 건이 최대 응력 점을 지나서 더욱 인장력을 받으면 변형율이 증가하면서 응력은 다시 약간 감소하여 파괴 점에 이른다. 포유류의 최대 응력 점은 약 90MPa에서 107MPa 정도이다. 교원질(collagen) 방향은 인장력에 평행하게 배열되는데 기계적 성상은 교원질 구조와 교원질과 주변 단백다당과의 상호작용(interaction)과 관계깊다.

건의 인장 강도는 교원질의 양과 비례한다. 종축으로 연결된 tropocollagen은 cross linking에 의하여 보다 강한 구조를 형성한다. 건은 여러층의 다발로 이루어져 같은 직경의 딱딱한 덩어리(solid mass)에 비하여 보다 강한 인장 강도(tensile strength)를 보이며, 굽힘력(bending)에 대하여 더욱 유연한 성상(flexibility)을 갖는다. 또한 tropocollagen은 시계 방향으로 꼬여 있지만 이들 tropocollagen은 다시 시계 반대 방향으로 서로 꼬여 미세 원섬유(microfibril)를 형성하게 되어 더욱 튼튼한 구조를 갖는다. 또한 해부학적 위치에 따라 보다 강한 에너지를 전달하기 위하여 특별한 구조를 갖는데 예를 들면 아킬레스 건의 경우 근위부의 내측 부분의 건 섬유는 종지부로 가며 90° 정도 꼬여서 후외측부에 위치하고 근위부의 외측 부분의 근 섬유는 아킬레스건의 전방부에 위치하는데 이러한 구조는 아킬레스 건의 보다 큰 탄성과 에너지를 전달하는데 도움이 된다.

건의 계수(modulus)와 최대 인장 응력(ultimate tensile strength)은 근 골격 성숙이 마칠때까지 연령에 따라 증가한다. 단백다당의 배열도 미성숙시에는 일정치 않지만 연령이 증가하면서 일정하게 배열된다. 또한 지속적인 운동은 건의 교원질 합성을 촉진하고 굵기도 굵게하여 물리적 성상을 향상시킨다. 건은 우리 몸에서의 위치에 따라 다른 성상을 갖게 되는데 손가락의 굴곡건과 신전건을 비교하면 출생 직후는 성상이 유사하나 성장하면서 교원질 농도(collagen concentration)와 최대 인장 응력등은 굴곡 건이 신전 건에 비하여 약 2배정도 크게 되며 이는 건에 미치는 부하(load)에 의한 것으로 생각된다.

III. 건의 손상과 치유

다른 조직에 비하여 건은 상대적으로 세포수가 적고 혈액공급(blood supply)이 발달되어 있지 않아 건의 손상 후 회복이

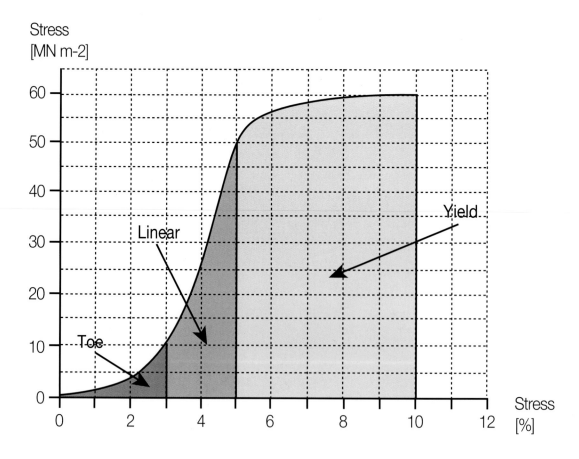

그림 15-3. Stress Strain Curve of Tendon

쉽지 않다.

건은 지속적으로 압박력을 받는 부위와 아킬레스 인대처럼 주행하면서 꼬이는 경우 손상 받기 쉽다.

건의 손상은 열상등과 같은 직접손상과 인장 과부하(tensile overload)에 의한 간접 손상으로 나눌 수 있는데 대부분 간접 손상에 의한 경우가 많다. 간접 손상은 해부학적인 위치와 혈류장애, 근골격 성숙의 정도 또는 건에 작용하는 부하의 정도에 따라 손상 정도의 영향을 받는다. 대부분의 건은 건의 기시부쪽의 근육이나 종지부쪽의 골에 비하여 인장력에 강하기때문에 건 자체의 손상(midsubstance tear)보다는 근건 이행부(musculotendinous junction)의 손상이나 건 종지부의 골에 부착되는 부위의 손상이 주로 발생한다. 건 자체의 손상(midsubstance tear)은 단비골건의 손상처럼 해부학적으로 반복적인 마찰을 받게 되는 위치에 있거나, 아킬레스건처럼 허혈과 퇴행성 변화에 의하거나 그 외에 류마토이드 질환이나 혈청음성 척추 관절증과 같은 기왕의 전신적인 염증성 질환에 의하여 손상 받을 수 있다.

건이 손상되면 염증기(inflammatory phase) 증식기(proliferation phase), 재형성기(remodelling)의 과정을 거쳐 치유된다.

건의 절단 후 치유 과정을 보면 처음에는 부건(paratenon)에서 자라 들어온 미분화된 섬유 모세포(fibroblast)와 모세 혈관 및 염증 과정에 의한 육아 조직들이 손상된 건의 틈을 채운다. 토끼의 아킬레스 건의 경우 교원질 합성은 약 3주 경에 관찰되는데 섬유 모세포에서 교원질의 전구 세포(precursor)를 합성하고 이들은 다시 다른 단백질을 분화 증식한다. 약 2주 후 섬유 모세포와 교원질등으로 구성된 섬유 교(fibrous bridge)가 틈(gap)을 채운다. 이때까지 교원 섬유(collagen fiber)는 건에 수직 방향으로 주행하다 약 2주 정도 경과 하면 응력에 의하여 건의 장축 방향으로 주행한다. 이들은 건의 절단 부위로 부터 육아 조직의 중심으로 점차로 재 기질화(reorganize) 된다. 이러한 재 기질화 과정은 20주 정도에 걸쳐 진행되며 인장 응력(tensile stress)은 이러한 재 기질화 과정을 촉진한다.

건의 절단 후 절단 건간의 간격을 최소화 하는 것이 중요하지만 혈류 공급을 가능한 해치지 않아야 하고 조기의 수동적 운동(passive exercise)은 치유를 촉진시키고 유착을 방지하여 기계적 성상을 증가시키지만 조기 체중 부하나 과도한 능동적 운동(active exercise)은 재 파열을 유발할 수 있다.

건염(tendinitis)는 일종의 과사용에 의하여 미세 손상 후 치유 과정의 시간적 여유 없이 지속적인 주기적 부하(cyclic load)에 의하여 발생하는 만성적 손상이며 결국 건막은 두꺼워지고 건의 심층부는 퇴행성 변화를 보인다.

저자에 따라 유사한 증상을 유발하는 원인을 조직학적으로 구분하여 건 자체의 염증인 건염(tendinitis), 건을 싸고 있는 활액막의 염증인 활액막염(tenosynovitis)으로 구분하기도 하고, 건과 건막의 크기가 맞지 않아서, 건막 내에서 건이 포착되어 동통이 유발되는 협착성 건막염(stenosing tenosynovitis)으로 구분하기도 한다. 그러나 임상적으로는 건염과 건막염을 정확히 구분하는 것은 쉽지 않다. 건염은 건 자체의 퇴행성 변화나 반복적 자극, 원인 미상의 염증성 반응 또는 경미한 외상에 의한 건 자체의 염증으로 아킬레스 건염, 비골건염, 후경골건염 등을 예로 들 수 있다. 건의 활액막염은 반복적인 마찰, 류마치스성 질환이나 결핵성 활액막과 같은 감염성 질환이 원인이 될 수 있다. 건막염이 치료되지 않고 오래 지속될 경우 섬유화로 건막과 건이 유착될 수 있다. 협착성 건막염은 한 개 또는 두, 세 개의 건이 섬유성 관을 통과하는 부위에서, 섬유성관이 좁아지거나 또는 건은 비후하였으나 섬유성 관이 늘어나지 못하는 경우에도 발생한다. 손목 관절의 deQuervain 병이 흔한 예이며 종골 골절 후 종골의 외측에서 비골건의 협착성 건막염이 합병증으로 남을 수 있다. 보존적 치료에 효과가 없을 경우 협착된 건막을 절개해 주는 수술적 치료가 필요할 수 있다.

일반적으로 동심성 근 수축(concentric muscle contraction)은 등장성 근 수축(isometric muscle contraction)보다, 그리고 등장성 근 수축은 원심성 근 수축(eccentric muscle contraction)보다 더 많은 에너지가 소모된다. 또한 건은 건 자체와 연결되어 있는 근육의 성상과 밀접한 관련이 있어 유연한(compliant) 근육의 건은 유연하지 않은 근육의 건에 비하여 경직(stiff) 되어 있다. 이러한 이유로 단일 건을 대상으로 실험적으로 측정한 건의 몇가지 물리적 성상은 실제 생체내에서의 건의 성상과 다르기 때문에 생체내에서의 건의 물리적 특징을 밝히기는 쉽지않다. 또한 임상적으로 건과 관련된 질환은 흔하지만 대부분 만성화된 문제로 치료 또한 쉽지 않다. 향후 건의 병리기전 및 물리적 성상에 대한 연구가 더욱 활성화 되어야 할 것이다.

■ 참고문헌

1. Benjamin M., Evans, EH., and Copp, L: The Histology of Tendon Attachments to Bone in Man. J.Anat. 149 : 89-100. 1986

2. Elliot DH: Structure and Function of Mammalian Tendon. Biol. Rev. 40 : 392-421. 1965

3. Joseph A.Buckwalter, Savio LY Woo etc; Orthopedic Basic Science 2nd ed American Academy of Orthopedic Surgeons 581-616, 2000

4. Manske PR. and Lesker PA: nutrient Pathways of Flexor Tendons in Primates. J.Hand surg. 7: 436-457, 1982

5. Pearson, KG. Common Principles of Motor Control in Vertebrates and invertebrates. Annu. Rev. Neurosci. 16: 256-297, 1993

6. O'Brien,M. Functional Anatomy and Physiology of Tendons. Clin. Sports Med. 11(3): 505-520, 1992

7. Rowe RWD: The Structure of Rat Tail Tendon. Connect. Tissue Res. 14: .9-20, 1985

8. Richard L. Lieber. Skeletal muscle structure, function and plasticity 2nd edition ; 114-126 Lippincott W& W, 2002

16. 아킬레스 건염 및 파열
Achilles Tendinitis & rupture

을지의대 을지병원 족부정형외과 **이 경 태**

일반적으로 아킬레스 건염은 Clain과 Baxter[2]가 분류한 ① 부착성 아킬레스 건염(Insertional achilles tendinitis)와 ② 비 부착성 아킬레스 건염(Non-insertional achilles tendinitis)의 두 가지로 대별되고 부착성의 경우 종골의 Haglund 변형을 같이 해결해야 하는 것이 일반적이다. 한편, 아킬레스건염이 심한 상태에서 강한 힘을 받으면 파열이 유발된다(그림 16-1).

I. 비부착성 아킬레스건염
(Non-insertional Achilles Tendinitis)

1. 해부학(Anatomy)

아킬레스 건은 우리 몸에서 가장 크고 강한 건으로 길이가 10 - 15cm로 내측에서 외측으로 회전되어 있는 꼬임 줄(twisting rod)로 공학적으로 내측이 힘을 받는 형태(medial overpull)이다[3] (그림 16-2). 이는 꼬임 줄이 직선의 줄보다 강하다는 원칙(twisting rod principle)에 부합한다고 할 수 있다[5]. 비복근은 기능적으로 보행, 달리기, 점프시의 원동력(power of propulsion in walk, run, jump)을 제공하게 되는데, 특히 가자미근(Soleus) 은 저속 연축(slow twitch) 근섬유가 80%이상 차지하고 있어 서있을 때, 지탱을 해 주는 기능과 동시에 이 부위의 고정시 빠른 근위축(rapid atrophy)의 단서를 제공한다. 한편, 아킬레스 건의 전면으로는 종골후 점액낭(retrocalcaneal bursa)이 있는 종골후 간(retrocalcaneal space)가 있고, 그 부위의 염증이나 종골 후상각 결절의 돌출로 인한 Haglund씨 변형이 발생할 수 있다.

아킬레스 건 자체의 혈액순환(그림 16-3)은 비교적 다른 건에 비해 취약한 것으로 알려져 있다. 아킬레스건의 혈액 공급은 ① 근건 이행부(musculo-tendinous junction) ② 골 부착부(bony insertion) 및 ③ 부건(paratenon)에서 되는데, 아킬레스

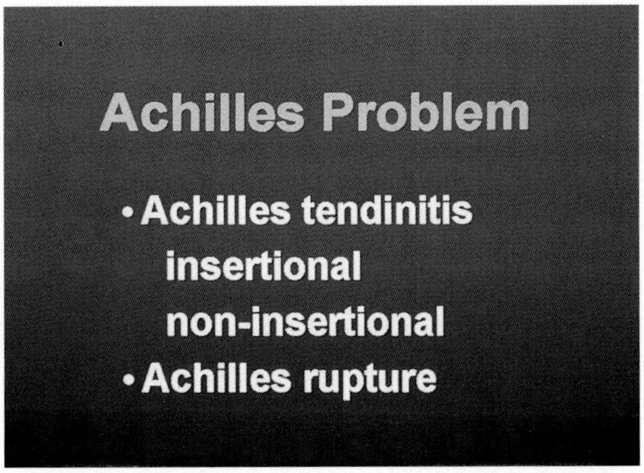

Achilles Problem
- **Achilles tendinitis**
  insertional
  non-insertional
- **Achilles rupture**

그림 16-1. 아킬레스 건 손상의 분류

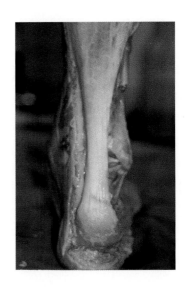

그림 16-2. 아킬레스건
해부학 : medial overpull

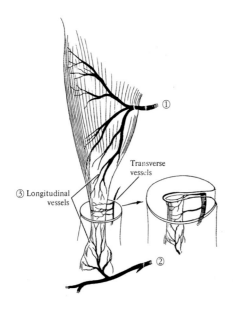

그림 16-3. 아킬레스건의 혈액 공급 ①근건 이행부 ②골 부착부 ③부건

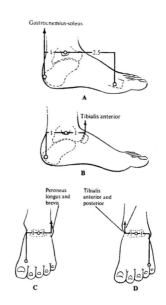

그림 16-4. 아킬레스건의 생체역학 족저굴건 : 족배굴건 3 : 1

건의 부건(paratenon)은 1겹으로 되어 있어 다른 건의 2겹의 활액막에 비해 윤활 작용이 적고 이로 인해 건염이 잘 발생할 소지가 있다. 아울러, 복측의 paratenon은 아킬레스건의 혈액 공급에 결정적인 역할을 하는 부위이므로 수술시 반드시 보전해야 하며[3], 아킬레스 건 부건(paratenon)의 혈액공급은 부건의 후외측에서 진행되고 아킬레스건의 외측에는 비복 신경이 지나가고 내측에는 족저근(plantaris)건이 있는 관계로 내측 피부절개가 선호된다.

2. 생체역학(Biomechanics)

생체 역학적으로 아킬레스건은 보행주기의 전 부분에서 작용을 하는데, 주로 heel rise와 toe-off 시기에 작용을 하게 된다. 아킬레스 건의 주 기능은 경골의 전방운동을 제한시키고 heel rise 시기에 몸 전체의 무게를 들어올리는 기능을 하게 된다. 특히 달리기를 할 때는 정상 보행시 보다 8배가되는 몸무게를 들어 올려야 한다. 족관절내의 힘줄의 근력 비율로 따지면, 아킬레스건 은 굴곡건, 내전건으로 작용(plantar flexor, inverter)하게 되며, 강력한 주 굴곡건이다. 한편 족저굴곡건과 족배굴곡건의 힘의 비율은 약 3 : 1 내지 4 : 1 이 정상이다(그림 16-4).

3. 병리(Pathophysiology)

아킬레스 건염의 병리학적 요인 중 중요한 인자의 하나는 아킬레스 건에 특별히 취약한 부위가 있다는 것이다. 1966년 Lindholm 등[9]에 의해 알려진 아킬레스의 혈관 분포 상 아킬레스건에 아킬레스가 종골에 부착되는 부위에서 2 - 6cm 상방에 혈관 분포가 특히 작은 부위가 발견되었고 이 부위가 특별히 건 섬유의 회전이 많은 곳이라 하여 이 부위를 허혈부, 건섬유 회전부(zone of hypovascular area and fiber rotation)라고 불리운다(그림 16-5). 이 취약부에 반복적인 외상이 가해지게 되면 30대 근처에서 건의 종 파열이 발생하게 되고, 이 것이 진행되면 건의 변성이 되고, 결국 파열에 이르게 된다. 그러나 이 때 파열이 되는 임계 역치(critical threshold)는 분명하지 않다. 대개 아킬레스건의 파열은 전체 건염의 15%에서 발생한다.

이외에도 Hamilton[6]은 아킬레스가 선천적으로 짧아서 덜 유연하거나 Haglund씨 변형이 있거나 평발 등으로 과회외전(overpronation)이 있는 경우에는 아킬레스건염의 유발인자가 될 수 있다고 하였고, Clement 등과 James[4, 7] 등은 비디오 동작 분석을 통해 "채찍 효과(whipping effect)"(그림 16-6A)와 "기능적 과회외전(functional over-pronation)"(그림 16-6B)등을 주장하였다.

4. 증상 및 진단(Diagnosis)

대개 임상적으로 아킬레스 건의 부종이나 압통이 존재하고, 건염과 건막염(tendinosis and paratendinitis)의 구별은 painful arc sign(그림 16-7)이라 하여 족관절을 족저 굴곡, 족배 굴곡 시켜서 통증의 위치가 변하는지의 유무를 보고 판단하게 된다. 족관절의 위치에 따라 통증이 변하면 건염으로 진단하게 된다. 특히 운동 선수 군에서는 장 모지 굴건염(FHL tendinitis)와 감별 진단을 잘 해야 하는 것이 중요하다.

임상적인 분류로는 Puddu 등[13]이 제시한 분류가 가장 많이 사용되어지는데, 제1기는 건막염(paratendinitis)의 상태로 주로 건막에만 염증이 있는 초기 상태이고 제2기는 건염(tendinosis)의 상태로 건막의 염증으로 인한 유착과 건 자체의 변성까지 발생한 상태로 대개 운동에 의해 몸에서 열이 나게 되면 통증이 완화되는 경향을 보이며 건 자체의 부종이 발생되기 시작한다. 한편 제3기는 건 변성과 함께 종 파열(longitudinal tear) (그림 16-8)의 현상까지 보이는 상태로 가열의 유무와 관계없이 계속 아프게 된다.

본 저자의 경험으로는 아킬레스 건염이 임상적으로 관절염의 일종으로 오는 경우와 운동선수군에서 오는 경우로 크게 대별이 되며 그의 구별이 치료의 방향을 설정하는데, 매우 중요하기 때문에 문진과 류마치스 검사 등의 혈액 검사 등이 매우

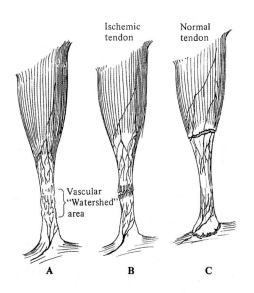

그림 16-5. 아킬레스건의 취약 부위(zone of fiber rotation and hypovascular area)

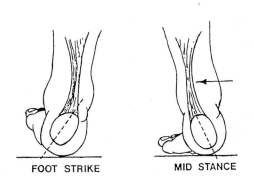

그림 16-6A. 째찍 효과(whipping effect)

그림 16-6B. 기능적 과외회전(functional overpronation)

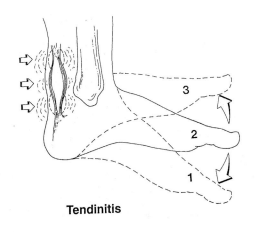

Tendinitis

그림 16-7. painful arc sign

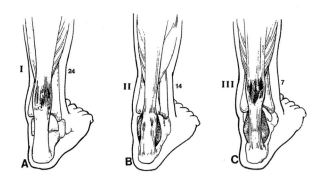

I : peritendinitis
II : peritendinitis with tendon degeneration
II : tendon degeneration

그림 16-8. 아킬레스 비부착성 건염의 Puddu씨 분류

중요하다고 할 수 있겠다.

방사선학 적인 진단 법으로는 단순 방사선, 초음파 검사 및 MRI등이 사용될 수 있는데,

① 단순 방사선상 아킬레스 건막염의 염증이 주위 조직으로 파급이 되어 Karger의 삼각의 경계가 불분명해질 수 있고[14] 건염이 있을 때 연부조직의 음영이 커져서 보일 수는 있으나 건 주위의 조직에 병변이 있어도 음영이 커질 수 있어 단순 방사선만을 가지고 진단하는 것은 불가능하다(그림 16-9). 아킬레스건염이 있을 때 건 내의 석회화를 관찰 할 수 있고, 부착성 아

킬레스건염 시에는 건 부착부의 골화(ossification or enthesopathy)를 관찰할 수가 있다[14]. 단순 방사선 검사는 Haglund 증후군을 진단하는 데 매우 중요며 발뒤꿈치의 지속적인 기계적 자극이 종골의 후상방 골융기의 원인으로 생각되고 있다. 종골의 모양과 Haglund 증후군사이의 연구가 활발한데 대표적인 종골 형태의 측정 방법으로는 parallel pitch line[12]와 Fowler and Philip angle[5] 이 있다.

② 초음파 검사상 아킬레스 건염은 부드럽고 끝이 가늘어지는 형태를 보이며 종단면에서는 건내에 여러개의 층이 관찰되며 횡단면상 건의 전면은 편평하거나 약간 오목한 형태로 보인다. 건의 두께는 건의 이상을 진단하는 데 중요한 인자이나 정상인에서도 건측과 비교하여도 25%에서 두께가 다를 수 있으므로 주의를 기울여야 한다[8]. 아킬레스건은 개인차가 크고 그 두께는 키에 비례한다. 건내에 퇴행성변화가 생기면 정상조직의 단열이 관찰되고 크기가 커지면서 둥글어지고 전반적으로 반사성(echogenesity)의 감소가 관찰되어진다. 이러한 반사성 감소는 건 내 glycosaminoglycan 의 증가와 관련이 있다[10](그림 16-10)

③ MRI상 정상 건은 두껍고 검은 색의 구조물로 보이며 비복근과 가자미근에서 시작하여 종골의 부착부 까지 이어진다. 만약 건 내에 영상 신호의 변화가 관찰되면 이상이 있는 것으로 보아야하며 아킬레스 건은 주행이 직선이므로 다른 건에서 볼 수 있는 magic angle effect가 관찰되지 않는다. 아킬레스 건초염이 있을 때는 주위조직에 높은 신호의 영상이 관찰이 되고,

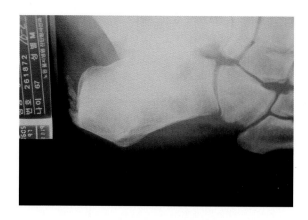

그림 16-9. 석회성 아킬레스 건염의 방사선 소견

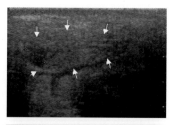

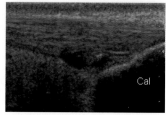

Cal

그림 16-10. 아킬레스 건염의 초음파 소견 건의 두께 및 크기가 비후되어 있고, 저에코가 관찰됨

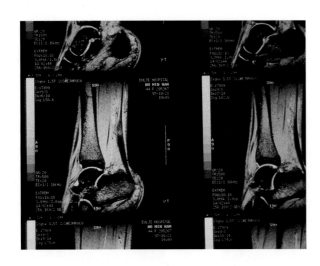

그림 16-11. 아킬레스 건염의 MRI 소견

건염에서는 건 내 음영의 변화와 두께의 증가 등이 함께 관찰
되어진다. 건 두께의 증가는 건염의 초기에 관찰되고 조금 더
진행하게되면 건 내 음영의 변화가 관찰되지만 심한 건염과 건
의 부분 파열을 감별 진단 하기는 매우 어렵다[1, 11].(그림 16-11)

5. 치료(Treatment)

치료는 먼저 관절염의 일환으로 온 형태인지 국소적으로 과
다사용에 의한 것인지를 구별해서 관절염 계통의 원인으로 발
생했다면 약물치료와 적절한 보조기가 치료의 기본이고 운동
에 의한 과다사용이라면 정도에 따라 다양한 치료가 요구되어
진다.

특히 운동 선수 군에서는 몇 가지 중요한 요소들이 있는데,

① 먼저 아킬레스 건염이 급성(acute form)인지 만성 재발성
(chronic recurrent form)인지 구별이 중요해서 급성이면 초기
적절한 치료가 재발의 방지에 매우 중요하게 된다.

② 운동의 중지 여부는 환자를 검진하고 난 후 결정을 해야
하는데, 이의 결정이 쉽지 않은 경우가 많다. 본 저자는 땀이 나
면 좋아지는 형태라면 운동을 지속하면서 치료를 하고, 기상
통(morning pain) 및 압통이 심하고 땀이 나도 좋아지지 않으
면 운동을 완전히 중지시키고 치료를 한다.

③ 잘못된 훈련 방식(Training error)원인이라면 이에 대한 교
정이 꼭 필요하다.

1) 시기에 따른 치료의 원칙

제1기인 건막염(paratendinosis) 시기에는 대개 내과적인 약
물치료가 주 치료인데 소염제와 보조기 등을 사용해서 별 문제
없이 해결된다.

제2기인 건염(tendinitis) 시기에는 내과적인 치료로 일부 증
상완화는 가능하나 강력한 재활치료가 필요한 것이 일반적이
고, 대개는 완전한 회복이 불가능하기 때문에 수술 치료가 필
요한 경우도 종종 있다.

제3기인 건 종파열(longitudinal tear, 부분 파열)의 시기에는
대개 반복적인 재발형태를 보이고 있는 시기로 대개 수술 치료
가 초기에 필요한 것이 일반적이다.

2) 비 수술 요법(Non-surgical treatment : Rehabilitation)

비 수술적 요법은 주로 운동 선수 군에게서 적용되는 강력한
재활치료법에 대해 주로 설명한다.

제1기는 통증과 부종을 제거하는 시기로 비스테로이드성 소
염제, 물리치료(특히 이온 영동치료법 : iontophorosis), heel lift
등이 사용되며 도수 조작으로는 횡적 마사지(transverse
mobilization)를 시행해서 건막이 유착되는 것을 방지하는 것이
주 치료이고, 제2기에는 관절 운동 범위의 회복이 주목표로 도
수조작과 스트레칭이 주 치료이다.

제3기에는 근육강화가 주목표로서 편심성 운동을 위주로
heel rise and lower, 90도 까지 양측 heel rise, 양측 heel rise
and lower, 무게를 들고 heel rise and lower, 한쪽 발로 heel
rise and lower, 스피드 증가시켜 drop and catch 운동을 시킨
다.

비수술적 방법이 실패하는 요인으로는 ① 오랜 이환 기간
② 지속된 운동량 ③ 유발요인의 교정 실패 등이 있다.

3) 수술 요법(Surgery) (그림 16-12A~E)

수술은 비 수술적 요법을 약 6개월 이상 시행하고도 통증이
지속되거나, 운동 선수 군에서 경기력의 현저한 저하가 발생할
때 주로 시행하게 되는데, 수술의 방법도 병리학적인 시기에
따라 결정된다. 만성 2기 건막염(chronic paratendinitis)과 조기

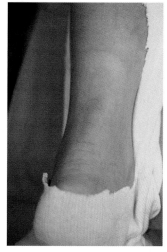

A : 수술전 실물사진 : 아킬레스건 비후 관찰

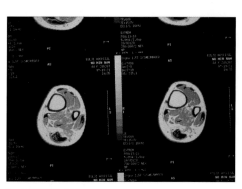

B : 수술전 MRI 사진

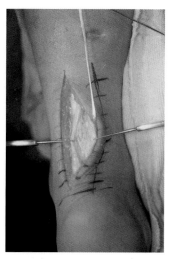

C : 아킬레스 부건 절개 후 건증이 있는 부
위의 종절개

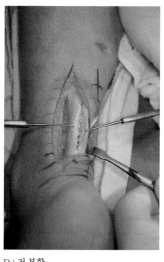

D : 건 봉합

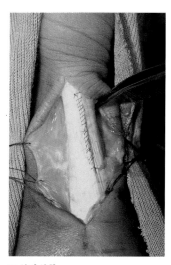

E : 부건 봉합

그림 16-12. 비부착성 아킬레스건염과 변연절제술

건염(early tendinosis)시기에는 유착된 건막을 제거하며, 종 파

표 16-1. surgical treatment of achilles tendinitis

Stage of achilles tendon	Surgical treatment
Chronic paratendinitis	Release of paratenon
Early tendinosis	Release of paratenon
Tendinosis(length < 1/2)	Dedridement
Tendinosis(length > 1/2)	FHL transfer

열이 동반된 건염에서는 건의 1/2이하 침범된 경우 변연 절제
술(debridement)을 시행하고, 1/2이상 침범된 경우에는 장 무
지 굴건(Flexor Hallucis Longus) 이식을 시행하는 것이 원칙이
다(표 16-1).

6. 예후(Prognosis)

급성 아킬레스 건염 중 시기가 늦지 않은 1기의 경우는 조기
치료와 해당 원인 질환의 치료로 비교적 회복이 잘 되지만, 2기

및 3기의 만성 건염은 재발이 반복되는 것이 일반적이다. 특히 운동 선수 군에서는 만성 아킬레스 건염의 경우 16%에서 운동을 그만 두었고, 54% 정도에서 상당한 불편을 가진 상태에서 운동을 계속했다는 보고도 있고 22명 운동선수에서 33-72개월 원격 추시 결과 대개 1-5개월 치료 과정 중에서 70%가 호전이나 완치되었고, 30%정도에서 수술을 받거나 불량한 결과를 얻었다는 보고도 있다. (1999 fai)

II. 부착성 아킬레스 건염(Haglund disease : Insertional Achilles tendinitis)

Haglund씨 변형이란[1, 2], 종골 후결절의 후상각 부위가 과돌출되는 변형으로 이 때문에 후족부 동통, 운동 장애 및 보행장애를 초래하는 것을 Haglund씨 병[7, 11, 13]이라 한다. Nisbet(1954)는 겨울철 장화를 신었을 때 심해진다고 하여 일명 "Winter heel" 이라고 하였으며, Dickinson(1966)등은 높은 발굽신발과 관계있다고 하여 "Pump bump"[13]라는 용어를 사용하였다.

1. 해부학(Anatomy)

해부학적으로 후종점액낭은 디스크와 유사한 구조로 종골후상각에 존재하는 길이 약 22mm 너비 약 8mm의 낭으로 되어 있고, 대개는 염증이 있을 때에만 그 해부학적 구조가 명확해지는 구조물이다[5](그림 16-14 A,B)

2. 발생 빈도와 역학 (Incidence & Epidemiology)

딱딱한 신발이나 높은 발굽신발을 신는 젊은 여자, 무용수 및 피겨스케이트 선수[12] 및 마라톤 등의 달리기 선수[8]등에서 잘 발생한다고 하였다. 때로는 비 부착성 아킬레스 건염과 마찬가지로 관절염의 일환으로 발생하기도 한다. 본 저자들의 연구에 의하면 일반대학교 여학생 50명을 대상으로 조사한 결과 42명에서 Haglund 변형이 존재했고, 이로 인해 동통이나 운동 장애를 느낀 경험이 있다고 하였다. 하지만 한국에서의 여자환자들의 실제 유병율은 높지만 질병자체로 인식하는 빈도가 낮아 질환으로 치료되는 경우는 많지 않은 것으로 생각된다.

3. 증상(Symptoms)

가장 중요한 증상은 통증인데, 동통의 원인으로는 과돌출 부위에 외적 자극이 동반되었을 때 발생하는 아킬레스 건염 및 종골 후방부의 점액낭염 등으로 과돌출된 종골의 후측부위가 족관절이 굴곡, 신전함에 따라서 경골의 후연에 부딪힘으로 아킬레스자체에 염증을 일으키거나, 점액낭 염을 초래하게 된다[4]. 그 외에도 아킬레스건 부착부위의 부종등이 동반되기도 한다.

Haglund씨 변형은 발꿈치의 내반이나 약한 요척족으로 종골의 후결절 부위가 보다 심하게 돌출되어 보이기도 하는데, 비슷한 증상을 나타낼 수 있는 통풍, 류마티스성 관절염, 석회성

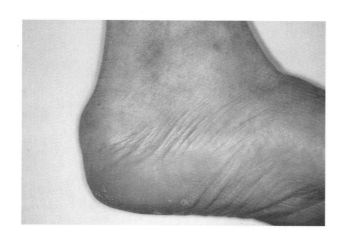

그림 16-13. 부착성 아킬레스 건염과 Haglund씨 변형

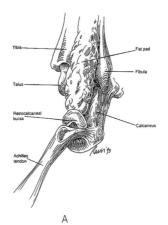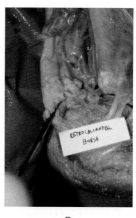

그림 16-14. A : 후종간격의 해부학 B : 후종간격의 사체 사진

건염, 골수염 또는 유골 골종과 감별되어야 한다[12]. 보고에 의하면 추시 검사중 드물게 강직성 척추염, 류마토이드 질병 또는 비복건막의 현저한 비후가 발생되었다고 하였다. 감별 진단을 위해서는 요산, 류마티스검사 및 기타 필요한 검사들을 시행해야 한다.

4. 방사선 진단

Haglund씨 변형을 객관적으로 측정하는 방법에 대한 연구는 Fowler와 Philip의 보고와 Pavlov 등의 보고들이 있는데, Fowler와 Philip의 보고[6]에 의하면 종골 측면 사진상 종골의 후 돌출부와 점액낭 돌출부를 잇는 선과, 종골의 내측 돌출부와 전돌출부를 잇는선과의 각도를 "후 종골각" 이라 하였으며 이 각이 75도 이상일 때 병적이라 하였다. 한편, Pavlov[10]등은 거골하 관절에서 종골의 내측 돌출부와 전돌출부를 잇는 선과 평

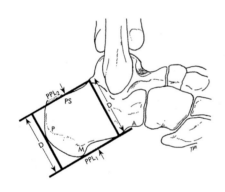

그림 16-15. Pavlov의 parallel pitch line

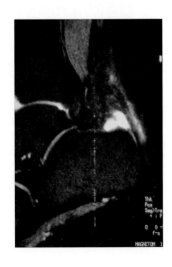

그림 16-16. 부착성 아킬레스 건염의 MRI 소견

행하게 선을 그었을 때 이선보다 상부에 위치하는 종골부위가 증상을 유발하는 곳이라 하여 평행선의 개념(그림 16-15)을 도입하였다. 하지만, 단순방사선에서의 계측치가 임상적으로 의의가 없다는 보고가 일반적이다.

한편 단순 방사선 소견에서 식별이 가능한 전 아킬레스 지방층(PreAchilles Fat Pad)의 소실이나 불분명, 또는 종골 후상각 피질골의 미란 등의 비 특이성 소견이 발견되는 경우도 있다[5].

그 외에 객관적으로 후종각 점액낭염을 진단하기 위해 점액낭 조영술을 사용할 수도 있고, 아킬레스 건의 종골 부착 부위에 반복이탈로 인한 염증으로 아킬레스 건염의 동반[5]이 의심된 경우에는 자기 공명 영상 진단법을 시행한다. 자기 공명 영상 소견에서는 종골 후상각 부위의 골 자체에서 음영이 증가된 소견도 종종 발견된다(그림 16-16).

5. 치료

1) 비 수술적 치료

부드러운 발뒤꿈치 깔창을 사용하거나 발뒷굽을 높이는 등(Heel lift)의 신발 교정만으로도 점액낭염과 관계없이 종골 후 결절부의 동통이 호전되기도 하고, 습포, 초음파 등의 물리치료와 발목 고정 등의 비 수술적 요법등을 시행할 수 있다. 조깅등의 운동을 하는 달리기 선수나 운동 선수 등에서는 언덕달리기나 딱딱한 아스팔트에서의 연습을 한시적으로 금지[8]시키고, 점액낭으로의 스테로이드 주사 주입은 건 파열의 염려로 인해 시행하지 않는 것이 일반적이다.

2) 수술적 치료

수술의 적응증은 자주 재발하거나, 6개월의 비 수술적 치료에도 호전이 없는 경우에 고려하였다. 수술방법으로는 횡 피부 절개 및 외측 종 피부 절개가 소개[5, 9, 13]되어 있으나, 아킬레스 건의 견열골절 등의 합병증으로 횡 절개는 많이 사용되지 않고, 주로 종 절개가 사용되며, 특히 내측에서는 비복신경의 주행을 피할 수 있어 효과적이라고 한다. 한편, 필요한 경우에는 내측의 횡 절개를 이용하여 내측의 잔여 골 조직을 제거하는데, 세심한 주의를 하면서 잔여 골조 직을 외측에서 제거가 가

능하다.

절골술의 종류에는 두종류가 있는데, 종골의 설상쐐기절골술은 술후 장기간의 고정등의 문제로 별반 사용하지 않고, 대신 골절제술이 보편화되어 있다[5, 9, 13]. 수술시 골절제범위의 결정이 매우 중요한데, 이는 특히 아킬레스건의 부착부의 해부학적 지식 미숙으로 불충분한 절제를 시행함으로써 수술이 실패로 이어지는 실수가 빈번하기 때문이다[5]. 아킬레스건은 종골의 상측에 부착하는 것이 아니고, 종골의 돌기부분인 하측에까지 부착되어있는 것이 보통이고, 대개는 수술시 아킬레스 부착부보다 하측으로 골절제를 시행해야 충분한 골절제가 된다는 보고들이 일반적이다. Chao와 Deland등[2]은 사체의 정밀해부를 통해 측면에서 종골의 최상측에서 약 9.9mm에서 약 19.8mm에 걸쳐 아킬레스가 종골에 부착한다고 하였으며, 대개 내측이 더 긴 주행을 갖는다고 보고하였다. 본 저자는 절제범위를 원칙적으로 후상각 공간에서 압통이 있던 부위보다 원위부로 시행하였고, 아킬레스의 부착부에 대한 해부학적 지식을 고려하면서 가능한 후 결절부 상1/3이상을 넘지 않도록 한다. 종골 절제 후에는 아킬레스 건의 안정화를 위해 아킬레스건을 종골에 전기드릴을 사용하여 구멍을 뚫고 3-0 Ethibond를 이용하여 다시 부착한다(그림 16-17 A~D).

수술결과에 대한 보고는 다양한데, Keck와 Kelly[9], Jones와 James[8] 및 Dickinson[3]의 보고처럼 매우 우수한 결과를 보인 연구가 있는 반면, Argermann[1] 및 Tayor[13]의 보고처럼 60~70%의 완전 치유와 호전, 30~40%의 현상 유지나 악화된 수술 결과 등이 있는데, 본 저자의 연구에서는 전례에서 완전치유가 된 경우를 보였다. 특히 수술 후 동통에 대해서는 모두 소실되었으며, 운동범위의 회복도 수술 전 평균 수동적 배굴각이 5도에서 25도로 만족할만한 정도였다. 조깅을 즐겨하는 환자의 경우에는 Jones와 James[8]의 경우처럼 다른 환자보다 회복기간이 길어 6개월 정도가 소요된다는 보고가 있어 회복기간이 장기화되는 경향이 있다. 한편, 재발의 원인은 불충분한 돌출부의 절제 및 절제 후 세심한 융기부의 다듬질 미숙이었고, 절제 후 운동범위의 회복이 다른 경우보다 상당히 감소하는 결과를 보였다.

합병증으로 Taylor[13]는 돌출부의 잔존, 반흔의 확대, 이상감각의 순서로 호발한다고 보고하였고, Dickenson[3]은 이상감각 1례, 불충분한 절제로 인한 재발 1례를 보고하였으나, 이는 수술 전 압통부보다 원위부로의 충분한 절제 및 잔여 돌출융기의 다듬질에 대한 계획 및 사전인지 그리고 수술시의 비복신경을 조심스럽게 피해서 접근하는 수술 수기등으로 예방할 수 있을 것으로 사료된다.

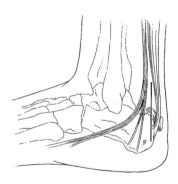

수술시 절개 사진. 후종신경과의 관계

A

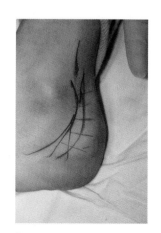

B

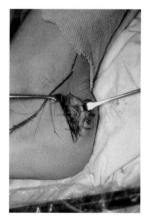

C

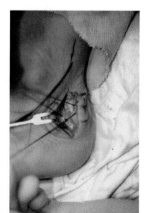

D

그림 16-17. 부착성 아킬레스 건염의 수술 A, B, C, D

III. 아킬레스 건 파열
(Achilles tendon rupture)

1. 진단(Diagnosis)

아킬레스 파열의 진단은 초기에 정확히 되지 못하는 경우가 꽤 있다. 따라서 건 손상 후 나타나는 증상이 진단에 매우 중요한데, 특징적으로 종아리의 중간에 간격이 만져지고, 환자가 무릎을 꿇고 앉은 자세에서 비복근을 잡아 짜서 족관절의 족저굴곡이 되는지를 관찰하는 Thompson 검사가 진단에 도움을 준다(그림 16-18).

최근에는 자기공명영상 장치나 초음파를 이용하여 인대의 손상을 확인하는 검사를 시행하는 것이 보편화되었는데, 이는 특히 만성 아킬레스건 파열 때 손상된 정도 및 근위 건의 위치, 간격의 정도 또 plantaris 건의 존재 유무, 길이 등을 판단 수술 계획을 수립하는데, 도움이 되게 된다.

2. 치료(Treatment)

아킬레스건의 치료에 대해서는 아직도 논란이 많다. 하지만, 뚜렷한 결론을 찾기보다는 환자의 나이와 활동 성향, 선호도, 파열된 부위, 급성/만성 여부 등을 고려하여 치료 방침을 결정

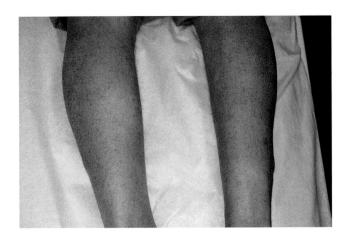

그림 16-19. 만성 아킬레스건 파열시의 종아리 위축

하는 것이 합당한 것으로 생각된다. 최근의 치료는 수술이 원칙이지만, 비수술적 요법도 인정할 만한 대체요법이라는 것(operative treatment was the method of choice, but non-operativie method was an acceptable alternative.)이 정설이다. 다만, 치료하지 않고 방치된 아킬레스건은 Law of Unsatisfied tendon 에 의해 비정상적인 건이 되어 종골보행(calcaneal gait) 및 장단지 근위축(calf atrophy; 그림 16-19)를 보이지만 보행은 가능하게 된다.

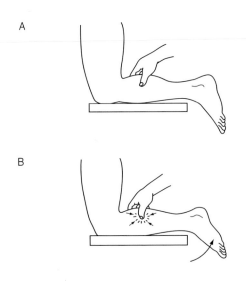

그림 16-18. Thompson 검사법

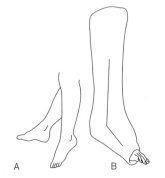

그림 16-20. 아킬레스 건 파열의 비 수술적 요법 5도 족저 굴곡 기브츠나 보조기

1) 비 수술 요법(Conservative treatment)

비 수술 요법을 선호하는 Lea & Smith, Nistor(81), Thermann(99)등은 수술 결과가 수술 시와 유사하기 때문에 비 수술 요법을 선호한다고 주장하고 있고, 5도 족배굴곡 정지 단하지 보조기 또는 석고붕대(5 degree DF stop AFO with rockerbottom or Short leg cast)를 사용하게 된다(그림 16-20).

단, 수술 요법에 비해 재 파열의 빈도가 20-30%로 크고 붕대 제거 후 2개월경에 발생하기 쉽고 장기간의 족저 굴곡 상태로 족관절의 운동 범위가 감소할 수 있다는 단점을 가지고 있으나, 최근의 진보된 재활 치료의 발전으로 이와 같은 합병증의 빈도는 매우 감소되고 있는 실정이다. 대개 치료 후 Cybex 검사 상 족저 굴곡 근력은 정상의 70-80% 정도인 것이 일반적이다.

최근 수술과 비 수술의 경향에 대해서 ① 수술 결과의 측정(patient evaluation)의 정확성 증가 ② 전향성 연구(prospective randomized study)등으로 비수술 방법도 각광을 받고 있다.

2) 수술적 요법(Operative treatment)

최근 급성 아킬레스 파열 시 수술을 선호하는 편이 좀 더 많은데, 특히 젊은 운동을 좋아하는 사람들에게 적용된다. 수술의 장점은 재 파열율이 비 수술에 비해 현저히 2-3%정도로 작고 근력이 세며 적절한 기술을 습득한 술자가 시행하면 합병증도 작을 수 있기 때문이다. 1976 Inglis 와 Sculco는 등속성 운동 검사에서 비수술군은 정상의 62~73%, 수술군은 정상의 88~100%의 근력을 보였으며, 재파열율이 낮았고, 1993 Cetti 등은 전향적 연구에서 합병증 발생율이 비수술군 16%, 수술군 9%, 재파열율은 비수술군 15% 수술군 5%를 보였다고 보고하였다.

다만, 피부 합병증이 발생하면 매우 장기간 치료해야 하는 단점이 있다. 최근의 경향은 환자의 기대치 증가와 기능적 목표의 증대로 대개 수술이 확연히 증가하는 추세라고 할 수 있는데, 조기 체중 부하(early weight bearing)와 보호 통제 족관절 운동(protected Controlled Ankle Motion)을 이용한 조속한 강력 재활(rapid aggressive rehabilitation) 이 사용되어 진다.

수술의 목표는 "길이의 회복(Restoration of length)" 이며 수술방법의 차이가 결과에 크게 영향을 미치지 않는다. 수술 방법에 대해서 개방성(open) 반 개방성(semi-opn) 및 폐쇄성(closed)의 세 가지가 있고, 이들의 장, 단점에 대한 여러 가지 보고가 있지만, 특히 최근에는 반 개방에 의한 수술 방법이 호평을 받고 있다.

Restoration of Length – important
Type of Repair – not important

3) 수술 방법

피부 절개를 종으로 전층 피부피판(full thickness skin flap)이 되도록 시행하고, 건막(paratenon)을 피부 절개선과 같은 방향으로 절개한다. 피하조직과 건 막 사이의 절제는 창상의 문제가 생길 가능성이 있으므로 시행하면 않된다. 건의 절단 단을 변연 절제하고 혈종을 제거한다. 저자들은 2-0 Ethibond를 이용하여 Bunnel 식의 봉합을 시행하는데, 봉합사가 건 내에서 봉합되도록 하고 필요하면 plantaris를 보강한다. 건막과 피하

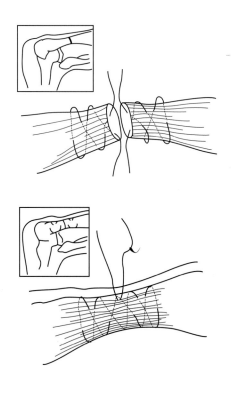

그림 16-21. 급성 아킬레스 건 파열에 대한 저자의 수술 방법

지방, 피부를 차례로 봉합한 뒤 단지 석고 붕대를 중력 위에서 시행한다(그림 16-21).

수술 후 가장 흔하게 발생하는 창상 문제는 경구 항생제와 정확한 변연 절제술(sharp debridement), silvadene 연고 및 습윤 드레싱(wet to moist dressing)으로 잘 치료할 수 있다.

4) 수술 후 재활 치료(Postoperative Rehabilitation)

과거의 장기간 고정(long immobilization)에서 "보호 통제 족관절 운동(protected controlled ankle motion)"의 원칙 하에 최소한의 고정과 보조기 등의 통제 하에서 허용가능 운동을 선택적으로 조기에 실시, 완전 운동 회복을 시켜 최종적으로 조기 회복시키는 것을 원칙으로 한다.

개별적인 세세한 재활 프로그램에는 많은 방법들이 있지만, 본 저자의 방법을 소개하고자 한다(표 16-2). 수술 직후 중력상태의 자연스런 족저 굴곡 상태에서 단지 석고 붕대를 시행하고 수술 후 4 내지 6주까지 족관절이 중립위가 되도록 점진적으로 족관절을 족배 굴곡시키되 족관절이 90도가 되면 바로 체중 부하를 시킨다. 수술 후 6주되면 석고붕대를 풀고 CAM 보조기를 착용하면서 제 1기의 재활 치료를 시행한다. 제 1기에는 통증과 부종을 제거하는 시기로 비 스테로이드성 소염제와 물리치료 특히 마찰, 얼음 마사지가 중요하고, 유연성 능동 운동(gentle active exercise)가 필요한 시기인데, 대개 수술 후 약 10주경까지 진행된다.

특히 이때 8주경 근처에서 재 파열의 가능성이 있으므로 보조기의 착용과 미끄러운 장소(화장실, 목욕탕 등)의 접근에 매우 조심을 시켜야 한다.

제 2기는 관절운동 범위 회복과 근력 강화를 시행하는 시기로 아킬레스 스트레칭이 기상 통증(morning pain)이 없어질 때까지 시행하게 된다. 슬관절 신전 시에는 10도 족배 굴곡, 슬관절 굴곡시에는 족관절 족배 굴곡이 20도정도가 될 때까지 시행하게 된다. 스트레칭에 의해 운동 범위가 확인되면 강화운동을 시작하게 되는데, 하루건너 시행하고 초기에는 중심성(concentric) 후기에는 편심성(eccentric) 운동을 시행하게 된다. 운동은 주로 뒤꿈치 들기 운동(heel rise)이 시행되게 되며, 자세한 내용은 아킬레스 건염의 재활치료와 유사하다.

제 3기는 일상생활이나 운동으로 복귀하는 시기로 일반인들은 대개 4개월, 운동 선수들은 약 6개월 정도 소용되는 것이 일반적이다. 운동 선수들은 조깅, 8자 뛰기, 호핑, 점핑 등의 순으로 복귀를 하게 된다. 한편 운동 선수의 경우 완전 회복의 요건은 ① 완전 운동 범위 회복(full Range of motion) ② 등속성 족관절 족저 굴곡 근력(isokinetic ankle Plantar Flexion strength)이 반대측의 90-95%이거나 ③ 30초 동안 완전 운동 범위로 발뒤꿈치운동을 할 수 있는 숫자가 반대측의 90-95% ④ 눈에 띄는 절뚝거리는 현상(limping) 없이 보행, 조깅, 달리기를 할 수 있고, 아킬레스건의 자극 없이 스포츠 연관 기능적 진행(functional progression)을 할 수 있을 때이다(표 16-3).

표 16-2. postoperative rehabilitation protocol after achilles tendon repair

Postop. cast till POD 4,6 week
    gradual ankle Dorsiflexion to neutral

Acute phase (stage 1) : Controlled ankle motion principle
    pain & swelling control
    NSAIDs, modality, friction / ice massage
    gentle active exercise

Subacute phase (stage 2)
    ROM, strength restoration
    achilles stretching exercise till morning pain subside
        (10도 Dorsiflexion with knee extension
        20도 Plantar Flexion with knee flexion)
    achilles strengthening exercise(ankle PF : DF = 3,4 : 1)
        every other day, early concentric late eccentric
        eccentric exercise - "controlled deceleration"
        (may decrease tension force) heel rise

Chronic stage(stage 3)
    prepare to return
    walking, jogging, runing, specific activity

표 16-3. Criteria for full return(after 6 months)

① full ROM
② isokinetic ankle PF strength 반대측의 90-95%
③ 30초 동안 full ROM으로 heel rise할 수 있는 숫자가 반대측의 90-95%
④ 눈에 띄는 limping 없이 walk, jog, run할 수 잇고, achilles 건의 자극 없이 스포츠 연관 functional progression을 할 수 있을 때

5) 수술 결정(Decision making)

수술 방법의 결정은 환자의 연령과 활동성 등이 고려되어야 하는데, 폐쇄성 방법(closed method)은 비교적 창상의 합병증이 적고, 수술이 간편하다는 장점이 있지만, 비복 신경(sural nerve) 손상의 가능성이 있다는 점과 장력을 결정하기가 어렵다는 단점이 있으며, Ma & Griffith 법등이 대표적이다. 개방성 방법(open method)는 혈액 공급이 좋지 않은 아킬레스 피부에 절개를 하는 관계로 상처의 문제가 종종 발생할 가능성이 있지만 손상된 건을 직접 보고 봉합을 해서 확실하고 원하는 정도의 장력을 줄 수 있다는 것과 plantaris 건을 보조로 이용할 수 있다는 장점이 있다. 이에 비해서 반 개방성 방법(semi-open method)는 두 방법의 장점만을 혼합해서 사용하기 때문에 최근에는 Achillon이라는 기구 등을 이용하는 방법을 통해 많이 사용되고 있다(그림 16-22).

수술의 적기에 대한 논란에 관해서는 대개 수상후 72시간 내에 하는 것이 좋다고들 보고 하였지만, Mark Myerson은 오히려 1주일 연기하는 것이 좋다고 하였고, 그 이유로는 창상 문제가 감소되고 절단단이 단단해져서 기술적으로 수술이 용이하기 때문이라고 하였다. 피부절개는 아킬레스 건염과 마찬가지로 약간 내측으로 치우쳐 시행하는데, 비복 신경의 손상이 예방되고 수술시 사용될 수 있는 plantaris 건이 내측에 있기 때문이다.

그림 16-22. 아킬레스건 파열의 반 폐쇄성 수술법

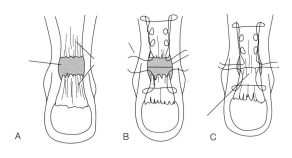

그림 16-23. 아급성 아킬레스건 파열의 수술방법

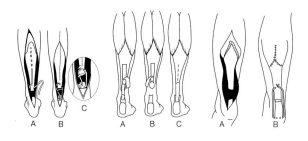

그림 16-24. 만성 아킬레스건 파열의 수술 방법

3. 아급성(Subacute), 만성 파열(chronic rupture)과 재 파열(Re-rupture)

1) 아급성 파열(Subacute rupture)

아급성 파열은 수상 후 2주 내지 6주사이의 건 파열을 의미하는 것으로 비복가자미근 복합체의 근위 이전을 특징으로 하는데, Porter등은 초기 섬유조직을 당겨서 일차 봉합(imbrication of early fibrous scar and primary repair) 으로 좋은 결과를 보였다고 보고하였다(그림 16-23).

표 16-4. 만성파열의 수술방법

< 2cm	direct repair
2 - 5 cm	V-Y advancement(if FHl transfer)
> 5 cm	FHL transfer + if other recon.

2) 만성 파열(Chronic rupture)

만성 파열은 아킬레스 건 파열 후 6주이상 경과된 파열을 말하는데, 수술이 원칙으로 다양한 방법이 보고되고 있는데, 그 중에는 plantaris를 이용하는 방법, turn-over, 건 이전술(tendon transfer)등이 있으며, 주 문제는 통증보다는 근력 약화이다. Mark Myerson 은 수술의 방법을 결정하는데, 아킬레스의 파열

단의 간격(Gap)이 중요하고 하였고, 이를 기준으로 하여 수술 방법을 제시하였다. ① 간격이 2 cm이내일 때 대개 직접 봉합이 가능하고 ② 간격이 2-5 cm일 때는 V-Y 진전술(V-Y advancement)이나 필요하면 장모지굴건 이식술(FHL transfer)가 ③ 간격이 5cm 이상이면 장모지굴건 이전술이나 기타 재건술을 시행한다고 했다. 한편 아킬레스건의 부착부의 만성 파열이 있는 경우는 Haglund씨 변형이 있지를 확인하고 이에 대한

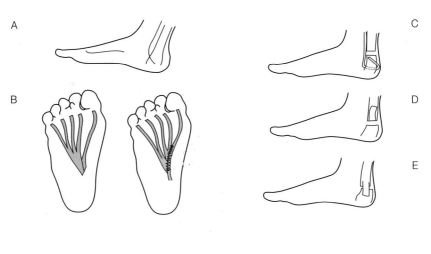

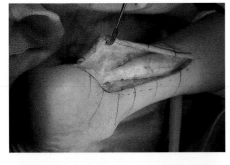
만성위축된 아킬레스 만성건 파열

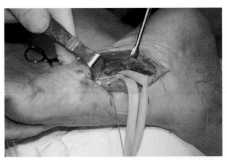
족부 내측에서의 장 모지 굴건의 준비

장 모지 굴건과 아킬레스 건의 봉합 준비

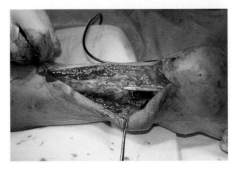
수술후 상태

그림 16-25. 장모지 굴건 이식술을 이용한 만성 아킬레스건 파열의 수술 A, B, C, D, E

조치를 취해야 한다(그림 16-24, 표 16-4).

3) 수술방법(장모지굴건 이전술) (그림 16-25 A~E)

(1) 준비(Preparation) 및 피부 절개

환자를 복와위(prone position)로 눕히고, 양측 하지를 소독 처리한다. 아킬레스 건의 내측으로 종절개와 부가적 외측 절개를 하던가 Mann의 방법대로 Hockey stick 절개로 내측에서 외측으로 시행한다.

(2) 파열부위 확인(Exploration of rupture site)

가능하면 건막을 남기고 그냥 절개를 시행하는데, 많은 경우에서 유착으로 쉽지 않은 경우가 많다. 대개의 수술 소견으로는 ① 중간 부위 파열(midsubstance tear)로 대개 부착부에서 근위 1~1.5cm 상방에서 발생하는데, 대개 근위부는 둥근 모양을 하고 잇는 것이 일반적이고, ② 종골의 후상각은 돌출되어 있으며, ③ plantaris도 역시 같은 자리에서 파열되어 있다. 변성된 모든 건은 가능한 한 제거하고, 건의 전방을 fascia에서 분리시켜 turn-over를 시키는데, 가로로는 중앙의 1/3를 이용하고 길이는 아킬레스 부착부에 도달가능한 길이가 되게 만든다. 이때 장모지 굴건의 도움이 필요한지를 결정하는데, 대부분 필요한 경우가 많다.

(3) 장모지굴건의 준비(Preparation of FHL transfer)

족부의 내측에 별개의 피부절개를 시행하고 무지 외전근을 절개하고 족장측으로 제긴다.

Master's Knots of Henry를 분리한 후 근위부에서 장모지굴건과 장지굴건선을 확인, 장지굴건의 족지분지를 자른다음 장모지굴건과 장지굴건을 서로 봉합(tenodesis)한다. 이 때 족지에 갈퀴족이 생기지 않을 정도의 장력을 주면서 봉합해야 한다. 장모지굴건을 Jones' stitch를 이용해 분리한다.

(4) 아킬레스 건의 재건(Reconstruction of Achilles tendon)

분리된 장모지 굴건을 근위 및 원위 아킬레스건을 적당히 지나가도록 배려하여 봉합하고 필요한 경우에는 종골에 천공을 시행하여 건을 시킨다. 동반된 Haglund씨 변형이 있으면 절제를 시행한다. 적당한 긴장이 되었는 지 확인 후 필요하면 아킬레스 근위부를 turn-over 시켜 보강을 한다. 피하 및 피부 봉합을 하고 단하지 석고 붕대 고정을 한다.

수술 후 재활(Postoperative regimen)
postop. 10 degree equinus SLNWC
postop. 4wks 5 degree equinus SLNWC
postop. 8wks Weight Bearing permmission AFO with heel lift another 3 months(ROM exercise & stretching exercise start)
atheletic activity 5 to 6 months

(5) 재파열(re-rupture)

아킬레스건의 재 파열은 매우 치료하기가 힘든 질환으로 수술(redo operation)이 원칙이다. 일반적으로 운동 선수 군에서는 건 이전술 등의 재건술보다는 일차봉합이 선호되며, 일반인에게는 상황에 따라 차이가 있지만, 재건술을 시행하는 것이 보통이다. 수술 후에는 관절 운동 범위나 근력이 감소되는 것이 일반적인데, 본 저자의 경험으로는 술 후 완전 복귀가 가능한 것이 일반적이다.

■ 참고문헌

〈비부착성 아킬레스건염〉

1. Astrom M, Gentz CF, Nilsson P, et al : Imaging in chronic achilles tendinopathy:A comparison of ultrasonography, magnetic resonence imaging and surgical findings in 27 histological vertified cases. Skeletal Radiol 25(7):615-628, 1996

2. Clain M, Baxter D : Achilles tendonitis. Foot Ankle 13:482-487, 1992

3. Bannister LH, Berry MM, Collins P, et al : Gray's Anatomy : The anatomical basis of medicine and surgery, ed. 38:884, New York, Churchill Livingstone, 1995

4. Clement DB, Tauton JE, Smart GW : Achilles tendinitis and peritendinitis: Etiology and Treatment. Am J Sports Med 12:179-184, 1984

5. Fowler A, Philip JF : Abnormality of the calcaneus as a cause of painful heel. Its diagnosis and operative treatment. Br J

Surg, 32:494-498, 1945.

6. Hamilton WG : Foot and Ankle injuries in dancers : In Mann R, Coughlin M(eds) : Surgery of the Foot and Ankle, ed 6. St Louis, Mosby, 1241-1276, 1993

7. James S, Bates B, Ostering L : Injuries to runners. Am J Sports Med 6:40-49,1978

8. Koivunen-Niemela T, Pakkola K : Anatomy of the achilles tendon with respect to tendon thickness measurements. Surg Radiol Anat 17(3):263-268, 1995.

9. Largergren C, Lindholm A : Vascular distribution in the achilles tendon : An angiographic and microangiographic study. Acta Chirugica Scandinvica 116:491-495 1958/1959.

10. Movin T, Kristoffersen-Wiberg M, Shalabi A, et al : Intratendinous as imaged by ultrasound and contrast medium-enhanced magnetic resonance in chronic achillodynia. Foot Ankle int 19(5):311-317, 1998

11. Neuhold A, Stiskal M, Kainberger F, et al : Degenerative achilles tendon diease: Assessment by magnetic resonance and ultrasography. Eur Radiol 14(3):213-220, 1992

12. Pavlov H, Henghan MA, Hersh A, et al : The Haglund syndrome:Initial and differential diagnosis, Radiology 144:83-88, 1982

13. Puddu G, Ippolite E, Postacchini F : A classification of achilles tendon disease. Am J Sports Med 4:145-150, 1976

14. Resnick D, Feingold ML, Curd J, et al : Calcaneal abnormalities in articular disorders, Radiology 125(2):355-366, 1977

〈부착성 아킬레스 건염〉

1. Argermann P : Chronic retrocalcaneal bursitis treated by resection of the calcaneus. Foot Ankle, 10:285 - 287, 1990.

2. Chao W, Deland JT, Bates JE and Kenneally SM : Achilles tendon insertion. An in vitro anatomic study. Foot Ankle Intl,18(2):81-84, 1997.

3. Dickinson PH, Coutts MB, and Woodward EP : Tendo achilles bursitis. J Bone Joint Surg,48-A:77-81, 1966.

4. Frey C and Pfeffer GB : Calcaneal prominence resection. The foot and ankle, 341-349, 1994.

5. Frey C and Pfeffer GB : Surgical management of Haglund's deformity In: Current therapy in foot and ankle surgery:163-167, 1993.

6. Fowler A, and Philip JF : Abnormality of calcaneus as a cause of painful heel. its diagnosis and operative treatment. Br J Surg, 32:494-498, 1945.

7. Haglund P : beittrag zur Klinik der Achillessehne. Z Orthop Chir,49:49-58, 1928.

8. Jones DC and James SL : Partial calcaneal ostectomy for retrocalcaneal bursitis. Am J Sports Med,12-1:72-73, 1984.

9. Keck SW and Kelly PJ : Bursitis of the Posterior part of the heel. evaluation of surgical treatment of eighteen patients. J Bone Joint Surg, : 267-273, 1965.

10. Pavlov H, Heneghan MA and Hersh A : The Haglund syndrome. Initial and differential diagnosis. Radiology,144:93-98, 1928.

11. Ruch JA : Haglund's disease. J Am Podiatry Assoc,64-12:1000-10031, 1974.

12. Stephens MM : Heel pain Shoes, Exertion, and Haglund's deformity. Physcian and Sprotmedicine,20-4:87-95, 1992.

13. Taylor GJ : Prominence of the calcaneus. Is operation justified?. J Bone Joint Surg(Br),68-3:467-470, 1986.

〈아킬레스 건 파열〉

1. carden Dg, Noble J, Chalmers J, Lunn P,Ellis J: Rupture of the calcneal tendon:The early and late management. J Bone Joint Surg 1987;69B:416-420

2. Jozsa L, Kvist M, Balint BJ, et al: The role of recreational sportactivity in Achilles tendon rupture: A clinical, pathoanatomical and sciological study of 292 cases. Am J Sports med 1989:17;338-343

3. Levi N : The incidence of Achilles tendon rupture in Copenhagen. Injury 1997:28:311-313.

4. Sun Y-S,yen T-F, Chie LH; Ruptureed Achilles tendon :Reports of 40 cases. Zhongha Yixue Zazhi 1977:57;94-96

5. Jozsa L, Kannus P; Histopathlogical findings in spontaneous tendon ruptures .Scand J Med Sci Sports 1997;7:113-118

6. Fox JM, Blazina ME, Jobe FW, etal: Degeneration and rupture of Achilles tendon. Clin Orthop 1975:107:221-224.

7. Langergren C,Linholm A: Vascular distribution in the Achilles tendon;An angiographic study. Acta Chir Scand 1959:116:491-493.

8. Arner O. Lindholm A; Avulsion fracture pof the os calcaneus. Acta Chir Scand 1949:117:258-260.

9. Mandelbaum BR. Myerson MS, Foster R: Achilles tendon ruptures : A new method of repair, early range of motion, and rehabilition Am J Sports Med 1995:23:392-395.

10. Mahler F. Fritschy D: Partial and complete rupture s of the Achilles tendon and local corticosteroid injections Br J Sports Med 1992:26:7-14.

11. Laser JT, Russel JA: Anabolic steroid-induced tendon pathology: A review of the literature Med Sa Sports Exerc 1991:23:1-3

12. Baskin JL, sanders RA, Hunter SC, Hughston JC: Surgical repair of Achilles tendon ruptures. Am J Sports Med 1987;15:1-8.

13. Cirincione RJ, Baker BE: Tendon ruptures with secondary hyperparathyroidism: A case report. J Bone Joint Surg 1975:57A:852

14. Hosey G, Kowalchick E,Tesoro D, et al: Comparison of the mechanical an histologic propertiesof Achilles tendons in Newzealandwhite rabbits secondarily repaired with Marlex mesh . J Foot Surg 1991:30:214-233.

15. Nehrer S, Breitenseher M,Brodner W, et al:Clinical and sonographic evaluation of the risk of rupture in the Achilles tendon.Arch Orthop Trauma Surg 1997:116:14-18

16. Thompson TC, Doherty JH: Spontaneousrupture of tendon of Achilles: A new clinical diagnostic test. J truma 1962:2:126-129.

17. Harcke HT, Grissom LE, Finkelstein MS: Evaluation of the musculoskeletal system with sonography. Am J Roentgenol 1988;150:1253-1261.

18. Richter J,Josten C, Davis A, Clasbrummel B, Muhr G: Sports fitness after functional conservative versus surgical treatment of acute Achilles tendon ruptures. Zentralbl Chir 1994;119:538-544.

19. Cetti R,Christensen SE, Ejsted R,Jensen NM,Jorgensen U: Operative versus nonoperative treatment of Achilles tendon rupture: A prospective randomized study and review of the literature. Am J Sports Med 1993;21:791-799

20. Neumann D, Vogt L, Banzer W, Schreiber U: Kinematic and neuromuscular changes of the gait pattern after Achilles tendon rupture. Foot Ankle Int 1997;18:339-341

21. Christensen I: Rupture of the Achilles tendon: Analysis of 57 cases. Acta Chir Scand 1953;106:50-60.

22. Nada A:Rupture of the calcaneal tendon: Treatment by external fixation. J Bone Joint Surg 1985;67B:449-453.

23. Quenu J, Stoianovitch: Les ruptures 여 tendon d`Achille. Rev Chir (Paris) 1929;67:647-678.

24. Wills CA, Washburn S, Caiozzo V, Prietto CA: Achilles tendon rupture : A review of the literature comparing surgical versus nonsurgical treatment.Clin Orthop 1986;207:156-163.

25. Lea RB, Smith L: Non-surgical treatment of tendo achilles rupture. J Bone Joint Surg 1972;54A:1398-1407.

26. Nistor L: Surgical and non-surgical treatment of Achilles tendon rupture: A prospective randomized study. J Bone Joint Surg 1981;63A:394-399.

27. Hegeland J, Odland P, Hove LM: Achilles tendon rupture: Surgical or non-surgical treatment. Tidsskr Nor Laegeforen 1997;117:1763-1766.

28. Thermann H, Frerichs O, Biewener A, Kretteck C, Schandelmeier P: Functional treatment of acute rupture of the Achilles tendon: An experimental biomechanical study. Unfallchirurg 1995;98:507-513.

29. Achilles tendon rupture. Lancet 1973;1:189-190.

30. Inglis AE, Scott WN, Sculco TP,Patterson AH: Ruptures of the tendo Achillis: An objective assesment of surgical and non-surgical treatment. J Bone Joint Surg 1976;58A:990-993.

31. Jacobs D, Martens M, Van Audekercke R, Muher JC,Mulier F:

Comparison of conservative and operative treatment of Achilles tendon rupture. Am J Sports Med 1978;6:107-111.

32. Bunnell S: Primary repair of severed tendons:The use of stainless steel wire. Am J Surg 1940;47:502-516.

33. Kessler l: The "grasping" technique for tendon repair. Hand 1973;5:253-255.

34. Ma GW, GriffithTG: Percutaneous repair of acute closed ruptured Achilles tendon: A new technique. Clin Orthop 1977;128:247-255.

35. Cetti R: Ruptures Achilles tendon: Preliminary results of a new treatment.Br J Sports Med 1988;22:6-8.

36. Mortensen NH, Saether J: Achilles tendon repair: A new method of Achilles tendon repair tested on cadaverous materials. J trauma 1991;31:381-384.

37. Kirschenbaum SE, Kelman C: Modification of the Lindholm procedure for plastic repair of ruptured Achilles tendon: A case report. J Foot Surg 1980;19:4-11.

38. Burg EI Jr, Boyd BM: Repair of neglected rupture or laceration of the Achilles tendon. Clin Orthop 1968;56:73-75.

39. Perez Teuffer A: Trumatic rupture of the Achilles tendon: Reconstruction by transplant and graft using the lateral peroneusbrevis. OrthopClin North Am 1974;5:89-93.

40. Mann RA, Holmes GB, Jr,Seale KS,Collins DN: Chronic rupture of the Achilles tendon: A new technique of repair. J Bone Joint Surg 1991;73A:214-219.

41. Wapner KL, Hecht PJ, Mills RH Jr: Reconstruction of neglected Achilles tendon injury. Orthop clin North Am 1995;26:249-263.

42. Jenkins DH, Foster IW, McKibbin B, Ralis ZA: Induction of tendon and ligament formation by carbon implants. J Bone Surg 1977;59B:53-57.

43. Levy M, Velkes S. Goldstein J, Rosner M: A method of repair for Achilles tendon ruptures without cast immobilization: Preliminary report. Clin Orthop 1984;187:199-204.

44. Giannini S, Girolami M, Ceccarelli F, Catani F, Stea S: Surgical repair of Achilles tendon, ruptures using polypropylene braid augmentation. Foot Ankle Int 1994;15:372-375.

45. Booth FW: Physiologic and biomechanical effects of immobilization on muscle. Clin Orthop 1987;219:15-20.

46. Pepels WRJ, Plasmans CMT, Sloof TJJH: Abstract: The course of healing of tendons and ligaments Acta Orthop Scand 1983;54:953.

47. Gelberman RH, Manske PR, Vande Berg JS, Lesker PA. Akerson WH: Flexor tendon repair in vitro: A comparative histologic study of the rabbit, chicken, dog and monkey. J Orthop Res 1984;2:39-18.

48. Enwemeka CS, Spielholz NI, Nelson AJ: The effect of early functional activities on experimentally tenotomazed Achilles tendons in rats. Am J Phys Med Rchabil 1988;67

49. BradleyJP. Tibone JE: Percutaneous and open surgical repairs of Achilles tendon ruptures : A comparative study. Am J Sports Med 1990;18:188-195.

50. Inglis AE, Sculco TP: Surgical repair of ruptures of the tendo Achilles. ClinOrthop 1981: 156:160-169.

51. Shields CLJr. Kerlan RK.Jobe FW.Carter VS. Lombardi SJ: The Cybex II evaluation of sur-

17. 발뒤꿈치 통증
Plantar Heel Pain

을지의대 을지병원 족부정형외과 **양 기 원**

발뒤꿈치(발바닥만 국한되어) 통증을 발생하는 질환은 여러 가지 질환이 있다. 가장 흔한 것은 족저 근막염으로 대부분 발뒤꿈치 통증하면 족저 근막염을 지칭한다. 족저 근막염은 과운동성 질환중의 하나이다.

하지만 족저 근막염도 여러 가지 형태로 나타나고 그 원인과 치료의 방법이 다르기 때문에 자세한 이학적 검사와 관찰이 필요하다. 그리고 과운동성 질환으로 증상이 좋아지는데 까지는 많은 인내력과 시간이 필요한 것을 주지시켜주는 것도 잊어서는 안된다.

I. 발뒤꿈치의 해부학적 구조(anatomy)

다른 부위와 다르게 발뒤꿈치는 다음과 같은 특징이 있다. 피부의 각질층과 상피층이 두께가 두껍고 진피층에 존재하는 지방층이 다른 곳과 성상이 다르다. 지방층이 단단한 여부격자

(hard fibrous septae)에 의해서 나누어져 있다. 이러한 방울 모양(bubble pack)과 같은 구조가 외부의 충격을 흡수하는 중요한 역할을 한다(그림 17-1).

족저 근막(plantar fascia)은 발의 바닥에 있는 단단한 구조로 다섯 개의 발가락에서 시작하여 종골의 전내측 부위(anteromedial tubercle of calcaneus)에 붙어 있다. 발의 아치에 중요한 역할을 하는데 동적인것 뿐 아니라 정적인 아치 유지 기능을 하고 있다. 서 있는 경우에는 정적으로 발의 아치를 지지해 주고 걸어다닐 때에는 windlass mechanism으로 동적으로 아치 유지 기능을 하게 된다(그림 17-2).

발뒤꿈치가 아픈 환자의 방사선 사진에서 흔히 보이는 종골의 골극(spur)의 해부학적 위치를 조사를 하였더니 이는 족저 근막이 종골에 붙는 부위보다 더 깊이 있는 단족지 굴근(flexor digitorum brevis)이 종골에 종지하는 부위에 생기게 되며 골극이 크지 않는 경우 동통과는 관계가 없다고 알려지고 있다. 골

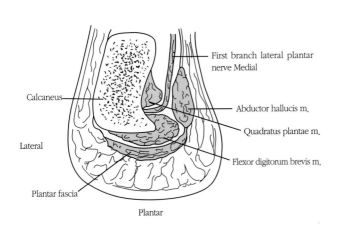

그림 17-1. 발뒤꿈치의 해부학적 구조

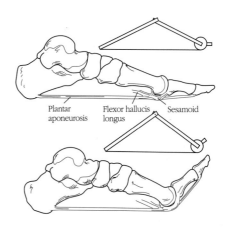

그림 17-2. Windlass mechanism 엄지발가락이 신전이되면 족저 근막이 팽팽해져서 발아치를 지지해 준다.

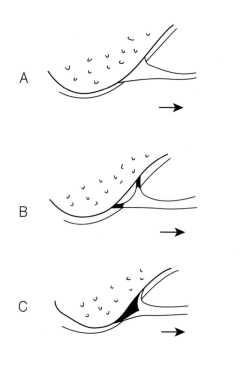

그림 17-3. A 종골에 족저건막이 붙어 있다가 계속해서 당기는 힘을 받으면 B와 같이 골막에서 분리가 일어나고 C와 같이 분리된 부위에 골극이 형성이 된다.

극의 생성 기간은 족저 근막이 계속해서 당겨지는 자극을 받는 경우, 종골의 부착 부위에서 골막(periosteum)을 골과 분리시키는 힘으로 작용하여 이 두 구조가 분리가 되면서 이 사이에 골의 형성에 의해 골극이 생기는 것으로 설명한다(그림 17-3).

표 17-1. 발뒤꿈치 통증을 일으키는 대표적인 질환

acute plantar fascia rupture
proximal plantar fasciitis
fat pad atrophy
nerve entrapment

뒤꿈치 통증에 관여를 하는 중요한 신경 중에 하나가 Baxter's 신경이다. 내측 발목 후방에서 경골 신경이 내측과 외측 족저 신경(medial and lateral plantar nerve)으로 나누어지는데 그중 외측 족저 신경(lateral plantar nerve)의 제 1 가지 신경(first branch)를 Baxter's 신경이라고 한다. 이 신경은 족관절의 내측에서 수직으로 가다가 무지 외전근의 심부 근막(abductor hallucis deep fascia)에서 밑으로 지나가면서 외층으로 향한다. 이 자리에서 fascia of quadratus plantae가 있고 여기서 눌림이 생기거나 혹은 염증(inflammation)이 생기는데 이것이 신경에 의한 뒤꿈치 통증을 유발할 수 있다(그림 17-4).

II. 뒤꿈치 통증의 종류(급성 및 만성 뒤꿈치 통증)

급성과 만성으로 나눌 수 있는데 급성인 경우에는 드물지만 근막 파열(fascial rupture)이나 종골의 스트레스 골절(stress fracture of calcaneus)을 들 수 있다.

만성인 경우에는 노인들에게나 뒤꿈치 통증으로 스테로이드

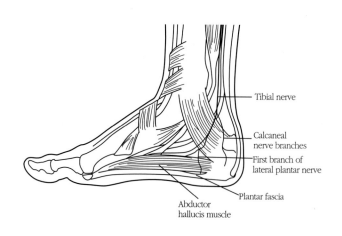
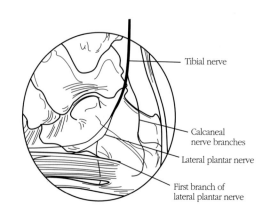

그림 17-4. 외측 족저 신경의 제1 가지 신경의 해부학적 위치와 눌러서 통증이 유발되는 부위

를 맞은 경우에 발생하는 지방체의 위축(atrophy of pat pad) 소위 말하는 족저 근막염인 근위부 혹은 원위부의 족저 근막염(proximal or distal plantar fasciitis) 그리고 신경 포착(nerve entrapment)을 들수 있다.

III. 과거력(History)과 이학적 검사(Physical Examination)에서 주의해야 할 점들

1. 과거력

먼저 급성인지 만성인지가 가장 중요하다. 급성의 특징으로는 통증이 국한되어 있고 파열나 외상 등등을 의심해야한다. 만성인 경우에는 염증에 의한 것인지 신경 포착(nerve entrapment)에 의한 것인지가 중요하다. 운동 선수인 경우에는 쉬었다가 갑자기 운동을 많이 하는 경우에 발생하기 쉽다.

2. 이학적 검사(Physical examination)

하지 직거상 검사(SLR test)를 시행하여 척추와 관련이 있는지 확인한다. 무릎 이하의 감각기능을 조사하여 신경염(polyneuropathy)이나 신경통(neuralgia)등을, 내측만 동통이 있는 경우에는 족저 근막염(plantar fasciitis)을 내측 및 외측 다 있는 경우에는 스트레스 골절도 의심해 볼 수 있다.

지방 위축(fat atrophy)이 있는지 잘 살펴본다. 신경 포착(entrapment)의 경우 위아래로 방사통(radiating)이 있는지 알아본다. 하지만 이러한 증상들이 같이 나타날 수 있다. 특히 젊은 환자에서 양측성인 경우에는 류마티스 관절염(RA)이나 건선 관절염, 강직성 척추염(ankylosing spondylitis)등을 감별하여야 한다.

3. 방사선학적 검사

일반 방사선학적 검사에서는 전반적인 발의 아치의 형태를 관찰하고 종골의 족저근막이 붙는 부위에 변화를 관찰한다. 통증이 오래된 경우에는 이 부위에 골극(spur)이 생성되는 것을 관찰할 수 있다. 과거에는 이 골극이 동통의 원인이 되지 않나 생각하여 제거하기 위해 수술적 치료를 시행하기도 하였으나 근래에는 단지 이 골극은 병이 오래된 것을 간접적으로 설명하는 정도에 지나지 않고, 아주 크지 않는 한 동통과는 관계가 없다고 생각하고 있다. 측면 방사선 사진에서 요족이 심한 경우, 족저 근막염이 잘 생기는 하나의 요인이 될 수 있다.

초음파 검사가 족저 근막염의 진단에 많이 이용되고 있다. 초음파 검사로 족저 근막이 종골에 붙는 부위를 관찰하여 얼마나 두꺼워져 있고, 주위의 조직에 반응(fluid correction, echo change 등등) 등이 진단이나 현재의 상태를 알아내는데 많은 정보를 주고 있다(그림 17-5).

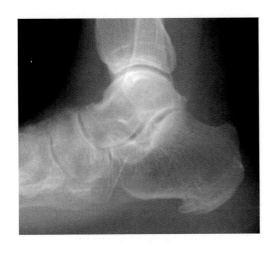
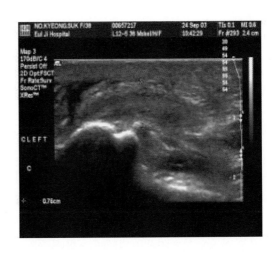

그림 17-5. 일반 방사선 사진상 골극이 관찰되고, 초음파를 이용하여 족저 근막의 상태를 알 수 있다.

골주사 검사도 사용되고 있는데, 특히 잘 낫지 않고 양측성인 경우에 유용하게 사용된다. 강직성 척추염과 동반된 경우에 특징적으로 젊은 사람에게 양측성으로 나타나는데, 이 경우는 잘 낫지 않는 것이 특징이다.

뒤꿈치 통증을 일으키는 각각의 질병에 대해서 간단히 기술하고자 한다.

1) 급성 족저 근막파열(acute plantar fascia rupture)

급성으로 발생하며 대개 환자 자신이 뚝하는 느낌이 있으면서, 곧바로 혹은 하루 후부터 발을 디딜수가 없다.

보통 6-8주의 치료 기간을 요하는데 대부분 보존적인 치료를 시행한다. 족저 근막은 비록 파열이 되더라도 구축되지 않고 조금 여유가 있는 상태에서 치유가 된다. 증상에 따라서 신발에 딱딱한 깔창을 시행할 수도 있다.

2) Fat pad atrophy

나이가 많은 사람에게서 오는 뒤꿈치 통증중 가장 많은 원인이다. 하지만 달리기 선수나 스테로이드 주사를 시행한 사람에게서도 종종 볼 수 있다.

이학적 검사로 만져 보았을 때 골이 아주 피부 가까이에서 만져지는 경우 진단을 할 수 있다. 통증은 대개 체중이 떨어지는 뒤꿈치의 정중앙에 있다. 치료는 잘 덧대어진 깔창이나 플라스틱 뒤꿈치컵을 이용해서 남아있는 지방체를 모으는 효과로 시행을 한다.

잘 치료에 반응을 하지 않기 때문에 젊은 사람에게서 뒤꿈치가 아픈 경우 스테로이드를 주사하는 것은 극히 주의를 해야 한다(그림 17-6).

3) Proximal plantar fasciitis

대부분의 발뒤꿈치 통증이 여기에 해당이 된다. 과운동성 질환이라고 할 수 있다. 환자는 대부분 갑자기 운동을 많이 했거나 등산이나 에어로빅, 마라톤 등을 하는 사람에게 잘 생긴다. 환자는 대부분 아침에 첫 발자국을 디딜 때 심한 통증을 느끼고 오래 쉬었다가 걸으면 통증을 느낀다. 하지만 걷고나서 몇

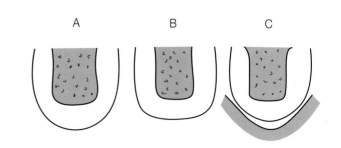

그림 17-6. A : 정상 발뒤꿈치 B : 지방층이 얇아진 발 뒤꿈치 C : 보조기를 이용하여 지방층을 모아 준다.

분이 지나면 통증이 많이 감소한다.

그 원인은 근위부(proximal)부위에서 족저 근막이 자극을 많이 받아서 발생을 하는데 크게 두가지로 설명을 할 수 있다.

한가지는 환자의 군이 약간 몸무게가 많으면서 인대(ligament)는 유연하지만 후족부가 약간 회내전(pronation) 되어 있어서 오래 걷거나 뛸 때 뒤꿈치의 내측인 족저 근막이 종골에서 종지하는 부위에 자극을 많이 받아서 발생을 한다. 두 번째로는 환자의 군이 몸무게는 많지 않으나 발뒤꿈치 근막다발이 뻣뻣해서 족저 근막에 자극이 많이 가는 유형이다. 발뒤꿈치 근막다발이 뻣뻣한 경우에는 걷거나 뛸 때 족관절에서 발목이 배측굴곡(dorsiflexion)되는 것이 제한이 있으므로 대신 중족부(midfoot level)나 전족부(forefoot)에서 배측굴곡(dorsiflexion)의 힘을 많이 받게 된다. 이 경우에는 windlass mechanism으로 인해 족저 근막이 많이 당겨지는 효과가 되고 따라서 족저 근막이 종지하는 종골의 내측에서 염증성 반응을 일으키게 되는 것이다.

아침에 통증이 있거나 쉬고 나서 걸으면 통증이 있는 것은, 자거나 쉴 때 염증성 반응이 있는 족저건막이 오랜시간 구축이 되어 있다가 스트레칭이 되면서 발생하는 통증이다.

첫 번째 군에 속하는 환자인 경우는 몸무게를 줄이고 회내전(pronation) 되는 것을 교정을 하기 위해 노력해야 하고 두 번째 군에 속하는 환자는 아킬레스 스트레칭(achilles stretching)에 주력을 하여야 한다.

이학적 검사상 지방체(fat pad)의 상태를 관찰하고, 제일 아픈 부위가 종골의 내측 돌출부에 해당이 되는지 확인한다. 발가락을 전부 젖히면서 아픈 부위를 누르는 경우에 통증이 경감

이 되는 특징이 있다. 아킬레스건이 뻣뻣한지 유무를 무릎이 완전히 편상태에서 검사를 한다. 방사선학적 검사로 x-선 검사를 시행한다.

치료로는 족저 근막이 스트레스를 받는 운동을 피하고 아킬레스 스트레칭을 하는 것이 아주 중요하다. 모든 증상들이 완전히 여기서 설명하는 하나의 병에 해당되는 경우는 드물고 대부분 여러 종류의 증상들이 겹쳐서 나타난다. 따라서 아킬레스가 구축이 되어 있는 모든 뒤꿈치 통증의 환자에게서 아킬레스 스트레칭은 중요하다.

스트레칭의 방법은 여러 가지가 있지만 대표적인 것으로는 그림과 같이 벽을 이용하여 스트레칭하는 방법이 가장 효과적이고 널리 사용된다(그림 17-7).

4) 신경 압박(Nerve compression)

달리기를 많이 하거나 발이 회내전된 경우에 외측 족저 신경(lateral plantar nerve)의 제 1 가지가 외전 근육의 모서리에 눌려서 외측 족저 신경 압박(compression)이 되어 나타난다(그림 17-4).

증상은 대개 많이 걷고 나면 아프거나 저녁에 통증이 심하다. 심한 경우 방사통(radiationg pain)도 있을 수 있다. 압통도 뒤꿈치의 내측에 있다. 뒤꿈치에 동통이 있는 환자들은 대부분 근위부 족저 근막염(proximal plantar fasciitis)과 신경 압박(nerve compression)의 증상이 같이 나타나는 경우가 많다. 약

40%에서는 근위부 족저 근막염(proximal plantar fasciitis)증상만 나타나고 약 20%는 신경 압박(nerve compression)증상만 나타나는데 나머지 40% 정도는 두 증상이 같이 나타나는 경우이다.

비록 이러한 증상이 있더라도 5%미만에서 수술적인 치료를 요한다. 치료는 발뒤꿈치 패드보다는 종아치 지지(longitudinal arch support)를 시행하여 회내전을 방지하는데 중점을 두고 치료를 시행한다.

5) 지속적인 발뒤꿈치 통증(Resistant heel pain)

족저 근막염은 대부분 보존적인 치료로 잘 낫는다. 하지만 그 기간은 약 6주에서 8주까지도 걸린다. 하지만 이런 오랜 기간 보존적인 치료에도 잘 낫지 않는 경우가 있는데 이를 지속적인 발뒤꿈치 통증(resistant heel pain)이라고 한다. 그 원인을 찾기가 힘든 경우가 있지만 다음의 경우가 있는 경우 잘 낫지 않은 족저근막염의 요인이 될 수 있다. high stiff heel arch, 회외전 변형, fat pad atrophy, 빈번한 스테로이드 주사 등을 들 수 있다.

IV. 족저 근막염의 치료

여러 가지 원인이 있기 때문에 그 원인에 따라 치료가 달라져야 한다. 하지만 완전히 한가지 요인으로 인해서만 발생하는 것이 아니라 여러 요인이 복합적으로 나타나기 때문에 일정 계획을 가지고 치료를 시작하는 것이 일반적이다.

● Step 1
① 환자의 교육과 발뒤꿈치 근막다발의 스트레칭(Heel cord stretching)을 실시한다. 가장 중요한 부분이다.
② 얼음 찜질을 시행한다.
③ 운동 선수인 경우 부드러운 깔창을 권장한다.
④ 경우에 따라서 뒤꿈치컵이나 보조기를 시행한다.
⑤ 2-4주 간격으로 추시관찰하면서 교정하여 준다.

● Step 2
① 잠잘 때에 족관절을 배측굴곡시킨 상태로 부목 고정한다.

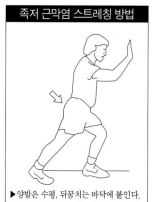
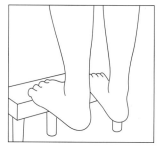

족저 근막염 스트레칭 방법

▶ 양발은 수평, 뒤꿈치는 바닥에 붙인다.

그림 17-7. 족저 근막염의 스트레칭 방법

② 보조기(semirigid/foam/gel)등을 착용한다.

③ 스테로이드 주사를 시행할 수도 있다(요즘은 거의 하지 않는다).

● Step 3

① 단하지 석고 부목이나 걷기 신발형 보조기를 시행한다.

② 물리 치료(PT)를 시행한다.

③ ESWT (high dose, 1500 shocks, 18 Kv)를 시행한다.

● Step 4

① 수술적 치료를 시행한다(Open or arthroscopic plantar fascia release)

1) 체외 충격파(ESWT)를 이용한 족저 근막염의 치료

충격파는 강한 폭발 후에 나타나는 파형으로 아주 짧은 시간에 압력이 전달되고 이후에 장력이 같이 물체로 퍼져 나간다. 1970년대에 처음으로 신장 결석의 치료에 사용되었다. 요즘 그 사용의 적응증을 넓혀가고 있는데 족저 근막염도 그 중에 하나이다.

충격파를 일으키는 방법에 따라서 electro hydrolic, electromagnetic, piezoelectric, cylinder coil 등으로 나눌 수 있다. electro-hydrolic 방법은 강한 충격파를 낼수 있는 장점이 있으나 파가 일정하지 않는 단점이 있고, electromagnetic 방법은 더 간단한 기계로 만들 수 있지만 충격파 자체가 세지는 않다. piezoelectric 방법은 조그만 충격파을 일으키는 장치들을 모아서 한곳에 모이게 배열을 시킨 다음 그 정점이 되는 부위에 치료를 할 부위를 적용시키는 방법이다. 이러한 방법으로 충격파를 일으키고 이 충격파를 한곳으로 모아서 원하고자 하는 부위에 집중시켜서 강한 충격파 효과를 나타낸다.

이러한 충격파가 어떠한 기전으로 치료의 효과를 내는지는 아직 정확하게 알려져 있지는 않지만, 현재까지 실험에 의하면 이러한 파의 작용이 신체내의 여러 mediator에 관여를 하여 신생혈관의 형성에 영향을 주어 치료의 효과를 나타낸다고 알려져있다. 즉 만성적으로 변형이 된 조직에 직접적인 작용과 함께 간접적으로 신생혈관을 만들어내어 치료에 좋은 영향을 끼치는 것이다(그림 17-8).

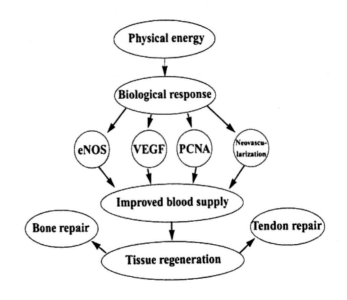

그림 17-8. 충격파의 치료효과 충격파가 여러 신체내 인자들과 관여하여 만성 변성된 부위에 혈류를 증가시켜 치유를 돕는것으로 생각되어 진다.

현재로는 만성적인 족저 근막염에 보존적인 치료로 잘 반응을 하지 않을 때 수술의 전단계에서 사용을 할 수 있다(그림 17-9).

보통 강한 초음파로 한번을 시행하고 4주에서 6주의 간격으로 증상에 따라서 3회까지 시행하는 방법과, 약한 초음파로 3주로 나누어서 시행하는 방법이 있다. 근래에는 대부분 전자의 방법이 좋은 것으로 알려져 있다. 치료는 시간이 지날수록 더 많은 효과를 나타낸다. 대개는 14-16 Kv로 1000 회에서 1500회를 시행하는데 기계의 종류에 따라서 약간 다르다(그림 17-10).

현재까지 보고된 바로는 80% 이상에서 좋은 효과를 나타낸다. 앞으로 더 연구가 많이 되어야 할 분야이다.

2) 관절경을 이용한 족저 근막염의 수술적 방법

먼저 아픈 부위를 표시를 한다. 관절경의 portal은 내측에서 외측으로 넣는데 내측 내과의 후방선을 따라서 발바닥의 피부가 변화되는 부위에 넣는다.

면봉을 이용하여 깨끗한 시야를 확보한 다음에 족저 근막의 폭을 눈으로 확인한다. 특수 칼을 이용하여 아픈 부위까지 혹은 전체 족저 근막 폭의 1/3정도까지만 절게를 한다(그림 17-

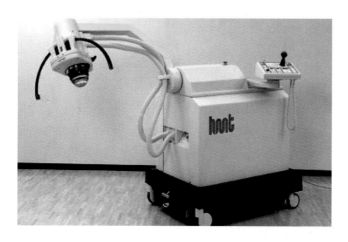

그림 17-9. Electrohydrolic을 이용한 충격파 기계

그림 17-10. 충격파를 이용한 시술

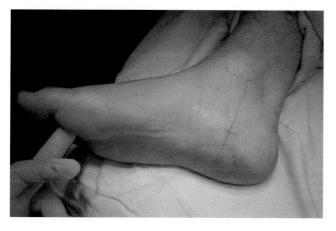

그림 17-11. 제일 동통이 심한 부위를 표시하고(발바닥부위 둥근표시 부위) 경골의 내측 후면에 수직인 선과 피부가 두꺼워지는 부위가 만나는 부위에 Portal을 넣는다.

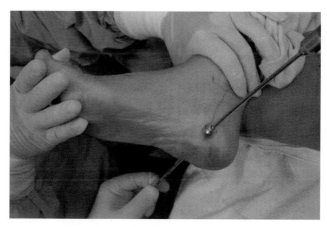

그림 17-12. 관절경은 내측에서 외측으로, 조작하는 칼이나 프루브는 외측에서 내측으로 움직이면서 조작을 하고, 족관절은 90°를 유지한다.

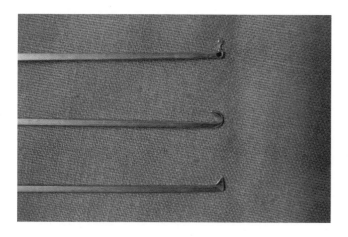

그림 17-13. 주로 사용되는 칼의 종류

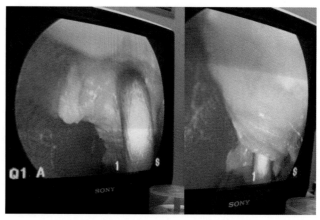

그림 17-14. 관절경을 보면서 족저 근막의 폭을 관찰하고, $\frac{1}{3}$ 정도를 내측에서 외측으로 절개한다.

259

11, 12, 13, 14).

V. 결론

발 뒤꿈치 통증을 일으키는 질환은 여러 종류가 있으나 대부분 수술적 치료를 시행하지 않고 비수술적인 치료로 잘 낫는다. 단지 시간이 좀 오래 걸리는 경우가 많다.

수술적 치료는 보통 비수술적 치료를 6-12개월 했는 경우에도 반응을 하지 않을 때 고려해 볼 수 있다. 최근에는 ESWT를 이용한 치료가 시도되고 있다. 정확한 병인이나 biomechanical 연구가 더 진행이 되어야 할 것이다.

■ 참고문헌

1. C A Speed.: Extracorporeal shock-wave therapy in the management of chronic soft-tissue conditions. Journal of Bone and Joint Surgery(British volume). Vol. 86;165, 2004.

2. C A Speed, D Nichols, J Wies, H Humphreys, et al.: Extracorporeal shock wave therapy for plantar fasciitis. A double blind randomised controlled trial. Journal of Orthopaedic Research. New York. Vol. 21;937, 2003.

3. Ching-Jen Wang, Feng-Sheng Wang, Kuender D Yang, Lin-Hsiu Weng, et al.: Shock wave therapy induces neovascularization at the tendon-bone junction a study in rabbits. Journal of Orthopaedic Research. New York, Vol. 21;984, 2003.

4. Daniel L Riddle, Matthew Pulisic, Peter Pidcoe, Robert E Johnson.: Risk factors for plantar fasciitis: A matched case-control study. Journal of Bone and Joint Surgery(American volume). Vol. 85;872, 2003.

5. DiGiovanni BF, Nawoczenski DA, Lintal ME, Moore EA, et al.: Tissue-specific plantar fascia-stretching exercise enhances outcomes in patients with chronic heel pain. A prospective, randomized study. Journal of Bone and Joint Surgery(American Volume). Vol.85-A;1270, 2003.

6. Erdemir A, Hamel AJ, Fauth AR, Piazza SJ, Sharkey NA.: Dynamic loading of the plantar aponeurosis in walking. Journal of Bone and Joint Surgery. (American Volume). Vol.86-A;546, 2004.

7. Rachelle Buchbinder, Ronnie Ptasznik, Jeanine Gordon, Joylene Buchanan, et al.: Ultrasound-guided extracorporeal shock wave therapy for plantar fasciitis: A randomized controlled trial. JAMA. Chicago. Vol.288;1364, 2002.

8. Richard Sadovsky.: Plantar Fascia Stretching Program for Chronic Heel Pain. American Family Physician. Kansas City, Vol. 69;961, 2004.

제6부
스포츠 손상

18. 족관절 염좌 및 만성 불안정성
Ankle sprain & chronic instability

을지의대 을지병원 족부정형외과 **이 경 태**

I. 족관절 해부학(ankle anatomy)

족관절의 해부학적인 구조는 먼저 semi-stable joint라는 개념이 중요하다. 따라서, 뼈에 의한 안정화가 무릎관절보다는 중요하고 상대적으로 인대의 중요성이 떨어지게 되어 있으나, 인대의 작용에 의해서 내반, 외반의 운동이 제한되게 되어 있는 구조로 되어 있다. 족관절을 이루고 있는 중요한 골조직으로는 경골과 거골이며, 이들이 격자구조를 이루고 있게 되는데, 특히 거골의 형태가 원추체(frustum)로 되어 있기 때문에 외측의 인대는 밀도가 느슨하고, 내측의 인대는 조밀한 구조로 이루어지게 되고 이로 인해 외측 인대의 취약성이 발생하게 된다[2]. 내측에는 삼각인대라는 매우 두꺼운 인대가 2개의 층으로 나뉘어져 있게 되고 외측에는 전거비인대(anterior talofibular ligament), 경비인대(calcaneofibular ligament) 및 후거비인대

(posterior talo-fibular ligament)로 구성되어 있고, 족저굴곡시에는 전거비인대가 지면에 편평하게 서있을 때에는 경비인대가 측부인대로 작용 하게 되어 있어, 운동중에는 주로 불안정한 자세인 족저굴곡시의 전거비인대가 주로 손상받게 된다[4](그림 18-1).

한편, 족관절의 근위부에는 비골과 경골과의 관절인 원위경비관절이 있는데, 이중 전방에 위치한 전경비인대가 중요하다[1, 7]. 족관절에는 여러가지 건이 중요한 작용들을 하게 되는데, 이중에서 외측의 중요한 건은 비골건으로 이들은 단비건과 장비건으로 나뉘어지게 되고 각각 외전건(evertor)및 족저굴곡건(plantar flexor)으로 작용하게 된다. 이들 비골건은 전거비인대와 경비인대가 이루는 각의 중간의 힘의 vector를 가지고 있고, 족관절 염좌 후의 근육 강화 운동에 매우 중요한 역할을 하게 된다[7](그림 18-2). 족관절부위의 건막 중 하신전지지대(inferior extensor retinaculum)는 족관절의 외측에서 신전건들의 이탈을 방지하는 구조물이지만, 족관절 불안정성이 발생하는 경우, 외측인대를 보강해주는 매우 중요한 해부학적 구조물이다. 그 외에 비골건의 건이탈을 방지해주는 상비건막(superior

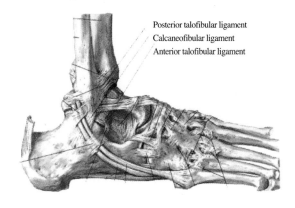

Right foot : lateral view
Posterior talofibular ligament
Calcaneofibular ligament
Anterior talofibular ligament

그림 18-1. 족관절의 전거비인대와 종비인대

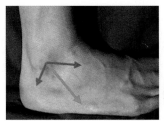 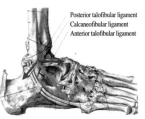

Posterior talofibular ligament
Calcaneofibular ligament
Anterior talofibular ligament

그림 18-2. 비골건의 힘의 방향이 전거비인대와 종비인대의 중간을 지나는 vector방향이기 때문에 비골건의 강화가 약화된 인대를 보강할 수 있다.

peroneal retinaculum)과 하비 건 막(inferior peroneal retinaculum) 등이 있는데, 이중에서는 상비건막이 족관절 염좌 때 같이 손상되기도 쉽고, 이로 인한 비골건 아탈구나 탈구(peronal subluxation or dislocation)등이 발생 결국 비골건의 파열(peroneal attrition)까지 생길 수 있다. 족관절 외측의 중요한 신경으로는 비복 신경(sural nerve)로 이 신경은 외측의 수술도달법을 시행할 때 신경종이 발생하지 않도록 매우 주의해야 하며, 때로는 족관절 염좌 단독으로도 신경 손상이 발생하였다는 보고도 있다.

II. 급성 족관절부 염좌

급성 족관절 염좌는 족부 및 족관절 외상 중 가장 흔한 손상 중의 하나로 대개 가벼운 손상으로 오인하여 후일 후유증이 나타나는 경우가 약 30% 정도라고 하며[5], 단순한 인대손상 뿐 아니라 동반 손상이 발생할 가능성이 높다는 사실을 유념해야 할 질환이다.

1) 발생기전

대개의 경우 족관절이 족저굴곡된 상태에서 내반이나 내반-외회전 손상을 받을 때 발생하는데, 이 상태에서 족관절의 외측 버팀목이 되는 전거비 인대가 1차적으로 손상되고, 힘의 방향에 따라 syndesmosis나 삼각인대 손상이 동반되게 된다.

2) 증상

족관절 외측 부위의 부종 및 압통, 점상 출혈 등이 관찰되며, 불안정성이 나타난다. 거골 경사 검사 및 족관절 전방 전위검사상 양성의 소견을 보이고 있다.

일반적으로 염좌의 정도는 3개의 등급 즉 제 1, 2, 3도로 나눈다. (표 18-1) 제1도는 외측측부인대군의 부분파열을 의미하고, 임상적으로는 거골동 부위에 부종과 압통이 존재하며, 전방 전위 검사와 거골 경사 검사에는 음성이다. 제2도는 제일 흔한 형태의 손상으로, 전거비인대는 파열되나, 종비인대는 정상인 상태이고, 제3도는 아주 흔하지는 않지만, 일단 발생하면, 심각한 후유증이 자주 발생하는 형태로, 전거비 및 종비인대 둘 다 파

표 18-1. 족관절 염좌의 정도

손상 정도	해부학적 손상구조물	이학적 검사	방사선 검사
1도	전거비 또는 종비인대 부분 파열	전방부하검사 음성, 1도	전방부하검사 음성 거골경사검사 음성
2도	전거비인대 파열 종비인대 건재	전방부하검사 2도	전방부하검사 양성 거골부하검사 음성
3도	전거비 및 종비인대 파열	전방부하검사 3도	전방부하검사 양성 거골경사검사 음성

(By William Hamiltom M.D.)

열되어, 전방전위검사와 거골 경사 검사에서 모두 양성을 보이게 된다[3, 7].

3) 방사선 소견

족관절 단순 방사선 검사 상에는 연부 조직의 부종이 관찰되나, 족부의 골조직에는 이상이 없게 되는데, 동반손상이 발생 가능한 족부의 확인을 위해 족부 정면 사진을 같이 촬영해야 한다. 최근에 많이 사용되는 MRI 소견은 전거비인대 및 종비인대의 파열소견이 관찰된다. 동반 손상의 정확한 확인 등을 위해 MRI가 초기부터 시행되는 경우도 빈번하다.

4) 치료

합병증이 동반되지 않은 족관절 염좌의 급성시기의 치료원칙은 대개 운동 선수군에서 3도 손상이 있으면서 빠른 복귀를 원할 때를 제외하고 비수술적 요법으로 가능한데, 이에 대한 치료원칙은 저자에 따라 차이가 있지만 대략 다음의 다섯 단계로 구분되며, 고정 시기나 각 단계의 이행 시기는 족관절 염좌의 정도에 따라 차이가 있다. 첫째, 급성 염증을 해결하는 시기 즉 PRICE의 시기(3일을 넘기지 않는 것이 좋다) 둘째, 관절운동 범위의 회복기 셋째, 근육강화운동시기(비골건및 배굴건) 넷째, 근 지구력강화시기 다섯째, 운동평형감각회복기 이들의 단계 중에서 어느 한 단계라도 불충분한 것이 있는 지를 파악하는 것이 중요하고, 만일 그런 문제가 있으면, 이에 대한 보강을 하여야 한다. 족관절 염좌의 정도에 따른 치료는 모든 급성손상 치료의 기본이 되는 RICE 요법(Rest 휴식: Ice 냉찜질 :

compression 압박 : Elevation 거상)이 손상의 정도와 관계없이 기본이 되는데 1도 손상의 경우 Aircast 보조기(stirrup : 그림 18-3)로 압박효과를 얻어 부종을 빼고, 체중부하는 바로 시작하되, 전반적인 conditioning을 위해 whirlpool이나 수영등으로 가벼운 기본동작등을 시행한다. Air cast를 구하기 힘든 상태에서는 압박붕대로 부은 부위를 압박한 후 얼음찜질을 하면서 체중부하를 하면 된다. 비골근 재활운동(peroneal rehabilitation)은 동통이 없어진 후 시작하면 되는데 방법은 발목을 족저굴곡 (pointe position)시킨 상태에서 발목을 바깥쪽 외과 방향으로 본인의 힘으로 운동하는 것으로 때로는 고무밴드를 이용하여 저항을 주면 근육의 힘이 더 세질 수 있어 주로 권장되어 지는 방법이다(그림 18-4). 운동은 대개 수상 후 3 - 4 주후에 다시 시작한다. 2도 손상의 치료는 Aircast 보조기를 체중부하를 하지 않는 상태에서 약 3주 정도한 후 떼고, 수영이나 재활치료를 하게 되는데, 손상 후유증으로 발생하는 불안정성(instability)은 비골근재활운동을 하면 발생하지 않는 것이 보통이다.

운동 선수에서는 훈련을 수상 후 약 4 - 8 주면 시작한다. 3도 손상의 치료는 기브스를 하거나 Aircast 보행보조기 (removable cast)를 할 수도 있지만, 프로 선수에서는 수술적 방법이 더 선호되어 진다. 왜냐하면, 아무래도 파열된 인대를 정확하게 제 길이를 유지시키기는 수술이 가장 좋은 방법이고, 비수술적 요법으로 치료한 경우 평형감각(proprioceptive sense)의 회복이 수술적 요법보다 못하기 때문이다[7].

5) 운동선수에서의 일상운동으로의 복귀

이상의 과정이 진행된 상태에서, 발목의 근력이 건측의 80% 이상이고 ,다친 발만으로 완전히 점프 동작을 해도 아프지 않고, 줄넘기 후에 붓기가 없게 되면, 일단 현장, 피일드로 복귀해도 되는 요건을 갖추게 된다. 피일드에 복귀하게 되면, 초기에는 평상시의 운동량의 1/2정도에서 시작하여 점차 그 양과 강도를 증가시키는데, 그 기준은 선수가 얼마나 아프지 않게 그 동작을 수행하느냐에 달렸다. 일반적으로 먼저 직선 뛰기 (straight jogging), 운동장 돌기, 8자뛰기, 커팅, 공대기, hopping, big jump의 순으로 연습을 시키고, 특히 회전시의 불안정성이나 불안감등을 해결하는데 촛점을 맞춰야 한다. 일상 운동으로의 복귀후에도 근력강화운동 및 운동평형감각을 위한 치료등은 계속하는 것이 바람직하다. 그리고 3도 이상의 염좌가 있는 경우에는 약 6개월 이상 테이핑을 하는 것이 바람직하다.[16]

III. 만성족관절염좌 (Chronic Ankle Instability)

대개의 족관절부 염좌는 원칙적인 치료를 잘 한 경우에는 후유증없이 잘 치유되는 편이나, 일정 기간(정도에 따라 차이)이 지난 후에도 불안정성이나, 잔존 동통, 부종등이 남아 있을 수

CAM walker style

Stirrup style

그림 18-3. 족관절 염좌시 사용되는 보조기

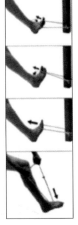

공을 이용한 근력운동

밴드를 이용한 근력운동

그림 18-4. 족관절 염좌후 시행하는 근육강화 운동

가 있고 때로는 족관절부 염좌와 동반된 손상이 간과되어 종종 문제를 일으키는 수가 있다. 족관절 염좌후에 발생하는 문제의 해결은 상당히 복잡한 과정의 경우들을 잘 분석하여 타래타래 풀어야하는 경우가 상당히 많게 되는 데, 이들 문제를 해결하는데 있어서의 중요한 요소는 다음과 같은 것들이 있다.

1) 급성 또는 아급성일 때

선수의 손상이 약 3개월 전이면 먼저 정상적인 족관절 염좌의 치료가 제대로 시행되었는지의 여부를 확인해 보아야 한다. 대개 이런 경우라면, 정상적인 재활치료의 한부분 또는 여러부분이 건너 뛰어졌는지 또는 시행이 되었다 하더라도 불완전하게 시행되었는지를 알아보아야 한다.

2) 만성적일 때

환자의 손상 등이 6개월 또는 1년 이상인 경우에는 대개 족관절 염좌로 인해 야기된 후유증이나 합병증일 가능성이 높다고 보아야 하고, 이의 해결을 위해서 다음과 같은 원인들을 확인해 보아야 한다.

(1) 불안정성(instability): 족관절 외측 인대의 만성 파열에 따른 불안정성
(2) 족관절의 부종 및 동통(Pain & swelling)

이의 원인에는 대개 두가지가 있게 되는데
①족관절의 불안정으로 야기되는 충돌증후군(impingement syndrome)
② 초기 손상 당시 발견되지 못한 손상 (neglected injury)등이다.

Ⅳ. 족관절 불안정성(Ankle Instability)

만성족관절 염좌는 임상적으로 매우 흔한 질환인 동시에 불안정성등 합병증이 남는경우는 약 30%에 이른다. 특히 이러한 족관절의 불안정성은 족관절의 부상이 잦은 스포츠나 무용에서 빈발하게 되고, 일반인들에게서도 초기의 치료가 완전하지

못하다든지 해서 발생한다고 한다.특히 스포츠나 무용인 들에게는 이러한 불안정성이 운동선수 또는 무용수의 역량을 현저히 저해하는 경우가 많다.

1) 족관절 불안정의 원인

족관절의 불안정성은 족관절의 인대가 만성적으로 파열되어 있거나, 원래의 길이보다 늘어나 있는 상태 또는 족관절의 인대에 정상적으로 존재하는 운동평형감각의 손상으로 인해 발생하는 것으로 보고되고 있다.

2) 증상

슬관절의 불안정과 마찬가지로 보행시 giving-away, unstableness등이 주로 발생하는 증상으로 선수들에게서는 한발로 축을 잡고 회전을 할 때, 불안하던가 급방향전환이나 급정지들을 할때, 착지할 때 문제를 일으키는것으로 되어 있으며, 이로 인해 다른 부상의 위험이 증가 할 수 있는 것으로 알려져 있다.

3) 진단

족관절 불안정성의 진단은 대개 이학적 검사가 위주가 되는데, 과거에 사용하던 족관절의 내반 스트레스 검사보다는 슬관절의 Lachmann test처럼 전방전위검사(anrterior drawer test; 그림 18-5)가 많이 사용되고 있는데, 이 때는 족관절의 위치가 10도 족저굴곡위에 있어야 한다. 그리고, 이의 객관적 측정을 위해 특수 기계를 사용할 수도 있다. 이상과 같은 족관절의 기계적 불안정성(mechanical instability)를 검사하는 방법이외에 modified Romberg test등을 이용한 기능적 불안정성(functional

표 18-2. **만성족관절 염좌시의 원인**

acute to subacute : skipped or incomplete rehabilitation
chronic ① instability
　　　　② pain & swelling

　　　　　* impingement syndrome due to instability
　　　　　* neglected injury

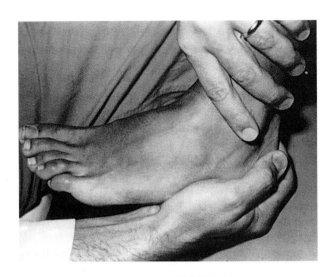

그림 18-5. 족관절 불안정 검사

instability)의 검사도 가능하게 된다. 한편, 자기 공명 영상 장치를 이용해서 전거비인대 및 경비인대·전경비인대의 성상을 자세히 알아 보거나, 동반된 손상의 유무나 정도를 알 수도 있다.

4) 치료 (표 18-3)

족관절 불안정의 치료는 크게 비수술적 요법과 수술적 요법으로 나뉘게 되는데, 먼저 비수술적 요법으로 Air-cast나 족관절 보조기 등으로 적절한 고정을 해보고, 비골건 강화운동을 약 10주가량을 시행하는 것이다. 본 저자는 약 3, 4주간 Aircast등의 보조기를 시행하면서 족관절 전방 전위검사의 변화여부를 확인 1도로 변화되면 보조기를 제거하였고, 그동안 부종이나 압통을 제거하도록 물리치료를 사용하였다. 그 다음 족관절의 운동 범위회복을 위한 운동을 시작하고 동시에 근력강화운동

표 18-3. **족관절 불안정성의 치료** treatment of ankle instability

1. conservative treatment
   air-cast , ankle brace (cast)
   peroneal strengthening exercise
   physical therapy (modality)

2. operative treatment
   ① anatomical -- modified Brostrom
   ② non-anatomical Evans, Watson- Johnson, Chrisman-Snook etc

을 시작 총 10주를 맞추었는데, 근력운동은 Hamilton[7]이 제시한 가정 프로그램을 이용하였다. 10주 후에도 문제가 있는 불안정성의 경우는 지속적인 물리치료와 근육강화프로그램, 운동평행감각 운동 등을 병행하였다. 이러한 보존적 요법을 총 6개월 시행해도 효과가 없을 때엔 수술적 요법을 고려하게 되는데, 수술적 요법에는 해부학적 방법(anatomical method)와 비해부학적 방법(non-anatomical)의 두 가지가 있게 되고(그림 18-6), 이들 중에서 최근 흔히 사용되는 방법으로는 해부학적 방법 중 변형 Brostrom 방법이다[14, 17, 19].

변형된 Brostrom 수술 법은 최근 선호하는 수술 방법으로서 증상이 있는 만성 족근 관절 외측 불안정성의 해부학적 복원에 기본이 되어 왔다[10, 13]. 그 이유는 ①기술적으로 쉬우며 ②비해부학적인 수술에 비하여 운동선수들에게 있어서 필요한 족근 관절의 완전한 운동범위를 얻을 수 있으며 ③경비인대의 보강으로 인한 거골하 관절의 불안정성을 해결할 수 있으며[11] ④기능적 불안정성을 교정할 수 있기 때문이다. 변형된 Brostrom 수술은 두 가지의 단계로 구성되는데, 첫 단계는 전방 거비골 인대와 종비골 인대를 재봉합하는 것이며, 두 번째 단계는 Gould가 주장한 변형된 Brostrom 수술의 가장 중요한 기술적인 요인인 하신전지대의 강화이다[6, 12] (그림 18-7). 이렇게 함으

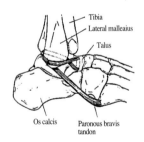

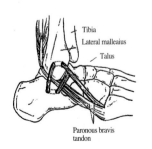
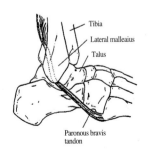

그림 18-6. **해부학적 방법** 대개 비골건을 사용하여 인대를 재건하는 방법을 쓰게 된다.

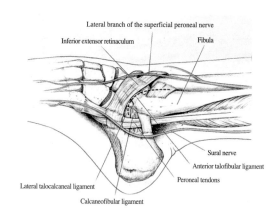

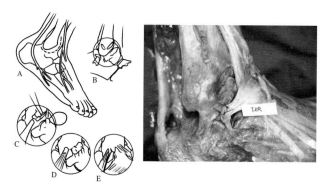

그림 18-7. 변형 Brostrom술식　하신전건막을 비골의 골막에 부착시켜 인대를 보강하는 방법

로써 해부학적인 요인으로 거골하 관절의 안정성을 동시에 얻을 수 있다. 단, 체중이 많은 환자의 재발성 족관절 염좌 시에는 재파열의 가능성이 매우 높기 때문에 변형 Brostrom 수술의 적응이 되지 않는다.(이때는 비해부학적인 건 이전을 이용한 수술법이 사용되어 져야 하는데, 본 저자는 주로 1/2 단비건을 이용한 demi-Evans 술식을 선호한다.) 기술적인 면에서 종비골인대는 비골건 밑에 깊이 위치하기 때문에 재봉합이 어려우며 인대 재건술을 위해 고정봉합을 필요로 한다[5]. 그리고 하신근 지대를 이용한 강화 술식은 이론적으로 종비골 인대 벡터를 보완할 수 있는 장점이 있다[16]. 왜냐하면 해부학적으로 종비골인대는 종골에서 외과로 주행하며 하신근지대는 종골에서 외과를 경유해 내과로 주행한다. 그래서 하신근지대의 중간부위를 비골 골막에 Pants over the vest 술식으로 봉합하면 종비골인대

벡터를 대체할 수 있기 때문이다. Paden등은[15] 종비골인대 재건술에 손상된 관절낭과 인대의 주름형성을 간단히 하기 위하여 고정봉합술을 시행하기도 하였다. 생역학적인 면에서 하신근지대의 강화가 종비골인대 강도를 얼마나 대처할 수 있는지 알려져 있지는 않다. Brostrom 봉합술은 생역학 연구상 Watson-Jones 수술법과 같이 인대 자체의 정상 강도를 가질 수는 없다[10]. 그러나 하신근지대를 강화 했을 때 외측인대에 더욱 강한 강도를 가질 수 있다. 하지만 지금까지 Brostrom 봉합술이 얼마만큼의 강도를 강화시키는지 알려진 연구는 없다. 하지만, Hamilton은 수술 받은 환자들에게서 수술받지 않은 건측의 족관절보다 더 강한 안정성을 느낄 수 있었다고 하였고, 본 저자들의 경우에서도 수술 후 전방전위 검사시 1도 정도의 안정성을 확보할 수 있었다. 변형된 Brostrom 술식의 수술적 결과는 일반적으로 우수하거나 양호하며 운동선수에 있어서도 비운동선수에서와 같이 좋은 결과를 보이며 정상 스포츠활동으로의 조기 복귀, 족근 관절에서의 양호한 운동범위, 양호한 기능적 안정성 특히 다른 수술법과는 다르게 수술 후 족관절의 운동 범위가 완벽하게 회복되어, 운동 선수의 특성상 절대적으로 중요한 유연성이 확보되었다는 것이 이 수술의 가장 큰 장점으로 사료되었다. 이러한 유연성의 확보는 수술시 전거비인대나 경비인대를 단축시킬 때, 하 신전지지대를 비골의 내과의 골막에 부착시킬 때 관절의 운동 범위를 방해하지 않는 점에서 단단히 봉합하는데 기인하는 것으로 판단된다. 본 저자의 수술 결과도 약 95%이상의 좋은 결과를 보였고[20](국가 대표급 선수 10%포함), 대개의 완전 복귀까지의 평균 기간은 약 3개월, jogging이 시작된 시기는 약 6주였다. 족관절 만성 불안정성 경우에는 동반되는 손상이 발생하는 경우가 상당히 많은데, 발견된 동반손상으로는 거골의 골연골골절, 비골건의 종파열, 비골건의 이상부착, 비골하 부골, 족관절 전방충돌 증후군, 관절유리체 및 족관절 활액막염 등인데, 이들 동반손상 유무에 따른 치료결과의 차이는 동반 손상이 없는 경우가 동반된 경우보다 좋았다는 보고가 있다[20].

최근 외측 족근 관절의 기능적 안정성에 매우 중요한 종비골인대에 대하여 재봉합술을 시행하지 않는 술식을 시행하여 두 인대를 재봉합한 방법과 똑같이 좋은 결과를 얻었다는 보고가 있는데, Okuda는[18] 전방 거비골인대 재건에 있어서 장 수장근을 이용하였으며 단순 인대 재건술과 중복 인대 재건술 사이에

는 결과에 차이가 없다고 보고하였고 모든 운동 선수는 손상 이전의 스포츠 활동으로 복귀할 수 있었다. 그러나 그것은 비해부학적인 술식에 대한 보고이며 본 저자의 단순 인대 봉합을 통한 변형 Brostrom 술식 연구에서 88례의 족근 관절 단순 인대 재건술의 결과는 83례(94.3%)에서 우수 또는 양호의 결과를 보였으며 이것은 중복 Brostrom 인대 재건술과 비슷한 결과를 보였다. 심지어 고강도의 물리적 활동을 요하는 운동선수군에서도 중복 Brostrom 인대 재건술이 비슷한 결과를 보였다.

(1) 수술방법

환자를 복와위로 위치시킨 후, 총비골 신경과 비복 신경의 손상을 피하기 위해 족관절 외과 전방하부는 약 5cm의 곡선절개를 넣었다. 전거비 인대를 확인한 후 비골건을 젖히고 종비

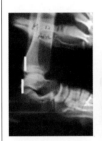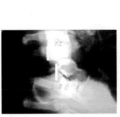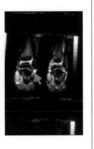

증례 1 : 전방전위 방사선상 건측에 비해 심한 전위를 보이고, MRI상 종비인대의 파열을 보인다.

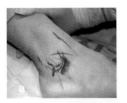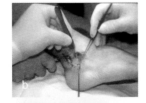
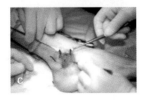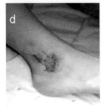

그림 18-8. 수술소견 : a. 수술절개 b. 전거비 인대의 소견 c. 인대의 단축 및 접합 d. 건막의 보강

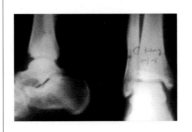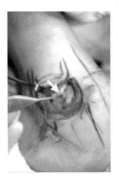

증례 2 : 화살표는 전거비인대의 소견, 만성염증과 비후된 소견을 보인다.

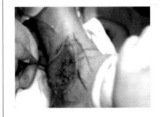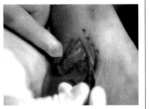

그림 18-9. 전거비 인대의 봉합, 건막의 보강

인대를 확인한다. 이 때 비골건의 종파열이나 동반 손상이 있는지 확인하고 필요한 조치를 한다. 전거비 인대 및 종비인대의 완전파열과 변성을 확인하고, 유착, 변성된 인대부위는 원래 길이로 만들기 위해 부분 절제하였으며 2-0 Ethibond를 이용한 복원술 후, Gould에 의해 고안된 족관절 하신전 지지대 (inferior extensor retinaculum)을 이용한 덧대기(Pants over the Vest)를 시행한다. 이때 족관절의 위치는 중립위로 한다. 피부하 봉합과 피부 봉합을 시행하고 단 하지 석고 부목고정을 시행한다. 수술 후 재활치료수술후 약 4주간의 족관절 중립상태로 기브스를 시행하여 하지 고정 후, 부종 및 압통의 제거, 족관절의 운동 범위 회복 특히 족배굴곡, 족관절 주변의 근육강화 운동 특히 비골근에 집중된 근육운동을 약 4주간 시행하였다. 이와 동시에 운동 평형 감각의 회복을 위한 프로그램등이 같이 시행되었는데, 운동 선수에 있어서 운동으로의 복귀는 족관절의 부종이나 압통이 없고, 운동 범위가 완전하며, 비골건 근력이 정상의 80%이상이면서 줄넘기를 해서 족관절의 부종이 다시 나타나지 않는다는 전제 하에서 시작하였고, 먼저 직선의 조깅을 시작으로 8자 뛰기, cutting, hopping, junmping등의 순

서로 시행하여 복귀를 완료하였다(그림 18-8, 9).

V. 족관절 만성 불안정성과 동반된 족관절 충돌 증후군(Ankle impingement Syndrome)

족관절 충돌 증후군은 견관절 충돌증후군과 유사하나 족관절만의 특징이 있고, 대개 견관절의 불안정이 있을 때 충돌이 악화되듯이 족관절에서도 불안정성이 선행되면, 충돌이 악화되게 된다[9]. 운동 선수군에서는 일반인들보다 더 심하고 증상이 있는 증후군을 유발하게 된다.

① 전외방(anterolateral)
② 전방 – 전내방(anteromedial)
③ 후방(posterior)의 세 형태로 나뉘어 지게 되는데, 자세한 내용은 다른 장에서 상세히 다루기 때문에 본 장에서는 생략하기로 한다.

VI. 동반된 손상(Neglected initial injury)

족관절염좌는 족관절의 내반 손상(inversion injury)이나 내반-외회전, 내회전 등의 여러가지 손상 기전을 받게 되고, 이러한 손상은 족부 및 족관절의 복잡한 구조상 족관절의 외측 인대만의 손상이 아닌 경우가 상당히 많다. 따라서 중족부(midfoot)나 후족부(hindfoot)의 기타 내반손상이 있을 때 다칠

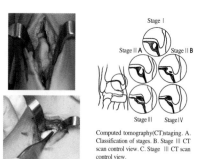
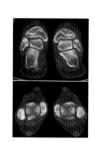
Computed tomography(CT)staging. A. Classification of stages. B. Stage III CT scan control view. C. Stage III CT scan control view.

그림 18-11. 거골 골연골골절 비교적 흔한 동반손상으로 족관절 만성염좌와 동반된 경우, 수술결과가 좋지 않을 수도 있다.

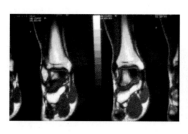
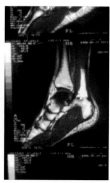

증례 1 : 골연골골절로 인한 MRI소견 거골부위의 증가된 signal이 보인다.

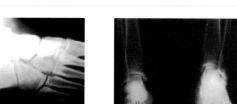

종골전방돌기골절   거골외방돌기골절

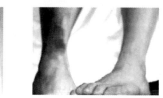

거골하관절염좌   syndesmosis 염좌

그림 18-10. 무시된 동반손상

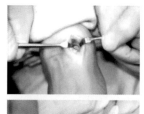
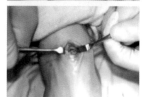

증례 2 : 수술소견, 손상된 관절연골이 보이고, absorbale pin으로 고정시켰다.

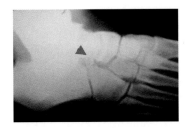
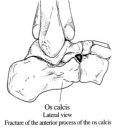

Os calcis
Lateral view
Fracture of the anterior process of the os calcis

그림 18-12. 종골전방돌기골절 족관절의 내반에 의해 단비신전건의 견열에 의해 전방돌기의 골절이 발생할 수 있다. 대개 제거후 좋은 결과를 얻을 수 있다.

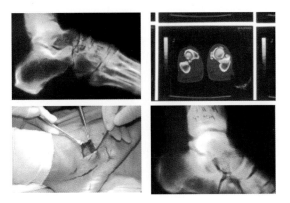

증례 : 종골 전방돌기의 골절이 관찰되며, 수술시 돌기의 제거가 시행되었다.

수있는 부분들의 재확인이 필요하게 된다. 특히, 발이나 발목을 심하게 사용하는 선수들에게는 동반 손상의 비율이 훨씬 많아지게 되는데, 이들 원인들도 매우 다양하게 된다[8]. (그림 18-10, 11, 12, 13, 14)

1) 동반되는 골절

① 비골의 원위단의 chip fracture
② 거골의 lateral process fracture(Shephard fracture) 및 골연

골골절(OCD)
③ 종골의 anterior process fracure
④ 제5 중족지골의 견열 골절
⑤ syndesmosis의 작은 견열 골절

2) 족관절부위

① Os subfibulare의 부골이 있다가 synchondrosis가 fracture 되는 경우

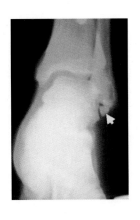
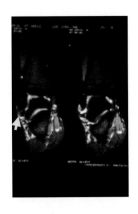

그림 18-13. 비골하부골견열

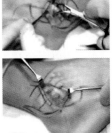
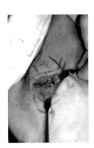

그림 18-14. 수술소견 비골하부골을 제거한 후 인대를 제거하는 작업을 해야한다. 대개 Brostrom 술식을 같이 시행하면, 좋은 결과를 얻는 것이 일반적이다.

② Os submalleoli의 부골이 있다가 골절되는 경우

③ trigonal process fracture

④ high ankle sprain(syndesmosis sprain)

3) 후족부 부위

① Subtalar joint sprain(Battle's sign)

② peroneal tendon injury : PB split or splitting, attrition, PL의 Os peroneum injury, peroneal retinculum injury(esp SPR)

4) 중족부부위

① bifurcate ligament injury

이러한 다양한 형태의 손상들이 숨어 있어 이들로 인해 동통이나 부종이 야기 되는 것이 아닌지 일일이 확인해야 한다.

VII. Syndesmosis 염좌

보통 상부 족관절 염좌(high ankle sprain)이라고 불리는 족관절 손상으로 대개 족관절 염좌와 동반되는 것이 일반적인데 진단이 안되거나 무시해서 나중에 후유증이 남는 일이 많은 손상이다. 특히 운동선수에게 발생하면 때로는 심한 후유증이 발생할 수도 있으므로 매우 주의를 기울여서 진단을 해야 할 손상이다.

1) 발생기전

갑작스러운 족관절의 족배굴곡에 의해 발생되는 것이 일반적인데, 때로는 족관절의 골절이 있을 때 동반되기도 한다.

2) 증상

족관절 보다 상외측으로 통증을 호소하는데, 족관절 상외측에 압통이 있는데 족관절을 외회전시키면 통증이 악화되는 것이 일반적이다. 족관절의 근위부의 외측과 내측을 손으로 쥐어 짜는 calf squeezing 검사가 양성이다.

3) 진단

임상적으로는 calf squeezing 검사에서 양성을 보이면 의미가 있게 되고, 과거에는 단순 방사선 전후면 사진에서 여러 가지 기준이 진단의 근거로 사용되었으나, 정확성에 있어서는 의문이 제기되어 왔다. 최근의 여러 보고에서는 CT 촬영에서 건측과 비교해서 2mm 이상의 거리 간격의 차이가 있으면 의의가 있다고 한다.

4) 치료

염좌의 정도에 따라 치료가 차이가 있는데, 일반적으로 족관절 염좌의 2배 기간 고정을 하는 것을 원칙으로 하고 있고, 완전 파열일 경우 syndesmosis 스크류로 고정을 하기도 한다. 수술 후 screw를 저자에 따라 차이가 있지만, 6주 내지 3개월 가량 유지하는 것이 일반적이다. 운동선수의 경우에는 운동으로 복귀하기 전에 반드시 스크류를 뽑아야 한다.

초기에 발견되지 못한 진구성인 경우에는 결국 관절염으로 진행되기 때문에 조기 손상과 같이 치료하자는 의견과 건을 이용한 재건술(reconstruction)을 해야 한다는 다양한 보고가 있다.

VIII. 족관절 삼각인대 염좌(Deltoid sprain)

족관절에서의 삼각 인대는 외측 인대보다 약 10배 가량 두껍기 때문에 완전 파열은 매우 드물지만, 족관절 골절이 발생할 때 발생할 수도 있고, 염좌가 되는 경우는 상당히 흔하다. 그리고, 운동선수에서의 삼각인대 손상은 상당히 오랜 기간의 치료가 필요한 것이 일반적이다. 치료는 매우 적극적인 재활치료가 주인데, 수술까지 가는 경우는 매우 드물다. 수술은 스트레스 방사선 촬영에서 건측에 비해 많은 차이가 나는 경우, 외과 골절이 동반된 삼각 인대 손상이 자기 공명 영상에서 확인된 경우 등에서 시행하는데, 천부 및 심부 삼각인대를 모두 재생해야 한다.

IX. 족관절 염좌와 동반된 손상시의 이학적 검사

마지막으로 만성 족관절염좌에서의 이학적 검사에 대해서

언급하기로 한다. 위에서 기술한 문제점을 나눈대로 분류해서 알아본다.

① 먼저 전반적인 하지의 정렬(lower leg alignment)를 확인 해야 하는데, heel 의 varus, valgus, tibia vara 등이 있는지 확인 해야 하는데, heel varus등이 있으면, recurrent ankle sprain등이 잘 발생한다.

② 불안정성

· anterior drawer test로 mechanical instabiltiy의 여부와 정도를 판단

· modified Romberg test로 functional instabiltiy를 확인

· tenderness가 ATFL, CFL에 있는지를 확인

③ 충돌증후군

· 전방 충돌 증후군은 족배 굴곡 유발 검사(plie provocation test)로 확인

· 후방 충돌 증후군은 족저 굴곡 유발 검사(pointe provovation test)로 확인

④ 무시되었던 초기손상

· pin-pointing에 의한 tenderness 확인

· Battle sign 등의 subtalar joint sprain

· West point squeeze test에 의한 syndesmosis sprain

· peroneal provoaction test에 의한 비골건 손상

■ 참고문헌

1. Boruta PM, Bishop JO and Braly WG et al.: Acute lateral ankle ligament injuries: A literature review: Foot Ankle, 11(2): 107-113, 1990.

2. Peter JW, Trevino SG and Renstrom PA: Chronic lateral ankle instability. Foot Ankle, 12(3): 182-191, 1991.

3. Trevino SG, Davis P and Hecht PJ: Management of acute and chronic lateral ligament injuries of the ankle. Orthop Clin N Am, 25(1): 1-16, 1994.

4. Brostrom L: Sprained ankles. Acta Chir Scand, 132(6): 551-565, 1966.

5. Garrick JG: The frequency of injury, mechanism of injury and etiology of ankle sprain. Am J Sports Med, 5: 241-242, 1977.

6. Gould N, Seligson D and Gassman J: Early and late repair of the lateral ligaments of the ankle. Foot Ankle, 1: 51-66, 1980.

7. Hamilton WG: Sprained ankles in ballet dancers. Foot Ankle, 3(2): 99-102, 1982.

8. Komenda AG and Ferkel RD: Arthroscopic findings associated with the unstable ankle. Foot Ankle Intl, 20(11): 708-713, 1999.

9. Scranton PE Jr, McDermott JE and Rogers JV: The relationship between chronic ankle instability and variation in mortise anatomy and impingement spurs. Foot Ankle Intl, 21(8): 657-664, 2000.

10. Bahr R, Pena F, Shine J, Lew WD, Trydal S and Engegrestsen L: Biomechanics of ankle ligament reconstruction : An in vitro comparison of the Brostrom repair, Watson-Jones reconstruction, and a new anatomic reconstruction technique. Am J Sports Med, 25(4): 424-432, 1997.

11. Keller M, Grossman J, Caron M and Mendicino RW: Lateral ankle instability and the Brostrom-Gould procedure. J Foot Ankle Surg, 35(6): 513-520, 1996.

12. Harper MC: Modification of the Gould modification of the Brostrom ankle repair. Foot Ankle Intl, 19(11): 788, 1998.

13. Hamilton WG, Thompson FM and Snow WS: The modified Brostrom procedure for lateral ankle instability. Foot Ankle, 14(1): 1-7, 1993.

14. Kaikkonen A et al: Long-term functional outcome after surgery of chronic ankle instability 5 year follow-up study of modified Evans procedure. Scand J Med Sci Sports, 9(4): 239-244, 1999.

15. Paden MH, Stone PA and McGarry JJ: Modified Brostrom lateral ankle stabilization utilizing an implantable anchoring system. J Foot Ankle Surg, 33(6): 617-622, 1994.

16. 이경태 외 : Soccer medicine, 1st ed, 119-133, 군자출판사, 2002.

17. Saragaglia : Reconstruction of the lateral ankle ligaments using an inferior extensor retinaculum flap. Foot Ankle Intl, 18(11): 723-728, 1997.

18. Okuda R, Kinishita M and Morikawa J et al.: Reconstruction

for chronic lateral ankle using the palmalis longus tendon: Is reconstruction of the calcaneofibular ligament necessary?. Foot Ankle Intl, 20(11): 714-720, 1999.

19. Karlsson J, Bersten T and Lansinger O et al.: Reconstruction of the lateral ligaments of the ankle for chronic lateral instability.

J Bone Joint Surg, 70-A(4): 581-587, 1988.

20. Lee KT Kim HC , Choi KJ : Modified Brostrom Procedure : analysis of affecting factors, presented at 15th AOFAS summer meeting San Juan , Puterto Ricco 1999

19. 무용에서의 족부 손상
Dance injury in food and Ankle

을지의대 을지병원 족부정형외과 **이 경 태**

서울대학교 체육교육과 **방 유 선**

무용수는, 다른 어떤 직업보다도 특수한 목적 즉 예술적 미를 추구하는 예술가적 측면과 이 목적을 달성하는데 필요한 육체적인 동작 즉 스포츠적인 측면의 양면성을 가지고 있는 특수한 직업에 속한다. 따라서, 예술적 아름다움을 추구하므로 이들은 정신적으로 완벽함을 추구하며, 또한 직업인으로서의 경쟁의 스트레스를 받아야하고, 육체적으로도 반복되는 동작들 즉 pointe, plie, turn-out 등등으로 상당한 과로를 하게 된다.

I. 무용의 기본 동작과 무용 손상 기전

무용에 의한 손상 빈도는 무용의 종류 즉 발레, 현대 무용, 한국 무용등에 따라 달라질 수 있는데, 발레는 발끝으로 서는 동작등의 기본 동작이 반복되어야 하므로 특이한 손상이 많고, 현대 무용은 강한 근육의 수축, 격렬한 동작 및 도약(jump), 그리고 과장되고 딱딱한 동작, 맨발로의 동작 수행등의 특징으로 아킬레스건의 문제나 발바닥의 굳은 살등의 문제가 심한데 반해, 한국무용은 비교적 정적으로 기본 동작 자체에서의 문제는

적으나, 최근 한국 무용의 소재가 다양해지면서 현대 무용의 내용이 많이 가미되고 연결 동작이나 무용의 템포등이 빨라지면서 무용손상이 증가되고 있는 실정이다.

1. 발레와 현대 무용

1) POINTE , DEMI-POINTE (그림 19-1)

pointe나 demi-pointe에서는 발목관절에서 거골이 발끝쪽으로 향하게 되는 운동을 하게 되고, 이때 full pointe에서는 종골(발 뒤꿈치 뼈)과 경골(큰 다리뼈)이 부딪히면서 종골에 경골이 기대는 형태가 되어 비교적 안정된 자세이고, 발이 땅에 착지된 상태는 체중이 넓게 분포되므로 역시 안정된 상태인 반면 demi-pointe poisition은 상대적으로 불안정 한 상태이다. 특히 10도 족저굴곡위(pointe position)가 해부학적으로 가장 불안정한 자세이다.

이러한 불안정한 demi-pointe position에서는 내측과 외측의

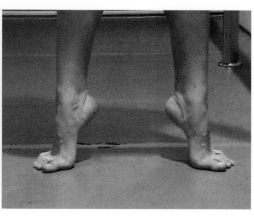

그림 19-1. pointe, demi-pointe 동작

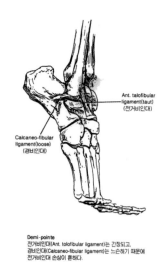

Demi-pointe
전거비인대(Ant. tolofibular ligament)는 긴장되고,
경비인대(Calcaneo-fibular ligament)는 느슨하기 때문에
전거비인대 손상이 흔하다.

그림 19-2. 족관절이 족저굴 곡된 상태의 demi-pointe에서 족관절 염좌가 잘 발생한다.

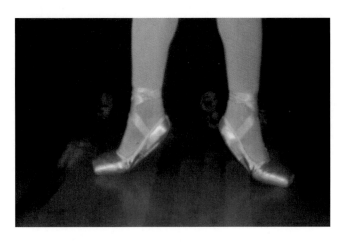

그림 19-3. 족관절 후방 충돌 증후군으로 인한 pointe 동작의 부조화

구조물들의 balance가 매우 중요하게 되는데, 이는 주로 인대(ligament)와 근육 과 건(tendon: 힘줄)에 의해 유지가 되고, 특히 선천적으로 불안정한 구조를 갖는 발목관절의 외측부는 3개의 측부인대가 중요하고, 또한 비골근(peroneal muscle)의 힘이 중요하다.

한편, 이렇듯 불안정한 demi-pointe position에서 약간의 외력(external force)이 작용하게 되면, 불안정한 구조의 외측측부인대가 파열되어 염좌(sprain)를 유발하거나(그림 19-2), jump 등의 동작중 착지하는 과정에서 외측에 힘이 조금이라도 더 가게 되면, 제5중족지골에 나선상(spiral) 골절(Dancer's Fracture)이 유발되기도 한다.

마지막으로 pointe나 demi-pointe를 시행할때, 거골(발목아래뼈)에 선천 적으로 부골(accessory bone)이 있으면 full pointe로 가기전에 이 부골이 운동방향에 장애물로 작용하여 full-pointe가 안됨으로써 양측의 부조화를 만들기도 한다.(그림 19-3)

2) PLIE, DEMI- PLIE(그림 19-4)

plie나 demi-plie position은 운동방향으로 보면 pointe의 역방향으로 발목관절에서 거골이 발등을 향하는 운동을 하게 되고, 이때 주로 경골의 전면과 거골의 경부(neck)부위의 홈이 서

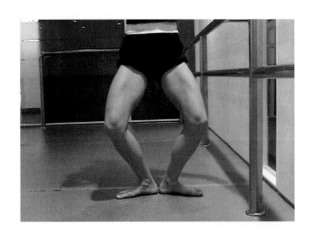

그림 19-4. plie, demi-plie 동작

그림 19-5. 족관절 전방 충돌 증후군이 있으면 plie동작이 완전하지 못하게 된다.

로 마찰을 일으키게 되고, 뒤쪽의 Achilles가 늘어나게 된다. Plie나 demi-plie가 계속 반복적으로 시행되면, 족관절부 전면에 자극에 의해 새로운 뼈(신생골 : kissing bone)가 만들어지고, 이것이 심해지면 처음에는 경골의 전면에 나중에는 거골의 경부에까지 발생하여 plie가 완벽한 각도로 되지 못하고, 특히 grand-plie를 할 때에는 심한 장애를 초래하기도 한다.(그림 19-5) 한편 achilles에 문제가 있는 환자에서도 plie, demi-plie시 stretching에 따른 동통이 발생할 수도 있다.

　* 엉덩이 관절에 의한 발목의 손상(Foot ankle problem due to Hip joint)

3) TURN-OUT(그림 19-6)

발레 무용수에게서 turn-out은 가장 기본적인 동작중의 하나이다. Turn-out은 고관절(hip joint)에서 대퇴골두의 골두(head)가 골반뼈의 비구(acetabulum)라는 소켓에서 외회전을 함으로써 가능하게 되는데, 이 동작이 잘 안되면, 발목관절에서

는 turn-out을 더하기 위해서 체중이 더 앞으로 쏠리게 되고 이로 인해서 정상적인 체중부하에 따른 발에서의 체중분포(weight dist-ribution)가 깨지면서 내측(medial side)으로 stress가 더 가게 되어, 보통 발레에서 얘기하는 rolling-in, sickling(그림 19-7)이 나타나게 되고 이렇게 되면, 내측의 구조물 즉 삼각인대(deltoid ligament), 족저근막(plantar fascia)의 내측부에 이상이 생기고, Bunion 및 제 1족지의 종자뼈에 염증(sesamoiditis) 등이 발생할 수 있다(그림 19-8).

4) 한국 무용

한국 춤사위의 기본 동작에는 아랫몸사위, 윗몸사위 그리고 온몸사위의 동작과 이러한 동작의 연결 동작이나 박자의 변화 등이 기초를 이루게 된다. 윗몸사위의 팔, 어깨동작들은 다른 무용에서와 마찬가지로 부드러운 몸동작을 이루고 있는 관계로 상해의 범위가 적은 반면에 체중을 지지해야 하는 아랫 몸사위및 온몸사위등의 동작에서는 손상을 일으킬 확률이 상대

그림 19-6. 무용수의 turn-out 동작

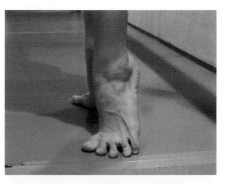
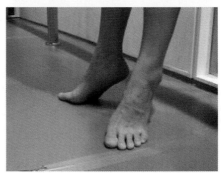

그림 19-7. rolling-in , sickling-in 동작

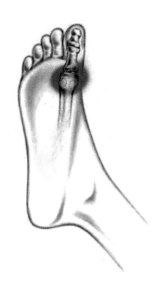

그림 19-8. 부적절한 turn-out으로 인한 내측 과부하로 발생하는 무용수의 종자골염

그림 19-9. 한국 무용의 돋음체 동작

적으로 높게 된다.

(1) 돋음체 (그림 19-9)

돋음체는 키를 크게 하기 위해 발꿈치를 들고 발가락 만으로 디디고 서는 동작을 말하는데 발레의 Demi-pointe와 유사한 동작으로 발뒤꿈치를 드는 정도가 엄지 손가락 하나 정도의 높이 만을 들기 때문에 해부학적으로 족관절(발목 관절)이 가장 불안정한 자세중의 하나이기 때문에 발목이 삐게되거나 또는 발목이 불안정한 것으로 인한 발란스의 문제가 유발되기 좋은 자세이다.

그림 19-10. 한국 무용의 연풍대 동작

(2) 앙감질체

앙감질체는 한발을 들고 한발로만 뛰어가는 동작인데 다른 발로 다리를 드는 동작은 주로 뒤로 빼는 동작을 일정하게 하게 되고 그 다음 동작으로 가벼운 점프, 즉, 도약을 여러번하는 동작이기 때문에 뛰는 동작에서 박자를 빨리하게되면 균형을 잃을 수 있어서 발란스의 문제도 생길 수 있고, 발목부위에서는 Plie 같이 발목이 앞으로 구부러지는 동작을 반복하기 때문에 잦은 반복으로 인한 족관절(발목관절) 전방 충돌 증후군이 자주 발생할 수 있는 그런 동작이다.

(3) 연풍대 동작 (그림 19-10)

연풍대 동작은 점프했다가 회전하면서 땅에 착지하는 과정

의 한 연결 동작중의 하나로서 무릎이 구부러지면서 반대쪽 엉덩이가 회전되면서 자리에 앉아야 되는 동작이기 때문에 구부러지는 무릎쪽에 발목 앞쪽이 구부러지는 각도가 심하기 때문에 전방 충돌 증후군의 양상이 많이 나타날 수 있는 동작이다.

II. 무용수에서의 족관절부 염좌

1. 해부학 및 손상기전

인대 손상에 취약한 외측 측부 인대는 3개의 인대- 전, 후 거

비인대 종비인대 - 로 구성되어 있어서, 발의 위치에 따라 측부 인대의 역할을 하는 부위가 달라지는데, 전거비인대(Anterior talofibular ligament : 앞쪽 인대)는 주로 족저굴곡된 상태(발레 무용수에서의 pointe, demi-pointe)에서, 종비인대(Calcaneofibular Ligament : 중간 인대)는 주로 족배굴곡된 상태 즉 발이 평편하게 땅에 착지된 상태에서 작용하게 된다. 한편, 보통 무용수들은 demi-pointe position에서 발을 삐게 되는데, full pointe상태에서는 종골이/ 경골후연에 닿아 오히려 안정된 상태이고, demi-pointe 에서는 해부학적으로 가장 인대들이 이완된 상태이며 단지 내,외측의 건(tendon)이나 근육등의 힘에 의해 균형을 유지해야 하기 때문에 내측, 외측의 조그마한 외력에도 쉽게 손상 특히 전 거비 인대(anterior talofibular ligament)의 손상을 받기 때문이다. 대개의 경우, 동작하는 발(working foot) 예를들어 왼발에서 지지해주는 발(supporting foot)은 오른발보다 더 손상이 흔하고, 특별한 동작 즉 여성에서는 entrchat six, 남성에서는 double saute de basque가 위험한 동작들이다. 한국무용에서는 돋음체나 돋음걸음체등의 발목이 불안정한 동작에서 잘 발생할 수 있다. 또한 비골근(peroneal muscle) 쇠약과 함께 동반된 손상이 전에 있었던 경우도 족관절 염좌의 한 중요 원인이 되기도 한다.

2. 염좌의 진단 ,정도와 치료

보통 진단에는 임상적 양상이 중요한데, 족관절 외측 즉 외과(바깥쪽 복숭 아뼈)부위의 부종(그림 19-11) 및 압통이 진단의 근거가 되며, 이학적 검사상에서는 전방 전위 검사(anterior drawer test : 검사자가 손으로 족관절에서 거골을 전방으로 당기는 힘을 가해 인대의 손상을 검사하는 방법)가 실제로 임상적 의의가 크며 특히 이는 의사의 경험적 판단이 매우 필수적인 검사이다.(그림 19-12) 보통 X-ray상에서는 정상 소견을 보이며, stress 부과 방사선 소견상 거골 경사(talar tilt)는 정상측보다 증가된 소견을 보이는 것이 일반적이나, 검사의 정확도는 떨어지는 것이 사실이다. 일반적으로 염좌의 정도는 3개의 등급 즉 제 1, 2, 3도로 나눈다. 제1도는 외측측부인대군의 부분파열을 의미하고, 임상적으로는 거골동 부위에 부종과 압통이 존재하며, 전방 전위 검사와 거골 경사 검사에는 음성이다. 치료는 모든 급성 손상 치료의 기본이 되는 RICE 요법(Rest 휴식 : Ice 냉찜질 : compression 압박 : Elevation 거상)이 손상의 정도에 관계없이 기본이 되는데 1도 손상의 경우 Aircast 보조기(stirrup : 그림 19-13)로 압박 효과를 얻어 부종을 빼고, 체중 부하는 바로 시작하되, 전반적인 conditioning을 위해 whirlpool이나 수영등으로 가벼운 기본 동작등을 시행한다. Aircast를 구하기 힘든 상태에서는 압박 붕대로 부은 부위를 압박한 후 얼음 찜질을 하면서 체 중부하를 하면 된다. 비골근재활운동(peroneal rehabilitation)은 동통이 없어진 후 시작하면 되는데 방법은 발목을 족저굴곡(pointe position)시킨 상태에서 발목을 바깥쪽 복숭아뼈(외과) 방향으로 본인의 힘으로 운동하는 것으로 때로는 고무 밴드를 이용하여 저항을 주면 근육의 힘이 더

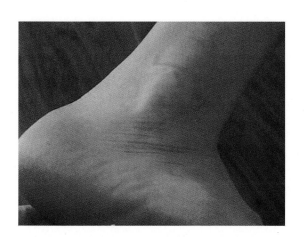
그림 19-11. 족관절 염좌시의 외과 부위의 부종

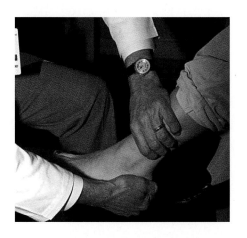
그림 19-12. 족관절 전방 전위 검사

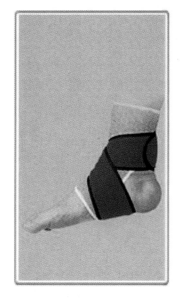

그림 19-13. 족관절 보조기

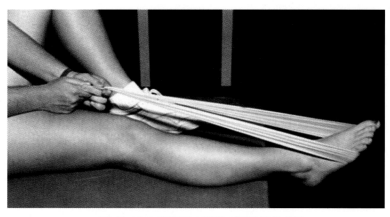

그림 19-14. 고무줄을 이용한 비골건 강화 운동

세질 수 있어 주로 권장되어지는 방법이다(그림 19-14). Dance class는 대개 수상후 3-4 주후에 다시 시작한다.

제2도는 무용수에서 제일 흔한 형태의 손상으로, 전 거비 인대는 파열되나, 종비 인대는 정상인 상태로 치료는 Aircast 보조기를 체중 부하를 하지 않는 상태에서 약 3주 정도한 후 떼고, 수영이나 재활 치료를 하게 되는데, 손상 후유증으로 발생하는 불안정성(instability)은 비골근 재활 운동을 하면 발생하지 않는 것이 보통이다. 그리고 프로 무용수에서는 class를 수상후 약 4-8 주되면 시작한다. 제 3도는 다행히 무용수에게 흔하지는 않지만, 일단 발생하면, 심각한 후유증이 자주 발생하는 형태로, 전거비및 종비인대 둘다 파열되어, 전방 전위 검사와 거골 경사 검사에서 모두 양성을 보이며, 치료는 기브스를 하거나 Aircast 보행 보조기 (removable cast : 그림 19-15)를 할 수도 있지만, 프로 무용수에서는 수술적 방법이 더 선호되어 진다. 왜 냐하면, 아무래도 파열된 인대를 정확하게 제 길이를 유지시키기는 수술이 가장 좋은 방법이고, 비수술적 요법으로 치료한 경우 평형 감각(proprioceptive sense)의 회복이 수술적 요법보다 못하기 때문이다.

3. 합병증

대개의 족관절부 염좌는 후유증 없이 잘 치유되는 편이나,

그림 19-15. Aircast 보조기

일정 기간(정도에 따라 차이)이 지난 후에도 불안정성이나, 잔존 동통, 부종등이 남아 있을 수가 있고 때로는 족관절부 염좌와 동반된 손상이 간과되어 종종 문제를 일으키는 수가 있다. 자세한 합병증에 대해서는 제 22 족관절 염좌 편에서 자세히 설명되어 본 장에서는 생략한다.

4. 족관절 염좌후의 재활 치료

발목 손상중 발목이 삐는 족관절 염좌의 치료는 대개의 경우

보존적 요법 즉 비수술적 요법이다. 한편 족관절 염좌의 30%정도에서는 동통 및 불안정성 기타 후유증이 남는다는 보고가 있기도 하다. 따라서, 비수술적 요법으로 치료하는 경우, 단순히 RICE나 기브즈, air cast등으로 교정하는 것이외에도 상당히 세심한 부분에서, 조심스럽지만 강력한 재활치료를 해야, 후유증이 발생할 가능성이 적은 것이다.

일반적인 재활의 치료는 크게 5개의 시기로 나뉘어지게 되는데, ① 동통, 부종 및 관절의 안정성을 회복하는 시기(control of pain, edema and joint stability) ② 관절 운동 범위의 회복 시기(joint motion) ③ 관절 주변 근육의 근력 강화시기(strength) ④ 운동 평형 감각의 회복 시기(proprioceptive sense) ⑤ 크래스 및 공연으로의 복귀 시기(functional progression to training) 이고, 재활 치료는 수상 당시에서부터 시작되어야 한다. 물론, 이들도 손상의 정도에 따라, 치료의 각 단계가 걸리는 시간 및 강도에 차이가 나는 것은 당연한 일일 것이다. 한편, 이 모든 재활 치료 동안 심폐 기능(cardiovascular fitness)을 수상전의 상태와 똑 같은 정도로 유지해야 하는 것은 물론 매우 중요한 일이다.

가장 많이하는 비골건 강화 운동 방법으로는 고무 밴드를 이용한 저항 운동 방법(band resistive technique)으로, 특히 Dr. Hamilton은 비골근 강화 운동의 program을 집에서 시행하는 home program을 다음과 같이 제시하였다.

무용수가 팔걸이 의자의 팔걸이에 발을 비스듬히 놓고 고무 밴드를 중족부에 걸친 다음, 추를 달아 최초에 1.5kg을 25회 시행하고, 점점 힘이 세어지면 1.5kg씩 늘여 7.5kg을 25회할 수 있으면 강화 운동을 끝낸다. 특히 이때, 발목의 위치가 족저굴곡된 상태로 유지되는 것이 중요하다고 하였는데, 이러한 비골근의 강화는 후일 발생하는 불안정성(instability)의 예방과 재발성 족관절 염좌(recurrrent ankle sprain)의 예방에 중요한 역활을 하게 되는 것이다. 내반, 외반 운동을 하는 방법중의 하나는 농구공이나 축구공을 벽에 대고 굴리는 basketball roll on the wall이라는 방법이 간편하고 효과적이다.(그림 19-16)

동통없이 체중 부하를 시작할 수 있으면 바로 평형 감각 회복운동을 시작해야 한다. 그이유는 대개 인대가 얼마나 늘어나는지 또는 그위치가 어떠한지를 판단해 주는 신경이 인대의 끝부분에 대개 위치하게 되는데, 이 신경의 전달로(pathway) 또는 신경 자체가 인대 파열과 함께 문제가 될 수 있기 때문에 이 신경 계통의 재활 치료가 특히 무용수에서는 필수적이다. 만약

그림 19-16. basketball roll on the wall 방법

에 이것이 제대로 작용하지 않으면, 섬세한 동작 즉 entrachat six같은 동작에서의 beat가 timing 과 동작에서 조화를 이루지 않기 때문이다.

구체적 치료 방법으로는, tilting board와 wobbling board 같은 판(board)를 사용할 수도 있고, Dumbling이라는 운동 기구에서 beat등을 연습할 수 있다. 특히 Freeman은 기능적 불안정성(functional instability : 물리적 요인이 아닌 다른 요인에 의해 불안정성이 유발되는 상태)이 있을 때는 이러한 운동 평형 감각의 소실이 중요한 원인이라고도 하였다. 이상의 과정이 진행된 상태에서, 다친 발만으로 완전히 점프 동작을 해도 아프지 않고, 무용후에 붓기가 없게 되면, 일단 클레스로 복귀해도 되는 요건을 갖추게 된다. 클레스에 복귀하게 되면, 초기에는 평상시의 무용하는 양의 1/2정도에서 시작하여 점차 그 양과 강도를 증가시키는데, 그 기준은 무용수가 얼마나 아프지 않게 그동작을 수행하느냐에 달렸다. 일반적으로 체중부하를 해서 아프지 않고, 붓지 않으면 가벼운 jumping, hopping, big jump의 순으로 연습을 시키고, 특히 회전시의 불안정성이나 불안감 등을 해결하는데 촛점을 맞춰야 한다.

일상 운동으로의 복귀후에도 근력 강화 운동 및 운동 평형 감각을 위한 치료등은 계속하는 것이 바람직하다.

III. 족관절 후방 충돌 증후군 (Posterior impingement syndrome)

삼각골 증후군(Os Trigonum syndrome) 무용수의 가장 기본

적인 동작중의 하나가 pointe이고, 이 pointe를 이루는 동작이 releve라고 할 수 있는데, 이는 해부학적으로 족관절의 뒤쪽이 좁아지게 되는 즉 경골, 거골 ,종골의 사이가 좁아지는 동작이다. 따라서 선천적으로 족관절의 뒤쪽에 선천적 변이가 있는 경우, 과다사용 증후군(Overuse syndrome)의 영향 및 발목 손상의 후유증등으로 발목 관절 뒤쪽에 통증, 운동 장애 및 기타 문제가 발생하는 경우를 통틀어 Posterior Impingement Syndrome(후방 충돌 증후군)이라고 한다.

1. 해부학 및 발생기전

거골의 상관절와(superior articular facet)의 후관절면(posterior articular surface)을 벗어나는 어떠한 해부학적 돌출물(prominence)은 pointe동작을 할 때 발목 관절의 족저굴곡(plantar flexion : pointe 방향의 운동)에 방해물(obstruction)로 작용하게 된다. 이는 마치 호두까기 기구 사이에서 호두가 끼어 압박을 받는 것과 같은 기전으로 문제를 일으키게 된다(그림 19-17).

한편 이와같은 상황을 유발시킬 수 있는 상태로는 다음과 같은 경우가 있을 수 있다.

1) 해부학적인 변이

① 삼각골(Os trigonum)이라는부골(그림 19-18) ② 삼각돌기(trigonal process) : Stieda process ③ 돌출된 종골결절(calcaneal tubercle)의 후상각(posterior superior angle)

(1) 과다사용 증후군의 일환

pointe동작의 반복으로 후종간의 관절낭(capsule)이나 활액막의 염증

(2) 족관절 염좌의 후유증

심하게 발목이 삐었거나 그후 자꾸 재발이 될때, pointe 동작이나 releve를 시행할 때 인대가 거골을 잡아주지 못하기 때문에 거골이 족관절에서 부터 앞쪽으로 밀려 나옴으로써 뒤쪽의 경골과 종골이 부딪히는 경우 이상의 상태로 결국 후종골 간격의 관절낭과 활액막등이 붓게 되며, 계속되는 반복운동으로 만성적 염증 상태로의 악순환은 계속되게 되는 것이다.

2) 증상 및 진단

일반적으로 15, 16세의 무용 학생에게서 자주 발생하게 되는데, 이는 삼각골등의 출현 시기와 관계가 있는 것으로 생각된다. 대개의 경우는 tandu, frappe pointe work를 할 때, releve를 할 때 및 jump를 했다가 착지를 했을 때, 족관절의 후외측에 동통을 호소하고, 이학적 검사상에서는 그 부위를 누르면 아프게 되며, 특히 발목관절을 체중이 부하되지 않은 자세에서도 pointe방향으로 족저굴곡시키면, 보통 무용 동작중에 느끼는

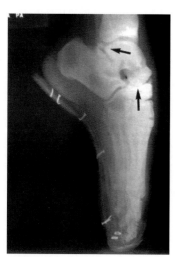

그림 19-17. Nutcracker 효과

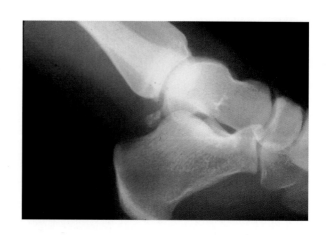

그림 19-18. 삼각골에 의한 족관절 후방 충돌 증후군

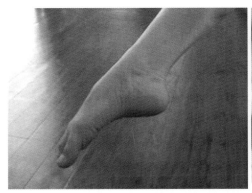
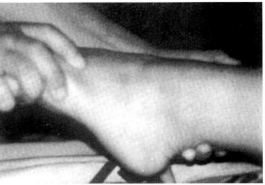

그림 19-19.
pointe provocation 검사법

동통과 같은 동통을 느낀다.(pointe 유발검사 : plantar flexion provocation test, 그림 19-19)이때, 삼각골(Os trigonum)이나 삼각 돌기(trigonal process)등의 해부학적 장애물이 있을 때에는 유발 검사 도중 뼈가 부딪히는 소리나 느낌을 받을 때도 있다.

무용의 동작중에서는, 아까도 언급한 pointe, releve 동작이 건측과 달라지므로, 아름답지 못한 불균형적인 양상으로 이루어지게 되고, 따라서, 2번 동작에서 releve시 발뒤꿈치가 지면에서 올라간 정도가 차이가 나게 된다(그림 19-20). 또한 족관절부에서의 pointe가 완전하지 못하므로, 이를 보충하기위해서 중족부(midfoot)에서의 굴곡이 자연스럽게 유발되고, 전족부에서의 굴곡이 아울러 유발되어 발가락의 구부러짐(toe curling)이 건측에 비해 심해지게 된다(그림 19-21). 이러한 보

상 기전(compensation mechanism)은 정상적으로 가능한 동작이지만, 이러한 동작이 반복지속되는 경우에는 중족부의 관절염이나 전족부에 있는 내재근(intrinsic muscle : 주로 발의 미세한 운동을 조절하는 근육,toe curling에도 관여)의 과다 사용에 따른 발의 피로등이 발생할 수 있다. 또한 이러한 경우 pointe를 아름답게 하려면 sickling을 하는 경향이 있게 되며, (그림 19-22) 이러한 경우에는 발목이 삐게 되는 족관절 염좌(lateral ankle sprain)의 한 원인이되기도 한다. 진단은 임상적 증상이 중요한데, 이학적 검사상 발목관절 뒤쪽의 통증 및 압통 그리고 pointe유발검사에서 통증 및 운동 장애가 발생해야하고, lidocaine이라는 국소 마취제를 부위에 주사하여, 동통이 소실되면, 임상적 확진을 하게 된다.

방사선 검사상, 거골의 후연에 삼각골(Os trigonum)이나 삼

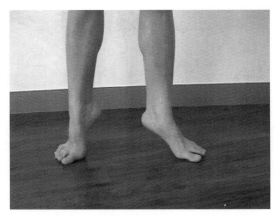

그림 19-20. 족관절 후방 충돌 증후군이 있게 되면 releve 동작시 heel-to-floor height가 감소되게 된다.

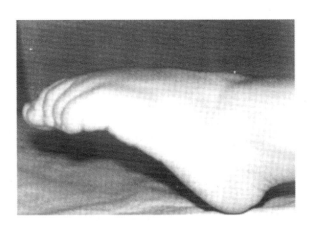

그림 19-21. 족관절 후방 충돌 증후군시 발생하는 toe curling

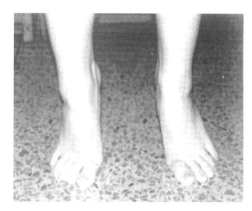

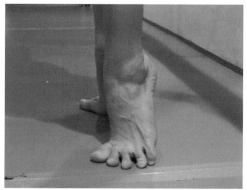

그림 19-22. 족관절 후방 충돌 증후군시 발생하는 sickling

각돌기(Trigonal process)등이 있을 수 있고, 특히 무용수가 toe shoe등을 신고 아픈 동작의 pointe를 한 상태에서 엑스레이 카세트를 옆에 놓고 측면 사진을 촬영하는 것이 중요하며, 거골 외돌기(lateral process)의 미세골절 및 종골 후상각의 돌출된 뼈를 발견할 때도 있다. 그외 핵의학 검사(Bone scan)나 컴퓨터 단층 촬영 등을 통해 진단에 도움을 받기도 한다(그림 19-23, 19-24).

3) 치료

여러가지 원인에도 불구하고, 이들은 모두 과다사용 증후군의 일부이기 때문에 치료의 근본 원칙은 같게 된다. 즉 아픔을 유발하는 동작을 한동안 금해야 하고(Don't do what hurt) 이때 그 금하는 기간은 원칙적으로 통증이 시작되어 현재까지 지속된 시간 만큼이라고 한다(어떤 무용수가 발목의 뒤쪽이 아픈지 3개월이 되었으면, 휴식하는 기간도 3개월이 되어야 한다). 그리고 일반적인 염증 치료인 소염제(NSAIDs; Non-Steroid Anti-inflammatory Drugs)와 물리 치료(온열 찜질, 초음파 ultrasound, 전기 자극 치료 TENS)등을 사용하며, 이상의 방법을 3 내지 6개월 시행해도 효과가 없는 만성적 상태에서는 강력 소염제의 일종인 steroid 를 국소로 아픈 부위에 주사하는 방법을 사용하기도 하는데, 이 방법으로 상당한 효과를 경우도 꽤 있지만, 과다한 사용은 절대로 자제되어져야 한다. 이러한 보존적 비수술적 요법이 효과가 없을 경우, 특히 그 원인이 해

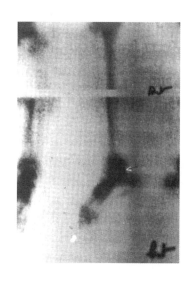

그림 19-23. 족관절 후방 충돌 증후군시 사용되는 Bone scan 족관절 후방으로 uptake 증가된 소견이 관찰된다.

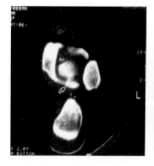
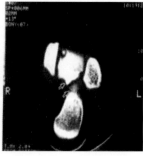

그림 19-24. 족관절 후방 충돌 증후군시의 CT 소견 삼각 돌기의 돌출이 관찰된다.

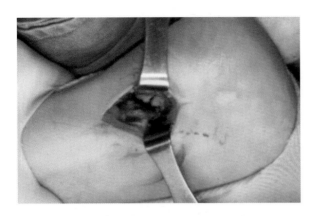

그림 19-25. 삼각골의 제거 수술

부학적 방해물이 있는 경우나, 족관절 염좌의 후유증으로 발생한 경우등에서는 수술적 방법을 시도 하여야 한다.

(1) 해부학적 방해물이 있는 경우

삼각골(Os Trogonum), 삼각돌기(trigonal process), 골절편 등을 제거 하는 제거술(excision)을 시행해야 하고(그림 19-25) 이때, 시행후 약 2 내지 3 개월간은 무용을 하지 못한다.

(2) 족관절 염좌의 후유증으로 발생한 경우

족관절 외측 인대의 교정술(변형 Brostrom 수술법)으로 원인적 인대의 느슨함을 교정해야 한다.

IV. 무용수에서의 족관절 전방 충돌 증후군 (anterior impingement syndrome of ankle)

무용의 특수 동작중에는 발목 관절의 앞쪽에 부담을 주는 것들이 있는데, 특히 plie, demi-plie, 앙감길체, 무릎굽힘체 및 연풍대동작등 발목에서 수동적으로 발가락 쪽으로 구부러지는(passive dorsiflexion)것들이 이에 해당된다. 발목의 앞쪽에 부담을 주는 동작으로 족관절 전면에 부종(swell-ing), 통증, 운동 장애(limitation of motion)등의 증상이 나타나는 것을 통틀어 족관절 전방 충돌 증후군(anterior impingement syndrome of ankle joint)이라고 한다. 물론 이 질환은 과다사용(overuse)에 의한 만성적인 양상을 띤다.

1. 해부학 및 발생 기전

무용수들은 관절의 운동이 다른 이들에 비해 훨씬 많이 될 수 있도록 타고 나는데, 그래서 발에서는 아치가 높은 형태의 발(cavus foot)을 갖고 있는 경우가 많다. 이러한 경우, 발목 관절에서의 족저굴곡(pointe 방향의 운동 : plantar flexion)은 잘 되나, 족배굴곡(dorsiflexion)은 잘 안되도록 운동 방향이 결정되어 있다. 따라서 무리한 족배굴곡은 전방구조물들의 충돌(impingement)을 유발하여 증상을 유발하게 되는 것이다.

한편 발목이 삔 후에 발목의 바깥쪽 인대가 본래의 길이보다 늘어나 붙게되어 불안정(instability)하게 되는데, 이때에는 발목 관절이 운동을 할 때 주변 구조물과 충돌하도록 약간의 회전운동(rotation)을 하면서 pointe, plie방향으로 운동을 하게 된다. 따라서, 정상적인 운동과는 달리 거골이 안쪽 복숭아뼈의 경골과 부딪히게 되어 이부위의 충돌(impingement)이 발생하게 된다.

해부학적으로 발목관절의 앞쪽은 경골(tibia)의 앞쪽 관절면과 거골(tal-us : 발목 아래뼈)의 관절면이 서로 연접하면서 관절면을 이루고 있고, 거골의 목부위(경부 : neck)가 발목이 plie 방향으로 움직이면서 경골의 앞쪽과 부딪히게 되어, 이들뼈를 싸고 있는 막(골막 : periosteum)을 자극하게 된다(그림 19-26). 이렇게 되면 신생골(새로 나오는 뼈: exostosis)을 형성하게 되고 이것이 다시 관절 운동 즉 plie를 더욱 못하게 방해하므로 악순환(vicious cycle)을 이루게 되는 것이다. 이 경우, 충돌이 있을 때마다, 활액막이 자극되어 관절이 붓게 되고 신생골의 일부가 부딪히면서 떨어져 나가면, 관절 유리체(loose body)가 되어 더욱 더 심한 증상을 일으킬 수도 있다.

이들은 대개 발목 관절의 앞 안쪽(전내측: anteromedial portion : 그림 19-27)과 뒤 바깥쪽(후외측 : posterolateral portion) 에서 발생하게 되고, 간혹 무용지도 선생이 아킬레스건이 타이트(tight)하다고 오인하는 경우가 상당히 있다.

2. 증상 및 진단

전형적으로는 아치가 높은 발을 가진 오랜 경력의 남자무용수, 특히 여태껏 bravura 등의 높은 도약과 깊은 plie 등을 많이 사용한 무용수들에게서 자주 발생한다. 증상은 대개 발목 관절

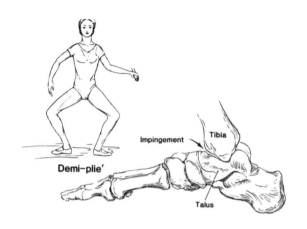

그림 19-26. 무용수에서 족관절 전방 충돌 증후군이 발생하는기전

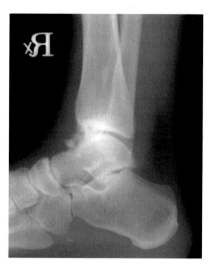

그림 19-27. 족관절 전방 충돌 증후군의 방사선 소견(주로 족관절의 전내측에 발생한다)

의 전방으로 아프게 되고, 관절이 부으면서, 활액막이 두꺼워지는 소견을 보이게 된다. 많은 경우에서 새로 형성된 뼈가 돌출된 것을 만질 수 있고, 반대측 발목과 비교하여, 족배굴곡이 감소된 소견을 보인다. 무릎를 굽힌 채로 발목을 족배굴곡시킬 때, 아픔을 느끼게 되면, plie검사 양성으로 임상적인 확진을 하게 된다(그림 19-28).

그외의 진단 방법으로는 방사선 촬영이 있는데, 단순한 발목의 측면 사진 촬영에서 새로운 뼈가 보이는 것이 일반적이지만, 더 많은 정보를 얻으려면, 최대 족배굴곡 상태(maximum dorsiflexion)에서 측면 방사선 촬영을 해야 튀어 나온 뼈들이 부딪히는 소견을 찾아낼 수 있다(그림 19-29).

3. 치료

일반적인 과다사용 증후군의 치료 원칙인 아픈 동작을 하지 마라가 중요한데, 특히 무용수가 문제를 인식하고 너무 깊은 plie는 피하는 것이 중요하다.(not hit the bottom) 그외에 성난 활액막등을 진정시키기 위한 소염제 물리치료등이 도움이 될 수가 있고, 발 뒤꿈치에 패드를 대고 높이를 올리게되면, 전방 충돌이 완화될 수가 있어, 무용신발에 삽입할 수도 있으나, 쉬운일은 아니다.

이상의 비수술적 방법으로 대개는 증상이 완화되고 급성염증기는 벗어나게 되지만, 이렇게 해서도 안되는 경우에는 수술

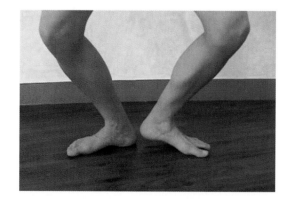

그림 19-28. plie 양성 검사

그림 19-29. 방사선을 이용한 plie provocation test

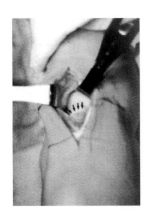 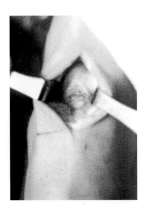

수술 전   수술 후

그림 19-30. 족관절 전방 충돌 증후군의 개방성 골극 제거술

로 그 부위를 절제해주는 방법밖에는 없다(그림 19-30).

V. 무용수에서의 장 무지 굴건(Flexor Hallucis Longus tendon) 건염(Dancer's Tendinitis)

무용수에게서의 엄지 발가락의 역할은 굉장히 중요하다. 특히 점프(jump-ing)동작이나 pointe, releve등에서 작은 발가락들보다 더 센 힘으로 바닥을 참으로써 추진력(propulsion)을 얻어야 하기 때문이다. 보통 우리 일반인에게 있어 신체 구조중

가장 강력한 추진력을 주는 근육, 힘줄로는 Achilles 를 들 수 있는데, 발에서의 이러한 역할은 엄지발가락을 굽히게 하는 근육 즉 장 무지 굴건(Flexor Hallucis Longus tendon)이 맡게 되고, 그런 이유로 이 힘줄을 "족부에서의 Achilles(Achilles of the foot)" 라고도 한다. 한편, 수부(hand)의 건초염인 De Quervain's disease와 작용 기전이 유사하여 이 질환을 "De Quervain's disease of the foot"라고도 한다. 일반적으로 과다 사용 증후군(Overuse syndrome)의 일종으로, 또 때로는 건(힘줄)이나 건초(힘줄을 싸는 막)의 선천적 변이(variation)등으로 이러한 건초염이 발생할 수가 있는데, 특히 warming-up 즉 class전 발이나 몸을 푸는 동작을 충분히 않는 경우에 자주 발생하게 된다.

1. 해부학 및 발생 기전

장 무지 굴건(FHL tendon)은 엄지 발가락의 원위 지골의 끝에서 끝나게 되는데, 이의 주행을 발의 위쪽으로 거슬러 올라가게 되면, 발바닥의 내측을 타고, 발의 횡아치(medial arch)를 따라, 종골의 거골(Sustentaculum tali)의 바로 아래를 돌면서 건초(tendon sheath)를 통과하여(그림 19-31) 발목의 뒤쪽으로 Achilles 앞쪽으로 통과하게 된다. 대개의 건초염은 따라서 발의 내측중에서도 건초가 존재하는 내측 복숭아뼈(medial malleolus : 내과)의 후하측에서 주로 발생하게 되는 것이다 (그림 19-32).

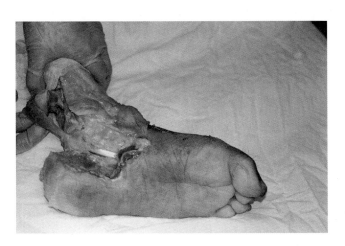

그림 19-31. 장 무지 굴건의 해부학

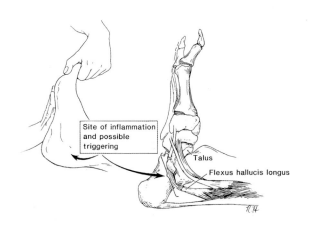

그림 19-32. 내측 후하측에 발생하는 장 무지 굴건염

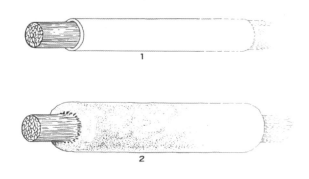

그림 19-33. 건 손상의 병리

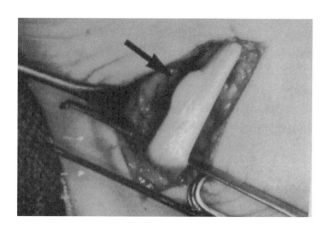

그림 19-34. 장 무지 굴건의 결절

잦은 jump, releve, pointe 등으로 힘줄(tendon)이 건초내를 통과하게 되면 건초와 힘줄(건) 사이의 마찰로 인해, - 마치 손바닥을 비비면 열이 나면서 붓고 발그레해지고 열이 나듯이 - 건초와 힘줄이 둘다 붓고 발적되는 염증 상태가 발생되게 되고, 이때 적절히 쉬어 주지 못하면, 이 염증 상태는 만성으로 진행되게 되어, 힘줄은 부었던 상태에서 그대로 두꺼워지게 되고 건초도 역시 좁아지게 되어 더욱 더 악성 순환(vicious cycle)을 돌게 된다(그림 19-33).

심하면, 좁아진 건초를 통과하기 힘들어진 힘줄이 터널입구에서 볼록 튀어 나온 듯한 형태로 - 마치 병목에서의 코르크 마개처럼(like a cork on the bottle) - 결절(nodule)을 형성하게 된다(그림 19-34). 일단 결절(nodule)이 형성되게 되면, releve

pointe, jump등을 할 때 내측이 뻑뻑한 감을 느끼게 되고 심하면 탄발음이라 하여 똑똑 소리가 나기도 한다(hallux saltans).

2. 증상 및 진단

증상은 보통 releve 동작 중에 발의 내측이 답답한 느낌을 갖거나, releve 동작이 부드럽지 못한 느낌과 함께, 발의 일정 각도에서 발의 내측으로 동통이 오는 경우가 대부분이다.

보통 동통을 호소하는 부위는 안쪽 복숭아뼈의 뒤·아래쪽 (그림 19-35)이 되게 되는데, 특히 발목을 족저굴곡(pointe 방향)한 상태에서 엄지 발가락을 구부리게 되면, 동통이 유발되게 된다는 것이 특징적이다.(Thomasen 검사 그림 19-36) 한편,

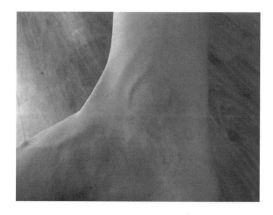

그림 19-35. 장 무지 굴건염의 통증 장소

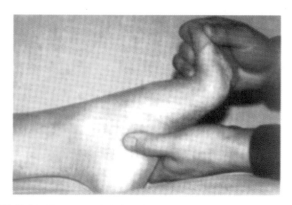

그림 19-36. Tomasen 검사법(족관절을 굴곡시킨 상태에서 장 무지를 수동적으로 굴곡시켜 통증을 유발하는 검사)

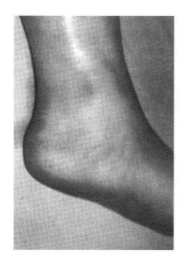

그림 19-37. 장 무지 굴건염 시 부종

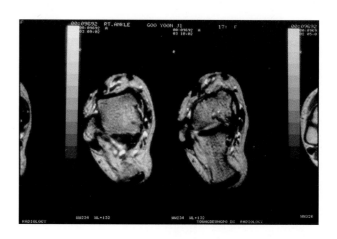

그림 19-38. 장 무지 굴건염의 자기공명 영상 소견

동통이 있는 부위에 특히 부종(그림 19-37)이 발생하는 수가 허다하며, 심하면, 내측 아치의 상부에까지 부종이 있는 경우도 종종 있게 된다.

releve나 pointe동작시에 특히 발이나 발목이 내측으로 틀리게 되면, 동통이 유발되는 경우도 있고, 이 동작들에서 불편하게 된다. 그리고 모든 건염에서와 같이 이 발레 무용수의 건염에서도 임상적으로 4 개의 단계로 나뉘어지게 되는데, ①무용을 한 후에 동통을 느끼는 상태 ②무용을 시작할 때 아프다가, warming-up이 되면 없어지고, 무용이 끝난 뒤 다시 아픈 상태 ③무용중에도, 후에도 아픈 상태 ④드물지만 건이 파열된 상태

이 중 지나갈수록 만성이 되어가는 상태로 이행된다 할 수 있겠다.

진단은 보통 임상적인 증상과 Thomasen test로 하게 되고, 필요하면, MRI(영상 자기 공명 진단)으로 확진(그림 19-38)을 할 수도 있지만 대개는 임상적으로 진단하는 경우가 보통이다.

3. 치료

무용수의 건염은 역시 과다사용 증후군의 일종이기 때문에, 휴식 및 아픈 동작을 하지 않는 것이 중요하고, 소염제 및 물리치료(Hot bag, Ultrasound및 TENS)가 도움이 되는 편이고, 특히 물리 치료중 단파장(short wave)의 lazer 치료가 건염에 효과적이라는 보고도 있다.

supporting leg와 working leg를 바꿔서 연습을 하는 것도 치료의 한 방법이 될 수 있고, warming-up을 충분히 해서 터널내를 힘줄이 부드럽게 활주 운동을 할 수 있게 하는 것도 좋은 방법중의 하나이다. 만약 6개월 정도의 치료를 시행해도, 상태가 크게 호전되지 않으면서, 환자의 증상이 발레의 동작을 하는데 굉장히 문제를 야기시킬 경우, 수술적 치료로 건초(tendon sheath : tunnel모양의 막)를 열어 주는 수술을 하기도 한다. 수술후에는 3개월이 지난 후부터 발레 클래스를 시행하는 것이 보통이다.

VI. 무용수에서의 아킬레스 건염 (Achilles tendonitis in Dancer)

아킬레스건은 우리 신체에서 가장 큰 힘을 받는 건이다. 특히 발 뒷꿈치를 들어 올려 체중을 지탱하는 일과 함께 전방으로의 추진력(propulsion)을 도와주는 역활을 하는데, 이는 근육이 수축하는 방향(concentric contrac-tion)으로 일을 하고, 발이 지면에 부착된 상태에서 발목에서 수동적 배굴운동(passive dorsiflexion)이 진행될 때는 이때는 근육이 늘어나는 방향으로(eccentric contraction) 일을 하게 된다. 한편, 무용 동작중에서는 거의 모든 동작에서 아킬레스가 관여하게 되는데, 따라서 아킬레스는 신체의 어느 힘줄중에서도 손상에 가장 취약한 힘줄이라 할 수 있겠다. 특히나, 제 때에 치료받지 않고 방치된 아

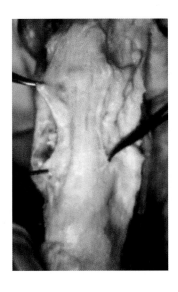

그림 19-39. 아킬레스 건의 해부학적 구조

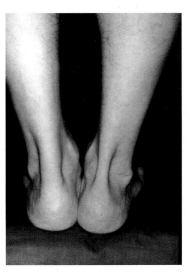

그림 19-40. 아킬레스 건염의 통증 부위(아킬레스 부착부에서 약 2.5-3 cm 상방)

킬레스의 경우에는 종종 파열되는 경우도 있어, 무용수로서의 생명에 치명적인 영향을 미칠 수 있기 때문에 상당한 주의가 필요한 것도 사실이다.

1. 해부학 및 손상 기전

무용 동작중에서 아킬레스의 작용은 상당히 폭 넓은데, 먼저 jumping, hopping등의 동작시 도약이나 착지에 모두 관여한다. 즉 도약시에는 아킬레스가 수축하여 체중을 극복하게 되고, 착지시에는 체중이 발뒤꿈치뼈(종골)를 통해 아킬레스로 전달되게 된다. 특히나 남자 무용수에서의 jete 같은 동작은 여러번의 도약과 착지로 이루어져, 아킬레스에 큰 부담이 되는 동작이다. 또 releve, pointe 등 발끝이나, 중족지골에 체중을 올려야 하는 동작들도 모두 아킬레스의 일을 필요로 하고, plie 나 demi-plie 동작도 모두 아킬레스가 늘어나는 일을 하는 동작이다.

대개의 아킬레스 건염의 급성기에는 아킬레스건 자체를 침범하는 것이 아니고, 아킬레스의 막부위에 염증을 먼저 유발을 시키게 된다.(like a snake that has swallowed a pig.) 이는 아킬레스의 반복적인 활주 운동이나, 아킬레스의 충격이 혈관 조직이 풍부한 막의 염증을 유발함으로 발생한다고 설명할 수 있겠고, 이 상태에서 운동이 더 진행되어 막에서의 염증으로 물기가 많아지게 되면(물기는 결국 윤활유 역활을 하게 된다. 그

림 19-39) 차라리 통증은 좀 적어지고, 운동이나 무용이 다 끝나면, 다시 아프게 된다. 그리고 이러한 급성기에 제대로 휴식하지 못하고 만성기로 이행되게 되면, 아킬레스 자체의 변화를 유발, 미세한 파열이 발생하고 이 부위가 좋지 못한 섬유질로 치환되어 변성(degernation)된 조직을 만들게 된다. 이러한 변성된 조직은 아킬레스가 일을 할 때, 힘을 제대로 전달하지 못하고, 쉽게 다시 붓게 되고(염증 반응), 심하면 힘줄이 끊어 지게 된다.

한편, 이러한 아킬레스의 손상을 유발할 수 있는 몇가지 조건들이 있는데, ①아킬레스가 남들보다 더 긴장되어 있는 무용수 ②선천적으로 작고, 얇은 아킬레스를 가진 무용수 ③종아치가 높은 무용수 (cavus foot) ④toe shoe 의 리본을 너무 세게 매어서, 아킬레스를 조이는 무용수 들이 그것이다.

2. 임상 증상과 진단

아킬레스 건염의 초기 증상은 아킬레스의 뼈 부착 부위에서 2 내지 3cm 상방 부위에 넓게 통증이 있고 붓는 상태(그림 19-40)를 보이는 것으로, 특징적으로 무용을 어느정도해서 땀이 나 있는 상태가 되면 증상이 완화되는 것이 보통이다. 특히 급성기에는 demi-plie등의 수동적 배굴운동이 제한되는 것이 일반적이다. (그림 19-41) 한편, 이러한 급성기에서 제대로 쉬지 못하고 계속 연습을 하게된 경우에는 다른 건초염과 마찬가지

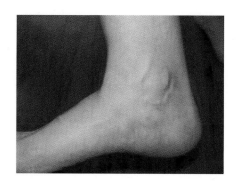
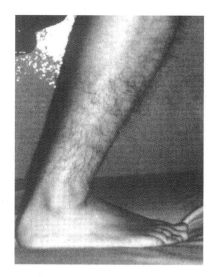

그림 19-41. 아킬레스 건염시에는 demi-plie등이 제한된다.

로 힘줄 자체에 변화가 오게 되면서 특정한 한 부위로 통증이 집중되게 되는데 이때 그 부위를 누르게 되면 심한 통증을 호소하게 된다. 특히 이 통증은 위밍업이 되어도 크게 좋아지지 않는 경향을 보이게 되며, 수동적 배굴운동의 범위는 더욱 더 제한되게 된다.

진단은 위의 증상들을 보고 대개 진단이 가능한데, 심한 경우 힘줄 자체의 변화 여부를 확인하기 위해서 자기공명 영상 촬영(MRI scan : 그림 19-42)을 시행하기도 한다. 만약에 자기공명 사진상 힘줄의 변화가 전체의 1/2이상 이면 아킬레스의 파열가능성이 있기 때문에 무용을 그만 두고 수술을 받아야 한다.

3. 치료

아킬레스 건염의 치료는 먼저 급성기에 치료를 마무리해서 더이상 만성으로 진행되지 않도록 하는 것이 중요한데 그 이유는 만성 건염이 후일 아킬레스 파열의 원인이 될 뿐더러 자주 재발을 해서 무용수가 자기 기량을 발휘하기 어렵게 만들기 때문이다.

급성기에서는 무엇보다도 소염제와 아킬레스건의 휴식이 중요한데, 다른 건염의 치료와 마찬가지로 아픈동작 즉 점프나 plie등의 동작을 삼가해야 한다. 그리고 무용을 하지 않는 일상생활에서 신발에 뒤꿈치 부위를 높여 주는 패드(heel lift : 그림

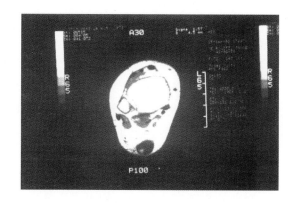

그림 19-42. 아킬레스 건염시의 자기공명 영상 소견

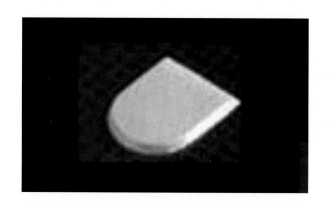

그림 19-43. 아킬레스 건염 치료에 사용되는 heel lift

그림 19-44. 아킬레스 건염 치료시의 heel 스트레칭 운동

19-43)를 사용하여 아킬레스가 쉴 수 있도록 도와주어야 한다. 되도록 비탈길이나 경사가 있는 언덕길을 자주 다니는 것은 급성기에는 피하는 것이 좋다. 한편 급성기를 지나 만성기에 만성기에 접어든 아킬레스건염의 경우에는 무엇보다도 아킬레스 신전 운동(achilles stretching exercise)이 중요한데 이때 신전 운동은 다른 관절 예비 운동이 끝나 땀이 난 상태에서 시행하는 것이 좋고 무용이 끝난 후에는 다시 천천히 cooling-down을 시켜 주어야 한다. 이때 물론 과다한 스트레칭에 의한 손상이 오지 않도록 주의해야 하고, 다른 무용수보다 예비 운동의 시간을 두배로 늘려서 충분한 신전이 되도록 해야 한다(그림 19-44) 그리고 무용이 끝난 후에는 물리 치료(특히 온열 요법 및 초음파 치료)등이 필요한데, 뜨거운 온열 요법이 효과가 없을 때에는 무용 직후에는 약 10 내지 20분간 얼음 찜질을 하다가 뜨거운 찜질로 바꾸는 것이 효과적일 때도 있다. 그외에 아픈 동작을 쉬고, 소염제를 잠깐 사용하는 등의 치료는 급성기와 동일하다. 때로 아킬레스건이 급성 또는 만성으로 파열되는 경우도 있는데, 이때는 수술이 필요하다.

VII. 무용수에서의 전족부 질환 (Forefoot Condition)

무용수의 발은 특정동작을 만들어 내기 위해서 일정한 동작이나 일상생활에서는 필요없는 과다의 stress를 받게 된다. 특히 발의 피부(skin)는 무용을 하는 바닥(floor: 재질에 관계없이)과 계속 닿아 있어야 하기 때문에 발바닥의 굳은 살등의 문

제를 일으킬 수 있고 발레 신발(toe shoe)이나 버선등 발을 꼭 죄는 신발이나 다른 물질에 의해 압박되게 되어 어떠한 형태로든 문제를 일으키게 된다.

표피성 피부(superficial skin)로 굳은 살(callus)나 못(corn)등이 압력을 받는 부위에 발생하고, 티눈(soft corn) 물집(blister) 피부 주름(crease)을 따른 피부의 갈라짐 등이 발생할 수 있고, 보통 사람들과는 달리 전족부의 뼈가 두꺼워지는 현상(bony hypertrophy)이 일어날 수도 있고 무지외반(hallux valgus: 엄지 발가락이 바깥쪽으로 튀어 나오는 상태) 망치족(hammer toe : 발가락의 관절에서 발가락이 발바닥쪽으로 휘어지는 상태) 등이 발생하기도 한다.

물론 이들중에는 정상(normal)이라고 볼 수 있는 상태와 병적 상태(pa-thologic condition)의 경우가 있고, 단순한 무용에 의한 정상적인 반응이나 훈련의 잘못에 의한 경우에는 치료가 필요없거나, 훈련의 방법을 바꾸면 되지만 비정상적인 병적 상태일 때는 이에 대한 교정이 필요하게 된다. 먼저 전족부의 상태를 5개의 분류로 해서 이에 대한 세분된 내용을 자세히 알아보는 방법으로 설명하고자 한다.

①만성 사용에 의한 상태(condition of chronic use) ②정적 변형의 상태(condition of static deformity) ③급성 상태(Acute conditions) 만성 사용에 의한 상태

1. 피부균열, 굳은 살, 못

1) 피부 균열(skin fissure)

현대 무용(modern dance)을 하는 무용수는 신발을 사용하지 않고 게다가 발바닥과 마루 바닥과의 접촉시 안정감을 높이기 위해서 로션(rosin)을 바르는 경우가 많은데 이렇게 되면, 발과 마루사이의 마찰(friction)이 많아져서 중족지 지골 관절(metatarsophalangeal joint)근처의 피부 주름에 긴장(ten-sion)을 증가시켜 피부가 벌어지게 만들게 된다. 그렇다고해도 대개의 균열은 피부의 진피층(dermis)이상 깊이는 들어가지 않는 것이 보통이다. 이 균열은 통증이 있기는 하지만, 증상이 적은 것이 일반적이기 때문에 무용수가 병원을 찾는 일은 드물다.

치료는 더운 물에 담그고(warm soak), 다리를 올리고 있는 것이 도움이 되고 항생제 연고(antibiotic ointment)를 바르는

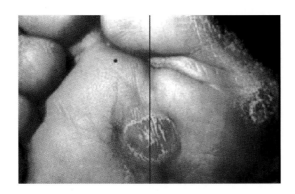

그림 19-45. 무용수에서 발생하는 굳은 살

정도이다. 그리고 증상이 있는 동안 로션 바르는 일을 중지하고, 발레신을 신는 것도 치료의 한 방편이 된다. 특히 예방에는 피부 관리(skin care)가 중요하다.

2) 굳은 살(callus) (그림 19-45)

굳은 살(callus)은 마루 바닥, 발레신발, 버선등과 발바닥이 맞닿아 발생한 피부의 반응(skin reaction)으로 가까이 보면, 아름답지 못하긴 하지만, 대개는 공연시에는 잘 보이지 않거나 신발에 가려져 않보이게 된다. 굳은 살을 칼로 베어 내는 것은 피해야 되고, 그 원인을 확인하는 것이 중요하다. 특히 일반 신발을 신을 때는 중족골 패드(metatarsal pad)등을 이용하면 편리하다.

3) 티눈(corn)

티눈은 대개 근위지 관절(proximal interphalangeal joint: 그림 19-46)이나 발가락 사이(web space : 그림 19-47), 제5중족지골 두부(5th metatarsal head)등에서 pointe shoe의 압력등에 의해서 이차적으로 발생한다. 티눈이 박힌 경우에는 중앙의 피부가 부드러워지고, 때로는 물집이 생기는 수도 있는데, 이때는 티눈 패드(corn pad)등으로 특히 중앙이 뚫린 패드를 사용해야 한다. 적절한 패딩을 했는데도 통증이 계속되면, 농양(abscess)이 발생했는지의 여부를 확인해야 한다. 대개 무용수들은 아픔을 잘 참고 견디는 성향이 있어, 늦게 발견되는 경우가 이런 경우 상황이 악화되는 경우가 종종 있기 때문에 주의를 기울여야 한다. 박피성 농양(dissecting abscess)은 발가락 사이 공간에서 살갗이 찢어지면서 시작되는데, 이를 통해서 세균 감염이 되어 발생한다. 치료는 절개 배농후 적절한 항생제 치료를 사용하면 되고, 대개 치료를 시작한 지 3주경에는 무용으로 복귀하게 된다.

2. 발톱갈라짐(onycholysis)과 발톱내 혈종 (subungal hematoma)

발레 pointe shoe의 box내에서 발가락의 발톱이 pointe 동작 등을 할 때 딱딱한 부분과 맞닿게 되는데, 이 결과로 발톱 부위에 스트레스가 가해져 발톱이 구부러지거나 갈라지게 된다. 대개는 미용상으로 보기가 안좋을 뿐 증상이 없는데, 발톱을 잘

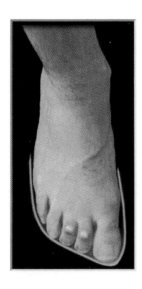

그림 19-46.
무용수에서 발생하는 end corn

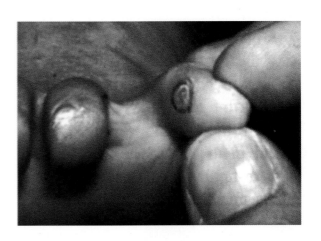

그림 19-47. 무용수에서 발생하는 clavi

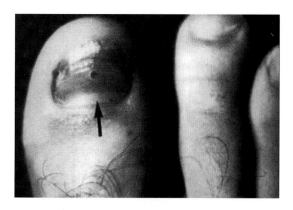

그림 19-48. 무용수에서 발생하는 subungal hematoma

자르고 손질하는 것이 중요하다. 때로 발톱밑에 혈종 (hamatoma)이(그림 19-48) 생길 수도 있는데, 대개는 저절로 소실 되는 것이 보통이고, 필요하면 소염제를 사용할 수도 있다.

3. 만성적인 제2족지의 굴곡

대개 2번째 발가락이 1번째 발가락보다 긴 그리스인의 발 (Greek's foot)을 가진 무용수에서 발생하는데, 긴 2번째 발가락이 pointe shoe에서 접혀져서 제 2족지의 원위지 지골 관절이 굴곡, 신전되어 잇는 상태를 유발하게 된다. 대개는 이렇게 되어도 아픈 증상등은 없는 것이 대부분인데, 때로 만성 압력으로 관절의 윗쪽 부위에 굳은 살(corn)이 발생하기도 한다.

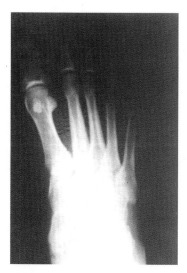

그림 19-49. 제2 중족지골의 골성 비후

4. 골성 비후(bony hypertrophy)

en-pointe, demi-pointe로 서거나 할 때는 전족부로 오는 하중이 증가되야 하는데, 이러한 하중의 증가가 뼈의 변화를 유발시키게 된다. demi-pointe 상태로 설 때, 하중이 중족지골을 따라 전달되게 된다. 특히 보행주기 후반부에서는 하중이 중족부(midfoot)의 바깥쪽으로 그리고 다음에는 더욱 더 견고한 부분인 Lisfranc joint를 통해 제2 중족지골을 경유하게 된다. 무용수는 많은 시간 동안, demi-pointe 동작을 하게 되는데, 따라서 보행 주기 후반부 쯤에서 전족부의 하중이 더 증가하게 된다. 이러한 상대적 하중의 증가가 오랜동안 지속되면, 중족지골의 체부(shaft)가 두꺼워지게 되는 것이다. 이 골성 비후는 대개 제2 중족지골의 체부, 제1 중족지골의 외측을 따라 주로 발생하고 간혹 제3 중족지골에서 볼 수도 있다(그림 19-49). 특별한 치료가 필요없는 정상적인 반응이다.

5. 스트레스 골절(stress fracture) (Chapter 35 참고)

6. 중족지골 두부(metatarsal head)의 무혈성 괴사 (avascular necrosis)

이 상태는 중족지골의 앞끝 부분이 죽어서 무너져 내리는 매우 심각한 상태로서 대개 2번째나 3번째 중족지골에 호발하게 되는데, 증상의 시작이 아주 경미하거나 모호해서 초기에 발견하기는 매우 힘이 드는 편인데, 정도가 심해지면 발가락이 뻣뻣해져 굴곡 신전 동작이 감소하게 되고, 만성적으로 붓게 된다. 무용수가 releve나 grand-plie에서 demi-pointe로 오려는 동작에서 아프게 되는데, 치료는 제2 중족지골 두부의 죽은 부위를 절제(excision) 해내는 방법으로 절제후에도 상당한 문제를 남기므로 무용수로서의 생명에 치명적인 질환이다.

1) 정적 변형의 상태

(1) 무지외반증(hallux valgus) 무지점액낭염(bunion) (그림 19-50, 19-51)

무지 외반증과 점액낭염은 청소년기(aldolescent) 무용 학생들에게서 발견되는데 이는 청소년기 무지 점액낭염

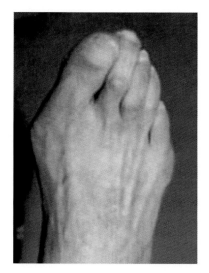

그림 19-50. 무용수에서 발생하는 무지 외반증

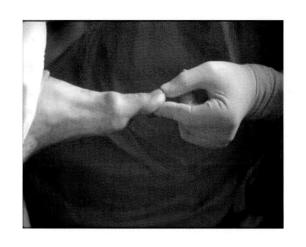

그림 19-51. 무용수에서 발생하는 무지 점액낭염

(aldolescent bunion)과는 근본적으로 차이가 난다. 즉 이는 선천성이 아닌 후천적 무용을 하기 때문에 발생하는 문제인 것이다. 그 원인으로는 여러가지를 생각할 수가 있는데, 첫째, 무용수는 많은 시간을 demi-pointe 위치에서 지내게 되는데, 이 상태에서는 엄지 발가락의 안쪽을 미는 힘을 주어야하기 때문에 내측 측부 인대(medi-al collateral ligament)등의 내측에 스트레스가 더 가게 된다. 둘째, 발레 pointe 신발은 오른쪽, 왼쪽 어느 발에도 맞도록 좌우 구별없이 신도록 만들어져 있어서 무용수가 일단 발에 맞게 신을 변형시키는데, 이때 꽉 죄는 신발에 발을 넣게 되면 내측에 역시 스트레스가 가게 된다. 셋째, 불충분

한 turn-out을 보상하기 위해서 체중의 중심을 앞으로 쏠리게 하면 이 역시 발의 안쪽에 스트레스를 가게 하는 힘을 만들게 된다. 넷째, 엉덩이 관절의 관절낭을 늘려주기 위한 대퇴부의 과다한 외전(wide abduction)도 궁극적으로는 엄지 발가락의 내측에 긴장을 가하는 힘으로 작용하게 되는데, 이러한 모든 것들이 엄지 발가락을 바깥쪽으로 비틀어지게 하는데 복합적으로 작용하게 된다. 이렇게 변형된 엄지 발가락은 발레신발이나 point toe box에서 마찰을 일으키게 되는데, 이러한 마찰을 줄이기 위해 스스로 생겨난 것이 점액낭(bunion)이다.

치료는 비수술적 요법이 원칙인데, 먼저 위에서 열거한 문제

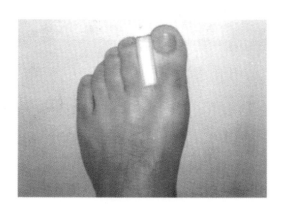

그림 19-52. 무지 외반증 치료에 사용되는 spacer

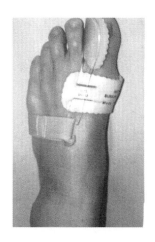

그림 19-53. 무지 외반증 치료에 사용되는 무지 외반 기브츠

들이 있는지의 여부를 확인해야 하고, 이러한 유발 인자들을 먼저 없애도록 노력해야 하는데 turn-out을 잘 하기 위해서 과다하게 체중을 앞으로 미는 등의 습관등을 교정해야 하고, 과다한 엉덩이 관절의 외전은 피하는 것이 좋으며, 신발에 문제가 있는 경우에는 과감히 신발을 바꾸는 습관을 가져야 한다.

그 다음으로는 발레 무용수들이면 발가락 사이에 고무나 양털로된 toe spacer(그림 19-52)등을 끼는 노력들을 해야 하고 현대 무용수들이면 종이 반창고를 신발과 피부사이의 마찰부위에 한꺼풀 도포하는 것이 좋다. 그외에 무지외반 기브츠(hallux valgus splint : 그림 19-53)를 밤에 사용할 수도 있다. 수술은 어지간 하면 하지 않는 것이 보통인데, 그 이유는 수술을 하게 되면 약 1년 정도의 시간동안 무용을 못하게 되고, 술후 반드시 따라오는 운동 범위의 감소로 인해 무용에 치명적인 타격을 주게 되기 때문이다.

(2) 망치족 (추지 : hammer toe)

망치족(추지 : 발가락이 망치 모양으로 생겼다해서 붙여진 이름)의 원인은 내재근(intrinsic muscle)과 외재근(extrinsic muscle)의 부조화에 의한 것으로 무용수들은 근육 강화 운동이 평소에 잘 되어 있어 내재근들이 튼튼하기 때문에 고정된 변형(fixed deformity)가 발생하는 예는 별로 없고, 다만 무용신발내에서 무지 외반증때문에 발가락이 움직이는 정적 변형(static deformity)으로 존재하는 것이 일반적이다. 대개의 경우는 증상이 없는 것이 대부분인데, 증상이 있을 경우 치료는 근위지 지골 관절(PIP joint)의 등쪽에 패드를 댄대거나, 잘 맞는 신발에 중족지골 패드를 이용할 수도 있다. 수술은 안하는 것이 보통인데, 그 이유는 수술후 관절 운동이 감소되는 것과 회복 기간이 긴 것이 복합적으로 작용하기 때문이다.

(3) 넓적 발(Splay foot)

대개의 발은 나이가 들면서 3,40대에 볼이 넓어지기 시작하는데, 대개의 경우 무용수에서는 이시기가 무용을 한지 적어도 15년 이상은 되는 시기이다. 특별히 무용수들은 demi-pointe 상태에서 발바닥으로 서 있는 시간이 많기 때문에 이것이 중족지간 인대(intermetatarsal ligament)를 늘리는 작용을 하게 되어 발이 넓어지게 되는데, 이렇게 전족부가 넓어지면, 망치족, 무지외반증등이 발생하게 된다.

(4) 후천적 평편족(Acquired Flatfoot)

오랜동안 무용을 하게 되면 족근 중족부(tarsometatarsal area)의 인대들이 늘어지게 되어서(stretching), 종아치가 무너지게 되고, 평발이 되는 수가 종종 있다. 증상은 아픈 경우가 대부분으로 arch support를 대는 것으로 충분한 것이 일반적이다. 수술은 거의 시행하지 않는다.

(5) 무지 강직증(Hallux rigidus)

무용수들에게는 희귀한 질환으로 대개 3,40대에 발생한다. 이 때에는 무용수가 이미 잘 훈련되어 있는 상태여서 무용들이 자기의 아픈 것에 대해 신체적 적응을 하게 된다. 증상이 나타나면, 정상범위보다 신전(extension)이 감소되면서 demi-pointe상태가 변형되고, roll-out되게 되어 발목의 바깥쪽에 스트레스가 걸리게 된다. 치료는 초기에는 물리 치료사나 의사의 감독하에서 관절을 서서히 운동시켜 관절 운동 범위를 증가시켜 주는 것이고, 상당히 진행된 경우에는 자라난 뼈를 제거하게 되는데, 대개는 수술후 강력한 재활치료를 해도 관절 강직이 재발하기 때문에 수술후에는 무용을 그만두는 것을 고려해야 한다.

2) 급성 상태

(1) 급성 내재근 경직(Acute intrinsic muscle spasm)

급성 내재근 경직은 지간관절은 구부러지고, 중위지 지골 관절은 펴져 있는 상태를 보이게 되는데, 이는 잘못된 무용 습관에 의한 근육의 피로에 의해 발생한다.

대개는 연습을 많이 하다가 연습을 줄이거나 안하게 되면, 발의 제일 작은 내재근(발의 아치나 발가락 사이에 존재하는 작은 근육)들이 가장 먼저 약화(atrophy)되게 되는데, 그러다가 다시 강도 높은 훈련을 갑자기 시작하게 되면, 근육이 이를 견디지 못해 경직되게 되는 것이다. 이 경우, 무용수는 아픔과 뻣뻣함을 호소하게 된다.

치료는 마사지, 온열요법, 거상(elevation)과 소염제등을 사용하게 된다.

(2) 급성 무지 중족지관절의 과다 굴곡

(Acute hyperflexion of hallucial MTP Joint)

이는 상당히 흔히 발생하는 현상으로, jete 같은 동작에서 착지하게 될 때, 엄지 발가락이 발바닥쪽으로 겹쳐지면서 엄지 발가락의 발등쪽 관절낭(dorsal capsule)을 찢어 놓게 된다. 대개의 경우, 무용수가 피곤할 때 즉 class가 끝날 때쯤의 오후 늦은 시각에 발생하는 것이 일반적이다. 증상은 엄지 발가락이 아프고 붓고 발그스레 해지게 되는데, 특히 발가락을 구부리는 동작이 감소하게 되는 특징이 있다. 이렇게 되면 무용을 하기는 힘들게 되고 쉬어야 하는데, 방사선학적으로 골절(fracture)이 발견되지는 않는다. 치료로는 엄지와 2번째 발가락을 같이 묶어 부목처럼 고정을 시키고, 냉찜질, 소염제, 휴식을 취해야 한다. 7일 후에는 능동 관절 운동을 시키고, 부목 역활의 반창고를 제거하는데, barre 수업은 아프지 않은 한도내에서 시작하게 된다. 특히 엄지 발가락의 최대 신전(maximal dorsiflexion)은 무용에 꼭 필요한 운동이기 때문에 아프지 않으면 되도록 빨리 회복시켜야 한다. 무용의 완전한 시작은 상당주가 지나야 가능하다.

(3) 전족부의 골절(fracture)

발가락이 부러지는 경우는 대개 발이 딱딱한 물체나 바닥을 차는 경우에 발생하고 치료는 급성 치료의 원칙인 RICE와 소염제등이고, 주변의 발가락과 부목같이 반창고로 묶어주고 특수신발(postop. shoe)을 약 3주간 신기게 되는데, 무용은 통증이 사라지면 시작하면 된다. 때로 flamengo 같은 무용을 할 때 전족부가 계속 바닥을 치는 동작을 할 때 엄지 발가락이 부러지기도 하는데, 치료는 동일하다.

중족지골(연필뼈 : metatarsal)의 골절은 심각한데, 뼈의 머리, 목, 어느 부위에서도 발생가능하고, 제일 많이 발생하는 부위는 5번째 발가락이다.

제5 중족지골이 잘 다치는 이유로는 첫째, 무용수가 무용동작을 하는 중 급작스러운 내반(varus)동작시 단 비근 건(peroneus brevis tendon)의 수축에 의해서 뼈를 물고 떨어질 수 있고, 둘째, sickling-in되는 경향이 있는 무용수에서 pointe, demi-pointe 자세에서 하중이 전족부의 바깥쪽 즉 제5 중족지골로 많이 전달되기 때문이다. 물론 이러한 골절은 여러 시간의 연습을 하고 상당히 피곤한 오후쯤에서 발생하기 쉽다.

기저부(base)에서 발생한 골절은 쉽게 치유가 되는 것이 보통이고, 경부에서 발생한 전형적인 무용수의 골절(Dancer's

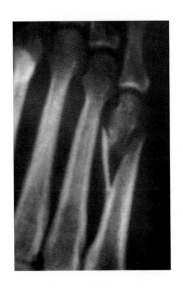

그림 19-54. 무용수의 골절(제 5중족지골 간부 골절)

fracture : 그림 19-54)인 경우에는 자기위치에서 많이 벗어나 있지 않는 한 붓기 빠지게 하는 치료(냉찜질 압박, 거상)만 하고, 특수신발을 신겨 걷게 하면 되지만, 자기위치에서 많이 벗어난 경우에는 방치하면 후일 발레신발이나 pointe신발을 신을 때 튀어나온 뼈도 아프게 된다. 이런 경우에는 수술적 요법을 시행해야 한다. 무용수가 골절을 당하면, 가골(callus : 새로 나오는 뼈)과 반흔조직(scar tissue)로 인해 관절 운동이 제한되는 것이 보통이기 때문에, 재활 치료 과정이 상당히 중요하다.

무용은 방사선 검사를 해보아서 새로운 뼈가 충분히 나와 뼈의 강도가 충분히 단단해졌다고 판단될 때 시작해야 한다. 대개의 무용수는 날씬한 몸매를 유지하기 위해서 음식을 적게 먹기 때문에 골절이 늦게 치유되는 경향이 있는것도 사실이다. 기저부에서 조금 떨어진 부위의 골절은 Jones씨 골절이라 하여 잘 안붙는 골절로 유명하기 때문에 치료시 세심한 주의를 기울여야 한다.

(4) 중족지 지골 관절의 탈구
(Metatarsophalangeal joint dislocation)

대개 발이 움직이지 않는 소도구등에 부딪혀서 발생하는데, 흔하지는 않다. 흔히 무대에서 무대밖으로 즉 밝은 곳에서 어두운 곳으로 이동할 때 발생하는데, 치료는 빠진 관절을 손으로 맞추고 빠진 발가락을 주변 발가락들과 테이핑을 해놓고,

특수신발을 약 3주간 신기는 것으로 아픈 것이 없어지면, 제한된 바연습과 클레스, 준비준작등을 시작하게 된다.

■ 참고문헌

1. 이 경태, 무용의학, 서울 금광 출판사 1992 Allan J., Robert E., Dance Medicine - A comprehensive Guide , Chicago: Pluribus Press, 1987

2. Allan J. Robert E., Dancer's complete guide to health Care & a Long Career. Chicao, Bonus Book, 1988

3. Arnheim D.D., Dance Injuries, St. Louis, Mosby Company, 1975

4. Baxter D.E., The Foot and Ankle in Sport, St Luois: Mosby Company 1994

5. Brody D.M., Running injury - prevention and management, CIBA Clin. Symp 39(3), 2-36 , 1987.

6. Brukner P., Khan K., Clinical Sports Medicine, Sydney, Mc Graw-Hill Co. 1993

7. Derscheid G.L., Brown W.C., Rehabilitation of the Ankle. Clin. Sports Medicine, 4(3), 527-544, 1985

8. Eisele S.A., Foot and Ankle injuries in Sports, Orthop. Clin. North America, 25(1), 1994

9. Fernandez-Palazzi F., Rivas S., Mujica P., Achilles tendinitis in Ballet Dancers, Clin. Orthopedic and Related Research, 257, 257-261 1990

10. Hamilton W.G., The dancer disabled. the dancer's ankle . Emergency Medicine , 14 , 42 - 49 1982

11. Hamilton W.G., Tendinitis about ankle joint in classical ballet dancer. Am. J. Sports med. 5, 84, 1977

12. Hamilton W.G., Sprained ankles in ballet dancers . Foot Ankle 3, 99, 1982

13. Hamilton W.G.,: Foot and Ankle injuries in Dancers. in Surgery of the Foot and Ankle 6th Ed, St. Luois, Mosby company 1993

14. Hamilton W.G., : Stenosing Tenosynovitis of the Flexor hallucis Longus Tendon and Posterior Impingement upon the Os Trigonum in Ballet Dancer Foot Ankle, 3, 74-80, 1982

15. Hamilton W.G., : Foot and Ankle injuries in Dancers. Clin. in Sports Medicine, 7(1), 143-173, 1988

16. Hamilton W.G., Marshall P., The Aspiring Ballet dancer. Student Athelete - Sports Health For Young Atheletes, 1, 4-8

17. Hamilton W.G., Surgical Anatomy of the Foot and Ankle. CIBA Clin. Symp 37(3), 2-32, 1985

18. Hardaker W.T., Margellos S., Goldner J.L. : Foot and Ankle injuries in theatrical dancers. Foot Ankle 6, 59, 1985

19. Hardaker W.T, Foot and Ankle Injuries in Classical Ballet Dancers Orthp. Clin. North America 20 (4), 621- 627, 1989

20. Howse A. G., Orthopedists and ballet. Clincal orthopedics and Related Research 89, 52-63, 1972

21. Howse A.G., Posterior Block of the Ankle joint in Dancers Foot Ankle, 3, 81-84, 1982

22. Kleiger B., Anterior Tibiotalar Impingement Syndrome in Dancers Foot Ankle, 3, 69-73, 1982

23. Marshall P., The rehabilitation of Overuse Foot injuries in Atheletes and Dancers. Clinics in Sports Medicine, 7(1), 175-191, 1988

24. Quirk, D., Talar Compression Syndrome in Dancers. Foot Ankle, 3, 65, 1982

25. Reynolds N., Hamilton W.G., Ballet Medicine - On its Toes Rovere G.D., Webb L.X., et al , Musculoskeletal injuries in theatrical dance students. Am. J. Sports medicine, 11(4), 195-198, 1983

26. Sammarco G.J., Diagnosis and Treatment in Dancers. Clinical Orthop. and Related Research 187, 176-187, 1984

27. Sammarco G.J., Miller E.H., : Partial rupture of the flexor hallucis longus tendon in classical ballet dancers, J. Bone Joint Surgery 61A, 149, 1979

28. Sammarco G.J., Miller E.H.,: Forefoot condition in Dancer part I Foot Ankle

29. Sammarco G.J., Miller E.H., : Forefoot condition in Dancer part II Foot Ankle

30. Sammarco G.J., Rehabilitation of the Foot and Ankle, St Luois, Mosby Company, 1995

31. Sammarco G.J., The dancer's hip. Clin. in Sports medicine, 2(3) 495, 1983

32. Sammarco G.J., The foot and ankle in classical ballet and modern dance In Jahss M.H.(Ed) Disorders of the foot . Philadelphia, Saunders Co. 629-659, 1982

33. Sarrafian S., Anatomy of the Foot and Ankle, 2nd Ed., Lippincott, 1993

34. Stoller S.M., Hefmat F.,et al A comparative Study of the Frequency of Anterior Impingement Exostosis of the Ankle in Dancers and Non-dancers Foot Ankle, 4, 201-203, 1984.

35. Thomasen E., Disease and Injuries of Ballet Dancers . Universitets. Arthus , Denmark 1982

20. 족부 족관절의 축구손상
Soccer injury in Foot

을지의대 을지병원 족부정형외과 **이 경 태**

부천 SK팀 수석트레이너 **김 장 렬** / 부천 SK팀 트레이너 **박 성 률**

성남 일화팀 수석트레이너 **김 준 호** / 대전 씨티즌 트레이너 **이 제 규**

축구는 비교적 접촉성 운동(contact sports) 에 속하는 운동으로 다른 운동에 의한 손상 빈도에 비해서는 중간 정도되는 빈도를 가지고 있다. 여러 보고를 종합해 볼 때, 축구는 100명 참가자당 100시간당 7.7 인데 비해 미식 축구는 16.9, 농구는 7.9 정도의 손상 빈도를 보이는 것으로 알려져 있다.

I. 축구 선수의 손상빈도

여러 종류의 보고에서 대개 손상 빈도에 대한 일정한 결론에 도달되게 되는데, 대개 다음과 같다. 70-88%의 부상은 하지(lower extremity)에 집중된다고 보고되고, 하지손상중의 90%는 근육손상(strain)이 40%, 인대손상(sprain)이 30%, 좌상이 20% 순으로 나타나는데, 그 중 에서도 넓적다리 대퇴부의 손상이 가장 많고 그 다음 발목, 무릎부상의 순이다.

II. 수술하는 질환과 비수술질환

축구 손상 중에서 때로는 급성이든 만성이든지 간에 수술을 필요로 경우가 있게 되는데 어느 경우 주로 수술을 하는지를 아는 것은 중요하다. 물론, 완전히 수술을 필요로 하는 경우도 있지만 우리가 상식적으로 아는 질환에도 수술하지 않고 하는 방법이 혹간 있을 수 있다.

대개 수술을 하는 경우는 골절(fracture), 3도의 인대손상 (Grade 3 sprain), 후방 충돌(Posterior impingement), 전방 충돌 (Anterior impingement), 비골하 부골, 부주상골등의 부골 (accessory ossicle)등이다.

III. 축구의 기본동작과 이에 따른 손상 기전

축구는 발로 공을 움직여 하는 운동이고, 미식 축구처럼 충돌이 잦은 운동(transitional sports)은 아니지만, 국내의 축구는 잦은 신체의 접촉으로 인해 문제가 발생되는 경우가 적지 않다. 먼저 축구에서는 전반적인 하지와 척추가 하나의 연결고리 (closed chain)로 연결되어 여기에 고충격(high force)이 작용하고, 공에는 별로 많은 힘이 가지 않는 것이 일반적이다. 따라서, 허리아래 엉덩이, 무릎, 발목, 발등이 서로 연결되어 작용한다는 생각을 가지고 부상등을 이해(linked phenomenon)해야 하며, 하지중에서도 윗부분 즉 대퇴부의 힘이나 파워가 중요하다는 것(rule of proximal control)이 특징적이다.

대개의 달리기 위주나 점프 위주의 스포츠에서는 주로 건손상이 흔하고, 충돌이 많은 럭비나 미식축구, 아이스 하키등은 좌상이 많은데, 축구는 건손상과 좌상이 모두 많은 것 또한 한 특징이다. 축구선수들이 주로 부상을 당하는 동작으로는 태클, 공을 사이에 두고 발을 대는 동작, 점프했다가 떨어지는 동작 등이다.

본 장의 내용은 축구의 기본인 킥(Kick) 에 의한 내용과 기타 점프나 드리블에 의한 내용을 첨가하고자 한다.

1. 킥(Kick)

축구의 킥은 Gainor등에 의하며 3종류의 유형으로 나눌 수 있는데, 그 각각에 대해서 알아보고자 한다.

1) 인스텝킥
(instep kick : straight ahead kick : american kick)

발리볼(volley ball)이나 긴 패스(long pass)때 사용하는 킥으로 정교한 control은 없는 킥이다. 주로 고관절 굴곡근(hip flexor), 슬관절 신전근(knee extensor) 및 족관절 배굴근(ankle dorsiflexor)가 작용한다.

2) 인사이드킥 (inside kick : power kick)

주로 정확한 패스나 프리킥등에 사용하는 킥으로 800~2000 파운드의 힘(torque)이 작용하기 때문에 부드러운 follow-through가 매우 중요하다. 강한 고관절 굴곡근(hip flexor), 내전근(adductor), 슬관절 신전건(knee extensor), 족관절 배굴근(ankle dorsiflexor) 및 내전근(invertor)가 작용하게 된다.

따라서, 이들 중 어느 한 부분이 손상을 받게 되면 다른 연결 부위에 모두 문제가 발생할 수 있다는 사실을 염두에 두고 치료에 임해야 한다. 즉 고관절의 내전건 염좌가 자주 생기면, 엉덩이 뿐 아니라 무릎, 발목에는 문제가 없는지 확인 해야 한다

는 것이다. (그림 20-1)

3) 아웃사이드킥(outside kick)

강력한 킥은 아니지만, 매우 정교한 패스를 위해 사용하는 킥으로 주로 고관절의 외회전근(hip external rotator, 외광근(vastus lateralis), 비골근(peronei), 장지굴건(Extensor digitorum Longus)등이 사용되게 된다.

2. 드리블(Dribbling)

드리블은 축구선수가 공을 진행시키는 중요한 기술로 강력한 파워와 스피드를 요하기도 하고 때로는 상대편의 수비를 제치기 위해서 페인트(faint) 동작을 만들어 내기도 해야 하기 때문에 순간적인 방향전환이나 급정지, 급출발의 동작이 많이 수반되게 된다. 따라서, 급발진등에 의한 급성 건손상(acute tendon injury) 및 페인트동작을 만들기 위한 상하체의 비틀림 현상으로 인한 인대손상이 발생할 수도 있다. 아울러, 반복되는 커팅(cutting) 동작등으로 인해 제 5중족지골의 피로 골절

Inside Kick / outside Kick

인사이드킥   아웃사이드킥

그림 20-1. 인사이드킥과 아웃사이트킥때 사용되는 근육 이들은 서로 긴밀하게 연결되어 있어 한 곳의 부상이 있을때 다른 연결 부위의 강화를 염두에 두고 치료에 임해야 한다.

(stress fracture)가 발생할 수도 있다.

3. 점프(jump)

축구선수 중에서 공격수와 수비수중 4:3:3 형태에서의 stopper등은 점프를 특별히 많이 해야 하는 포지션이고, 이런 포지션에 있는 선수들은 점프에 의한 충격흡수에 문제가 생길 수 있기 때문에 충격흡수 장치인 아킬레스와 족저건막(plantar fascia), 허리의 pars interarticualaris 등에 문제가 생길 확률이 많고, 점프 후의 착지가 불안하게 되면, 무릎이나 발목의 인대가 파열되는 부상을 입기 쉽다. 또한, 발로 잘못 착지할 경우에는 제5중족지골의 골절도 매우 흔하게 보이기도 한다.

4. 태클 (tackle)

태클은 상대방의 공을 빼앗기 위한 매우 공격적인 축구의 기술이지만, 뒤에서 하는 태클이나 공을 겨냥하지 않고, 상대 선수의 발목 등을 겨냥한 잘못된 태클을 하면 상대 선수의 발목 인대나 뼈가 손상되는 심각한 손상을 받을 수도 있고, 태클시행자가 잘못된 태클을 시행하면, 그로 인해 시행자의 발목이나 대퇴부등에 손상을 입을 수 있기 때문에 평소에 많은 연습이 필요하다.

IV. 축구 손상

1. 골절, 탈구

경기 중 땅을 차거나 상대선수와의 충돌, 도약 후 착지과정에서 골절이 발생할 수 있는데 기타 힘줄이나 인대 문제와는 달리 골절은 운동의 특징에 무관하게 골유합이 완성될 때까지 완전한 훈련 중단 기간을 필요로 한다는 점에서 그 심각성이 강조 된다. 족지골이나 중족골의 골절은 최소 6주, 족근골과 거골, 종골 등은 최소 12주의 유합 기간이 필요하며 후속 재활 기간까지 고려할 경우 축구 선수에게 심대한 타격을 줄 수 있는 중차대한 문제라 하겠다.

① 족지골 및 골절

② 중족골 골절

③ 족근골 골절, 탈구

④ 거골 골절

⑤ 종골 골절

2. 관절주위 손상

1) 제1 중족지 관절(First Metatarsophalangeal Joint)

제 1 중족골은 제 1 설상골과 제 1 근위지골 사이에 위치하며 무지열 복합체(1st ray complex)를 형성한다. 관절의 바닥에는 족장판(volar plate ; 족장 부속인대 plantar accessory ligament) 이라고 하는 섬유연골 복합체로 보강되어 있는데, 족장판은 심부 횡 중족 골간인대가 내측으로 연장된 구조로 볼 수 있으며 단 무지 굴건(Flexor Hallucis Brevis; FHB)과 무지 내전건 (Adductor Hallucis)과 외전건(Abductor Hallucis) 등이 모두 모여 부착하며 이루어지는 두터운 구조물이다. 제 1 중족골두 밑에서 체중이 집중되는 내, 외측 종자골 또한 족장판에 붙어 있다. 제 1 중족지 관절의 운동은 굴곡측의 장, 단 족지 굴건 과 신전측의 장 족지 신건, 단 족지 신건의 내측건 그리고 무지 내, 외전건 등에 의해 수행된다. 이상의 구조물이 집중되어 있는 제 1 중족지 관절은 대단히 복잡한 복합구조를 이루고 있으며, 또한 그 복잡성으로 말미암아 여러 가지 문제를 일으키는 원인이 되기도 한다.

(1) Turf Toe

제 1 중족지 관절의 바닥쪽 관절낭의 염좌(sprain)로서, 관절의 과도한 배측굴곡에 의해 발생한다. 제 1 중족지 관절은 정상적으로 50-60°의 관절운동 범위를 갖는데 100°이상 구부러질 때 손상이 발생하기 쉽다[1] (그림 20-2).

제 1 중족지 관절이 과격하게 힘을 받아 발등 쪽으로 꺽이면 발바닥 쪽의 관절낭이 찢어질 수 있을 뿐만 아니라 관절의 측부인대와 족장 부속인대가 손상될 수도 있다. 더 강한 외력에 의해 꺽이게 될 때는 내측 종자골이 깨질 수도 있다. 비교적 흔히 발생하는 엄지발가락 관절의 손상으로 조사에 의하면 선수의 45%에서 경중의 차이는 있으나 turf toe를 갖고 있다[3]고 보고되었으며, 잔디구장에서는 빈도가 더 줄어든다는 보고[2]도 있

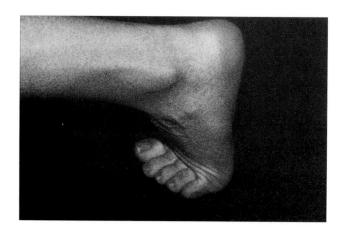

그림 20-2. turf toe의 발생기전 제 1중족지 관절의 과대배굴

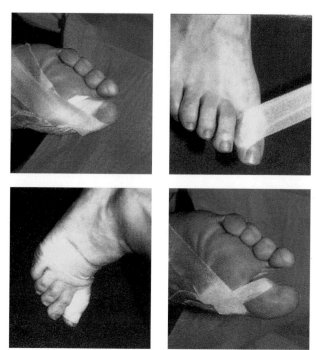

그림 20-3. turf toe에 사용되는 테이핑

다. 축구화도 중요한 역할을 하는데 너무 가볍게 제작되어 중족지관절 부위가 쉽게 구부러지는 것은 좋지 않다. 또한 발 폭이 큰 선수는 그 폭에 맞춰 발의 길이보다 더 긴 신발을 선택할 수밖에 없을 때 발끝에 남은 여분의 길이가 지렛대 역할을 하므로 손상위험이 커질 수 있고 또한 발이 여분의 앞쪽으로 밀려들어가며 관절에 미치는 압력이 증가되어 더 많이 다칠 수도 있음을 기억해야 되겠다.

진단은 제 1 중족골두 부분을 발바닥 쪽에서 누를 때 압통과 발갛게 부어있는 관절을 확인할 수 있으며 다친지 24시간 내에 멍이 들게 된다. 감별해야 할 상황은 종자골의 스트레스 골절이나 중족골, 족지골 부위의 골절로서 대개 증상 발생의 특징이나 방사선 사진을 통해 알 수 있다[2].

치료는 일단 통증을 경감시키고 염증을 억제하기 위해 관절의 운동을 제한해야 하는데 이때 종자골에 직접 미치는 압력을 감소시키기 위해 발바닥 쪽에 구멍이 뚫린 지지대(felt or foam)를 대고 발 등 쪽에는 테이프를 적용시키는 방법이 효과적으로 사용될 수 있다. 관절고정시 2.5㎝ 넓이의 탄력이 없는 테이프를 사용하고, 원위부에 테이프를 붙인 후 중족골 쪽으로 잡아당겨 중립위가 유지되도록 한다. 중족부의 테이프 끝은 고정테이프를 발 둘레로 감아 떨어지지 않도록 주의한다(그림 20-3).

예방을 위해 과굴곡이 일어나지 않도록 바닥이 좀더 단단한 운동화를 신는 것이 좋은데 이때 용수철 기능이 있는 철판이나 플라스틱류가 바닥에 깔려있는 운동화를 선택할 수도 있다. 제 1 중족지관절이 60°이상 꺾이는 운동화는 운동선수가 신어서

는 안 된다는 주장[3]도 있다. 대부분의 연부조직 손상이 치료하지 않고 남아있는 경우, 후에 관절염 등을 유발할 수 있는 원인이 될 수 있는 것처럼 turf toe도 적절한 조치 없이 방치할 경우 손상된 관절낭 부위의 석회화나 무지외반증, 무지강직증 등이 발생할 가능성이 증가할 수 있다.

(2) 무지외반증 Hallux Valgus

이미 잘 알려져 있는 엄지발가락의 변형질환인 무지외반증은 선천적인 요인과 후천적인 요인이 동시에 원인으로 작용하며 발의 일부처럼 꼭 끼는 축구화를 신어야 하는 선수에게서는 언제든 발생 가능한 변형으로 특히 엄지발가락이 회내위로 돌아가 있거나 중족지관절의 과도한 이완성이 있는 선수에게 흔하다. 또한 엄지발가락이 둘째 발가락보다 짧을 경우 엄지에 걸리는 압력이 증가하여 긴 경우보다 발생빈도가 올라간다는 주장도 있다.

엄지발가락이 내전되며 튀어나온 중족골두의 내측에 생기는 대정 건막류 관절낭염(bunion)은 활액막의 염증과 관절낭의 긴장으로 인해 통증을 일으킨다. 진행될 경우 속발성 골관절염

으로 인한 통증이 발생하며 엄지발가락 내측 끝부분의 군은살이 통증의 원인이 되기도 한다.

초기상태에서는 발가락의 생역학적 축을 잡아주기 위해 특히 과도한 회내전 상태를 교정하기 위한 보조기나 테이핑 그리고 신발 선택에 주의를 기울임으로 도움을 받을 수도 있으나 이러한 방법에 실패한 경우 수술을 요할 수도 있다. 그러나 수술을 할 경우 중족지관절의 운동범위가 상당히 감소함을 염두에 두어야 한다. 전족부의 골성 변형이 없는 단순 연부조직 문제일 경우 bunion만을 제거하거나 엄지발가락의 동역학적 축을 잡아주는 방법을 사용할 수 있고 뼈가 틀어진 경우 절골술(Dsteotomy)나 관절성형술(arthroplasty)까지 고려할 수 있다.

(3) 무지강직증 (Hallux Limitus/Rigidus) (그림 20-4)

제1 중족지 관절의 운동범위가 감소되어 있는 상태로 초기의 상태가 진행되어 운동이 거의 안되는 경우는 강직으로 불리운다. 이는 엄지발가락이 둘째 발가락보다 긴 경우에 더 잘생기고, 외상 후나 과도한 굴곡이 반복될 때 엄지의 발등 쪽에 골성비후가 발생하면 유병율이 증가한다. 통증은 경기 중 점차 심해지며 특히 push off 단계에서 주로 발생한다. 발가락이 족배굴곡시 제한됨을 느끼게 되며 진단시 장 무지 굴건의 강직으로 인한 상태와의 감별을 위해 충분한 스트레칭을 시켜볼 필요가 있다. 연부조직의 강직으로 인한 상태라면 견인과 맛사지(gliding mobilization) 등을 통한 관절 운동으로 풀어줄 수 있으나 골성 강직증일 경우 수술이 필요하다.

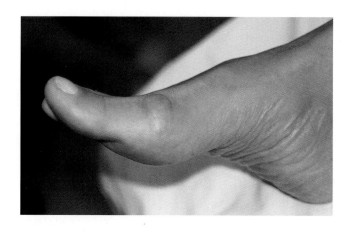

그림 20-4. 무지 강직증

3) 힘줄 손상

① FHL injury(장모지굴건염)
② Peroneal tendon injury(비골건염)
③ Achilles injury(아킬레스 건염)

3. 스트레스 손상

1) 기타 조직 손상

(1) 족저건막염(Plantar Fasciitis)

족저건막(plantar fascia, plantar aponeurosis)은 인체에서 가장 두꺼운 건막이다. 종골의 내측 결절의 직하방에서 기시하여 5개의 중족골두와 족지골, 심부 중족골간 인대에 폭넓게 부착한다. 크게 5개의 끈으로 나뉘어 발바닥을 주행하며 천층과 심층으로 나뉘어 부착하게 되는데 천층은 발바닥 피부 바로 밑의 천층 근막(superficial fascia)에, 심층은 각 중족골두의 내,외측에 부착하며 사이로 굴건이 통과하도록 한다. 족저건막의 가장 중요한 기능인 권양기능(windlass mechanism or effect)은 종아치를 거상시켜 지면을 차고 나갈 때 추진력을 효율적으로 전달하도록 하는 역할을 한다.

과다사용 증후군의 하나인 족저건막염은 과도한 운동량, 반복되는 도약 등으로 인해 축구선수에게 흔히 발생할 수 있는 질환이다. 반복적인 국소 손상은 염증을 일으키고 초기에는 조조통(morning pain)의 양상을 보이며 염증이 누적되면 결절(fascial granuloma)을 형성할 수[4]도 있다. 선천적으로 첨족형태의 발을 갖는 선수에게서 발생율이 높다는 보고도 있다. 또한 아킬레스건이 유연하지 못한 경우에도 쉽게 생길 수 있다. 건막염의 원인에 대해서는 크게 세가지 가설이 있는데 최근에는 이 모두가 원인이 될 수 있다는 의견이 지배적이다. 첫째 건막자체의 염증으로 인한 비대와 염증(inflammation thoery), 족저건막과 종골 사이를 가로지르는 Baxter씨 신경의 압박에 의한 신경포착증후군(nerve entrapment theory), 상당수의 환자에서 보이는 단족지굴건 부착부 종골부위의 골성비후(bony spur theory)가 통증의 원인이라는 설 등이 있다.

대부분의 환자에서 통증은 뒤꿈치 건막기시부의 내측에 집중되는데 '발바닥이 찢어지는 것 같은 통증' 과 '조조통' 을 특징으로 하며, 종아치를 따라 화끈거리는 통증을 호소하는 경우도 있다. 류마티스성 질환들과의 감별을 요하며 정확한 문진을 요한다.

치료는 이미 많은 연구와 방법에 대한 통계조사를 통해 확립이 되어 있는 상황으로 운동법(heel cord stretching exercise)으로 약 4-8주 이내에 85%에서 회복되는 것으로 되어있으며 최대 1년까지 운동에도 반응을 하지 않는 경우는 수술하여 95%에서 회복된다. 운동요법과 동시에 사용하여 당장의 통증을 경감시킬 수 있는 방법은 먼저 신발을 확인하는 방법인데 신발의 뒷축(heel counter)이 너무 높지 않은지 또는 안창이 너무 딱딱하지 않은지를 확인하여야 하고, 그 다음 발바닥에 테이핑을 하여 족저건막의 운동성을 보완하여 주는 방법이 있으며 발뒤꿈치 밑에 유연한 안창을 끼워 heel cord를 단축시키는 방법을 쓸 수 있다. 단, 이러한 보존적 방법은 효과가 빠르기는 하나 증상을 경감시키는 방법(대증용법)이지 원인에 대한 치료가 아니라는 점을 유념하고 운동에 대한 격려를 확신을 갖고 계속할 필요가 있다. 족저건막염의 병소에 대해 스테로이드 주사를 사용하는 것은 권장하고 싶은 방법이라 할 수 없다.

(2) 발뒤꿈치 지방조직 문제(Heel Pad Problem)

경기 중 체중과 지면의 압력을 효과적으로 견디는 데는 충격 완충제인 지방조직의 역할 또한 지대하다. 뒤꿈치 지방조직은 기타 부위의 지방조직과는 완전히 다른 구조를 갖는데 그물구조의 격막을 갖는 탄성 지방 조직으로 손가락 끝의 조그마한 지방조직도 비슷한 구조를 갖고 있으나 그 크기나 견뎌내는 압력에 있어 견줄 바는 못된다. 나이가 들면 격막의 탄성이 줄어들고 지방층의 두께도 줄어들어 그 기능이 감소되게 된다.

경기 중 도약착지 과정에서 지방조직에 멍이 들 수 있고, 극단적인 경우 섬유성 격막이 파열되어 지방세포가 파괴되는 경우도[5] 있을 수 있으며 결과적으로 종골에 과도한 압박력을 주어 속발성 후유증을 야기시키기도 한다.

딱딱한 안창이 끼워져 있을 때 통증은 더 심해지며 특징적으로 아침에 막 일어나 첫 발자국 때 극심한 통증과 계속 걸으면 둔중한 통증, 계속 서있거나 걸을 때의 통증 증가 등을 호소한다. 치료는 지방조직 자체를 재건시킬 수 있는 방법은 없으므로 지방층 자체가 좌우로 퍼지지 않도록 테이핑을 하거나 특수 깔창을 제작하여 사용하며, 급성기에는 훈련방법을 제한하는 방법을 사용한다.

(3) 지간 신경종(Morton Neuroma)

족저측의 중족지간 신경이 꽉 끼는 신발이나 과도한 운동 등에 의해 부어오른 상태가 장기간 지속되어 회복되지 않고 신경 결절(neuroma)처럼 남아 있는 상황이다. 신경압박증후군의 양상을 보이며 발가락, 특히 발바닥 쪽으로 전기에 감전된 듯한 통증을 호소하며 경우에 따라 화끈거리거나 시리다는 호소도 하게 된다. 증상은 말초신경염과 감별해야 할 필요가 있으며 중족골두 사이의 직상방 지간신경이 분리되는 부위의 압통을 확인하고 초음파 등을 통해 신경 부종을 확인하여 확진 할 수 있다.

치료는 일단 볼이 넓은 신발(large toe box)과 중족골 아치패드 등을 사용할 수 있겠으며 냉찜질과 초음파 치료를 사용할 수 있다. 스테로이드 주사요법을 쓸 경우 효과가 뛰어나나 주사제가 반드시 심부 중족골간 인대의 하방까지 주입되도록 섬세한 술기를 요한다.

수 차례의 주사요법에도 재발하거나 반응하지 않는 경우는 국소마취하에 신경결절을 제거하는 수술을 시행할 수도 있는데 약 80%의 환자에게서 효과적[6]이나 영구적인 감각 소실을 수반하므로 발바닥의 감각이 중요한 축구선수에게는 권장할만한 방법은 아니라 사료된다. 일부 환자의 경우 8-12개월의 추시 후 감각이 회복되는 경우도 보고되고는 있다.

(4) 중족통 (Metatarsalgia)

'중족통' 이라는 용어는 발 앞부분에 생기는 모호한 통증을 총칭하는 말로서 여러 가지 원인을 갖는다. 엄지발가락의 문제를 비롯하여 지간신경종, 심지어 스트레스골절로 인한 통증에 이르기까지 다양하다. 일부 저자에 의해 주창되는 '기능성 중족통(functional metatarsalgia)' 이라는 용어는 발의 횡아치에 미치는 생역학적으로 비정상적인 스트레스에 의한 통증만을 구분하고자 하여 사용되어 지기도 한다.

횡아치는 지면에 반한 아치 형태(concave)를 갖는데 근위부 횡아치는 설상골 부위이고 여기서 가장 높고 중심이 되는 부위(keystone)는 제2 중족골 기저부 이다. 원위부 횡아치는 중족골두인데 발이 지면에 완전히 닿는 중간 입각기(mid-stance phase)때 중족골두의 횡아치는 부챗살처럼 퍼져(splaying) 아치를 소실함으로써 최대한의 지면 접지력을 보장하고 동시에 체중을 버티는데 가장 효과적인 모양을 만든다. 이때 내측의 세 중족골(medial ray)보다는 외측 두 개(lateral ray)의 중족골이 더 높은 운동성을 갖는다. 중족골두 횡아치의 안정성은 중족골간 인대(intermetatarsal ligament)와 무지내전건(adductor hallucis), 내재근(intrinsic) 등에 의해 유지된다.

그러나 평발(excessive pronated mid-foot)이나 부채꼴형 발(splay foot), 무지외반증 등의 과운동성이 있을 때는 발 중앙부의 중족골두에 비정상적으로 과도한 횡단력(shearing force)이 걸리게 되어 횡인대나 내재근의 신장(tensile) 스트레스가 중족통을 일으키게 된다. 또한 발에 맞지 않는 신발을 신게 되는 경우 특히 발바닥 굳은살이 생기기 쉽고 직접적인 통증을 일으키기도 한다.

중족통을 효과적으로 치료하기 위해서는 먼저 중족부의 생역학적 구조를 확인해야 되는데 일반 진단방법으로는 힘들고 운동중 족압측정(dynamic pressure)과 체중 부하 종자골 촬영술(weight bearing sesamoid view) 등의 특수한 방법을 동원해야 한다. 소염제를 쓸 수 있고 중족골패드와 테이핑 등의 방법을 적용하여 중족골 주위 조직에 대한 스트레스를 감소시켜 줄 수 있다. 패딩 시 제 1 중족골두 부위에 과도한 압력이 걸리지 않도록 주의해야 하고, 테이핑은 횡아치의 splaying을 가장 효과적으로 억제하도록 중족골두 부위에 감는다. 내재근 강화운동이 도움이 되기도 한다.

(5) 입방골 증후군 (Cuboid Syndrome) (그림 20-5)

발과 발목에 생기는 통증의 17%가 입방골과 관련이 있다는 보고[7]도 있는 바, 축구뿐 아니라 발레 등의 운동에서도 드물지 않은 발 외측부의 지속적인 둔감한 통증이 입방골의 아탈구와 연관되어 있는 경우가 있다. 발목염좌 후에 특히 잘 생기는데 내반-회내위(inversion-pronation)로 손상시 종입방인대(calcaneo-cuboid lig.)와 중족입방인대(metatarso-cuboid lig.)가 손상됨으로써 입방골의 안정구조가 파괴되고 입방골의 외연에 있는 비골건막 부착부 속을 지나는 비골건의 과다신장에 의해 발바닥 방향으로 아탈구가 재연되면 통증을 느끼게 된다. 오래 서있거나 불규칙한 지면에서 운동시 통증이 증가하는데 신발도 어느 정도 영향을 미친다. 전형적으로 아침에 처음 발을 딛을 때 통증이 크게 느껴지며 발가락으로 걸으려 하면 더

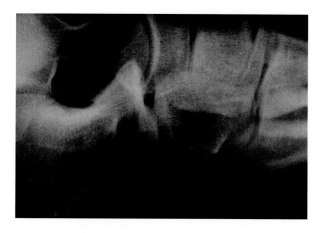

그림 20-5. **입방골 증후군** 방사선 사진 상 입방 종골 관절의 아탈구 소견이 보인다.

아프다는 증상을 호소한다.

아탈구 상태를 정복하는 방법은 네 번째 발가락을 잡아당기며 발을 족저굴곡시킨다. 이러한 도수 정복법으로 대개 제 자리로 들어가는데 만일 실패할 경우, 환자를 업드리게 한 후 입방골의 발바닥쪽에 엄지손가락을 대고 밀며 발을 족저굴곡시키는 방법을 사용할 수도 있다. 온전히 정복이 되면 패드를 대고 테이핑을 한다(그림 20-6, 7).

(6) 피부와 발톱 (Skin & Toe nail)

①조갑하 혈종(Subungal Hematoma) : 발톱 밑에 피가 고이면 직접적인 압력을 가해 욱씬거리는 통증을 일으킬 뿐 아니라 심하면 발톱이 들뜨게 만든다. 직접적인 외상뿐 아니라 신발을 발에 꽉 조이게 신는 축구선수들에게서 흔히 볼 수 있는 상황이다. 특히 cross country 훈련 중 언덕을 달려 내려갈 때 조심하여야 한다. 급성기에 고인 피를 제거하여야 하며 발톱에 구멍을 뚫거나 발톱 앞쪽을 들어올리는 방법을 쓸 수 있다. 다친지 오래되어 피가 굳어 있는 경우 미용상의 문제(black toe) 외에 통증이 없는 경우는 재발을 방지할 수 있도록 가장 긴 발가락과 신발의 코 사이에 간격이 있는 신발을 선택하도록 한다.

② 조갑내향증 Onychocryptosis : 엄지발가락에 많이 발생하는 흔한 상황으로 남자 축구 선수에 더 많은데 좁은 신발이나 발톱을 잘못 깎아 생길 수 있다. 파고든 발톱 사이로 염증이 발생하여 고름이 고이면(paronychia) 심한 통증으로 훈련을 못할

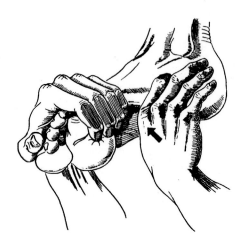

그림 20-6. 입방골 증후군의 도수정복 1

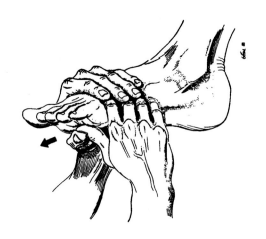

그림 20-7. 입방골 증후군의 도수정복 2

수 도 있다. 근본적인 치료는 발톱의 파고드는 가장자리를 잘라내면 되는데 이때 재발을 방지하기 위해 가장 주의해야 할 점은 발톱의 뿌리세포를 확실히 제거하는데 있다.

축구화 속에 땀이 차면 발가락 피부가 물러져 약화되는 것이 원인이 될 수도 있으므로 통풍이 잘 되는 신발 선택도 중요하다. 훈련이 시작되는 시기에 발생율이 높다는 것도 유의할 점이다.

■ 참고문헌

1. Arendt EA. Orthopedic Knowledge Update 2000, Sports Medicine 2. p.379-391.

2. Bowers KD Jr, Martin RB. Turf-toe: a shoe-surface related football injury. Med Sci Sports. 1976 Summer;8(2):81-3.

3. Clanton TO, Butler JE, Eggert A. Injuries to the metatarsophalangeal joints in athletes, Foot Ankle. 1986 Dec;7(3):162-76.

4. Harvey J, Tanner S. Low back pain in young athletes. A practical approach. Sports Med. 1991 Dec;12(6):394-406. Related Articles, Links

5 Lawson SK, Reid DC, Wiley JP. Anterior compartment pressures in cross-country skiers. A comparison of classic and skating skis. Am J Sports Med. 1992 20(6):750-3.

6. Mann RA, Reynolds JC. Interdigital neuroma--a critical clinical analysis.Foot Ankle. 1983 Jan-Feb;3(4):238-43.

7. Marshall P, Hamilton WG. Cuboid subluxation in ballet dancers. Am J Sports Med. 1992 Mar-Apr;20(2):169-75.

8. Norris CM. Sports Injuries, diagnosis and management 2nd ed. Bath press plc, Bath, Avon GB. 1998.

9. Rodeo SA, O'Brien S, Warren RF, Barnes R, Wickiewicz TL, Dillingham MF. Turf-toe: an analysis of metatarsophalangeal joint sprains in professional football players. Am J Sports Med. 1990 May-Jun;18(3):280-5.

제 7 부
당뇨병성 족부 질환(Diabetic foot)

21. 당뇨병성 족부 질환
General Conceps of Dibetics Foot

울산 동강병원 정형외과 **곽 경 덕**

최근 당뇨병 합병증의 진단과 치료에 있어서 상당히 많이 발전하고 있다. 아직 우리나라 통계는 정확하게 발표되지 않았으나 미국 통계에 따르면 전체 인구의 약 6%[16]가 당뇨병에 이환되어 있고 이 중 약 60~70%에서 크든 작든 발 병변을 가지고 있으며, 35-45%는 임상적으로 문제가 될 정도의 신경병증을 가지고 있고[24], 15%에서 족부 궤양을 보였다[3,15,16]. 궤양은 일단 치유된다 해도 3년 내에 70%에서 재발하였고[5], 발 궤양의 14-24%에서 절단 수술을 받았으며[3], 하지 절단 환자의 절반 이상이 당뇨병 합병증으로 인한 절단이었다고 한다[9]. 하지 절단 후에는 85%에서 반대측 발에 심각한 발 병변이 발생하였고, 50%에서 2-5년 사이에 반대측 하지 절단 수술을 받았으며, 절단 수술 후 5년 내 사망률이 68%에 이르고 이 중에서도 근위부 절단인 경우에 생존율은 더 낮은 것으로 보고되어 있다[15,16,20].

당뇨병으로 인한 족부 병변(이하 "당뇨 발"이라 칭함)을 합리적으로 치료하는 첫 단계는 이를 적절하게 평가하는 것이다[3]. 당뇨 발을 진찰할 때는 신고 있는 신발에서부터 발 전체 모양, 색깔, 상처 유무, 감각 정도, 맥박 정도, 변형 등뿐만 아니라 발가락 사이사이와 발톱까지도 자세하게 관찰하고 환자가 이야기하지 않은 부분에도 문제가 있는지 관찰하여야 한다[2]. 당뇨병 환자를 접했을 때 족부 병변에 관한 예방 교육, 신발 처방, 치료 등을 시행할 수 있기 위해서는 우선 이의 병리 생태를 이해하여야 되겠다.

I. 당뇨 발의 병리생태

당뇨병 환자에서는 여러 가지 요소들이 작용하여 당뇨 발 병변이 발생하는데, 이들 요소에는 말초신경병증, 혈액순환장애, 비정상적인 기계적 환경(과사용, 전단력, 변형, 연부조직구축,

보행 이상 등)을 들 수 있고, 기타 면역 이상, 국소 조직 이상, 그리고 전신 이상 등 여러 요소들이 서로 복합적으로 관여하여 발에 여러 형태의 이상을 초래하게 된다[9,16,18,22]. 당뇨 발은 여러 형태로 나타나지만, 가장 중요한 궤양과 관련하여서 기술하고자 한다. 신경병증에 의한 궤양은 족저부 특히 발가락 끝과 중족골 두 족저부에 주로 발생하고, 혈행장애가 주 원인인 궤양은 발가락 끝과 발의 외측연, 그리고 뒤꿈치에 잘 발생한다[22].

1. 말초신경병증(peripheral neuropathy)

대부분의 당뇨 발은 그 일차적 원인이 당뇨병성 말초 신경병증이다. 일상활동 중에는 발에 크고 작은 외상을 반복적으로 받게 된다. 예를 들어 보행 중 체중으로 인하여 발바닥에는 반복적으로 마찰과 압력을 받는다. 또 신발이 좁을 경우에는 제1 및 제5 중족 족지 관절 바깥부분에도 신발에 의한 마찰과 압력을 반복해서 받게 된다. 이런 외상이 누적되면 발에 염증반응을 일으켜 통증을 느끼게 된다. 발 감각이 정상이면 통증 때문에 그 활동을 멈추거나 그 활동 방법을 변형시킴으로서 그 부위를 보호해 주는데, 감각신경병증으로 인하여 보호감각이 없으면 발에 이상이 발생하더라도 통증을 느끼지 못하기 때문에 그 부위를 보호하여주지 못한다. 조직에 손상을 주기에는 아주 작은 외상이라 하여도 이것이 반복되면 누적효과로 인하여 결국은 조직이 괴사됨으로서 조직 소실, 즉 궤양이 발생한다[9,16]. 또 운동신경 이상으로 족 내재근이 위축되면 지간 관절에 굴곡변형을 초래함으로서 중족골두 족저부와 발가락이 굽은 부분에 기계적 압력이 증가된다. 더구나 자율신경 이상으로 땀 분비가 원활하지 않으면 피부가 건조해지고 그래서 피부 균열이 더 쉽게 발생하여 궤양을 만들게 된다[23].

2. 말초혈관이상
(peripheral vascular disorders)

당뇨병 환자에서 말초 혈액순환 장애는 궤양을 유발하기도 하지만, 일단 궤양이 발생하면 혈액순환 장애 때문에 산소 및 영양물질 공급이 차단되어 궤양 치료가 어려워질 뿐만 아니라 조직괴사까지도 초래하게 된다[3].

말초혈관질환으로서 죽상경화성 병변(혈관 막힘)이 당뇨병 없는 사람에 비하여 당뇨병 환자에서는 더 많이, 더 심하게, 더 일찍 젊은 나이에 발생하여 빠르게 진행되고 여러 혈관을 침범한다[9]. 당뇨병 환자가 아닌 경우에는 혈관 일부가 막히더라도 그 아래쪽에는 정상 혈관이 있어서 이 혈관을, 정맥을 이용하여, 위쪽 혈관과 이어주는 혈관우회수술을 하면 아래쪽 부분에 혈류가 다시 원활해질 수 있다. 그러나 당뇨병 환자에서는 혈관이 막힌 아래쪽에는 정상 혈관이 적기 때문에 상대적으로 우회수술 성공율이 낮아서, 단순한 괴사인데도 쉽사리 절단해야 되는 상태에 이르는 경우가 당뇨병이 아닌 환자군에 비하여 더 높다.

당뇨 발에서 통증의 원인은 주로 허혈때문이다. 수면 중에는 허혈이 더 심해져서 통증 발작이 나타나는 경우가 있는데 통증 때문에 잠에서 깨어나 서있거나 걸어다니면 통증이 완화되기도 한다. 그러나 신경병증이 함께 있으면 허혈상태이더라도 간헐적 파행과 같은 통증이 두드러지게 나타나지 않는다는 점을 감안해야 한다[7].

3. 비정상적인 기계적 환경
(abnormal mechanical environment)

신경병증이 있다고 해서 모두 궤양이 발생하는 것은 아니다. 여기에 비정상적인 기계적 환경 즉 과사용, 전단력, 발의 변형, 연부조직 구축, 보행 이상 등이 작용할 때 비로소 궤양이 발생할 수 있게 된다.

궤양을 일으키는데 엄청나게 높은 압력이나 비정상적인 전단력이 꼭 필요한 것만은 아니다. 보통의 압력이라도 너무 많이 반복되면 궤양을 일으키게 된다. 그런데 감각이 없는 부위에서는 이보다는 적은 반복으로도 궤양이 발생할 수 있다.

발바닥에서는 피부로부터 안 쪽의 뼈-근육 조직을 향해서 교

원섬유가 펼쳐져 있어서 충격을 흡수하고 전단력에 저항하도록 되어있는데, 마찰과 같은 전단력이 반복되면 피부에 수포가 생긴다. 실제로 정상보행에서도 발바닥에는 직접 전단력을 받게 된다.

혈당치가 높으면 연부조직 구조물이 부드럽지 못하고 뻣뻣하게 굳어진다. 이런 현상은 혈당조절과 반비례하면서 관절을 굳어지게 만드는데, 특히 아킬레스건이 뻣뻣해지면 보행 중 전족부 압력이 더욱 증가된다. 실제로 관절이 뻣뻣하여 족근관절 배굴이 5도 이하이고 거골하 관절 운동이 30도 미만인 경우, 족저 궤양이 잘 발생하는 것으로 보고되었다[23].

발과 발목에 변형이 있으면 볼록하게 돌출된 부분이 나타나서 그 부위는 압력을 더 많이 받게 되고 피부는 얇아진다. 당뇨병 환자 발에서 가장 흔한 변형은 갈퀴모양으로 발가락이 굽어있는 변형이다. 중족 족지 관절이 신전되면 중족골 두 족저부 지방패드가 원위부로 이동되어 중족골 두 족저부에는 연부조직이 얇아지는 효과를 초래한다. 한편 신전된 근위지골이 중족골 두를 발등 쪽에서 족저부를 향하여 밀어내는 효과를 초래하기 때문에 중족골 두 족저부에서 받는 기계적 압력은 더욱 증가된다(그림 21-1).

변형으로 돌출된 부위는 보행과 같은 일상 활동 중에 체중부하로 받는 압력이나 신발로부터 받는 압력이 증가한다. 그러나 단순히 압력이 증가하는 것만으로 궤양이 발생하지는 않는다. 작은 압력이라도 장기간에 걸쳐 반복적으로 받게 되면 미세한 손상이 누적되어 굳은살을 만들고 그래도 계속 반복되면 굳은

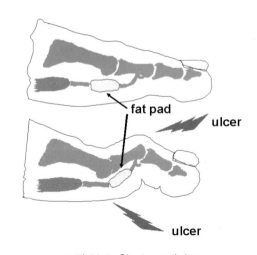

그림 21-1. Clawtoe and ulcer

살 밑에 출혈이 발생한다. 이 때 감각이 정상이면 이 부위를 보호하기 위하여 이 부위에 체중이 실리지 않도록 보행을 변형시킴으로서 더 이상의 외상을 방지할 수 있지만, 감각이 없어 통증을 느끼지 못하면 그 부위를 보호하지 못하고 같은 외상을 계속 반복하여 받음으로서 결국은 궤양에까지 이른다[23].

뒤꿈치 궤양 특히 뒤꿈치 후면의 궤양은 주로 혈액순환장애로 인한 궤양이고, 흔히 뒤꿈치 후경골동맥 가지가 막혀서 발생하므로 전접촉 석고 고정과 같이 하중 압력을 경감시키는 치료로는 효과가 별로 없다. 따라서 이의 치료를 위해서는 혈관이 다시 통하도록 만드는 수술을 우선적으로 시행해야하기 때문에, 뒤꿈치 궤양은 어느 면(후면, 옆면, 족저면)에 있든 빨리 혈관상태에 관한 검사가 필요하다.

4. 전신 이상

신경병증과 혈관병증을 제외하고 당뇨발의 치유에 영향을 미치는 전신 요소로서는 고혈당증 조절 정도와 환자의 영양상태를 들 수 있다. 염증이 있거나 수술을 하면 하루에 필요한 에너지가 40%정도 더 증가되므로 이를 고려해야 한다. 고혈당증이 잘 조절되면 상처도 잘 낫게 되는데, 감염 자체가 흔히 혈당 조절을 갑자기 악화시키는 원인으로 작용하여 혈당을 불규칙하게 매우 상승시키기도 한다. 혈액 임파구수가 1500/ml이상, 혈청 단백이 6.2gm/dl이상, 혈청 알부민치가 3.5gm/dl이상이면 창상치유에 적절한 영양상태이다.

5. 궤양 위험 요소

당뇨병 환자에서는 여러 가지 요소들이 궤양을 유발하고 결국은 하지를 절단할 정도로 악화시키는 데 함께 기여하고 있다. 합병증을 예방하기 위해서는 이런 위험 요소를 파악하는 것이 무엇보다도 중요하다[2]. 당뇨병력이 10년 이상 되었거나, 남자 환자인 경우, 체중 및 혈당 조절이 불량한 경우, 그리고 심혈관, 망막, 또는 신장에 합병증이 있으면 궤양이 잘 생기고 발을 절단할 위험이 높다[2]. 발과 관련된 위험요소로는 말초 신경병증으로 인한 보호감각 상실, 발의 생역학 변화(예 : 국소 압력 증가, 굳은 살, 변형, 관절운동제한 등), 말초 혈관 질환, 이전의 궤양이나 절단 병력, 발톱의 심한 이상, 맞지 않는 신발 등을 들

수 있다[2,4,12]. 한편 말초신경병증, 외상, 발 변형을 궤양의 3대 요소라고도 한다[15]. 여기에 감염은 광범위하게 조직괴사를 초래하여 절단에 이르게 하는 매우 중요한 위험요소로 작용한다[16].

II. 진단

당뇨병환자는 발 모습이 정상이더라도 정기적으로 발 검사를 받아서 위험요소가 있는지 확인한다. 이 검사에서는 보호감각 유무를 파악하기 위한 신경학적 검사, 발 구조와 생역학 검사, 혈관 상태, 그리고 피부 상태 등을 점검한다. 위험 요소가 있는 환자는 더 자주 검사하여 위험 요소가 추가로 발생하는지 확인한다[2,4].

pham 등[24]은 선별검사에 5.07 Semmes-Weinstein 세섬유검사, 관절 가동성 검사, 진동인지역치를 검사하고, 추가로 신경병증이 있으면 여기에 족저 압력을, 궤양 병력이 있으면 경피적산소분압 측정을 추가하라고 권하였다.

일반적으로 발 검사에서 관찰할 중요한 6가지 관찰 점은 표 21-1과 같다[9].

1. 병력

진단의 첫 단계는 철저한 병력청취이다. 특히 위험요소를 파악하는데 필요한 정보로서 이전에 신경병증과 관련된 합병증 즉 궤양 또는 Charcot관절증이 있었거나, 발에 손상을 받았는데 통증이 없었는지, 또 작은 손상이 광범위한 감염으로 진행

표 21-1. **Areas of Concern**

* Vascular testing	capillary refill, color, warmth, hair growth, arterial pulse
* Sensory testing	light touch, pinprick &/or position sense, vibration, Semmes-Weinstein monofilament testing
* Testing of joint	ROM, looks for contracture or deformity
* Tendons	equinus, Achilles contracture, flexor/extensor contracture
* Bones	change in arch, abnormal bony prominence, any change in shape or orientation of foot
* Skin	break, onychomycosis, ingrown nail, paronychia

된 일이 있었는지 알아본다.

발병일, 당뇨병 앓고 있는 기간, 당뇨병 종류, 인슐린 치료 기간, 혈당검사 회수 등을 알아보고 스스로 이를 기록하고 있는지 알아보며, 시력을 확인하여 스스로 당 검사를 할 수 있는지, 스스로 발과 신발 검사를 할 수 있는지(시력이 좋지 않으면 스스로 발을 검사할 수 없고 관절에 유연성이 없어도 손이 발에 제대로 닿지 않아 스스로 검사하기 어렵다), 거동 상태(목발, 지팡이, 휠체어 등이 필요한지, 걸을 수 있는 거리 등), 파행 유무, 이전의 입원이나 수술 병력을 파악하고, 고혈압, 신장병, 심장 질환, 면역억제제 사용 여부 등을 파악한다.

가족력이 있는 환자는 자신이 당뇨병을 어느 정도 이해하고 있기 때문에 치료에 협조적일 수 있으며, 흡연양, 주량, 정신적인 문제 유무 등도 파악한다.

2. 이학적 검사

이학적 검사에서는 신고 있는 신발과 양말 상태를 먼저 파악한 다음 이들을 벗고 옷을 무릎 위까지 올려서 관찰해야 피부, 신경 및 혈관 상태를 정확하게 판단할 수 있다. 우선 전신적인 평가로서 보행 이상과 평형장애가 있는지 파악하고, 척추 변형, 고관절 및 슬관절의 굴곡구축이 있는지 파악한다. 족근 관절에 첨족변형이 있으면 중족골 두 족저부에 압력이 증가되어 궤양이 발생할 수 있고 요족인 경우에는 발뒤꿈치와 중족골두 부위에 압력이 증가된다. 편평족이나 호상족에서는 중족골 두 내측에 압력을 많이 받게된다[9]. 골 변형이나 부종이 있는지, 각 관절의 운동범위는 정상인지 관찰한다. 변형이 있으면 그 부위에

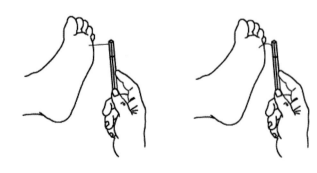

그림 21-2. S-W Monofilament

신발에 의한 압력과 마찰이 증가되어 궤양을 유발할 수 있다. 부종이 있으면 감염, 혈관부전이나 신경병성 관절증이 있음을 시사한다. 발적이 있으면 감염이나 염증을 시사한다. 염증은 신발에 의한 국소 과다압력이나 마찰이 있음을 시사한다[25].

발가락에 내향성 발톱이나 발톱주위염이 있는지, 진균감염으로 발톱이 두꺼워져 있는지 관찰한다. 각각의 발가락 사이에 침연, 균열, 궤양 또는 감염이 있는지 관찰한다[25].

피부는 균열이 있는지를 꼭 확인하는데 특히 발가락 사이와 중족골두 족저부를 확인한다. 발적, 온감, 굳은살 형성 등이 있으면 조직이 손상되어 곧 균열이 발생할 상태임을 시사한다[24]. 피부가 건조하고 비늘이 많으며 균열이 있고 발등 혈관이 팽창되면 자율신경병증이 있는 것으로 판단한다[3].

궤양이 있을 경우에는 부위, 모양, 크기, 깊이, 심부 구조물의 노출 여부, 온도, 냄새, 주변 봉소염이나 근위부 임파선염 발생 여부 등을 기록한다[3,9].

궤양의 모양에 관하여는 주변에 굳은살이 있는지, 색깔, 육아조직, 배액, 가피, 괴사 등이 있는지 기록한다. 손등이나 피부온도계로 온도를 잼으로서 염증이나 심한 허혈상태인지 알 수 있고 냄새로서 괴사나 감염이 있는지 알 수 있다[3].

신발은 크기, 모양, toebox가 적절한지, 신발 속이 찢어져 있거나 울퉁불퉁한지, 안창이 낡지 않았는지 확인한다.

3. 신경 검사

당뇨병성 신경병증에 대한 검사로는 우선 신경병증 과거력을 확인하는 것이 중요하다. 신경병증 검사 중에서 가장 간단하면서 가장 널리 이용하고 있는 검사는 정량적체성감각역치를 검사하는 피부압력인지 검사로서 Semmes-Weinstein 단일세섬유검사이다. 단일세섬유는 나일론 세섬유이고 그 단면적과 강도에 따라 여러 가지로 공급되는데, 일반적으로 5.07 세섬유를 10gm 힘으로 누르면 이 세섬유가 휘어진다. 이 정도의 힘(10gm)으로 누를 때 느낄 수 있으면 보호감각이 있다고 간주하는데, 신경병증의 선별검사와 정도파악에 이용된다(그림 21-2).

한편 진동을 이용한 검사로서 진동인지역치검사는 고무 트렉터를 발가락 끝부위에 대고서 환자가 진동을 느낄 때까지 0볼트에서 50볼트까지 올리면서 검사한다. 역치가 증가할수록

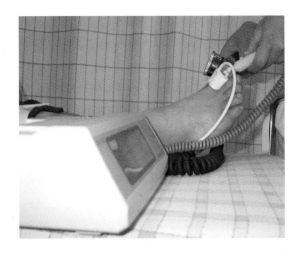

그림 21-3. Toe pressure measurement

진동인지력이 감소됨을 의미한다. 특히 25 V이상이면 궤양 위험이 있다고 판단한다[23,24]. 궤양을 예견하는 신경검사로서는 세섬유에 의한 피부압력인지 검사가 정확하고 효과적이다[7].

4. 혈관 검사

모든 환자에서 과거 또는 현재 간헐적 파행여부와 맥박을 확인한다. 강한 맥박이 촉지되면 고가의 검사를 할 필요 없으나, 맥박이 감소되거나 촉지되지 않으면, 특히 치유되지 않는 궤양이나 감염이 동반되어 있을 때는, 혈관상태를 확인해야된다.

기구나 장비를 이용한 혈관상태 확인에는 비침습적인 방법으로서 동맥 도플러 초음파를 이용한 발목과 상완부 혈압의 비(ABI), 경피적 산소분압(TcPO₂)측정, 혈량계를 이용한 발가락 혈압측정, 초음파를 이용한 Pulse-Volume Recording, 레이저 도플러를 이용한 피부관류압 측정 등의 방법이 있고 가장 정확한 것은 침습적 방법으로서 혈관조영술이다.

도플러 초음파검사는 비용이 덜 고가이고 석회화가 없는 혈관에서는 이 검사가 신빙성이 있다. 도플러 초음파를 이용한 ABI는 하지 혈행 정도를 나타내는 지표로 간주하고 이를 궤양 치유 예측에 이용하여 왔으나, 실제는 허혈상태인데 ABI값은 높게 측정될 수 있는 단점이 있다[5,12]. 따라서 ABI는 그다지 이용하지 않게 되었다[3,9]. ABI는 1.1 이상이어야 하고 정상 하한치는 0.94-0.97이다[23].

초음파를 이용한 또 다른 방법으로 발가락 혈량측정법과 pulse-volume waveform recording(PVRs)이 있다. 발가락의 혈압(그림 21-3)이 40mmHg 이상이면 치유가 잘 되고 그 이하이면 치유가 잘 되지 않는 것으로 예측할 수 있다. PVRs는 초음파로 검사 부위의 혈류형태를 파악하여 그래프용지에 EKG처럼 기록한 것으로서, 혈관 탄성의 질과 박동성 혈류 유무를 파악하는 검사이다.

한편 상처치유가능성을 예측하는데는 경피적산소분압측정(TcPO₂)이 발가락 혈압 측정보다 더 효과적이며, TcPO₂가 40mmHg이상이면 정상이고, 25mmHg이하이면 궤양이 발생하거나 발생한 궤양이 치유될 가능성이 낮다고 판단한다[10,16,19,24].

한편 레이저 도플러를 이용한 피부관류압을 측정하면 피부의 미세동맥과 모세혈관의 혈류를 정확하게 측정할 수 있는데, 30mmHg이하이면 허혈상태이며 상처가 낫지 않을 것임을 강력히 시사한다[11,16].

확실한 검사는 혈관조영술인데 조영제로 인한 acute tubular necrosis 발생과 같은 위험이(특히 환자가 탈수 상태일 때) 있을 수 있다. 일반 혈관조영술 대신 디지털감산혈관조영술이나 자가공명영상혈관촬영을 시행하기도 한다[16].

참고로 흔히 하는 혈관검사 정상치는 표 21-2와 같다[16].

5. 영상검사(Imaging studies)

영상검사는 잠행골절이나 초기 Charcot 관절증 또는 감염을 발견하기 위해서 시행한다. 영상검사에는 단순방사선촬영, 골 스캔, CT, MRI, 초음파검사 등을 이용한다. 단순방사선 족부 촬영은 가능하면 선 자세로 촬영하며, 골절/탈구, 변형, Charcot

표 21-2. 하지 혈관검사 정상치

Evaluation parameter	Normal values
Palpation of pulse	present
Dependent rubor	absent
Venous filling time	<20 sec
Capillary refill	<3 sec
Arterial Doppler exam for ankle-brachial index	1.1
Toe pressure	>40mmHg
Transcutaneous oxygen tension	>40mmHg

관절, 골 미란, 동맥의 석회화 등을 파악한다. 당뇨병성 골 병변으로는 신경병성 골절, 족지골이나 중족골 원위부의 자연적 흡수, 만성 정맥혈류정체로 인한 경골의 광범위한 골막거상(periosteal elevation)등을 들 수 있다.

농양과 같은 연부조직 병소의 발견과 그 침범 정도 결정에는 MRI촬영이 더 도움되고 비용면에서도 효과적이다. 왜냐하면 MRI 촬영을 일찍 시행하여 외과적 데브리망을 할 것인지 빨리 결정함으로서 치료 결과도 더 낫고 입원기간도 단축시킬 수 있기 때문이다. 그러나 MRI에도 한계가 있다. 초기에는 technitium-99 골 주사보다 더 민감하지만 골 영상에 있어서 특이도는 떨어진다. 골수염이 있으면 골수 부종이 발생하여 MRI 신호강도가 변하는데, 이것이 골수염에 특이한 것은 아니고 골을 침범하는 다른 병변이 있어도 골수 부종이 나타나기 때문에, MRI 신호강도만으로는 골수염과 외상(골절 포함)을 구분하기 어렵다.

골수염이 아니고 잠행골절이나 다른 골 병소를 의심할 때는 일반적으로 MRI보다는 골 주사로서 검사한다. 일단 골 손상 즉 Charcot joint의 잠행 골절이 밝혀지면 그 내용과 정도는 CT로 얻어낼 수 있다.

6. 최대 족저압력

족저 압력이 높으면 궤양 발생의 중요한 요인으로 작용하기 때문에 여러 가지 기구나 장비를 이용하여 압력이 높은 부분을 파악하는 것도 중요하다. F-Scan mat system을 이용하는 경우, 환자가 맨발로 매트 위를 걸어갈 때 발에 나타나는 최대 압력을 측정한다. $6kg/cm^2$($60N/cm^2$) 이상이면 궤양 위험이 높다고 판단한다[17,24].

7. 임상병리검사

상처는 환자에게 스트레스를 준다. 스트레스를 받으면 에너지 요구량이 1.5배나 증가한다. 장기간 계속되는 창상 치료에 있어서 흔하게 간과하는 것이 환자의 영양상태 점검이다. 당뇨병 환자는 영양실조 위험이 높고 영양 실조에 빠지면 창상 치유가 몹시 지연되는데 이런 영양실조 상태를 진단하는 데는 체격검사, 문진검사, 임상병리검사, 면역기능검사 등을 시행한

다. 미국당뇨병학회에서는 모든 당뇨병 환자에서 처음부터 공복시 혈당, 혈색소A1C, 공복시 혈청지질, 크레아티닌, 소변검사, TSH치를 검사하도록 권하고 있다. 창상 치유 panel로서는 알부민, prealbumin, 비타민 A, C, 아연을 권하고 있다. 면역기능을 알아보기 위해서 전임파구수 검사를 권한다[1]. 비타민은 교원질 형성 과정과 면역계통 효소기능에 관여하여 상처 치유에 중요한 역할을 담당하고 있다[1].

감염에 대한 검사로서 균배양검사에서는 궤양 바닥에서 소파하여 얻거나 분비물을 천자하여서 배양한다. 한편 전신 독성 증상이 없고 2cm 미만의 봉소염이 있으며 심부농양, 골수염, 괴저 등이 없으면 심한 감염으로 간주하지 않으나, 봉소염이 광범위하고 심부농양, 골수염, 또는 괴저가 있는 경우에는, 특히 허혈성인 경우는 더욱, 절단임박감염으로 간주한다[3].

III. 당뇨 발의 치료

당뇨병에서는 말초신경병증, 혈관이상, 변형, 보행이상 및 국소 압박이상을 포함한 국소 조직 요소와 당뇨병 이환기간 10년 이상, 고혈당, 신장 및 망막 이상, 과체중, 심혈관질환(고혈압 포함), 면역이상과 같은 전신 이상 등 여러 위험요소들이 복합적으로 당뇨 발 발생에 기여[4,9,18,28]하기 때문에 치료에는 당뇨병 및 감염전문 내과의사, 발 치료 전문 정형외과의사, 혈관외과의사, 진단방사선과의사, 일반의사, 간호사, 영양사, 재활치료사, 신발 전문가 등 여러 분야 전문가들이 한 팀을 이루어 치료에 임하는 것이 가장 효과적이다[3,21,23].

현재까지 제시된 치료지침은 과학적 근거에 의한 치료지침이 아니고 제시자 또는 단체의 치료경험을 토대로 한 견해가 대부분이다. 또 최근에 그 효과가 입증되었다고 알려진 여러 가지 치료방법들도 아직은 일반적으로 허용할 만큼 인정받지 못하고 있으며, 현재 개발 중인 신개념 치료 방법들도 그 효과를 입증하는 방법 자체에 의문이 많다[3,23].

본 항목에서는 궤양 발생 이전의 예방적 치료에 관해서는 미국정형외과 발 분과학회(AOFAS)에서 제시한 예방적 발관리지침[25]을 토대로 하여 기술하고, 그리고 궤양 이후의 단계에 관하여는 Foster와 Edmonds가 제시한 당뇨 발의 이환 정도에 따른 치료지침(Simple Staging System)[14]을 중심으로 기술하며, 여기에 최근에 미국 당뇨병 협회(ADA)에서 발표한 치료 지침 등을

추가하여 당뇨 발의 전반적인 치료에 관하여 기술하고자 한다.

1. 치료 개요

당뇨 발 치료 목표는 궤양을 예방하고 일단 궤양이 발생하면 조기에 치료함으로서 감염과 괴사를 예방하며, 감염과 괴사가 발생한 경우에도 가능하면 절단하지 않거나 또는 절단을 최소화하여, 기능이 좋은 발이 되도록 치료하는 것이다.

궤양 발생 이전 단계에서는 궤양에 이르도록 만드는 여러 가지 위험요소 발생을 예방하고, 이미 발생한 위험요소는 조기에 발견하기 위해서 정기 검진을 시행하면서 환자 및 보호자를 교육시켜 환자로 하여금 스스로 발 관리에 적극적으로 임하도록 만들어야 하겠다[15]. 앞서 기술한 여러 가지 위험요소들 중에서 과체중, 혈행장애, 시력이상, 국소압박이상 및 변형은 그 정도에 따라 조금은 개선될 수도 있지만, 그 밖의 다른 위험요소들은 현대의학으로도 아직까지는 개선 자체가 불가능하기 때문에 이들을 예방하고 일단 발생하면 이들을 조기에 발견하여 적절한 처치를 하는 것은 치료에서 가장 중요한 부분 중 하나이다[8,28].

당뇨 발에서 문제가 되는 대부분의 병변이, 보호감각이 없거나 감소된 상태(신경병증)에서 국소 외상(크던지 작던지)과 조직 손상을 받음으로서 시작된다[9,15-17]. 신경병증은 일단 이환되면 회복되거나 개선될 수 없기 때문에 환자로 하여금 스스로 발을 관리 및 점검할 수 있도록 교육하고, 외부 압박 요소를 해소하기 위하여 석고, 충격 완충작용이 좋은 신발과 안창, 보조기 등을 처방하거나 내부 압박 요인을 해소하기 위하여 뼈가 돌출된 부분에 대하여는 골편 절제술이나 절골술과 같은 수술적 치료를 택하기도 한다[5,9,28]. 당뇨병 환자에서는 조직의 당화가 연부조직을 경직시키는 역할을 하게 되고[9,17,18], 신경기능이 떨어져서 족부내재근 구축이 발생하기 때문에 스트레칭과 같은 물리치료도 필요하다. 특히 아킬레스 건 구축이 있으면 중족 족지 관절이 받는 하중(압력)이 증가하기 때문에 아킬레스 건 경피적 신연수술이 필요할 수도 있다[5].

일단 궤양이 발생하면 궤양의 정도, 말초 신경병증 정도, 혈액 순환 장애 여부, 염증 유무 등을 확인하는 것이 중요하다. 감염되지 않은 궤양만의 단독 병소는 그 깊이가 깊지 않은 족저부 궤양이라면 전접촉 석고[13] 등 보존적 방법으로 잘 치유될 수

있으나, 염증이나 농 형성이 있으면 먼저 배농과 괴사조직 완전 제거[13], 항생제투여, 안정, 궤양부위 압력제거, 혈행 개선에 초점을 맞추어 치료하고, 호전되면 다시 전접촉 석고 등으로 치료한다.

당뇨병으로 인한 궤양은 다른 원인에 의한 궤양에 비하여 치료기간이 매우 길다는 것을 환자에게 주지시키고 가능하면 wet-to-dry dressing이나 베타딘 용액에 담그어 치료하는 것은 피하고, 궤양에 삼출액이 있을 때는 습식 드레싱을 하면 상처가 습한 상태로 유지되면서 삼출액이 잘 흡수된다[13]. 이 삼출액에는 상처 치유를 지연시키는 단백분해효소가 있기 때문에 습식 드레싱으로서 이 단백분해효소를 흡수시키자는 것이다[5].

2. 궤양 발생 이전 단계의 예방적 발관리 지침 (교육과 위험군 환자관리 지침)

1) 교육

발 관리 지침으로서 모든 당뇨병 환자에게 매일 해야 할 일과 해서는 안될 일을 교육하는데, 맨발 보행, 뜨거운 물로 씻기, 굳은살 제거기나 약 사용 등은 하지말고 실내에서도 실내화를 신도록 교육한다. 매일 연성 비누와 미지근한 물로 발을 씻고 발톱 주변은 부드러운 솔로 씻어서 발가락 사이까지 잘 말린 다음 발이 건조하지 않도록 오일, 로션 또는 라놀린 크림을 바르도록 한다. 발에 물집이나 상처가 있는지 관찰하며 양말은 땀을 잘 흡수하고 통풍이 잘 되는 것으로 신고, 발톱은 옆으로 곧게 깎으며, 신발은 신기 전에 속에 이물질이 있는지, 찢어져 있는지 확인한 다음에 신도록 교육한다. 여러 관절에 강직현상[14]이 나타나기 때문에 손이 발에 닿지 않는 경우에는 거울을 이용하여 발바닥을 관찰하도록 한다.

궤양이나 절단에 이르게 하는 여러 가지 위험요소, 그 위험요소가 발에 미치는 영향, 그리고 이 위험요소에 대한 적절한 처치에 관하여 정기적으로 교육을 해야한다[4]. 신경병증이 있으면 새로운 신발을 구입할 때는 한낮에 구입하도록 한다. 새 신발로 바로 바꾸어 신지 말고 처음에는 하루 한 두 시간 동안만 신는 등 오래된 신발과 교대로 신음으로서 물집이나 궤양이 발생하지 않고 차츰차츰 새 신발에 적응되도록 한다[4,18,17].

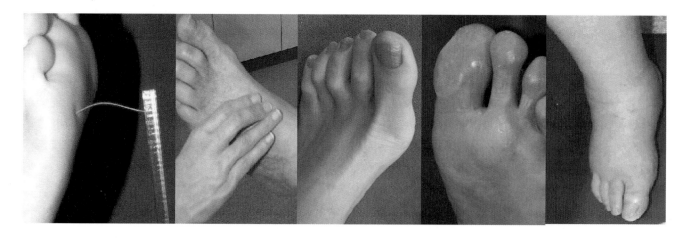

그림 21-4. Risk factors : neuropathy, ischemia, deformity, callus and edema

2) 위험군 환자 관리지침

궤양이 발생하기 이전의 환자를 4 가지 위험군으로 나누어 각 군에 해당하는 기본적인 치료지침을 아래와 같이 제시하였다[25]. 가능하면 혈당치를 정상에 가깝도록 조절하면 신경병증 발생은 상당히 지연될 수 있고 혈관질환 위험을 줄이기 위해서 금연을 권한다[4].

위험군 0 은 정상모습의 발로서 감각이 정상이고 작은 변형이 있을 수 있다. 기본적인 발 교육을 시행하고, 년 1회 정기 검진하며, 정상적인 신발을 착용하는데 좁은 신발, toe box나 발등부분이 꼭 맞는 신발은 피하고 끈으로 매는 신발을 권한다.

위험군 1 은 발 모습은 정상이면서 감각이 없는 경우로서 매일 스스로 발을 검사하고 위험요소에 관한 교육을 시행하며, 압력분산형 안창을 착용하는데 적어도 6개월마다 교체한다. 신발은 부드러운 가죽으로 만들고 끈으로 매는 옥스퍼드 신발로서 크기는 압력분산 적응성 안창이나 보조기에 적응할 만한 크기가 좋다. 3-6개월마다 추시 검진한다.

위험군 2 는 감각이 없고 변형을 보이는 발로서 궤양 또는 궤양 병력이 없는 경우이다. 매일 스스로 세심하게 발을 검사하도록 하고, 위험 요소 교육을 시킨다. 발에 발적, 온감, 굳은살이 있거나, 실제 발 압력을 측정하여 부분적으로 압력이 높은 사람은 쿠션이 좋고 압력을 재분포시키는 신발이 필요하기 때문에 맞춤 제작으로서 압력 분산 적응성 발 보조기를 처방하고, 신발은 여분의 깊이가 있고 부드러운 가죽으로 되어 있으며 적응성이 좋고 끈으로 매는 신발을 착용하도록 처방한다. 갈퀴 족지나 중족골두 융기, 건막류 등 변형이 있으면 여분의 넓이나 깊이가 있는 신발을 처방한다. 굳은살은 발 치료 전문의가 scalpel로 데브리망한다[4]. 피부나 발톱에 어떤 병적 상태가 새로 생기는지 관찰하고 1-4개월마다 검진한다.

위험군 3 은 감각이 없고 변형이 있으면서 궤양력이 있는 발이다. 매일 스스로 세심하게 발을 검사한다. 위험 요소에 관한 교육을 시키고, 맞춤 제작으로서 압력 분산 적응성 발 보조기를 사용하며, 여분의 깊이가 있고 부드러운 가죽으로 만들어서 적응성이 좋으며 끈으로 매는 신발을 처방하고 2개월(상태에 따서는 1-8주)마다 의사의 검진을 받게 한다. 피부나 발톱에 병적 상태가 새로 발생하면 즉시 임상검사를 시행하며, 발 전문 정형외과 의사에 검진을 의뢰한다.

기타 피부 건조나 무좀과 같이 피부에 작은 이상이 있어도 곧바로 치료하여 더 큰 이상으로 진행되는 것을 예방해야 한다. 또 간헐적 파행 증상이 있으면 정밀한 혈관 검사를 시행하고 운동치료나 수술치료를 고려한다[4].

3. Simple Staging System에 따른 치료

당뇨 발이 결국은 절단하기에까지 이르게 되는 자연경과를 기초로 하여 6 단계로 설정하였다[4]. 단순해서 적용하기가 쉽고 각 단계별 치료 방침을 구체적으로 설정하고 있다.

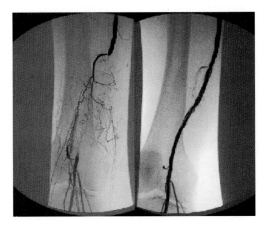

그림 21-5. Left : angioplasty(before, after) Right : arterial bypass

Stage 1

◆**설명**: 위험요소가 없는 정상 모습의 발로서 위험요소는 신경병증, 허혈, 변형, 굳은 살, 부종을 말한다.(AOFAS의 "위험군 0"에 해당)

◆**치료**

· 기계적 조절: 신발선택 요령을 알려 주어서 굽이 낮고 발 모양에 맞으며, 끈으로 조이는 신발을 착용함으로서 발에 손상이나 변형이 생기지 않도록 한다.

· 교육: 기본적인 발관리 교육으로서 발 위생, 발톱 깎는 방법 등을 교육한다.

· 대사 조절: "Great Quartet" 즉, 고혈당 혈증, 고지혈증, 고혈압, 흡연을 조절함으로서 합병증 발현을 지연시킨다.

· 검진: 1년에 2회 이상 검진하여 합병을 조기에 발견한다.

Stage 2 (그림 21-4)

◆**설명**: 위험요소로서 신경병증, 허혈, 변형, 굳은살, 부종 중 한 가지 이상을 가진 경우이다(AOFAS의 "위험군 1, 2, 3"에 해당).

◆**치료**

· 교육: 기본적인 발관리 외에 발이 저리고 무감각한 것의 의미, 외상 예방법, 문제 발생 시 빨리 발견하는 방법 등을 교육한다. 병변이 악화되는 위험징후, 자가진단 및 자가치료의 위험성을 알려주고, 문제 발생하면 무엇을 해야 하고 어디에 가서 진찰을 받아야 하는지 교육한다.

· 기계적 조절: 굳은살은 발 전문 의사가 제거하도록 한다. 신경병증이 있으면 특수 신발이나 안창으로 굳은살 형성을 줄여서 족저 궤양 속발을 예방해 준다. 변형이 있으면 이에 맞게 신발 제작을 주문한다. 허혈이 동반되어 있으면 여분의

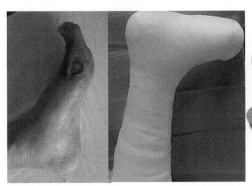

그림 21-6. Stage 3 foot, ulcer, total contact cast, insole

깊이가 있는 폭이 넓은 신발을 처방하여 돌출된 부위를 보호한다.

· 대사 조절: "Great Quartet" 조절로서 합병증 진행 속도를 늦춘다.

· 혈관 조절: 맥박이 촉지되지 않는 환자는 Doppler 검사 및 허혈지수를 산출해야 한다. 동맥에 칼슘침착이 있으면 경피적 산소포화도 측정법이 더 도움된다. 혈행장애가 심하거나 파행 또는 휴식동통이 있으면 혈관외과의사의 협진이 필요하다. Stage 2에서는 매우 드물지만 허혈이 심하여 동맥조영술 후 동맥성형술 또는 우회술식(그림 21-5)이 필요할 수 있으나, 이런 경우가 궤양 없이 나타나는 것은 드문 일이다.

· 검진: 정기적으로 검진하면서 합병증 예방을 위한 정기적인 발관리가 필요하다.

Stage 3

◆ **설명**: 궤양이 발생한 상태(그림 21-6). 신경병증이나 허혈증이 있는 발에서는 피부의 아주 작은 균열이라도 있으면 매우 세심한 치료가 필요하다. 모든 궤양은 서로 다르지만, 치료에는 일정한 원칙이 있다. 신경병성인 경우에는 그래도 아주 조금은 허용할 수 있으나 신경허혈성 stage 3 족부 궤양 치료에서는 아주 작은 실수도 허용할 수 없다.

◆ **치료**

· 기계적 조절: 발에 미치는 압력을 없애주는 것이 필수치료이다. 신경병성인 경우에는 특수 신발을 제작하여 전접촉 몰드 안창을 깔거나, Scotchcast, 전접촉 석고(그림 21-6) 또는 공기석고를 하고, 목발 또는 휠체어를 이용하거나 침상안정이 필요하다. 허혈성 궤양인 경우에는 여분의 깊이가 있고 폭이 넓은 신발이나 Scotchcast로서 궤양 및 그 변연부에 미치는 압력을 해소시킨다.

· 미생물학적 조절: 어떤 수단을 동원해서라도 감염은 예방해야 한다. 무균적 조작으로 창상을 덮고 매일 드레싱하며 균 배양검사를 시행한다. 궤양 상(ulcer bed)의 색깔이 변하거나, 크기가 커지거나, 삼출물이 많아지고 주변에 발적과 부종이 생기면 감염의 조기 징후로 판단할 수 있다.

· 대사 조절: 당조절이 잘 되어야 궤양이 빨리 치유되기 때문에 당뇨병 전문의에게 협진을 의뢰하며, 흡연을 삼가게 한다.

· 혈행 조절: 허혈성 궤양인 경우 6주 이내에 궤양이 치유되지 않으면 혈관성형술을 고려한다.

· 창상 치료: 신경병성인 경우에는 정기적인 변연절제술을 시행한다. 모든 굳은살과 궤양 내 및 주변의 부육을 제거한다. undermined edge를 제거하여 궤양 상을 건강한 출혈 조직으로 만들어야 치유가 빨라진다. 신경허혈성인 경우에는 부육을 제거할 때 매우 조심하지 않으면 허혈상태인 주변의 조직마저 손상을 주게 되므로 매우 조심해야 한다. 궤양은 매일 생리적 식염수로 클린싱하고 악화되지 않는지 매일 파악해야 한다.

· 교육: 환자에게 당뇨 발 궤양은(통증이 없어도) 문제가 심각함을 알려준다. Stage 3에서의 교육은 악화를 시사하는 위험 징후를 교육하고 궤양치료를 환자 자신이나 가족이 아닌 의사에게 맡기도록 주지시켜야 한다.

Stage 4

◆ **설명**: 감염이 합병된 상태(그림 21-7).

일단 감염이 발생하면 치유가 지연되고 조직이 매우 파괴된다. 면역기능이 떨어진 당뇨병 환자에서는 감염의 확실한 징후인 발적, 부종, 통증, 기능소실 등이 잘 나타나지 않을 수 있기 때문에 주의해야 한다. 대부분 감각 이상과 시각 장애가 있고 대인 접촉이 적기 때문에 궤양이나 감염이 발생하여도 쉽게 발견되지 않는다. 또 자율신경 이상이 있어 동정맥 문합이나 혈관부전이 잘 발생하기 때문에 국소에 영양공급이 부족해져서 감염 치유가 어렵게 된다. 또한 균에 대한 식세포 작용이 떨어진데다 영양실조, 고혈당혈증, 미세혈관 불

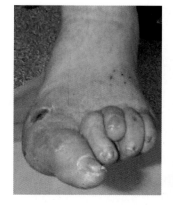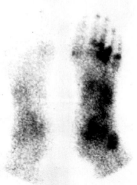

그림 21-7. Stage 4 foot

표 21-3. Suggested antibiotic regimens for treating diabetic foot infection

Severity	Recommended	Alternative
Mild/moderate	Cefalexin Amoxillin/clavulanate Clindamycin	Ofloxacin ± clindamycin Trimethoprim/sulfamethoxazole
Moderate/severe	Ampicillin/sulbactam Clindamycin + ciprofloxacin	Trovafloxacin(간독성 심함) Clindamycin + ceftazidime
Life-threatening	Imipenem/cilastin Clindamycin + tobramycin + ampicillin	Vancomycin + aztronam + metronidazole

량, 혐기성 대사 불량 등 전신이상 소견을 보인다. 따라서 면역기능도 떨어지면서 감염이 잘되기도 하지만 일단 감염이 합병되면 치유도 매우 어려워진다.

◆ **치료**

· 기계적 조절: 감염이 합병되면 완전하게 침상안정해야 한다 (집 또는 병원에서). 한 걸음 걸을 때마다 보행 및 체중 부하 힘으로 근막을 따라서 퍼 올리듯이 감염이 퍼지게 된다.

· 미생물학적 조절: 가능한 한 빨리 농과 조직을 채취하여 원인균을 밝힌다. superficial swab도 의미가 있다[6]. 배양검사 결과를 기다리는 동안 경험상 선택한 광범위 항생제(주로 apicillin/sulbactam + cleocin)를 투여한다. 허혈성 발에서도 조직에 항생제는 전달된다. 열과 고혈당 혈증이 있으면 감염이 조절되는지 알아 볼 수 있는 좋은 척도가 될 수 있다. 감염의 정도에 따라 항생제를 경구투여, 근내주사, 또는 정맥주사한다. 발 통증이 심하거나 파동, X-ray상 골수염 또는 조직내 가스가 확인되면 먼저 수술로서 배농 및 괴사조직 제거를 시행해야 감염이 조절될 수 있다. 당뇨 발 궤양에서 감염은 주로 혼합감염 형태이며, 항생제는 포도상구균과 연쇄구균에 대항할 수 있는 항생제를 선택하는데 심한 감염인 경우에는 그람 음성균과 Enterococcus균주에도 대항하는 항생제를 선택한다. 조직이 괴사되어 독한 냄새가 나는 창상인 경우에는 혐기성균에 대항하는 항생제를 추가한다[21,26]. 감수성 검사 결과에 따라서 narrower spectrum agents를 선택하는 것이 좋지만, 경험상 선택 항생제로서 병소가 치유되고 있으며 환자가 치료에 잘 견딘다면(임상소견 호전), 검사 결과에서 균주 일부 또는 전체가 경험상 선택 항생제에 내성이 있다하여도 항생제를 바꿀 이유는 없다. 반면 감염이 치료에 반응하지 않거나 수술을 시행할 때는 감수성 검사 결과에 따라서 교체

하도록 한다[21,26]. 감염 정도에 따라 Lipsky가 권하는 항생제는 표 21-3과 같다[21].

· 대사 조절: 감염은 고혈당 혈증과 ketosis를 초래할 수 있기 때문에 이를 검토해야 한다. 고혈압, 고지혈증, 흡연 등을 조절해야 한다.

· 혈행 조절: 신경허혈성 발에서는 감염이 놀라울 만한 속도로 퍼진다. 광범위하게 괴사조직 제거술이 필요한 환자에서는 혈관수술로서 발의 혈행을 개선시킬 필요가 있다.

· 창상 치료: 창상에 비활성조직이 남아 있으면 그 창상은 치유될 수 없기 때문에 모든 감염 병소는 봉소직염인 경우를 제외하고는 조기에 수술적 데브리망을 시행한다. 농이 있으면 배농을 시키고 가피(dead skin), 괴사조직(뼈, 연골, 건, 근막 포함[13]), 이물질은 물론 주변의 굳은살까지 모두 제거해서 chronic wound를 acute wound로 만들어준다[16]. 수술적 데브리망은 1주에 1회 정도 시행하는 것이 도움된다. 제거한 조직은 미생물학적 검사와 균 배양검사를 시행한다.

· 교육: 감염된 발은 휴식과 보행금지가 중요함을 환자에게 이해시킨다. 환자, 가족 및 간호하는 사람에게 감염이 파급되는 위험 징후를 알려주어서 이런 징후가 나타나면 즉시 알리도록 주지시킨다.

Stage 5

◆ **설명**: 발 괴사 상태(그림 21-8). 궤양에 합병된 감염이 조절되지 않아 괴사가 발생한 경우이다. 그러나 주요 동맥이 갑자기 막히는 경우에는 궤양 없는 상태에서도 괴사가 발생할 수 있다. 더구나 당뇨병성 신증 환자에서는 괴사병변 발생 경향이 훨씬 높다. 신경병증 발에서는 대체로 감염이 괴사 원인이다. 신경허혈성 발에서는 감염이 역시 조직 괴사의 가장

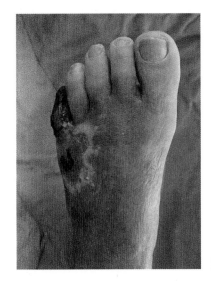

그림 21-8. Stage 5 foot

흔한 원인이고 여기에 허혈상태가 괴사 발생에 더욱 기여하게 된다.

◆치료

· 기계적 조절: 처음에는 입원시켜 침상 안정토록 하며 부목 등 보호장치가 필요하고 정기 체위 변경으로 욕창을 예방한다. 허혈성 발에서 건성 괴사를 보존적으로 치료할 때는 여분의 깊이가 있고 폭이 넓은 신발이나 Scotchcast를 착용한다. 모든 Stage 5 환자는 치유될 때까지 보행을 제한하고 보조기 전문가가 검토하도록 한다.

· 미생물학적 조절: 신경병성이거나 허혈성이거나 습성 괴사인 경우는 항생제 정주가 필요하다. 건성 괴사인 경우에도 감염을 예방하기 위해서 항생제 투여가 필요한 것이 보통이다. 정기적으로 swabs와 조직 샘플을 미생물학적으로 검사하고, 악화되지 않는지 매일 눈으로 확인한다.

· 대사 조절: 많은 환자들이 대사 상태가 불안정하기 때문에 그 조절이 어렵다. 인슐린 피하주사가 필요하고 심한 환자에서는 intravenous insulin sliding scale이 필요하다. 심장과 신장 기능이 최적 상태를 유지하도록 해야 한다.

· 혈행 조절: 혈관조영술을 시행하여 혈관성형술 또는 원위부 우회술식을 시술한다. 괴사가 광범위하면 우회술식이 유일한 방법일 수도 있다.

· 창상 치료: 신경병성 발에서 습성 괴사는 데브리망을 시행하고 이후 정기적 창상 변연부 데브리망으로 치유를 촉진시킨

다. 신경허혈성 발에서 건성 괴사로서 혈관 수술이 불가능한 경우에는 보존적으로 치료해야 한다. 과도한 부육이나 괴사된 조직 부스러기는 주변 조직에 손상을 주지 않도록 매우 조심하면서 제거한다. 괴사 및 생 조직 사이의 경계선은 조심해서 데브리망하여 괴사조직 부스러기와 습성 괴사를 제거한다. 혈관우회술을 시행한 창상이 감염되지 않도록 매일 소독한다.

· 교육: 문제가 심각함을 알려준다. 창상이 악화되면 곧바로 보고하도록 교육한다. 목욕이나 샤워할 때는 발이 물에 젖지 않도록 덮지 않으면 습성 괴사가 감염될 수 있다는 것을 교육한다.

Stage 6

◆설명: 발을 구제할 수는 없고 절단수술이 필요한 상태(그림 21-9). 감염으로 발이 모두 괴사되거나, 부분적인 full-thickness 괴사가 진행되어 발을 구제할 수 없는 단계에 이르거나, 안정시 통증도 심하여 진통제가 효과 없어 절단 수술을 하게 되는 단계이다.

◆치료

· 기계적 조절: 남은 발에도 욕창이 생길 위험이 높아서 특수 메트리스, 포말 설(foam wedge)(그림 21-9)과 정기적인 체위 변동으로 욕창을 예방한다. 절단 후에는 남은 발에도 문제가 발생하는 경향이 있고 양쪽 발을 절단하는 예가 증가하는 추세이기 때문에 재활치료가 시작되면 보조기 전문가와 협의하여 남은 발에 잘 맞는 신발을 착용시킨다.

· 미생물학적 조절: 절단 단단부 창상으로부터 swabs로 균배양검사를 시행하고 감염 징후 여부를 세심하게 관찰한다.

· 대사 조절: 수술 전후에 IV insulin sliding scale로 혈당을 조절하고 절단 수술 2일 전에 epidural infusion을 시행한다.

· 혈행 조절: 절단 수술하기 전에 혈관검사로서 절단 부위를 결정한다.

· 창상 치료: 수술 창상이 완전히 치유될 때까지 청결을 유지하도록 드레싱하고 창상이 악화되는지 관찰한다. 신경병성 절단 단단부에 압박부위가 있으면 굳은살이 생기기 쉬우며 이를 주기적으로 관찰하여 제거한다.

· 교육: 절단하면 모든 당뇨병 환자 중에서 위험도가 가장 높다는 사실을 환자에게 주지시키고 남은 발 관리에 관하여 교

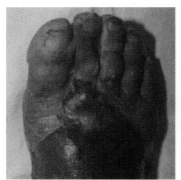

그림 21-9. Stage 6 foot, Airmatress and foam wedge

육한다.

4. 보조치료

보조치료 방법에는 전기자극, 고압산소, 초음파, 진공을 이용한 봉합, 저강도레이저조사, 단일파장적외선광에너지치료(monochromatic nearinfrared photoenergy therapy : MIRE), 유충치료(larval therapy), 생명공학을 이용한 치료 등이 있다.

고압산소요법[13,27]은 허혈성 조직에 산소를 더 많이 공급함으로서 감염을 다스려 창상치유를 촉진시키고자 100% 산소를 sea level 이상의 압력에서 간헐적으로 흡입시키는 치료이다. 감염이 없는 경우에는 2.0~2.4기압으로 90 - 120분간씩 하루 1 - 2회 시행한다. 감염이 있거나 고위험군에서는 하루 2회 정도가 효과적이다. 한편 국소용 산소요법은 그다지 효과가 없는 것으로 판명되었다.

초음파치료는 특히 염증기나 증식기에 사용하면 치유를 촉진시킨다고 한다.

진공이용봉합은 장기간 치유되지 않고 삼출물이 많은 chronic wound에 주로 이용하는데, 상처 흡인으로 음압을 만들어 육아조직 형성을 촉진시키고 부종을 감소시키면서 세포이동을 촉진하고 혈류를 증가시키면서 산소공급을 늘려 창상치유를 촉진시키는 방법이다.

열치료는 창상 주변의 온도를 섭씨 30도로 유지하여 국소 관류를 증가시킴으로서 창상치유를 촉진시키자는 방법이다[7].

유충치료는 파리유충인 구더기를 이용해서 감염된 연부조직과 뼈를 데브리망 시킴으로서 감염을 치료하고 냄새를 제거하는 일종의 low-technology "biosurgery"이다. 현재 미국과 유럽의 여러 centers에서 시행하고 있는데 어떤 형태의 창상에 도움되는지 연구가 더 필요한 단계이다[21].

생명공학을 이용한 치료에는 성장인자를 이용한 치료와 생물학적 피부 대용품을 들 수 있다. 이런 치료들은 현재 일반적으로 널리 허용되고 있는 치료는 아니며, 앞으로 더 많은 연구가 필요한 단계이다. 단, Becaplermin gel은 사람의 재조합형 혈소판유도성장인자를 함유한 국소도포제로서 창상치유를 촉진시키는데 건과 근막이 노출되어 있어도 치유가 잘 되었다는 보고가 있고 통상의 치료에 잘 낫지 않는 신경병성 궤양에 보조치료제로 사용할 수 있다고 하였다[13].

■ 참고문헌

1. Abu-Rumman PL, Armstrong DG and Nixon BP : Use of clinical laboratory parameters to evaluate wound healing potential in diabetes mellitus. J Am Podiatr Med Ass, 92:38-47, 2002.

2. American Diabetic Association : (Position Statement) Preventive foot care in people with diabetes. Diabetes Care, 21: 2178-2179, 1998.

3. American Diabetic Association : Consensus Development Conference Report on diabetic foot wound care. Diabetes Care, 22:1354-1360, 1999.

4. American Diabetic Association : Position statement. Preventive foot care in people with diabetes. Diabetes Care, vol 26 suppl 1:S78-S79, 2003.

5. Bloomgarden ZT : (Perspectives on the News) American Diabetes Association 60th Scientific Sessions, 2000. The Diabetic Foot. Diabetes Care, 24:946-951, 2001.

6. Bloomgarden ZT : European Association for the study of diabetes annual meeting, 2000. Pathophysiology of type 2 diabetes, vascular disease, and neuropathy. Diabetes Care, 24:1115-1119, 2001.

7. Boyko EJ, Ahroni JH and Stensel VL : Tissue oxygenation and skin blood flow in the diabetic foot. Responses to cutaneous warming, Foot Ankle Int, 22(9), 2001.

8. Boyko EJ, Ahroni JH, Stensel V, Forsberg RC, Davignon DR and Smith DG : A prospective study of risk factor for diabetic foot ulcer. The Seattle Diabetic Foot Study. Diabetes Care, 22:1036-1042, 1999.

9. Brodsksky JW : Evaluation of the diabetic foot. Instr Course Lec, 48:289-303, 1999.

10. Carrington AL, Abbott CA, Griffiths J, Jackson N, Johnson SR, Kulkarni J, Van Ross ERE, and Boulton AJM : A foot care program for diabetic unilateral lower-limb amputees. Diabetes Care 24: 216-221, 2001.

11. Castronuovo JJ, Adera HM, Smiell JM and Price RM : Skin perfusion pressure measurement is valuable in the diagnosis of critical limb ischemia. J Sasc Surg, 26:629-637, 1997.

12. Enderle MD, Pressler H, Coerper S, Becker HD, Schweizer HP, Claussen C, et. al. : Correlation of imaging techniques to histopathology in patients with diabetic foot syndrome and clinical suspicion of chronic osteomyelitis. The role of high-resolution ultrasound. Diabetes Care, 22:294-299, 1999.

13. Fink B and Mizel MS : Specialty update : What's new in foot and ankle surgery. J Bone Joint Surg, 84-A : 504-509, 2002.

14. Foster A and Edmonds M : Simple staging system: a tool for diagnosis and management, The Diabetic Foot, 3:256-262, 2000.

15. Frykberg RG and Armstrong DG : The diabetic foot 2001. A summary of the proceedings of the American Diabetes Association's 61st scientific symposium. J Am Podiat Med Ass, 92:2-6, 2002.

16. Frykberg RG, Armstrong DG, Giurini J, Edwards A, Kravette M, Kravitz S and et al : Diabetic foot disorders. A clinical Practice Guideline. (For the American College of Foot and Ankle Surgeons and the American College of Foot and Ankle Orthopaedics and Medicine). J Foot Ankle Surg, vol 39(Suppl):S1-S60, 2000.

17. Frykberg RG, Harvey C, Lavery LA, Harkless L, Pham H and Veves A : Role of neuropathy and high foot pressures in diabetic foot ulceration. Diabetes Care, 21:1714-1719, 1998.

18. Guyton GP and Saltzman CL : The diabetic foot : Basic mechanism of disease. Instr Course Lectures, 51:169-181, 2002.

19. Kalani M, Ostergren J, Brisma K, Jorneskog G and Fagrell B : Transcutaneous oxygen tension and toe blood pressure as predictors for outcome of diabetic foot ulcers. Diabetes Care, 22:147151, 1999.

20. Larsson J, Agardh CD, Apelgvist J and Stenstran A : Long term prognosis after healed amputation in patients with diabetes. Clin Orthop, 350:149-158, 1998.

21. Lipsky BA : Infectious problems of the foot in diabetic patients. In Bowker JH and Pfeifer MA (eds) : The Diabetic Foot, 6th ed. pp467-480, Mosby Co, St Louis, 2001.

22. Lyu SR, Ogata K and Hoshiko I : Effects of a cane on floor reaction force and center of force during gait. Clin Orthop, 375:313 - 319, 2000.

23. Mayfield JA, Reiber GE, Sanders LJ, Janisse D, and Pogach LM :(Technical Review) Preventive foot care in people with diabetes. Diabetes Care, 21: 2161-2177, 1998.

24. Pham H, Armstrong DG, Harvey C, Harkless LB, Giurini JM and Veves A : Screening techniques to identify people at high risk for diabetic foot ulceration. A prospective multicenter trial.

Diabetes Care, 23:606-611, 2000.

25. Pinzur MS, Slovenkai MP and Trepman E: Guideline for diabetic foot care. The Diabetic Committee of the American Orthopaedic Foot and Ankle Society. Foot Ankle Int, 20:695-702, 1999.

26. Saltzman CL and Pedowitz WJ : Diabetic foot infection. Instr Course Lec, AAOS, 48:317-320, 1999.

27. Stone JA and Cianci P : The adjunctive role of hyperbaric oxygen therapy in the treatment of lower extremity wounds in patients with diabetes. Diabetes Spectrum, 10:118-123, 1997.

28. Tanenberg RJ, Schumer MP, Greene DA and Pfeifer MA : Neuropathic problems of the lower extremities in diabetic patients. In Bowker JH and Pfeifer MA (eds) : The Diabetic Foot, 6th ed. pp33-64. Mosby Co, St Louis, 2001.

22. 당뇨병성 족부궤양
Diabetic foot ulcer

을지의대 을지병원 족부정형외과 **이 경 태**

관동의대 명지병원 정형외과 **김 현 철**

당뇨병은 인류의 가장 오래된 병 중의 하나로 그 합병증인 당뇨병성 족부궤양은 국내외의 오랜 역사 기록에서도 볼 수 있다. 하지만 근대에까지도 그 치료 방법을 알지 못하여 절단을 하거나 사망을 하는 경우가 많았다. 하지만 근래에 당뇨병성 족부 궤양에 대한 지식이 늘어남으로 해서 절단의 비율이 점차 감소하고 있는 추세이다.

이 장에서는 당뇨병성 족부 질환에서 가장 많이 접하고, 가장 문제가 되고 있는 궤양의 원인을 알아보고, 원인에 따라 분류하고 그 진단과 치료에 대해서 알아보기로 한다.

I. 뇨병성 족부궤양 발생빈도

당뇨병성 족부궤양은 당뇨환자의 45%를 차지한다. 즉 모든 당뇨환자 중 45%에서 일생동안에 적어도 한번 당뇨병성 족부 궤양이 발생한다. 이처럼 당뇨병의 합병증 중에 가장 많은 빈도를 보이는데, 그 빈도는 당뇨병성 뇌혈관 질환보다 8배 많고, 당뇨병성 망막질환보다 27배 많고, 당뇨병성 신장질환보다 35배 많은 것으로 보고되고 있다. 대부분 40대 이상에서 발생하며, 당뇨환자의 입원 건수 중 약 16%를 차지하고 당뇨로 인한 입원 일수 중에 23%가 발에 문제로 인한 것으로 보고되고 있다.

일반적으로 신경병성 및 혈액순환문제로 야기되는데 우리가 흔히 생각하는 혈액순환 문제보다는 신경병성 문제로 인한 원인이 훨씬 더 많다. 한 예로 당뇨병 센타에서 시행한 연구에는 137건의 새로운 족부 궤양이 발생했을 때 이중 45%가 단순한 신경병성, 7%만이 순수한 혈액순환 문제였고 45%가 두 문제가 혼재해 있는 형태로 약 90% 정도에서 신경병성 문제가 동반된 것으로 보고되고 있다.

II. 병인(Pathophysiology)

당뇨의 병인 중에서 중요한 원칙 중의 하나는 신경병성 문제와 압력이 동반되면 신경병성 궤양(neuropathic ulcer), 혈액순환의 경색이 오면 괴사(ischemia)라고 하는 등식이다.

Neuropathy + Pressure = Ulcer

Ischemia = Gangrene

조직학적으로 궤양이 발생하려면 연부 조직 중 피하 지방 그리고 뼈와 골조직과 인대 조직복합체에 영향이 발생 이들이 파괴가 되어야 한다. 이러한 파괴의 원인으로는 당 조절이 안되거나 자율신경계의 신경병 그리고 감각인성 신경병(sensory neuropathy) 불안정성(instability) 및 골절, 변형 그리고 체중 시력저하 과거에 궤양이 있었던 것 혈액순환 저하 지방 위축 그리고 좋지 못한 신발을 신는 것들이 알려져 있다(그림 22-1).

근본적인 궤양이 발생하는 기본 기전으로는 항상 그렇듯이 혈액순환문제와 신경병성 문제로 나눌 수 있는데, 이에 대해서 자세히 알아보기로 한다.

1. 혈액순환 문제

먼저 혈관순환의 문제로는 대게 말초혈관에 동맥경화가 발생하여 이로 인해 피부로 가는 혈류가 감소하고, 이로 인한 피부의 위축(atrophy)으로 궤양이 발생한다는 것이 기본 원칙이다. 이는 동맥성과 정맥성 궤양으로 나눌 수 있는데, 동맥성 궤양은 대개 궤양의 크기가 작고 족지에 발생하며, 주 발생 원인은 잘못된 발톱의 관리라던가 수포로 발생하는 것이 일반적이

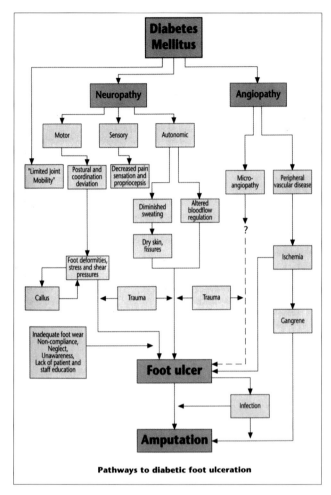

그림 22-1. 당뇨병성 족부 궤양이 발생하는 기전

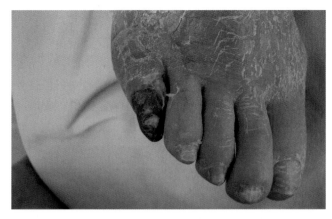

그림 22-2. 신경 합병증으로 인해 족저면에 발생한 궤양

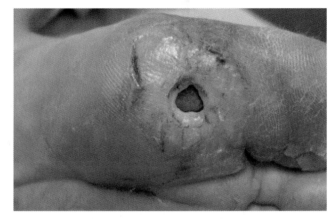

그림 22-3. 혈관 합병증으로 인한 족지의 괴사

다. 정맥성 궤양은 대개 궤양이 크고 족부의 배측이나 하퇴부 등에 발생하는 특징을 가지고 있다(그림 22-2).

2. 신경병성 문제

이에 반해서 신경병성 궤양은 감각과 운동신경 그리고 자율신경에 다른 병이 다르게 되는데 먼저 감각신경병성 문제로는 가장 중요한 것이 피부 보호 감각(protective sense)의 소실이다. 이 피부감각이 소실되게 되면 계속 반복되는 외상을 인지하지 못하거나 신발에 끼여 있는 위험한 인자들을 알아내지 못해서 최초의 상처가 발생해 궤양이 된다거나, 이로 인해서 피부 조직내 변화가 오는 것이 병인이고, 운동신경으로 인한 문제는 운동신경 중 가장 먼 길을 선회하게 되어 당대사에 가장 취약한 내족지 신경이 기능을 상실하게 되어 발의 내재근(intrinsic muscle) 불균형이 초래되고, 내적 음성족지(Intrinsic negative toe)가 발생하면서 갈퀴 변형이 발생되어 중족지골에 새로운 압력이 발생하면서 이것이 궤양의 원인이 되는 것이다. 마지막으로 자율신경문제로는 피부의 땀이 소실되거나 하면서, 피부의 상처에 대한 취약성이 증가되면서 상처에 쉽게 노출되게 되는 것이다(그림 22-3).

신경병성 궤양의 특징은 발의 압력과 연관된 부위 즉 발의 족저부 중족골두부나 신발에 의해 압력을 받게 되는 제1, 5족지에 주로 발생하는 것이 특징이며, 혈액순환 문제와는 다르게 동통이 없는 것이 특징이다(그림 22-4).

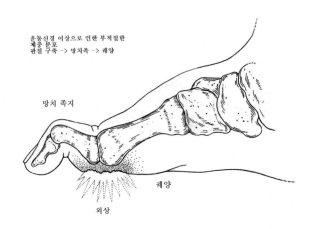

운동신경 이상으로 인한 부적절한
체중 분포
관절 구축 → 망치족 → 궤양

망치 족지

궤양

외상

그림 22-4. 당뇨의 신경 합병증에 기인한 운동신경 이상으로 인한 족저 궤양의 발생 기전

III. 임상 양상(Clinical Manifestation)

당뇨병성 족부 궤양은 먼저 임상적으로 신경병성이 주 원인인 신경병성 궤양(neuropathic ulcer)인지 혈관의 문제가 주원인 궤양(vasculopathic ulcer)인지 나누는 것이 아주 중요한데, 이는 그 원인에 따라 치료의 방법, 예후, 합병증 등이 다르기 때문이다. 각각의 임상적 특징을 알아보기로 한다.

1. 신경병성 궤양의 특징

신경병성 궤양의 특징으로는 압력과 연관이 있어 주로 발바닥 쪽에 생긴다. 호발 부위로는 중족지 머리 부위와 뼈가 돌출된 부위(족관절 외과, 제 1, 5 중족지, 발꿈치)이다. 발이 따뜻하고 혈관의 촉지가 가능하다(그림 22-5).

병변은 처음에는 수포가 생기고 이것이 터지면서 궤양이 되는데 그 중앙에는 핑크 색의 기저부를 갖고 있고 주변에는 회백색의 융기된 섬유조직을 가지고 있는 것이 특징이다. 잘 치료를 하지 않으면 감염이 되고 진행이 되면 농양으로 발전하게 된다.

많은 경우에서 궤양의 전단계로 군은살이 있었던 경우가 일반적이다. 이 군은살은 궤양이 당장 발생해 있지 않더라도 매우 조심스럽게 관찰을 해야 할 상태로 군은살의 딱딱한 부분이

표 22-1. Neuropathic ulceration
1. blister formation
2. rupture of blister
3. ulcer formation with red or pink base
4. infection
5. abscess

부드러운 주변을 살에 압력을 주면서 주위 점상출혈 및 피부의 파열을 일으키는 과정이 궤양으로 발전하게 되는 것이다.

2. 혈액순환성 궤양의 특징

혈액순환성 궤양은 혈관의 최말단이 혈액순환에 가장 취약하기 때문에 특징적으로, 족지의 말단 부위에 발생하며, 발이 차고 혈관이 촉지가 약하든지 없다. 굉장히 심한 동통을 동반해서 대게 상처 소독을 할 때, 국소마취를 시행하지 않고 행하게 되면 너무 아파서 치료를 할 수 없는 정도다(그림 22-6a,b).

병변은 처음에는 동통이 있는 어둡고 차가운 부위가 점차 검은색으로 변하고 궤양의 중앙에는 괴사된 노란색의 조직이 있고 주변조직과는 구별이 명확하게 되는 경계가 정확한 궤양의 형태를 보이게 된다. 감염이 되면 농양을 형성하게 된다.

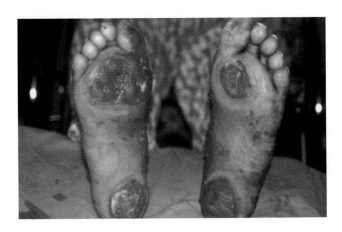

그림 22-5. 신경병성 궤양 장시간 보행 후 족저면에 수포가 발생하였고 수포가 터지면서 핑크색의 기저부를 가진 궤양이 발생하였다.

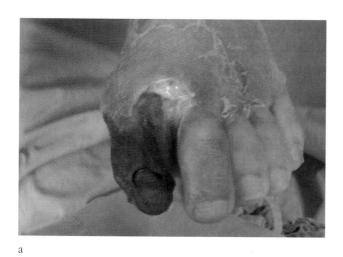
a

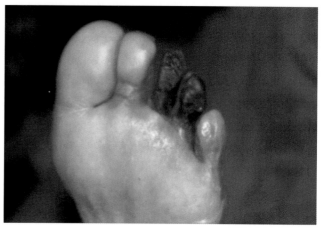
b

그림 22-6a~b. 당뇨환자에서 발생한 혈관병성 족지의 괴사 처음에는 이유없이 수포가 발생후 점점 검게 변하는 Dry gangrene으로 변한다.

3. 부위에 따른 발생 원인

한편, 궤양은 일반적으로 발생부위에 따라서 일정한 원인들을 갖게 되는데 먼저 제 1족지의 내측과 제 5족지의 외측에 발생한 궤양은 신발의 압력과 관계되는 것으로 생각되며 족저부에 생긴 것 중 전족부에 생긴 궤양은 대개 굳은살 중족부는 대개 샤코씨 질환에 의한 변형 그리고 후족부에 생긴 궤양은 혈액순환 문제로 인한 궤양이 원인으로 생각된다.

중족부에서의 문제는 대개 정상적인 족압(foot pressure)이 발의 변형이나 또는 기타 굳은살. 여러 가지 원인 등에 의해서 몇 곳으로 압력이 집중되면서 발생하게 되는 기전을 갖게 되는 것이 일반적이고, 이때 발생하는 압력 중에서도 특별히 수직적인 압력(compressive pressure)과 함께 전단력(shear pressure)이 굉장히 중요하게 되고 특별히 수직압력 중에서도 최대 압력(Maximum pressure)이 중요한 것으로 알려져 있다. (그림 22-7a~c)

꽉 끼는 신발을 신었을 경우, 무지 외반증이 있는 환자에서 신발이 발의 내측에 대해 지속적인 압력으로 작용하여 궤양이 발생할 수도 있고, 마찬가지로 제 5족지에 Bunionette가 있을 때도 마찬가지 이유로 궤양이 발생한다. 한편 중족지골 두부에 발생하는 굳은살 등은 중족지골 두부에 비골측 두부가 돌출된 것이 원인이 되어 이것으로 인해서 굳은살이 발생하게 되어 이

것이 궤양으로 발전하는 것이 일반적이고 중족부에서는 샤코씨 변형으로 인한 관절의 변형으로 설상골이나 중족설상관절에 하방전위가 발생하여 이것으로 보행시 압력이 증가되어 궤양이 발생할 수 있다(그림 22-8a~g). 후족부에서는 혈액순환 장애로 인해서 이것이 수포가 생겼다가 잘 낫지 못하고 바로 궤양으로 발생하는 것이 일반적이어서 치료가 쉽지 않은 경우도 많고, 후일 절단으로 연결되는 경우도 있기 때문에 특별한 주의를 요하게 된다.

IV. 분류(Classification)

당뇨병성 족부 궤양의 분류는 궤양의 정도 및 치료 방침을 나타내는데 영향을 미치는 궤양의 심도(depth) 및 조직 허혈도(ischemia), 신경합병증의 정도 등이 반영되어야 좋은 분류로 구분된다. 현재까지 시행되어 왔던 분류법으로는 과거에 많이 시행했던 Wagner씨 분류법 및 최근의 Brodsky의 심도-허혈도 분류법등이 있다.

1. Wagner씨 분류법

Wagner씨 분류법은 얼마 전까지 가장 많이 사용되었던 분류법으로 궤양의 심도와 허혈의 정도가 혼합되어 사용되어 두 개

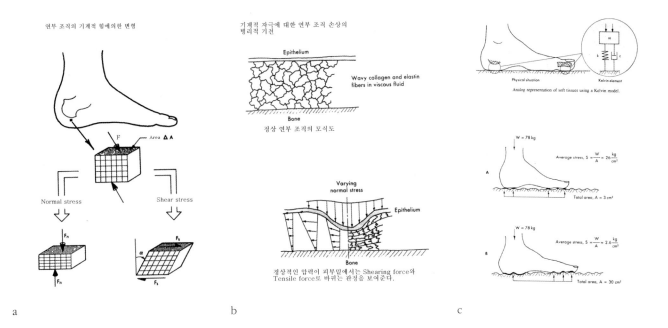

그림 22-7a~c. 정상적인 압력이 발내에서 shear force와 tensile force로 변화되는 과정을 설명 하고 있다.

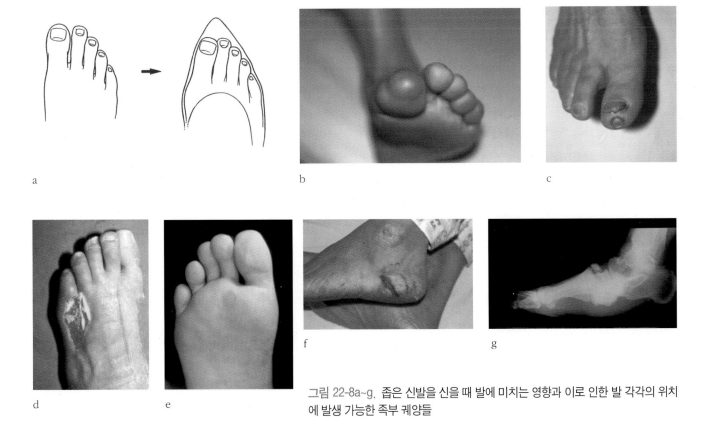

그림 22-8a~g. 좁은 신발을 신을 때 발에 미치는 영향과 이로 인한 발 각각의 위치에 발생 가능한 족부 궤양들

의 다른 요소가 혼재되어 그 정도를 정확하게 알아내거나 치료의 방침을 결정하는데 문제가 있어 요즘은 많이 사용되지 않는다. (그림 22-9)

2. Brodsky의 심도—허혈도(Depth—Ischemia Index)에 의한 분류법

이에 반해서 Brosdsky가 제시한 심도-허혈도 분류법은 두 가지 요소를 각각 평가해서 비교적 치료시 즉 외과적 절제술이 필요한 건지 절단수리 필요한 것인지 또는 치료과정에서 필수적인 혈류의 공급이 원활한지 등을 판정하여 치료의 결과를 예측할 수 있게 되었다. 하지만, 이 분류법에서도 궤양의 또 하나의 중요한 요소인 신경병성 문제에 대한 고려가 없어서 불완전하다는 견해가 있다(그림 22-10).

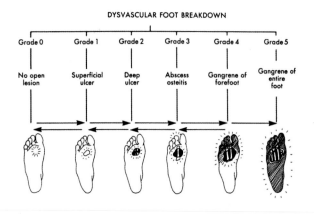

그림 22-9. 족부 궤양의 Wagner 분류법

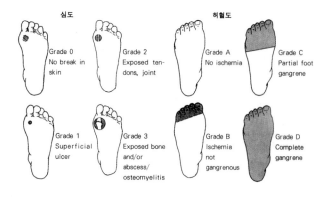

그림 22-10. 족부 궤양의 심도와 허혈 정도에 따른 분류법

표 22-2. Depth-Ischemia index

Grade	Definition
Depth classification	
0	The "at-risk" foot : previous ulcer or neuropathy with deformity that may cause new ulceration
1	Superfical ulceration, not infected
2	Deep ulceration exposing a tendon or joint(with or without superficial infection)
3	Extensive ulceration with exposed bone and / or deep infection (i.e., osteomyelitis) or abscess
Ischemia classification	
A	Not ischemic
B	Ischemia without gangrene
C	Partial (forefoot) gangrene of the foot
D	Complete foot gangrene

Depth classification

0 : at risk

1 : superficial ulceration, not infected

2 : deep ulceration exposing tendon or joint

3 : extensive ulceration with exposed onbe and/or deep infection

Ischemica classification

A : ischemia without gangrene

B : partial (forefoot) gangrene

C : complete foot gangrene

3. University of Texas Health Science Center classification

심도의 정도와 신경병성 염증, 허혈도 등을 종합하여 분류하였다.

V. 궤양과 감염

궤양과 심부감염(deep infection) 사이에서의 관계는 여러 가지의 다양한 의견이 많은데, 이는 항생제의 사용 여부와 직접적인 연관 관계를 갖고 있기 때문에 더욱 그러하다.

1. 만성적인 궤양이 있을 때의 항생제 사용 여부

대개 만성 당뇨병성 궤양일 때는 이 궤양이 골수염과 연관되어 있을 확률은 매우 적기 때문에 대개 먹는 항생제라든가 또는 근육주사 정도의 항생제를 이용하는 것이 합당하며 필요 이상의 정맥주사 등은 필요 없는 것으로 되어있고, 세심한 창상 치료가 중요하다고 되어 있다. 하지만, 일반적으로 그렇다는 것이지 너무 오래된 궤양이라던가, 감염이 의심되는 소견이 존재할 때에는 그에 맞는 적절한 치료를 시행해야 한다.

2. 급성 관절증과 동반이 의심되는 심부 감염의 진단

급성 신경관절증이 있는 상태에서 족부의 궤양이 심해서 이것이 골수염과 동반되었는지 아닌지 감별이 필요한 경우가 흔히 있는데, 이때는 여러 가지 방법의 진단법중 이중 창 기법(double window technique)이라고 하는 골주사 검사법을 사용하게 되는데, 이는 Indium 111과 Technitium99M 등을 동시에 사용하는 방법으로 100%의 sensitivity와 30%의 specificity, 그리고 90%의 정확성을 보여주는 검사이다 이 검사방법은 첫날 Indium 111을 환자의 백혈구에 붙여놓고 골주사 검사를 시행한 후 그 다음날 Technitiom 99m을 이용한 골주사 검사를 시행한 다음 궤양부위와 골 파괴부위의 증가양상이 일치하는 지의 여부를 확인하는 방법이다.

3. 궤양으로부터 근위부로의 상부 감염 (proximal infection)

상부로의 감염방법에 대해 보통 혈류를 통한 감염이 가장 흔한 것으로 알고 있지만 실제로는 병소에서 반양근(lumbricalis) 건을 통한 힘줄을 통한 이동이 훨씬 많은 것으로 되어있다. 따라서, 치료시 건의 감염여부를 세심히 관찰하는 것이 매우 중요하다.

VI. Diagnosis

당뇨병 족부 궤양의 진단은 주로 기본 병인의 진단이 중요하게 되는데, 이에는 혈액순환 장애와 신경병 장애, 변형의 방사선적 진단 및 족압 측정 등의 순으로 구별되게 되는데 이에 대해서 자세히 알아 보고자 한다.

1. 혈액 순환장애

먼저 혈액순환장애의 진단으로는 큰 혈관과 작은 혈관을 측정하는 방법이 차이가 나게 되어있고, 큰 혈관을 측정하는 방법에는 혈관조영술(angiography)과 혈관 도플러 초음파 측정 장치들이 있는데, 기본적으로는 혈관 도플러 방법으로 스크린 검사를 시행하고, 그 중에서 혈관 수술이 필요한 경우에 한해 혈관 조영술을 시행하게 되는데, 이 방법은 비교적 침습성 방법이기 때문에 제한적으로 사용되는 단점이 있지만, 큰 동맥의 폐색일 경우 때는 막힌 부위와 정도, 우회동맥의 여부를 쉽게

표 22-3. Univercity of Taxas Health Science Center Classification

Stage	Grade			
	0	I	II	III
A	Intact skin pre/postulcer	Superficial wound	Deep wound to tendon or capsule	Deep wound to bone or joint
B	Intactskinpre/postulcer with infectio	Superficial nulcer with infection	Deep ulcer to tendon or capsule	Deep wound to bone or joint with infection
C	Intactskinpre/postulcer with ischemia	Superficial ulcer with ischemia	Deep ulcer to tendon or capsule	Deep ulcer to bone or joint with ischemia
D	Intactskinpre/postulcer with infection and ischemia and ischemia	Superficial ulcer with infection and ischemia	Deep ulcer to tendon or capsule with infection and ischemia	Deep ulcer to bone or joint withinfection and ischemia

알 수 있기 때문에 매우 중요한 가치가 있는 검사이기도 하다 (그림 22-11a).

한편, 소동맥을 확인하는 방법에는 체열 측정 및 산소 분압 측정장치 및 Xenon을 이용한 핵 동위원소 촬영 등이 있지만, 이중 쉽게 할 수 있는 방법중의 하나는 적외선을 이용한 체열 측정장치 및 산소 분압 측정장치로, 두가지 방법 모두 말단 피부까지 혈류가 도달할 때 산소나 열이 같이 운반되는 것을 이용하여 간접적으로 혈류의 정도를 측정하는 방법이다(그림 22-11b~d).

2. 신경장애

일반적으로 신경장애의 확인은 매우 어려운 것이 현재의 실정인데, 신경의 기능에 따라 감각신경, 운동신경 및 자율신경을 확인하는 검사로 크게 나누어 생각할 수 있다. 먼저 감각신경에 가장 중요한 역할을하게 되는 피부 보호 감각의 손상을 확인하는 방법으로는 Semmes-Weinstein Monofilament라고 하는 기구를 이용하는 방법이 가장 보편적으로 사용되고 있는데(그림 22-12), 5.03G 정도에서 감각을 느끼지 못하게 되면 보호감각에 손상이 없다고 판정할 수 있게 된다. 기타 진동감각을 확인하는 Tuning fork 검사라던가 Biothesiometer 같은 검사를 사용하기도 한다.

신경전도 검사 등을 이용할 수 있지만 이 검사의 경우에는 감각신경이 1/2이상 손상되어 야만 양성으로 나타날 수 있기 때문에 크게 의의가 없는 것으로 되어있다. 한편 감각신경은 조그마한 신경섬유로 구성된 섬유로서 병의 초기에 발생하는

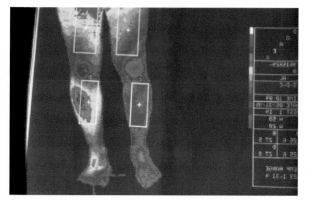

a. 체표면열의 측정

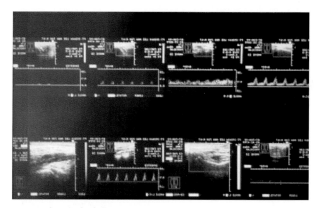

b. 도플러 초음파 검사

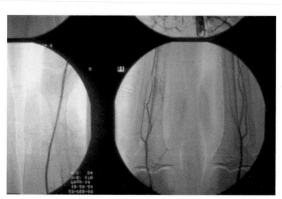

c. 동맥 혈관 조영술

d.
족지 말단의 산소 포화도의 측정

그림 22-11b~d. 족부와 하지의 혈액순환정도를 검사할 수 있는 진단 방법들

그림 22-12. Semmes-Weinstein Monofilament

것으로 되어있고 대개 신발을 신을 때 신는 스타킹 그리고 손에 끼는 글러브 장갑을 끼는 부위에서만 나타난다하여 stocking-glove pattern의 특징적인 형태를 취하게 된다.

운동신경 장애 진단에는 근전도의 사용이 가장 흔한데, 내재근의 문제가 가장 초기에 오는 문제이기 때문에 내재근의 전기적 활동도가 중요하다. 감각신경에서와 마찬가지로 상당기간 진행된 후에야 나타나는 것이 일반적이다.

신경중에 마지막 종류인 자율신경의 경우에는 굉장히 다양한 형태로 문제를 일으키게 되는데, 골격계로 가는 혈관이 확장되면서 혈류가 증가되면서 뼈에 있는 골질을 흡수하게 되는 양식으로 나타나서 골다공증을 유발시키게 되고 기타 땀을 안나게 한다든가 또는 피부 온도를 증가시킨다던가 하는 방향으로 진행되는데, 이를 알아내기 위해서는 발한량을 측정한다던가, 피부온도를 측정한다던가 하는 방법으로 확인하고 있다. 자율신경계의 손상은 매우 작은 신경섬유로 구성되어 있기 때문에 일반감각신경과 함께 가장 초기에 나타나는 증상으로 진단에는 매우 중요한 가치를 지니고 있으나 정량적인 계측이 어렵다는 단점 등을 가지고 있다.

3. 변형

변형의 진단으로는 단순 방사선 촬영방법과 족압 측정장치를 이용할 수 있는데 대개 단순 방사선 촬영으로 어느 정도 진행된 관절변형을 진단할 수 있다. 족압 측정장치를 이용해서는 변형된 발의 압력분포가 어떻게 달라졌는지 등을 알 수 있고,

이런 검사소견들은 당뇨병성 족부 궤양을 예방하고 치료에 대한 방법을 수립하는데 도움이 된다.

VII. Management

당뇨병성 족부 궤양을 치료에 가장 중요한 요소들은 궤양에 염증이 있는지 없는지 유무와, 궤양의 정도인 심도를 알고 궤양에 혈액순환이 잘 되는지 유무가 반드시 치료전에 고려가 되어야 할 사항들이다.

그 중에서도 염증이나 농형성 소견이 있으면 가장 먼저 치료를 해야하는 것으로, 먼저 배농과 괴사 조직의 완전한 절제술을 시행하고 감염의 배양과 항생제 내성검사를 진행하고 항생제로 염증을 조절한다. 감염이 조절이 되고 육아조직(granulation)이 차오르게 되면 궤양 부위의 압력제거와 혈액순환에 치료의 초점을 두어 궤양 치료를 촉진시킨다.

1. 당뇨병성 족부궤양 치료의 일반 원칙

당뇨병으로 인한 궤양은 다른 원인에 의한 궤양에 비해 상당히 오랜 시간이 경과하게 된다는 사실을 미리 환자에게 주의시키고 인내를 가질 것을 미리 인식시켜야 한다. 그리고 치료하는 중에도 상당히 세심한 주의가 요구되는데, 일반적인 원칙은 Good Wound healing 의 원칙을 지키는 것으로 대개 통상적인 치료에는 단순한 치료 즉 소독약과 항생제투여를 통한 일반적 요법이 주를 이루게 되는데, 이 경우에도 부위에 따라 발가락 사이의 maceration이 잘 되는 부위나 외과 등의 압력에 취약한 부위를 잘 싸는 식의 창상치료방법이 매우 중요하다. 특히 아직도 베타딘 soaking등의 상처부위에 간찰을 유발하는 치료를 하는 경우들이 있는데, 이는 오히려 창상의 치료를 방해하거나, 감염을 유발시킬 가능성이 있으므로, 피하여야 할 치료 방법이다. 또한, 치료약물 중 Corticosteroid, Neomycin, Chlorhexidine, Povidone-iodine solution, acetic acid solution, Hydrogen peroxide 등등은 모두 창상 치료를 저해하는 효과가 있으므로, debridement을 철저히 하고, 감염이 제거되면 사용하지 말아야 한다(그림 22-13a~c). 적절한 창상치유를 위해서라면, 생리식염수를 사용하는 것이 가장 적합하다. 항생제를 사용하려면 , Bacitracin이나 silvadine등의 외용제가 창상치유

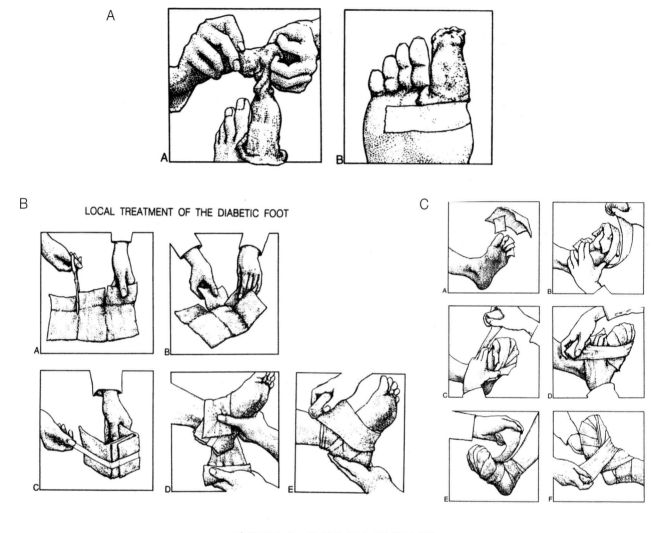

그림 22-13A~C. 당뇨병성 족부 궤양의 드레싱

를 저해하지 않고 사용할 수 잇는데, 그 중에서도 silvadine이 많은 그람양성, 음성 및 pseudomonas, 이스트균까지 살균작용을 하여 추천할 만하다.

창상의 치유의 기본되는 원칙들에는 ① 충분하고 철저한 debridement ② Moist-to-wet dressing 이 필수적이고, 당뇨발의 궤양에서도 이 원칙이 철저하게 지켜져야 한다.

먼저 debridement은 창상이 제대로 치유될 수 있도록 생물학적으로 재생능력이 세포들이 활동할 수 있는 환경을 만들어주는 것으로 매우 중요한데, 주로 죽은 조직(dead tissue)을 구별하여 제거하게 되는데, soft bone, soft tendon, clotted vein

등은 모두 죽은 조직으로 판단하고, 미련없이 debridement을 해야 한다. 그 다음에는 드레싱을 드레싱을 하는 물질에 수분이 어느 정도 유지되는 "moist-to wet" 상태로 유지시켜 주는 것이 필수적이다.

이 방법을 사용하면, 창상 내에서 세포들의 이동이 원활해지고, 재상피화가 진행되며, 육아조직이 발달되면서, 새로운 혈관들이 발달되게 되기 때문이다. 만약 창상부위가 마르는 상태가 되며, 상처에 eschar가 형성되어 세포내 이동이 저하되기 때문에, 창상치유가 지연될 수 밖에 없다.

마지막으로 특히 신경병성 문제가 있는 경우 "pressure off"

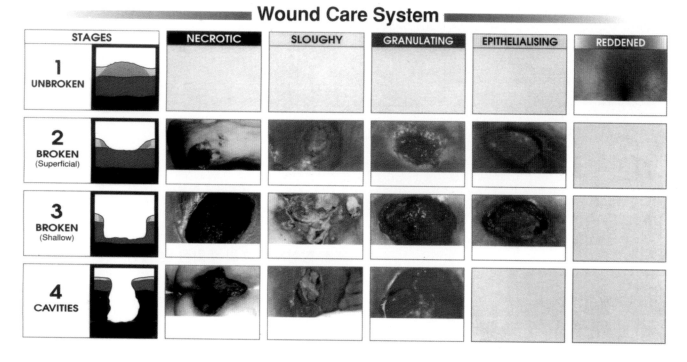

그림 22-14. 족부 궤양의 형태와 Stage에 따른 분류

즉 비정상적인 압력을 주는 것을 없애는 작업이 중요하다. 따라서 꽉 끼는 신발을 안 신게 한다거나 발바닥의 문제를 해결하기 위해, 깔창을 간다던가 하는 것들이다.

그 외에도 중요한 것 중에는 다음과 같다.

첫째, 가급적 베타딘을 이용한 담그어 세정(soaking)은 하지 않는다. 둘째, 궤양에 삼출액이 있을 때에는 습식 상처치료(wet dressing)를 한다. 셋째, 농이 급성으로 많이 존재할 ?는 월풀을 치료한다. 창상 치료시 간찰(maceration)을 피하기 위해서 전족 부위에 상처가 있을 때는 반드시 발가락사이에 거즈를 끼워서 발가락 사이가 짓무르지 않도록 하는 것이 굉장히 중요한 방법이고, 역시 발뒤꿈치일 때도 발뒤축이 체중부하가 많이 되는 부위이기 때문에 창상에 유의하면서 치료를 해야한다(그림 22-14).

2. 전접촉기브츠(total contact cast)

일반적인 창상 치료로 잘 낫지 않는 전족부의 족저부 창상등에 대해서는 전접촉 기브스(total contact cast)라고 하는 기브스

가 매우 치료에 효과가 있는데 이 기브스는 상당히 신뢰성이 있고 그리고 비용면에서 효과적인 매우 좋은 치료 방법이다. 이 방법은 아직은 국내에서 많이 시행되고 있지 않는 형편인데

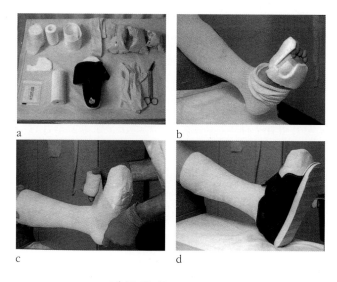

그림 22-15. Total contact cast

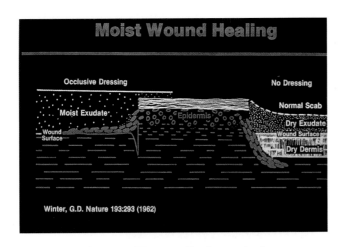

그림 22-16. Moist wound healing mechanism

외국에서는 매우 호평을 받는 방법이다(그림 22-15).

전족부에 발생하는 특별히 족저부에 발생하는 창상은 보행과 함께 치료를 해야 되기 때문에 보행시 발생하는 수직압력, 전단력을 계속 받으면서 창상이 치유되기 때문에 다른 부위보다 창상 치료가 오래 걸리는게 된다. 이때, 전접촉 기브스를 시행하면 보행 시 족저부에 걸리는 압력을 다시 재분포(redistribution)하게 하여 창상에 걸리던 비이상적 과다 하중을 없애주어 치료가 되도록 유도하게 된다. 평균 치유시간은 부위에 따라 차이가 있기는 하지만, 대개 약 1달이 넘어가게 되는데, 창상이 전족부에 있을 때는 경우에 따라 차이가 있지만 약 36.6일 약 4주, 전족부가 아닌 경우에는 42.1일 6주정도라고 하는 보고들이 있고, 기브스를 시행하기 전에 창상에 굳은 살이나 섬유성 유기된 조직이 있을 경우에는 주변의 피부경계와 창상이 거의 같은 높이를 가질 수 있도록 만들어 주는 leveling이 매우 중요한 치료원칙이다

한편 전접촉 기브스를 감을 때는 거즈를 두장 이상 쓰면 않되는데, 그 이유는 그 거즈자체가 압력의 차이를 받게 해주는 원인이 있기 때문이고 기브스는 1주에 한번정도 또는 2주에 한번정도 바꿔 주는 것이 원칙이다. 이때, 농이 많이 나오면 더 자주해주는 것도 가능하고 다만, 발이 약간 감염의 증세가 있어서약간 열이 난다거나 부종이 있을 경우에는 체중부하를 3일 동안 피하고 항생제를 쓰는 것이 중요하다.

그리고 전접촉 기브스 상태에서 걱정해야할 유일한 일은 패

혈중 증상 즉 고열이나 부종이다. 이런 증상이 없는 한은 안전하다고 생각해도 좋다. 전접촉 기브스를 감는 방법은 다른 장에서 언급하기로 한다(그림 22-16).

3. 항생제의 사용

기브스 및 창상 치료할 때 항생제 치료는 대개 필요없는 것이 일반적인데 상부감염이 발견되지 않는 한에는 아주 세밀한 창상 치료가 주 치료이고 항생제 치료는 주 치료가 아니라는 것이 일반적인 견해이다.

4. 창상치료 후의 주의점 및 예방

당뇨병성 궤양이 창상치료나 또는 기브스를 이용해서 치료가 된 후에도 한달 정도는 매우 조심해서 관심을 갖고 확인해야 하는데, 그 이유는 한달정도가 지나야 피부의 전층이 정상적 피부와 똑같게 돼서 다시 궤양이 발생하지 않게 될 수 있기 때문이다.

그리고 창상치료가 끝난 후에는 예방적 대책을 수립해야 하는데 특별히 창상이 발생한 이유가 족저부에 이상하게 높아진 압력 때문이었다면 반드시 신발 깔창과 신발치료를 통해서 창상에 재발을 방지해야 한다. 한편, 이러한 신발치료로도 해결되지 않는 변형이 동반된 창상치료에는 AFO 보조기 같은 것을 이용하여 치료하는 것도 고려되고 있는 현실이다.

VIII. 최신 치료 방법

1. 성장인자(growth factor)

당뇨병성 족부 궤양에서 ①혈액공급이 풍부하고, ②감염이 없는 상태라면, 궤양의 치료는 시간문제이다. 하지만, 임상에서 발생하는 흔한 궤양의 형태 중에는 장기간 즉 3, 4개월 이상이 걸리는 경우가 허다하기 때문에 이의 효율적인 치료를 위해서 여러 가지 방법들이 고안되고 있는데, 그 중에서도 최근 각광을 받고 있는 것이 "성장인자"(growth factor)의 사용이다. 성장인자의 종류에는 여러 가지가 있지만, 혈소판 기원 성장인자(PDGF), 전환성장인자-B(TGF-B), 표피성장인자(EGF)등이

대표적이고, 이들 성장인자는 마치 호르몬처럼 작용하는데, 창상치유에 있어서는 key regulatory molecule로 작용하게 된다.

이들의 특징은 세포들의 성장과 형질전환(transformation)을 촉진시켜 치유를 빠르게 한다는 것이다. 즉 3, 4개월의 장기간이 걸리는 궤양의 치료를 최대한 짧게 도와준다는 것이 임상적인 효과인 것이다. 현재 사용되고 있는 성장인자는 EGF와 PDGF이고, 이들에 의해서 표피재생이 촉진되었다는 보고들이 있다. 물론 이때에도 창상치유의 기본적인 원칙인 "충분한 debridement" 등으로 재생능력이 충분한 활동적인 세포들이 작용할 수 있는 환경을 만드는 것이 매우 중요하다.

아울러, moist-to-wet dressing의 원칙을 충분히 지켜서 세포이동이나 재상피화, 육아조직의 촉진 및 혈관재생 등이 원활하게 되도록 만들어야 하는 것은 당연하다.

■ 참고문헌

1. Armstrong DG, Lavery LA, Harkless LB: Healing the diabetic wound with pressure off-loading. Biomech Mag 4:67-74, 1997.

2. Bamberger DM, Daus GP, Gerding DN: Osteomyelitis in the feet of diabetic patiens. Long-term result, prognostic factors, and the role of antimicrobial and surgical therapy. Am J Med 83:653-660, 1987.

3. Bild D, Teusch mproved knowledge without improved metabolic status, Diabetes Care 10:263-272, 1987.

5. Boulton AJM: Clinical presentation and management of diabetic neuropathy and foot ulceration, Diabetic Med 8(suppl):52-57, 1991

6. Bridges RM, Jr., Deitch EA: Diabetic foot infections. Pathophysiology and treatment. Surg Clin North Am 74:537-555, 1994.

7. Brodsky JW: The diabetic foot. In Mann RA, Coughlin MJ(eds): Surgery of the Foot and Ankle, Ed 6, pp 877-958. St. Louis, Mosby-Year Book Inc, 1993.

8. Criado E, De Stefano AA, Keagy BA, Upchurch GR, Jr., Johnson G, Jr. The Course of severe foot infection in patients with diabetes. Surg Gynecol Obstet 175:135-140, 1992.

9. Cruse PJ, Foord R: The eqidemiology of wound infection: a ten year prospective study of 62979 wounds, Surg Clin North Am 60:27-40, 1980.

10. Drury TF, Danchik KM, Harris MI: Sociodemographic characteristics of adult diabetes, in Harris MI, Hammer RF, editors: Diabetes in America, Bethesda, 1985, NIH Pub no. 85-1468.

11. Durham JR, Lukens ML, Campanini DS, Wright JG, Smead WL: Impact of magnetic resonance imaging on the management of diabetic foot infections. Am J Surg 162:150-154, 1991.

12. Gibbons GW: The diabetic foot: amputations and drainage of infection: J Vasc Surg 5:791-793, 1987.

13. Gould JS, Erickson SJ, Collier BD, Bernstein BM: Surgical management of ulcers, soft-tissue infections, and osteomyelitis in the diabetic foot. Instr Course Lect 42:147-158, 1993.

14. Grayson ML, Gibbons GW, Balogh K, Levin E, Karchmer AW: Probing to bone in infected pedal ulcers. A clinical sign of underlying osteomyelitis in diabetic patients. JAMA 273:721-723, 1995.

15. Kaufman J, Breeding L, Rosenberg N: Anatomic location of acute diabetic foot infection. Its influence on the outcome of treatment. Am Surg 53:109-112, 1987.

16. Larsson J, Agardh CD, Apelqvist J, Stenstrom A: Local signs and symptoms in relation to final amputation level in diabetic patients. A prospective study of 187 patients with foot ulcers. Acta Orthop Scand 65:387-393, 1994.

17. Lower extremity amputations, in Diabetes surveillance, 1980-1987, Policy Program Reserch, Centers for Disease Control, US Department of Health and Human Services, Division of Dibetes Translation, 1990, Atlanta.

18. Milgram JW: Osteomyeltis in the foot and ankle associated with diabetes mellitus. Clin Orthop 296:50-57, 1993.

19. Mueller MJ, Diamonf JE, Sinacore DR, et al: Total contact casting in treatment of diabetic plantar ulcers: controlled clinical trial, Diabetes Care 12:384-388, 1989.

20. Palumbo PJ, Melton LJ III: Peripheral vascular disease and diabetes, In Diabetes in America, Diabetes data comiled in 1984, NIH Publ no 85-1468, Washington, DC, 1985, US Government Printing Office.

21. Pecoraro RE, Ahroni JH, Bayco EJ, et al: Chronology and determinants of tissue repair in diabetic lower extremity ulcers, Diabetes 40:1305-1313, 1991.

22. Sapico FL, Witte JL, Canawati HN, Montgomerie JZ, Bessman AN: The infected foot of the diabetic patient: quantitative microbiology and analysis of clinical features. Rev Infect Dis 6(suppll): S171-S176, 1984.

23. Scher KS, Steele FJ: The septic foot in pstients with diabetes. Surgery 104:661-666, 1988.

24. Schon LC, Easely ME, Lam, PC, Anderson CD: The Acquired Midtarsus Deformity Classification System: Interobserver Reliability and Intraobserver Reproducibility. Mt. Royal Printers, Baltimore, 1998.

25. Schon LC, Easley ME, Weinfeld SB: Charcot neuroarthropathy of the foot and ankle. Clin Orthop 349:116-131, 1998.

26. Schon LC, Weinfeld SB, Horton GA, Resch S: Radiographic and clinical classification of acquired midtarsus deformities. Foot Ankle Int 19:394-404, 1998.

27. Thornton GF: Infections and diabetes, Med Clin North Am 55:931, 1971.

28. Wagner FW, Jr. Management of the diabetic-neurotrophic foot. Part II. A classification and treatment program for diabetic, neuropathic, and dysvascular foot problems. Instr Course Lect 28:143-165, 1979.

29. Wagner FW Jr: A classification and treatment program for diabetic neuropathic and dysvascular foot problems, in American Academy of Orthopaedic Surgeons: Instructional Course Lectures, vol 28. St Louis, 1979, Mosby-Year Book.

30. Weinfeld SB, Schon LC: Hallux metatarsophalangeal arthritis. Clin Orthop 349:9-19, 1998.

31. Weinstein D, Wang A, Chambers R, Stewart CA, Motz HA: Evaluation of magnetic resonance imaging in the diagnosis of osteomyelitis in diabetic foot infections. Foot Ankle 14:18-22, 1993.

▌23. 당뇨병성 신경관절증
Charcot Joint, Diabetic Neuroarthropathy

을지의대 을지병원 족부정형외과 **이 경 태**

1868년 Charcot씨가 최초로 제3기 매독에서 신경병성 골관절증을 발견하였고, 당뇨병 환자에게서는 1930년 Jordan이 최초로 이 질병을 보고하였다. 최근에는 매독에 의해서 생기는 경우는 아주 드물고, 주로 당뇨환자가 급증하면서 Charcot Joint도 같이 증가추세에 있다.

샤코씨 관절증은 골 조직뿐 아니라 하지에 있는 모든 조직에 영향을 미치는 질환으로 신속한 수복기전을 동반하는 병적 골절(Pathologic fracture)을 특징으로 하게 되는데, 특히 신경 기능 중에서 운동기능보다는 감각기능의 파괴가 현저한 질환이다. 싸코씨 관절증은 골의 변형을 가져오고 이러한 변형은 족압의 변화를 가져와 당뇨병성 발의 궤양으로 발전하게 된다. 따라서 가장 중요한 것은 골 조직의 변형이 오기 전에 조기에 진단을 하여 더 이상의 변형을 막고 골 조직이 견고성을 얻을 때까지 고정을 하는 것으로, 조기 진단과 조기 치료를 할수록 그 결과가 좋은 것으로 보고되고 있다.

I. 역학(Epidemiology)

당뇨병성 신경관절증의 유병률은 당뇨환자의 0.08%에서 7.5%까지 보고되고 있고, 호발하는 시기는 평균 57세로 대개 40 내지 60대의 노년층이다. 당뇨는 대개 평균 14년(범위 0년-40년)정도로 80%이상이 10년 이상의 장기간의 당뇨를 갖고 있고 60%이상이 15년 이상의 당뇨가 있다. 양측을 동시에 침범하는 경우는 6%에서 40% 정도로 보고되고 있다.

당뇨조절과의 관계는 약 80%에서 인슐린을 맞는 인슐린 의존성 당뇨(Insulin dependent diabetes)환자이고, 20%가 인슐린 비의존성 당뇨이며, 46%는 당 조절이 잘되는 환자에게서 발생하고, 25%는 당 조절이 보통인 환자, 19%는 당 조절이 안 되는 환자에게서 발생한다. 대개는 당 조절이 잘 되면, 뼈에 문제가 오는 이런 심각한 합병증은 안 오리라고들 생각하지만, 당 조절이 잘되는 환자들이 25%나 되기 때문에, 당 조절이 잘 된다 해서 안심을 하는 것은 금물인 것이다.

저자들이 연구한 결과로는 국내에도 약 0.32%로 외국의 경우와 크게 차이 나지 않고 특히 국내에서도 최근에 이의 빈도는 증가하는 것으로 되어있다.

II. 병인(Pathophysiology)

신경증 종류에는 그 분류에 따라서 여러 가지로 나뉘는데, 특히 신경섬유의 크기에 따라서 소섬유 신경과 대섬유 신경, 신경의 기능에 따라서 감각, 운동 및 자율신경으로 나뉠 수 있고, 특히 신경섬유의 크기에 따라서 녹말대사에 차이를 보이게 되기 때문에 작은 신경섬유(A-δ, C fiber)에 속하는 somatic sensory 신경, 자율신경 등의 신경 등이 먼저 파괴되게 된다.

먼저 감각신경에 문제가 발생하면, 이상감각이나 무감각이 발생하게 되고 무감각해진 발에 반복적인 외상이 발생하면, 못에 찔린다던가 이것을 감지 못하는 것 즉 보호감각의 소실(loss of protective sense: LOPS)이 문제가 되어 발이 외상에 그냥 노출되게 되어, 무방비상태에 놓이게 되어 관절파괴가 발생하는 것이다.

한편, 하지에는 부교감신경의 자율신경은 존재하지 않기 때문에 모든 문제는 교감신경의 기능이상에 대해서 이루어져야 한다. 하지의 교감신경은 작은혈관, 땀샘, 족부의 arrector pilum muscle에 분포하게 되고, 이들의 기능이 소실되게 되면, 말초의 혈관확장이 되면서, 혈액순환이 오히려 늘어나게 나고, 발의 열이 많은, 건조하고 땀이 나지 않는 발이 되면서, 신경병성 부종(neuropathic edema)를 초래하는 것이다.

Archer(1984)는 족부의 체표열 측정 및 정맥혈류 측정을 통해서 신경병증 환자에서 체열 및 혈류가 각각 7배, 5배 증가하였다고 증명하였고, Duncanin (1977)은 골조직에는 많은 교감신경들이 분포해 있고, 이들이 기능을 상실할 때에는 골조직의 혈관이 확장되면서 울혈(osseous hyperemia)을 초래한다고 하였다. 이러한 울혈은 과다한 골 흡수의 양상으로 나타나게 되어 결국 골 조직의 조성화(osteopenia)로 연결되어 골 조직이 단단하지 못하고 약하게 되는 원인이 된다.

사실 샤코씨 관절증에서 운동신경장애에 대한 문제를 놓치기 쉽지만, 운동신경 장애도 샤코씨 관절의 병인에 한 부분을 차지하고 있는 것이 사실이다. 특히, 대퇴부의 전측부, 하퇴부의 전측부 및 족부의 내재근들이 대개 잘 이환되는 근육군들이다. 족부의 내재근의 문제가 발생하면, 중족지골 관절의 구축이 발생하고, 이것이 다시 감각이나 운동평형감각의 소실을 유발하여, 균형유지가 어려운 것을 해결하려고 발가락이 지면을 쥐는 듯한(grasping)을 하는 것을 어렵게 하여, 관절증의 발생을 도와주게 된다. 한편, 대퇴나 하퇴의 전반부 근육이 약화되면, 상대적인 후측부 근육의 강화를 초래하여, 족관절의 첨족변형 및 슬관절의 굴곡변형을 초래하게 되고, 이들은 각각 족근 중족관절 및 전족부의 병적인 스트레스가 많이 걸리게 하는 요인으로 작용, 관절의 파괴를 유발하게 된다.

종합하여 보면, 아직 정확하게 발생원인은 밝혀져 있지는 않지만, 대개 표피감각이 없어지는 감각장애(sensory deficit)와 체중이 발에 걸리면서 발생하는 스트레스 등이 복합적으로 작용하여 문제를 일으키는 것으로 되어 있고, 그 근본원인으로는 자율신경계 중 교감신경계의 이상으로 인한 골격계의 문제로 추정하고 있다. 즉 교감신경 중 골격계의 혈류를 조절하는 능력에 문제가 생기면서, 골격계의 혈류가 증가되고 이로 인해

골조직의 골조성도가 떨어지는 골조성증이 발생되는데, 이때 골조성증으로 물러진 푸석푸석한 뼈가 체중을 이기지 못해 급성 신경관절증이 온다는 설명이다. 하지만, 아직은 정설은 아니고, 세포학적 수준이나 기타 부분에서 많은 연구가 진행되어 정확히 규명해야 될 분야이다(그림 23-1).

III. 분류(Classification)

분류는 크게 시간적으로 진행이 되는 정도에 따라서 나누는 병리학적 분류와, 어느 관절을 침범했는지에 따라 나누는 해부학적인 분류가 있다. 이 두 분류 모두 같이 많이 사용되고 있으며 병리학적 분류에 따라 치료의 형태를 결정하는데 중요한 역할을 할 뿐 아니라, 해부학적 분류에 따라 특징적으로 나타나는 형태나 합병증이 다르기 때문에 중요하다(그림 23-2).

1. 병리학적 분류

병리학적인 단계의 분류는 Eihenholtz의 분류가 가장 일반적으로서 1기는 발생기(deveopmental stage) 2기는 증식기(coalescent stage), 3기는 회복기(healing stage)의 세 단계로 나뉘지게 되고, 대개 각 기간에 걸쳐지는 시기는 1기가 6개월, 2기가 6개월로 치료기간은 대개 1년으로 보고되고있다.

표 23-1. Factors development of DM Charcot joint.

peripheral neuropathy with loss of protective sensation
mechanical stress
autonomic neuropathy with increased blood flow to bone
ankle equinus
trauma

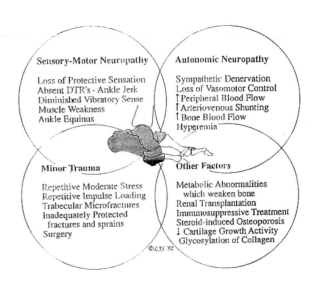

그림 23-1. DM Charcot씨 관절증의 발생 원인

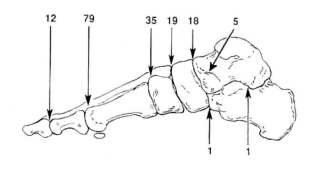

그림 23-2. 당뇨환자에서 Charcot 씨 관절증의 위치별 발생 빈도

1기 발생기는 일명 파괴기(destructive stage)라고도 하는데, 이 시기는 관절이 이완되면서 관절낭들의 탈골이고 골 및 연골의 분절화(fragmentation)가 되면서 관절낭 내에 절편(debris)이 생기고 관절과 주위의 연부조직이 붓는 시기이다. 방사선 사진에서 매우 파괴적이고 골다공증이 보이는 것이 특징이고, 임상적으로는 관절이 탈골되어서 문제를 일으키기도 하고 또는 골절과 유사한 양상을 보이면서 종골 부위에 견열골절(avulsion fracture)이 발생하는 것이 일반적 특징이다. 이 시기에는 반드시 체중의 부하를 금지하여야 한다.

2기에는 부종이 줄어들고 관절낭 내의 절편들이 흡수가 되면서 골절의 치유가 시작이 되는 단계이고, 3기로 넘어 가면, 골

조직의 remodeling이 일어나고, 안정성도 유지하게 된다.

2. 골관절 침범 형태별 분류

신경관절증의 분류는 이환 부위를 기준으로 나누는 것이 일반적으로 Brodsky의 1, 2, 3형으로 분류되며, 3형은 다시 A, B로 나뉘게 된다. 1형은 중족부(midfoot) 2형은 후족부(hindfoot), 3형a는 족관절(ankle) b는 종골(calcaneus)에 발생하는 형태로 분류되어 있다(그림 23-3).

하지만 이 분류는 전족부에서 발생하는 급성관절증을 포함하고 있지 않기 때문에 완벽한 분류라고 보기는 어렵고, Sanders와 Frykberg가 전족부를 포함하여 5가지 형태로 분류를 하였다(그림 23-4).

I 형 : MTP & metatarsals, IP & phalanges
II 형 : TMT joint
III 형 : NC joint, TN & CC joint
IV 형 : Ankle joint
V 형 : Calcaneus

I 형과 II 형이 가장 많은 빈도를 차지하고 골조직의 변형과 함께 궤양이 자주 발생하는 특징이 있다. II, IV 형은 심한 구조적인 변형으로 인해 기능적인 장애를 초래할 가능성이 많고, V

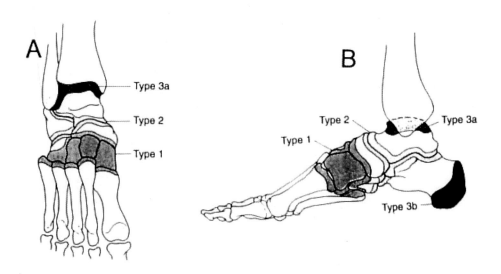

그림 23-3. Brodsky의 분류 1 형: 중족부형, 2 형: 후족부형, 3 형: a 족관절형, b 종골형

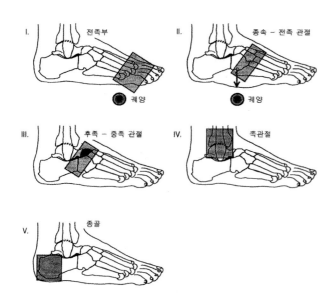

그림 23-4. Sanders와 Freiberg의 분류 전족부를 포함한 5가지 형태

형은 제일 드문 것으로 되어있다.

국내에서의 본 저자가 연구한 바에 의하면 중족부에 가장 흔

했고 전족부에도 많이 발생한 것으로 보고되었다(그림 23-5).

IV. 진단(Diagnosis)

당뇨병성 족부 골관절증의 진단은 대개 임상증상과 이학적 소견을 근거로 진단하는 것이 보통인데, 특히 이를 확진할 만한 초기의 진단적 검사가 없다는 것이 문제로 되어 있다. 특히 급성기의 초기 진단이 족부의 변형을 막는 매우 중요한 요소로 이러한 조기 진단에 도움을 줄 수 있는 검사로는 컴퓨터 단층촬영, 자기 공명영상진단 검사, 골주사 검사 및 체열측정 장치 등을 들 수 있다. 한편 감별진단으로 필수적인 급성 골감염증을 감별해야 된다.

1. 임상적 증상과 이학적 검사를 이용한 임상적 확진

먼저 과거력 상으로는 당뇨와 함께 감각 이상 등의 신경이상이 있어야 하며 당뇨가 이완된 시기가 대개 10년 이상의 장기간이고, 관절증 발생이전에 대개 외상의 과거력이 있는 것이 일반적이다. 증상으로는 대개 부종, 발적, 발열 같은 것이 중요

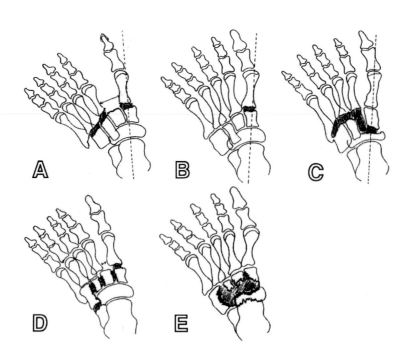

그림 23-5. Smmarco의 분류 중족-전족부를 침범하는 5가지 형태로 분류

한데 특별히 다리를 올려도 부종이 빠지지 않는 비의존성 발족이 중요한 것으로 되어 있다. 일반적으로 당뇨환자에서 발에 부종, 발적, 발열이 있으면서 동통이 없을 경우에는 다른 것으로 확인되지 않는 한 급성 골관절증으로 의심해봐야 하는 것이 원칙이다. 그리고 이 시기에는 방사선 사진에서 심한 골 파괴가 있더라도 골 생검은 피하는 것이 일반적이다. 섣불리 골 생검을 시행하면 감염을 유발하거나 더욱도 골관절증을 진행시키기 때문이다.

증상은 초기에 나타나는 것과 후기에 나타나는 것으로 나눌 수 있는데 초기에는 부종과 발적 그리고 체열의 증가 등의 소견을 보이는 것이 일반적이고, 족부에서의 혈관 촉지는 정상인 상태이고, 후기에 나타나는 증상으로서는 골변형과 함께 관절 불안정성과 궤양 등이 나타나는 것이 일반적이다(그림 23-6).

2. 단순 방사선 소견 및 조기 진단에 도움을 줄 수 있는 검사

단순방사선 소견 상으로는 상당 기간동안에는 정상으로 보이거나 신경증의 일반적 소견인 혈관의 중피 석회화(medial calcification)가 보이는 정도이다가 골조직으로의 혈류증가로 인한 골 흡수 소견이 보이는 것이 최초의 소견이고, 그 다음이 관절 주변 골 조직의 분절현상(segmentation)이다. 이러한 관절 주변의 분절이 심해지면 더 진행된 탈구(dislocation) 소견을 보일 수도 있겠고 오래되면 이것이 다시 경화(sclerosis)되는 소견을 보이는 것이 일반적이다(그림 23-7a,b).

표 23-2. Clinical suspicious findings of DM Charcot joint

DM with bone and joint pathologic condition
loss of protective sensation
absent of deep tendon reflex
diminished vibratory sense
erythema
swelling
local heat

그 외에는 중족지골 골간의 단독 또는 다발성 골절, 종골의 견열 및 비골하부의 골절 등의 소견이 보이기도 한다.

본 저자들이 조사한 임상적으로 급성 당뇨병성 골관절증으로 진단된 환자의 75%에서만 방사선상에서 골 파괴 소견등의 양성 소견을 보여, 조기의 진단 방법으로 단순 방사선 소견에 완전히 의존하는 것은 문제가 있는 것으로 사료되었다. 한편,

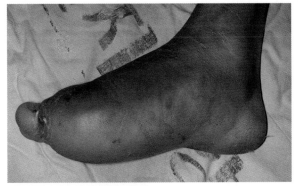

a

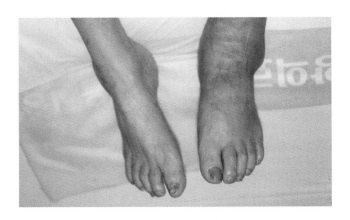

그림 23-6. 임상 양상으로 특징적인 무통성 종창의 소견을 보인다.

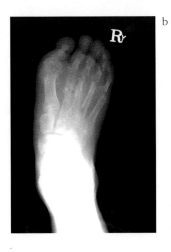

b

그림 23-7a,b. 전족부를 침범한 Charcot 씨 관절증의 외형 사진과 방사선 사진

적외선을 이용한 족부의 피부 체열 측정에서는 환측의 피부 온도가 정상보다 섭씨 3도 이상 올라가는 것이 100%에서 관찰되었고, Tc 99m을 이용한 골주사 검사에서도 100% 증가된 소견을 보였다. 이러한, 체열 측정장치나 골주사 검사방법은 급성 골관절증의 조기진단에 도움을 주기는 하나, 어느 검사 한가지가 이를 확진을 할 수 없는 한계가 있고, 이들 중 어느 검사가 더 조기에 양성으로 나타나는 지에 대한 검증은 없는 상태이므로, 임상적으로 의심이 되는 상태에서 단순 방사선소견에서 정상이거나 골 흡수소견을 보이는 경우에는 조기진단 확진을 위해 이상의 두 검사를 동시에 시행하여 모두 양성 반응을 나타내면, 이들을 모두 통합함으로서 조기진단이 가능한 것으로 생각된다(그림 23-8, 9a~c, 10).

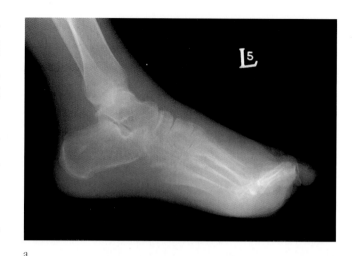

a

3. 당뇨병성 족부 감염과의 감별진단

임상적으로 족부위 감염과 급성 골관절증의 감별은 중요하

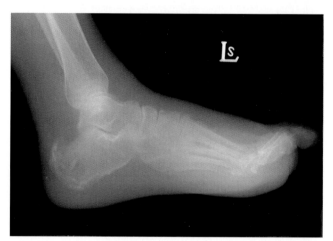

b

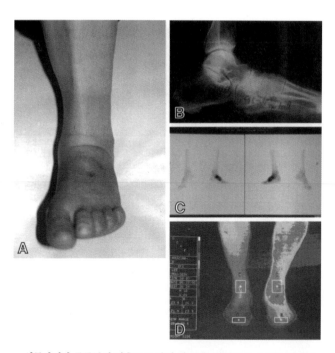

a. 실물사진상 중족부의 배측으로 발열 및 부종, 발적등의 소견을 보인다.
b. 단순 방사선 사진상 특별한 이상 소견은 보이지 않는다.
c. 골주사 검사상 중족부에 up-take가 증가된 소견을 보인다.
d. 체열 측정 소견상 환측의 비정상적인 증가 소견 관찰

그림 23-8. 급성 Charcot씨 관절의 진단

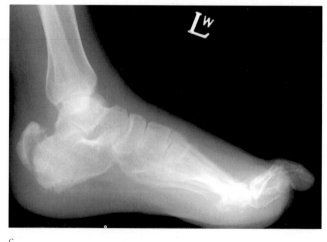

c

그림 23-9a~c. 제 1형 당뇨병환자에 발생한 종골과 중족골의 Charcot씨 관절증 발생과정을 나타내고 있다.(시간상 4주 간격의 F/U 사진이다)

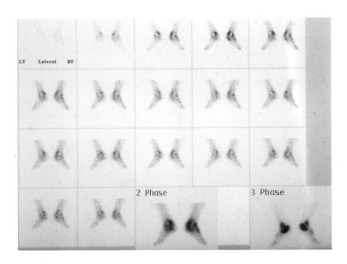

그림 23-10. Charcot 씨 관절증 환자의 3 phase bone scan 사진으로 위 검사만으로는 골수염과의 감별진단이 어렵다.

여 항상 거론이 되는 문제 중의 하나이다. 두 질환 모두에서 부종, 발적, 체열의 증가 소견이 나타난다. 급성 골관절증은 상술한 바와 같이 골의 변화가 없는 경우 cellulitis, absess formation 과의 감별이 어렵다. 다리를 2분 정도 올려 부종이 빠지는 지보는 검사(dependent rubor)를 시행할 수 있으나, 대부분 MRI 등의 검사방법을 하기 전에는 정확히 감별하는 것은 어렵다.

아급성이나 만성 골관절증인 경우에는 상대적으로 염증의 변화보다도 골의 변형이 더 많이 오기 때문에 감염과의 감별은 비교적 어렵지 않다. 하지만 궤양이 동반된 경우에는 감염이 동반되었는지, 어느 정도 깊이 감염이 되어있는지 등이 문제가 될 수 있다.

V. 비수술적 치료

치료에는 병인에 대한 정확한 원인을 찾지 못했기 때문에 치료에도 완벽한 방법이 없는 것이 현실인데, 치료의 목적은 관절증으로 인해 정상보다 골밀도가 조성한 뼈가 2차적으로 변형되거나 변형으로 인한 궤양, 감염, 불안정성 등을 방지하는데 있다.

Brodsky에 따른 발생부위에 따라서 일반적인 치료의 목표가 조금씩 차이가 난다. 한편 치료는 일반적으로 비수술적 요법이 일반적인데, 이는 대개 시기에 따라 분류할 수 있고, 수술은 몇

가지 경우에 시행하게 된다. 먼저 합병증이 병발하지 않은 형태의 신경관절증에서 시기에 따른 비수술적 요법에 대해 언급하고, 후에 수술 적응증 및 수술방법, 합병증 등의 순서로 언급하기로 한다.

1. 급성기(acute stage)

급성기 즉 Eichenholtz 제 1기에서는 한마디로 "고정 및 체중부하의 금지"(immobilization and non-weight bearing)이다. 즉 푸석푸석하고 약해진 뼈가 체중부하로 인하여 무너져 변형되는 것을 방지하는 것이 주요 목표인데, 이때 주로 사용되는 것이 전접촉 기브스(total contact cast)이다. 이 기브스 이외에도 때로는 단하지 석고 기브스라던가 단하지 석고부목조차도 아주 초기에는 사용이 가능하다(그림 23-11, 12).

전접촉기브스는 당뇨발 환자에게 매우 유용한 기브스인데, 급성관절증이 있을 때에는 신경인성 부종(neurogenic edema)를 없애주고 족부의 골조직이 파괴되지 않도록 보호해주는 기능을 수행하게 된다. 대개 1주일 간격이나 2주일 간격으로 기브스를 갈아주는 것이 통례인데, 보통 3개월 이상을 시행하는 것이 일반적인데 6개월 이상 시행하는 경우도 종종 있다. 그리고, 이러한 급성기가 끝나서 기브스를 떼어도 되는 지를 결정하는 문제가 굉장히 중요하게 되는데, 이를 결정하는 조건은 다음과 같다. (표 23-3참조)

2. 아급성기(subacute stage)

Eichenholtz의 제 2기로 골 조직의 치유가 시작되는 시기이다. 이 시기에는 대 개 부종이 거의 소실되어 있는 상태이기 때문에 보조기를 사용할 수 있게되는 데, 대개 PTB(Patellar Tendon Bearing) 보조기나 AFO.(Ankle Foot Orthosis) 보조기

표 23-3. 급성기가 지나갔다는 것을 알려 주는 소견

① 방사선 사진상 sclerotic 소견이 보인다.
② 이학적 검사상 부종과 발열이 전혀 없다.
③ instability가 없다.

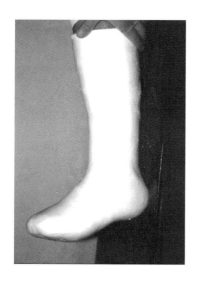

그림 23-11. Charcot씨 관절증 환자에서 Total contact cast를 시행한 모습

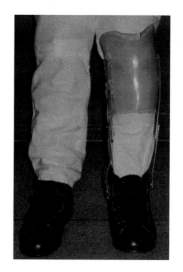

그림 23-12. 중족부의 Charcot씨 관절증 환자에서 아급성기에 시행한 PTB 보조기

등을 사용해서 체중부하를 적게 하도록 도와주게 된다.

3. 만성기

Eichenholtz 제 3기로 골조직의 치유가 완료되어 다시 따딱해진 상태로 돌아온 시기인데, 이 시기에는 주로 신발이나 깔창(insole)을 이용해서 치료를 하게 된다. 신발은 운동화나 맞춤신발을 신게 되는데, 앞 코가 높고, 폭이 충분한 형태의 신발인 당뇨화가 추천되는 실정이다.

한편 깔창도 매우 유용한데, 대개 2겹 이상의 소재를 이용하게 된다. 재질은 EVA, PPT, plastizote 등의 다양한 소재를 적절히 혼합 사용하면 되는데, 딱딱한 소재의 깔창은 절대 사용하면 안된다(그림 23-13).

VI. 수술적 치료

수술적 치료를 하는 경우는 흔하지 않은데 비수술적인 치료로 안정적이고 plantigrade한 발 골격을 유지하지 못하는 경우에 시행할 수 있다. 급성기일 때는 탈골이나 골절을 치료하는 것이고 후기 만성 골관절증의 골극이나 변형을 교정하는 것이 주 치료이다.

1. 급성 골절 탈구의 해부학적 정복

대부분의 경우에서는 탈구가 되었더라도 그대로 두는 것이 일반적인데 아주 탈구가 심해서 후일 변형으로 인한 심각한 합병증이 예상되는 경우 매우 제한적으로 해부학적 정복을 시행하게 되나 매우 조심해야 한다.

2. Charcot 골극(Exostososis)의 제거

(less exostectomy, only if recalictraint ulcer with stiff foot !!)

Charcot씨 관절이 급성기를 지나 2, 3기를 지나고 만성기에 골극에 의한 변형이 발생한 경우에 이 골극만 간단히 제거하는 방법으로 대개 중족부에서 흔히 발생하게 된다. 수술은 족부의 내외측 면에서 수평으로 시행하고 골막하까지 전표피 두께로 피부절개를 시행한 뒤, 골극을 광범위하게 제거 한 뒤, drain을 삽입한 후 피부를 봉합하면 된다. 가끔 창상의 치유지연이나 창상에서의 serous drainage가 발생할 수 있으나, 대개 큰 수술 합병증은 없는 것이 일반적이다. 중족부에서 발생한 경우에 너무 과다한 골조직의 제거되면 종아치의 붕괴를 초래할 수 있기 때문에 매우 주의해야 하고, 가동성이 있는 중족부 변형에서는 시행해서는 안된다. 이때는 대개 후족부에 굴곡변형 등이 와있기 때문에 보행시 불안정해지기 때문이다.

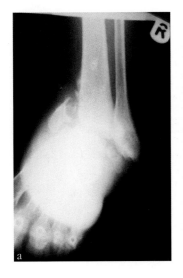 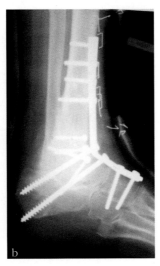 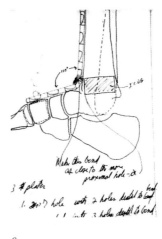 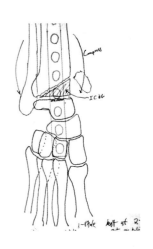

a. 수술전 방사선 사진   b. 수술후 방사선 사진   c. 수술전 수술 계획을 도식화 한 사진

그림 23-13a~c. 50세 여자 환자에서 Charcot씨 관절증으로 인한 심한 불안정성에 대해 관절 고절술을 시행한 예

3. 관절고정술(arthrodesis)

심한 변형이나 불안정이 있는 경우에는 보존적 요법으로 해결되지 않는 경우에는 고정술을 시행할 수 있으나, 매우 신중을 기하여야 한다. 대개 체중부하에 관여하는 중족부, 후족부 및 족관절의 불안정성이 있거나, 보조기를 사용하지 못할 경우에서 시행하며 수술의 목적은 견고한 골유합을 얻으려는 것이 아니고, 변형을 교정 또는 향상시키는데, 즉 재정렬(realignment)에 있다. (success is realignment, not bony union)

수술후 불유합이 약 25 내지 75%에서 발생할 수 있으므로,

이를 미리 환자에게 주지시켜야 하며, 관절고정술이 실패할 경우에는 절단술을 시행하여야 한다는 사실을 미리 알려 주어야 한다.

수술시 관절의 올바른 정렬을 위해서 골 조직과 섬유조직 등을 광범위하게 절제하고, 가능한 한 장골을 이용한 충분한 골이식 후 screw나 plate를 이용한 견고한 내고정을 시행하여야 한다. 필요하면 약 3개월 이상의 장기간 고정이 필요한 것이 일반적이다(그림 23-14 a~d).

4. 족부나 족관절의 골절이나 관혈적 정복 및 내고정술후 발생한 샤코씨 관절

당뇨병성 신경문제를 갖고 있는 환자에게 족부에 골절이 발생한다면, 이는 일반인들에게 발생한 골절과는 매우 다르게 처리해야 한다. 특히 최근에 이런 골절후 발생하는 샤코씨 관절이 증가했는데, 이때 족부 정형외과의사의 기본 임무는 수술전에 사전 경고 및 주의를 환기시키는 일이다.

따라서 수술전 환자에게 신경병성 합병증이 기왕에 존재했는지를 확인하고, 치료에 임해야 하는데, 수술의 여부 및 시기와 수술방법, 고정기간 등에 대한 이견이 분분하지만 일반적인 견해는 다음과 같다.

표 23-4. Criteria for surgery on the charcot foot

instability
deformity
recurrent ulceration
refractory to conservative treatment
must be quiescent
circulation intact
no active infection
medically stable

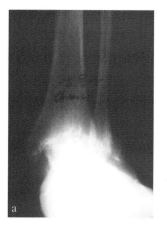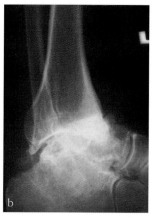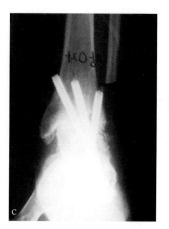

그림 23-14a~d. 65세 여자환자에서 Charcot씨 관절증으로 발생한 족관절과 거골하 관절 불안정에 대해 범족관절 고정술을 시행한 사진

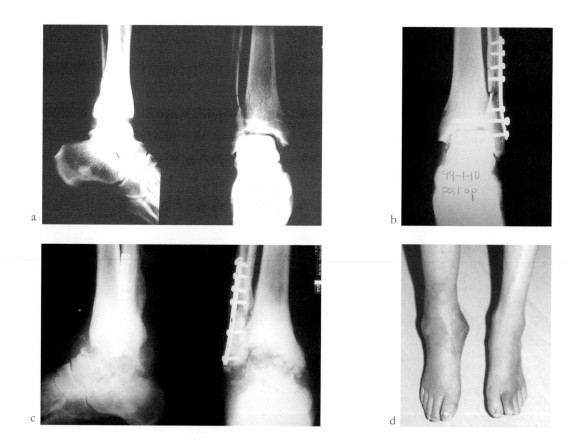

a. 수상당시의 사진   b. 관혈적 정복후 내고정술을 시행한 사진   c. 수술후 1년 2개월후 사진으로 족관절의 광범위한 파괴 소견을 보인다.
d. Charcot씨 관절증로인한 족관절 부위의 심한 불안정성과 부종, 궤양의 소견이 보인다.

그림 23-15a~d. 45세 남자 환자로 족관절 외과 골절 후 내고정술을 시행 받은 후 발생한 Charcot씨 관절증

표 23-5. Arthrodesis surgery indication

① unstable midfoot charcot

② unstable hindfoot or ankle charcot

③ unbraceable ankle deformity

1) 수술여부

골절시 전이가 심하지 않은 경우라면, 비수술적 요법이 바람직하고, 심한 전이가 있거나 좌멸창 등으로 후일 족부의 변형이 예상될 때는 수술을 매우 제한적으로 실시하게 된다.

2) 수술시기

아주 초기에만 시행 대개 2, 3주 이내에만 시행하는 것이 원칙이다.

3) 수술방법

관혈적 정복이 비관혈적 정복보다 좋은 것으로 되어 있으나, 간혈적 정복시 발생할 수 있는 합병증에 대해 미리 대비를 해야 한다.

4) 수술후 고정

대개 수술후 고정은 보통 때의 2배 정도를 예상하는 것이 원칙인데, 때로는 1년 이상 고정하는 경우도 있다. 고정 후 충분한 기간 동안의 체중부하 금지가 매우 중요하다. 또한 주기적으로 관찰을 하는 것도 잊어서는 안된다(그림 23-15 a~d).

당뇨환자에게서 족부나 족관절의 염좌가 왔을 때에도 이러한 손상이 샤코씨 관절증으로 시작이 될 수 있기 때문에, 보통 환자보다 고정기간을 오래하고 자주 확인을 하여야 한다. 아울러 모든 족부, 족관절 염좌나 골절에서 당뇨의 기왕력이 있는지 확인하는 것도 매우 중요하다. 흔히 이를 염두해 두지 않고 치료를 하다가 샤코씨 관절증으로 많은 합병증과 심한 변형이 오는 경우가 있기 때문이다.

■ 참고문헌

1. Arntz CT, Veith RG, Hansen ST: Fractures and fracture-dislocations of the tarsometatarsal joint, J Bone Joint Surg 70A:173, 1988.

2. Banks AS, MaGlamry ED: Charcot foot, J Am Podiatr Med Assoc 79:213, 1989.

3. Beltran J, Campanini S, Knight C, et al: The diabetic foot: magnetic resonance imaging evaluation, Skeletal Radial 19:37, 1990.

4. Brink SJ: Limited joint mobility as a risk factor for diabetes complications, Clin Diabetes 5:122, 1987.

5. Brooks AP: The neuropathic foot in diabetes: part II, Charcot's neuroarthropathy, Diabetic Med 3:116, 1986.

6. Brower AC, Allman RM: Pathogenesis of the neurotrophic joint: neurotraumatic vs. neurovascular, Radiology 139:349, 1981.

7. Brower AC, Allman RM: Neuropathic osteoarthropathy in the adult, in Taveras JM, Ferrucci JT, editors: Radiology: diagnosis-imaging-intervention, Philadelphia, 1989, JB Lippincott, vol 5, p 1.

8. Cavanagh PR, Sanders LJ, Sims DS: The role of pressure distribution measurement in diabetic foot care: rehabilitation R&D progress reports 1987, J Rehabil Res Dev 25:53, 1988.

9. Clohisy DR, Thompson RC: Fractures associated with neuropathic arthropathy in adults who have juvenile-onset diabetes, J Bone Joint Surg 70A:1192, 1988.

10. Clouse ME, Gramm HF, Legg M, et al: Diabetic osteoarthropathy: clinical and roentgenographic observations in 90 cases, AJR 121:22, 1974.

11. Cofield RH, Morison MJ, Beabout JW: Diabetic neuroarthropathy in the foot: patient characteristics and patterns of radiographic change, Foot Ankle 4:15, 1983.

12. Cundy TF, Edmonds ME, Watkins PJ: Osteopenia and metatarsal fractures in diabetic neuropathy, Diabetic Med 2:461, 1985.

13. 디-Khoury GY, Kathol MH: Neuropathuc fractures in patients

with diabetes mellitus, Radiology 134:313, 1980.

14. Eichenholtz SN: Charcot joints, Springfield, III, 1966, Charles C Thomas.

15. Eymont MJ, Alavi A, Dalinka MK, et al: Bone scintigraphy in diabetic osteoarthropathy, Radiology 140:475, 1981.

16. Friedman SA, Rakow RB: Osseous lesions of the foot in diabetic neuropathy, Diabetes 20:302, 1971.

17. Frykberg RG: The diabetic Charcot foot, Arch Podiatr Med Foot Surg 4:15, 1978.

18. Hart TJ, Healey K: Diabetic osteoarthropathy versus diabetic osteomyelitis, J Foot Surg 25:464, 1986.

19. Johnson JTH: Neuropathic fractures and joint injuries: pathogenesis and rationale of prevention and treatment, J Bone Joint Surg 49A:1, 1967.

20. Jordan WR:Neuritic manifestations in diabetes mellitus, Arch Intern Med 57:307, 1936

21. Kathol MH, EL-Koury GY, Moore TE: Calcaneal insufficiency avulsion fractures in patients with diabetes mellitus, Radiology 180:725-729, 1991.

22. Lesko P, Maurer RC: Talonavicular dislocations and midfoot arth ropathy in neuropathic diabetic feet: natural course and principles of treatment, Clin Orthop 240:226, 1989.

23. Leventen EO: Charcot foot-a technique for treatment of chronic plantar ulcer by saucerization and primary closure,

Foot Ankle 6:296, 1986.

24. Maurer AH, Millmond SH, Knight LC, et al: Infection in diabetic osteoarthropathy: use of indium-lll labeled leukocytes for diagnosis, Radiology 161:221, 1986.

25. Norman A, Robbins H, Milgram JE: The acuteneuropathic arthropathy-a rapid, severely disorganizing form of arthritis, Radiology 90:1159, 1968.

26. Rubinow A, Spark EC, Canoso JJ: Septic arthritis in a Charcot joint, Clin Orthop 147:203, 1980.

27. Saltzman CL, Johnson KA, Goldstein RH, et al: The patellar tendon-bearing brace as treatment for neurotrophic arthropathy: a dynamic force monitoring study, Foot Ankle 13:14, 1992.

28. Sammarco GJ: Diabetic arthropathy, in Sammarco GJ, editor: The foot in diabetes, Philadelphia, 1991, Lea & Febiger.

29. Sanders LJ, Mrdjenovich D: Anatomical patterns of bone and joint destruction in neuropathic diabetics, Diabetes 40(suppl l):529A, 1991.

30. Soto-Hall R, Haldeman KO: The diagnosis of neuropathic joint disease (Charcot joint): an analysis of 40 cases, JAMA 114:2076, 1940.

31. Stuart MJ, Morrey BF: Arthrodesis of the diabetic neuropathic ankle joint, Clin Orthop 253:209, 1990.

24. 당뇨절단
Amputations in the Diabetic Foot

을지의과대학 병원 정형외과 **안 재 훈**

당뇨 환자의 발질환을 치료하게 될 경우 필연적으로 절단술에 이르는 경우가 발생한다. 대개 이러한 절단술은 심한 감염에 의한 응급 상황이거나 족부의 허혈에 의한 괴사 등의 경우에 실시하게 된다.

미국당뇨학회(ADA)의 추산에 따르면 당뇨 환자에서의 절단은 매년 50,000건이상 시행되고 있으며, 이를 달리 표현하면 1000명당 8.1건이라고 한다. 1960년 대까지만 하더라도 감염에 의한 습성 괴저(wet gangrene)나 말초혈관 질환(peripheral vascular disease)에 의한 건성 괴저(dry gangrene)의 경우 일반적인 치료법은 하퇴나 대퇴 부위에서의 절단술로서 그 중에서도 대퇴절단술이 더 많이 시행되었는 데, 그 이유는 이 시기에는 환자 생존의 보장을 위한 일차 창상 치유가 주목적이었기 때문이다. 하지만 시간이 지나면서 항생제나 영양 의학, 창상 치유를 비롯한 여러 가지 의학 분야의 발달로 인해 최근의 추세는 주요 하지 절단술(major lower limb amputation)에 비해 부분 족부 절단(partial foot amputation)이 일차적으로 고려되고 있다. 당뇨 발 질환을 다루는 외과의에게 있어 절단은 단순히 내과적 치료 실패의 결과가 아니라 그 자체로서 환자의 삶의 질의 향상을 위한 재건 수술(reconstructive procedure)의 하나로 간주되어야 할 것이다.

I. 절단의 적응증

당뇨 발에서 절단이 요구되는 경우는 말초 혈액순환 장애로 괴저가 발생하거나, 궤양의 정도가 심하여 보존적 치료가 불가능한 경우, 또한 약물 치료나 배농술로는 회복이 불가능한 심한 감염이 발생한 경우이며 이외에도 신경병성 관절(Charcot neuroarthropathy)에서와 같이 교정하기 힘든 심한 족부 변형이 있는 경우에 적응이 될 수 있다

II. 절단 부위의 결정(Level of amputation)

절단을 계획하는 경우에 먼저 어느 부위에서 절단을 할 것인가가 중요한 데, 이는 일차적으로 감염의 정도와 말초 혈액 순환 및 주위 연부 조직의 상태에 따라 결정되며 이외에도 절단 후의 기능적인 면을 고려해야 한다. 가령 발뒤꿈치 패드(heel pad)의 괴사가 심한 경우 현실적으로 하퇴 절단 이외의 대안을 찾아보기는 힘들다. 한편 조직에서의 산소 공급이 중요한 결정 인자의 하나이지만 때로 혈관성형술에 의해 향상될 수도 있다는 점을 고려해야 하며, 특히 부분 족부 절단을 고려할 경우에 족부로의 혈액 공급을 충분히 검사하는 것이 중요하다. 족부 절단에서 남아있는 피부 판에서 감각의 소실 여부는 그 자체로

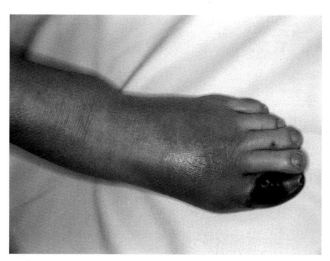

그림 24-1. 당뇨 환자에서 감염으로 인해 발생한 제1 족지의 wet gangrene

서 근위부 절단의 이유가 되지는 않으며, 의지와 신발 소재의 발전으로 인하여 감각의 저하를 어느 정도 보상할 수 있다.

기본적으로 절단은 괴사된 조직이나 회복 불가능한 조직보다 근위부에서 시행되어야 하지만 되도록 최대한 절단단의 길이를 유지하려는 노력이 필요한 데 이는 절단을 원위부에서 할수록 보행시 에너지의 소비가 적으며 절단술후 의지 또는 신발 착용에 쉽게 적응하기 때문이다. 하지만 환자의 활동 수준 (activity level)과 거동 잠재력(ambulatory potential)을 고려하여 절단술 후 의지를 착용한 거동이 힘들 것으로 예상되는 경우에는 일차 창상 치유를 목표로 하여 보다 근위부에서 절단을 하는 것이 좋을 경우도 있다. 환자의 순응도(compliance)도 절단 부위의 선정에 있어서 중요한 고려 사항의 하나로서 환자가 의료진의 치료 방침에 따르지 않고 술후에 조기 체중 부하를 하게 된다면 Syme 절단술(disarticulation)과 같은 술식의 성공 가능성은 떨어지게 된다.

III. 술전 검사(Preoperative assessment)

1. 영양 상태(nutritional status)

환자의 영양 상태는 창상의 치유에 영향을 미치게 되는 데 특히 혈청 알부민 농도를 최소한 3.0-3.5 g/dL 이상 유지하여야 하며, 1 mm3 당 총 임파구 수는 1,500 개이상이 되어야 창상 치유가 정상적으로 일어나는 것으로 알려져 있다.

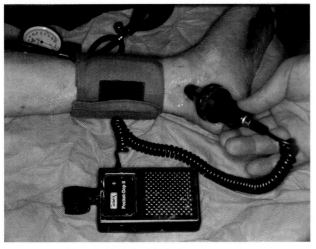

그림 24-2. Doppler 초음파를 이용하여 발목에서 혈압을 재는 모습

2. 허혈 지수(ischemic index)

발목 부위에서 측정한 수축기 혈압 수치를 상완부에서 측정한 수축기 혈압 수치로 나눈 값을 허혈 지수라고 하며, 당뇨 환자에서는 0.45 이상이면 창상 회복을 기대할 수 있다. 주로 Doppler 초음파를 이용하여 혈압을 재게 되는 데 동맥벽의 석회화가 있는 경우 실제보다 측정된 혈압이 높게 나올 수 있어 판단에 주의를 요한다. 이 검사는 발목 관절 이상에서의 절단 후 치유를 평가하는 데는 도움이 되나 부분 족부 절단에서는 큰 도움이 되지 못한다.

3. 족지압 측정(toe blood pressure)

족지 부위에서는 동맥의 석회화가 드물게 일어나므로 발목 부위에서의 혈압보다 창상 치유의 판단에 도움이 될 수 있다. 족지에서의 수축기 혈압이 50 mmHg 이상이면 부분 족부 절단에서도 창상 회복을 기대할 수 있다고 한다.

4. 경피적 산소압 측정(transcutaneous oxygen tension measurement, TcPO₂)

이 방법은 특별한 산소 전극(oxygen electrode)을 이용하여 피부에서의 산소 분압을 재는 것으로, 비교적 정확하면서 비침습적(noninvasive)이라는 장점이 있어 혈관 외과 분야에서 많이 쓰이고 있다. 절단할 부위에서의 산소압이 20 mmHg이상이면 창상 회복을 기대할 수 있으나 검사 자체가 조금 복잡하며 국소적인 염증이나 부종 등이 있는 경우 실제보다 낮은 수치를 보이는 단점이 있다.

5. 혈관조영술(angiography)

혈관조영술은 혈관의 상태를 정확하게 나타내기는 하지만 침습적이며 절단 후 창상의 치유를 예측하는 데 큰 도움이 되지는 않기 때문에 절단 부위 선정의 목적만으로는 시행하지 않는다. 하지만 말초 혈관질환이 동반된 환자로서 혈관 재건술의 적응증이 되는 경우는 혈관조영술을 실시할 수 있다.

6. 기타

절단할 부위의 피부 온도(skin temperature)를 측정하는 것도 창상 치유를 예측하는 데 도움이 되지만 측정 장소 및 기온에 따라 측정치가 달라지는 제한점이 있다. 그 외 감염으로 인한 절단인 경우는 단순 방사선이나 골주사(bone scan) 소견이 골 절제의 정도를 결정하는 데 도움이 될 수 있다.

IV. 절단시 주의 사항 및 술후 치료

1. 주의 사항

① 모든 감염 조직 및 괴사 조직은 적극적으로 제거하여야 한다. 특히 감염으로 인한 절단의 경우에는 혈류가 불충분한 조직인 건이나 관절막, 족저 판(plantar plate) 등은 다 제거한다.

② 피부 판은 항상 조심스럽게 취급하여야 하며, 가급적이면 겸자(forceps)의 사용을 자제하여 더 이상의 손상을 방지하여야 한다.

③ 절단면을 덮을 연부 조직은 남아있는 골조직을 감싸면서 충격 및 전단력(shear force)을 견딜 수 있어야 한다. 대부분의 족부 절단의 경우 족저부의 피부, 피하 조직 및 근막이 절단면의 연부 조직으로 남게 되며 보다 근위부에서는 근육이 연부 조직의 중요한 구성성분이 된다.

④ 남아 있는 골의 절단면이 너무 날카롭지 않도록 적절히 모양을 만들어 주는 것이 중요하며 특히 골에 피부가 바로 부착되는 것을 피해야 추후 전단력에 의한 궤양을 예방할 수가 있다. 따라서 족부의 원위 및 외측부와 체중 부하면인 족저부에는 부분 피부 이식술을 피하여야 한다.

⑤ 절단시 일차 봉합에 필요한 피부 판보다 여유 있게 피부 판을 남기는 것이 필요하다. 봉합시 절개 조직에 긴장이 가해지게 되면 상처 치유가 힘들므로 만약 연부 조직이 일차 봉합하기에 불충분하다면 보다 근위부에서 추가 절단을 하고 일차 또는 이차봉합을 실시한다.

⑥ 부분 족부 절단의 경우 아킬레스 건의 구축에 의한 첨족 변형에 주의를 기울여야 하며 필요하면 절단술시 아킬레스 건 연장술을 시행하여야 한다.

⑦ 지혈대(tourniquet)는 말초 혈관 질환이 동반되지 않는 한 사용하는 것이 수술에 도움이 된다. 단 감염이 심한 경우에는 감염 부위에 대한 직접적인 압박은 피하여야 한다.

2. 개방성 절단(open amputation)

절단시에 감염된 조직이 전혀 남아있지 않고 깨끗한 경우 절단 부위를 바로 봉합하게 되지만, 근위부의 관절이나 건초(tendon sheath)를 따라 염증이 남아있는 경우에는 보다 근위부의 절단 대신 개방성 절단술을 시행할 수도 있다. 이 경우 감염된 건초는 염증이 없는 부위까지 최대한 개방한 후 철저하게 변연절제(debridement)를 하여야 한다. 모든 개방된 상처 부위는 생리 식염수에 적신 거어즈로 가볍게 채워 배농이 되게 하며, 바로 다음 날부터 1일 3회씩 습성 상처치료(wet dress-ing)를 시작하게 된다. 이후 필요하면 다시 변연절제를 시행할 수 있으며 창상이 깨끗해지면 이차 봉합을 한다.

또 다른 방법은 Kritter 관류(Kritter irrigation)를 시행하는 것으로 절단 부위를 느슨하게 일차 봉합하고 14 gauge정도의 정맥 도관(venous catheter)을 근위부에서 절단 부위로 삽입하여 지속적인 관류를 시행함으로써 남아있는 괴사 조직이나 잔유물을 씻어내는 방법이다. 이 경우 2-3일간 1일 1L 정도 관류를 하게 되는 데 절단 부위를 둘러싼 외부 dressing은 1일 4-5회 정도 교체하여 이차적인 감염을 예방한다. 2-3일 후 도관을 제거하게 되는 데 감염이 없으면 일차 봉합한 상태와 같이 되며, 감염이 남아있으면 상처부위를 일부 개방하여 개방성 절단과 같이 치료하게 된다.

3. 술후 처치

1) 붕대 고정법(soft dressing)과 견고한 고정법(rigid dressing)

조기 재활을 강조하는 최근의 추세에서는 절단 직후 마취하에서 석고 붕대로 발을 감싸는 견고한 고정법이 선호되지만, 실제 대부분의 당뇨 환자는 절단 부위의 혈류 저하 및 감각저하가 동반되어 있으므로 부드러운 솜 및 탄력 붕대를 이용하는 붕대 고정법이 주로 사용된다. 하지만 하퇴 절단술의 경우는

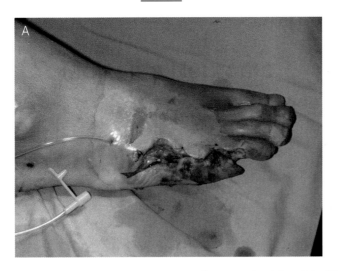
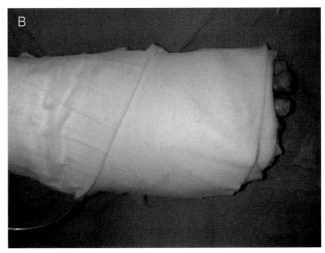

그림 24-3. A, B: 정맥 도관을 이용하여 Kritter irrigation을 시행한다.

술후 슬관절의 굴곡 구축을 피하기 위하여 석고를 이용한 견고한 고정이 권장된다.

2) 창상 관리 및 환자 교육

술후 창상 치료시 절단 부위의 혈류 공급이 좋지 않거나 감염이 의심되면 부분적으로 창상을 개방하여 절단 부위의 압력 감소 및 배농을 시도하여야 한다. 감염이 확실한 경우는 이차적인 변연 절제를 포함하여 감염에 대한 적극적인 치료를 시도한다.

당뇨 환자에서는 절단으로 인한 창상의 치유에 정상인 보다 많은 시간이 소요되므로 봉합사는 최소 4주 이상 제거하지 않는 것이 좋다. 그러므로 이 기간 동안 절단 부위를 통한 체중 부하를 금하여야 하는 데, 하지의 심부 감각이 저하되어 있어 몸의 균형을 잡기 어려운 대부분의 당뇨 환자들에게는 현실적으로 매우 힘든 일이다. 따라서 꼭 필요한 경우 보행기(walker)를 이용한 조심스런 부분 체중 부하 정도는 허용해야 하는 경우도 있다. 절단 부위의 부종을 막기 위하여 절단 부위를 거상(elevation)시키도록 교육하는 것도 창상 관리에 중요하다. 족부 절단술에서 발목의 첨족 구축이 발생할 우려가 있는 경우는 창상 치료 기간동안 발목을 중립위로 유지하는 석고 고정을 할 수 있다.

절단 부위의 창상이 완전히 치유되고 나면 그 후에는 절단 부위의 궤양이나 감염을 예방하는 것이 중요하며 따라서 의지나 당뇨 신발의 적절한 사용에 대한 교육에 중점을 두어야 할 것이다. 외상이나 종양으로 인한 절단에서는 합병증으로 환각지(phantom limb)나 환각 통(phantom pain)을 호소하는 경우가 있으나 신경병증(neuropathy)이 있는 당뇨 환자에서는 거의 문제가 되지 않는 경우가 많다.

V. 절단의 종류

1. 족지 절단(toe amputation)

족지에서의 절단은 비교적 흔하며 전체 당뇨 절단의 20% 이상을 차지하고 있다. 절단 시에는 연부 조직의 상태에 따라 side-to-side 또는 plantar-to-dorsal의 피부 판을 사용할 수 있으며, 족지골은 일차 봉합이 무리없이 이루어질 수 있도록 골간단(metaphysis)에서 절단하거나 혹은 관절에서 이단(disarticulation)한다.

제1 족지의 경우 근위지골을 완전 절제하게 되면 종자골(sesamoid)이 근위부로 전위되면서 제1 중족골 두의 족저부에 있는 뾰족한 능선(crista)이 노출되어 국소적인 굳은 살(callus)과 궤양을 유발하게 된다. 따라서 제1 족지의 경우 근위지골의 기저부를 남기는 것이 좋으며 중족지 관절에서의 이단이 불가피한 경우는 종자골을 모두 절제하고 중족골 두 밑의 능선을

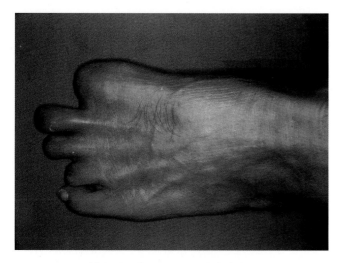

그림 24-4. 제 1, 2, 3, 4 족지의 절단 상태

절제하여야 한다. 또한 중족골 두의 관절 연골은 제거하는 것이 창상 치유에 도움이 된다.

제2 족지의 경우 중족지 관절에서 이단하게 되면 심각한 무지 외반증이 발생할 가능성이 많으며 따라서 근위지골의 기저부를 남겨 무지 외반증의 정도를 줄이든지 혹은 제2 중족골을 동시에 절제하는 열 절단(ray amputation)을 고려해야 한다. 제3, 4 족지의 경우 단일 족지의 절단은 기능 및 외관상 큰 문제가 없는 경우가 많다. 제5 족지를 절단하는 경우는 남아있는 제5 중족골 두 외측의 돌출을 같이 절제하는 것이 이차적인 굳은 살을 예방할 수 있다.

족지 절단 후의 보행에 대해서는 단일 족지 절단의 경우 정상적인 보행에 별 영향이 없으나, 제1 족지를 중족지 관절에서 절단한 경우 빨리 걷거나 달릴 때 진출(push off)의 장애에 의해 약간의 파행이 나타나게 된다. 족지 절단 후는 특별한 보조기나 의지는 필요하지 않으나 때로 빈 족지 부분을 채우는 충전물(filler)이 필요한 경우가 있다.

2. 열 절단(ray amputation)

열 절단이란 족지와 그에 해당하는 중족골의 일부 혹은 전부를 절단하는 것을 의미하며 감염으로 인해 중족지 관절이 파괴된 경우에 많이 시행한다. 제1 열이나 제5 열의 절단은 각각 내측과 외측에, 그리고 제2, 3, 4 열의 경우는 해당하는 중족골의 배측부에 라켓 형태의 절개(racquet-shaped incision)를 가한

후 절단하게 되는 데, 제5 중족골의 열 절단이 비교적 많은 편이다. 열 절단의 경우 여유있게 창상을 봉합하기가 생각보다 쉽지 않으므로 절단시 최대한의 피부판을 남기는 것이 좋으며, 특히 중간에 위치한 열을 절단 시에는 창상 치유에 어려움이 많으므로 절단 면을 봉합하기 위한 연부 조직의 취급에 세심한 주의를 기울여야 한다. 중족골 절단 시에 절단 부분을 사선으로 절제하여 족저부에 압력이 집중되지 않게 해야 하는 데, 특히 제1 및 제5 중족골의 경우 절단면이 하방 및 내, 외측으로 향하도록 절단한다. 두 개 이상의 외측 중족골을 절단하는 경우 내측의 중족골을 좀 더 길게 남겨 절단단이 사선을 형성하게 해야 한다. 중족골의 기저부는 가능하면 보존하는 것이 족근-중족 관절의 안정성 측면에서 바람직하며 단비골건이 붙어있는 제5 중족골의 기저부는 특히 중요하다. 만일 제5 중족골의 완전 절제가 불가피한 경우는 절제 후 단비골건을 주위 조직에 재부착하여 이차적으로 발의 내반 변형이 발생하는 것을 막아야 한다. 족저부의 궤양이 동반된 경우는 이를 절제한 후 일차 봉합이 가능하면 바로 봉합을 하고 봉합이 어려우면 개방하여 dressing을 통해 치유되도록 한다. 때로는 감염에 의해 중족지 관절만 파괴되고 족지는 정상인 경우가 있는 데 이 경우에는 열 절단을 시행하지 않고 관절 및 종자골 등을 절제한 후 족지는 남겨 놓을 수도 있다.

기능적인 면에서 보행 시 앞으로 전진하기 위해서는 내측 열이 정상적으로 유지되어야 하며 따라서 제1 열의 절단에서는

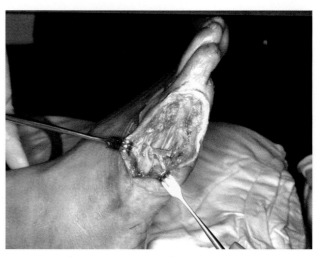

그림 24-5. 제5 족지의 열 절단을 시행하는 모습

최대한 길이를 길게 하는 것이 좋다. 제1 열 이외의 단일 열을 절단하는 것은 기능 면에서나 외관상으로 큰 문제가 없으며, 보통 두 개 열까지의 절단은 가능하지만 세 개 열 이상의 절단은 경중족 절단(transmetatarsal amputation)을 하는 것이 기능 면에서 좋다고 한다. 열 절단 후는 족지 절단과 마찬가지로 의지는 필요하지 않으며 신발 내에 충전물(filler)이 필요하게 되는데 깔창(insole)에 직접 부착하는 것이 좋다. 또한 제1 족지가 절단된 경우나 외측의 여러 열을 절단한 경우에는 연장 각부(extended shank)와 호상(rocker bottom)을 갖춘 신발을 착용하는 것이 보행에 도움이 된다. 한편 중간에 위치한 두 개 이상의 열을 절단하는 것은 기능적인 면뿐만 아니라 외관상으로도 좋지 않으므로 피해야 한다. 제1 열만 남아 있더라도 발의

roll over 기능과 전체적인 길이가 유지되므로 드물게 외측 열을 전부 절제하고 제1 열 하나만 남기는 방법도 있으나 술후 신발 및 발 관리가 매우 중요하다.

3. 경중족 절단(transmetatarsal amputation)

제1 중족골을 대부분 절단하여야 하거나 두 개 이상의 내측 열 또는 중앙 열을 절단하여야 하는 경우에는 그 대신 경중족 절단을 시도할 수 있다. 경중족 절단시에는 긴 족저 피부 판을 이용하여 절단단을 덮어주게 되는데, 중족골 길이가 긴 것이 기능상 우수하므로 절단시에 우선 제1 중족골부터 족저부의 피부가 허용하는 한 최대의 길이를 남기며 절단한 후에, 그 길

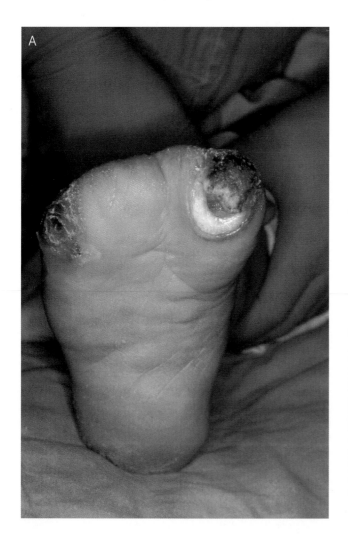
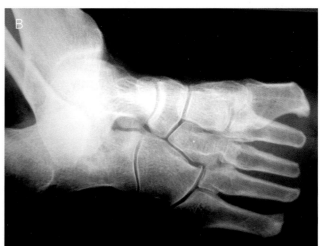
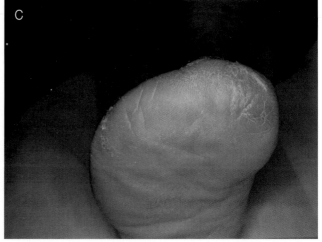

그림 24-6. A, B : 경중족 절단후 중족골의 beveling을 제대로 시행하지 않아 발생한 족저부 궤양의 사진 및 X-ray. C : 중족골 절단을 재시행하여 궤양이 없어 졌다.

이에 맞추어 나머지 중족골들을 절단하여 가는 것이 좋다. 이때 각 절단단이 발의 종축에 대하여 약 15도 정도 각도를 이루는 것이 신발의 접히는 각도(toe-break of the shoe)를 고려할 때 바람직하며 특히 제5 중족골은 그 운동 범위가 크므로 좀더 절제해야 한다. 또한 중족골의 절단면은 되도록 바닥과 평평하게 되도록 하여 족저부에서의 압력이 증가하지 않게 해야 한다. 발목의 배측 굴곡이 부족한 환자인 경우 경중족 절단 후 보행시 절단단에 압력이 증가하여 궤양을 유발할 수 있다. 따라서 절단시에 미리 발목의 가동성을 확인하고 필요한 경우 경피적 아킬레스 건 연장술을 시행하는 것이 좋다.

경중족 절단은 절단 부위가 근위부로 갈수록 기능 장애가 발생하나 의지가 필요하지는 않으며, 원위부에 충전물을 삽입하고 신발의 밑부분을 견고하게 하면서(rigid shank) 호상(rocker bottom)을 가진 신발을 착용하므로써 보행시 절단단의 압력을 감소시킬 수가 있다. 활동이 적은 경우는 간단하게 절단된 발에 맞는 짧은 신을 신는 방법도 있다.

4. 족근중족 절단 (tarsometatarsal amputation)

이 방법은 중족골과 족근골 사이에서 이단을 시행하는 것으로 달리 Lisfranc 절단이라고도 하며 당뇨 발의 절단법으로는 드물게 시도된다. Lisfranc 절단 후에는 전족부의 긴 지렛대(lever-arm)가 없어지므로 상대적으로 하퇴 삼두근이 강해지는 동시에 전경골 건의 부착부 중 일부가 손상 받아 첨족 변형이 발생하기 쉬우며 또한 내, 외측 근력이 균형을 잃게 되어 내반이나 외반 변형이 발생하기 쉽다. 따라서 수술 시에 전경골 건 및 장비골 건의 내측 설상골 부착부를 보전하고 제1 중족골 기저부에서의 부착부는 잘 박리하여 남아 있는 근위부에 봉합하는 것이 중요하다. 제1, 3, 4 중족골은 관절에서 이단하지만 제2 중족골의 기저부는 횡아치의 유지에 중요하므로 남겨 놓아야 하며, 제5 중족골의 기저부는 단비골 건이 부착되므로 보존한다. 술후 첨족 변형을 방지하기 위하여 경피적 아킬레스 건 연장술이 필요한 데 수술 후에 중립위나 약간 배굴된 위치로 고정한 상태를 유지하는 것이 좋다. 효율적인 보행을 위해서 발목 관절을 고정한 단하지 보조기에 족지 충전물(toe filler)을 결합한 형태의 의지가 필요하다.

5. 중족근 절단(midtarsal amputation)

Chopart 절단이라고도 하며 거주상 관절(talonavicular joint)과 종입방 관절(calcaneocuboid joint)을 통해 절단하게 된다. 당뇨 발의 절단법으로는 매우 드물게 시도되며 술후 Lisfranc 절단시보다 더 심한 첨내반 변형이 발생할 수 있다. 따라서 절단시 전경골 건을 거골의 전외측 경부로 이전해야 하며, 아킬레스 건은 단지 연장하는 것으로는 부족하여 2cm 정도 절제하는 것이 좋다. 술후 Lisfranc 절단과 비슷한 의지가 필요하다.

6. Syme 절단(Syme amputation)

Syme 절단은 발목 관절에서 이단하는 방법으로 발뒤꿈치의 피부와 지방 패드를 보존하여 원위 경골을 덮는 술식이다. 양 골과(malleoli) 말단부보다 약 1cm 정도 전하방에서 시작하는 피부 절개를 가한 후 주의깊게 거골과 종골을 절제하게 되는데, 종골의 절제시에 후방의 피부가 손상받지 않도록 하는 것과 후방 피부판을 공급하는 후 경골 혈관을 보존하는 것이 중요한 요점이다. 거골 및 종골을 제거한 후 족관절의 천장(plafond)을 지나는 선에 따라 양 골과를 절제하게 된다. 이때 원위 경골의 관절 연골을 제거할 필요는 없다. 창상을 봉합할 때 양측의 개의 귀(dog ear)모양의 피부를 많이 절제하면 피부 괴사의 위험이 커지므로 주의해야 한다. 이 술식의 장점은 하

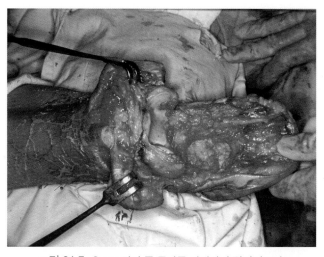

그림 24-7. Syme 절단 중 골과를 절제하기 직전의 모습

그림 24-8. 종골의 부분 절제술을 시행하고 있다.

7. 종골절제술(calcanectomy)

발뒤꿈치에 큰 궤양이 있거나 종골의 골수염이 있는 당뇨 환자에서 종골을 일부 혹은 전부 절제하는 것은 후족부 절단술로 간주되어야 하며 때로 하퇴 절단술의 훌륭한 대안이 될 수 있다. 그 방법은 복와위(prone position)에서 종골을 중심으로 궤양을 포함하는 종 절개를 가한 후 종골의 후방과 아킬레스 건의 부착부까지 노출하고 종골을 절제하게 되는 데, 거골하 관절의 바로 후방에서부터 종입방 관절의 후방까지 절제할 수 있다. 이때 혈류 공급이 좋지 않은 아킬레스 건의 부착부위를 철저히 변연 절제하는 것이 중요하다. 골 절제 후는 흡입 drain을 삽입하고 일차 봉합하게 되는 데, 창상의 정상적인 치유를 위해서는 후 경골 동맥을 통한 발뒤꿈치 부위의 혈류 공급이 필수적이다. 창상이 치유된 후는 heel cushion이 부착된 단하지 보조기가 보행에 도움을 준다.

8. 하퇴 절단

하퇴 절단은 발목 관절 부분을 도저히 보존할 수 없을 때 시행하게 되며 주요 하지 절단 중에서 가장 많이 시행되고 있다. 대개 후방 피부판이 긴 posterior-to-anterior 술식을 이용하게 되는 데 후방 피부판의 길이는 경골 절단 부위에서 하지 지름(diameter of limb)의 길이보다 1cm 더 길게 만드는 것이 좋으며, 비골은 경골보다 1-2cm 정도 더 짧게 한다. 환자에 따라서는 side-to-side나 그 외의 비전형적인 피부판을 이용해야 하는 경우도 있다. 경골은 위로는 경골 결절에서 아래로는 경골의 가운데 1/3과 원위 1/3이 만나는 부분 사이에서 절단하게 되는데 가능한 길이를 길게 남기는 것이 좋다. 예전에는 슬관절에서 15cm 정도 원위부에서 자르는 것이 원칙으로 여겨지던 때도 있었으나 최근 추세는 의지 제조 기술의 발달과 더불어 절단단의 길이가 길수록 보행시 에너지 소비가 줄어든다는 연구 결과 등에 의해 보다 긴 절단단의 길이를 선호하게 되었다. 하지만 경골의 원위 1/3 부위 이하에서 절단하는 것은 절단단을 감싸는 연부 조직이 얇아지게 되어 문제가 생기므로 피하는 것이 좋다.

퇴 절단보다 절단단의 길이가 길고, 발뒤꿈치의 두꺼운 피부가 체중 부하를 담당함으로써 절단단을 통한 체중 부하(end-bearing)가 가능하다는 것이다. 감염이 염려되는 경우에 두 단계로 나눠 수술을 시행할 수 있는 데 일차적으로 관절 이단을 실시한 후, 6-8주 정도 지나 연부 조직이 치유되고 감염의 위험이 사라진 다음 양 골과를 절제하고 봉합하는 방법이다. 최근에는 대부분 일 단계 수술 방법을 선호한다. 창상 치유 후 절단단이 과다하게 움직이는 것이 문제가 될 수 있으며 이를 방지하기 위해 경골 전연에 구멍을 뚫고 발뒤꿈치의 패드와 근막을 봉합하게 된다. 그 외의 단점으로 절단단의 끝이 불룩하여 외관상 만족스럽지 못하다는 점이 있다.

Syme 절단부터는 일반적인 형태의 의지가 필요하게 되며 대개 solid ankle cushion heel(SACH) 족을 부착하게 된다. 이러한 Syme 의지는 그 절단단의 형태로 인해 일반적인 하지 절단 의지보다 만드는 데 어려운 점이 있다. 따라서 과거에는 이런 이유로 하지 절단을 선호하는 경향도 있었으나 현재는 의지의 재질 및 제조 기술이 발달하여 큰 문제가 되지 않는다.

그 외에 발목 주위에서의 절단술로 Boyd 절단술이 있는 데 이는 거골 전부 및 종골의 원위부를 절제하고 종골을 전방으로 전위시킨 후 경골과 종골을 유합시키는 것이다. 이 방법은 Syme 절단과 마찬가지로 절단단으로 체중 부하를 할 수 있으면서 발뒤꿈치 패드의 후방 전위의 가능성이 없다는 장점이 있으나 술식이 좀 더 복잡한 것이 단점으로 당뇨 발의 절단에는 거의 쓰이지 않는다.

하퇴 절단 후는 특별한 문제가 없는 한 슬관절 신전 상태에서 석고를 이용하여 견고한 고정을 하는 것이 슬관절의 굴곡 구축을 예방할 수 있을 뿐 아니라 재활 치료에도 도움이 된다. 술후 체중 부하에 대해서는 아직 논란이 많으나 늦어도 술후 4-6주에는 견고한 석고 고정에 지주(pylon)를 달아 부분 체중 부하를 시작하는 것이 좋다고 한다. 하퇴 의지는 절단단이 성숙되는 술후 3-4개월 정도에 착용할 수 있으며, 조기 재활을 강조하는 선진국의 경우에는 술후 2개월 내에 잠정 의지(temporary prosthesis)를 이용한 보행을 권장하고 있다.

9. 슬관절 이단

슬관절 이단은 대퇴 절단에 비해 근육의 절단이 적으므로 출혈양이 적으며 술후 회복도 빠른 장점을 가지는 절단법으로 특히 젊은 외상 환자에서 하퇴 절단보다 근위의 절단이 필요할 경우 우선 고려되는 방법이다. 하지만 슬관절의 부피로 인하여 생각보다 긴 피부판이 필요하여 당뇨나 혈관 질환으로 인한 환자의 경우에는 드물게 시행되고 있다. 술식 상으로 슬관절 이단은 대퇴 절단보다 간단하며 절단 후 슬개 건을 후방에 남은 십자인대에 봉합하는 것이 중요하다. 그 장점으로는 술후 절단단을 통한 체중 부하가 가능하며 남아 있는 근육이 균형을 이루고 있어 하퇴 절단 후와 같은 굴곡 구축을 염려할 필요가 없고 체위 변경이나 좌위 균형(sitting balance)의 측면에서도 대퇴 절단보다 유리하다는 것을 들 수 있다. 따라서 보행이 불가능한 고령의 당뇨 환자에서 슬관절의 구축이 심하다면 굳이 하퇴 절단을 고집하기보다 슬관절 이단술을 시행하는 것이 바람직할 경우가 있다.

10. 대퇴 절단

당뇨 환자에서 대퇴 절단은 대개 심한 혈관 질환이 동반되는 경우에 시행되고 있으며 경우에 따라 슬관절 근위 부분까지 심한 감염이 있을 때도 적응이 된다. 수술 시에 지혈대를 사용하기가 곤란하므로 출혈에 주의를 기울여야 하며, 술후 고관절의 굴곡 구축 및 외전 구축이 발생하지 않도록 관리하는 것이 중요하다. 절단 후 재활의 측면에서 보면 하퇴 절단 후는 약 75% 정도의 환자들이 성공적으로 의지 보행을 할 수 있지만 대퇴 절단의 경우는 그 빈도가 25% 정도로 급격히 감소한다고 한다.

■ 참고문헌

1. Bowker JH, Bui VT, Redman S et al: Syme amputation in diabetic dysvascular patients. Orthop Trans, 12:767, 1988.

2. Bowker JH: Partial foot amputations and disarticulations. Foot Ankle Clin, 2:153-170, 1997.

3. Burgess EM, Matsen FA, Wyss CR et al: Segmental transcutaneous measurements of PO2 in patients requiring below-knee amputations: for peripheral vascular insufficiency. J Bone Joint Surg, 64A:378-382, 1982.

4. Choudhury SN and Kitaoka HB: Amputations of the foot and ankle: Reviews of techniques and results. Orthopedics, 20:446-457, 1997.

5. Dickhaut SC, DeLee JC and Page CP: Nutritional status: Importance in predicting wound healing after amputation. J Bone Joint Surg, 66A:71-75, 1984.

6. Kritter AE: A technique for salvage of the infected diabetic foot. Orthop Clin North Am, 4:21-30, 1973.

7. Laughlin RT, Calhound JH. and Mader JT: The diabetic foot. Journal of the American Academy of Orthopaedic Surgeons, 3:218-225, 1995.

8. Malone JM, Ankerson GG, Lalka SG et al: Prospective comparison of non-invasive techniques for amputation level selection. Am J Surg, 154:179-184, 1987.

9. Mann RA, Poppen NK and O'Kinski M: Amputation of the great toe. A clinical and biomechanical study. Clin Orthop, 226:192-205, 1998.

10. Monney V, Harvey JP, McBride E et al: Comparison of postoperative stump management: Plaster vs. soft dressings. J Bone Joint Surg, 53A:241-249, 1971.

11. Pinzur MS, Kaminsky M, Sage R et al: Amputations at the middle level of the foot. J Bone Joint Surg, 68A:1061-1064, 1986.

12. Pinzur MS, Littooy F, Daniels J et al: Multidisciplinary preoperative assessment and late function in dysvascular amputees. Clin Orthop, 281:239-243, 1992.

13. Pinzur MS and Wolf B: Amputations of the foot and ankle.

Decision making based on outcome expectations. Foot Ankle Clin. 2:187-198, 1997.

14. Ramsey DE, Manke DA and Sumner DS: Toe blood pressure: A valuable adjunct to ankle pressure measurement for assessing peripheral arterial disease. J Cardiovasc Surg, 24:43-48, 1983.

15. Smith DG : Principles of partial foot amputations in the diabetic. Foot Ankle Clin. 2:171-186, 1997.

16. Smith DG, Stuck RM, Ketner L et al: Partial calcanectomy for Bone Joint Surg, 58A:42-46, 1976.

제 **8** 부
자세성 질환(Postural Disorder)

25. 편평족
Pes Planus

원광의대 정형외과 송 하 헌

편평족이란 단순한 순한 형태로 내측 종아치가 없는 것이지만, 단순히 발의 종아치가 소실된 것 이상으로 다평면 변형의 의미를 갖는다.

I. 역학(Epidemiology)

출생하여서는 유아의 종아치는 넓은 지방 패드(fat pad)가 덮고 있어서 중족부의 정상적인 형태를 관찰할 수 없는 경우가 많다. 약 2~3세까지 90%의 아동에서 편평족 소견을 가지고 있다. 이런 이유는 이 연령에서는 정상적으로 관절이 과다운동성(hypermobility)을 갖고, 종아치를 지방 패드가 넓게 덮고 있어서 편평족 소견을 보인다. 또한 보행을 배우기 시작하면, 보폭을 넓게 해서 기립하려는 자세 때문에, 체중 부하시 생기는 선이 발의 내측으로 이동하여 편평족의 형태를 취하게 된다. 3~5세 사이에 정상적으로 종아치가 점차 발달하여 10세에는 4%로 감소하게 된다.

편평족은 모든 유아에서부터 어른 때까지 모든 연령층에서도 흔하게 나타나서 정확한 발병율을 알 수는 없지만, 대부분의 아동과 성인에서는 적어도 20%정도의 발병하는 것으로 보고 있다.

편평족은 가족력이 있는 것으로 믿어지고 있다. 평편족의 아동의 부모에게서 평편족을 발견하는 경우가 많다. 최근에는 아동기 초기에 너무 일찍부터 신발을 신기는 것과 종아치의 발달과의 관련이 있다는 보고들이 있다. Sachithanandam과 Rao등의 두 연구에 의하면, 아동기 초기부터 신발을 신으면 정상적인 내측 종아치의 발달에 해로운 영향을 미친다고 하였으나, Gould는 조기에 신발 신는 것과 관계 없다고 하였고, 오히려 종아치의 발생이 종아치 지지대가 있는 신발을 신는 아동에서 더 빠르다고 하였다.

아래 분류는 편평족 변형 다양한 원인의 개요를 나타낸다(표 25-1).

표 25-1. **편평족 변형의 원인들**

Congenital Flatfoot

1) Hypermobile flatfoot
   Asymptomatic flexible flafoot
   Symptomatic flexible flafoot
   Flatfoot associated with accessory navicular bone
   Flatfoot associated with generalized dysplasia
   (Marfan syndrom, Ehlers-Danlos syndrom)
2) Rigid Flatfoot
   Peroneal spastic flatfoot(tarsal coalition)
   Congenital deformity(clubfoot, congenital vertical Talus)

Acquired Flatfoot

1) Posterior tibialis tendon dysfunction
2) Arthrosis
   Talonavicular Joint
   Tarsometatarsal Joint
   Rheumatoid arthritis
3) Traumatic
   Residual of a calcaneal fracture
   Talonavicular fracture
   Lisfranc's fracture
   Posterior tibialis tendon laceration
   Spring ligament rupture
4) Charcot foot secondary to diabetes or peripheral neuropathy
5) Neuromuscular disorder resulting in muscle imbalance
   Cerebral palsy
   Poliomyelitis
   Nerve injury
6) Tumor of the foot

II. 병인(Pathophysiology)

정상 보행 주기시 발뒤축 닿음(heel strike)에서 발뒤축이 지면에 만나는 접촉점이 족근 관절의 종축보다 보다 외측에 위치하기 때문에 바닥에 닿을 시 거골하 관절에서 외번(eversion)이 일어 나게 된다. 그 후 지표면의 형태에 따라 잘 적응하기 위해 발이 회내전(pronation)이 일어나고, 발바닥 닿음에 도달한 후, 몸을 앞으로 밀어내기 위해서 반대로 회외전(supination)되면서 잠김 현상(locking)이 일어나고 강한 지렛대 역할을 해서 체중을 버티게 된다. 편평족에서는 회내전이 정상보다 심하게 되었기 때문에, 입각기 동안 내재근이 더 많이 사용되어 쉽게 발이 피로하고, 종아치의 긴장이 더욱 증가하게 된다.

생역학적으로 발이 회외전되면, 중족부 관절들은 서로 단단하게 잠김 현상이 일어나서 단단한 구조로 바뀌게 된다. 반대로 회내전이 되면, 중족부 관절들이 운동성이 최대로 증가하게 되어 거주상 관절과 종입방 관절의 운동성이 최대로 증가하게 된다. 후 경골근 건이 발의 회외전과 잠김 현상을 만들게 하는 주된 작용을 하는데, 편평족에서 이런 회내전 상태가 오래 지속되다 보면 후 경골근 건에 스트레스가 증가하여 건에 병변을 초래하게 된다.

기본적인 변형은 종아치가 소실되면서 생기는데, 체중 부하를 하면 비정상적으로 여러 평면들로 거골이 이동하게 된다. 종아치의 소실로 거골은 내측으로 회전되고, 거골 두는 거종관절의 후관절의 전방 내측으로 이동하게 된다. 종골은 외번, 족배 굴곡, 외회전이 되어, 후족부가 외반(valgus)된다. 아킬레스 건은 이로 인해 구축이 된다. 주상골은 거골의 이동 방향의 반대 평면으로, 즉, 거골 두에 대하여 배측 및 외측으로 이동하게 된다. 후족부가 외반되고 중족부가 외전(adduction)되면 전족부는 보행 표면에 중족골 두를 평탄하게 하기위해 회외전하게 된다. 종골의 종축을 따라서 전족부가 회전되는 전족부 내반(forefoot varus)이 발생한다(그림 25-1).

III. 연령별에서의 감별하여야 할 사항

많은 유아에서 종아치를 넓은 지방 패드가 덮고 있어서 중족부의 정상적인 형태를 관찰할 수 없는 경우가 많다. 유아에서는 선천성 수직 거골(congenital vertical talus)을 감별해야 한다.

소아기 후반이나, 청소년기에서는 족근 결합(tarsal coalition)과 거골하 관절 류마티스관절염을 감별해야 한다. 이 시기에는 편평족과 관계된 대퇴 염전, 경골 염전, 내반슬등은 1~8세의 소아에서 만큼 보이는 임상적으로 의미 있지는 않다고 한다.

성인에서는 후 경골근 건의 기능 이상이 후천성 편평족의 임상 증상을 초래할 수 있다.

IV. 이학적 검사(physical examination)

이학적 검사시 환자를 세우고, 앉히고, 눕혀서 각기 관찰하여 본다. 환자의 과도한 인대 이완, 하지의 염전 변형등을 먼저 검사하여야 한다.

1. Patient standing

환자는 항상 두발로 선 상태에서 두 발가락을 앞으로 똑바로 향한 상태에서 앞에서부터 뒤로 검사한다. 검사자는 환자의 앞쪽에서 양 손가락 끝을 동시에 두 발의 종아치에 대면 종아치의 높이의 차이를 알 수 있다. 다른 방법은 중족지 관절에서 무지를 족배 굴곡을 시켜 본다. 유연성 편평족인 경우는 windlass 기전을 통해 종아치가 생겨나게 된다.

뒤쪽에서 보았을 때 족지로서는 자세(toe standing)를 시켜서 거골하 관절의 내전과 종아치가 형성이 되는지 확인하여야 한

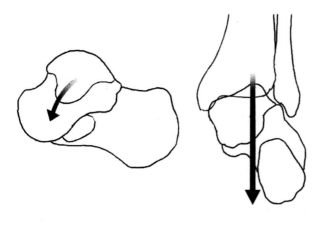

그림 25-1. 편평족 거골의 전방 내측으로 회전하고, 종골의 외번이 발생한다.

다. 후족부 외반과 전족부 외전이 발생하면 외측부로 발가락이 더 많이 보이게 되는 too-many toes sign이 나타난다(그림 25-2).

2. Patient sitting

환자를 침대에 앉혀서 두 발이 지면에 닿지 않게 바닥에 떨어뜨리면, 정상적으로 약간 첨내반(equinovarus)형태를 갖추게 된다. 이런 형태가 없다면, 먼저 비복-가자미근 건의 구축을 의심할 수 있다. 또한 이 자세에서 발이 내번(inversion)과 약간의 내전(adduction) 자세를 취하지 않거나, 발의 내측면에 오목한 부위가 관찰되지 않으면 족근 결합이나 거골하 관절의 운동을 제한하는 병변을 생각하여야 한다. 내측과의 후측 아래쪽이 부어 오른 상태는 재거 돌기(sustentaculum tali)에서 족근 결합이 있거나, 후 경골근 건의 기능 이상을 생각하여야 한다(그림 25-3).

3. 운동 범위 검사

거골하 관절을 중립위에 놓고 족근 관절에서 족배 굴곡의 정도를 측정하여야 한다. 방법은 후족부를 한 손으로 잡고, 다른 손으로는 경골의 과상부(supramalleolar)를 잡고 측정한다. 종골을 내측으로 밀면서 족근 관절을 족저 굴곡 및 족배 굴곡을 수 차례 하면서 거골하 관절을 정복한다. 그 후 중립위 상태에서 족근 관절의 족배 굴곡 정도를 측정한다.

아킬레스 건의 구축이 있으면 편평족을 더욱 악화 시킨다. 특히 아킬레스 건의 구축을 동반한 과운동성(hypermobile) 편평족은 유전적인 성향을 갖고, 대개 증상이 있고, 장기간 동안 병변이 진행 되기 때문에 세심한 관찰을 요한다.

만일 최소한 10~15도의 족배 굴곡이 없으면, 보행 주기중 입각기의 발바닥 닿음(foot flat)과 발뒤축 들림(heel off)부분 동안에 경골이 거골 위에서 미끄러지기 위해서 거골하 관절이 더욱 외반되게 된다.

족근 관절의 전체 운동 범위의 25%가 없으면 발뒤축 닿음(heel strike)과 발바닥 닿음(foot flat)에서 경골이 내회전이 안되고, 발뒤축 들림(heel off)과 발가락 들림(toe off)에서도 외회전이 되지 않아서, 거골하 관절과 중족근 관절에서 정상적인 잠김 현상이 일어나지 않게 되어, 보행 주기 동안 체중 부하때문에 종아치에 과도한 염좌가 발생하게 되어 통증을 유발하게 된다. 50~60% 운동 범위가 소실되면 더 이상 보장구로 증상이 있는 편평족을 치료하기는 힘들다.

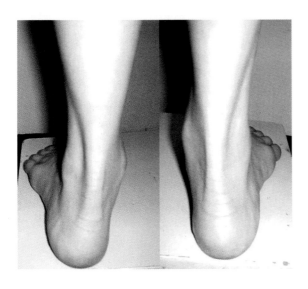

그림 25-2. Too-many toes sign

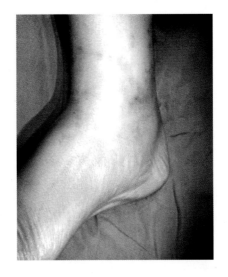

그림 25-3. 내측과의 후측 아래쪽이 부어 오른 상태는 족근 결합이나 후 경골근 건의 기능 이상을 의심할 수 있다.

V. 방사선 검사(Radiologic examination)

방사선 검사는 증상이 없는 양측성 유연성 편평족의 아동에서는 필요하지 않다. 증상이 있거나 거골하 운동이 제한되어 있다면 족근 결합 또는 선천성 수직 거골의 철저한 검사가 필요하다. 체중 부하 방사선 촬영을 하는데, 전후방, 측면 상, 내측 사면 상을 기본으로 하며, 족근결합이 의심될 때는 calcaneus axial view를, 전족부 회내전(forefoot pronation)의 정도를 측정하기 위해서는 sesamoid view를 측정한다.

1. Anteroposterior foot

1) 거골-제1중족골 간 각(Talo-1st metatarsal angle) : 정상 0-20° (그림 25-4)

거골 종축과 제 1중족골의 종축이 이루는 각도를 측정하여, 횡 족근 관절(transverse tarsal joint)에서 전족부의 외전을 측정한다.

2) 거주상골 피복각(Talonavicular coverage angle) : 정상 0-4 ° (그림 25-5)

거골 골두에서 주상골의 아탈구 정도를 측정한다.

2. Lateral foot

1) 종골 피치각(Calcaneal pitch angle) : 정상 20-25° (그림 25-6)

지표면과 종골의 족저면이 만나서 이루는 각. 15° 이하이면 편평족, 25° 이상이면 요족이다.

2) 거골-제 1중족골간 각(Talo-1st metatarsal angle, Meary angle) : 정상 0-4° (그림 25-7)

거골 종축이 제 1중족골의 족저면을 향하면 편평족으로 진단한다.

3) 바닥에서 내측 설상골까지의 거리: 정상 15-20mm. 반대측과 비교하여 감소하면 비정상(그림 25-8).

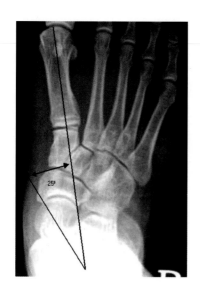

그림 25-4. Talo-1st metatarsal angle

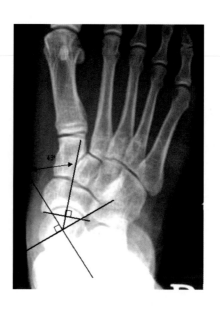

그림 25-5. Talonavicular coverage angle

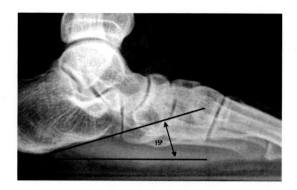

그림 25-6. Calcaneal pitch angle

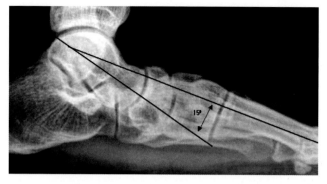

그림 25-7. Talo-1ˢᵗ metatarsal angle, Meary angle

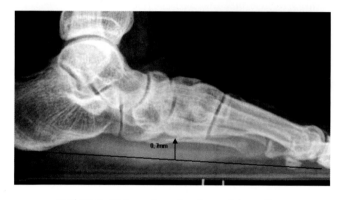

그림 25-8. Distance from floor to medial cuneiform

VI. 분류(classification)

편평족을 평가하는데 있어 경직성(rigidity)과 유연성 (flexibility)을 결정하는 것이 중요하다. 구분 방법은 편평족이 서있는 자세에서는 종아치가 없어지고, 체중을 부하하지 않고 앉은 자세에서 다시 생기면 유연성 편평족으로, 두 자세에서 모두 없다면 경직성이나, 반경직성으로 진단할 수 있다. 그러나 종아치가 없어도 정상적인 경우가 많아서 어느 정도 종아치가 낮아야 진단이 될 지 기준이 애매한 상태이다. 무지의 지간 관절에 못(callus)이 나타나는 것은 유연성에서 반경직성 편평족으로 진행하는 조기 징후이다. 주상골의 내측면을 따라 있는 못은 주상골의 가능성을 시사하며 유연성 편평족과 관련이 있다. foot-ground pressure patterns에 따라 편평족을 구분할 수 있는 기계들도 있다.

VII. 치료(Treatment)

1. 증상이 없는 유연성 편평족(Asymptomatic flexible flat toot)

3세까지의 유연성 편평족은 심한 가족력이 있는 경우를 제외하고는 특별한 치료가 필요 없다. 부모들이 여러 가지 시중에 나온 보조구나 신발 삽입물등으로 아동들을 치료해 주기를 원하지만, 보통 3~4세부터 종아치가 형성되기 시작되지만, 7~10세 사이에도 완전하게 형성 되어있지 않을 수 도 있기 때문이다.

3~9세 사이의 증상이 없는 편평족은 부모에게 편평족의 자연적인 경과에 대해 충분히 설명을 해주어야 좋을 것 같다. 종아치가 형성이 덜 되어있는 아동들도 있고, 증상이 나타나기 시작할 수도 있기 때문에 관심을 두어야 한다. 10~14세 사이 증상이 없는 편평족도 치료가 필요하지 않다. 대부분의 유연성 편평족은 성인에서도 장애를 초래하지는 않는다.

보존적인 치료로 이용되는 보조구나 신발 삽입물등이 편평족의 변형을 영구 교정한다거나, 또는 치료의 효과가 없다거나 하는 수많은 논란들이 있다(그림 25-9와 25-10). Wegner등은 교정 신발과 신발 삽입물을 3년동안 착용을 해도 유연성 편평족이 진행하는 경과에는 전혀 영향을 주지 못한다고 하였다. Mereday등도 UCBL(University of California Biomechanics Laboratoty) 삽입물을 2년간 사용한 후에도 영구적인 구조적 교정을 얻지 못하였다고 하였다. 그러나 Bleck과 Berzlins등은 UCBL 삽입물과 Heel cup을 사용했을 때, 1년에 5도씩 교정이 가능하다고 하였고, 2년 추시 관찰에서 16명의 아동들이 교정

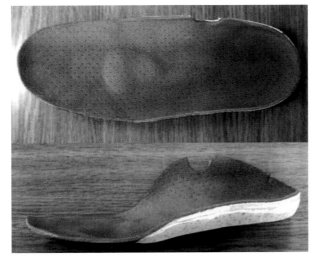

그림 25-9. UCBL inserts

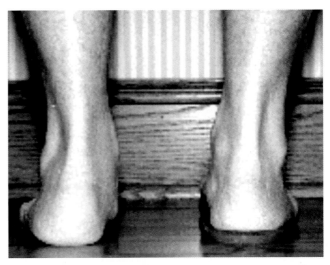

그림 25-10. UCBL insert후 교정된 후족부

되었다고 하였다.

이런 보존적인 치료들이 변형을 교정하지 못하더라도 증세의 완화를 위해서는 사용할 수 있을 것 같다. 통상적으로 2-3년 착용하여 효과가 없으면 정지하고, 있으면 10세 경까지 착용한다.

2. 증상이 있는 유연성 편평족 (Symptomatic Flexible Flatfoot)

1) 보존적 치료

증상이 있는 3~9세 아동의 유연성 편평족은 단단한 뒤꿈치 월형(firm heel counter), 연장 내측 뒤꿈치 월형(extended medial heel counter), 금속 허리쇠(steel shank), 내측 뒤꿈치 쐐기(medial heel wedge)같은 여러 가지 신발 변형을 이용할 수 있다. 또한 이 시기에 뒤꿈치 외반이나, 전족부 외전, 거골 두의 내측 돌출등이 심한 경우는 맞춤 보조구를 착용한다.

10~14세 사이 증상이 있는 경우는 좀 더 딱딱한 재질인 molded polypropylene orthosis을 착용하는데, 후족부와 전족부의 중립위, 첫번째 족부 열의 족저 굴곡, 내측 종아치를 복원한 상태로 교정한다. 이 시기에서는 주상골 부골, 족근 결합등이 증상을 일으킬 수 있다.

Basmajian등은 내측 종아치를 유지하는데 발의 근육들이 작용하지 않으므로, 발의 내재근이나, 외재근을 강화 시키는 운동이 효과가 없다고 하였으나, 결론을 내리기에는 더 많은 연구가 있어야 필요한 사항이다. 아킬레스건 구축이 동반한 유연성 편평족의 경우에는 아킬레스 건 스트레칭 운동을 하거나, 건연장술을 시행한다.

2) 수술적 치료

수술적인 치료가 유연성 편평족에서는 거의 필요하지 않으나, 유연성을 상실하거나, 기능 장애를 초래하는 통증이 있거나, 보존적 치료에 실패 시에는 적응증이 된다. 수많은 수술 방법들과 결과가 보고되고 있으나, 변형된 Hoke-Miller 술식이나, Durham 술식 같은 제한된 내측 골근 관절 유합술이 많이 이용되어 왔다. 최근에는 후족부 외반을 교정할 수 있는 종골의 내측 전위 절골술이나, 전족부 외전과 후족부 외반을 동시에 교정하는 외측 골주 연장술들이 좋은 결과들을 보고하고 있다. 자세한 수기는 후 경골근 건의 기능 장애 편에서 기술하였다.

(1) 변형된 Hoke-Miller 술식(Modified Hoke-Miller procedure)

체중부하 측면 사진상 거주상 관절이나 주상설상 관절의 침하가 있는 통증이 있는 유연성 편평족이 있는 청소년기에서 사용한다. 주상골과 첫번째 설상골 관절을 유합하고, 첫번째 설

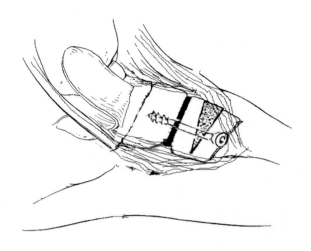

그림 25-11. Modified Hoke-Miller procedure

상골을 개방성 쐐기 절골술을 한 뒤 골이식 후 금속나사를 고정하고, 종주상인대를 포함한 골막피판을 원위부로 전위시킨다(그림 25-11).

(2) 종골의 내측 전위 절골술(Medial displacement calcaneal osteotomy)

전족부 외전이 없는 후족부 외반을 동반한 심한 유연성 편평족을 가진 아동에게서 시행한다. 절골된 종골의 후면이 내측으로 전이 되어 정상적인 체중 배열을 갖게 한다(그림 25-12). 전족부 외전은 교정하지 못한다. Koutsogiannis는 34례중 30례에서 후족부의 외반 변형을 교정하였고, 25례에서 종아치가 약간의 개선을 보였다고 하였다(그림 25-12).

(3) Lateral column lengthening osteotomy

6세에서 10세 사이에서 심한 증상이 있는 유연성 편평족에서 이용된다. 종골 앞쪽을 절골하여 골이식을 하여 전족부와 후족부을 연장시켜 내측 거주상관절의 아탈구를 교정한다.

Mosca는 31례중 29례에서 후족부의 외반, 종아치의 소실, 전족부의 외전이 교정되었다고 하였다.

(4) 삼중 관절 유합술

삼중 관절 유합술(Triple arthrodesis)은 변형이 심하고 고정적이고, 한 관절 이상에서 증상이 있거나, 전산성 인대 이완증 환자에서, 골연령이 최소 12세인 경우에 이용한다.

(5) 거골하 관절 제동술(subtalar arthrorisis)

거골하 관절에 생흡수성 이식물을 넣어 고정하여 거골과 종골의 배열을 교정하기 위해 고안된 수술이다. Giannini는 생흡수성 재료인 poly-L-lactic acid를 재료로한 체내 내부 보조기(endo-orthotic implant)를 개발하여, 이 나사를 족근 공동내에 삽입하여 약 20례의 환자에서 최소 7년 추시결과, 전반적으로 정상적인 발의 형태와 정상적인 관절 운동을 보였다고 발표하였다. 그러나 다른 논문들을 볼 때 이물질 반응, 거골하 관절강직등 많은 합병증이 보고되었기에 좀더 많은 장기 추시 보고들을 필요로 한다(그림 25-13).

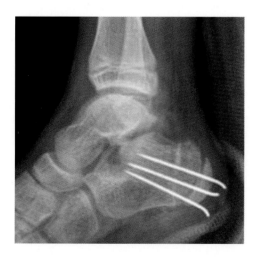

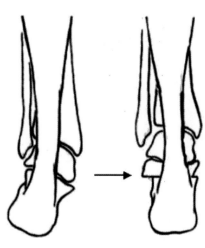

그림 25-12.
Medial displacement calcaneal osteotomy

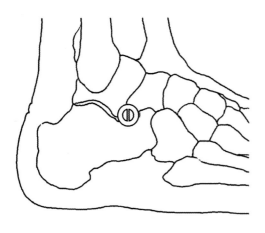

그림 25-13. Subtalar arthrorisis

3. 주상골 부골과 연관된 편평족 (Flat foot associated with accessory navicular bone or Os tibiale externum)

주상골의 분리된 골화 중심으로 정상의 10~15% 정도이며, 양측성이 89% 정도이다. 대부분 증상이 없으며, 우연히 방사선 검사에서 발견이 된다. 증상은 주로 주상골 부골이 연골 결합 형태일 때 많이 발생한다.

청소년기에 활동이 증가하거나, 체중이 늘 때 발생하는데, 통증이 주상골 부골의 내측 돌출부위에 국한되고, 동통성 점액낭

염이 발생하거나 후 경골근 건 부위에 압통이 발생할 수 있다. 주상골 부골과 연관된 편평족은 성인에서 증상이 나타나는 것은 드물다. 운동에 의한 발의 과사용 증후군이나 외상에 의한 주상골과 주상골 부골사이의 건열 손상, 후 경골근 건의 주상골 부착 부위의 부분 파열에 의해 증상이 나타나는 것으로 생각된다. 그러나 대부분 주상골 부골을 가진 성인은 특별한 치료를 필요하지는 않는다.

이학적 검사상 환자가 서 있을 때 종아치의 소실 정도가 다양하고 주상골 내측면이 돌출된 소견을 보인다. 발끝으로 선 경우 종골의 내번이 발생하고 족근 관절, 거골하 관절, 횡 족근 관절 운동 범위도 보존 되어있다.

1) 분류

Type I은 부드럽고 둥근 부골이 후 경골근 건내에 위치 하고 증상을 나타내는 경우가 드물다. 가장 많은 Type II는 큰 부골이 연골 결합(synchondrosis) 또는 섬유성 조직에 의해 주상골에 부착된 형태이고, Type III 원뿔형(cornuate) 주상골로 나뉜다(그림 25-14).

2) 치료

급성 외상에 의해 발생된 경우 4~6주간 단하지 석고 고정을 한다. 만약 증상이 6~8주후에도 증상이 남아 있다면 수술적 치료가 필요하다.

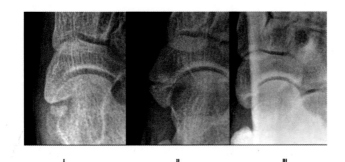

그림 25-14. 주상골 부골의 분류

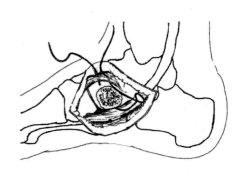

그림 25-15. Kidner 술식

(1) Kidner 술식

피부절개는 내과의 원위부 끝에서 시작하여 제 1 중족지의 기저부까지 하는데, 주상골 부골의 돌출부를 피하여 약간 발등 쪽으로 곡선의 피부 절개를 한다. 족저부로 지나가는 후 경골 근 건의 분지들이 손상되지 않게, 주상골에 부착하는 부위까지 잘 박리한다.

부골을 건에서 조심스럽게 잘 벗겨낸 뒤, 내측 설상골의 내 측면을 기준으로 주상골의 내측부를 제거한다. 건을 족저 및 내측면으로 이동시켜서 주위의 인대나 골막 또는 주상골에 구 멍을 내어 고정을 한다(그림 25-15).

Prichansuk등은 25례에서 Kidner procedure를 시행한 결과, 족부의 피로감 및 통통에 개선을 보였지만, 종아치의 복원은 3 례에서만 보였다고 하였다. 그러므로 종아치의 교정이 안될 수 있음을 수술 전에 미리 알려 주어야 하고, 나중에 종아치가 더 소실 되거나, 후 경골근건 기능 부전, 재발성 통증등이 발생할 수 있으므로 절제면에 건을 단단히 부착시켜야 한다. Kiter등은 부주상 부골이 있는 경우는 후 경골근 건이 비정상적으로 부골 에만 직접 부착하는 현상 나타난다고 보고하였다. 최근에는 type II의 연골 결합에서 Malickey등에 의해 주상골과 부골을 골유합을 시키는 변형된 Kidner술식이 보고 되어지고 있다.

4. 족근 결합과 연관된 경직성 편평족(Rigid flat foot associate with tarsal coalition)

족근 결합(Tarsal Coalition)의 원인은 태생기 22~27mm 크기 의 시기에 원시 간엽 조직이 분할을 하지 못하여 거골 주위 관 절 복합체(peritalar joint complex)를 이루어 생긴다고 믿어지 고 있고, 상염색체 우성의 일부 유전자의 돌연변이로 일어나다 는 설도 있다.

족근 결합의 발생율은 1%로 보나, 대부분이 증세가 없고 우 연히 발견하는 경우가 많기 때문에 더 많을 것으로 생각되어 지고 있다. 거종 결합과, 종주상 결합이 전체의 92%이고, 이들 은 50%이상에서 양측성이다.

족근 결합은 청소년기부터 증상이 나타나기 시작하는데, 결 합이 섬유화에서 연골이나 골화로 변화할 때나, 체중이나 활동 력 증가로 발에 대한 스트레스가 증가할 때 증상이 시작한다. 일부 환자는 성인에서 증상이 나타날 수 있는데, 족근 결합에

스트레스를 가하는 손상이 발생하지 않는 한 대부분에서 증상 이 없다. 흔히 반복적인 족근 관절 염좌를 동반하는데 종주상 결합에서 63% 정도 관찰되기 때문에 청소년기에 특별한 이유 없이 습관적인 족근 관절의 염좌는 한번 이것을 의심하여야 한 다.

거골하 관절 복합체는 거골하 관절, 종입방 관절, 거주상 관 절로 구성되며, 보행 주기시 조화를 이루며 작용하게 된다. 족 근 결합 때문에 어느 한 관절의 운동 제한이 오게 되면 다른 관 절의 운동에도 제한이 오게 되며, 이들 관절에 과도한 스트레 스가 작용하게 되어 반복적인 염좌, 동통, 근육경련을 초래 하 게 된다.

1) 거종 결합(Talocalcaneal coalition)

뼈나 골 또는 섬유성 조직에 의한 결합으로 이루어져 있으 며, 거종 결합의 가골이 12세에서 16세사이에 골화가 이루어 진다. 증상은 활동의 증가에 따라 족부의 피로감, 후족부의 동 통등이 심해진다. 거골하 관절의 운동력이 심하게 제한되는 것 이 흔한 증상이고, 족근 관절 내과 후방에 압통과 포만 (fullness)이 동반하며, 뒤꿈치 외반과 종아치의 결손등이 그외 증상이다(그림 25-16).

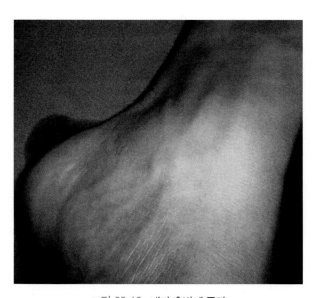

그림 25-16. 내과 후방에 포만

(1) 이학적 검사

양측성이 50%인 점을 명심하고 정상측 발과 비교하여 검사한다. 환자를 앉히고 다리를 침대에서 떨어뜨린 후, 먼저 거골하 관절 운동의 소실을 검사한다. 또는 발끝으로 서 있을 때, 종골 내번이 없어서 거골하 관절 운동을 발견할 수 없다. 반면에 횡 족근 관절 운동은 있을 수 있다.

(2) 방사선적 검사

일반적인 사진으로는 진단이 매우 힘들다. 후상방 사면 촬영(posterosuperior oblique projection)이 진단에 도움이 된다. 측면 촬영상에서도 도움이 되어 진단적 가치가 있는 방사선적 소견들이 있는데, 거골 두의 배측 관절면에서 부리모양의 골극(beaking), 거골의 외측 돌기(lateral process)가 넓어지고, 거종골 관절의 후관절면의 간격이 좁아지고, 거골하 관절의 중관절면의 소실등이 보이고, 외측 사면 촬영에서는 거골하 관절의 전방 소관절면의 비대칭이 관찰된다. 족근 관절이 구형 관절 모양(ball and socket)으로 관찰되기도 하는데, 이는 거골하 관절의 내번 및 외번 운동력의 감소로 인한 이차적인 변형으로 생긴 현상이다.

CT는 관상면 촬영이 진단 뿐만 아니라 남아 있는 거골하 관절의 상태까지 볼 수 있어서 도움이 된다(그림 25-17). MRI는 섬유성 결합뿐만 아니라 모든 형태의 골 결합을 진단하는데 도움이 된다.

(3) 치료

거종 결합은 처음은 4~6주간 석고 고정하여 보존적 치료를 하고, 실패한다면 수술이 권유된다. 최상의 치료는 결합을 절제 하는 것이다. 결합 부위를 제거하고, 지방이나, 장 무지 굴곡건, bone wax, gelfoam등으로 결합부 표면을 채운다. 성인에서 후관절면을 침범되었거나, 후족부에 심한 외반 변형이 존재하면 거골하 관절 유합술을 시행하여야 한다. 만약 결합이 중관절면만 침범하고 후관절면이 정상이라면 결합봉만 절제한다. 심한 비골건 경련과 강직을 동반한 심한 평편 외반족은 삼중 관절 유합술이 더 좋은 결과를 보인다고 한다.

● 수술방법(Excision of a talocalcaneal coalition)

1. 앙와위에서 피부 절개는 내과 끝에서 후 경골근 건막의 하연을 따라 거주상 관절까지 절개한다.
2. 후 경골근 건막의 하연을 노출하여 건을 발등쪽으로 제친다.
3. 장 족지 굴곡건(flexor digitorum longus)이 노출된다. 이 건은 거골의 내측으로 통과하는데, 족근 결합이 있는 재거돌기 부위의 상부를 지나간다.
4. 장 족지 굴곡건을 발등쪽 또는 발바닥쪽으로 당긴다. 내측 과로부터 거주상 관절까지 건막을 열어야 한다. 피부 절개 근위부에서 장 족지 굴곡 건보다 좀더 발바닥 쪽에 신경 혈관 다발이 있다.

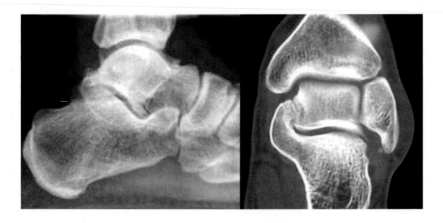

그림 25-17. 거종 결합의 단순 사진과 CT 사진

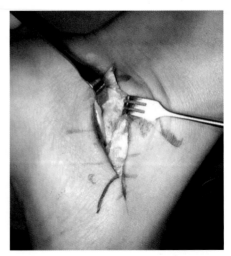

그림 25-18. 거종 결합 수술 소견

5. 근위부에 거골하 관절의 후관절과 원위부에 족근관(tarsal canal) 사이에서 족근 결합을 확인할 수 있다(그림 25-18).

6. 절골정(osteotome)을 이용하여 쐐기 형태로 족근 결합을 제거한다. 거골하 관절의 후관절 내측을 볼수 있게 근위부에서 시작하여 원위부로 절골하는 것이 편한 경우가 많다. 거골하 운동을 얻기 위해서 충분히 절제를 해야 한다. 재거돌기는 전체를 제거하지는 않고 일부만 제거한다. 거골하 관절을 수술 도중에 거골하 관절을 자주 움직여 보아서 절제술에 의해 관절 운동이 얼마나 많이 확보되었는지 확인한다. 결합을 제거한 후에 건측과 비교시 건측 관절 운동의 50% 정도 된다.

7. bone wax을 절제된 골 표면에 바른다.

(4) 수술후 치료

부종을 조절하기 위해 탄력 붕대로 감아 유지하고 단하지 석고 고정을 하고 3주간 체중부하를 금지한다. 관절운동을 하루에 3~4회씩 시킨다. 3주후부터 체중부하를 시작하고 5주후부터는 석고 고정을 제거한다.

(5) 수술 결과

Kitaoka등은 11례에서 대부분 좋은 결과를 얻었으나, 대부분에서 기능의 결손이 남는다고 하였다. Salomao등은 32례에서 전례에서 봉 절제술후 유리 지방 이식술을 시행하였는데, 8.1%에서 완전히 통증이 사라지고, 21.8%에 경감을 보였고, 관절 운동 능력은 75%에서 증가 하였다고 하였다. Giannini는 14 례에서 봉 절제술후 생흡수 재료를 이용한 나사를 거골하 관절에 고정하는 제동술(subtalar arthroereisis)을 시행하여 우수 8례, 양호 3례, 보통 3례의 결과를 보고하였다.

2) 종주상 결합(Calcaneonavicular coalition)

출생시 종주상 결합이 존재하지만, 8세에서 12세 사이에 골화가 일어나기 전 까지는 증상이 없다. 골화가 이루어지면 후족부가 강직되고, 청소년들이 왕성한 활동을 하는데 적응하기 힘들게 된다. 나이가 들면서 증상은 대개 심해진다.

족근 결합은 골성(synostosis)이나, 연골성(synchondrosis)이나, 섬유성(syndesmosis)으로 이루어지고, 섬유성이나 연골성

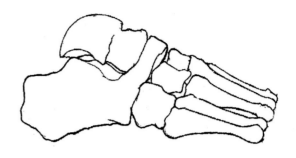

그림 25-19. Calcaneonavicular bar

에 의한 불완전한 결합이 골성 결합보다 증상이 더 심하다 (그림 25-19).

(1) 이학적검사

거종 결합에서 보이는 증상과 비슷하다. 대부분 활동이 왕성한 청소년에서 족근 공동(sinus tarsi)부근의 배외측 동통, 평편하지 않은 바닥을 걷기 힘들고, 족부 피로, 동통성 파행등을 주소로 내원한다. 족근 공동부근에 압통이 존재하며, 대개 거골하 관절의 운동은 70% 정도로 감소되어 있지만, 비골근에 강직이 없음에도 불구하고 횡 족근 관절운동은 심하게 제한될 수 있다. 그외 후족부 외반, 종아치의 경미한 소실, 비골근 건 경련 등이 관찰된다.

(2) 방사선적 검사

45도 외측 사면 촬영에서 가장 잘 보인다. 결합의 크기는 대개 1~2cm의 넓이와 길이를 가지고 있고, 경계가 불분명하고 불규칙적이고, 거골 두가 작고 덜 자란 것처럼 보일 수 있다. 측면 사진에서 종골의 전방 상부에 뾰족한 전방 돌출이 보이는데 종주상 결합의 직접적인 소견이다. CT를 많이 사용하지는 않는다. 간혹 종골의 전방 결절에서 돌출된 부분이 족근결합처럼 보일 수 있어서 가성 결합(pseudocoalition)이라 하며, 감별이 필요하다.

(3) 치료

증상이 있는 경우는 활동을 제한 시키고 6주간 석고 고정을 할 수 있다. 대개는 보존적 치료에 반응하지 않는다. 수술적인

치료는 족근 결합 부위를 절제한 후 지방이나 근육을 삽입하는 방법, 거골하 관절 유합술, 삼중 관절 유합술등이 이용된다. 결합 부위인 종주상 결합봉 절제술(calcaneonavicular bar resection)후에 증상이 좋아지는 경우가 적지 않기 때문에, 거주상 관절에 관절염이 심하지 않은 경우 시행해보고 증상의 호전이 없으면 관절 유합술을 할 수 있다. 반면에 거주상 관절에 심한 관절염이 있다면 삼중 관절 유합술이 가장 적합한 치료이다.

결합 봉 절제술 후에 대부분 경우에서 거골하 관절이나 횡족근 관절 운동이 정상적으로 완전하게 회복되지 않는다고 미리 환자에게 알려줘야 한다.

● 수술방법(Excision of calcaneonavicular bar)

1. 앙와위로 환자를 위치하여 피부절개를 비골 끝에서 1cm 원위부에서 세 번째 족골근 기저부를 향해 연장한다.

2. 수술 부위의 원위부를 통과하는 비복 신경의 전방분지와 근위부를 지나는 비골 신경 분지를 주의해야 한다.

3. 단 족지 신전근 기시부를 거골 외측에서 박리하고 원위부로 제친다.

4. 족근 결합을 조심스럽게 확인한다. 주상골의 관절면 제거하지 않아야 한다.

5. 주상골의 관절면을 확인하고, 결합이 주상골의 족저 외측면에 있기 때문에 결합부위에 대해 경사지게 절골정을 대고 절단한다.

6. 평행하게 두 번째 절단은 종골의 상부 내측에서 종입방 관절의 관절면에 따라 1.5- 2cm의 정방형으로 골교(bone bridge)를 절골한다.

7. 종입방 관절의 외측면을 따라 있는 충돌현상이 있는 확인하기위해 횡 족근 관절을 움직여 봐야 한다. 종주상 결합에서 가끔 종입방 관절의 모양에 변화가 생긴다. 종골 부위에 돌출 부위가 생겨서 족부의 외전을 방해하기 때문에 제거 해야 한다. 제거하면 횡 족근 관절운동이 증가하게 된다.

8. 족근 결합이 완벽하게 제거되면 bone wax를 노출된 절골 부위에 바른다. 단 족지 신전근(Extensor digitorum brevis)의 기시부를 결손 부위에 끼워 넣어 봉합한다.

(4) 수술후 치료

술후 첫 2주간은 부종을 조절하기 위해 탄력 붕대를 잘 감고 단하지 석고 고정을 하고, 2주후에 체중부하를 허용하고 관절 운동을 시작한다. 4주후에 석고 고정을 제거한다.

(5) 수술 결과

종주상 결합 봉 절제술후 대부분의 저자들이 73~90% 정도의 만족할 만한 결과를 보인다고 하며, 시간이 지나면서 신생골 형성이 절제 부위에 나타나고, 부분적인 재형성이 23~48% 정도 발생하고, 관절염이 20% 정도 발생하여 이런 경우에는 삼중 관절 유합술을 해야 한다. 단 족지 신전근 삽입이식은 재성장을 적게 한다.

4. 후 경골근 건의 기능 장애 (Posterior tibialis tendon dysfunction)

후 경골근 건의 기능 장애에 의한 후천성 편평족 변형은 서양에서는 흔한 일이지만 한국에서의 발생 빈도는 낮다. 서양인들에게는 체중이 심하게 비만이 사람들이 많아서 발생 빈도가 많을 것으로 생각되며, 한국도 점차 과체중인 사람들이 늘어나는 추세로 보아 빈도가 점차 늘어나지 않을까 생각이 된다. 저자들도 외래에서 진단하는 빈도가 증가 하고 있다.

후 경골근 건의 기능 장애를 가지고 있는 환자는 일반적으로 병변이 점진적으로 서서히 계속 진행한다는 점을 알아야 한다. 대부분 환자들은 특별한 과거력이 없고, 약 절반에서 외상의 기억력을 가진다고 한다. 환자들은 발에 불편감이나, 내측부에 부종이나 동통, 종아치의 점진적인 소실을 호소한다. 신발을 뒤집어 바닥면을 관찰하면 내측이 마모하게 되고, 여자에 있어서는 높은 굽의 구두를 신기가 힘들어진다. 시간이 지날수록 보행 능력의 점진적인 감소를 느끼게 된다.

1) 후 경골근 건의 해부학 및 기능

(1) 해부학적 위치

후 경골근 건은 경골의 근위부 1/3과 골간막에서 기시하여 내과의 후방을 예각으로 지나게 된다. 후 경골근 건은 중간 건막(mesotenon)을 가지고 있지 않고, 내과의 원위부는 혈류분포가 적어서 이런 원인들 때문에 건의 퇴행성 변화가 초래 되기가 쉽다. 후 경골근 건은 주상골 결절 전방에서 건이 분리되는데, 전방 분지는 주 건과 계속 연결되어, 주상골의 결절, 내측 주상설상 관절 막의 하부, 내측 설상골의 하부로 부착한다. 두 번째 분지는 내측 및 외측 설상골과 입방골의 족저측과 각 중 족골의 기저부에 부착된다.

(2) 기능

후 경골근 건은 족근 관절 축의 후방과 거골하 관절의 내측을 지나고, 부착 부위가 주상골과 족근골의 중간부의 족저부에 부착하기 때문에 중족부에 대해 족저 굴곡과 내번을 일으키게 하고, 내측 종아치의 높이를 높여 주는 작용을 한다. 이로 인해 중족근 관절들이 강하게 잠김 현상이 일어나게하고, 후족부가 강한 지렛대 역할을 하게 하여, 보행시 몸을 앞으로 강하게 밀어내어 전진시키게 하는 역할을 한다.

(3) 후 경골근 건의 기능 이상의 결과

후 경골근 건의 기능에 이상이 생기면, 잠김 현상도 지렛대 작용도 없어지게 되어 족부가 이완된 관절상태로 된다. 내측 종아치가 무너지고, 거골하 관절이 외번(evert)되고, 후족부가 외반(valgus)되고, 족부는 외전(abduction)하게 된다. 일단 후 족부가 외반 위치로 변하게 되면, 아킬레스 건은 거골하 관절의 회전축으로부터 외측으로 이동하게 되어, 거골을 내번이 아닌 외번하도록 작용하게 된다. 변형이 점차 심해지면, 결국 비골에 대해 종골이 충돌하여, 족관절의 외측부 동통을 호소하게 된다.

또한 후 경골근 건의 기능 이상이 있을 때는 후족부를 지지하는 여러 인대 구조물들의 변화가 동반 되어있는지 잘 관찰하여야 한다. 스프링인대, 삼각인대, 거종 골간인대, 거주상 관절낭과 족저 근막 같은 연부 조직들이 이차적인 손상의 결과로 족부에 대한 지지 역할이 소실하게 되는데, 후족부 외반 변형뿐만 아니라, 거골이 족근 관절에서 경사지게 되어 경거골 관절에서 외반 변형도 일어나게 된다. Deland는 단순히 후 경골근 건 기능이상만 있을 때는 이런 방사선적 이상이 관찰되지 않지만, 여러 인대들의 손상이 동반되어 있을 때는 정적인 심한 변형이 일어나게 된다고 하였다.

2)원인

(1) 퇴행성 파열

중년의 비만한 여자에게서 후 경골근건의 파열이 많고, 후 경골근 건이 파열된 환자의 60%에서 고혈압이나, 당뇨, 비만, 스테로이드 치료의 기왕력을 가지고 있다고 한다. 특히 후 경골근 건 주위에 스테로이드 주사를 다발성으로 맞거나, 복용을 한 경우 후 경골근 건의 파열이 자주 동반한다.

(2) 급성외상

열상이나 골절, 탈구에 의해 발생한다.

(3) 해부학적인 이유

후 경골근 건은 강력한 건이지만, 2cm이내의 짧은 가동 거리로 인하여 쉽게 약해지는 단점이 있다. 또한 족근 관절 내과 끝에서 1~2cm 정도 원위부까지가 후 경골근 건의 혈액순환이 적은 부분인 동시에, 이 건이 족관절 내과 뒤를 급한 예각으로 지나는 부위이다. 이런 여러 해부학적인 이유로 건의 파열과 퇴행성 변화가 쉽게 관찰된다.

(4) 혈청 음성 염증성 질환(seronegative inflammatory disorder)

강직성 척추염, 건선, Reiter씨 증후군 등은 후 경골근 건 파열과 연관되어 있는 것으로 되어 있고, 류마티스 관절염 환자에게서 많이 발견되나 확실한 관계는 더 연구되어져 한다.

3) 분류

분류 방법이 있지만, 후 경골근 건의 기능 장애를 stage별로 분류하여 이에 상응하는 치료방법을 선택하는 방법들이 유용하다.

(1) Johnson 과 Strom에 의한 분류

stage 1 : 내측부 동통과 부종. 건의 길이는 정상이나, 건염과 경미한 근력 약화 및 족부 변형이 존재한다.

stage 2 : 건 파열, 근력 약화, 뒤꿈치 거상 불가능, 이차변형이 중족부의 회내변형, 전족부의 외전이 횡족근골 관절에서 발생한다. 거골하 관절은 아직 유연하다.

표 25-2. Myerson에 의한 분류와 치료

Stage	특징	치료	
		비수술적	수 술 적
건막염	급성 내측부 동통 및 부종, 뒤꿈치 거상 가능, 혈청 음성 염증, 광범위한 파열	항 염증성 약물치료, 6-8주간 고정; 증상이 개선되면 ankle stirrup brace; 개선되지 않으면 수술적 치료	건활막 제거술, 건활막 제거술+종골 절골술, 건활막 제거술+건고정술(장 족지 굴곡 건을 후 경골근 건으로)
파열			
Stage 1	급성 내측부 동통 및 부종, 후족부 유연성, 뒤꿈치 거상 가능	Medial heel and sole wedge, hinged ankle-foot orthosis, orthotic arch-support	후 경골근 건 변연 절제술, 장 족지 굴곡 건 이전술, 장 족지 굴곡건 이전술 + 종골 절골술
Stage 2	뒤꿈치 외반 변형, 외측부 동통, 후족부 유연성, 뒤꿈치 거상 불가능	Medial heel-and sole wedge, stiff orthotic support, hinged ankle-foot orthosis	장 족지 굴곡 건 + 종골 절골술, 장 족지 굴곡건 + 종골 절골술 + 종입방 관절 연장 유합술
Stage 3	뒤꿈치 외반 변형, 외측부 동통, 후족부 경직, 뒤꿈치 거상 불가능	Rigid ankle-foot orthosis	삼중 관절 유합술
Stage 4	후족부 경직, 거골의 외반 변형	Rigid ankle-foot orthosis	경거종골 관절 유합술

stage 3 : 건의 퇴행성 병변이 존재하고, 변형은 심해지고, 후족부는 경직되었다.

stage 4 : 거골의 외반 변형과 족근 관절의 초기 퇴행성 병변이 보인다.

(2) Myerson에 의한 분류와 치료(표 25-2)

병형 분류와 이에 대한 치료 방침이 정리되어 있어 유용하다.

4) 병력

초기에는 내측에 건을 따라 불편함이 있으며, 족부의 족저 내측에 피로감과 통증이 있다. 내과 하방에 건막염이 생기면 부종이 발생한다. 변형이 증가하면 신발 신기에 불편함이 생길 정도로 발의 변형이 심해 진다. 후 경골근 건의 완전 파열이 일어나면, 더 이상 내측부 통증은 발생하지 않고, 외측부에 통증이 발생하는데, 종골에 대해 비골이 충돌하여, 족근 공동부위에 심한 통증을 발생하여 나타난다.

5) 이학적 검사

전반적인 검사 방법은 유연상 편평족 부분에서 기술하였다. 환자를 일으켜 세운 뒤, 전체적인 양발의 모양을 관찰한다. stage 1에서는 발의 변형이 거의 없고, 반면에 stage 2와 3에서는 점진적으로 변형이 증가하고, 환자의 발의 형태만 보아도 진단이 된다. 건의 연속성과 압통 부위를 촉진으로 만져본다. 내과의 하방에서 후 경골근 건의 단절이 만져지기도 하나, 삼

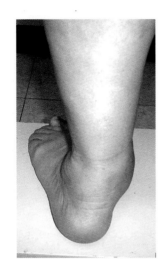

그림 25-20. 후 경골근 건의 기능 장애에서의 too-many toes sign

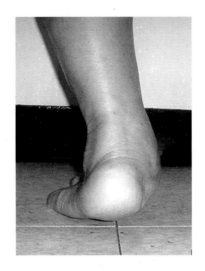

그림 25-21. Single heel rise test 뒤꿈치 거상이 정상적으로 안되고 있다.

각 인대나, 스프링 인대의 파열도 발견할 수 있다.

(1) Too many toe sign

뒤쪽에서 보았을 때 후족부 외반과 전족부 외전이 발생하면 외측부로 발가락이 더 많이 보이게 된다(그림 25-20).

(2) 환자가 벽을 마주보고 발끝으로 서도록 한다.

뒤꿈치의 내번 정도를 관찰할 수 있다. 일반적으로 stage 1 환자는 내번을 나타낸다. stage 2 이상의 환자는 내번을 관찰할 수 없다.

(3) Single heel rise test

후 경골근 건의 기능을 평가하는 우수한 방법이다. 벽을 잡고 무릎을 완전히 신전한 상태에서 환측 발의 뒤꿈치를 들어 올린다. 정상측은 무릎을 구부려 지면에 닿지 않게 한다. 정상인 경우에는 전족부로 서 있을려고 할 때, 후 경골근 건이 작용하여 뒤꿈치 내번이 일어나고, 횡 족근골 관절의 잠김 현상과 후족부의 지렛대 역할이 발생하여, 뒤꿈치를 들어 올릴수 있게 된다.

건의 기능 이상이 있는 경우, 뒤꿈치 내번력이 약해져서, 전족부로 체중을 지탱하는 것이 불가능 해진다. 환자 자신이 근력 약화를 느낀다. 경미한 외상이 있는 경우나, stage 1 은 정상

소견을 보일 수 있으므로, 여러 번 반복해서 확인해야 한다(그림 25-21).

(4) 후 경골근 건의 근력 검사

환자의 후족부를 족저 굴곡 및 외번시키고, 전족부를 외전시킨 상태에서 검사자가 후족부를 움켜잡고, 발의 내측에 손을 대고 저항을 주면서, 환자에게 강하게 후족부를 족저 굴곡, 내번시키고 전족부를 내전시키게 하여 근력검사를 시킨다. 이때 건의 연속성과 압통의 위치를 확인한다.

(5) 운동 범위

유연성 편평족에서와 마찬가지로, 거골하 관절 및 족근 관절의 운동 범위 및 아킬레스 건의 구축 평가가 중요하다.

뒤꿈치가 외반 변형이 있으면, 아킬레스 건은 거골하 관절축의 외측으로 전위되어 있고, 이미 구축이 일어난 것으로 생각해야 한다. 뒤꿈치 외반을 검사자의 손으로 중립위로 교정한 뒤에 족근 관절에서 족배 굴곡을 측정한다.

거골하 관절의 운동은 수술 방법을 결정하는데 매우 중요하다. 만일 후족부 내번이 안 되는 경우에는 고정된 외반 변형이 생겼다는 의미로 건 이전술을 할 수 없다. 또한 거골하 관절의 중립위 위치에서 횡 족근 관절의 내전이 없거나, 전족부의 고정된 회외전 변형이 있으면, 치료 방법을 관절 유합술로 선택

하여야 한다.

6) 치료

증상이 있는 환자는 일단 보존적 치료부터 시작을 한다. stage 2 이상의 경우에는 변형이 진행하기 때문에 항상 수술적 치료를 염두해 두어야 한다.

(1) 보존적 치료

급성 건 활막염 증상이 있는 경우나, single heel rise는 가능하나 통증이 있을 때는 휴식, 비스테로이드성 소염제를 복용하고, 6~8주간 단하지 석고 고정을 착용한다. 병변내 스테로이드 주사는 금기이다. 증상 개선이 있으면, 내측 뒤꿈치와 바닥 쐐기(medial heel and sole wedge)를 장착한 바닥이 딱딱한 신발(stiff-soled shoe) 착용시켜 후족부 내번을 도모한다.

stage 2 같이 유연하지만 어느 정도 고정된 전족부 변형이 있는 경우는 내측 뒤꿈치 높임(medial heel lift), 종아치 지지대(longitudinal arch support), 내측 전족부 쐐기(medial forefoot post)를 한다. 종골을 중립위로 잡아주는 UCBL 삽입물과 외전을 막는 forefoot mold를 사용할 수 있다. 이 방법들이 발에는 편안하지는 않지만 유연한 발을 가진 경우에 사용할 수 있다.

stage 3은 거골 두가 내측부로 돌출되는 것 같은 돌출부위가 많아서 과중한 압력을 견디지 못하기 때문에 보전적 치료는 매우 어렵다.

(2) 수술적 치료(Surgical Treatment)

① 건활막 제거술(Tenosynovectomy)

6~8주의 보존적 치료가 효과가 없는 stage 1의 경우는 후 경골근 건의 활막제거술을 시행해야 한다.

수술방법

앙와위 상태에서 하지를 외회전해서 족부의 내측을 확보한다. 피부 절개는 내과 바로 아래의 후 경골근 건에서 시작하여 발의 내측면을 따라 주상골까지 진행한다. 건막을 절개하고 건의 병변을 관찰할 때, 주로 관찰되는 병변 소견은 후 경골근 건 주위의 활막 비후이다. 건막이 부종과 두꺼워진 소견이나, 종

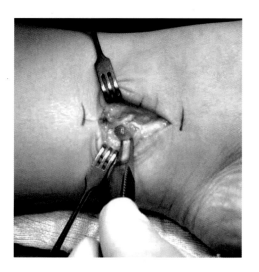

그림 25-22. Tenosynovectomy 후 경골근 건막을 절개하면 활액이 분출되고, 비후된 활막이 관찰된다.

적 균열도 관찰된다. 건으로부터 활막 조직을 가능한한 근위부까지 제거한다. 건의 파열이 관찰되면 건 이식술을 시행한다(그림 25-22).

수술후 치료 및 결과

3주 후에 환자는 단하지 석고고정을 제거하고 운동을 시작한다. Teasdall과 Johnson은 이 술식 후 19례 중 14례(74%)가 완전 완치되었다고 하였다.

② 장 족지 굴곡 건 이전술(flexor digitorum longus transfer)

장 족지 굴곡 건 이전술은 stage1 과 2에서 손상된 후 경골근 건을 보조하기 의해서 이용이 된다. 장 족지 굴곡건을 이용하여 건 이전술을 할 때는 반드시 후족부의 고정된 변형이 없고, 거골하 관절의 정상적인 내번이 있어야 한다. 장 족지 굴곡 건은 상대적으로 약한 건이기 때문에 건 이전술 자체 만으로 내측 종아치의 높이나 후족부 외반을 교정하지 못하기 때문에 종골의 내측 전위 절골술을 병행하여 시행한다.

후족부 관절의 관절증이 없고, 15도 이상의 거골하 관절 내번(inversion)이 있고, 횡 족근 관절의 내전(adduction)이 10도 이상이 있고, 전족부 고정된 내반(fixed forefoot varus)이 10도 이내일 때 수술의 적응증이 된다.

수술방법

1. 앙와위 상태에서 하지를 외회전해서 족부의 내측을 확보한다.

2. 피부 절개는 내과 바로 아래에서 후 경골근 건에서 시작하여 발의 내측면을 따라 무지 외전근(abductor hallucis muscle)의 족배면을 지나 무지의 내측 돌출면 전까지 절개한다.

3. 후 경골근 건막을 절개후에 건과 무지 외전근을 노출시키고, 후 경골근 건, 스프링인대를 검사한다.

4. 변성된 후 경골근 건이 관찰되면, 주상골 부착부위에서 잘라내고, 원위부로 충분히 당겨낸 후 가능한 한 근위부에서 잘라낸다. 후 경골근 건을 절제하지 않으면, 두꺼워진 건이 통증을 유발하고, 건 이전술을 방해한다. 건의 손상이 없는 경우는 장 무지 굴곡건을 side to side로 봉합한다. 스프링 인대에 결손이 발견되면, 두꺼운 봉합사로 잘 봉합한다.

5. 무지 외전근을 제친 후에 노출된 단 무지 굴곡 건(flexor hallucis brevis)의 기시부를 박리해야 장 족지 굴곡 건을 노출시킬 수 있다. 장 족지 굴곡 건을 쉽게 노출시키는 방법은 피부 절개후에 후 경골근 건이 확인되면, 원위부로 내려가서 Mater knot of Henry를 박리하고, 단 무지 굴곡 건의 기시부를 찾아 박리 후, 후 경골근 건를 따라 원위부로 내려가면 장 족지 굴곡 건과 장 무지 굴곡 건이 서로 교차하는 곳을 쉽게 찾을 수 있게 된다. 이 부위에서 이 두 건들을 함께 단단히 봉합 후, 장 족지 굴곡 건을 잘라낸 후 근위부 빼어 놓는다.

6. 주상골을 확인하고 적당한 크기의 drill bit를 이용하여 발등에서 발바닥 방향으로 구멍을 낸다.

7. 장 족지 굴곡 건을 구멍에 삽입한 후, 횡 족근 관절 내전, 거골하 관절 내번, 첨족 20도 상태에서 건에 긴장을 주어 봉합한다. 적절한 긴장은 봉합후 족부를 중립위로 수동적으로 옮기기 힘들 정도이다(그림 25-23).

8. 족부 내전, 20도 첨족 상태에서 석고 고정을 한다.

수술후 치료

술후 4주간 단 하지 석고 고정을 첨족 내번 상태에서 시행한다. 4~8주사이에는 척행(platigrade)상태에서 석고 고정을 바꾸고 관절운동과 보행을 시킨다. 8주후에는 석고를 제거하고 건을 강화시키는 운동을 하고, 통상적으로 6~8개월 후에 개선을 보이기 시작한다고 한다.

결과

Mann은 75례중 64례(84%)에서 만족할 만한 결과를 보였고, 11례(15%)에서 불만족한 결과를 보였는데, 이들 중 7례는 전족부의 고정된 내반(fixed forefoot varus) 또는 후족부 외반을 가지고 있었다고 하였다.

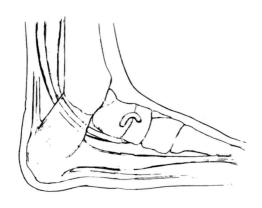

그림 25-23. Flexor digitorum longus transfer 후 경골근건을 절단하고 주상골에 장 족지 굴곡건을 이전한다.

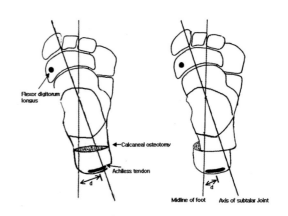

그림 25-24. Medial displacement calcaneal osteotomy 장 족지 굴곡 건에 대한 아킬레스 건의 길항 작용력이 줄어 들게 된다.

3) 종골의 내측 전위 절골술
(Medial displacement osteotomy of the calcaneus)

수술의 적응증은 진행된 stage 1과 2에서 후족부가 유연하여 야 한다. 장 족지 굴곡 건 이전술과 같이 병행하여 시행한다.

종골의 내측 전위 절골술 후에 종아치가 개선되는 기전은 아 직 확실히 밝혀지지 안았지만, 절골술을 통해 외측으로 전위되 었던 아킬레스 건의 부착부를 내측으로 절골하여 이동시키면, 상대적으로 약한 이전된 장 족지 굴곡 건에 대한 아킬레스 건 의 길항 작용력이 줄어 들게 되어, 내측 후족부의 인대와 건의 긴장성이 복원된다는 가설도 있고(그림 25-24), 절골술이 뒤꿈 치가 지면에 닿는 접촉점(heel-floor contact point)과 하지의 장 축 사이에 거리를 줄여주어서, 거골하 관절에 대한 축회전력 (torque)을 줄여 주기 때문에, 이 축회전력의 감소가 이론상으 로 이중 건 이전술(double tendon transfer)로 작용하게 된다는 가설도 있다(그림 25-25).

수술 방법
1. 환자를 앙와위로 눕힌 뒤, 동측 두부에 받침을 댄다.
2. 비골의 후방으로부터 1cm, 종골의 상연에서 2cm 상방에 서 피부 절개를 가하여, 비골건의 주행을 따라 직선으로 연장하여 뒤꿈치 받힘(heel pad) 전에서 멈춘다.
3. 전방에 비골신경을 주의하면서 피하조직을 박리한 후 종골 상연의 골막과 뒤꿈치 받힘의 연부조직을 박리하고 mini-homan retractor로 종골을 노출 시킨다.
4. 절개부위와 같은 방향으로 종골을 절골하는데, oscillating saw의 방향은 종골의 외측벽에 수직방향으로 향하며, 발 바닥에서 약 45정도의 각도를 주고 절골한다.
5. lamina spreader를 이용하여 내측부 연부조직 부착 부위 를 박리한다.
6. 약 1cm정도 내측으로 후방종골 골편을 전위 시킨후 6.5 cannulated cancellous bone screw로 고정을 한다.
7. 절골된 종골의 외측면은 잘 다듬어서 수술 후 연부 조직이 자극을 받지 않게 한다(Crushplasty).

수술후 치료
5주까지 단 하지 석고 고정을 하고 그후 체중부하를 하고 10 주후에 석고를 제거를 한다

결과
Myerson과 Corrigan은 장 족지 굴곡 건 이전술과 종골의 내 측 전위 절골술을 병행한 32례중 20개월 추시관찰에서 30례가 만족하였고, AOFAS hindfoot scale상 48에서 84점의 상승을 보 였다고 하였다.

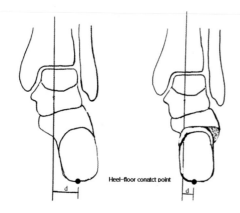
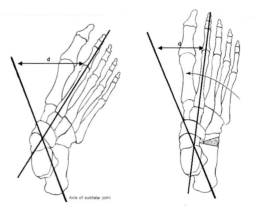

그림 25-25. Medial displacement calcaneal osteotomy 뒤꿈치가 지 면에 닿는 접촉점(heel-floor contact point)과 하지의 장축 사이의 거리가 줄어든다.

그림 25-26. Evans procedure 종골의 전발부에 절골을 가한 후 골이 식을 하면 전복부의 내전을 회복할 수 있다.

4) 외측 골주 연장술(Lateral column lengthening)

Evans가 종입방 관절의 근위부 15mm에서 개방성 쐐기 절골술을 하여 편평족을 교정하기 시작한 수술이다. 이 수술의 목적은 절골 부위에 삼중 피질골 이식을 삽입하여 내측 종아치를 복원 시키고, 전족부 내전과 후족부 외번을 개선시켜 주는데 있다. 그러나 외측 골주 연장술 후에 이런 교정이 어떻게 하여 일어나는 지에 대한 정확한 기전은 확실하게 증명되지 않았지만, 족저 인대나, 장 족저 근막, 장 비골건 등에 긴장이 증가하게 되어, 이에 대한 이차적인 windlass효과 때문인 것으로 생각되어 지고 있다.

이 연장술이 편평족을 가진 경우에 좋은 결과를 보고하지만, 종입방 관절에 관절증을 발생한다고 한다. Cooper는 Evans 술식을 이용한 연장술에서 늘어난 길이의 정도에 비례하여 종입방 관절 내의 전체 압력과 최고 압력이 증가하였고, Mosier-LaClair등은 stage 2에서 종골의 내측 전위 절골술과 외측 골주 연장술을 병행하여 이중 절골술을 시행한 5년 추시 관찰에서 종입방 관절염이 14%가 발생하였다고 보고하였다. 최근에는 종입방 관절의 관절염 발생 때문에 종입방 관절의 신연 관절 유합술(distraction arthrodesis)이 이용되기도 한다.

(1) Evans procedure
전방 종골 결절의 외측면 상방에서 종입방 관절면에 수직으로 4cm정도의 절개를 가한다. 종입방 관절을 확인 후, 1~1.2cm 후방에서 관절 면과 평행하게 oscillating saw를 이용하여 절골 후 lamina spreader로 넓혀서 적절한 양만큼 연장시킨 후, 장골에서 8~12mm의 삼중 피질골 이식을 삽입한다. 종골의 전방면에서 시작하여 이식 부위를 3.5mm cortical screw를 고정하거나 인장대 기법을 한다(그림 25-26).

(2)종입방 관절에 골블럭을 이용한 관절 유합술 (calcaneocuboid joint bone block arthrodesis)
종입방 관절에 횡절개를 가한 후, 단 족지 신전건(extensor digitorum brevis)를 박리후 종입방 관절을 노출시켜 관절 면을 제거후 1cm정도 길이의 장골에서 삼중 피질골 이식을 한다. 3.5mm cortical screw를 고정하거나 H-plate등을 이용한다(그림 25-27).

(3)Combined lateral column lengthening and medial displacement calcaneal osteotomy
최근에는 stage 2의 후 경골근 건의 기능 이상의 치료에 두 가지 방법을 동시에 사용기도 한다. 외측 골주 연장술이 내측 종아치를 복원시키고, 종골의 내측 전위 절골술이 후족부 외반을 교정하고, 아킬레스 건의 외반 변형 모멘트를 감소시킨다. 이 절골술은 관절의 배열을 교정 시키면서 내측 거주상 관절과 거골하 관절 주위의 인대들에 대해 긴장을 줄여 주기 때문에,

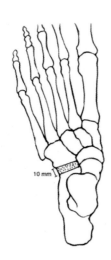

그림 25-27. Calcaneocuboid joint bone block arthrodesis

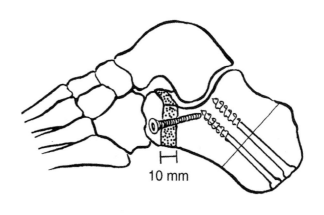

그림 25-28. Combined lateral column lengthening and medial displacement calcaneal osteotomy

발의 생역학을 정상에 보다 더 가깝게 복원시켜 준다고 생각된다(그림 25-28).

Mosier-LaClaire등은 5년 추시 결과상 AOFAS ankle-hindfoot score가 56점에서 90점으로 증가하였고, 통계적으로 의미있는 방사선학적 교정의 증가와 교정의 유지를 얻었다고 하였다.

5) 관절 유합술(Arthrodesis)

외측부 족부 동통을 동반한 후 경골근 건의 기능 이상, stage 3의 후 경골근 건의 기능 이상, 후족부의 경직성 외반 변형이 있는 환자에서 전족부의 고정된 회외전 변형이 동반된 경우 등에서 적응이 된다. 치료에는 거주상 관절 단독 유합술, 종입방 관절 유합술, 거골하 관절 유합술, 삼중 관절 유합술등이 이용되나, stage 3에서는 삼중 관절 유합술이 치료의 기준이 되고 있다.

(1) 거골하 관절 유합술(subtalar joint arthrodesis)

전족부의 고정된 내반(fixed forefoot varus)이 15도 이하이고, 거주상 관절이나 종입방 관절내에 관절증이 없고, 횡 족근 관절에 과다 운동성(hypermobility)이 없어야 수술이 가능하다. 거골하 관절 유합술로 거골과 종골의 회전 변형이 교정되면, 거주상 관절과 종입방 관절에 안정성이 증가하게 된다.

Kitaoka와 Patzer는 21례의 거골하 관절유합술을 3년 추시 관찰상 100%의 유합이 보였고, 방사선 검사상 거골하 관절과 거주상-종입방 관절 복합체의 정렬에 의미있는 개선이 보였다고 하였다. 대체적으로 거골하 관절 유합술은 적응증을 잘 정하면 수술후 후유증이 적고, 만족할 만한 결과를 보고하고 있으나, 장기 추시상 주위 다른 관절들의 관절증의 위험성을 가지고 있고, 다른 관절 유합술에 비해 임상적으로나, 방사선학적으로 덜 교정되는 단점을 가지고 있다.

(2) 삼중 관절 유합술(Triple arthrodesis)

외측부 족부 동통을 동반한 후족부 고정된 외반 변형에서 주로 이용되며, 삼중 관절 유합술의 치료 목적은 후족부를 바로 정렬하고, 척행(platigrade) 체중부하 표면을 확보하고, 족근 관절과의 바른 정렬 상태를 확보하기 위해 한다.

수술방법

보통 피부 절개는 한 개의 절개를 이용하나, 변형이 심하면 두 개의 절개까지 이용한다. 첫번째 피부 절개는 족근 관절의 외과 1cm 아래에서 시작하여, 비골 건의 하연을 따라서 비골 하단부에서 족근 공동를 지나, 거주상 관절부위에서 발등의 중심선 전까지 표재성 비골신경와 비복신경을 조심하여 절개한다.

단 족지 신전 건(extensor digitorum brevis)의 기시부와 종골의 외측 상부면에서 경부 인대(cervical ligament)의 기시부를 절개한다. 족근 공동내의 내용물을 전부 제거하고, 거종 관절의 후측 관절면을 먼저 노출시킨다. 그 다음 종입방 관절을 노출 시키고, 거종 관절의 내측 관절면과 전방 관절면을 노출시키다. 종입방 관절을 노출 시킨후 lamina spreader를 이용하여 이 관절을 신연시키면 종골의 전방 돌기쪽에 거주상 관절을 찾을 수 있다.

lamina spreader를 족근 공동에 삽입하여 거종 관절을 신연시킨 후, 후측 관절면부터, 내 측 관절면, 전방 관절면 순으로 작은 절골정을 이용하여 관절면을 제거한다. 같은 방법으로 종입방 관절의 관절면을 제거한 후, lamina spreader로 이 관절을 신연시켜서 거주상 관절의 관절면을 제거한다. 거주상 관절면을 완전히 제거하는 것이 어려우면 두번째 피부절개를 전 경골근 건의 내측에서 시작하여 경거골 관절부위의 주상 설상 관절

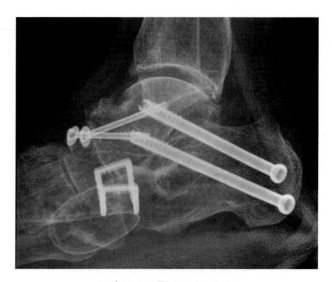

그림 25-29. Triple arthrodesis

까지 한다.

거골하 관절과 거주상 관절의 회전 변형을 잘 교정하여 적절한 위치를 잡는다. 편평족이 심한 경우는 종골을 내회전을 많이 시켜야 한다. 후족부를 약 5~7도 정도 외반, 전복부를 약간 회내전하여 관절을 교정한 후 스태플이나 압박 나사등을 이용하여 고정한다.

거주상 관절을 먼저 고정할 지, 거골하 관절을 먼저 고정을 할지는 저자에 따라 의견이 분분하나, Myerson은 거주상 관절에서 먼저 내측 골주의 정렬을 잘 교정하여야, 발의 나머지 관절들의 정렬을 쉽게 잡을 수 있다고 하였다(그림 25-29).

수술후 치료

약 4주간 단하지 석고 고정을 한 뒤, 그후 4~6주 정도 체중 부하후 석고를 제거한다. 보행 형태에 적응하기 위하여 약 6개월 정도의 기간이 필요하다.

결과

Jardes는 삼중 관절 유합술은 좋은 결과를 보이나, 장기 추시 결과 주변관절에, 특히 족관절에 관절염을 초래하기도 하고, 수술후 합병증도 많다고 하였다. 삼중 관절 유합술의 가장 흔한 합병증중 하나는 불유합인데, 대개 20%정도 발생하지만, Dereymaeker는 과다하게 관절면을 제거하지 말고, 해부학적 형태를 유지할 정도의 관절면을 제거하면 불유합 발생을 5%정도로 낮출 수 있다고 하였다.

Jahss는 추가적으로 종골의 내측 전위 절골술을 하여 족근 관절의 내측에 쏠리는 체중 부하의 분포를 개선 시킬수 있다고 하였다.

■ 참고문헌

1. 이우천, 정문상: 족부 외과학.군자출판사. 2000.
2. Basmajian, JV and Stecko G: The role of muscles in arch support of the foot. J Bone Joint Surg Am, 45: 1184-90, 1963.
3. Bleck, EE and Berzins U: Conservative management of pes valgus with plantar flexed talus, flexible. Clin Orthop, 122: 85-94, 1977.
4. Bordelon R: Correction of hypermobile flatfoot in children by molded insert. Foot Ankle, 1: 143-50, 1980.
5. Cooper P, Nowak M and Shaer J: Calcaneocuboid joint pressure with lateral column lengthening. Foot Ankle., 18: 199-205, 1997.
6. Coughlin M and Mann R: Surgery of the Foot and Ankle. 1999.
7. Deland J: Adult acquired flatfoot deformity. Foot and ankle clinics, 6:1, 2001.
8. Dereymaeker G: Triple arthrodesis of the foot in adults. Surgical techniques in orthopaedics and traumatology, 8: 53-650-C-10, 2000.
9. Giannini S, Ceccarelli F and Mosca M: Flat foot in children:Treatment by endo-orthotic implant. Surgical techniques in orthopaedics and traumatology, 8: 55-660-C-10, 2002.
10. Giannini S, Ceccarelli F, Vannini F and Baldi E: Operative treatment of flatfoot with talocalcaneal coalition. Clin Orthop, 411: 178-187, 2003.
11. Giannini S, Girolami M and Ceccarelli F: The surgical treatment of infantile flat foot. A new expanding endo-orthotic implant. Ital J Orthop Traumatol, 11(3): 315-22, 1985.
12. Gould N, Moreland M, Alvarez R, Trevino S and Fenwick J: Development of the child's arch. Foot Ankle, 9(5): 241-5, 1989.
13. Jahss MH, Godsick P and Levin H: Quadraple arthrodesis with iliac bone graft. In the foot and ankle: a selection of papers from the american orthopedic foot society meetings, 93-102, Edited by J.E. Batemen and A.W. Trott. New York, Brian C. Decker, 1980.
14. Jarde O, Abiraad G, Gabrion A, Vernois J and Massy S: Triple arthrodesis in the management of acquired flatfoot deformity in the adult secondary to posterior tibial tendon dysfunction. A retrospective study of 20 cases. Acta Orthop Belg, 68(1): 56-62, 2002.
15. Kitaoka HB and Patzer GL: Subtalar arthrodesis for posterior tibial tendon dysfunction and pes planus. Clin Orthop, 345:

187-94, 1997.

16. Kitaoka, HB, Wikenheiser MA, Shaughnessy WJ and An KN: Gait abnormalities following resection of talocalcaneal coalition. J Bone Joint Surg Am, 79(3): 369-74, 1997.

17. Kiter E, Erdag N, Karatosun V and Gunal I: Tibialis posterior tendon abnormalities in feet with accessory navicular bone and flatfoot. Acta Orthop Scand, 70(6): 618-21, 1999.

18. Koutsogiannis E: Treatment of mobile flat foot by displacement osteotomy of the calcaneus. J Bone Joint Surg Br, 53(1): 96-100, 1971.

19. Kulik, SA Jr and Clanton T O: Tarsal coalition. Foot Ankle, 17(5): 286-96, 1996.

20. Leonard M: The inheritance of tarsal coalition and its relationship to spastic flat foot. J Bone Joint Surg Br, 56B: 520-526, 1974.

21. Malicky ES, Levine DS and Sangeorzan BJ: Modification of the Kidner procedure with fusion of the primary and accessory navicular bones. Foot Ankle, 20(1): 53-4, 1999.

22. Mann RA: Posterior tibial tendon dysfunction. Treatment by flexor digitorum longus transfer. Foot Ankle Clin, 6(1): 77-87, vi, 2001.

23. Mereday C, Dolan CM and Lusskin R: Evaluation of the University of California Biomechanics Laboratory shoe insert in flexible pes planus. Clin Orthop, 82: 45-58, 1972.

24. Mitchell GP and Gibson JM: Excision of calcaneo-navicular bar for painful spasmodic flat foot. J Bone Joint Surg Br, 49(2): 281-7, 1967.

25. Moiser-LaClair S, Pomeroy G and Manoli A: Intermeidiate follow-up on the double osteotomy and ankle tendon transfer procedure for stage 2 posterior tibial tendon insufficiency. Presented at the 30th Annual Meeting of the American Orthopedic Foot and Ankle Society, Orlando, FL,, 2000.

26. Mosca V: Calcaneal lengthening for valgus deformity of the hindfoot: Results in children who had severe symptomatic flatfoot and skewfoot. J Bone Joint Surg Am, 77: 500-512, 1995.

27. Myerson M: Adults Acquired Flatfoot Deformity, Treatment of dysfunction of the posterior tibial tendon. J Bone Joint Surg, 78A: 780-792, 1996.

28. Myerson M: Foot and Ankle Disorders. 2000.

29. Myerson M and Corrigan J: Treatment of posterior tibialis tendon dysfunction with flexor digitirum longus tendon transfer and calcaneal osteotomy. Orthopedics, 19: 383-388, 1996.

30. Prichasuk S and Sinphurmsukskul O: Kidner procedure for symptomatic accessory navicular and its relation to pes planus. Foot Ankle, 16(8): 500-3, 1995.

31. Rao U and Joseph B: The influence of footwear on the prevalence of flat foot. J Bone Joint Surg Am, 74B: 525-527, 1992.

32. Sachithanandam V and Joseph B: The influence of footwear on the prevalence of flat foot. A survey of 1846 skeletally mature persons. J Bone Joint Surg Br, 77(2): 254-257, 1995.

33. Salomao O, Napoli MM, de Carvalho Junior AE, Fernandes TD, Marques J and Hernandez AJ: Talocalcaneal coalition: diagnosis and surgical management. Foot Ankle, 13(5): 251-6, 1992.

34. Stormont DM and Peterson HA: The relative incidence of tarsal coalition. Clin Orthop, 181: 28-36, 1983.

35. Teasdall RD and Johnson KA: Surgical treatment of stage I posterior tibial tendon dysfunction. Foot Ankle, 15(12): 646-8, 1994.

36. Wenger DR, Mauldin D, Speck G, Morgan, D and Lieber R,L: Corrective shoes and inserts as treatment for flexible flatfoot in infants and children. J Bone Joint Surg Am, 71(6): 800-10, 1989.

26. 요족
Pes Cavus, Cavus Foot

국립의료원 정형외과 **배 서 영**

I. 요족의 정의

요족이란 발의 세로궁이 높고(high arch) 체중을 실어도 낮아지지 않는 변형을 뜻한다. 그러나 단순한 발의 높은 세로궁뿐 아니라 전족부와 후족부의 다양한 변형으로 나타나는 광범위한 복합 변형이기 때문에 세로궁의 정도만으로 명확하게 정의하기 어렵고 원인이나 임상 양상, 치료 등에 대해 다양한 의견이 상충하고 있어 전반적인 이해가 필요하다.

II. 요족의 원인과 분류

1963년 Brewerton 등이 77명의 요족 환자를 대상으로 분석한 결과를 보면 66%는 신경근육성 질환(neuromuscular disease)이 원인이며 14%에서는 유사한 발 변형의 가족력이 있어 유전성 병변으로 의심되고 11%는 특발성이었다. 즉 대부분은 원인을 찾을 수 있지만 정확한 원인을 알기 위해서는 운동신경 및 감각신경에 대한 검사(근전도 검사 및 신경 전도 검사), 신경반사 검사, 운동조화 검사, 자기공명영상촬영이나 척수강 조영술 등의 영상진단검사, 환자의 병력과 가족력에 대한 자세한 조사가 필요하다.

원인을 크게는 선천성과 후천성으로 나눌 수 있고 선천성 원인에는 대부분의 신경근육성 질환들, 소아마비, 이분척추 또는 척추 부전유합, 척수이형성(myelodysplasia), 다발성 신경염, 뇌척수 변성(spinocerebellar degeneration), Charcot-Marie-Tooth병, Friedrich's ataxia, Loussy-Lévy syndrome같은 유전성 운동신경 감각병증(hereditary sensory motor neuropathy), 뇌성마비, 근이영양증(muscular dystrophy), 선천성 매독, 선천성 만곡족의 후유증 등이 있다. 족근 골결합(tartal coalition)에서

는 대개의 경우 외반족이 동반되지만 요족 변형이 동반되기도 한다. 후천성인 경우에는 주로 신경계를 침범한 종양이나 외상, 감염 등에 기인한다. 특히 천추 제 1,2 신경을 침범하는 경우 요족 변형이 빈발하게 된다(표 26-1).

1. Charcot-Marie-Tooth병

이 병은 신경근과 말초신경을 침범하는 유전성 질환으로 청년기나 성인이 되면서 증상이 나타나고 발이나 다리의 증상이 먼저 발병하며 진행하면 손과 상지를 침범하게 되는 비교적 드물지 않은 질병이다. 하퇴부의 앞쪽 근육이 먼저 약화되며 대개는 단비골근이 가장 먼저 약화되고 후에 장비골근이 침범된다. 발은 점차 요족의 형태로 진행하며 하퇴 근위축과 더불어 경한 감각의 저하를 동반하고 신경반사가 소실된다. Charcot-Marie-Tooth병은 양측성 병변이고 생명의 지장은 없으나 발의 변형 때문에 환자의 삶이 침해당하는 경우가 많아 수술적 치료를 요하곤 한다. 비슷한 임상 양상을 보이는 병으로 Roussy-Lévy 증후군이 있으나 손의 진전과 운동실조를 보이는 것이 감별점이다.

2. Friedrich 운동 실조증(ataxia)

이 병은 상염색체 열성으로 유전하며 소아 후기에 발병하여 건강하던 어린이가 점차 보행의 이상과 운동 실조를 보인다. 신경 반사와 감각의 저하, 하퇴부 근위축 등을 보이며 심근육을 침범하기 때문에 일찍 사망하게 되고 근이완제에 과민한 반응을 나타내므로 수술적 치료의 대상이 되기는 어렵다.

3. 소아마비

과거에는 요족 변형이 한쪽만 있는 경우 가장 흔한 원인이 되었으나 백신의 덕분으로 최근에는 보기 어려운 질환이 되었다. 소아마비는 척수의 전각세포를 침범하여 다양한 하지의 변형과 마비를 유발하는데 대개 Charcot-Marie-Tooth 병과 반대로 하퇴부 뒤쪽 근육의 약화가 요족 변형의 주 원인이 되고 이를 족지 굴곡근으로 보상하기 때문에 요족 변형과 더불어 갈퀴족지 변형이 심해지게 된다.

4. 뇌성마비

뇌성마비에서의 요족 변형은 다양하게 발현할 수 있는 하지의 변형과 강직의 한 형태일 뿐이다. 뇌성마비는 비진행성 병변이므로 발의 수술적 치료가 보행이나 재활에 극적인 도움을 줄 수 있지만 환자의 정신지체의 정도가 재활 여부에 큰 영향을 미치므로 전반적 평가가 선행되어야 한다. 이렇게 원인에

표 26-1. **요족의 원인**

분류	원인
신경근육성	
근육 질환	근이영양증
신경근 혹은 말초신경을 침범하는 질환	Charcot-Marie-Tooth 병
	척추 유합부전
	말초신경염
	신경종양
척수신경의 전각세포를 침범하는 질환	소아마비
	척수이분증
	척수공동증
	척수종양
	척수근위축증
중추신경계를 침범하는 질환	Freidreich 운동실조증
	Roussy-Levy 증후군
	뇌성마비
선천성	특발성 요족
	잔여 만곡족
	관절구축증(arthrogryposis)
외상성	구획증후군
	하지 압궤손상
	화상
	골절 부정유합

표 26-2. **요족 변형의 첨단부에 따른 분류**

분류	첨단부의 위치	유연성
중족부 요족(metatarsus cavus)	리스프랑 관절 (제1중족설상관절)	↓
외측족근요족(lesser tarsus cavus)	외측 족근골	—
전족부 요족(forefoot cavus)	거골두 외측부	↑
복합전요족(combined anterior cavus)	2개 이상의 첨단부	—

따른 분류(표 26-1)도 가능하지만 요족을 변형의 첨단부가 어디 있는가에 따라 나누기도 하며(표 26-2), 변형의 유연성 여부에 따라 유연성, 경직성, 반경직성으로 나누기도 하고, 전족부의 내반이나 외반, 제1중족골의 족저굴곡, 중족골 내전, 족근관절의 첨족변형이나 후족부의 내반 등 동반 변형에 따라 나누기도 한다.

III. 요족의 생역학 및 동반 변형

요족의 변형은 전족부가 후족부에 비해 과도하게 족저굴곡되어 발의 종아취가 높아지는 것이지만 반대로 전족부에 비해 후족부의 족배굴곡이 과도한 상태인 후족부 요족도 포함하는 개념이다.

요족에서 보이는 변형을 이해하려면 발과 발목을 지나는 근육들의 위치와 역학에 대한 이해가 필요하다. 발목을 뒤쪽으로 지나는 근육들인 후경골근, 장족지굴근, 무지굴근, 장단비골근, 비복근은 발목의 족저굴곡을, 발목의 전방을 지나는 전경골근, 무지신근, 장족지신근은 발목의 족배굴곡력을 제공한다. 한편 거골하관절 축의 내측을 지나는 근육인 전후경골근, 족지굴근, 무지굴근은 내번력을, 거골하관절 축의 외측을 지나는 장무지신근, 장족지신근, 장단비골근은 외번력을 제공한다.

요족이 발생하는 흔한 예로 Charcot-Marie-Tooth 병 환자의 경우 전경골근의 약화 때문에 장비골근에 의한 족내측의 족저굴곡이 상대적으로 과도해진다. 단비골근의 약화는 후경골근에 의한 전족부의 내전을 유발하여 전족부는 내번, 내전위로 변형된다. 이러한 변화에 족저근막과 내재근의 구축을 만들고 내재근의 약화에 따른 중족지관절의 안정성 소실은 갈퀴족지 변형을 만들게 된다. 또한 후족부의 내반과 전족부 내측의 족

저굴곡은 발을 디딘 상태에서 발 전체를 회외(supination)시키고 후족부 내반은 중족부 관절의 유연성을 떨어트려 발을 내디딜 때 체중을 분산하지 못하고 외측 족저부에 과도한 하중을 부과하게 된다.

그러나 항상 같은 기전과 형태로 요족 변형이 생기는 것은 아니며 소아마비에서 흔히 생기는 변화는 비복근과 가자미근의 약화가 하퇴 전방의 근육 약화보다 선행되기 때문에 주로 후족부의 변화, 즉 종골의 과도한 족배굴곡인 후족부 요족변형이다.

1. 전요족(anterior pes cavus)

전요족의 경우 요족 변형의 첨단부가 어디에 있는가에 따라 표 26-2와 같이 분류할 수 있다. 전요족 변형은 다음의 네가지 기전에 의해 보상된다. 정상적인 유각기의 족지신근에 의한 중족족지관절의 능동적 신전과 요족 변형에 의해 상대적으로 짧아진 신전건에 의한 수동적인 신전, 두번째 중족골두의 족저전위에 따른 망치족지 변형, 유연성 전요족의 경우 체중부하에 의한 전족부 족저굴곡의 회복, 강직성 전요족의 경우에는 족근관절에서의 족배굴곡에 의해 보상된다. 하지만 족근관절에서의 보상성 족배굴곡이 과도하면 정상보행에 필요한 동적 족배굴곡이 제한되어 가성첨족(pseudoequinus)으로 발현하고 유각기에 발꿈치가 지면에서 빨리 떨어지기 때문에 중족골두 저면에는 못(callus)이 생기기 쉽다.

2. 후요족(posterior pes cavus)

후족부의 과도한 족배굴곡으로 정의할 수 있지만 독립적으로 요족 변형을 만드는 구성 요소로 판단할 수 있는 경우는 매우 드물다. 가령 종외반족(calcaneovalgus)처럼 후족부의 과도한 족배굴곡이 있으면서 족관절의 유연한 보상성 족저굴곡이 안되는 경우에는 후요족이 발생할 수 있다.

3. 동반변형

요족에 흔히 동반될 수 있는 변형은 전족부의 내반, 전족부의 외반, 제1중족골의 족저굴곡, 중족골 내전, 첨족, 종골의 내

반변형 등이다.

IV. 임상 양상과 진찰

환자가 호소하게 되는 증상은 요족의 정도와 환자의 보상 능력에 따라 다양하게 나타난다. 요족 변형이 경미한 경우는 족지의 갈퀴족지 변형을 주소로 올 수 있지만 좀더 심한 요족 변형이 있는 경우는 발바닥의 지면 접촉면이 작아지고 압력 분산력이 떨어져 발뒤꿈치와 중족골두 부위에 압력이 증가하게 되어 오래 서 있지 못하거나 오래 걷거나 뛰지 못하기도 하며 쉽게 발바닥의 피로를 느끼게 된다. 중족골두나 족지 배부에 못이나 굳은살 또는 신발과의 마찰에 의한 궤양을 일으키기도 한다(그림 26-1). 대개의 경우 후족부의 내반 변형을 동반하여 족근관절의 외측 불안정을 가져오는 경우가 흔해 환자는 발목을 자주 접지른다고 호소하게 된다.

요족을 진단할 때에는 환자의 보행을 잘 관찰할 필요가 있는데 지면과 발의 위치, 걸을 때 후족부의 위치와 모양, 유각기에 족하수(foot drop)나 제1중족지골간 관절에서 cockup 변형이 있는지 관찰하고 체중 부하 상태에서의 갈퀴족지 여부를 관찰한다. 후족부의 내반 변형이 있을 때에는 이 변형이 전족부의 족저굴곡을 보상하기 위한 유연한 변형인지 고정된 변형인지 알아보기 위해 Coleman lateral block test를 시행하기도 한다(그림 26-2). 또 환자를 앉혀 비체중부하 상태에서 족근관절, 거골하관절, 횡족근관절, 중족지간관절의 능동적, 수동적 운동범

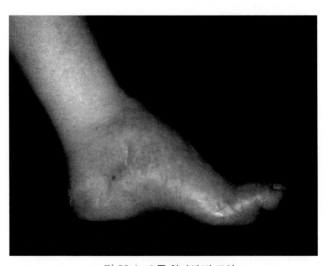

그림 26-1. 요족 환자의 발 모양

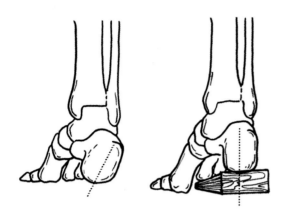

그림 26-2. Coleman 검사 후족부 내반이 전족부 변형의 유연한 보상성 변화라면 Coleman lateral block test에 의해 우측처럼 후족부 내반이 소실 된다.

위를 관찰하고 각 근육의 근력과 피부감각, 운동조화 (coordination) 등을 관찰한다.

V. 방사선 소견

측면 족부 사진에서는 종골 피치각(calcaneal pitch angle)을 재어 30도 이상이면 후족부 내반을 동반한 요족이라는 것을 알 수 있다. 또한 요족 변형이 제 1중족골만의 족저굴곡인지 제 2,3 중족골의 족저굴곡인지 관찰하여야 한다. 체중 부하상태에서 거골 체부의 중앙을 지나는 선과 제 1중족골 간부를 지나는 선은 평행해야 하는데 이것이 각을 이룰 경우 전족부 요족이라

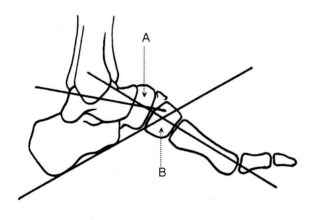

그림 26-3. 요족 변형의 첨단부 A. Meary 각 B. Hibbs 각

할 수 있다. 요족의 최첨단이 어디에 있는지 평가하기 위해 거골의 종축과 제1중족골 종축이 만나는 지점을 보는 방법(Meary각)과 종골 저면의 축과 제1중족골 종축을 연결한 지점을 찾는 방법(Hibbs각)이 있다(그림 26-3).

족관절의 체중 부하 사진은 전후면, 측면 뿐 아니라 mortise도 찍어야 하는데 특히 족관절의 만성 불안정이 동반되어 있는 경우 관절의 퇴행성 변화나 내측 관절간격의 협소를 관찰해야 한다(그림 26-4).

VI. 치료

요족의 치료를 위해서는 변형의 정도와 동반변형, 보상기전에 관한 충분한 고려가 필요하고 교정하고자 하는 변형의 요소를 결정한 후에 수술을 계획하여야 한다. 요족 변형이 경미하고 유연한 경증의 요족은 대부분 보존적 요법으로 충분하다. 하지만 요족의 강직성이 커지고 복합 변형이 동반되어 있으면 여러 술식 중 적용할만한 술식을 선택하여 병용할 필요가 있다.

1. 연부조직에 대한 술식들

1) 연부조직 유리술

족저근막을 유리하여 요족 변형을 회복시키는 방법은 소아기에는 효과가 있지만 단독으로 실시하여 성인의 발 변형을 회복시키기는 어렵다. 피부절개 없이 피하에서 간단한 조작으로 족저근막을 유리하는 방법, 종골 내측에 종으로 피부절개를 가한 뒤 족저근막과 족저의 근육 기시부를 골막하로 유리하는 Steindler Stripping방법, 종골 조면 1cm 원위부에서 중족골 기저부까지 중앙절개를 통해 좀더 광범위한 족저근막과 근육 기시부를 유리하는 방법, 장족지굴곡건과 후경골건을 같이 연장하는 방법 등이 있으며 교정해야 하는 요족의 정도에 따라 선택하여 시술한다.

2) 건 이전술

① 족지신전근 이전술 : 장족지신전근을 중족골두나 족근골로 옮기면 중족족지관절을 족배굴곡시키려는 변형력을 줄이고

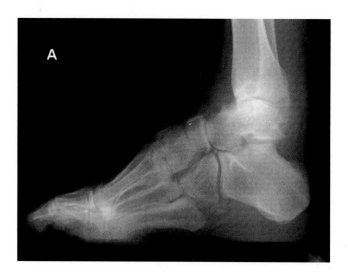 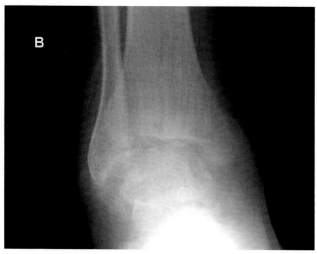

A. 요족 환자의 체중부하 측면 족부 방사선 사진   B. 같은 환자의 족근관절에 보이는 퇴행성 변화

그림 26-4. 요족 환자의 족관절은 불안정성과 퇴행성 변화를 보이기도 한다.

족근관절에 신전력은 유지하여 근력 불균형에서 오는 유연성 요족 변형을 호전시킬 수 있다.

② Jones 술식 : 이 술식은 장무지신전건을 중족골 경부로 이전하는 방법인데 족저굴곡된 족무지 중족골두를 들어올려주는 외에도 약화된 전경골근의 기능을 보강하며 장비골건과 족무지굴곡건의 작용을 완화하는 효과를 갖는다. 이때 지간관절은 유합시켜서 굴곡변형을 막아야 한다. 지간관절은 5도 굴곡 상태로 고정하며 장무지신전근의 이전은 발을 15도 정도 족배굴곡시킨 상태로 시행하고 술 후 약 4주간 부목고정이 필요하다 (그림 26-5).

③ Heyman 술식 : 장족지신전근 5개를 모두 중족골두로 이전하고 장족지신전근의 원위단은 단족지신전근에 옮겨주는 술식이다.

④ Hibbs 술식 : 작은족지의 신전건을 제3설상골에 이전시키는 술식이다. 이때 족저근막과 족저근육을 유리하고 대개 족무지에는 Jones술식을 같이 시행하며 신전건의 원위단은 Heyman 술식처럼 단족지신전건에 연결해준다(그림 26-5).

⑤ 전경골건 부분 이전술 : 비교적 유연한 요족에 병합할 수 있는 술식으로 전경골건의 외측 절반을 나누어 제3비골건의 부착점인 제5중족골의 기저부에 옮겨준다. 이 방법은 족관절 신전력을 유지하면서도 전경골건에 의한 후족부의 내반을 줄여주고 동반되기 쉬운 족관절의 불안정성을 완화시킬 수 있다는 장점을 가지고 있다. 족무지 신전근의 근력이 약하지만 전경골근의 근력이 잘 유지되어 있을 경우에 다른 술식과 병합하여 시행한다.

⑥ 장비골건 이전술 : 장비골건을 전경골건으로 이전하는 것

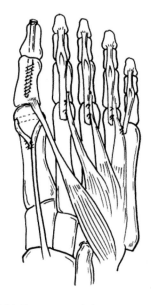

그림 26-5. Jones 술식과 Hibbs술식의 병행

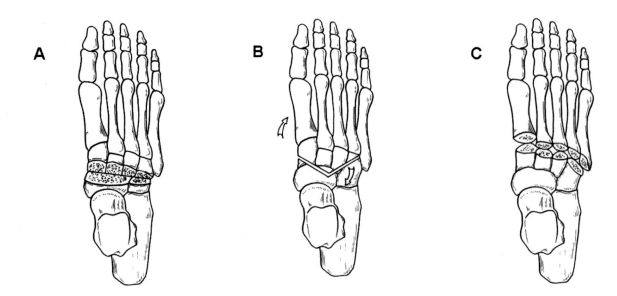

A. Cole의 족근골 절골술   B. Japas의 V자 절골술   C. Jahss의 중족족근관절 쐐기유합술

그림 26-6. 족근 절골술

은 족근관절의 신전력 보강하여 요족 변형에 흔히 동반되는 족하수를 호전시키는 효과를 볼 수 있다.

⑦ 후경골건 이전술 : 후경골건을 족배부로 이전하여 족근관절 신전력을 보강할 수 있지만 후족부의 회내(pronation)를 가져올 수 있기 때문에 주의를 요한다.

⑧ 비골건 연결술 : 장비골건을 단비골건 부착부로 이전하는 것으로 제1중족골의 족저굴곡력을 줄여주고 족부의 외번력을 좋게 하는 효과를 볼 수 있어 다른 술식과 병행할 수 있다.

⑨ 비골건 및 후경골건의 종골 이전술 : 아킬레스건이 심하게 약화된 경우 이 두 건을 이전할 수 있지만 술 후 내번근의 소실로 인한 외반 편평족이 발생하게 되므로 심한 변형에서 삼중유합술과 병행하여 시행하게 된다.

2. 절골술 및 유합술

1) 중족부 절골술

전요족에 시행하며 절골의 위치는 요족변형 최첨단의 위치를 살펴 정하게 된다.

① Cole 절골술 : 입방골에서 주상설상관절에 이르는 배부쐐기절골술로 첨단이 중족부에 있는 요족에서 시상면의 변형각만을 교정하는 술식이다(그림 26-6A). 하지만 이 술식은 제1중족골의 굴곡이나 전족부 외반은 교정하지 못하며 발이 짧아지고 두툼해진다는 단점이 있다. 술 후 약 8주간 체중부하를 피하고 석고고정을 하며 이후 4주간 석고고정 상태에서 보행을 허용한다.

② Japas 절골술 : Cole의 술식과 달리 주상골에서 입방골과 내측 설상골에 이르는 V자 모양의 절골을 가한 뒤 원위부를 배부로 들어올려 고정하는 방법으로 발 길이가 짧아지지 않는다는 장점이 있다(그림 26-6B). 하지만 술식이 복잡하고 중족관절의 관절통을 유발하는 단점이 있다.

③ Jahss 사다리꼴 중족족근관절 쐐기 유합술 : 중족족근관절 배부에서 쐐기 유합을 하는 것으로 강직성 전요족에 좋은 술식이며 후족부 변형이 경한 경우 시행한다(그림 26-6C).

④ McElvenny Caldwell 술식 : 제1중족설상관절을 제거하고 중족골을 들어올려 회외상태에서 고정한다. 근육의 불균형을 동반한 경우라도 시행할 수 있는 방법이다.

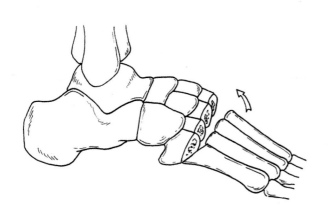

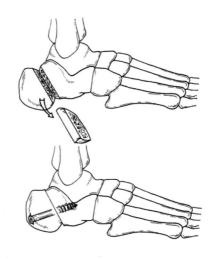

그림 26-7. 중족골 절골술

그림 26-8. Dwyer의 외측 쐐기 종골 절골술

2) 중족골 절골술

시상면의 첨단이 원위 중족부나 중족족근관절에 있는 요족의 경우 중족골의 기저부에 배측쐐기절골술로 만족할만한 교정을 얻을 수 있다. 뿐만 아니라 중족골의 내반 역시 두 면에서의 절골을 계획하면 쉽게 교정할 수 있고 다른 술식과 병행하기가 쉬워 많이 쓰이고 있는 방법이다. 족근골과 관절을 침범하지 않기 때문에 중족과 후족부의 기능을 해치지 않아 기능적으로도 우수한 결과를 얻을 수 있다. 술 후 약 6-8주간의 석고고정이 필요하다(그림 26-7).

3) 족근골 절골술

① Dwyer 절골술 : 전족부의 외반에 의한 후족부 교정만으로 보상되지 않는 후족부의 내반 변형이 있을 때 종골의 외측 면에서 폐쇄성 쐐기절골술을 시행하는 것으로 특발성 요족 변형에서 좋은 결과를 보인다. 절골은 비골건이 지나가는 방향과 평행하게 그 아래 뒤쪽에서 시행하고(그림 26-8) 스테이플을 이용해 고정한 후 6-8주간 석고고정을 시행한다.

② 족배굴곡 종골 절골술 : Dwyer 절골술의 변형으로 종골 후골편을 배측, 외측으로 전위시켜 고정한다. 이때 배측 전위는 가성첨족을 악화시킬 수 있으므로 주의해야 한다.

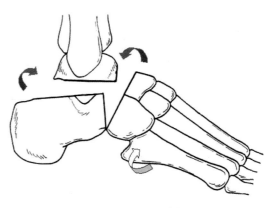

그림 26-9. 삼중 유합술

4) 관절 유합술

거골하관절과 거주상관절을 유합시키던가 종입방관절까지 삼중 유합술을 할 수 있는데 이는 관절의 안정성을 도모하면서 동시에 삼차원적인 발의 변형을 회복시키고 다른 술식들과 병용하여 척행(plantigrade)을 만들 수 있다(그림 26-9). 그러나 고정된 변형이 심하고 거골하관절에 퇴행성 변화가 와 있거나 이미 운동제한이 심한 경우에 선별적으로 시행해야만 인접 관절에 퇴행성 변화가 진행하는 것을 막을 수 있다.

VII. 결론

요족은 발의 삼차원적인 복합변형이며 동적인 요소와 진행성 요소를 함께 가지고 있다. 원인도 다양하고 발현되는 정도와 진행 속도, 유연성 정도도 다양하여 하나의 질환으로 보기보다는 각 질환이나 외상에 의해 발현되는 일련의 변형에 대한 기술이라고 할 수 있다. 따라서 치료 역시 각 환자의 병인과 교정이 요구되는 요소를 잘 파악하여 개별적으로 이루어져야 하며 궁극적으로는 동적으로 균형이 잡히고 척행이 가능한 안정적인 발을 만들어주는 것을 치료의 목표로 한다.

■ 참고문헌

1. Amiot R, Coulter T, Nute M, Wilson S. Surgical treatment of adult idiopathic cavus foot. J Bone Joint Surg Am 2002 84: 62-9.

2. Banks AS, Downey MS, Martin DE, Miller SJ. Foot and ankle surgery. 3rd ed. Philadelphia: Lippincott Williams & Wilkins: 2001.

3. Brewerton DA, Sandifer PH, Sweetnam DR. diopathic pes cavus: an investigation into its aetiology. BMJ 1963 2: 659-61.

4. Cole WH. The classic-the treatment of claw foot. Clin Orthop 1983 181: 3-6.

5. Coughlin MJ, Mann RA. Surgery of the foot and ankle. 7th ed. St. Louis: Mosby: 1999.

6. Dwyer FC. The present status of the problem of pes cavus. Clin Orthop 1975 106: 254-75.

7. Eilert RE. Cavus foot in cerebral palsy. Foot Ankle 1984 4: 185-7.

8. Hockenbury RT. Forefoot problems in athletes. Med Science Sports & Exercise 1999 S448-58.

9. Holmes JR, Hansen ST. Foot fellow's review-foot and ankle manifestations of Chartcot-Marie-Tooth disease. Foot Ankle 1993 14: 476-86.

10. Jahss MH. Evaluation of the cavus foot for orthopedic treatment. Clin Orthop 1983 181: 52-63.

11. Kulik MSA, Clanton TO. Foot fellow's review-tarsal coalition. Foot Ankle Int 1996 17: 286-96.

12. Mann RA, Missirian J. Pathophysiology of Charcot-Marie-Tooth disease. Clin Orthop 234: 221-8.

13. McCluskey WP, Lovell WW, Gumming RJ. The cavovarus foot deformity-Etiology and management. Clin Orthop 1989 Oct 247: 27-7.

14. Miller A, Guille JT, Bowen JR. Evaluation and treatment of diasteatomyelia. J Bone Joint Surg Am. 1993 75: 1308-17.

15. Mosa VS. The cavus foot. J Pediatr Orhop 2001 21: 423-4.

16. Mulier T, Dereymaeker G, Febry G. Jones transfer to the lesser tays in metatarsalgia: technique and long term follow-up. Foot Ankle Int 1994 15: 523-30.

17. Myerson MS. Foot and ankle disorders. 1st ed. Philadelphia: W.B. Saunders Comp: 2000.

18. Olney B. Treatment of the cavus foot-deformity in the pediatric patient with Charcot-Marie-Tooth. Foot Ankle Clin 2000 5: 305-15.

19. Pascarella EM, Estrada RJ. Pes cavo-valgus foot. J foot Surg 1991 30: 553-7.

20. Ramcharitar SI, Koslow P, Simpson DM. Lower extremity manifestations of neuromuscular disease. Clin Podiatr Med Surg 1998 15: 705-37.

21. Rosman M. Congenital high arched forefoot-a newly described deformity and surgical correction. J Pediatr Orhtop 1988 8:418-421.

22. Sabir M, Lyttle D. Pathogenesis of pes cavus in Charcot-Marie-Tooth disease. Clin Orhtop 1983 175: 173-8.

23. Samilson RL, Dillin W. Cavus, cavovarus, and calcaneovarus. an update. Clin Orthop 1983 177: 125-32.

24. Sammarco GJ, Taylor R. Combined calcaneal and metatarsal osteotomies for the treatment of cavus foot. Foot Ankle Clin 2001 6: 533-43.

25. Siffert RS, del Torto U. Beak triple arthrodesis for severe cavus deformtity. Clin Orthop 1983 181: 64-7.

26. Sullivan RJ, Aronow MS. Different faces of the triple arthrodesis. Foot Ankle Clin 2002 7: 95-106.

27. Watanabe RS. Metatarsal osteotomy for the cavus foot. Clin Orthop 1990 252: 217-30.

28. Wulker N, Hurschler C. Cavus foot correction in adults by dorsal closing wedge osteotomy. Foot Ankle Int 2002 23: 344-7.

제 9부
신경질환(Nerve Disorder)

27. 지간 신경종
Morton's Interdigitial Neuroma

을지의대 을지병원 족부정형외과 **이 경 태**

I. 단독 신경종
(Isolated Interdigital Neuroma)

1. 정의(Definition)

족지간 신경종은 1876년 Thomas Morton[22]이 기술한 이래 일명 몰톤씨 신경종이라고 불리는 진정한 신경의 종양이 아닌 중족지골 두부위치에서 중족골간을 주행하는 족저지신경을 침범하는 신경주위의 섬유화 (Perineural fibrosis)이다(그림 27-1).

2. 발생빈도와 원인

족부에서 발생하는 신경 압박 증후군의 가장 흔한 형태로 제 2, 3 지간 간격에서 주로 발생하고, 대개 제 1, 4지간 간격에는 잘 발생하지 않는다. Amis[2]는 제 3지간 간격이 제 2지간 간격보다 훨씬 많은 빈도인 80-85%의 발생률을 보고한 반면, Mann과 Reynold[18]는 제 2, 3 지간에서 거의 유사한 발생률을 보고하였으며, 국내보고에서도 제 2, 3 지간 간격에서 비슷한 빈도로 발생하는 양상을 보였다. 한편 국내 연구에서는 다른 보고와는 달리, 직업 발레 무용수의 경우 제 1 지간에서 1예 발생하였는데, 이 경우는 무용동작 중 Demi-pointe라고 하는 특수 동작으로 인해 제 1 족지간에 발생하지 않았나 하는 추론을 하게 한다 (그림 27-2).

그 원인은 여러 가지로 생각해 볼 수 있겠으나 대부분의 저자들은 보행의 push-off phase시에 지간 신경(common plantar digital nerve)이 심부 중족지간 인대(deep transverse intermetatarsal ligament)의 앞쪽 가장자리와 족저부 사이에서 반복적으로 눌림으로 발생하는 일종의 신경 포착 증후군으로

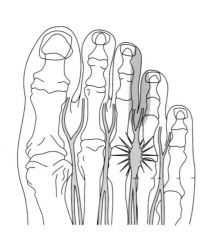

그림 27-1. 지간신경종

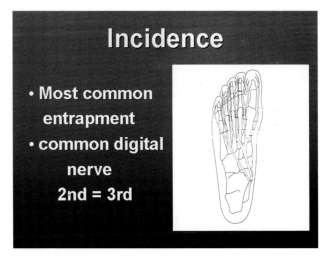

Incidence

- **Most common entrapment**
- **common digital nerve 2nd = 3rd**

그림 27-2. 빈도; 족부의 가장 흔한 신경 압박증이며 2, 3지간에 주로 발생한다.

399

표 27-1. **지간 신경종의 원인(Etiologies)**

① Probable mechanical compression of nerve during dorsiflexion of toes by taut distal edge of transverse metatarsal ligament
② Possible
   a. Trauma
   b. Enlarged intermetatarsal bursa
   c. Tethering effect of communicating branch between medial and lateral plantar nerves
    (* 3rd web space
     - previously most common site MPN & LPN branch come together at 3rd IMS
     - this anastomosis make sling or arch over FDB muscle belly
     - anchors the nerve & tration on dorsiflexion)
   d. Differential mobility of third and fourth metatarsal heads
   e. Vascular degeneration within the nerve
* recurrent case adhesion of traumatic neuroma to plantar aspect of metatarsal head

설명하고 있다[1, 10](그림 27-3). 또한 최근의 보고에 의하면 족부의 지간 신경종을 일종의 만성적 기계적 과부하로서 설명하였다. 이는 물갈퀴 공간에 있는 신경과 그 주위의 점액낭(bursa), 결합 조직(connective tissue)등이 만성적인 자극을 받아 주위의 이완성 결합 조직(loose connective tissue)에 종괴 효과(mass like effect)를 일으키는 유점액 변성(mucoid degeneration)을 발생시키고 이러한 종괴 효과에 의해서 신경

이 눌리고 여러 신경 증상이 나타난다는 설명이다[26](그림 27-4). 따라서 스테로이드의 국소 주사는 물갈퀴 공간의 지방을 위축시키고 천자(puncture)에 의한 감압 효과 때문에 치료 효과가 나타날 수 있다.

족부 지간 신경종은 중년의 여성에서 호발하는 양상을 보이며 신발의 형태와 무관하지 않다. 특히 볼이 좁고 굽이 높은, 일명 하이힐 구두를 오랫동안 신는 것과 관계가 있다고 알려져 있다[15, 28] (그림 27-5). 이의 원인은 하이힐이 전족부의 족압을 증가시키는 것 뿐 아니라, 횡중족지간 인대 하부의 연부조직에 긴장을 초래해서 신경을 누르기 때문이다. 또한 경험적으로 무지외반증을 가지고 있는 중년 여성에서 지간 신경종을 동반한 경우를 자주 볼 수 있는데, 두 경우 모두 잘못된 신발 착용이 주요 유발요인이며, 일단 무지외반증이 발생한 경우 나머지 족지의 동반변형이 발생해서 지간 신경종을 호발시키는 것으로 생각된다. 또한 Bett등[13]에 의하면 무지 외반증을 포함한 동반된 족부 질환이 있을 경우 수술 결과도 좋지 않다고 보고한 바 있다.

3. 임상증상 및 이학적 검사

족부의 지간 신경종은 전족부 통증의 흔한 원인으로서 서있거나 걸을 때 통증을 느끼며 때에 따라 발가락으로 방사되는

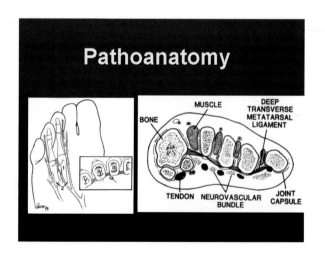

그림 27-3. **병리해부학** 지간신경은 중족지골과 횡 중족지간 인대 사이에서 압박을 받게 된다.

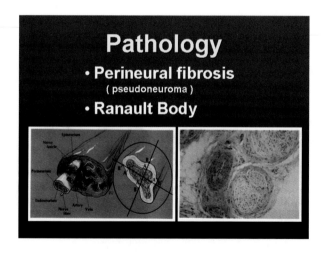

그림 27-4. **병리조직학적 소견** 신경주위 섬유화

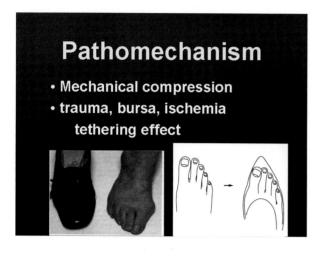

그림 27-5. 발생기전

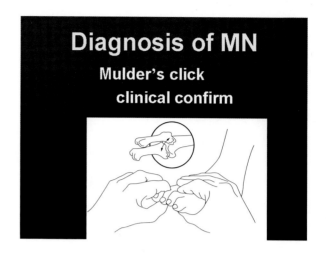

그림 27-6. Murlder씨 탄발음 (임상적 확진)

통증이나 저린감을 호소하기도 한다. 통증의 정도는 경미한 정도부터 불로 지지는 듯한 심한 통증까지 다양하게 나타날 수 있으며 이러한 통증은 신발을 벗고 전족부를 주물러줌으로써 증종 소실된다. 한 개 이상의 지간간격에서 증상이 나타날 수 있으며, 또한 양쪽 발에서도 동시에 나타날 수 있다. 약 65%에서 이환된 발가락에 감각이상이 나타난다고 하며, 때로는 전족부의 통증을 피하려고 족관절을 내반시켜 보행하다 족관절 염좌를 일으키기도 한다. Mann[18]은 재발된 경우에는 족저부의 충일감(fullness)이 발현된다고 하였고, 특히 족저부 압통이 100%에서 관찰된다고 하였다.

신경종의 이학적 검사방법으로는 물갈퀴 공간 압박 검사와 압박 검사에 의해서 나타나는 통증성 클릭(Mulder's sign)[23]이 있으며 이것이 물갈퀴 공간 압박 검사와 함께 양성으로 나타났을 경우 임상적으로 신뢰할 수 있는 소견이라 할 수 있다. 그 외에 리도카인 국소 마취제를 병변 부위에 주사하여 동통이나 증상 소실이 나타날 경우도 임상적인 진단이 가능하다(그림 27-6).

4. 감별진단

지간 신경종은 중족골통(metatarsalgia)의 대표적인 질환이지만 중족저부에 올 수 있는 모든 질환을 감별해야 하는 어려움

표 27-2. 지간 신경종의 임상증상

① Tenderness in web space
② Burning, aching, cramping, or lancinating pain in forefoot
③ Plantar pain
④ Paresthesias in two affected toes - 65%
⑤ Pain aggravated by walking and usually relieved by rest
⑥ Pain relieved by removing shoe

표 27-3. 지간 신경종의 감별진단(Differential Diagnosis)

① Medial or lateral plantar nerve compression
② Tarsal tunnel syndrome or a more proximal compression
③ Metatarsophalangeal synovitis
④ Metatarsophalangeal subluxation
⑤ Freiberg's infraction
⑥ Plantar keratosis over metatarsal head
⑦ Fat pad atrophy
⑧ Tendinitis
⑨ Reflex sympathetic dystrophy
⑩ other nerve problem (low back pain syndrome etc)

이 있다. 특히 중족지관절의 활액막염이나 류마치스 관절염이나 낭종등이 주감별대상이고 물론 상위 신경계의 질환도 감별을 요하게 된다

5. 방사선학적 진단

최근에는 초음파 검사, MRI 및 CT 로 지간 신경종을 진단하려는 시도가 있어왔지만 임상적 의의에는 아직 논란의 여지가 있으며 다만 임상적인 진단이 불분명할 경우 감별 진단에는 도움이 된다.

1) 단순 방사선(Simple X-ray)

지간 신경종이 있는 경우에 단순 방사선 촬영 소견은 대개 중족지골 두부에서 중족지간 간격이 타 부위보다 좁아진 소견을 보이는 간접적인 소견[31]이 일반적이다. 본 연구에서도 이환된 지간 간격이 타 부위보다 좁아진 소견을 보였으며 특히 제 2 지간 간격에서 현저했다. 그러나 이러한 소견으로 진단을 내리기에는 문제가 있다.

2) 초음파(Ultrasonography)

초음파 검사의 장점으로는 간편하고, 비교적 저렴하며, 비침습적인 진단 방법이기 때문에 여타의 방법에 비해 유용하게 사용할 수 있다는 것이다.

초음파검사는 7.5MHz의 realtime Transducer 및 Sonoace 7700기계를 이용하여서 시행하였는데 방법은 환자를 검사침대에 발을 쭉 뻗은 상태로 뉘고 검사는 발가락을 아주 강하게 족저굴곡시켜서 신경종을 지간간격 또는 족부의 족저부에 가까운 연부쪽으로 이동시켜 놓은 후에 시작한다. 그리고 족부의 족저부위를 역시 비슷한 방법으로 검사한다. 되도록이면 주변의 족지들을 벌리고 중족지 두부 부위에서 족배부에 압박을 가함으로써 지간 간격을 넓히고 지간신경을 보기 쉬도록 유도한다. 검사는 관상면 및 시상면면에서 검사를 같이 시행한다(그림 27-7).

정상적인 중족지간은 근육, 지방, 신경, 혈관조직으로 구성되어 초음파상 비교적 균질한 에코를 보이고, 중족골 두부와 중족골은 후방 그림자를 동반한 국소적 또는 곡선의 고 에코(high echo)를 나타낸다. 정상적인 상태에서 지간신경과 중족지 간인대는 보이지 않는 것이 일반적이지만, 신경주위섬유화가 있을 때에는 중족지골 간에서 비교적 경계가 좋은 원형의 저 에코 병변으로 보인다고 하였는데, 저자들의 경우에도 나원형이나 원형의 비교적 경계가 명확한 저 에코 병변으로 관찰되었으며, 이는 신경주위의 섬유화로 인한 것으로 생각된다. 때때로 내부에 선형이나 점상의 고에코가 동반되는 수가 있었는데, 이는 내부에 함입된 지방에 의한 것으로 생각된다(그림 27-8).

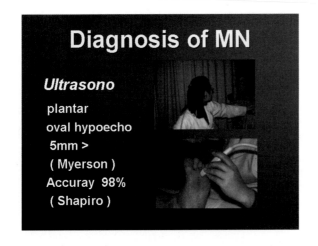

그림 27-7. 신경종의 진단 초음파 촬영

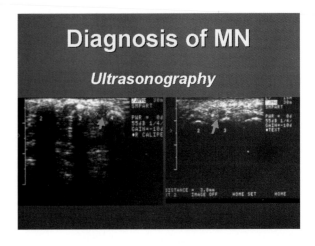

그림 27-8. 초음파 소견 제 2, 3 족지간 저에코의 타원형의 음영

정상적인 족지신경은 중족골두부에서 직경이 2mm로 알려져 있는데, Redd등[28]과 Weinstein & Myerson에 의하면, 5mm 정도이면, 초음파에서 진단이 가능하다고 하였으나, 이는 시술자의 기술정도와 기기의 민감도에 좌우 된다고 보며, 본 저자들의 연구에서의 신경종의 크기는 평균 5.5mm로 제일 작은 것이 4mm였는데, 4mm정도일 경우에도 신경종을 진단하는데, 어려움이 없었고, 필요하면, 족지간동맥과의 감별을 위해 칼라 도플러 초음파를 사용하기도 하였다. 특히 수술 적응증을 선택할 때에는 되도록 3mm이상의 신경종이 확인이 된 경우에 시행하였다. Shapiro & Shapiro[31]는 초음파에 의한 검사의 정확성이 98%라고 하였다.

본 저자들의 연구에서는 수술한 23예 전부에서 임상적으로 확진된 경우 방사선 초음파 소견상 모두 4㎜ 이상의 종괴가 발견되어 진단적 의의가 있었으며 수술 소견에서도 모두 확진이 되어 100%의 진단율을 보이고 있다. 수술이 시행된 경우는 대개 진단 이전까지 지속되었던 동통의 기간이 최소 1년이상이어서 병변이 분명하였기 때문에 진단율이 높았던 것으로 사료되며, 초음파에서 신경종의 크기와 비례해 수술 시야에서 실제 크기는 일치하였다. 수술후 동통의 감소나 재발의 여부는 신경종의 크기와 무관하였고 보존적 요법과 수술적 요법을 결정하는 데에도 도움이 되지는 못하였다.

3) CT 및 MRI 검사

특수검사의 일종인 전산화 단층 촬영술에서는 신경종의 위치와 범위를 알아볼 수 있는 검사이기는 하지만 , 환자에게 전리방사선을 조사하게 되고, 조직대조도에 한계가 있다는 장단점이 보고되어 있으며, 자기공명영상진단법은 염색조영 및 fat supression에 의한 탁월한 연부조직 대조도 때문에 검사로 사용되고 있기는 하지만[32] (그림 27-9), 비용면에서 매우 고가이고, 촬영시간이 길어서 일차적 검사로는 부적합하다고 할 수 있겠다.

족지간 신경종을 진단하는데, 특히 비정상적인 위치(unsusal presentation)시 가장 높은 정확성을 가진 검사라는 보고도 있다. 검사상 대개 저밀도의 강도(low density intensity)로 나타난다[8].

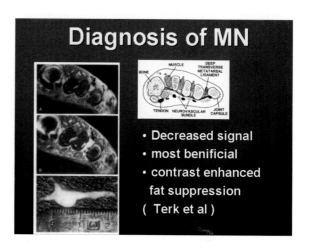

그림 27-9. 신경종의 MRI 진단

4) 근전도(EMG)

아직은 확실히 정립되지는 않았지만 orthodromic nerve conduction studies의 기능이 후일 진단에 도움이 될 것으로 기대되나, 아직은 연구가 필요한 상태이다[1].

6. 치료(Treatment)

1) 비수술적 요법

족지간 신경종의 치료에는 보존적 요법과 수술적 요법이 있

표 27-4. 지간 신경종의 치료

① Conservative(20 -30% respond)
    a. Low heels / Soft soles / Wide toe box / NSAI's/ contrast baths
       Felt pad between and just proximal to involved metatarsal heads
    b. Injection of a steroid plantar to IML from dorsum;
       *avoid injection of joint capsule

② Surgical
    a. Excision of neuroma through dorsal incision
    b. Simple division of transverse metatarsal ligament? (by scope)
       controversial
       Gauthier , Weinfeld & Myeron
    c. Excision through plantar approach used more frequently for
       recurrent neuroma

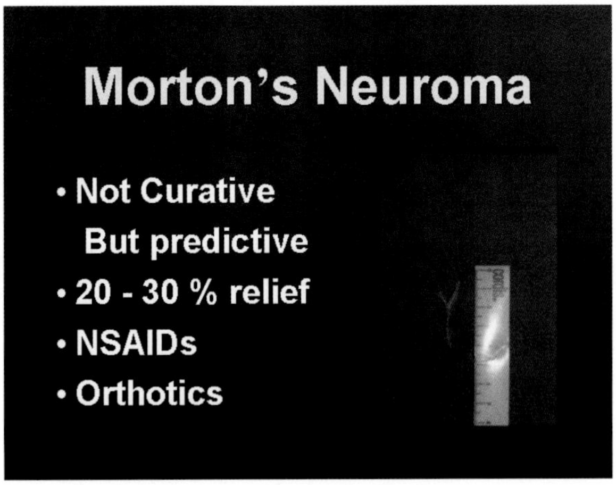

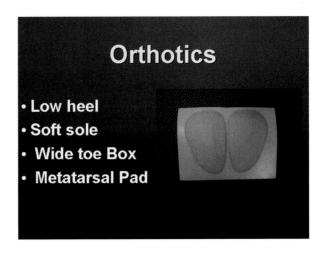

그림 27-10. 신경종의 비수술적 치료

그림 27-11. 신경종의 보조기 치료

는데, 보존적 요법으로는 비스테로이드성 소염제, 물리치료 및 보조갈창의 사용 및 폭 넓은 신발의 사용등이 추천되고 있으나, 만성적인 상태로 돌입되면, 이상의 방법으로 치료되기는 힘들고, 스테로이드의 국소주입이 필요하게 된다. 이와 같은 비수술적 요법으로는 대개 20-30%의 치료 결과를 얻는 것으로 보고되고 있다.

족부 지간 신경종의 초기 비수술적인 치료법으로 전족부가 넓고 굽이 낮은 신발을 사용하거나 중족부에 패드나 지지대를 부착함으로써 중족골 간의 넓이를 넓혀주면 증상이 호전될 수 있다. (그림 27-10, 27-11)

반면 스테로이드의 병변내 국소 주사는 대개 3개월의 비수술적 요법이 효과 없을 때 사용하는 방법으로 비교적 비침습적이면서 비용이 절감되고 또한 즉각적인 증상의 호전을 기대할 수 있는 장점이 있는 것으로 알려져 있다. Rassmussen은 최초 주사에 80%가 호전되었으나 4년 추시에서는 11%에서만 그 효과가 유지되었다고 하였다. 그러나 Greenfield 등[12]에 의하면 지간 신경종에 대하여 평균 3.8번의 주사를 시행했을 경우 80%에서 증상의 완전 소실(30%) 내지는 부분적 소실(50%)을 보였고 이들을 다시 2년후 추시한 결과 이중 93%에서 만족스러운 결과 65%에서 증상의 완전 소실, 28%에서 약간의 불편함을 얻었다고 보고하였다(그림 27-12).

스테로이드의 병변내 국소 주사의 단점으로는 피하위축, 피부 색소침착, 탈모, 모세혈관 확장증 등의 합병증이 발생할 수 있다는 것이며[11, 17] 이러한 합병증은 비교적 불용성 장기 작용성 제제를 반복적으로 사용할 경우 호발하는 것으로 알려져 있다[7, 19]. 반면에 Man 등[18]과 Beskin 등[4]은 스테로이드의 국소 주사는 지속적인 효과를 나타내지 못한다고 보고하였고, 이는 잘못된 진단이나 주사방법의 오류 등과 무관하지 않을 것이다. 특히, 주사 시 지간의 족저 지방에 깊숙이 주입되어 지방 위축이 되지 않도록 하는 것이 합병증이나 통증의 재발 방지에 매우 중요하다.

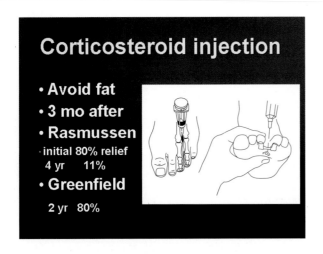

그림 27-12. 신경종의 스테로이드 주사

2) 수술적 방법 (그림 27-13)

(1) 신경절제술(Neurectomy : Morton's Neuroma excision)

Amis[2]는 대개 50~70% 정도에서는 결국 수술적 방법이 필요하다고 하였고, 본 저자의 연구에서도 보존적 요법으로 만족할 만큼 반응하지 않았던 23예의 경우 즉 65%에서 절제수술을 시행하였다. 수술은 신경 절제술(neurectomy)이 보편화 되어있는데, 신경 절제술은 1893년 Hoadley가 최초로 소개한 이래, 1940년 호주의 Betts[3]가 족장부의 피부 절개법으로 유행시킨 후, 1943년 McElvenny[20]가 미국에서 족배부의 피부 절개를 이용한 것이 최근의 방법으로 소개되었다. 현재 사용되고 있는 신경 절제술로는 족배부의 피부절개를 이용하는 방법과 족장부의 피부절개를 이용하는 방법이 있는데 숙달된 의사가 시술한 경우에서도 지속적인 만족도는 80%를 넘지 않았으며 많은 환자에서 통증이 지속 혹은 재발되었다[5, 12, 14].

특히 Mann과 Reynold[18]에 의하면 신경종 제거술 시행후의 결과 80%에서 우량, 6%에서 보통, 14%에서 불량을 보고하였고 이중 재수술을 시행한 경우가 13%였다고 보고하였다. 한편, Amis[2]는 95%의 높은 성공률을 보였다고 보고하였다. 한국인에서 시행한 저자들의 연구에서도 우량이 74%, 보통이 17%, 불량이 9%의 결과가 나타나 이들의 결과와 유사한 결과를 보였다. 그리고, 한국인들에게는 문화적으로 신경절제술 후 발생하는 감각소실이나 저하에 대한 설명이나 이해가 어렵거나 불가

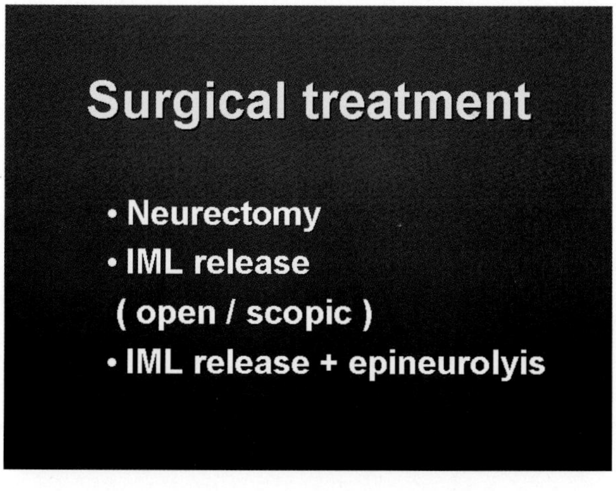

그림 27-13. 신경종의 수술적 치료

능한 경우도 있기 때문에 매우 신중하게 수술 적응증을 선택해야 한다.

수술적 치료의 가장 흔하고 심각한 후유증으로 신경종의 재발을 들 수 있는데, 이는 잘못된 진단과 불완전한 절제 혹은 근위 절제 신경단의 비후 즉 신경 절제 술기의 부주의 등이 원인이라 생각된다. 그 밖의 후유증으로는 이환된 부위의 신경 절제로 인한 지각 소실, 정상적인 땀 분비 기능 소실, 족저 절개시 발생할 수 있는 동통성 족저 반흔 등을 들 수 있다[2].

본 저자들은 Mann[18]등이 제시한 족배절개를 이용하였는데, 이는 족저절개로 인한 반흔의 동통가능성을 염려했기 때문이다. 한편 수술시에는 Amis[2]등이 언급한 족지간 신경몸체에서 족저로 향하는 신경분지(Plantarly directed nerve fiber)를 매우 조심스럽게 해부하여 절제하여 재발이 되지 않도록 유의하였고, 근위에서는 중족지가 체중을 받는 부위보다 최소한 2cm이상에서 절제하는 것을 원칙으로 하였다. 특히 제3족지간에서는 내측과 외측족장신경의 교류가 있는지를 염두에 두고 두 신경의 교류가 있으면, 이 모두를 절제하였다.

① 수술방법(surgical technique); 이환된 지간의 배측으로 지간의 원위단에서부터 근위 3cm 상방까지 피부절개를 시행하고, 주변중족지관절의 관절낭이 노출될 때까지 피부절개를 깊게 시행한다. Weitlander retracter를 중족지골 사이에 끼고 지간간격을 벌려 수술시야를 확보한뒤 심부중족지간인대를 확인, 장측의 신경혈관조직이 다치지 않도록 유의하면서, 인대를 절개한다. 절개후 근위부에서 총지간신경을 확인하고 원위부에서는 족지로 이분되는 분지를 확인하며, 중족지간인대의 부위에서 섬유화되어 두꺼워진 신경종의 부위를 확인한다. 먼저 근위부는 족지간인대에서 근위부로 3cm상방에서, 원위부에서는 이분된 원위에서 말단절제를 하고 조심스럽게 족장방향으로 분지된 신경분지의 절제를 시행한다(그림 27-14, 15).

피부하봉합후, 피부봉합시행을 하고 압박붕대로 압박을 시행한다. 술후 3일부터 술후신발을 신겨 체중부하를 시행한다.

② 후유증; 후유증으로는 가장흔하고 심각한 것은 신경종의 재발이다. 이것의 원인은 잘못된 진단과 불완전한 절제로 인한 것 및 근위 절제 신경단의 비후 즉 신경 절제 술기의 부주의로 인한 것으로 생각되며, 이때 환자의 주 증상이 이환 부위의 이상 감각이라면 불완전하게 절제된 신경을 완전히 절제하는 것으로 어느 정도 해결할 수 있다고 한다. 그 밖에도 이환된 부위

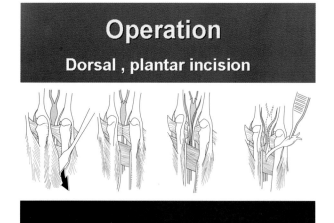

그림 27-14. 수술방법

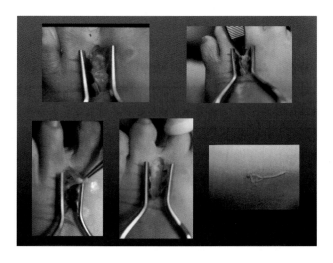

그림 27-15. 수술사진

의 절제술로 인한 무감각, 족저 절개시 발생할 수 있는 동통선 족저 반흔 등이 나타날 수 있다. 이환율은 Bradley 등이나 Mann과 Reynolds가 약 13%의 비슷한 결과를 발표하였으며, 본 연구에서도 역시 약 13%가 나타났다.

(2) 횡 중족골인대 유리술(절제술)(Intermetatarsal Ligament release)(그림 27-16)

신경 절제술의 대안으로 몇몇의 임상학자들은 지간 신경종의 치료로서 횡 중족골인대 유리술만을 시행하거나 신경박리술과 동시에 시행하는 것을 주장하였다. 이러한 수술의 이론적 근거로는 지간 신경종이 신경포착 증후군의 하나이므로 원인이 되는 중족골간인대의 유리술은 영구적인 원인의 제거를 제공한다. Guthier등은[10] 304례 206명의 환자를 횡인대 유리술과 신경외막 박리술로 치료하여 83%의 환자에서 신속하고 지속적인 통증의 완화가 있었고, 15%에서는 약간의 통증은 남아 있지만 증상이 개선되었고, 2%에서만 증상이 계속됨을 보고 하였다. 신경종의 절제가 없이 횡인대유리술만을 시행한 경우 감각의 소실이 없고 혹은 일단 발생하면 원래의 신경종의 치료보다 더 힘든 절단단 신경종 발생의 가능성이 없어진다는 장점이 있다. Weinfeld와 Myerson등 도 신경박리술을 동시에 시행하지 않는 횡중족골인대 유리술만을시행한 경우 신경절제술을 시행한 경우 보다 정상활동으로의 복귀가 더 빨랐다고 보고 하

였다. Mann과 Reynolds등[18]은 횡인대 절제술을 시행받은 후 시간이 경과되어 다시 시험적 절개를 해본 결과 절제술을 시행받은 횡중족골인대가 다시 형성되어있는 것을 관찰하고 지간 신경종의 치료로 단순 횡중족골인대만을 절제하는 것은 문제가 될 수 있다고 보고하였다. 이러한 문제는 횡중족골인대 절제술만을 시행받은 환자들의 장기간 추적 조사 연구만이 대답을 줄수 있을 것이다.

(3) 저자의 선호 방법

본 저자는 한국인의 신경종 제거후 발생하는 신경학적인 불편감에 대한 이해 부족으로 북미의 의사들이 시행하는 절제술을 빈번히 사용하지 않는 것이 일반적이다. 먼저 비수술적 요

표 27-5. 신경종의 치료방법

Conservative Treatment Methods
① NSAIDs 6 weeks
② Metatarsal pad
③ steroid injection (4주간격 3번까지)
Surgical indication
① enough pain and symptoms
② Positive Murdler's Click
③ US size > 3 mm

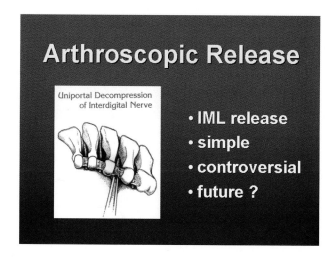

그림 27-16. 횡 중족지간 인대 절제술

를 나타낼수 있는 족저신경분지가 남아있을 수 있음을 증명하였다(그림 27-17). 대부분의 임상의들은 지간 신경종의 재수술시 족저부절개를 이용한다[5, 21, 33]. Johnsone등[14]은 지간 신경종 절제술을 시행받은 후 통증이 계속되는 37례를 족저종절개법을 이용하여 재수술을 시행하고 병리 조직검사상 수술 후 절제한 조직의 67%에서 최초의 지간 신경종 조직 또는 지간 신경종과 관련된 절단단신경종이 있음을 발견하고, 이러한 환자에서 재발성 증상은 초기의 불완전한 절제의 결과라고 주장하였다. 그리고 67%에서 완전하거나 뚜렷한 증상의 완화를 보였고 9%에서 통증의 완화는 있으나 얼마간의 증상이 남아있음을 보고하였다. Johnson등[14]은 지간 신경종 재수술에서 족저도달법의 장점을 지적하였는데 이러한 도달법은 전에 수술받지 않은 경로를 통해 직접적이고 광범위한 지간 신경종의 노출을 얻을수 있게하여 신경을 충분히 근위부에서 절단함으로써 추후 체중부하시 생길 수 있는 절단단신경종의 형성을 예방할수 있다.

Beskin과 Baxter는[4] 39례의 재발성 신경종을 12례는 선행 족배 절개흔을 따라 18례는 족저 횡절개술을 시행후 전체 환자중 80%에서 술후 주목할만한 증상의 완화를 보였다고 보고하고 족저절개술은 수술부의 도달을 쉽게하고 수술로 인한 주위조직의 손상을 감소시키고 수술부의 치유가 잘된다고 주장하였다. Nelm등[33] 족저 도달법으로 재발성 신경종의 수술적 치료를 시행한후 89%의 성공률을 보고하였다. Mann과 Reynolds등[27]은 선행족배부 절개흔을 통해 재발성 신경종을 치료한 11명의 환자중 9명에서 만족할만 결과를 얻었다고 보고 하고 수술례중 외상성 구형 신경종은 발견되지 않았고 증상의 재발은 신경종의 중족골두의 족저면에 유착에의해 야기되는 것으로 생

법으로 소염제와 맞춤 깔창, 스테로이드 국소주입을 시행하고 통증이 내원 전에 비해 60-70%정도 호전이 되면, 이를 1차적 성공이라 생각하고 정기적 원격 추시를 시행하고, 이를 약 3-4개월 시행해도 반응이 없거나 일상생활이 불편하는 등 환자의 기대치이하라면, 수술 적응증을 ① 증상이 충분히 일상생활하는데 불편해야 하고 ② 이학적 검사상 Mulder's click이 양성 ③초음파 검사상 최소 3mm이상이어야 하는 조건을 모두 만족할때 적용한다. 수술 방법은 신경절제술을 주로 이용하게 되는데, 한발에 두 개이상의의미있는 신경종이 있는 경우 증상이 많고 초음파 상 크기가 큰 부위는 절제술, 작은 부위는 횡중수지간 인대를 절개하는 것을 원칙으로 한다.

II. 재발성 신경종
(Recurrrent interdifgital Neuroma)

Mann과 Reynolds등[18]은 80%의 수술 성공률을 보고하였는데 이것은 최근 발표된 일련의 보고[8,13,23]와 일치하는 결과를 보인다. 수술시 잘못된 지간의 선택, 불안전한 신경종의 제거 인한 절단단 신경종의 형성 또는 절단 근위단이 족저면에 부착되어 사슬효과를 보이는 경우 술후에도 잔존하는 통증의 원인이 된다. Aims등[2]은 횡중족골인대 보다 3cm 이내의 근위부에서 신경절제술을 시행한 경우 족저면까지 연결되어 추후 사슬효과

표 27-6. **재발생 신경종의 원인**

Cause
  ① imprprer web space selection
  ② neurectomy performed less than 3cm prximal to IML(Amis)
  ③ adhesion of neuroma to plantar aspect of metataral head
    (Mann & Reynaulds)

Treatment
  plantar incision
  injection steroid/ orthosis - usually not useful
  80% improve
   (complete cure : less than only 50%)

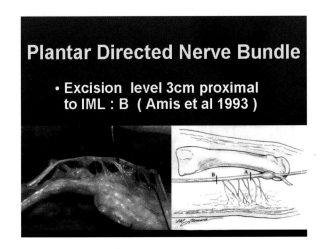

그림 27-17. 족저방향의 신경분지

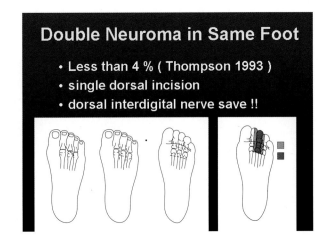

그림 27-18. 중복 신경종

각된다고 하였다.

그러나 본 저자의 연구에서는 한국인의 정서적 특징으로 인한 이해 부족으로 재수술을 시행할 수 있었던 경우는 없었다.

III. 중복신경종

동일한 발에 두 개 이상의 신경종이 생길시 이것을 중복 신경종이라 명명하고, 수술이 필요한 중복 결절의 발생률은 Mann과 Rdynolds[18]는 1.5%, Bradley등[5]은 3%를 보고한 데 반해 본 저자의 연구에서는 약 7.5%로 높은 발생률이 발견되었는데 이는 대상 인원이 적은데 기인한다고 생각된다. 타 연구에서는 한 개 혹은 두 개의 절개선을 이용하거나, 족저 횡 절개선을 이용하여 중복 결절 모두를 제거하였으나, 저자들은 이환 부위의 완전 감각 소실 및 불완전한 혈액 순환의 후유증을 감

소시키기 위하여 초음파상 신경종의 크기 및 임상 증상의 경중에 따라서 크기가 큰 것 및 심한 쪽은 신경종 제거술을 시행하고, 나머지 부위는 횡 중족지골간인대의 이완을 시행하였다. 그 결과는 Mann과 Reynolds에 의하면 상당한 증세 호전 80%, 경한 증세 호전 6%이고 14%는 증세 호전이 없는 등 단독 결절과 비슷한 결과를 나타내었다. 본 연구에서는 3예 모두 불만족한 결과를 얻었다(그림 27-18).

표 27-7. 중복신경종(Multiple Neuroma)

* second neuroma in the same foot : less than 4%
  Thmpson & Deland

* Technical tips
  ① single incision 〉 double incision
  ② dorsal incision
  ③ dorsal interdigital nerve save
  ④sensory loss left !

■ 참고문헌

1. Alexander IJ, Johnson KA and Parr JW: Morton's neuroma. A review of recent concept. Orthopedics, 10, 103-106, 1987.

2. Amis JA: Primary interdigital neuroma resection. Master technique in orthopaedic surgery. Foot & Ankle Int, 13, 163-177, 1994.

3. Betts LO : Morton's metatarsalgia ; Neuritis of the fourth digital nerve. Med J Aust,1:514-515,1940.

4. Beskin JL and Baxter DE: Recurrent pain following interdigital neurectomy. Aplantar approach. Foot & Ankle Int, 9, 34-39, 1988.

5. Bradley N, Miller WA and Evans JP: Plantar neuromas, analysis of results following surgical excision in 145 patients.

South M ed. J, 69, 853-854, 1976.

6. Diebold PF, Delagoutte JP. True neurolysis in the treatment of Morton's neuroma. Acta Orthop Belg 1989;55:467-471

7. Distefano V and Nixon JE: Steroid-induced skin changes following local injection. Clin Orthop. 87, 254-256, 1972.

8. Ericson SJ, Canale PB, Carrera GF, et al : Interdigital neuroma: high resolution MR imaging with a solenoid coil. Radiology, 30:833-836,1991.

9. Finney W, Wiener SN, Catanzariti F. Treatment of Morton's neuroma using percutaneous electrocoagulation. J Am podiatr Med Assoc 1989;79:615-618.

10. Gauthier G: Morton's disease A nerve entrapment syndrome. A new surgical technique. Clin Orthop. 142, 90-92, 1979.

11. Gottlieb NL and Riskin WG: Complications of local corticosteroid injections. JAMA. 243, 1547-1548, 1980.

12. Greenfield J Rea J Jr and Ilfeld FW: Morton's interdigital neuroma. Indications for treatment by local injections versus surgery. Clin Orthop. 185, 142-144, 1984.

13. Hoskins CL, Satris DJ and Resnick D: Magnetic resonance imaging of foot neuroma. J Foot Surg, 181;833-836,1992.

14. Johnson JE, Johnson KA and Unni KK: Persistent pain after excision of an interdigital neuroma. J Bone Joint Surg, 10-A:651-657, 1988.

15. Lassman G: Morton's toe. Clin Orthop. 142, 73-84, 1979.

16. Levine SE, Myerson MS, Shapiro PP and Shapiro SL: Ultrasonographic diagnosis of recurrence after excision of an interdigital neuroma. Foot & Ankle Int, 19, 79-84, 1998.

17. Louis PS, Hankin FM and Eckenrode JF: Cutaneous atrophy after corticosteroid injection. Am Fam Physician. 33, 183-186, 1986.

18. Mann RA and Reynolds JC: Interdigital neuroma. A critical clinical analysis. Foot & Ankle Int, 3, 238-243, 1983.

19. McCormack PC, Ledesma GN and Vaillant JG: Linear hypopigmentation after intraarticular corticosteroid injection. Arch Dermatol, 120, 708-709, 1984.

20. McElveny RT : The etiology and surgical treatment of intractable pain about the fourth metatarsophalangeal joint(Morton's toe). J Bone Joint Surg, 25:675-679,1943.

21. Miller SJ : Morton's neuroma. In: McGlamery ed. Comprehensive textbook of foot surgery, 1st ed. Baltimore, Williams and Wilkins: 38-56,1987.

22. Morton TG. A perculiar and painful affection of the forth metatarsophalangeal articulation. Am J Med Sci 1876;71:37-45

23. Mulder JD: The causative mechanism in Morton's metatarsalgia. J Bone Joint Surg, 33-B:94-95, 1951.

24. Nissen KI : Plantar digital neuritis. J Bone Joint Surg (Br), 30:84-94,1948.

25. Okafor B, Shergill G and Angel J: Treatment of Morton's neuroma by neurolysis. Foot & Ankle Int, 18-5:284-287, 1997.

26. Pead JW, Noakes JB, Kerr D, Crichton KJ, Kim HS and Bonar F: Morton's Metatarsalgia. Sonographic Findings and Correlated Histopathology. Foot & Ankle Int, 20, 153-161, 1999.

27. Pollack RA, Bellacosa RA, Dornbluth NC, Strash WW and Devall JM: Sonographic analysis of Morton's neuroma. J Foot Surg, 31, 534-537, 1992.

28. Redd RA, Peters VJ, Emery, SF, Branch HM and Rifkin MD: Morton's neuroma. Sonographic evaluation. Radiology, 171, 415-417, 1989.

29. Resch S, Stentstrom A, Jonnsson A and Jonnsson K: The diagnostic efficacy of magnetic resonance imaging and ultrasonography in Morton's neuroma. A radiological-surgical correlation. Foot & Ankle Int, 15, 88-92, 1994.

30. Sartoris DJ, Brozinsky S and Resnick D: Magnetic resonance images: interdigital or Morton's neuroma. J Foot Surg, 28:78-82,1989.

31. Shapiro PP and Shapiro SL: Sonographic evaluation of interdigital neuromas. Foot & Ankle Int, 16, 604-606, 1995.

32. Terk MR, Kwong PK, Suthar M, Horvath BC and Colletti PM: Morton neuroma. Evaluation with MR imaging performed with contrast enhancement and fat suppression. Radiology, 189, 239-241, 1993.

33. Turan I, Lindgren U and Sahlstedt T: Computed tomography

for diagnosis of Morton's neuroma. J Foot Surg, 30, 244-245, 1991.

34. Zanetti M, Ledermann T, Zollinger H and Hodler J: Efficacy of MR imaging in patients suspected of having Morton's neuroma. Am J Roentgenol, 168, 529-532, 1997.

35. Zanetti M, Strehle JK, Zollinger H and Hodler J: Morton neuroma and fluid in the intermetatarsal bursae in MR images of 70 asymptomatic volunteers. Radiology, 203, 516-520, 1997.

28. 족근관 증후군
Talsal tunnel syndrome

메리놀병원 정형외과 **박 형 택**

후방 경골 신경이나 그 분지의 신경 포착 증후군을 족근관 증후군이라 부른다. 많은 연구에서 수근관 증후군과 유사한 질환으로 비교되었지만 해부, 병인, 임상양상과 치료에 대한 결과 등에서 전혀 다른 경과를 보이는 별개의 질환이다[12]. 수근관 증후군은 흔하고, 임상적 또는 전기생리검사로 쉽게 진단 되며, 횡수근인대의 절개에 좋은 결과를 보이지만, 족근관 증후군은 상대적으로 흔하지 않으며, 정확한 진단지침이 정해져 있지 않고, 불행히도 굴근지대의 절개로 예상되는 수술적 치료 결과가 수근관 증후군과 같지 않다. 이러한 증후군에 대한 기술은 1960년에 Kopell과 Thompson[9]에 의해 최초로 제기 되었고, 1962년에 Keck[7]과 1967년에 Lam[10]에 의하여 족근관 증후군으로 명명되었다.

족근관은 해부학적으로 전방으로는 내과골, 외측으로는 거골의 후방돌기와 재거돌기, 내측 종골면에 의해 경계 된다(그림 28-1). 굴근지대(flexor retinaculum)는 족근관의 내용물을 덮고 있으며, 이는 후방경골건, 장족지굴건, 장무지굴건, 후방 경골신경, 동맥, 정맥을 포함하고 있다. 굴근지대는 후방과 상방으로는 하지의 심부 및 표재 건막과 연결되어 있고, 원위부로는 무지외전근의 근막과 연결되어 있다. 족근관내에서 각각의 굴곡건은 굴건지대에서 종골의 골막에 연결된 섬유골성 격막에 의해 분리된 구획 내에서 활액막을 가진다. 대개의 경우 후방 경골신경 및 동맥은 한 층의 조밀한 지방조직과 함께 섬유연골성 격막에 부착되어 있다[3]. 후방 경골신경 및 그 분지는 해당하는 혈관 분지에서 유래하는 혈관과 많은 작은 연결 혈관들이 근위부와 원위부에 널려 있어 풍부한 혈류 공급을 받는다[4].

후방 경골 신경은 내측 종골, 외측 및 내측 족저 분지의 3개의 분지를 가진다. 사체 연구에 의하면, 후방 경골 신경은 93-96%에서 족근관의 내부에서 분지로 나누어지고, 나머지는 근위부에서 분지하며, 내측 종골분지는 69-90%에서는 후방 경골신경에서 분지되며, 10-31%에서는 외측 족저신경에서 분지 된다고 한다[6]. 족근관의 원위부에서 내측 및 외측 족저 분지는 각각 섬유성관을 주행하며, 외측 족저 신경은 내측으로 무지외전근의 근막과 외측으로는 장족지 굴건 및 족저 방형근의 근막에 의해 형성된 섬유성관을 통과하여 단족지굴근과 종골 사이를 지나 소지외전근으로 주행한다.

족근관증후군 환자의 약 60%-80%에서 외상에 의하거나 여

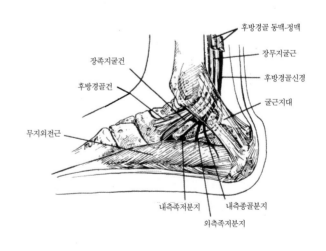

그림 28-1. 족근관 주위 해부도

표 28-1. **족근관 증후군의 감별진단**

간접적인 원인
　　지간신경종
　　추간관 질환
　　족저 근막염

신경내부의 원인
　　말초 신경염
　　말초 혈관질환
　　당뇨병성 신경증
　　나병
　　신경종 및 신경초종

신경외부질환
　　결절종
　　신경결속
　　골절(가골, 불유합, 부정유합, 전위골편)
　　경미한 외상
　　후족부 외반
　　류마티스양 관절염
　　정맥류
　　인대협착
　　활액막염
　　지방종
　　족근결합(중간 및 후방 소관절면)
　　무지외전근 기시부 협착

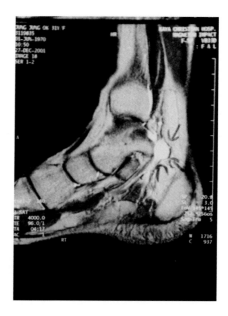

그림 28-2. 신경초종에 의한 족근관증후군 환자의 MRI 소견 족근관 내부에 신경의 음영과 같은 종괴가 후방경골신경에 부착되어 있다.

러 가지 공간점유병소, 족부의 변형 등의 원인을 찾을 수 있다[2]. 원인을 찾을 수 없는 경우도 있지만 분명한 원인이 있다면 외상에 의한 경우가 가장 많고, 족근관 주위골의 전위된 골절과 삼각인대의 염좌, 족근관 내부의 건 손상이 족근관의 단면적을 감소시키며 후방 경골신경의 압박을 초래한다. 출혈에 의해 유발된 후방 경골신경의 반흔화가 외상 이후에 발생할 수 있고, 족근관의 수술적 절제 이후의 증상지속과 연관이 있다.

족근관 증후군을 유발할 수 있는 것으로 알려진 국소적인 원인은 족근관내의 건이나 관절에서 유래된 결절종, 지방종, 원위 경골 및 종골의 골절편과 외골증, 돌출된 거종 결합대, 족근관 내에서 신경을 감싸는 증식된 정맥계, 후방 경골신경을 신장시키는 후족부의 심한 내반, 족근관내에서 발생한 신경초종(그림 28-2, 3), 비후된 굴근지대나 부가적인 무지외전근 및 장족지굴

근 등이며, 전신적으로는 급속한 체중의 증가, 체액의 저류, 만성 혈전 정맥염, 염증성 관절증에 의해 병발된 활액막염에 의해서도 유발될 수 있다.

후족부의 부정정렬도 족근관 증후군을 유발시킬 수 있으며, 후족부가 내반된 경우 전족부는 회내되어 보상되며, 이때 족무지 외전근의 단축에 의하여 족근관의 단면적이 감소되며, 전족부의 회내가 후방 경골 신경의 긴장을 증가시켜 증상을 일으키는 것으로 제시되었다[7]. 편평족 변형에서는 후족부의 외반과 전족부의 외전으로 인해 후방 경골 신경의 긴장을 증가시켜서 족근관 증후군을 일으킨다고 한다[3]. 한 연구에 의하면 수술로 유발된 편평족에서 족근관의 감압 이후에도 후방 경골신경의 긴장은 외반과 족배굴곡시 여전히 증가되는 소견 보이고, 후방 삼중 관절 고정수술과 종골-입방 관절의 견인 관절고정 수술로 관절을 안정화 시켜야 후방 경골 신경의 긴장이 줄어든다고 하였다[11].

I. 임상 증상

대부분의 환자에서 통증에 대한 명확한 표현을 얻기가 힘들며, 단지 족저부의 애매한 동통을 호소한다. 통증의 양상은 화끈거린다거나 저리거나 감각이 소실된 듯하다고 하며 보행 등

의 활동에 의해 심해진다고 한다. 일부환자에서는 발의 종아치에 꽉 쬐는 통증이 있으며, 이는 신발을 벗거나 주무르거나 발을 높이 들 때 없어 진다고도 한다. 수면 중에 심해져서 돌아다니면 완화된다고 하는 환자도 있다. 이러한 증상은 이환된 특정 신경 분지에 국한되어 나타나기도 한다. 환자의 약 1/3에서는 하퇴부의 중간까지 근위부로 전달되는 하지 내측의 방사통을 가지기도 한다(Valleix phenomenon).

II. 진단

1. 이학적 소견

먼저 환자를 기립 시킨 상태에서 후족부의 내-외반 정렬을 확인하고, 족관절, 거골하관절, 횡족근관절의 운동범위를 확인하여 이전의 손상과 관절증을 시사하는 운동범위의 감소를 파악한다. 후방 경골신경과 분지를 포함하여 신경의 모든 주행범위를 타진하여 저리거나 불편감으로 표시되는 신경자극 증후를 찾는다. 다음으로는 신경의 주행을 주의 깊게 촉진하여 결절종[14], 활액낭종, 지방종 등의 공간 점유병소를 시사하는 종창과 비후를 찾아 보아야 한다. 결절종이 의심되면 주사침 흡입으로 쉽게 진단되며, 천공에 의한 치료는 증상이 일시적으로 개선되지만 이후 지속적인 조직 자극 증상이 있어 시행하지 않는 것이 좋다. 간혹 후방 경골신경의 주행을 따라 골능이 촉진

되기도 한다[6].

감각이상이 있다고는 호소하지만 증명하기는 쉽지 않으며, 가장 초기에 나타나는 이상은 족저부의 두 점 식별 능력의 감소이다. 운동 신경 약화 또한 증명하기 어려우나 반대편 발과 비교하여 무지 및 소지외전근의 근 위축이 발견되기도 한다. 족배굴-외반 검사(Dorsiflexion-eversion test)는 이환된 족부의 모든 족지를 최대한 배굴하여, 족관절을 족배굴곡 및 외반 시킨 상태에서 5-10초간 유지하면 되는데, 이로써 증상이 재현되거나 심해진다면 양성으로 족근관 증후군의 진단에 도움이 될 수 있다[8]. 후방 경골신경을 감싸는 정맥류에 의해 증상이 유발되는 경우가 있는데 이때는 하지가 밑으로 향한 경우 심해지며, 정맥만을 압박대로 압력을 가할 경우 증상이 심해지는 압박대 검사(tourniquet test)로 양성 소견 보일 때 진단에 도움이 된다.

2. 방사선적 검사

일반 방사선 사진은 족부관 주변의 해부학적 이상을 규명하는데 도움이 되며, 특히 체중부하 사진으로 족근관 주변의 골 구조 이상과 발의 생체 역학적인 변형을 확인하여야 한다. 공간점유병소가 의심된다면 MRI검사가 필요하며(그림 28-4), 보고에 의하면 88%에서 다양한 병변이 발견되었다고 한다[5].

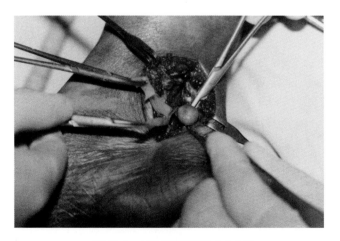

그림 28-3. 신경초종환자의 수술소견

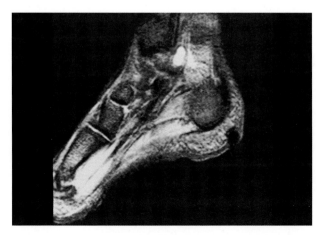

그림 28-4. 결절종에 의한 족근관 증후군 환자의 MRI 소견

3. 전기근전도검사

비록 보고되는 정확도는 다양하지만 족근관 증후군을 진단하기 위해서는 모든 환자에서 전기 생리검사가 실시 되어야 한다. 일반적으로 전기 생리 검사는 (1) 내측 족저 및 외측 족저 신경의 신경 전도 검사(nerve conduction study), (2) 운동 유발 전위(motor-evoked potential)의 크기와 지속기간 측정 및 신경 세동 전위(fibrillation potential)의 유무 검사, (3) 감각 신경 전도 속도(sensory conduction velocity)를 측정한다. 초기변화는 감각신경에 먼저 나타나기 때문에 운동 신경전도 검사보다 감각 신경 전도 검사가 더 민감하다.

총비골신경의 전도 속도를 비교하여 말초 신경증을 감별진단 해야 한다. 무지외전근으로 향하는 내측 족저신경의 말단 지연(terminal latency)은 6.2 milisecond (ms) 이하라야 하며, 소지외전근을 향하는 외측 족저 신경의 경우 7 ms 이하 여야만 한다. 이 두 근육의 신경지연이 1 ms 이상 차이 나면 족근관 증후군이라 진단 할 수 있다. 그러나 이러한 견해에 동의하지 않는 학자들도 있다. 족근관 증후군 환자에서 감소된 전위와 증가된 지속 기간을 증명하기 위한 운동유발전위(motor evoked potential)는 말단 운동지연 검사(terminal motor latency) 보다 민감하게 여겨진다.

이러한 검사와 함께 각 신경 분지에 의해 지배되는 근육내의 세동 전위(fibrillation potential)에 대한 검사도 시행된다. 감각 신경 전도 속도에 대한 검사는 이러한 검사의 용이성과 재현성에 대한 다른 견해가 있기는 하지만 아마도 가장 정확한 검사일 것이다. 이러한 검사를 선호하는 저자들은 이런 방법의 정확도를 90%까지 보고하고 있다[15].

4. 감별진단

족근관 증후군의 진단은 동통과 족부의 이상감각, 양성 타진 검사, 양성 전기생리 검사로써 확실시 된다. 세가지 조건이 일치하지 않는 경우 족근관 증후군 외의 다른 질환을 의심하여야 한다. 세가지 중 둘만 있는 경우 주의 깊게 경과 관찰하고 증상의 재현시 진단이 가능하다. 족근관 증후군의 감별진단은 BOX 와 같다[19].

III. 치료

1. 보존적치료

초기의 치료는 비수술적 치료를 원칙으로 하며 치료의 목표는 후방 경골신경의 긴장완화와 신경주변에 가해지는 조직 압력감소에 있다. 특히 건막염이 있다면 소염진통제, 국소적 스테로이드 주사, 고정이 굴곡건 주변의 염증을 감소 시키는데 효과 있다. 만약 국소적 스테로이드 주사하였을 경우 족근관내의 건파열, 특히 후방 경골신경의 파열을 방지하기 위하여 일정기간 고정 및 부분 체중부하를 시켜야 한다. 후방 경골신경의 긴장을 감소시키기 위해 석고 고정이나 보조기를 이용한다. 다양한 종류의 족부 보조기가 유연성 족부 변형에 사용되는데, 유연성 외반족의 경우 내측 종아치 지지대와 내측 뒤꿈치 쐐기 모양 삽입물로 정렬을 교정하면 효과가 있을 수 있다.

2. 수술적 치료

비수술적 치료가 실패한 경우에 시행하며, 수술은 족근관을 포함하여 굴근지대 상부 3-5 cm에서 무지외전근의 심부 근막까지 전 범위를 포함하는 후방 경골신경의 완전 유리를 시행해야 한다. 원위부의 유리시 족저신경의 각 분지도 확인하고 감압하여야 한다. 손상되기 쉬운 작은 내측 종골 분지를 보호하여야 한다. 만약 공간점유병소가 있다면 원위부로의 추가적인 박리는 필요치 않으며, 이런 경우 대부분 예후가 양호하다.

1) 수술방법[13]

내과의 상방 10 cm과 경골의 후연 2cm 뒤에서 시작하는 곡선의 피부 절개를 가 한다. 피부 절개는 내과 근처까지 경골과 평행하게 원위부로 내려오다 내과를 지나 족저와 원위를 향해 살짝 휘어져서 거주상관절(talonavicular joint)근처와 무지 외전근의 중간 부위까지 전개된다. 절개는 피하조직과 지방조직을 잇따라 절개하여 굴근지대가 노출될 때까지 시행한다. 노출된 모든 혈관들은 주의 깊게 박리하고 소작한다.

굴근지대의 근위부를 찾는다. 경골의 후방에서 거의 예외 없이 후방경골건이 하나의 막에 쌓여 있고, 장족지굴곡건과 후방 경골 동맥, 신경, 정맥이 다른 하나의 막에 쌓여 있다. 간혹 각각의 구조물이 다른 막에 쌓여 있기도 한다. 근위부에서 막의 박리시 신경을 싸고 있는 막인지를 주의 깊게 파악하여야 한다. 굴근지대를 조심해서 원위부로 절개 하여야 한다. 내과를 지나면서 굴근지대는 점점 긴장되고 조밀해진다. 소지혈 겸자를 굴건지대 밑에 집어넣고 절개를 가하면 중요한 조직의 손상을 막을 수 있다. 지대가 완전히 절개된 후 무딘 박리로 후방 경골신경의 주행을 확인한다. 원위부로 3개의 중요한 분지로 나누는 부분까지 확인하여야 한다(그림 28-5).

족저 신경의 내측 분지는 무지외전근의 안쪽을 따라 거주상관절 근처에서 형성된 섬유관을 지날 때까지 확인하여야 한다. 때때로 내과 근처에서부터 분지 신경을 박리하여 내려가기 어려우면 원위부에서 찾아서 거꾸로 근위부의 신경혈관 다발에서 신경을 박리해야 쉬울 때도 있다. 때때로 굵어진 정맥들이 신경을 누를 수 있다고 판단되면 결찰 하여야 한다. 내측 분지가 무지외전근의 섬유관을 통해 나가는 곳을 확인하여 단단하거나 조여 있으면 느슨하게 해야 한다.

외측 족저 신경은 무디게 원위부로 박리 하여야 하며 무지외전근 뒤를 통과하는 것을 확인하여야 한다. 외측 족저 신경을 적절히 박리하기 위해 혈관이 풍부하게 있는 무지외전근의 섬유성 기시부를 부분적으로 종골에서 떼어내어야 한다. 내과 근처에서 혈관과 섞여 박리가 어려우면 역시 원위부에서 찾아 거꾸로 근위부 방향으로 박리해 올라가면 쉽게 구분된다. 무지외전근을 지나 신경을 따라가면 섬유막이 형성되어 있는데 주의 깊게 열어 주어야 하는데 신경을 적절히 보면서 안전하게 박리하는 것이 때때로 어려울 수도 있다. 외측 족저신경의 후방을 주의 깊게 따라가면 내측 종골분지가 약 80%에서는 하나의 구조로 나머지 20%에서는 여러 개의 다발로 구분된다. 원위부로 가면서 눌리는 곳은 없는지 확인한다. 후방경골신경과 그 분지에 대한 박리가 모두 끝나면 지혈대를 풀고 신경 주행을 따라 혈관이 주행하는지를 확인하여 눌리는 곳이 없는지 확인한다. 약 5%의 환자에서는 혈관이 충만 되지 않는 이러한 소견이 발견된다.

지혈이 끝나면 굴근지대를 그대로 두고 피부만을 한 개의 층으로 봉합한다. 지혈이 잘 안 되는 경우는 배액관을 삽입하고 피부를 봉합 해야 한다.

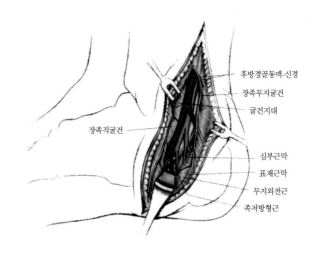

그림 28-5. 족근관 유리 수술 소견

2) 술후처치

술 후 3주간 고정하고 체중부하를 금지 시킨다. 술 후 3주 경부터 견디는 만큼만 체중부하를 시키면서 수동 및 능동 관절운동을 시행한다.

3. 치료결과

족근관 증후군의 수술적 치료결과는 한 보고에는 91%의 환자에서 수술을 다시 받겠다거나 증상의 소실을 보이는 양호한 결과를 보였다고 한다. 그러나 다른 보고에서는 31개월 경과 관찰상 33%만이 양호 이상의 결과를 보였다고 하였다. 그러나 이들 중 상당수가 이전의 수술력을 가지며, 5명중 3명은 족근관 증후군의 수술과 함께 다른 병변에 대한 수술을 같이 시행하였기 때문에 수술의 결과가 좋지 않게 보고 되었다. 이와 같이 논문에 따라 치료성적이 다양하지만 여러 논문을 종합한 연구에 따르면 수술로 치료한 족근관 증후군환자 중 69%에서 좋은 결과가 나타났고, 22%에서는 호전되었으며, 7%에서는 좋지 않은 결과를 보였으며, 나머지 2%에서 재발하였다고 한다[2].

장기간 지속된 족근관 증후군의 수술적 결과를 보고한 논문에서 평균 60개월 이상 지속된 18례의 환자에서 18개월이상 경과 관찰상 수술로 61%에서 증상이 완전 소실 되어, 저자들은 장기간 지속된 족근관 증후군의 수술적 감압이 대부분의 환자에 유용하다고 하였다[8]. 족근관 증후군으로 진단된 환자의 진단과 수술적 방법, 기능적 결과에 관한 한 논문에서 가장 흔한 임상 증상은 동통과 이상감각, 감각소실 이었고, 전기생리검사상 81%에서 이상소견 보였으며, 72%에서 수술적 결과에 만족하였다고 한다. 그리고 특발성으로 진단된 대부분의 환자에서 무지외전근 근막에 의한 충돌을 발견하였다고 한다[1].

4. 합병증

술 후 증상이 지속되는 원인은 부족한 박리, 운동신경을 포함하는 만성질환, 후방 경골 신경의 신경 외막 반흔, 이중 압궤 증후군(double crush syndrome), 특발성인 경우 등이다. 한 연구에서는 나이가 많을수록 족근관 유리술의 결과가 나빴다고 한다. 불행히도 이중 압궤 증후군을 제외한다면 부족한 유리와 신경외막 반흔이 재수술로 치료할 수 있는 증상재발의 유일한 질환이다.

족근관 유리술 이후 재발하였거나 지속되는 증상을 가진 환자에서는 철저한 병력 청취와 이학적 검사가 문제를 찾아 낼 수 있는 가장 신뢰할 만한 방법이다. 예를 들자면 부족한 유리와 후방 경골 신경의 반흔화는 이전 수술 절개의 위치와 범위로써 짐작할 수 있다. 만약 환자가 술 후 증상이 좋아졌다가 다시 나빠졌다면 신경 외막의 반흔화를 의심할 수 있다. 만약 환자가 술 후 지속되는 통증과 이상감각, 무감각을 외측 족지 신경 과/또는 내측 족지신경분지에 가진다면 대부분에서 원위분지의 유리가 부족하므로 이런 경우는 부족한 유리수술을 의미한다. 실패한 족근관 유리술의 재발된 증상에 대한 치료는 술전 초기의 증상 치료와 같다.

족근관 유리 재수술의 임상적 결과는 재발된 증상의 원인에 따라 다르지만 13례의 재발된 환자를 대상으로 한 연구에서 수술소견에 따라 3가지 군으로 나누었다. 첫 번째 군에서는 이전 수술에서 적절하게 유리되었고 신경외막에 반흔이 있었으며, 두 번째 군에서는 부족하게 유리되고 신경외막의 반흔이 있었든 경우, 세 번째 군에서는 신경외막의 반흔이 없이 부족하게 유리된 경우이었다. 족근관 유리 재수술의 수술적 결과는 세 번째 군에서 가장 좋았고, 첫 번째 군에서 가장 나빴다고 한다. 저자들은 만약 첫 번째 유리술이 적절하였다면 후방 경골 신경

의 신경 외막 박리술을 다시 하는 것에 반대하였다. 신경 외막 반흔화된 환자에서는 말초 신경 자극법, 신경박리술후 정맥을 이용한 신경포장(vein wrapping), 전완 요골 동맥 유리 피판술 등의 다른 수술방법이 제시되고 있다. 이러한 방법에 의한 재수술의 치료 결과는 여전히 연구 중이다.

■ 참고문헌

1. Bailie DS and Kelikian AS: Tarsal tunnel syndrome: diagnosis, surgical technique, and functional outcome. Foot Ankle Int. 19: 65-72, 1998.

2. Cimino WR: Tarsal tunnel syndrome: review of the literature. Foot Ankle. 11: 47-52, 1990.

3. Daniels TR, Lau JT and Hearn TC: The effects of foot position and load on tibial nerve tension. Foot Ankle Int. 19: 73-8, 1998.

4. Flanigan DC, Cassell M and Saltzman CL: Vascular supply of nerves in the tarsal tunnel. Foot Ankle Int. 18: 288-92, 1997.

5. Frey C and Kerr R: Magnetic resonance imaging and the evaluation of tarsal tunnel syndrome. Foot Ankle. 14: 159-64, 1993.

6. Havel PE, Ebraheim NA, Clark SE, Jackson WT and DiDio L: Tibial nerve branching in the tarsal tunnel. Foot Ankle. 9: 117-9, 1988.

7. Keck C: The tarsal tunnel syndrome. J Bone Joint Surg. 44A: 180-182, 1962.

8. Kinoshita M, Okuda R, Morikawa J, Jotoku T and Abe M: The dorsiflexion-eversion test for diagnosis of tarsal tunnel syndrome. J Bone Joint Surg Am. 83-A: 1835-9, 2001.

9. Kopell HP and Thompson WA: [Peripheral entrapment neuropathies of the lower extremity]. N Engl J Med. 262: 56-60, 1960.

10. Lam SJ: Tarsal tunnel syndrome. J Bone Joint Surg Br. 49: 87-92, 1967.

11. Lau JT and Daniels TR: Effects of tarsal tunnel release and stabilisation procedures on tibial nerve tension in a surgically

created pes planus foot. Foot Ankle Int. 19: 770-777, 1998.

12. Lau JT and Daniels TR: Tarsal tunnel syndrome: A review of the literature. Foot Ankle Int. 20: 201-209, 1999.

13. Mann RA: Tarsal tunnel syndrome. In: Coughlin MJ andMann RA. Surgery of the foot and ankle. 7th ed. St. Louis, Missouri, Mosby, Inc., vol. 1: 512-516, 1999.

14. Nagaoka M and Satou K: Tarsal tunnel syndrome caused by ganglia. J Bone Joint Surg. 81B: 607-610, 1999.

15. Oh SJ, Sarala PK, Kuba T and Elmore RS: Tarsal tunnel syndrome: electrophysiological study. Ann Neurol. 5: 327-30, 1979.

16. Takakura Y, Kumai T, Takaoka T and Tamai S: Tarsal tunnel syndrome caused by coalition associated with a ganglion. J Bone Joint Surg. 80B: 130-133, 1998.

17. Trepman E, Kadel NJ, Chrisholm K and Razzano L: Effect of foot and ankle position on tarsal tunnel compartment pressure. Foot Ankle Int. 20: 721-726, 1999.

18. Turan I, Rivero-Melian C, Guntner P and Rolf C: Tarsal tunnel syndrome: Outcome of surgery in longstanding cases. Clin Orthop. 343: 151-156, 1997.

19. Wilemon WK: Tarsal tunnel syndrome. Orthop rev. 8: 111, 1979.

29. 복합 국소 동통 증후군
Complex Regional Pain Syndrome

성균관의대 삼성서울병원 재활의학과 **황 지 혜**

1864년 Sir Weir Mitchell[34]이 처음으로 작열통 이라는 용어를 기술한 이래, 이 통증이 교감신경계의 과활동성에 의해 유발된다고 생각하여 일반적으로 반사성 교감신경이영양증[reflex sympathetic dystrophy(RSD)] 또는 통증이 자발적으로 유발되고 타는 듯하다고 하여 작열통(causalgia) 이라고도 불려왔다.[35] 그 외에도 특징적 병태생리를 설명하려는 여러 가설 아래 임상적으로 매우 다양한 명칭들이 사용되어져 왔다(표 29-1).

지금까지 원인으로 교감신경계의 이상에 초점을 맞추어 왔으나 어떠한 가설도 복합국소동통증후군을 포괄적으로 설명할 수 없었으며, 최근의 연구들에서는 교감신경계 과활동성에 의한다는 과거의 이론에 많은 의문들이 제기되고 있다.

이러한 이유로 1994년 International Association for the Study of Pain(IASP)에서 이전의 반사성 교감신경 이영양증이라는 명칭 대신에 보다 서술적인 명칭인 복합국소동통증후군이라는 명칭을 공식적으로 사용하기로 결정하였다.

I. 복합국소동통증후군의 정의

복합국소동통증후군은 두개의 유형 즉, 반사성 교감신경이영양증은 제 1형 CRPS로, 작열통은 제 2형 CRPS로 분류된다. 이들의 임상 양상은 거의 유사하다. 그러나 제 2형에서는 실제로 말초신경 손상이 동반되어 있다는 큰 차이가 있다.[1,6]

II. 복합국소동통증후군의 원인

매우 다양한 원인들이 복합국소동통증후군의 유발과 관련이 있다고 알려져 있다(표 29-2). 제 2형 복합국소동통증후군은 동물 모델을 통한 연구들에서 말초신경 손상 이후에 나타나는 수

용체(receptor)의 상향 혹은 하향 조절과 신경전달물질(neurotransmitter)의 민감화 등의 변화에 의해서 나타나는 것으로 알려지고 있다. 그러나 제 1형의 경우 또한 이러한 변화에 의한 것인지 아직까지 확실하지 않으며 말초신경과 중추신경 그리고 교감신경계와 연관되어 신체의 변화 등 다양한 기전이 관여하는 것으로 추측되고 있다.[2,35]

이론적으로 통증이 자율신경계 이상에 의해 나타나는 것이면 자율신경계 차단으로 모든 환자에서 증상이 완화되어야 하나 그렇지 않은 경우가 있어 자율신경계이상이 직접적 병인이라는 이전의 가설은 받아들이지 않고 있다. 통증 발생 초기에는 자율신경계의 작용이 통증에 관여할 수 있지만 병의 진행과정에서 통증은 자율신경계의 작용과는 독립적으로 변화하는 것으로 생각된다.

III. 진단

복합국소동통증후군 진단 시 병력과 이학적 검사에 의한 질

표 29-1. **Conditions Related to Complex regional pain syndrome**

Acute atrophy of bone	Post-traumatic dystrophy
Minor causalgia	Post-traumatic sympathalgia
Major causalgia	Post-traumatic osteoporosis
Mimo-causalgia	Sympathetic trophoneurosis
Sudek 's atrophy of bone	Traumatic vasospasm
Reflex dystrophy	Traumatic angiospasm
Algoneurodystrophy	Sudek's osteodystrophy
Shoulder-hand syndrome	Reflex neurovascular dystrophy
Postinfarctional sclerodactyly	

표 29-2. **Causes of CRPS**

Trauma
 Accidental injury
  Sprain
  Dislocations
  Fractures, usually of the hands, feet, or wrists
  Minor cuts, pricks, or lacerations
  Crush injury of fingers, hands, wrists, feet, or ankles
  Traumatic amputation of the digits
 Surgical causes
  Surgical amputation of the digits
  Excision of small tumors, ganglia of wrists
  Forceful manipulation
  Tight casts
 Surgical scars
  Damage to small peripheral nerves with a needle during its insertion for in fusions, transfusions, injection therapy, or analgesic block
  Injection near or into nerves of irritants such as oils, alcohol, metals, and other neurolytic elements
 Occupational causes
  Pneumatic tool operators
  Typists, pianists, tailors, dentists, surgeons and various other individuals in occupations productive of constant microtrauma

Diseases
 Visceral diseases
  Myocardial infarction
  Other thoracic or pelvic diseases
 Neurologic diseases
  Cerebral disorders such as vascular accidents (posthemiplegic dystrophy), tumors. and syringomyelia
  Diseases of the spinal cord such as poliomyelitis. combined degeneration, tumors. and syringomyelia
  Diseases of the spinal nerves or their roots, including herpes zoster. tabes dorsalis, osteoarthritis, fibrositis, radiculitis
  Disorders of the branchial plexus, including scalenus anticus syndrome. costoclavicular syndrome
  Infiltrating carcinoma from the breast, lung apex, or pelvis
  Glomus tumor
 Infections
  Gonorrheal arthritis
  Infections of the skin and other soft tissues of the extremities
  Periarticular infections
  Panniculitis
 Vascular disease
  Generalized angiopathies such as periarteritis nodosa, diffuse arteritis, arteriosclerosis
  Peripheral vascular disorders such as thrombophlebitis, thrombosis, traumatic arteriospasm, frostbite
 Musculoskeletal disorders
  Postural defects
  Myofascial pain syndromes
  Fractures, sprains, strains

Idiopathic causes
 Represent 33% of all cases of RSD

환의 의심이 가장 중요하고 몇 몇 검사 결과에서 도움을 얻을 수 있으나 아직까지 특이적 검사법은 없다. IASP에서 제시한 진단 기준은 표 29-3과 같다.[6]

1. 임상 증상과 이학적 검사 소견

복합국소동통증후군의 증상은 과도하고 자발적인 통증과 교감신경계의 기능장애와 연관된 증상들을 특징으로 한다. 대부분의 환자들은 복합국소동통증후군을 유발시키는 일정 원인적 병력이 있으며 질환의 치유와 관계없이 지속되는 통증(pain), 이질통(allodynia), 통각과민(hyperalgesia), 비정상 혈관운동 활동성(vasomotor activity) 그리고 비정상적인 한선분비 활동성(sudomotor activity)을 특징으로 한다. 이질통이란 통증을 유발하지 않는 무해성 자극에도 통증을 느끼는 것이며, 통각과민이란 경한 유해자극에 대해 과도한 통증이 유발되는 것으로 경한 기계적 자극 즉, 관절의 작은 움직임에 의해서도 유발될

표 29-3. **IASP diagnostic criteria for complex regional pain syndrome (adapted from Merskey and Bogduk).**

For CRPS type I

1. The presence of an initiating noxious event or a cause of immobilization.
2. Continuing pain, allodynia or hyperalgesia with which the pain is disproportionate to any inciting event.
3. Evidence at some time of edema, changes in skin blood flow, or abnormal sudomotor activity in the region of the pain.
4. This diagnosis is excluded by the existence of other conditions that would otherwise account for the degree of pain and dysfunction.

** Note: Criteria 2-4 must be satisfied.

For CRPS type II

1. The presence of continuing pain, allodynia, or hyperalgesia after a nerve injury, not necessarily limited to the distribution of the injured nerve.
2. Evidence at some time of edema, changes in skin blood flow, or abnormal sudomotor activity in the region of the pain.
3. This diagnosis is excluded by the existence of other conditions that would otherwise account for the degree of pain and dysfunction.

** Note: All three criteria must be satisfied.

수 있다.[7]

가장 흔한 통증은 타는 듯한 감각의 작열통이며 그 외 박동성(throbbing), 쥐어짜는 듯한(squeezing), 지속적인 통증(aching) 또는 전격통증(shooting)등으로 기술된다. 일반적으로 통증은 국소 손상 부위에서 시작되어 점차 확산되며 심한 경우 손상된 하지 혹은 상지 전체에 통증을 호소하게 된다. 드물게는 반대편 하지 혹은 상지에서도 통증이 유발될 수 있다. 이질통은 일반적으로 자발적 통증에 동반되며 이러한 이질통이 해결되지 않으면 치료사나 의사가 검사 혹은 만지는 것만으로도 통증이 유발되어 일상생활 뿐만 아니라 물리치료나 기타 기구를 사용한 치료 자체를 불가능하게 할 수 있다. 이는 주로 중추 통각 수용체가 민감화 되어 나타나는 특징적 증상이며 한편, 추위에 의한 이질통은 교감신경계의 지속적 활동성에 의해 유발된다고 생각되고 있다.

손상이 있었던 사지에 장갑이나 스타킹을 신은 듯한 감각소실이 대부분의 환자에서 동반된다. 이렇게 감각의 양성, 음성 증상이 동시에 존재하는 것으로 보아 적어도 급성기 때의 통증은 구조적 변화에 의해서라기보다는 기능적 변화에 의한 것이라는 추측을 가능하게 한다.

감각증상 뿐 아니라 운동 증상으로 근위약(weakness), 진전(tremor), 과장된 근반사, 근육 긴장 자세, 그리고 근육클로누스 반사등이 나타날 수 있다.[8,9] 근육클로누스 반사와 국소적 근육 긴장은 제2형에서 주로 관찰된다. 45%의 환자에서 손상부위의 건반사의 증가가 관찰되는데, 추체로 징후는 관찰되지 않으며 통증과 밀접한 상관관계를 보여 통증에 의해 건반사가 촉진되어 나타나는 현상으로 생각된다.

급성기에는 관절 내 삼출액에 의해서, 점차 만성기가 되면 구축(contracture)과 섬유화(fibrosis)에 의해 관절의 가동각도가 감소한다. 이러한 운동계 이상 증상은 수년 수개월에 걸쳐 증상을 호소하고 시간이 지날수록 치료가 어렵게 된다.

자율신경계(교감신경) 증상으로 손상된 상지 또는 하지의 말단부 부종(edema), 피부색 변화, 온도 변화 그리고 이상 발한 등이 나타나며 이러한 증상은 특징적으로 악화와 완화를 반복한다. 피부색의 변화와 온도의 변화는 주로 말단부위에 나타나고 다한증이 주로 질환의 초기에 동반된다.

복합국소동통증후군은 시기에 따라 다양한 증상의 변화를 보인다. 급성기에는 피부색이 붉고 피부 표면온도가 상승되며 발한의 증가를 보인다. 때때로 이러한 질환초기의 증상들은 미약하거나 또는 외상과 관련하여 나타나는 증상과 구별하기 어려워 초기 진단이 쉽지 않다.[5] 만성기에는 피부가 푸른빛을 띠고 50%의 환자에서 질환부위의 발한 감소가 관찰된다. 또한 말기에는 영양변화(trophic change) 징후가 나타나는데 즉, 손톱이 비후(hypertrophic)되거나 혹은 위축(atrophic)되고 털 성장의 증가 또는 감소 현상이 나타나기도 하며 피부위축의 진행이 관찰되기도 한다.

2. 진단적 검사(Diagnostic test)

복합국소동통증후군의 진단은 임상양상과 과거력을 통해 질환을 의심하는 것이 중요하며 무엇보다도 가능한 다른 질환들을 배제하는 것이 중요하다. 혈관 운동증상이 과다한 경우 혈관검사를 시행하여 혈관 질환을 배제하고, 당뇨병성 말초신경병증이나 흉곽출구증후군 등 특정 신경병증을 배제하기 위해서는 전기진단학적 검사를 시행해야 한다. 골조직 혹은 연부조직의 질환이 의심되는 경우는 자기공명영상을 포함한 방사선 검사를 시행하여 이를 배제해야 하고, 혈구침강속도, 혈구 수, 류마티스인자 검사 등의 혈액 검사를 시행하여 감염 또는 류마티스 질환을 배제해야 한다.

이외 진단에 도움을 줄 수 있는 보조적 검사 방법들이 있는데 이러한 검사들은 비정상적인 교감신경계 활동성이나 비정상적 혈액의 흐름을 검사하는 것으로, 앞에서도 언급했지만 그러한 현상들이 항상 존재하는 것은 아니기 때문에 검사의 민감도가 떨어지며 주로 치료의 반응을 감시하는데 사용된다. 그러나 통증의 감소나 하지의 기능 호전 등으로도 치료의 성공여부를 가늠할 수 있다.

1) 체열촬영술(Thermography)

적외선 열측정기를 이용해 양측을 대칭적으로 비교하여 온도 차이를 관찰할 수 있다.[6] 일반적인 온도조절 환경에서 양측이 0.5도의 온도 차이는 있을 수 있으나 1.0도 이상은 의미 있는 차이라고 볼 수 있으며, 양측 피부온도가 비대칭적인 부분이 많을수록 진단적 가치가 증가한다. 그러나 피부의 온도는 매우 동적이어서 비대칭적 온도차이가 복합국소동통증후군의 진단에 필수적이지는 않다.

2) 땀검사

땀분비 기능 이상이 복합국소동통증후군 환자에서 흔하게 나타나며 다양한 검사로 땀의 배출량을 측정할 수 있다. 정량적 땀분비 검사는 복합국소동통증후군의 임상증상과 상관관계를 갖는다고 알려져 있으며[10] 휴식기 땀검사와 정량적 땀분비 축삭반사 검사가 있다.[1,4]

3) 방사선학적 검사

일반 엑스선 촬영 상 반점형 골다공증이 빠르게는 복합국소동통 증후군 발생후 2주 내에도 보일 수 있다. 그러나 이러한 변화는 환자의 40% 에서만 나타난다. 질환이 진행하면 뼈에 광범위한 간유리 혼탁화 같은 변화가 일어나기도 하고 피질의 미란이 나타나기도 한다.

테크네슘 Tc 99-m 비스포스포네이트을 이용한 삼상성 골주사 검사는 민감도가 높고 조기에 일반 엑스선 촬영에서 볼 수 없는 뼈의 변화를 검출해낼 수 있으나 특이도가 낮다는 단점이 있다.

골밀도 검사에서 골밀도가 저하되어 있는 것을 볼 수 있다.

표 29-4. Medications for Complex Regional Pain Syndrome*

Medication	Usual oral dose (mg)	
	Initial	Maintenance
Gabapentin	100 qhs	600-1200 tid
Amitriptyline	10 qhs	10-75 qhs
Doxepin	10 qhs	10-75 qhs
Nortriptyline	10 qhs	10-75 qhs
Hydrocodone †	5 ever 4-6h prn	5-10 every 4-6 h prn
Oxycodone SR	10 every 8-12 h	10-80 every 8-12 h prn

* prn = as needed; qhs at bedtime; SR = sustained release; tid = 3 times daily.
† Available as hydrocodone/acetaminophen, 5mg/500mg and 10mg/500mg formulation, Total acetaminophen dose should not exceed 4g per 24-h period.

때때로 자기공명영상을 시행하여 다른 질환을 배제할 수 있다. 복합국소동통증후군에서는 심층조직(근육, 관절주변 결체조직)에 부종이 있으며 가돌리늄에 의해 약간의 조영증강이 관찰되며 이는 혈관 투과성이 증가되어있다는 것을 나타낸다. 그러나 이러한 현상은 관절염이나 감염 시 보다는 매우 미약하다.

4) 전기진단학적 검사

전기진단학적 검사는 특히 신경손상 이후에 발생하는 제2형 복합국소동통증후군에서 중요하다.

5) 진단적 교감신경차단술

반사성교감신경 영양장애라는 명명법에서는 국소마취제에 의한 교감신경차단이 진단에 필수적인 정보를 주었다. 그러나 복합국소동통증후군의 개념에서는 교감신경의 이상이 증상 발생에 역할을 할 수도 하지 않을 수도 있어 진단적 교감신경 차단술은 복합국소동통증후군의 진단에 도움이 되지 않는다. 단지 환자들 중 교감신경에 의해 지속되는 통증이 있는 경우 이를 알아내고 치료하는데 사용될 수 있다.

IV. 치료

치료의 선택이나 여러 치료 방법의 조합의 결정은 환자의 증상의 정도와 장애의 정도에 따라 결정된다. 복합국소동통증후군의 성공적 치료를 위해서는 매우 적극적이고 여러 가지 치료법을 이용한 복합적 치료를 시행하는 것이 반드시 필요하다. 무엇 보다고 중요한 것은 이환지에 비가역적 변화가 일어나기 전에 가능한 한 조기에 치료해야 한다는 것이다.

1. 약물치료

다수의 약물들이 치료에 효과가 있다고 보고되었으나 잘 관리된 임상시험으로 효과가 명확히 밝혀진 것은 소수이다.[14] 가장 흔하게 사용되고 있는 약물들과 이의 용량지침을 표 29-4에 정리하였다.

1) 항우울제(Antidepressants)

삼환계 항우울제는 신경인성 통증의 치료에 효과적이어서[20,21] 통증의 완화, 우울증상의 완화뿐만 아니라 약물의 진정 효과에 의해 수면부전을 호전시킬 수 있다는 장점이 있다.[15,16] 그러나 복합국소동통증후군의 치료 효과에 대한 잘 관리된 적절한 연구는 이루어지지 않았다. 항우울제의 진통 효과 기전에 대해서는 잘 알려져 있지 않으나 중추신경계에서 진통 효과와 관계가 있는 노르에피네프린이나 세로토닌의 재흡수과정에 작용할 것이라고 생각되어지고 있다. amitriptyline, nortriptyline 및 doxepin이 가장 흔히 사용되고 있으며 새로운 항우울제인 특이적 세로토닌 재흡수 억제제의 경우 신경인성 통증에 대한 효과가 기대에 미치지 못하고 있다.[17~19]

진정작용, 구강건조와 같은 항콜린성 증상이나 체위성 저혈압 등의 항아드레날린성 부작용이 있을 수 있다.

2) 항전간제

다양한 신경인성 통증에 매우 효과적인 치료제로 알려져 온[22] 항전간제는 복합국소동통증후군의 치료에도 의미 있는 효과를 보인다고 보고되고 있다.[23] 현재 carbamazepine, phenytoin, lamotrigine 및 gabapentin 등이 임상적으로 사용되고 있는데, 특히 gabapentin은 다른 항전간제들에 비해 부작용이 적어 복합국소동통증후군의 치료에도 크게 주목받고 있다.[23] 그러나 현재까지는 이 약물의 정확한 작용기전이나 수용체에 대해 알려진 바가 없어 보다 많은 연구를 요하고 있다.

3) 스테로이드/ 비스테로이드성 소염제(NSAIDs)

스테로이드와 비스테로이드성 소염제가 일부 선택된 복합국소동통증후군 환자에서 효과가 있다는 보고가 있다.[27,29,30] 복합국소동통증후군의 초기에 손상 후 나타나는 염증에 반응하여 효과를 보이는 것으로 생각되나 명확한 작용기전은 알려져 있지 않으며 아마도 항염증반응과 더불어 이소성 신경흥분발사를 억제작용이 있을 것으로 보인다. 스테로이드는 복합국소동통증후군의 초기에 단기간 사용해볼 수 있으나 장기간 사용하는 것은 스테로이드의 부작용 때문에 권장되지 않는다.[28]

4) 국소치료제

국소 캡사이신은 구심성 무수신경(unmyelinated nerve fiber) 말단으로부터 통증에 관여하는 substance P나 다른 신경펩티드의 재흡수를 억제하고 분비를 촉진시키는 작용을 하여 신경인성 통증의 치료제로 사용되고 있으며 일부에서 효과를 보고하고 있다.

그러나 복합국소동통증후군 환자들에서는 캡사이신의 치료를 견디지 못하거나 치료 후 작열감을 호소하는 경우가 많아 치료제로 사용하기 어려운 점이 있다.

부분적 이질통에 리도카인 경피적 첩포를 사용해 볼 수도 있다.

5) 아편유사제

아편유사제는 신경인성 통증에 효과가 거의 없기 때문에 복합국소동통증후군의 치료에 사용하는 것은 논쟁의 여지가 있다. 그러나 물리치료나 gabapentin등을 포함하여 항우울제 등의 보존적 치료요법에 효과가 없을 때, 환자가 통증으로 인해 재활치료에 참여하기 어려울 때 사용해 볼 수 있다. hydrocodone이나 oxycodone이 주로 사용되며 드물게 morphine이나 hydromorphine이 사용된다.

6) 그 외

교감신경 억제제, 케타민, 근이완제, 칼슘통로 차단제 등이 사용되고 있다.[27]

2. 물리치료

물리 치료는 중요한 치료법 중 하나이다. 일차적 치료로 열치료, 한랭 치료, 마사지 그리고 교대욕(contrast bath)을 시행하여 통증의 탈민감화(desensitization)를 유도한다. 이러한 치료에 환자가 견딜 수 있게 되면 가벼운 유연성 운동과 등척성 운동(isometric exercise) 및 경피적 전기자극[13] 등을 시행 할 수 있다. 환자가 점차 호전되면 다음 단계로 관절가동영역증가를 위한 운동과 스트레스부하, 등장성 운동(isotonic exercise) 그리고 전신적 유산소 운동을 시행한다. 관절가동영역 운동에서 주의할 것은 과도한 수동운동은 피하고 능동운동을 시행하도록 하며 운동은 환자가 시행할 수 있는 영역에서 점차 조금씩 증가시키고 지속적으로 시행하도록 하는 것이 중요하다.

3. 국소 차단술

전통적으로 다양한 차단술들이 복합국소동통증후군의 첫 번째 치료 방법으로 사용되어져 왔다. 그러나 이에 비해 그 효과에 대한 과학적 연구 결과들은 아직까지 매우 다양하다.[31]

1) 교감신경 차단술

국소적 교감신경 차단술은 통증을 완화시켜 이환지의 기능회복을 돕고 교감신경성 원인에 의해 지속되는 통증(sympathetically maintained pain)을 완화시키기 위해 시행된다.[32,33] 진단적 목적의 교감신경차단술에 효과가 있으면 매일 또는 이틀에 한번씩 국소마취제를 이용하여 1주에서 3주 가량 반복적으로 차단술을 시행한다. 경추나 요추의 교감신경줄기에 이러한 간헐적 차단술을 반복할 수 있고 카테터를 교감신경줄기의 옆에 삽입하여 지속적으로 국소마취제를 투입 할 수도 있다. 치료 효과를 극대화하기 위해 차단술 전 후에 물리 치료를 병행할 수도 있다. 국소마취제를 이용한 차단술에 진통 효과가 있으나 일시적이면 신경박리술(neurolysis), 신경용해제 주입 또는 고주파 차단술을 고려해볼 수도 있다.

2) 체신경 차단술

복합국소동통증후군 환자에서 진단적 또는 치료적 교감신경절차단술에 효과가 없고 통증이 매우 심해 물리 치료를 시행하기 어려울 경우 경막외 주입술이나 신경총(brachial plexus)의 체신경전도 차단을 시도해볼 수 있다. 교감신경 차단술과 마찬가지로 매일 또는 이틀에 한번씩 연속적으로 시행하거나 카테터를 삽입하여 지속적으로 주입할 수 있다. 이러한 방법으로 통증을 감소시켜 물리치료와 재활치료를 가능하게 하여 기능의 회복을 촉진하고 경구진통제의 요량을 줄일 수 있다. 일부에서 정맥내 주사 국소 신경차단술이 사용되어져 왔으나 효과

가 있다는 연구 보고가 없고 실제적으로 임상에서 널리 쓰이지 않는다.[27]

4. 신경조절(Neuromodulation)

신경조절은 중추신경에 약물이나 전기자극을 가하여 중추신경의 통증전달기전을 조절하는 것이다. 몇 몇 관리화 연구에서 척수 자극법이나 척수마취가 복합국소동통증후군의 치료에 효과를 보일 수 있다는 보고를 한 바 있다.[34] 척수자극법의 명확한 작용기전이 밝혀져 있지는 않으나 통증기전을 조절하고 교감신경을 억제할 것으로 추측되고 있다. 그 외 baclofen이나 opioid, clonidine을 경막외로 주입하기도 한다. 그러나 이러한 방법들은 모두 침습적이고 위험성이 따르기 때문에 물리치료나 약물치료 등 보존적 요법들이 모두 실패한 환자들에서 주의 깊은 선택 후에 시행되어야만 한다.

V. 예후

다양한 치료법들에도 불구하고 복합국소동통증후군의 치료 예후는 임상적으로 만족스럽지 못한 경우들이 많다. 가장 중요한 것은 초기에 정확히 진단하는 것이며 근래에는 교감신경차단을 위한 방법들에 의한 치료 효과가 그리 높지 않은 것으로 보고되고 있으므로 적절한 약물치료와 병행된 순차적인 물리치료 시행이 가장 적절한 치료법으로 생각되고 있다.

■ 참고문헌

1. Janig W. What is CRPS I and CRPS II? A strategic view. in: Harden N. Baron R, Janig W, editors. Complex regional pain syndrome: the proceedings of the IASP Research Symposium in Cardiff, Wales, Seattle: IASP Press, 2001.

2. Hukkanen M, Konttinen YT, Santavirat S, Paavolainen P, Gu XH, Terenghi G,Polak JM. Rapid proliferation of calcitonin gene-related peptide immunoreactive nerves during healing of rat tibial fracture suggests neural involvement in bone growth and remodelling. Neuroscience 1993;54:969-979.

3. Birklein F, Rie이 B, Sieweke N, Weber M, Neundorfer B. Neurological findings in complex regional pain syndromes-analysis of 145 cases. Acta Neurol Scand 2000c;101:262-269.

4. Birklein F, Sit시 R, Spitzer A, Claus D, Neundorfer B, Handwerker HO. Sudomotor function in sympathetic reflex dystrophy. Pain 1997a;69:49-54.

5. Merskey H, Bogduk N, Classification of Chronic Pain: Descriptions of Chronic Pain Syndromes and Definitions of Pain Terms. Seattle: IASP Press, 1994.

6. Wasner G, Schattschneider J, Heckmann K, Maier C, Baron R. Vascular abnormalities in reflex sympathetic dystrophy(CRPS Ⅰ): mechanisms and diagnostic value. Brain 2001;124(Pt 3):587-599.

7. Sieweke N, Birklein F, Riedl B, Neundorfer B, Hand werker HO. Patterns of hyperalgesia in complex regional pain syndrome. Pain 1999;80:171-177.

8. Schwartzman RJ, Kerrigan J. The movement disorder of reflex sympathetic dystrophy. Neurology 1990;40:57-61.

9. van der Laan L, Veldman P, Goris JA. Severe complications of reflex sympathetic dystrophy: infection, ulcers, chronic edema, dystonia, myoclonus. Arch Phys Med Rehabil 1998;79:424-429.

10. Sandroni P, Low PA, Ferrer T, Opfer-Gehrking TL, Willner Cl, Wilson PR. Complex regional pain syndrome I (CRPS Ⅰ): prosepective suudy and laboratory evaluation. Clin J Pain. 1998;14:282-289.

11. Stanton-Hicks M, Janing W, Hassenusch S, Haddox JD, Boas R, Wilson P. Reflex sympathetic dystrophy: changing concepts and taxonomy. Pain, 1995;63:127-133.

12. Stanton-Hicks M, Baron R, et al. Consensus report: complex regional pain syndromes: guidelines for therapy. Clin J Pain 1998;14:155-166.

13. Richlin DM, Carron H, Rowlingson JC, et al. Reflex sympathetic dystrophy: successful treatment by transcutaneous nerve stimulation. Int J Pediatr 1978;93:84-86.

14. Haddox JD, Van Alstine D. Pharmacolgic therapy for reflex sympathetic dystrophy. Phys Med Rehabil 1996;10:297-307.

15. Max MB, Kishore-Kumar R, Schafer SC, et al Efficacy of desipramine in painful diabetic neuropathy: a placebocontrolled trial. Pain 1991;45:3-9.

16. Mas MB, Lynch SA, Muire J, Shoaf Se, Smoller B, Dubner R. Effects of desipramine, amitripthline. and fluoxetine on pain in diabetic meuropathy. N Engl J Med 1992;326:1250-1256.

17. Sindrup SH, Bjerre U, Dejgaard A, Brosen K, Aaes-Jorgensen T, Gram LF. The selective serotonin reuptake inhibitor citalopram relieves the symptoms of diabetic neuropathy. Clin Phormacol Ther 1992;52:547-55.

18. Sindrup SH, Gram LF, Brosen K, Eshoj O, Mogensen EF. the selective serotonin reuptake inhibitor paroxectine if effective in the treatment of neuropathy symptoms. Pain 1990;42:135-144.

19. Watson CP. The treatment of neuropathic pain: antidepressants and opioids Clin J Pain. 2000;16(2, suppl):S49-56.

20. Low P, Caskey P, Tuck R, Fealey R, Dyck P. Quantitative sudomotor axon reflex test in normal and neuropathic subjects. Ann Neurol 1983;14:573-580.

21. Harden RN, Duc TA, Williams Tr, Coley D, Cate JC, Gracely RH. Norepinephrine and epinephrine levels in affected versus unaffected limbs in sympathetically maintained pain. Clin J Pain 1994;10:324-330.

22. Mellick GA, Mellick LB: Reflex sympathetic dystrophy treated with gabapentin. Arch Phys Med Rehabil 1997;78:98-105

23. Backonja M, Beydoun A, Edwards KR, et al. Gabapentin for the symptomatic treatment of painful neruopathy in patients with diabetes mellitus. J Am Med Assoc 1998;280:1831-1836.

24. Ibuki T. Hama AT, Wang XT, Pappas GD, Sagen J. Loss of GABA immunoreactivity in the spinal dorsal horn of rats with peripheral nerve injury and promotion of recovery by adrenal medullary grafts. Neuroscience 1997;96:845-858.

25. Hill DR, Suman-Chauhan N, Woodruff Gn: Localization of [3H]-gabapentin to a novel site in rat brain: autoradiographic studies. Eur J Pharmacol 1993;244:303-309.

26. Kingery WS. A critical review of controlled clinical trials for

peripheral neuropathic pain and complex regional pain syndromes. Pain. 1997;73:123-139.

27. Kingery WS. A critical review of controlled clinical trials for peripheral neuropathic and pain complex regional pain syndromes. Pain 1997;73:123-139.

28. Gobel H, Stadler T. Treatment of post-herpes zoster pain with tramadol: results of an open pilot study versus clomipramine with or without levomepromazine. Drugs 1997;53:34-39.

29. Parry GJ, Kozu H. Piroxicam may reduce the rate of progression of experimental diabetic neuropathy. Neurology 1990;40:1446-1449.

30. Stanton-Hicks M, Raj P, Racz G. Use of regional anesthetics for diagnosis of reflex sympathetic dystrophy and sympathetically maintained pain: a critical evaluation. In: Jaing W, Stanton-Hicks M, eds Reflex Sympathetic Dystrophy: Areappraisal. Progress in Pain Management and Research. Seattle: IASP Press. 1996;217-237.

31. Raja Sn Reflex sympathetic dystrophy: pathophysiological basis for therapy. Pain Digest 1992;2:274-280.

32. Stanton-Hicks M, Raj P, Racz G. Use of regional anesthetic for diagnosis of reflex sympathetic dystrophy and sympathetically maintained pain: a critical evaluation. In: Janig W, Stanton-Hicks M, eds. Reflex sympathetic dystrophy: areappraisal. Progress in pain management and research. Seattle: IASP Press, 1996;217-237.

33. Kemler MA, Barendse GAM, van Kleef M, et al. Spinal cord stimulation in patients with chronic reflex sympathetic dystrophy. Nengl J Med. 2000;343:618-624.

33. Mitchell Sw, Morehouse GR, Keen WW. Gunshot wounds and other injuries of nerves. Philadephia, PA: JB Lippincott & Co, 1864.

34. Nathan PW. On the pathogenesis of causalgia in peripheral nerves. Brain 1947;70:145-170.

35. Bonical JJ. Causalgia and other reflex sympathetic dystrophies. In: Bonical JJ, editor. Advaces in pain research and therapy, New York: Raven Press, 1979.pp.141-166.

30. 발과 발목에서 발생하는 압박성 신경병증
Compressive Neuropathies of the Foot and Ankle

OSS 정형외과 **옹 상 석**

I. 외측 족저 신경의 첫 번째 분지의 포착 (Entrapment of first branch of lateral plantar nerve)

만성적이며 잘 치유되지 않는 뒤꿈치 통증의 원인 중 가장 흔히 간과되는 것이 외측 족저 신경의 첫 번째 분지의 포착이다[4,39].

외측 족저 신경의 첫 번째 분지는 족 무지 외전근(abductor hallucis muscle)과 족저 방형 근(quadratus plantae muscle) 사이에서 비스듬하게 주행하다가 방향을 바꿔 외측부로 평행하게 주행하게된다. 이 신경은 다시 3개의 분지로 나누어져 하나는 내측 종골 조면(medial calcaneal tuberosity)의 골막

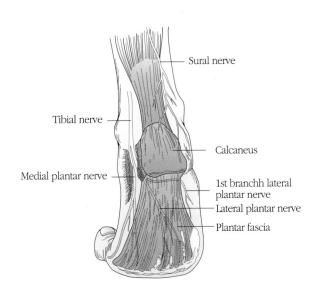

그림 30-1. 후 경골 신경(posterior tibial nerve)과 외측 족저 신경 (lateral plantar nerve)의 첫 번째 분지를 포함하는 분지 신경

(periosteum), 또 다른 하나는 단 족지 굴근(flexor digitorum brevis muscle)의 배측(dorsal)을 통과하면서 이 근육에 분포되고, 말단 분지는 소 족지 외전근(abductor digiti minimi muscle)에 분포한다. 내측 종골 조면의 골막에 분포하는 신경은 흔히 장 족저 인대(long plantar ligament)에 분포하는 분지를 내기도 하며, 가끔은 족저 방형 근(quadratus plantae muscle)에 분포하는 분지를 내기도 한다(그림 30-1)[5,6,17,38].

1. 빈도

만성적인 뒤꿈치 통증의 약 20%[5,7] 혹은 난치성 뒤꿈치 통증을 가진 운동선수의 약 10-15%가 외측 족저 신경 첫 번째 분지의 포착이 원인이다. 달리기 선수에게서 가장 흔하고, 그 외에도 축구, 댄스, 테니스, 야구, 농구 선수에게서도 보고 된 바 있다[5,6,18,33]. 특히 발가락에 많은 힘과 시간을 들이는 단거리 달리기 선수, 발레 댄서, 그리고 피겨 스케이트 선수 등과 같은 운동선수는 족 무지 외전근(abductor hallucis muscle)이 잘 발달되어 이 신경이 포착되기 쉽다. 운동 선수에 있어서 평균 연령은 38세였으며, 이중 88%가 남성이었다[5].

2. 원인

포착은 이 신경이 뒤꿈치의 내족저 부위를 지날 때 수직에서 수평 방향으로 주행이 바뀌면서 일어난다[38]. 압박을 받는 좀더 정확한 위치는 족 무지 외전근(abductor hallucis muscle)의 두꺼운 심부 근막과 족저 방형 근(quadratus plantae muscle)의 내측 변연 사이이다(그림 30-2).

첫 번째 분지가 포착을 일으키는 가능한 다른 장소로는 이

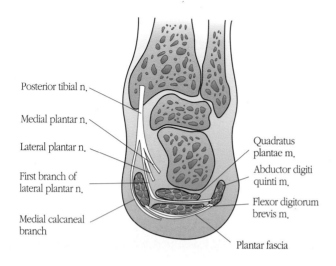

그림 30-2. 외측 족저 신경의 첫 번째 분지는 족 무지 외전근 (abduktor hallucis muscle)의 두꺼운 심부 근막과 족저 방형 근 (quadriceps plantae muscle)의 내측 변연 사이에서 압박을 받는다.

신경이 내측 종골 조면(medial calcaneal tuberosity)의 원위부를 막 통과하는 곳이다. 단 족지 굴근(flexor digitorum brevis muscle)의 기시부에 발생하는 염증과 골극(spur)은 부종을 일으키고 이로 인해 이 신경이 장 족저 인대(long plantar ligament)에 눌리게 된다. 또한 족저 근막의 기시부 근처의 염증도 이 신경의 만성적인 포착을 유발하며, 이 두가지 경우가 같이 오는 경우도 종종 있다.

과운동성의 회내족(pronated feet)을 가진 운동선수는 만성적으로 신경이 늘어난다[34]. 족 무지 외전근(abductor hallucis muscle) 혹은 족저 방형 근(quadratus plantae muscle)의 비후 또한 원인이 될 수 있다. 부 근(accessory muscle), 비정상적 점액낭(abnormal bursae), 그리고 종골 정맥총(calcaneal venous plexus)에서의 정맥염(phlebitis) 또한 관련이 된다.

3. 임상적 증상

외측 족저 신경 첫 번째 분지의 포착은 운동 선수에게 만성적인 뒤꿈치 통증을 유발한다. 이러한 통증은 달리기시에 심해지며 앞발바닥으로 달릴 때에도 발생하기도 한다. 통증은 뒤꿈치의 내측 하방에서 근위부쪽인 발목 안쪽으로 방사된다. 때로는 발바닥을 가로질러 발의 바깥쪽으로도 방사된다. 종종 정맥총의 울혈로 인해 아침에 통증이 심해지기도 한다. 그러나 신경의 포착이 좀더 근위부인 경우를 제외하고는 발과 뒤꿈치에 무감각을 일으키는 경우는 흔치 않다. 증상은 평균 22개월간 지속된다[5].

4. 진단

진단은 임상에 기초하여 내리게 되며 이학적 검사는 매우 중요하다. 검사자는 뒤꿈치 통증을 일으킬 수 있는 다른 흔한 원인을 제외하여야 하는데, 족저 근막염과는 달리 이른 아침에 통증은 흔치 않고, 저녁때나 혹은 장기간의 보행 후에 통증이 심해진다. 질병 특유의 징후는 첫 번째 분지 신경이 눌리는 족 무지 외전근(abductor hallucis muscle)의 두꺼운 심부 근막과 족저 방형 근(quadratus plantae muscle)의 내측 변연 사이에서 가장 심한 압통(maximal tenderness)이 있는 것이다(그림 30-3). 이 지점을 압박하면 증상이 재발되고 통증이 근위부와 원위부로 방사된다. 만일 발의 족저 내측에서 신경 경로 상에서 최대 압통이 없다면 진단은 재고되어야 한다. 또한 후 경골 신경(posterior tibial nerve)과 분지 신경의 주행 경로를 따라 촉진을 함으로써 포착이 좀더 근위부 혹은 원위부에서 일어나는 경우는 배제되어야 한다. 때로는 족저 근막에 염증이 같이 있는 경우도 있는데 이때에는 족저 근막의 근위부와 내측 종골 조면(medial calcaneal tuberosity)에서도 압통이 있게 된다. 근전도

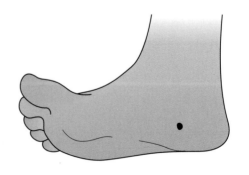

그림 30-3. 가장 심한 압통 부위

검사와 신경 전도 검사를 이용한 진단은 기술적으로 어려우며 정확도가 떨어진다[42].

5. 치료

치료는 족저 근막염의 경우와 유사하다. 휴식, 활동의 수정, 비스테로이드성 소염제, 교대욕(contrast bath), 얼음찜질, 마사지, 신장 운동, 그리고 스테로이드 주사 등이다. 충격 흡수를 위해 뒤꿈치 삽입물 또한 염증을 감소시키는데 도움을 준다. 심하게 회내(pronation)된 발을 가진 운동 선수의 경우, 특히 장거리 달리기 선수에게는 단단하지 않은 내측 종아치 지지(nonrigid medial longitudinal arch support)가 신경의 압박을 감소시키는데 도움을 준다.

대부분의 환자는 보존적 치료법으로 완쾌된다. 족저 근막염의 경우와 마찬가지로 6개월 이상 심한 통증으로 일상 생활에도 장애를 줄 경우에는 수술을 고려해 봐야 한다. 수술로써 감압했을 경우 85% 의 환자에서 좋거나(good) 혹은 훌륭한 결과(excellent result)를 기대해도 좋다. 일상 생활을 다시 시작할 수 있는 시간은 평균적으로 3개월이다.

6. 수술적 치료

① 환자를 수술대 위에 앙와위로 누인다. 대부분 발목 블록 마취(ankle block)를 이용하여 마취하며, 수술자에 따라 발목 압박대를 사용하거나 사용하지 않을 수 있다.

② 뒤꿈치의 안쪽, 족 무지 외전근(abductor hallucis muscle)의 근위부 위에 4cm의 비스듬한 절개를 시행한다. 이러한 절개는 외측 족저 신경의 첫 번째 분지의 경로를 따라 시행되는 것이다. 따라서 절개는 비스듬하며, 또한 내측 종골 신경(medial calcaneal nerve)의 손상을 방지하기 위해 이 신경의 원위부에서 시행되어야 한다.

③ 족 무지 외전근(abductor hallucis muscle)의 표재 근막(superficial fascia)을 15번 블레이드로 끊은 후 근육을 작은 견인기를 사용하여 위로 당긴다.

④ 신경이 족저 방형근(quadratus plantae muscle)의 내측 변연과 팽팽한 심부 근막 사이에서 압박 받는 곳에서 심부 근막을 제거한다. 이때 시야를 좋게 하기 위해 족저 근막의 내측을

부분적으로 제거할 수도 있다.

⑤ 뒤꿈치 골극이 동반되어 증상을 유발할 경우, 위로 주행하는 신경을 보호하면서 조심스럽게 제거하기도 한다.

⑥ 창상을 봉합하고(interrupted suture) 부피가 큰 드레싱(bulky dressing)을 시행한다.

II. 내측 족저 신경 포착 (Medial plantar nerve entrapment)

내측 족저 신경이 굴근 지대(flexor retinaculum) 아래를 거쳐 족 무지 외전근(abductor halucis muscle)의 배측을 통과한다. 다시 이 신경은 장 족지 굴건(flexor digitorum longus tendon)의 족저면을 따라 주행하다 주 결절(knot of Henry)을 통과한다. 계속해서 발의 안쪽을 따라 주행하다가 장 무지 굴건(flexor hallucis longus tendon)의 내측과 외측을 따라 분지를 낸다.

1. 빈도

내측 족저 신경의 포착은 주로 달리기를 많이 하는 사람에서 주로 발생한다. 남녀 성비는 비슷하며 호발 연령도 특이하지 않다[27,29,35].

2. 원인

내측 족저 신경 포착은 주 결절(knot of Henry)에서 일어난다. 대부분 과도한 뒤꿈치 외반(heel valgus) 혹은 발의 과회내(hyperpronation)가 있는 사람이 많이 달리면서 발생한다. 간혹 내측 종아치 지지(medial arch suppoer)가 이 신경을 누르면서 증상이 생기기도 한다.

3. 임상적 증상

환자는 종아치의 내측에 발생하는 동통 및 욱신거리는 통증을 호소한다. 이러한 통증은 종종 원위부 쪽으로는 안쪽 3개의 발가락 쪽으로, 근위부 쪽으로는 발목 쪽으로 방사되기도 한다. 통증은 달리기나 층계를 오르내리기면서 악화된다. 간혹

발 보조기를 새로 교체하면서 발생하기도 한다.

4. 진단

특징적으로 환자들은 안쪽 아치 부위에 압통을 호소한다. 이러한 통증은 검사자가 뒤꿈치를 외번하거나 환자를 앞발바닥으로 서게 했을 때 유발된다. 틴넬 징후(Tinel's sign)가 있기도 하다. 달리기한 후에 종종 감각의 저하가 발견되기도 한다.

5. 수술적 치료

① 환자를 수술대 위에 앙와위로 누인다. 대부분 발목 블록 마취(ankle block)를 이용하여 마취한다.

② 거주상 관절(talonavicular joint)의 바로 하방에 7.5cm(3 inch)의 종 절개(longitudinal incision)를 시행한다.

③ 거주상 관절(talonavicular joint) 혹은 주 결절(knot of Henry)의 바로 하방에서 종주상 인대(naviculocalcaneal ligament)를 신경에서 유리시킨다. 포착 부위에는 신경 외에도 장 족지 굴건(flexor digitorum longus tendon)이 장 무지 굴건(flexor hallucis longus tendon)과 교차되므로 이러한 구조물들도 확인한다.

④ 신경 주위의 지방조직을 걷어내지 않도록 주의해야 한다.

⑤ 창상을 세척하고 봉합(interrupted sutures)한 후 압박 드레싱을 시행한다.

III. 표재 비골 신경의 포착(Superficial peroneal nerve entrapment)

표재 비골 신경은 총 비골 신경의 분지이다. 전측방 구획(anterolateral compartment)을 따라 주행하다가 단 비골 근(peroneus brevis muscle)와 장 비골 근(peroneus longus muscle)에 분포한다. 전방 근간 격막(anterior intermuscular septum)과 측방 구획(lateral compartment)의 근막 사이를 내려오다가 외측 족근과(lateral malleolus)의 끝에서 약 10.5 내지 12.5cm 상방에서 하퇴 근막(crural fascia)을 뚫고 나온다. 그러나 그 분포는 변화가 다양하다. 그 다음 신경은 피하로 주행하다가 외측 족근과 상방 약 6.4cm에서 두 개의 분지 즉, 중간 배측 피부 신경(intermediate dorsal cutaneous nerve)과 내측 배측 피부 신경(medial dorsal cutaneous nerve)으로 나뉘게 된다. 중간 배측 피부 신경(intermediate dorsal cutaneous nerve)은 보통 발목의 전외측과 제 4 족지와 제 3, 5 족지 일부의 배측 감각을 담당한다. 내측 배측 피부 신경(medial dorsal cutaneous nerve)은 발목의 전내측부 감각 및 제 1족지의 내측과 제 2, 3 족지의 감각을 담당한다[40].

1. 빈도

표재 비골 신경은 발에서 가장 흔히 손상 받는 신경이다. 환자의 평균 연령은 36세이다(15내지 79세)이며 운동 선수에서의 평균 연령은 28세이다. 성비는 비슷하다. 운동 선수는 주로 달리기 선수이며 축구 선수에서도 종종 발견된다. 그 외에도 하키, 테니스, 그리고 라켓볼 선수에게서 발견되기도 한다[16, 25,28,26,43,45].

2. 원인

임상적, 해부학적 연구에 의하면, 표재 비골 신경의 포착이 일어나는 곳은 하퇴 근막에서 신경이 나오는 지점이다. 대부분의 경우 근막의 가장자리가 이렇게 나오는 신경을 누르게 된다. 근막 결손과 이와 동반된 근육의 탈출(herniation)도 포착을 악화시킨다. 스티프(Styf)[44]는 전방 근간 격막(anterior intermuscular septum)과 측방 구획(lateral compartment)의 근막 사이에 있는 짧은 섬유성 터널을 언급한 바 있다. 그의 연구에서 환자의 반수에 있어서 탄력이 적은 섬유성 터널이 국소적 구획 증후군을 유발한다고 언급하였다. 약 25%의 환자들은 발목 염좌에 의해 신경이 신장되어 발생하며(그림 30-4)[13]. 표재 비골 신경의 직접적 타박과 같은 외상에 의해서 발생하기도 한다. 또한 전방 구획의 근막 절단술(fasciotomy) 후에 발생되었다는 보고도 있다. 그 외에도 지방종(lipoma), 신경초종(schwannoma), 수면 중 다리가 교차될 때, 그리고 비골 중간부위의 골절 후에 골에 의한 포착에 의해서 발생하기도 한다.

활동에 의해 발생한 압박과 구획 증후군(compartment syndrome)은 반드시 구분되어야 한다. 이를 위해 운동 시에 구획내 압력을 측정하기도 한다. 스티프(Styf)[44]는 운동에 의해 유

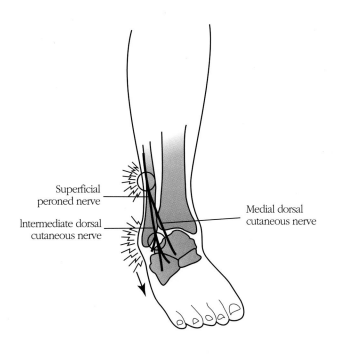

Superficial
peroned nerve

lntermediate dorsal
cutaneous nerve

Medial dorsal
cutaneous nerve

그림 30-4. 표재 비골 신경의 포착

발된 표재 비골 신경 통증의 10% 만이 외측 구획 증후군이라고 보고하였다. 이것은 감압을 고려할 때 염두에 두어야 한다.

3. 임상적 증상

환자는 표재 비골 신경의 분포를 따라 하퇴 원위부 외측과 발과 발목 배부의 수년간의 통증 병력을 갖고 있는 경우가 많다. 가장 흔한 증상은 운동 중 혹은 후에 발생하는 발 외측부의 통증이다[44]. 휴식 시에는 증상이 없는 것이 일반적이다. 약 1/3 은 이 신경 분포 부위의 무감각 및 이상감각을 호소한다. 간혹 하퇴의 중간 및 원위부 1/3의 접합부에서만 통증을 호소하는 경우도 있다. 통증은 특징적으로 걷기, 달리기 등과 같은 활동 후에 심해지는데 이것은 이러한 운동에 의해 근육에 부종과 비후가 발생하기 때문인 것으로 추정된다. 야간 통증은 드물다. 보존적 방법으로 통증을 감소시키기는 어렵다[3,20,24,28,26,43,44].

4. 진단

하요추부의 이학적 검사를 통해 좌골 신경통 여부를 확인해야 한다. 또한 근위부 포착을 배제하기 위해 비골 경부 부위의 총 비골 신경도 검사해야 한다. 외측 족근과(lateral malleolus) 끝에서 약 10.5 내지 12.5cm 상방부 신경이 하퇴 근막에서 나오는 곳에서 보통 점 압통(point tenderness)이 발생된다. 이상 감각 및 무감각도 흔히 관찰된다. 문헌상에서는 약 60%의 환자가 촉진 가능한 근막 결손을 가지고 있다고 보고하였다. 따라서 신경이 근막으로부터 나오는 부위(압통 부위)를 검사하여 근육의 탈출(herniation)[10,43] 여부를 알아봐야 한다. 맥케이 등 (Mackey et al)[26]은 흔한 표재성 비골 신경의 포착 부위를 기술하였다.

① 신경이 바깥으로 나오는 외측 구획 근막 부위
②내번 될 때 잘 손상 받는 발목 부위
③ 단 무지 및 단 족지 신근이 있는 발목 아래 부위.

스티프(Styf)[44]는 진단을 위해 3가지 유발 테스트를 고안하였다.

① 하퇴 근막으로부터 신경이 나오는 부위의 전방 근간 격막 (anterior intermuscular septum)에 압박을 가한다. 이때 발은 저항을 가한 상태에서 능동적으로 배굴 및 외번한다.

② 신경에 대한 국소적 압박 없이 발을 수동적으로 족저 굴곡 및 내번한다.

③ 수동적인 신장을 유지한 상태에서 신경의 주행 경로를 따라 타진(Tinnel's sign)을 시행한다.

5. 보존적 치료

보존적 치료는 신경에 대한 압박을 제거하는 것이다. 이것은 신경의 압박을 유발할 수 있는 조이는 구두 끈 이나 발목 위까지 올라오는 부츠를 피하는 것이 포함된다[3]. 만일 반복적인 발목 염좌로 인해 지속적으로 신경이 자극을 받는다면 근육 강화 운동이나 고유 감각 훈련과 같은 물리 치료가 도움이 되기도 한다. 또한 발목의 내번을 방지하기 위한 지지적 발목 보조기, 혹은 뒤꿈치 및 발바닥 외측 쐐기(lateral heel and sole wedge) 도 도움이 되기도 한다. 그러나 이러한 지지적 발목 보조기는 또 다른 신경 압박의 원인이 되기 때문에 주의가 필요하다.

진단 및 치료를 위해 압통 부위에 리도카인, 마케인 그리고 스테로이드의 국소 주사를 시행 할 수도 있다. 그 외에도 심부 마사지와 함께 한랭 요법 등을 시행해서 통증을 감소시키기도 한다. 그러나 이러한 비수술적 치료로는 통증을 완전히 해소하기 어렵다.

6. 수술적 치료

① 환자를 수술대 위에 앙와위로 누인다.

② 수술 전에 미리 표시해둔 포착 부위의 근위부에 국소 마취를 시행한다. 위치는 비골 끝부분에서 약 15cm 근위부이다.

③ 최대 증상이 일어나는 위치에서 약 7.5cm (3inch) 절개를 시행한다.

④ 일단 표재 비골 신경이 노출되면 신경이 나오는 부위의 근막을 위, 아래로 절개하여 압박을 해소해준다. 그 외에도 근육의 탈출(herniation), 터널 등 압박의 원인에 따라 다양하게 대처를 해야한다.

⑤ 창상을 세척하고 봉합(interrupted sutures)한 후 압박 드레싱을 시행한다.

7. 수술 후 처치

수술 후에도 상처를 계속 압박하고 보행을 허용할 수 있다. 봉합은 2 주 후에 제거하며, 일반적으로 달리기는 수술 3 주 후에 시작한다.

IV. 전방 족근관 증후군
(Anterior tarsal tunnel syndrome)

심부 비골 신경(deep peroneal nerve)은 하퇴부의 상방 1/3에서 장 족지 신근(extensor digitorum longus)과 전방 경골 근(tibialis anterior muscles)사이에 존재한다. 이 신경은 발목 관절의 약 3-5cm 위에서, 즉 상방 신근 지대(superior extensor retinaculum)의 하방 가장자리 바로 아래에서 장 족지 신근(extensor digitorum longus)과 장 무지 신근(extensor hallucis longus) 사이로 주행하여 내려온다. 신경은 다시 Y 형태의 밴드인 하방 신근 지대(inferior extensor retinaculum)가 둘로 분리가 되는 곳의 아래로 통과한다.

이때 이 터널의 바닥은 거골 원위부와 주상골 근위부로 구성

되며 섬유성 피막으로 덮여져 있다. 발목 관절의 약 1cm 위, 즉 하방 신근 지대(inferior extensor retinaculum)의 사면 내측 상방 밴드 바로 밑에서 신경은 단 족지 신근(extensor digitorum brevis)에 분포하는 외측 분지를 낸다. 심부 비골 신경의 내측 분지는 하방 신근 지대(inferior extensor retinaculum)의 사면 내측 하방 밴드의 바로 밑에서 족배 동맥(dorsalis pedis artery)과 함께 주행 한다. 이 신경은 단 무지 신근(extensor hallucis brevis)과 장 무지 신근(extensor hallucis longus)의 건 사이에서 주행하면서 원위부 쪽으로 계속 진행한다. 이 신경은 제 1 족지와 제 2 족지 사이인 첫번째 물갈퀴 공간(first web space)의 감각을 담당한다.

코펠(Kopell)과 톰슨(Thompson)[21]은 내측 족근과(medial malleolus)의 후방에서 족근관내에서 신경의 압박을 처음 보고 했다. 그들은 또 이와 유사한 형태의 신경 압박으로 하방 신근 지대(inferior extensor retinaculum)에 의해 형성되는 섬유-골성 터널 내에서 발생하는 심부 비골 신경의 압박에 대하여도 언급하였다. 마리나시(Marinacci)[27]는 1968년 이러한 신경의 압박을 전방 족근관 증후군이라 명명하였다.

1. 빈도

전방 족근관 증후군은 달리기를 많이 하는 사람에게 가장 흔하지만 다른 종목의 운동 선수나 댄서에서 발생하기도 한다.

2. 원인

전방 족근관 증후군은 심부 비골 신경이 하 신근 지대(inferior extensor retinaculum) 밑에서 눌리는 증상으로 터널 내 신경의 압박의 원인은 다양하다. 가장 흔한 원인은 너무 조이는 신발에 의해 신경이 눌리는 경우이다[2,8,22,27,46].

보그스(Borges) 등[8]에 의하면 이 신경에 가장 많은 긴장을 가하는 위치는 발목 관절의 족저 굴곡, 발가락은 족배 굴곡되는 위치이다. 이것은 곧 하이힐을 신을 때와 같은 자세로 신발이 원인으로 작용할 수 있다는 것을 알 수 있다.

다른 원인으로는 족관절(tibiotalar articulation) 신전 부위의 골극이나, 거주상 관절염(talonavicular arthritis)에 의한 거골 두의 신전 부위에 골극이 있는 경우이다[14]. 아치가 높은 발을 가진

경우 발등이 높아 이러한 부위에서 신경이 눌리게 되며, 이때 관절염에 의한 골극이 있을 경우 더욱 많이 발생하게 된다[46]. 또한 반복적인 발목 염좌나 이 부위의 직접적인 외상으로 인해 반흔 조직이 이 부위에서 발생하게되고 이것이 다시 신경을 누르기도 한다[22,46]. 마지막으로 결절종(ganglion) 혹은 건염 등이 터널 안에서 공간을 차지하고 신경을 누르는 경우도 있다.

3. 임상적 증상

환자는 발등의 통증을 호소하고 이러한 통증이 종종 첫 번째 물갈퀴 공간으로 통증이 방사되기도 한다. 또한 간혹 중족부의 외측에서 동통이 발생하기도 하는데 이것은 외측 분지가 운동 신경일 뿐만 아니라 족근 관절(tarsal joints)과 족근 중족 관절(tarsometatarsal joints)의 감각도 담당하기 때문이다. 통증의 양상은 경련성의, 둔한, 동통성의 혹은 날카로운 통증이다.

진행된 경우 첫 번째 물갈퀴 공간(1st web space)의 무감각이 발생하기도 한다. 이러한 증상은 운동 중에 일어나고 신발을 벗고 휴식을 취하면 호전이 된다. 그러나 그보다는 발이 족저 굴곡되는 수면중에 악화되는 경우가 더욱 흔하다.

심한 경우 단 족지 신근(extensor digitorum brevis muscle)의 위축이 있는 경우도 있지만 운동 장애를 보이는 경우는 드물다. 좀더 객관적인 징후는 첫 번째 물갈퀴 공간에서 두 점 식별(two-point discrimination)이 감소되는 것과 하방 신근 지대(inferior extensor retinaculum) 위치에서 타진 징후(percussion or Tinnel sign)가 있다는 것이다.

4. 진단

먼저 척추의 이학적 검사를 통해 척추 이상 여부를 확인해야 한다. 또한 비골 경부 주위에서 총 비골 신경을 촉진하여 포착을 알아보는 것은 매우 중요하다. 이것은 비골근 약화와 이로 인한 발목의 반복적인 염좌의 원인이 되기 때문이다. 다시 촉진은 하지의 전방 구획(anterior compartment)과 발등을 따라 심부 비골 신경의 전 주행로에서 시행되어야 한다.

그러나 운동 후에 발생하는 전방 구획(anterior compartment)에서의 압통은 구획 증후군(compartment syndrome)을 의미할 수 있다. 만일 신경이 두 개로 분리되기

전에 압박이 일어난다면 단 족지 신근(extensor digitorum brevis muscle)의 위축 혹은 약화가 발생할 수 있다.

5. 보존적 치료

초기 치료는 심부 비골 신경에 가해지는 긴장을 줄이는 것이다. 이러한 긴장은 발목의 족저 굴곡, 발가락의 족배 굴곡 시에 증가되기 때문에 환자는 뒷굽이 낮고 조이지 않는 신발을 신어야 한다. 또한 구두 끈 매는 방식을 변화시키거나 크고 부드러운 가죽신을 신는 것도 도움이 된다. 대부분의 경우에서 약 4-6개월간의 이러한 치료로 증상의 호전을 기대할 수 있다[22,27,46].

야간 부목은 수면 시에 발목을 약간 족배 굴곡되게 하므로 신경에 가해지는 긴장을 줄여줄 수 있다. 만성 발목 염좌에 의해 발생한 경우에는 비골근(peroneal musculature)의 강화와 발목의 고유 감각(proprioception)을 향상시킬 수 있는 물리치료를 시행할 수 있다.

비스테로이드성 소염제와 물리치료는 신경 주위의 부종과 반흔을 감소시키는 효과를 기대할 수 있다. 삼환계 항우울제(tricyclic antidepressants)도 통증 완화에 도움이 된다. 스테로이드의 국소 주사도 효과적이다. 이때 리도카인이나 마케인을 추가하는 것은 진단에 도움을 준다.

6. 수술적 치료

① 환자를 수술대 위에 앙와위로 누인다.

② 포착 부위의 근위부에 국소 마취를 시행한다.

③ 포착 부위에 5 내지 7.5cm (2~3inch) 절개를 시행한다.

④ 압박을 일으키는 지대 인대(retinacular ligament)를 유리한다. 이때 전체 지대 인대(retinacular ligament)를 유리하는 것이 아니라 압박을 일으키는 부위인 절반 가량(1~2cm)의 지대만을 제거해야 한다.

⑤ 신경과 주위의 지방 조직을 재낀 후 만일 골극이나 압박을 유발할 만한 다른 소견이 보인다면 제거한다.

⑥ 창상을 세척하고 봉합(interrupted sutures)한 후 압박 드레싱을 시행한다.

V. 심부 비골 신경의 감각 분지의 포착 (Sensory nerve entrapment of the deep peroneal nerve)

1. 원인

심부 비골 신경 중 단 족지 신근(extensor digitorum brevis muscle)으로 가는 운동 신경(외측 분지)의 병변없이 하방 신근 지대(inferior extensor retinaculum)의 원위부에서 감각 분지 (내측 분지)만 압박받는 경우가 있다[11,19,24,31,37]. 이때는 전방 족근 관 증후군(anterior tarsal tunnel syndrome)과는 다른 양상을 보인다.

이 신경은 제 1, 제 2 중족골이 내측과 중간 설상골(medial and middle cuneiform)과 연결되는 부위에서 단 무지 신근 건 (extensor hallucis brevis tendon)에 의해 압박된다[11,31]. 혹은 같은 위치에서 비후된 단 무지 신근(extensor hallucis brevis muscle)에 의해 압박되기도 한다[19,37]. 두 경우 모두 이러한 신경의 압박이 제 1, 제 2 중족골 기저부 사이, 즉 하방 신근 지대 (inferior extensor retinaculum)의 원위 3cm에서 일어난다. 여기서 신경은 두 갈래로 나뉘어 엄지 발가락의 바깥쪽, 둘째 발가락의 안쪽으로 분포된다. 일반적으로 이 부위에 외상으로 인한 신경 주위의 비후와 반흔 조직이 있고, 또한 조이는 신발이나 샌달 끈 때문에 발생하기도 한다.

2. 임상적 증상

증상은 전방 족근관 증후군과는 다르다. 통증은 활동에 의해 악화되고, 휴식에 의해 완화된다[11]. 이것은 야간에 발목이 족저 굴곡되어 통증이 악화되는 전방 족근관 증후군과 대조적이다. 증상은 첫 번째 물갈퀴 공간과 제 1, 2 족지에 국한된 작열통과 이상 감각이며 진행된 경우 무감각이 발생하기도 한다.

3. 진단

두 점 식별(two-point discrimination), 타진 테스트, 그리고 압박 테스트가 진단에 도움이 된다. 리도카인 혹은 마케인의 국소 주사도 진단적인 목적으로 사용될 수 있다. 이때 스테로이드를 추가하면 치료 효과를 기대할 수 있다.

4. 수술적 치료

수술은 비수술적 치료로 효과가 없는 경우 도움을 줄 수 있다[11,19,31,37].

① 단 무지 신근(extensor hallucis brevis)을 따라 제 1 중족골 위에서 시작하여 중족 설상 관절(metatarsocuneiform joint)을 지나 근위부 쪽으로 중간 설상골(middle cuneiform)까지 이어지는 S 형태의 절개를 시행한다.

② 표재 비골 신경(superficial peroneal nerve)의 내측 피부 분지(subcutaneous medial cutaneous branches)가 손상되지 않도록 주의하고, 근막 아래에 위치한 단 무지 신근 건 (extensor hallucis brevis tendon)을 찾는다. 이 근막은 좀더 근위부에 위치한 두껍고 경계가 분명한 하방 신근 지대(inferior extensor retinaculum)의 연장이다.

③ 단 무지 신근 건(extensor hallucis brevis tendon)을 모두 제거하고, 그 아래에 위치한 심부 비골 신경의 감각 분지를 감압시킨다.

④ 창상을 세척하고 봉합(interrupted sutures)한 후 압박 드레싱을 시행한다.

VI. 비복 신경 포착(Sural nerve entrapment)

비복 신경의 포착은 다른 신경에 비해 빈도가 적다. 내측 비복 신경(medial sural nerve)은 비복근(gastrocnemius muscle)의 두부(heads) 사이에서 나와 주행하다가 하퇴의 중간에서 그것의 심부 건막(deep aponeurosis)을 뚫고 나온다. 다시 단 복재 정맥(short saphenous vein)과 함께 아킬레스 건(Achilles tendon)과 인접하여 주행한다. 외측 족근과(lateral malleolus)의 끝 상방 7cm 부위에서 비골(fibula)의 26mm 후방에 위치하게 된다. 이 위치에서 여러 개의 분지(평균 3개)가 나오게 되고 계속 아래로 주행하여 뒤꿈치에 분포하게 된다. 후족부에서 비복 신경은 외측 족근과(lateral malleolus)의 약 14mm 후방, 그리고 14mm 하방에 위치하게 된다[23]. 발에서 신경은 외측과 내측 배측 피부 신경(lateral and medial dorsal cutaneous nerve) 두 개로 나뉘어지고 후자는 표재 비골 신경(superficial peroneal nerve)의 중간 배측 피부 신경(intermediate dorsal cutaneous branch)과 문합하여 제 4 족지에 분포하게 된다. 이러한 분지(bifurcation)는 표본의 약 76%에서 외측 족근과(lateral malleolus)의 약 12mm 하방 위치이다. 외측 분지(lateral branch)는 제 5 중족골의 기저부를 통과하여 제 5 족지에 분포하게 된다[23].

1. 원인

비복 신경은 하지와 발에서 주행하면서 연부 조직으로 충분히 보호되지 않기 때문에 직접적인 외상이나 신장에 의해 잘 손상 받는다. 또한 비복 신경의 포착은 근막에 의한 압박보다는 대부분 외상과 이에 따른 신경 주위의 섬유성 반흔 조직 생성과 연관된다. 반복적인 발목 염좌[9,32,36]혹은 신경에 직접적인 외상[12]은 반흔 조직을 형성하고, 이것이 신경과 결합되어 전족부에 작열통을 유발하게 된다. 간혹, 제 5 중족골 기저부의 골절[15,32]과 같은 발의 골절이나 비 부골(os peroneum)[30]이 반흔 조직을 형성하여 증상을 유발하기도 한다. 족근 동(sinus tarsi)[36], 종입방 관절(calcaneocuboid joint)[32], 비골 건 초(peroneal tendon sheath)[32]에 발생한 결절종 낭포(ganglion cyst)도 연관이 된다. 종골 분쇄 골절 후에 비복 신경이 포착되기도 한다[41]. 수술 후에 신경이 직접적인 외상을 받아 의인성으로 발생하는 경우도 많다[13].

2. 임상적 증상

환자에게 발목 관절의 뒤틀림 손상이나 반복적인 염좌의 과거력이 흔히 있을 수 있다. 비복 신경은 감각 신경이기 때문에 찌르는 통증과 이상 감각과 같은 증상이 전형적인 증상이다. 따라서 이 신경의 손상은 포착 된 부위의 작열통과 제 4, 제 5 족지로의 방사통으로 나타나게 된다. 종종 통증은 하퇴 후방으로 방사되거나 무감각해지기도 하며, 증상은 운동 시에만 나타나는 경우도 있다.

3. 진단

먼저 비복 신경의 손상을 유발할 만한 수술이나 발목 염좌 혹은 타박상 등의 과거력 유무를 확인해야 한다. 이학적 검사에서 비복 신경의 전 주행 경로(슬와에서 발가락까지)를 따라 검사를 해야 한다. 가벼운 접촉에 대한 감각이 저하되는 경우가 흔하지만 간혹 표재 비골 신경이나 경골 신경과 중복 분포되는 곳에서는 감각이 정상적일 수도 있다. 타진 징후(percussion sign)는 가장 민감한 부위를 찾는데 도움을 준다. 또한 신경을 근위부에서 차단하여 통증과 증상의 완화를 관찰하기도 한다.

만일 통증이 운동 시에만 나타난다면 검사 전에 환자로 하여금 달리게 하거나 발을 심하게 움직여 본다. 타진 징후[percussion (Tinnel) sign]와 포착부위에서의 국소적인 압통이 운동 후에 특히 잘 나타나는 것은 특징적이다.

4. 보존적 치료

증상이 경할 경우에는 여러 가지 약제(amitriptyline, clonazepam, vitamin B6 등)를 투여하거나 기다려 볼 수 있다. 때로 반복적인 신경의 신장이나 압박으로 인한 경우 보행 부츠와 같은 보조기를 사용하여 발과 발목을 고정하는 것이 증상 완화에 도움을 줄 수도 있다. 또한 비스테로이드성 소염제와 냉찜질로 일시적인 효과를 볼 수 있다. 반흔 조직을 부드럽게 하기 위한 마사지도 시도해 볼 수 있다. 리도카인, 마케인, 스테로이드의 국소 주사는 진단뿐만 아니라 종종 치료 목적으로 이용되기도 한다.

5. 수술적 치료

① 환자를 수술대 위에 앙와위로 누이고 이환된 쪽 엉덩이 아래에 롤을 받힌다. 이것은 하지를 내회전 시켜 비복 신경의 노출을 더욱 용이하게 한다.

② 신경이 포착된 위치보다 근위부에서 국소 마취를 시행한다. 압박대를 사용한다.

③ 신경이 포착된 위치를 수술 전에 미리 확인하여 피부 절개를 최소한으로 줄인다.

④ 비복 신경을 확인한 후 적절하게 신경 박리술을 시행한다.

⑤ 필요한 경우에는 신경의 위치를 변경시킨다.

⑥ 만일 외골증(bony exostoses)이 신경을 자극한다면 이들

을 조심스럽게 제거한다. 이때 과도한 박리나 신경 주위의 지방의 과도한 제거는 피한다.

⑦ 경우에 따라 근위부에서 신경을 절단한 후에 절단단을 근육 안에 묻어 놓는다.

⑧ 창상을 세척하고 봉합(interrupted sutures)한 후 압박 드레싱을 시행한다.

■ 참고문헌

1. Acus RW, Flanagan JP: Perineural fibrosis of superficial peroneal nerve complicating ankle sprain: a case report. Foot Ankle 11:233, 1991.

2. Andresen B, Wertsch J, Stewart WA: Anterior tarsal tunnel syndrome. Arch Phys Med Rehabil 73:1112, 1992.

3. Banerjee T, Koons DD: Superficial peroneal nerve entrapment: report of two cases. J Neurosurg 55:991, 1981.

4. Baxter DE: Nerve entrapment As Cause of Heel Pain. Presented at the Orthopaedic Foot Club, New Orleans, May 1982.

5. Baxter DE, Pfeffer GB: Treatment of chronic heel pain by surgical release of the first branch of the lateral plantar nerve, Clin Orthop 279:229-236, 1992.

6. Baxter DE, Thigpen CM: Heel pain: operative results, Foot Ankle 5:16, 1984.

7. Beskin L: Nerve entrapment syndromes of the foot and ankle. J Am Acad Orthop Surg 5:261-269, 1997.

8. Borges L, Hallett M, Selkoe D, Welch K: The anterior tarsal tunnel syndrome: report of two cases. J Neurosurg 54:89, 1981.

9. Colbert DS, Mackey D, Cunningham F: Sural nerve entrapment - case report. Irish Med Assoc 68:544, 1975.

10. Daghino W. Pasquali C, Faletti C: Superficial peroneal nerve entrapment in a young athlete: the diagnostic contribution of magnetic resonance imaging. J Foot Ankle Surg 36:170, 1997.

11. Dellon AL: Deep peroneal nerve entrapment on the dorsum of the foot. Foot Ankle 11:73, 1990.

12. Docks GW, Salter MS: Sural nerve entrapment: an unusual case report. J Foot Ankle Surg 18:42, 1979.

13. Eastwood DM, lrgau I, Atkins RM: The distal course of the sural nerve and its significance for incisions around the lateral hindfoot. Foot Ankle Int 13:199, 1992.

14. Ediich HS, Fariss BL, Phillips VA, et al: Talotibial exostoses with entrapment of the deep peroneal nerve. J Emerg Med 5:109, 1987.

15. Gould NG, Trevino S: Sural nerve entrapment avulsion fracture of the base of the fifth metatarsal bone. Foot Ankle 2:153, 1981.

16. Gould N, Trevino S: Sural nerve entrapment by avulsion fracture at the base of the fifth metatarsal bone. Foot Ankle 2:153, 1981.

17. Heirnkes B, Posel P, Stotz S, et al: The proximal and distal tarsal tunnel syndromes: an anatomic study, Int Orthop 11:193, 1987.

18. Husson JL, Blouet JM, Masse A: Le syndrome du defile de l'aponevrose superficielle posterieure surale, Int Orthop 11:245, 1987.

19. Kanbe K, Kubota H, Shirakura K, et al: Entrapment neuropathy of the deep peroneal nerve associated with the extensor hallucis brevis. J Foot Ankle Surg 34:560, 1995;

20. Kemohan J, Levack B, Wilson JN: Entrapment of the superficial peroneal nerve: three case reports, J Bone Joint Surg 67B:60, 1985.

21. Kopell HP, Thompson WAL: Peripheral Entrapment Neuropathies. Baltimore, Williams & Wilkins, 1963.

22. Krause KH, Witt, T, Ross A: The anterior tunnel syndrome. J Neurol 217:67, 1977.

23. Lawrence SJ, Botte MJ: The sural nerve in the foot and ankle: an anatomic study with clinical and surgical implications. Foot Ankle 15:490, 1994.

24. Lee HJ, Bach JR, DeLisa JA: Deep peroneal sensory nerve: standardization in nerve conduction study. Am J Phys Med Rehabil 69:202, 1990.

25. Lowdon IM: Superficial peroneal nerve entrapment: a case

report, J Bone Joint Surg 67B:58, 1985.

26. Mackey D, Colbert DS, Chater EH: Musculo-cutaneous nerve entrapment, Irish Journal of Medical Science 146:100-102, 1977.

27. Marinacci AA: Neurological syndromes of the tarsal tunnels. Bull Los Angeles Neurol Soc 33:90, 1968.

28. McAuliffe TB, Fiddian NJ, Browett JP: Entrapment neuropathy of the superficial peroneal nerve: a bilateral case, J Bone Joint Surg 67B:62, 1985.

29. Murphy PC, Baxter DE: Nerve entrapment of the foot and ankle in runners, Clin Sports Med 4:753, 1985.

30. Periman MD: 0s peroneum fracture with sural nerve entrapment neuritis. J Foot Surg 29:119, 1990.

31. Posas HN, Rivner MH: Deep peroneal sensory neuropathy. Muscle Nerve 15:745, 1992.

32. Pringle RM, Protheroe K, Mukherjee S: Entrapment neuropathy of the sural nerve. J Bone Joint Surg Br 56:465, 1974.

33. Quirk R: Ballet injuries: the Australian experience, Clin Sports Med 2:507, 1983.

34. Radin EL: Tarsal tunnel syndrome, Clin Orthop 161:167, 1983.

35. Rask MR: Medial plantar neuropraxia (jogger's foot): report of three cases, Clin Orthop 134:193, 1978.

36. Raynor KJ, Raczka E, et al: Entrapment of the sural nerve: two case reports. J Am Podiatr Med Assoc 76:401, 1986.

37. Reed SC, Wright CS: Compression of the deep branch of the peroneal nerve by the extensor hallucis brevis muscle: a variation of the anterior tarsal tunnel syndrome. Can J Surg 38:545, 1995.

38. Rondhuis JJ, Huson A: The first branch of the lateral plantar nerve and heel pain. Acta Morphol Neeri Scand 24:269-280, 1986.

39. Sammarco GJ, Helfrey RD: Surgical treatment of recalcitrant plantar fasciitis. Foot Ankle Int 17:520-526, 1996.

40. Sarrafian SK: Anatomy of the foot and ankle: descriptive, topographic, functional, Philadelphia, JB Lippincot, 1983.

41. Schon LC, Baxter DE: Neuropathies of the foot and ankle in atheletes. Clin Sports Med 9:489, 1990.

42. Schon LC, Glennon TP, Baxter DE: Heel pain syndrome: electrodiagnostic support for nerve entrapment. Foot Ankle 14:129-135, 1993.

43. Sridhara CR, lzzo KL: Terminal sensory branches of the superficial peroneal nerve: an entrapment syndrome. Arch Phys Med Rehabil 66:789, 1985.

44. Styf J: Entrapment of the superficial peroneal nerve: diagnosis and results of decompression, J Bone Joint Surg 71B:131, 1989.

45. Tanz SS: Heel pain, Clin Orthop 288:169, 1963.

46. Zongzhao L, Jiansheng Z, Zhao L: Anterior tarsal tunnel syndrome. J Bone Joint Surg Br 73:470, 1991.

제 10부
외상(Trauma)

31. 족관절 골절
Fractures of the Ankle

인제의대 일산백병원 정형외과 **서 진 수**

정형외과 의사에게 있어 가장 흔히 접하게 되는 손상 중의 하나로서, 고속의 교통 사고 및 신체를 접촉하는 스포츠 손상이 증가함에 따라 더욱 심한 손상이 증가하고 있다.

I. 환자 평가

1. 이학적 검사

수상 기전을 포함한 철저한 병력 조사가 선행되어야 하며 손상 이전의 발목 질환 여부 및 전신 질환 여부도 중요하고 외부 창상이 있는지 반상출혈(ecchymosis), 종창(swelling) 등이 어떠한지 꼼꼼히 살펴본 후에 압통의 위치나 맥박, 말초 신경의 이상 유무 등도 잘 점검하여야 한다. 그 외 인대 결합에 대한 검사로 경비골을 동시에 압박하여 동통 여부를 보는 압박(squeeze) 검사나 족관절의 전방 불안정성 여부를 보는 전방 전위 검사(Ant. drawer test) 등도 감별에 도움이 된다.

2. 방사선적 검사

단순 방사선 촬영으로 대부분의 골절을 진단하는데 큰 어려움은 없으며 격자 상에서 내 과와 거골 사이의 내측 관절 간격이나 상방 관절 간격은 4㎜이내이어야 하며 원위 경골의 관절면과 양 과의 끝을 연결하는 선이 이루는 각도인 거골 하퇴각은 건측에 비해 2~3° 이상의 차이가 나면 비골의 단축을 의미한다. 전후면 상에서 후방 과의 외측 면과 비골 내측 면 사이의 경골 비골 간격은 5㎜이내이어야 한다. 또한 경골의 외측 면과 비골의 내측 면 사이의 경골-비골 중복은 관절면 1㎝ 상방에서 10㎜ 이상이어야 한다(그림 31-1, 2).

그 외 특수한 검사로서 스트레스 촬영을 하거나 분쇄가 심한 경우 전산화 단층촬영 혹은 자기공명영상 등으로 치료 계획 수립에 도움 받을 수 있다.

3. 그 외 검사

골 연골 골절이 있는 경우나 골절의 정복 정도 및 인대 결합의 손상 여부를 확인하는 데에 관절경 검사가 이용될 수 있는데 수액이 파열된 관절낭을 통해 유출되어 심한 부종이나 구획

표 31-1. Lauge-Hansen 분류에 따른 단계적 손상 기전

손상형태 (발의 위치 / 힘의 방향)	단계	손상
회외/내전	I	외측 과의 횡골절 혹은 비골 측부인대 파열
	II	1단계에 내 과 골절 추가
회외/외회전	I	전 경비인대 파열 혹은 견열 골절
	II	1단계에 외측 과의 나선 혹은 사선 골절 추가
	III	2단계에 경골 후연 골절 추가
	IV	3단계에 내 과 골절 혹은 내측 삼각인대 파열 추가
회내/외전	I	내 과 골절 혹은 내측 삼각인대 파열
	II	1단계에 인대결합 파열 및 경골 후연골절 추가
	III	2단계에 관절면 상방의 비골 사선 골절 추가
회내/외회전	I	내 과 골절 혹은 내측 삼각인대 파열
	II	1단계에 전 경비인대 파열 및 골간인대 파열 추가
	III	2단계에 관절면 5~6㎝ 이상의 비골 나선 골절 및 골간막 파열 추가
	IV	3단계에 경골 후연 견열 골절 추가

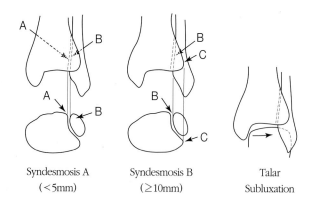

Syndesmosis A (<5mm) Syndesmosis B (≥10mm) Talar Subluxation

A= Lateral border of posterior tibial malleolus
B= Medial border of fibula
C= Lateral border anterior tibial tubercle

그림 31-1. Anterior Posterior View

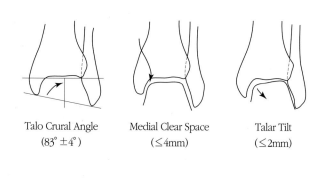

Talo Crural Angle (83° ±4°) Medial Clear Space (≤4mm) Talar Tilt (≤2mm)

그림 31-2. Mortise View

증후군을 야기할 수 있으므로 수상 후 24시간 이내는 피하여야 하며 48시간 내지 72시간까지 연기되는 것이 좋다. 아직까지 일반적으로 사용되고 있지는 않다.

II. 분류(Classification)

1. Lauge-Hansen system

발목 손상시 발의 위치와 외력의 방향에 기초하여 손상 기전을 분류하고 각 손상의 진행에 따라 단계적으로 기술하였다. 분류가 다소 복잡하지만 도수 정복시 지침으로 이용할 수 있

다. 회외-외회전 손상이 가장 흔하고 간혹 분류되어지지 않는 골절이 있다.

2. Danis-Weber system

비골 골절의 위치에 따른 간단한 분류로 골절 위치가 높을수록 경비 인대 결합 손상이 크며 불안정성의 가능성이 높다고 하였다(그림 31-3).

3. AO 분류

D-W system을 내측 혹은 외측 손상의 동반 여부 및 비골 골절 분쇄 여부에 따라 세분한 것

Type A : 인대 결합 하단부 비골 골절 (infrasyndesmotic)
A1 - 비골 단독 골절
A2 - A1에 내 과 골절 동반
A3 - A2에 후방 과 골절 동반

Type B : 인대 결합 부위에서의 비골 골절 (transyndesmotic)

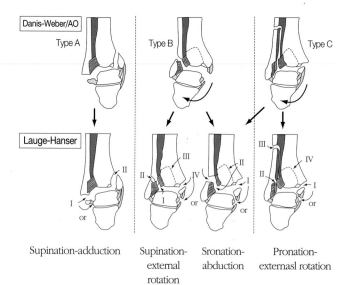

Danis-Weber/AO
Type A   Type B   Type C

Lauge-Hansen

Supination-adduction Supination-external rotation Sronation-abduction Pronation-externasl rotation

그림 31-3. Danis-Weber/AO 분류와 Lauge-Hansen 분류

B1 - 비골 단독 골절

B2 - B1에 내 과 골절 혹은 내측 삼각인대 파열 동반

B3 - B2에 후방 과 골절 동반

Type C : 인대 결합 상방의 비골 골절 (suprasyndesmotic)

C1 - 비골 골간의 단순 골절

C2 - 비골 골간의 복합 골절

C3 - 근위 비골 골절

III. 치료

1. 보존적 치료

전위가 없는 안정된 골절인 경우 보존적 치료가 가능하며 도수 정복으로 잘 정복된 안정 골절인 경우에도 처음부터 단 하지 혹은 장 하지로 유지하였다가 1개월가량 후에 단 하지로 전환하여 통상 4~6주간의 석고 고정을 시행한다.

도수 정복 후 어느 정도의 전위를 허용할 수 있는가에 대하여는 논란이 있는데, 거골의 측방 전위 1mm가 족관절 접촉 면적을 42% 줄인다고 하며 외측 과의 전위는 더구나 거골의 전위를 야기할 수 밖에 없고 후방 과 골절도 1/3이상이면 족관절 접촉면의 심대한 손실을 입는다고 하였다. 그러나 대체로 2mm이내의 내 과 혹은 외측 과 골절의 전위나 거골의 1~2° 이내 경사는 보존적 치료로 결과가 양호하다고 하며, 활동력이 더욱 왕성한 환자일 경우 보다 엄격한 허용 기준이 적용될 수 밖에 없다. 또한 고령의 활동력이 저하된 경우나 마비 등으로 보행이 불가능한 경우, 다발성 손상으로 전신 상태가 불량한 경우에도 보존적 치료가 불가피하며 주변 연부 조직에 대하여는 찰과상인 경우 가능한 즉시 수술을 시행하면 좋으나 지체되었을 경우라면 차라리 3주 이상 지연하여 수술하는 것이 좋고 심하게 붓고 손상되었을 경우에도 보존적 치료의 대상이 될 수 있다.

2. 수술적 치료

1) 외측 과 단독 골절

저자에 따라 다르나 3mm 혹은 5mm 이상의 전위 혹은 단축이 있거나 거골 하퇴각이 건측에 비해 2~5° 이상 차이가 나는 경우, 견열 골절이 전위된 경우 등이 아니면 보존적 치료로 석고 고정과 조기 체중 부하를 허용할 수 있다.

고정 방법으로는 강선 결박이나 지연 나사를 이용하는 방법과 1/3원통 금속판을 이용하여 고정하는 것이 일반적이며 간혹 steinmann pin 등의 골수강 내 금속정을 사용하기도 하는데 술 후 회전 변형이나 단축에 유의해야 한다.

2) 내 과 단독 골절

전위가 거의 없는 경우 보존적 치료가 가능하지만 전체적으로 보존적 치료를 한 경우 5~15% 정도의 불유합이 보고되고 있으며 특히나 관절면 높이일 경우 내측의 지지를 소실하여 증상을 야기하게 된다. 견고한 내고정을 한 경우에는 불유합이 1% 이하로 줄어든다고 하였고 따라서 전위가 있으면 가급적 해부학적 정복과 내고정이 요구된다. 역시 강선 결박이나 족근과 나사 혹은 유관나사를 이용하여 고정하게 되는데 회전 변형을 막기 위해 가능한 2개의 나사를 이용하거나 1개의 K-강선을 추가하는 것이 바람직하다. 이 때 골다공증이 심하지 않으면 반대편 피질골을 잡아줄 필요는 없다. 골절선이 수직인 경우는 매우 불안정하여 주의를 요하며 강선 결박은 자칫 정복이 미끄러져 소실될 수 있다.

3) 양 과 골절과 삼각 인대 파열

일반적으로 불안정 골절로 정확한 정복을 위해서는 골편 사이에 골막이 감입된 것을 제거하는 것이 중요하며 삼각인대 파열시 외측 과 골절의 정복 이후에도 내측 관절 간격이 벌어져 있다면 관절내로 감입된 삼각 인대나 후경골건을 꺼내 주어야 한다.

4) 삼 과 골절

후방 과 골편의 크기가 중요한데 관절면의 25% 이상이면 거골의 후방 아탈구가 증가되고, 2mm이상의 전위가 있다면 수술적 정복을 해주어야 하는데 외측 과 및 내 과를 정복할 때 후경비 인대의 인대 정복술 효과로 자연 정복되는 경우가 있고 족

관절을 배굴곡하는 것도 관절낭의 장력 때문에 정복에 도움이 된다. 고정 방법은 골편의 위치에 따라 후내측이나 후외측으로 접근하여 직접적인 정복과 나사 고정을 할 수 있고 영상 증폭기를 보며 별도의 소절개를 추가하거나 하여 앞에서 뒤로 나사 고정을 할 수도 있다. 유관 나사를 이용하면 편리한 경우가 많다(그림 31-4).

5) 인대 결합 손상

회내-외회전 유형과 그의 특수 형태라 할 수 있는 Maisonn-euve골절에서 인대 결합과 골간 인대의 파열로 불안정성을 낳게 되므로 주의를 요한다. 내측 관절 간격이 4mm이상인 경우 의심할 수 있고 외측 과 골절이 관절면 상방 6cm이상이라면 골간 인대까지 파열됐다고 보아야하며, 관절면 상방 3~4.5cm이상의 외측 과 골절 시에는 외측 과 골절을 고정 후 전측방으로 견인해 보아 2~3mm이상 움직임이 있고 격자가 넓어져 있으면 나사못 경비 고정을 하게 되는데 그 방법에 대하여는 논란이 많다. 일반적으로 한개 혹은 두개의 3.5내지 4.5mm 전체 나사산(full threaded) 피질골 나사를 관절면 약 1 inch 상방에서 관절면과 평행하게 30°정도 전방 각도로 삽입해서 경골의 인접 피질골만 고정하게 되는데 격자의 모양을 생각하여 족부는 약간 배굴곡한 상태로 과도하게 경비골을 압박해서는 안 된다(그림 31-5). 나사못의 제거 시기도 6주, 8주, 12주 등으로 논란이 있으며 조기 체중 부하에 대해서도 이견이 있으나 적어도 조기 체중 부하를 하는 경우 경골의 반대편 피질골을 고정해서는 안 된다.

Ⅳ. 고려 사항

1. 개방성 골절

일반적인 개방성 골절에서와 같이 6시간 이내에 철저한 변연 절제술과 세척술을 시행하여야 하며 최소한도의 연부 조직 손상을 주면서 내고정을 해야 한다. 창상 처치에 있어 수술 절개부는 1차적 봉합을 시행하고 개방성 창상은 5일 이상 기다려 2차 지연 봉합을 하거나 자연 치유되도록 기다릴 수도 있다. 1~2일 후에 창상에 대한 2차적인 변연 절제술을 시행하여 죽은 조직은 철저히 제거하는 것이 필요하며 결국 손상시의 힘의 정도와 연부조직의 상처, 그리고 심부 감염 여부 등이 예후를 좌우한다고 하겠다.

2. 골다공증

골다공증이 심한 경우 고정이 잘 되지 않아 어려움을 겪게 되는데 비골 후면에 금속판을 대는 미끄럼 방지법(antiglide technique)을 이용하거나 외측 금속판과 함께 골수강 내 K-강

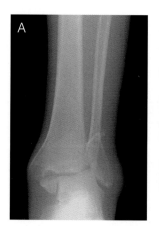
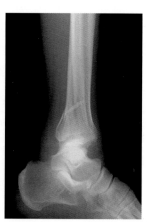
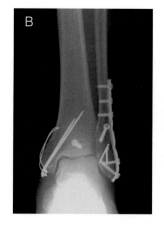
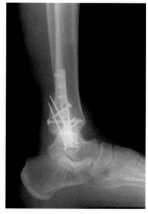

그림 31-4. 족근 관절의 삼과 골절로 후방은 지연 나사로 외측은 금속판과 나사로 내측은 강선 결박으로 내고정 하였다. A: 술 전, B : 술 후

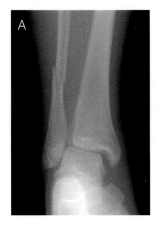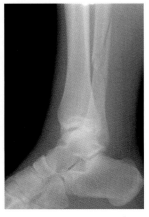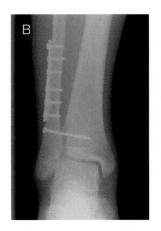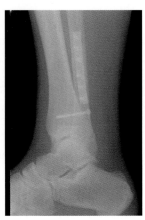

그림 31-5. 족근 관절의 외과 골절 및 인대 결합 손상으로 외측에 금속판과 나사 고정 후에 나사못 경비 고정을 시행하였다. A : 술 전, B : 술 후

선을 부가적으로 사용하여 고정할 수 있다. 또한 아주 심할 경우 경골까지 나사못을 삽입하여 고정할 수도 있다. 미끄럼 방지 금속판은 연부조직 박리도 적고 격자 내로 나사못이 들어갈 우려도 없으며 외부에서 나사못의 머리가 만져질 우려도 적은 장점이 있으나 비골건의 건초염을 야기할 수 있어 주의를 요한다.

3. 당뇨 환자

우리나라도 당뇨 환자가 점증하고 있는데 일반적인 환자들에 비하여 술 후 감염의 위험성이 높은 점 이외에도 몇 가지 차이점이 있다.

우선 신경병증으로 인해 동통을 잘 느끼지 못해 진단이 지연되는 수가 많으며 발적과 종창 등이 있을 때 charcot 관절과 구분하기 어렵다. 의심이 되면 만 하루 정도 고정과 안정을 취해 증상이 해소된다면 charcot 관절일 확률이 많고 그 외에도 CBC와 differential count, ESR, CRP 등의 검사와 자기 공명 영상 등이 도움이 된다. 치료에 있어서는 감염의 우려 등으로 보존적 치료 적응 대상을 넓게 잡는 경우가 많으며 수술시는 연부 조직 손상을 최소화하여 감염의 우려를 줄이고 봉합사는 3주에 제거하여 창상 열개(dehiscence)를 막아야 하며 고정력이 약한 경우가 많으므로 체중부하를 허용치 않는 경우가 많고 유합된 이후에도 상당기간 주의를 요한다.

V. 천정(Pilon) 골절

원위 경골 관절면의 분쇄 골절인 pilon 골절은 스포츠 손상 등에서와 같이 주로 회전력에 의한 저 에너지 손상과 낙상과 같이 축성 압박력에 의한 고 에너지 손상이 있는데 이때는 더욱 분쇄가 심하고 치료도 어렵게 된다.

흔하게 사용되어지는 분류는 관절면의 분쇄와 전위 정도에 기초한 Rüedi와 Allgöwer의 분류인데 관절내 골편의 전위가 거의 없는 제1형, 관절 내 골편의 전위가 있으나 심한 분쇄가 없는 제2형, 전위와 함께 심한 분쇄가 동반된 제3형으로 나뉜다.

최근에 널리 사용되는 AO/ASIF의 분류로는 원위 경골 골절인 Type43에서 B, C가 pilon 골절에 해당한다. 치료 상에 어려움은 골절의 정복이 어려운 점 외에도 주위 연부조직이 합병증을 일으키기 쉬우므로 상당히 주의를 요한다. 가급적 피부에서 골막까지 단번에 전 층 절개하도록 하며 섬세한 조작을 요한다. 비골 정복을 위한 후외측과 경골 정복을 위한 전내측의 절개 간격은 최소 7cm 이상을 유지해야 하고 신연을 통한 인대 정복의 간접적인 정복으로 절개를 최소화하여야 한다.

일반적으로 권해지는 술식은 첫 째, 비골을 금속판으로 내고정하여 길이 유지를 하고 둘 째, 경골 원위부 관절면을 정복하는데 전형적으로는 앞뒤 내외측에 존재하는 4개의 골편을 거골을 주형으로 사용하여 정복하며 우선적으로 K-강선을 통하여 고정 후 골간단의 결손부를 골이식을 통하여 메우고 마지막으로 K-강선을 나사못이나 금속판으로 대체 고정한다.

금속판 대체 시는 연부 조직의 박리가 커지고 긴장이 증가하므로 외고정을 통한 방법이 보다 많이 사용되고 있으며 외고정은 Ilizarov나 단선형의 일측 고정도 할 수 있지만 최근에는 근위부 경골에는 half pin으로 일측 고정과 원위 관절면 부에는 Ilizarov와 같은 환형 고정을 강선을 이용하여 고정하는 Hybride 형이 많이 사용된다. 수술 시기는 종창이나 수포가 생기기 전에 할 수 있으면 좋겠지만 이미 발생한 뒤라면 차라리 골견인과 거상으로 부종이 빠지기를 기다려 7-10일 이후에 하는 것이 안전하다.

술 후 체중부하는 분쇄가 심한 경우 3개월 이후에 유합 여부를 확인해가며 조심스럽게 허용하여야 한다.

VI. 합병증

앞서 언급하였듯이 내 과의 불유합이 발생할 수 있는데 관절면 높이에서 발생한 경우 증상을 나타내는 수가 많고 그 경우 재정복 및 내고정을 시행하거나 골이식이나 전기 자극을 병행하기도 한다. 외측 과나 후방 과에서는 발생 비율이 매우 낮고 관절면 높이 아래에서 발생하여 증상이 없는 경우는 치료 대상이 아니며 간혹 증상을 일으켜 제거하기도 한다.

부정 유합은 어디서든 발생할 수 있는데 내 과는 연장되는 경우가 많고 외측 과는 외회전 및 단축되기 쉽다. 특히 이 경우 거골의 관절 접촉면을 현저히 감소시켜 외상성 관절염을 유발시킬 수 있다. 후방 과는 상방 전위되기 쉬운데 거골의 후방 아탈구가 있거나 외측 과의 부정 유합 시 교정 절골술을 시행할 수 있다.

개방성 골절이나 pilon 골절에서 흔한 감염이나 피부 괴사는 폐쇄성 골절에서도 발생할 수 있는데 수포나 찰과상이 있을 때 특히나 가능성이 높다. 발목 골절 후 가장 큰 장애의 원인으로서 외상성 관절염이 발생하게 되는데 해부학적 정복을 얻었다고 반드시 피할 수 있는 것은 아니며 증상이 심하게 지속된다면 관절 고정술의 적응이 된다.

그 외 흔치 않은 합병증으로 경비골의 인대 결합 손상 후 유착증(synostosis)이 발생할 수 있으며 만성 불안정성이나 심부 정맥 혈전증, 구획 증후군, 반사성 교감 신경 이영양증 등이 발생할 수 있음을 염두에 두어야 한다.

■ 참고문헌

1. Bauer M, Jonsson K and Nilsson B: Thirty-year follow-up of ankle fractures. Acta Orthop Scand, 56:103, 1985

2. Blotter RH, Connolly E, Wasan A and Chapman MW: Acute complications in the operative treatment of isolated ankle fractures in patients with diabetes mellitus. Foot Anke Int, 20:687,1999

3. Burwell HN and Charnley AD: The treatment of displaced fractures at the ankle by rigid internal fixation and early joint movement. J Bone Joint Surg, 47B:634, 1965

4. Dabezies E, D'Ambrosia RD and Shoji H: Classification and treatment of ankle fractures. Orthopedics, 1:365, 1978

5. French B and Tornetta P III: Hybrid external fixation of tibial pilon fractures, Foot Ankle Clin, 5:853, 2000

6. Grantham SA: Trimalleolar ankle fractures and open ankle fractures, Instr Course Lect, 39:105, 1990

7. Kaye RA: Stabilization of ankle syndesmosis injuries with a syndesmosis screw, Foot Ankle, 9:290, 1989

8. Lauge-Hansen N: Fractures of the ankle. II. Combined experimental-surgical and experimental-roentgenologic investigations. Arch Surg, 60:957, 1950

9. Pankovich A: Fractures of the fibula at the distal tibiofibular syndesmosis. Clin Orthop, 143:138, 1979

10. Redi TP and Allgwer M: The operative treatment of intraarticular fractures of the lower end of the tibia. Clin Orthop, 138:105, 1979.

11. Sclafani SJA: Ligamentous injury of the lower tibiofibular syndesmosis: Radiologic evidence. Radiology, 156:21, 1985

12. Stiehl JB: Open fractures of the ankle joint. Instr Course Lect, 39:113, 1990

13. Weber BG: Die verlezungen des oberen sprunggelenkes (Injuries of the ankle), 2nd ed. Verlag Hans Huber, 1972.

32. 발목 골연골 골절
Osteochondral lesion of talus

을지의대 을지병원 족부정형외과 **이경태·김응수**

모든 관절에서 골연골 손상은 관절 연골의 복원력의 한계 때문에 치료가 상당히 어려운 문제 중의 하나이다. 관절 연골의 결함은 퇴행성 관절염의 위험을 높이므로, 연골 복원은 큰 관심을 모으고 있다. 비록 대부분의 연골 복원에 대한 연구와 기술은 슬관절에 집중되어 왔지만, 이러한 원칙들을 거골 상부 관절면 손상의 치료에 변형시켜 적용하여 왔다.

이 장의 목적은 첫째 거골체부 관절면의 골연골과 연골 손상의 병태 생리 및 유병률을 알고, 둘째 이런 손상들의 분류를 재고하며, 셋째 거골체부 관절 연골 손상에 대한 비수술적 또는 수술적 치료를 검토하며, 넷째 이런 손상들의 치료에 있어 앞으로 나아갈 방향을 찾아보는 것이다. 이 장은 국소적인(focal) 거골 골연골 손상에 초점을 맞추었고 전반적인 발목 관절염은 다루지 않았다. 하지만 이 논문에서 기술된 치료들은 양쪽 모두의 치료에 적용될 수 있겠다.

I. 발목 관절의 특징

고관절과 슬관절의 관절염과 대조적으로 발목 관절의 관절염은 보통 수상 후 발생한다. 비록 발목 관절의 연골두께는 단지 1~2 mm정도(고관절, 슬관절 연골의 두께는 3~6mm)이지만 발목의 퇴행성 변화는 외력에 의한 손상이 없는 경우에는 거의 드물다[1]. 발목을 보호하는 인자들은 적절한 연골의 장력 골절 응력(cartilage tensile fracture stress), 단백 분해 효소에 대한 저항성, 관절의 일치성, 그리고 관절 운동 등이다. 비록 고관절 연골의 장력 골절 응력은 시간이 흐름에 따라 지수 함수 형태로 점차 감소하지만, 거골의 경우 단지 일차 함수 형태로 감소한다. 즉 중년까지는 발목 관절 연골은 전형적으로 고관절

연골보다 큰 장력 부하를 더 잘 이겨낸다. 또한 발목에 있는 생화학적인 장점들은 슬관절 연골에 비해 MMP-854라는 연골분해 효소의 RNA 발현이 매우 적고, IL-1에 대한 수용체가 적기 때문에 IL-1β에 대한 반응으로 일어나는 단백다당 분해 효과가 적게 된다[2].

위에 언급된 장점들은 일단 관절면이 손상되면 사라진다. 접촉면은 350mm(슬관절 : 1120mm, 고관절 : 1100mm)에 달하는데, 발목 연골이 더욱 얇아지고 경직되면 관절면의 비일치성과 증가된 접촉면 부하로 적응하기가 더 힘들어진다. 손상 후에 국소화된 연골하 골 경화는 경직된 골상부에 연골에 대한 접촉 부하(contact stress)의 증가를 가져오고, 관련된 관절의 불안정성 또한 더 큰 손상을 초래할 수 있다. 연골 손상에서 나오는 분해 효소의 분비는 연골 세포 괴사와 간질 분해 그리고 싸이토카인(cytokine)의 분비를 촉진한다[3].

II. 연골 치유(cartilage healing)

연골의 생리적인 치유 반응은 매우 약하다. 연골 하골의 표면의 부분 손상(superficial lesion) 부위는 치유 반응을 보여주지 못한다. 연골은 혈관 분포가 없고 세포 분열 능력이 거의 없으며, 성숙 연골 세포의 동화 작용은 연골 치유를 방해하게 된다. 골연골 병변(연골하골을 포함하는 병변)은 섬유소 응집(fibrin clot) 형성을 촉진하고, 주위의 연골 및 기저의 골수와 활막으로부터 연골 기원 세포들의 이동을 촉진시킨다. 그러나 여기에는 초자 연골이 아닌 섬유 연골이 형성되는 것이 문제이며, 섬유 연골은 초자 연골 만큼 내구적이지 못하고 보통 기계적 외력에 퇴행 반응을 나타낸다[4].

III. 유병률(prevalence)

거골의 골연골 손상의 유병율은 모든 거골 골절의 0.9%에서 보이고 모든 발목 염좌의 6.5%에 달한다. 그러나 대부분의 손상은 증상이 없고, 따라서 사실상의 유병률은 더 높을 것이다. 발목 통증을 평가할 때 시행한 골주사 검사와 자기 공명 촬영에서 거골 골연골 손상은 과거 지적되었던 것보다 훨씬 더 흔한 것으로 보이며 양측성 병변의 유병율은 거의 10%에 달한다. 내측 손상이 외측 손상보다 더욱 흔하며 중심부위 손상은 거의 드물다[5].

발목 관절의 골절이 있는 288례에서 개방 정복술과 내고정 전에 관절경을 통해 연골 손상을 평가 하였을 때, 79.2%에서 연골 손상이 보고 되었고, 관절경을 이용한 적은 규모의 다른 연구에서도 비슷한 유병율을 보고하였다. 또한 430례의 발목 염좌의 후향적 연구에서 MRI를 통해 골연골 손상이 있는 경우의 50%에서 외측 인대 손상이 동반된 것이 보고되었다[6].

IV. 원인(Etiology)

거골의 골연골 손상은 거골체 상부 어느부위에서나 발생하나 일반적으로 후내측과 전외측에서 많이 발견된다. 외측 병변은 보통 외상과 관련이 있는 반면에 내측 손상은 외상과의 관련성이 밀접하지는 않다. Berndt와 Harty는 그들의 연구에서 환자의 88%가 외상의 과거력이 있다고 보고했다[7]. 사체 모델에서 그들은 발목 내반과 배측 굴곡을 유발하여 외측 병변이 형성되고, 발목 내반, 복측 굴곡 그리고 외회전을 통해 내측 병변이 형성됨을 보여주었다. Canale와 Belding은 모든 외측 병변과 내측 병변의 64%가 외상과 관련성이 있다고 보고했다[8]. Flick과 Gould는 500명의 환자를 문헌 상으로 검토하여 외측 병변의 98%, 내측 병변의 70%가 외상의 과거력이 있다고 하였다. 관절경을 포함한 최근 연구에서는 75%이상에서 외상과 관련이 있다고 하였고, 일찍이 언급한 것처럼 병변이 있는 환자의 50%에서 MRI상 외측 인대 손상이 동반되어 있었다[9].

비외상의 경우 골화 장애, 비정상적 혈류, 색전증 또는 내분비 질환등이 거골 관절면의 병적인 연골하 골절과 관련이 있으며 과사용과 외부하의 과다 집중은 국소적 괴사를 유발하여 부골과 낭종을 형성하게 된다.

V. 임상 및 방사선적 검사

1. 과거력 및 이학적검사

과거력은 일반적으로 비특이적이며, 통증의 양상은 병변 부의 불편감, 모호하고 발목 전반에 걸친 통증이 많다. 그 외 다른 증상들로는 부종, 경직, 불안정성, 간헐적인 잠김 증상과 탄발음을 감지 할 수 있다. 이학적 검사상 특이적인 골 압통, 감소된 운동 범위, 관절 삼출, 염발음 그리고 동반되는 인대 불안정성이 있다.

2. 방사선학적 검사

발목의 전후방, 측방, mortise view는 연골하 함몰, 골연골 조각의 부분적인 분리, 또는 유리체등을 찾아 낼 수 있으나, 일반 방사선 촬영은 관절의 연골 손상을 찾는데 그리 예민하지 못하다(그림 32-1a, 1b). Flick과 Gould는 그들의 연구에서 손상받은 경우의 43%만이 일반 방사선 촬영상 발견되었다고 보고했다[10]. MRI에서 나타나는 병변의 30%정도가 일반사진 촬영에서는 나타나지 않는다고 하며, 발목 통증이 있는 환자에서 일반 방사선 촬영은 단지 관절경에 의해 진단되는 손상의 40% 정도만을 찾아낼 수 있다.

3. 골주사 검사

골주사 검사는 골연골 손상을 밝히는데 가격 효과 대비 가장 효율적인 선별 검사일 수 있다. 그러나 CT와 MRI가 대개 골주사 촬영을 대신하고 있으며, 골연골 병변에 대한 골주사 검사의 예민도는 99%에 달하고 CT상 규명된 병변의 경우에 있어서는 특이도가 76%에 달한다.

4. 컴퓨터 단층 촬영(CT)

CT는 거골체 골병변의 진단 및 추적 관찰에 있어 일반 방사선촬영에 비해 더 우수한 것으로 생각되고 있고 91%의 예민도를 보인다[11]. CT의 장점은 병변의 진행을 추적 관찰하고 연골하 낭종을 찾는데 유용하다.

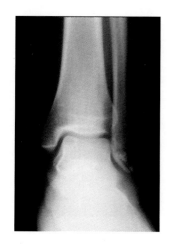

그림 32-1a. 전후방 방사선 사진상 거골 내측의 방사선 투과성 병변이 관찰됨

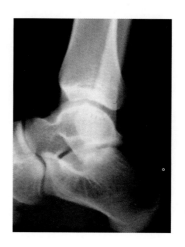

그림 32-1b. 측면 사진상 후 내측 병변으로 확인됨

발목에 공기와 조영제를 주입하여 시행하는 이중 조영 CT 관절 촬영은 거골의 연골 및 골연골 손상을 평가하는데 더욱 유용하며, 이중 조영 CT 관절 촬영은 관절경 및 개방적 수술시 소견과 비교할 때 손상 부위의 정도와 표면의 국소적 병변 구조에 있어 예민도와 특이도가 매우 높다.

5. 자기 공명 영상(MRI)

관절 연골 손상 부위의 분석에 있어 MRI의 사용은 계속 발전되고 있다. 일반적인 MRI는 관절경과 비교할 때 연골손상을 진단하는데 예민도가 낮다. 수술 전의 MRI촬영이 관절경 상에서 보이는 슬관절의 연골 손상의 단지 21%만을 정확하게 구별할 수 있다고 하며 최근들어 fat-suppressed, three-dimensional, T1-weighted gradient echo 등의 더 개선된 연골 촬영 기술들은 계속 발전되어 왔다. 이러한 방법을 통해 연골 손상을 찾는 데 예민도는 75%에서 93%에 이른다. fast-spin-echo방법을 통해 촬영된 MRI는 87%의 예민도, 94%의 특이도, 92%의 정확도, 85%의 양성 예측도, 그리고 95%의 음성 예측도를 보이고, 판독자 간의 의견 차이를 줄일 수 있게 되었다[12]. 골연골 병변을 의심하게 하는 위양성 소견들로 골 타박(bone bruising) 소견, 거골 후방에 있는 가결함(pseudodefect), 후방 거비 인대의 홈(groove)등을 들 수 있다.

MRI는 또한 발목 염좌 평가 시 발견하지 못한 증상이 있는 골연골 병변을 규명하는데도 유용하다. 골연골 병변이 있는 환자의 50%는 외측 인대 손상을 가지고 있다고 생각되며 MRI는 인대손상이 있는 환자들에서 골연골 병변의 조기 발견과 적절한 치료시기의 결정에 유용하다고 판단된다(그림 32-2a, 2b, 2c).

CT와 마찬가지로 MRI도 병변 진행의 추적 관찰에 매우 유용할 수 있다. 병변의 고정 후에 수술 전후의 MRI가 있는 환자들을 대상으로 한 연구에서, 치료 후 T1 이미지 상 낮은 신호 강도 부위의 감소와 T2 이미지 상 골연골 조각 주위의 음영 윤곽이 사라진다는 것이 관찰 되었다[3].

6. 영상 검사의 순서(Imaging Algorithm)

혈관절증과 의미있는 골압통이 있는 급성 손상에서 우선 단순 방사선 촬영을 시행해야 한다. 만약 골연골 병변이 의심이 된다면 손상 부위, 골연골편의 크기, 위치 그리고 전위 정도를 알기 위해 CT가 필요하다. 비록 이시기에 MRI가 시행될 수도 있지만 이는 가격 대비 효과면에서 적절하지 못하며 높은 예민도로 인해 위양성 소견들이 발견될 수 있다.

만약 단순 촬영상 어떤 손상도 관찰되지 않는다면 그 환자는 연부 조직 손상이 있는 것으로 간주하여 비수술적으로 치료하고 증상이 지속되면 골주사 검사와 MRI의 실행이 고려되어야 한다. 골주사 검사는 선별 검사로 유용하지만 직접적인 치료를 위해서는 MRI와 CT등의 추가 검사가 필요하며 MRI는 위양성 소견을 보여줄 수 있기 때문에 CT가 병기를 정하는데 더 선호되나 MRI를 통한 병기 설정도 유용할 수 있다.

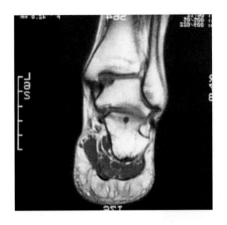

그림 32-2a. T1WI sagittal image상에서 거
골체 내측부에 저신호강도의 병변이 관찰됨

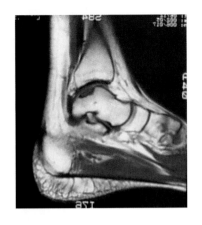

그림 32-2b. Sagittal image

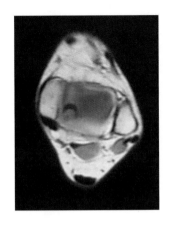

그림 32-2c. Axial image

VI. 병기(staging)

병변의 분류는 단순 방사선 촬영, CT, MRI 그리고 관절경 소
견등을 통해 이루어진다.

1. 방사선적 분류

병변의 방사선적 분류는 1959년에 Berndt와 Harty에 의해 시
도되었고 이 분류가 오늘날에도 여전히 사용되고 있다. 제 I기
는 국소 부위의 연골하 함몰 소견이 특징이다. 제 II기는 부분
적인 골연골 편의 분리가 특징이며 제 III기는 완전한 골연골편
의 분리가 있으나 전위되지는 않은 상태이며, 완전한 분리가
있고 전위되지는 않았으나 골연골편이 회전되어 있는 경우는
제 IIIA기로 다시 분류된다. 최근에는 제 V기가 추가되었다(그
림 32-3). 병기 IV는 분리된 골연골편이 전위되어 있는 경우이
다. 1995년에 Dore와 Rosset은 FOC분류라는 새로운 방사선적
분류를 제안했다.

F병변(fracture type)은 소량의 골융해 소견이 동반된 골절이
특징이다. 모두 외상의 과거력이 있고 87.5%가 거골의 전외측
에 병변이 존재한다. O병변은 국소적 골괴사와 함께 주변 골조
직의 부골과 경화성 병변이 존재하며 이러한 병변은 거골 골연
골 병변의 75%에 달하고 70%에서 내측에 존재하고 66%가 비
외상성이다. C병변(cyst) 형태는 거골에 커다란 방사선 투과성

소견이 관찰된다.

2. 전산화 단층 촬영 (Computed Tomography Scan)

1990년에 Ferkel과 Sgaglione은 CT를 통한 병기 설정 체계를
개발하였다. 제 I기는 거골 상방에 낭종성 병변이 있으나 모든
단면에서 관절면은 유지되고 있는 상태이며, 제 IIA기는 낭종
병변이 관절면과 연결되어 있는 것이 특징이다. 제 IIB기는 단
편과 함께 개방된 관절면상의 병변이 있으면서 전위는 되지 않
은 상태이다. 제 III기는 낮은 음영 소견을 보이는 비전위성 병
변이며, 제 IV기는 골연골편이 전위되어 있는 상태이다. 단순
방사선 촬영과 비교할 때 이러한 체계는 골 경화와 연골하 낭
종 형성 및 전위등의 소견을 더 명백하게 알 수 있다. 1993년에
Loomer등은 연골하 낭종이 특징인 병기 V를 추가하였는데, 연
골하 낭종이 있는 병변은 치료를 하더라도 초기 병변에 비해
결과가 좋지 못하다[4].

3. 자기 공명 영상 촬영 (Magnetic Resonance Imaging)

MRI는 Berndty와 Harty가 만든 제 I기와 제 II기, 그리고 제 II
기와 제 III기를 감별하는데 도움이 되는데 이것은 단순 촬영만

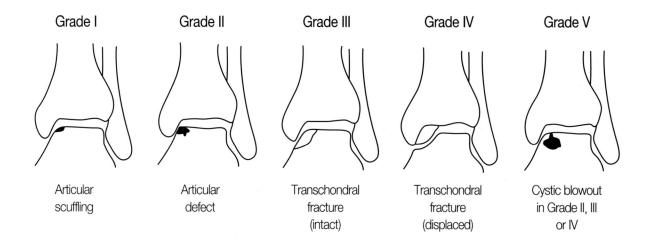

Grade I	Grade II	Grade III	Grade IV	Grade V
Articular scuffling	Articular defect	Transchondral fracture (intact)	Transchondral fracture (displaced)	Cystic blowout in Grade II, III or IV

그림 32-3. Radiographic classification

으로는 감별하기 힘들다. Anderson등[15]은 MRI를 이용하여 Berndt와 Harty의 분류 체계에 연골하 낭종이 특징인 병기 IIA를 포함시켜 확대시켰다.

Hepple등은 골연골 병변의 또다른 MRI분류 체계를 소개하였는데, 제 1기는 관절 연골의 손상만 있고, 제 2a기는 손상된 연골 주위에 골절과 부종 소견이 동반된 소견을 보이고 제 2b기는 제 2a기와 같으나 주위 골 부종이 없는 상태이다. 제 3기는 분리는 되었지만 전위가 없는 경우를 의미하며, 제 4기는 분리와 함께 전위된 경우이며 제 5기는 연골하 낭종 형성을 말한다. 병기 2는 급성이고 보다 치유력이 큰 것을 의미할수 있는 골 부종이 존재하는 지에 따라 세분하였다.

4. 관절경(Arthroscopy)

Pritsch등[16]은 관절경을 통한 분류 체계를 고안했는데, 제 1기는 손상 부위에 정상적이고 견고한 연골이 있는 경우이다. 제 II기는 연골의 결함은 없지만 연화(softening)된 상태를 의미하며, 제 III기는 연골이 마모된 상태를 의미한다. 이들은 방사선적 소견과 관절경 소견상의 상관 관계가 떨어짐에 주목하고 관절 연골의 상태에 따라 치료가 결정되어야 한다고 제안했다.

Ferkel등[17]은 더욱 이해하기 쉬운 관절경적 골연골 병변의 분류체계를 고안했다. 등급 A는 매끈하고 정상이지만 연화되어

있고 부유성(ballotable)이 있는 경우, 등급 B는 표면이 거칠고, 등급 C는 솜털 모양의 병변(fibrillation)과 균열이 있는 경우, 등급 D는 연골 피판이 생기고 골이 노출되는 경우, 등급 E는 느슨하고 전위가 없는 골연골편이 존재하는 경우, 등급 F는 전위된 골연골편이 있는 경우를 말한다. 이들은 분리가 된 경우를 제외하고는 관절경 소견과 CT, MRI 상의 병기 사이에 상관 관계가 없다는 것을 주장하였고, 골연골 병변의 관절경 소견이 치료 결과와 가장 연관성이 높다고 주장했다.

관절경을 통해 연골의 연화 정도와 두께를 측정하는 탐침이 개발되어 왔으며, 이 기구들은 손상되거나 치료된 연골의 평가에 매우 유용하게 사용될 수 있다.

VII. 치료(treatment)

주어진 기술들로 결과의 향상을 극대화 시키기 위해서는 증상이 있는 골연골 병변의 자연 경과에 대해 잘 아는 것이 중요하다. 그러나 다양한 인자들이 결과와 결부되어 있으며, 예를 들어 환자의 나이, 손상 부위의 깊이와 위치, 원인등이 결과에 영향을 미치게 된다.

골격계가 미성숙한 환자들은 전형적으로 골연골 병변의 치유력이 높다. 아동기의 관절 손상은 대부분 외상에 의해 유발되며 손상 초기의 치료는 운동 제한과 체중 부하의 제한이다.

나이가 들어감에 따라 골막, 연골막, 그리고 골수내의 기저 간질 기원 세포의 수는 감소하기 때문에 연골 재건술은 일반적으로 나이가 어린 환자일수록 더욱 좋은 결과를 가져온다.

병변의 깊이도 연골 치유력에 영향을 미치는데, 연골 표면의 결손은 임상적 중요성이 떨어진다. 그러나 표층의 손상도 염증 반응을 유발하여 점점 관절증이 진행될 수 있다. 전층 손상의 경우 부분층 손상과 비교할 때 더 나쁜 결과를 가져오는데, Radin등[18]은 연골 하골의 구조적 변형이 퇴행성 관절염을 유발한다는 것을 보여주었다. 이전에 말한 것처럼, 연골 하부의 가골(callus) 형성으로 인한 경직성(stiffness)의 증가는 조직을 복구하는데 더욱 큰 부담을 준다.

병변의 위치는 중요한 인자의 하나로, 예를 들면, 후방 내측의 병변은 증상이 없을 수 있으나, 전방 외측의 작은 병변이 심각한 증상을 보일 수도 있다. 하지만 병변의 위치에 따른 분류 체계는 아직 없다.

병변의 병기로 치료 방향을 결정해야 하는데, 병기에 따른 치료의 효과가 항상 좋지는 않다. 예를 들어 연골이 온전하거나 부분적으로 분리된 병변에는 비수술적 치료가 선호되나 추후 병변이 진행하면서 방사선적으로 치유가 되는 증거가 보임에도 불구하고 나쁜 결과를 가져올 수 있다. 수술은 부분적으로 분리된 병변에 대한 보존적 치료가 실패하였거나 또는 완전히 분리된 병변의 경우에 적용되어야 한다.

VIII. 비수술적 치료

연골 결손의 보존적 치료 방법으로는 경구 또는 주사를 통해 연골 치유를 촉진하는 연골 보호 제제를 들 수 있다.

1. 경구 연골 보호 제제

글루코사민(Glucosamine hydrochloride), 콘드로이틴(chondroitin sulfate)이나 비타민 등이 연골 보호 작용이 있을 수 있다.

글루코사민은 활액막 세포와 연골 세포가 연골 기질을 생성하는 것을 촉진시키고 콘드로이틴은 분해 효소를 억제하게 된다. 퇴행성 관절염을 일으키는 토끼를 이용한 Woodward[19]의 연구에서 글루코사민과 콘드로이틴 및 망간(Manganese

sulfate)을 혼합하여 투여한 결과 대조군에 비해 거의 정상의 관절을 유지하는 결과를 보였다. 이 혼합 제제는 다당 단백(proteoglycan) 합성에 글루코사민이나 콘드로이틴 단독 사용보다 더 큰 상승 효과를 보였다. 임상 실험에서 단기 추적 결과에서 글루코사민과 콘드로이틴은 비스테로이드성 소염제 만큼 퇴행성 관절염 치료에 효과적이었다. 최근에는 비타민 C, D, E와 베타카로틴(β-carotene)의 효과에 대해 연구되고 있으나, 국소 연골 병변에 대한 연골 보호 제제의 특이적 효과는 아직 명확하지 않다.

2. 주사제(injectable medication)

주사제로 사용하는 연골 보호제는 hyaluronate(점성보충제) 유도체들을 말한다. 현재, 관절내 hyaluronate의 주사는 증상이 있는 슬관절의 초기의 골관절증의 치료로만 입증된 상태이며(표 32-1), 발목 관절뿐 아니라 고관절과 견관절에 대해서는 실험이 진행중이며, 국소 연골 병변에 대한 실험은 아직 시행되지 않고 있다. 이러한 물질의 관절내 주사로 인한 효과는 관절증이 있는 환자의 활액낭에서 감소되어 있는 hyaluronate를 보충해 주는 것이다. Hyaluronate는 관절의 연골 세포에 영양분의 확산을 조절하고, 활성화 산소를 제거하고 활액 세포의 hyaluronate생성을 촉진하며, 연골 세포의 다당 단백의 합성을 촉진시킨다.

IX. 수술적 접근(surgical intervention)

수술적 치료는 연골의 결손을 대체시키거나 치유를 촉진시키는 생물학적 요인의 적용과 함께 증상을 일으키는 원인을 제거하려는 시도로 정의될 수 있다. 주로 병변의 위치가 개방적 수술이나 관절경 수술의 접근 방법을 결정하게 되며, 수술적 치료가 임상 검사나 영상 정보에 의해 결정되지만 관절경 소견도 종종 유용할 수 있다. 퇴행성 관절증이 없거나 아주 적은 환자에게는 연골 병변에 대한 국소적 접근이 고려되어야 하지만 관절의 비정렬이나 불안정성도 수술전에 교정되거나 수술과 동시에 치료되어야 한다.

수술적 치료의 결과에 대한 연구는 대상 환자 수가 적다거나 모든 환자에 적용될 수 있는 점수 체계가 없기 때문에 그 분석

표 32-1. Randomized, Controlled Trials Evaluating the Effects of Sodium Hyaluronate(Supartz) on Pain Associated With Knee Osteoarthritis

| Study | No. Injections | Comparator Agent(s) | No. Patients | | Results |
			Enrolled Completed*	Treated With Supartz 20mg	
Puhl et al	5	Placebo(Saline)*	209/195	102	Signifieantly greater pain relief versus placebo at weeks 5 and 9(P<.05)
Wu et al	5	Placebo(Saline)	90/NA	NA	Significantly greater pain relief versus placebo at weeks 5 and 12(P<.05); pain relief comparable to placebo at week 26(NS)
Lohmander et al	5	Placebo(Saline)	240/189	28	Pain relief comparable to placebo through week 20(NS)
Dahlberg et al	5	Placebo(Saline)	52/48	28	Pain relief comparable to placebo through week 52(NS)

Abbreviations ; NA=not available and NS = not significant.
*Including patients receiving control medication, comparative medication, and Supartz.
*Solution with 10% Supartz

이 쉽지 않게 된다. 수술적 치료의 결과는 병변의 위치나 크기, 관절 사용의 과거력, 환자 나이, 몸무게, 관절의 부정 정렬, 술 후 관리등의 임상적 요소들에 의해 영향을 받는다.

X. 수술적 치료

1. 관절경(Arthroscopy)

발목 관절에서 관절경적 시술에 대한 지속적 고찰이 이루어져 왔는데, 다음은 골연골 결손에 대한 관절경적 기본적 술기에 대해 요약하였다. 골연골 결손에 대한 관절경적 접근은 전내측, 전외측, 후외측 세 개의 삽입구를 통해 주로 이루어진다. 전방 외측과 중앙부의 병변은 전내측 삽입구를 통해 가장 잘 볼 수 있고, 기구는 전외측 삽입구를 통해 들어간다. 일부의 전방 내측 병변은 전외측 삽입구를 통해 보면서 전내측 삽입구에 기구를 삽입한다.

후방 내측의 병변은 후외측과 전내측 삽입구를 통해 접근하고, 후외측 삽입구를 통해 보면서, 전내측 삽입구를 통해 기구를 삽입한다. 전내측 삽입구는 전방 경골근건에 근접해서 형성하여 병변에 가장 직접적으로 접근할 수 있게 된다. 다소 적은 빈도의 후방 외측 병변은 전내측 삽입구를 통해 보면서 후외측 삽입구를 통해 기구를 삽입한다(그림 32-4).

2. 발목 관절 골절에서 개방 정복 및 내고정술 이전에 시행하는 관절경

발목 관절 골절 시 개방 정복 및 내고정술 시행 이전에 관절경을 통해 연골 병변의 동반유무를 확인을 하는 것은 이러한 골절의 장기 예후를 예측하는데 도움이 될 수 있다. 그러나 19명의 환자에 대한 전향적 연구에서 개방 정복 이전에 관절경을 통해 확인된 연골 손상의 경우에 주관적, 객관적인 결과상 큰 차

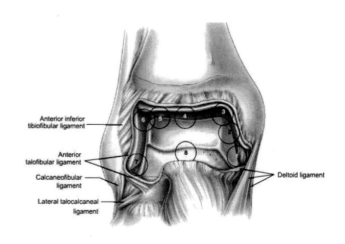

그림 32-4. 관절경을 통해 족관절 전반을 관찰하는 일반적 순서

이를 보이지 않았다[20]. 더 많은 대상 환자와 장기 추적을 통해 관절경 소견의 예후에 미치는 영향력이 평가되어야 할 것이다.

XI. 개방적 치료(open management)

1. 후내측 관절 절개술

후내측 병변에 대한 개방적 수술에서 내과 골절술은 필요치 않다. 수술전에 최대한 배측 굴곡시킨 후 찍은 스트레스 방사선 검사는 후내측 관절 절개술이 가능한가를 결정하는데 도움을 줄 수 있다. 신경 혈관 조직과 굴곡근건을 잡아당겨 적당히 노출시키고 후방 경골 근막을 통해 병변에 접근할 수 있다.

2. 전외측 관절 절개술

거골 전외측의 병변을 위한 접근법에서 전외측 관절 절개술이 유용한데, 표재 비골 신경과 외측 인대 손상에 주의하며 접근한다. 대부분의 전외측 병변은 적당한 족저 굴곡을 하면서 접근하도록 한다.

3. 내과 절골술

내과 절골술은 중간, 후방 거골 원개쪽의 병변 접근시 매우 좋은 시야를 제공하는 방법이다. 이 술기는 후내방과 후외방 병변에 대한 술기로 소개되어 왔는데, 이 절골술은 거골의 내측 어깨 방향으로 사선으로 절골하거나 내과를 쉐브론(chevron) 절골하는 방법이다. 절골술의 방법과 관계없이 이미 증상이 있는 관절에 더 손상을 주는 것을 피해야 한다. 부정 유합의 위험을 줄이기위해 내과는 미리 절골술 전에 drilling 되는 것이 좋고, 내과의 정렬을 확인함으로서 불유합의 위험을 줄일 수 있다. 이때 불필요한 연골 손상을 줄이기 위해 절골술은 반드시 절골기(osteotome)만을 이용해야 한다.

XII. 조직 이식(tissue transplantation)없이 시행하는 치료

조직 이식을 시행하지 않으면서 치료하는 많은 방법들이 소개되어 왔는데, 이러한 몇몇의 방법은 주변의 골수로부터 결손 부위에 기원 세포의 이동을 촉진함으로서 치유를 향상시킨다. 연골하골을 침습하는 이러한 방법은 두가지 문제점을 가진다. (1)결손부위에 초자 연골보다 섬유 연골을 형성하고, (2)연골하 구조를 파괴하여 연골의 퇴행을 더 촉진할 위험이 있다.

1. 관절 세척과 변연 절제술

관절 세척을 통한 염증 매개 인자를 제거함으로서 염증 환경 개선과 증상을 감소 시킬 수 있다. 그러나 세척은 병변을 직접 다루는 것이 아니므로 증상은 재발하는 경향이 있다.

관절경이나 개방적 수술법에 의한 변연 절제술은 골연골 결손에 대한 수술적 치료의 주류이다. 대부분의 연구에서 변연 절제술과 천공술(drilling)을 함께 다루었지만, 일부 연구에서 변연절제술만의 결과를 보여주었다. Bernt과 Harty[21]는 84%에서 개방적 변연절제술 후 좋은결과를 보고 하였고, Pritsch등[22]은 관절경을 이용한 14례 중 13례에서 좋은 결과를 보였다. 비슷하게 Kelberine과 Frank[23]는 18례의 병변 절제술(excision of fragment)중 16례에서 좋은 결과를 보였다.

2. 관절경 술식과 개방적 술식의 결과 비교

관절경 술식(72~90%에서 양호 이상)이 개방적 술기(3~90%에서 양호이상)정도 이거나 더 좋은 결과를 보이고 있다. 그러나 수술적 접근법, 손상의 기전, 환자 나이, 이환 기간, 변연 절제술이 천공술과 같이 수행되었는지 여부등의 다양한 요인으로 인하여 관절경과 개방적 술기를 정확히 비교하긴 힘들다.

3. 레이저(laser)를 이용한 변연 절제술

레이저는 손상받은 관절 연골의 제거나 결손 표면의 연골을 봉인(sealing)하는데 이용된다. Ho: YAG 레이져는 500~600㎛ 깊이에 세포학적 변화를 일으켜 연골 표면의 손상을 봉인한다. 그러나 레이저를 이용한 관절 수술의 이점과 합병증에 대한 무작위 전향적 연구는 별로 없고, 골괴사의 위험과 비용 때문에 레이저는 연골 결손의 치료에 대해 폭넓게 이용되지는 않고 있다.

4. 고주파 치료(Enhanced Radiofrequency)

고주파 치료는 부분 층의 연골 손상의 주변 부위를 안정시키는 것으로 생각된다. 이 술기는 관절경을 이용하여 전도성의 식염수에 전극을 삽입하여 이온화된 증기(또는 플라스마)를 생성한다. 연골 가까이에서 사용하면 플라스마층의 $110°C$에서 $160°C$의 고온의 에너지 입자가 연골 조직의 분자 결합을 분리하며 절제 효과는 연골 표면에서 $200\mu m$ 깊이에 이른다.

이 술기는 발목 관절보다 슬관절에 폭넓게 사용되고 있다. Uribe는 슬관절의 독립적인 부분층의 연골 손상에서 이 고주파를 사용하여 증상을 줄였다고 보고했다. 최근 고주파는 발목 관절과 거골 관절면에 사용되고 있으며 그 결과는 논란이 많고 관절경을 이용한 재확인을 포함해 장기 추적 연구가 진행중에 있다. 고주파의 강도가 증가함에 따라 연골 세포의 손상이 일어날 수 있다는 점도 아직 논란이 되고 있다.

5. 천공술(Drilling)

골연골 손상에서 연골하골에 대한 천공술(Drilling)은 미분화된 간엽 줄기 세포의 이동을 촉진하여 연골 회복을 촉진한다. 천공술은 굵기가 가는 도구를 이용함으로서 연골하 구조에 대한 손상을 최소화 한다. 안정된 골연골 병변에 있어서 변연 절제술이 없이 시행되는 천공술은 연골의 형상을 유지시키면서 연골 표면 아래의 치유를 촉진한다. 불안정한 골연골 병변은 변연 절제술후 시행하는데 관절경하에서, 또는 관절 절제술을 통해 시행할 수 있다. 가느다란 철사(wire)를 이용함으로써 관절경을 이용하는 것이 가능하다. 철사의 알맞은 위치를 유도하기 위한 도구(전방십자인대나 반월상 연골 봉합때 사용하는 유도관과 비슷함)를 사용한다.

전방의 병변은 특징적으로 전방의 삽입구를 통과하거나 피부를 관통하는 천공술을 이용한다. 후방이나 중앙부의 병변은 내외과를 관통하거나, 거골을 관통한다. 이후 다수의 천공 구멍을 내기 위해 다양한 술기가 사용된다. 내외과를 통한 천공술에서 내외과는 한번만 관통하면 되고 이 후 거골의 위치를 변화시킴으로써 단 한번의 관통을 통한 천공술로 다수의 구멍을 만들 수 있다. 후내측의 병변일 때는 역행적으로 거골을 관통하는 술식을 이용하여 거골동(sinus tarsi)을 통과하게 되고

주변의 연골 손상을 피한다.

골연골 결손 치료에 있어서 천공술은 변연 절제술과 같은 다른 술기와 같이 사용할 수 있기 때문에 다양한 결과를 가져온다. 증상이 있는 골연골 결손에서 관절경을 이용한 술기와 거골을 통한 역행적 술기에서 좋은 결과를 보였다는 연구들이 있고, 젊은 환자에서의 외상성 골연골 결손과, 수상 후 천공술까지의 기간이 짧을 때 그 결과가 좋았다. 반대로 연골하골의 낭종을 가진 만성 골연골 결손에서는 천공술이 덜 효과적이었다[24].

6. 소파 관절 성형술(abrasion arthoplasty)

소파 관절 성형술은 변연 절제술과 연골하판을 침습하여 연골 결손의 치유를 유도하는 방법을 총칭하는 방법이다. 특징적으로 이 술기는 절삭기(bur)를 이용하여 관절경적으로 노출되어 있는 경화된 연골하골을 제거하며, 다음으로 지혈대(tourniquet)를 풀어 줌으로써 결손 부위에 혈액 응고가 생기게 되는 것이다. 이 때 초자 연골보다 섬유 연골이 결손부위를 메우게 된다.

이 술기의 결과엔 혼란스러운 점이 많다. 슬관절염의 5년 추적을 통한 후향적 연구에서 Bert와 Maschka는 소파 관절 성형술에 67%의 만족도를 보였으나, 관절경적 변연 절제술만으로도 79%의 만족도를 보였다. 1년간의 추적 조사에서 Friedmann 등은 슬관절의 연골 결손 환자중 60%만이 좋은결과를보였다. 반대로 Levy등은 슬관절의 골연골 골절을 가진 축구 선수들에서 뛰어난 단기 추적 결과를 보고했다. 그러나 슬관절과 비교하여 상대적으로 적은 접촉면을 가진 족근관절에서는 그 결과가 의심스러울 밖에 없다.

7. 미세 절골술(microfracture)

미세 골절 술기는 Steadman등에 의해 유명해졌는데, 서로 근접한 연골하골에 송곳(awl)을 이용하여 시행하는 천공술이며 연골하 구조는 유지될 수 있다. 다른 술기와 마찬가지로 연골하골에 대한 천공은 초자 연골보다 약한 섬유 연골로 채워진다. 슬관절의 연골 하골 병변을 가진 235명의 치료 결과에서 Steadman등은 75%의 환자가 7년동안 좋은 결과를 나타냈다.

8. 인공 물질(artificial matrices)

골연골 결손에서 연골 성장의 골격(scaffold)으로 다양한 인골 매개물이 연구되고 있다. 하지만 아직 이상적인 물질은 개발되지 않았다. 다수의 저자가 이상적인 인공 물질의 조건을 제시하였는데, (1) 세포 이동에 필요한 적당한 구멍이 있어야 하고 (2) 세포 성숙과 분화를 유도할 수 있는 뼈대가 되어야 하고, (3) 세포 부착성이 좋아야 하며 (4) 숙주 조직에 밀접하게 접촉할 수 있도록 유연해야 하고 (5) 숙주 조직에 치유 조직이 붙을 수 있는 능력이 있어야 하며, (6) 치유 조직이 재형성될 수 있도록 생분해적(biodegradable)이어야 하며, (7) 밀착되야 하고 (8) 동적인 또는 정적인 변형이 일어날 수 있도록 탄력적이며, (9) 쉽게 전위되지 말아야 한다.

흡수성 중합체를 결손부위에 이식하는 것이 유용할 수 있는데, Chvapil은 콜라겐 스폰지를 결손 부위에 넣어 치유 조직의 뼈대로 사용했다. 토끼 슬관절에 인위적 연골 결손을 일으킨 뒤 이식한 다글리콜산염(polyglycolic acid)에서 초자연골양(hyaline-like) 조직의 성장을 관찰되었다. 반면에 탄소 섬유(carbon fiber)의 이식은 사람과 동물 실험에서 모두 초자 연골이 아닌 섬유 연골의 성장을 촉진하는 것으로 나타났고 마찬가지로 Teflon, Dacron, Gore-Tex와 다른 중합체들도 동물실험에서 연골 치유의 긍정적 효과를 보여주지 못하고 있다.

9. 절골술(osteotomy)

고관절 및 슬관절과 마찬가지로, 족관절도 연골 결손의 치료를 위해 관절면의 재정렬이 도움이 될 수 있다. 과상부 절골술 또는 후족부 재정렬을 사용하여, 관절 연골 퇴행 부위의 접촉 부하(contact stress)를 줄일 수 있다. 사체 표본에서 시행한 과상부 절골술의 생역학적 분석에 의하면, 외반 과상부 절골술이 내측 발목 관절의 압력으로부터 압력을 중앙 및 외측으로 의미 있게 재분배시킬 수 있었다고 한다[25]. 이는 외반-형성 과상부 절골술이 중간 정도의 내측 관절증에 도움이 된다는 이전의 임상 결과를 지지하는 것이다. 외측 발목 관절의 부하를 없애기 위한 내반-형성 과상부 절골술은 일관된 결과가 없다. 슬관절 절골술처럼 손상 부위에 초자 연골보다는 섬유 연골이 형성되고 결과적으로 시간이 지나면 손상이 진행되는 것으로 보인다.

10. 골연골편의 내고정술

큰 골연골편은, 특히 급성인 경우는 내고정술을 시행할 수 있다. 작은 해면골 나사와 Herbert 나사는 관절 절개술이 필요하고 압박을 가할 수 없으며, 나중에 제거가 필요하다. K-강선은 나사보다 고정력이 적지만 거골을 통한 역행적 방법으로 위치시킬 수 있어, 관절면의 부가적인 손상을 줄이고 회복을 촉진할 수 있다. 삽입물의 제거가 필요 없도록, 다글리콜산(Polyglycolic acid-based) 또는 다젖산(Polylactic acid-based)으로 만든 생체 흡수성 핀이나 나사를 이용한 내고정을 사용해 볼 수도 있다(그림 32-5). 또한 섬유소 아교(fibrin glue)도 성공적으로 사용되었다.

만성 거골 골연골 손상은 결손 부위의 섬유 조직 형성과 경화로 인해, 내고정술에 의한 치료가 잘 되지 않는다. 그러나, Kumai 등은 결손 부위의 소파술과 천공술 후, 경골 피질로부터 얻은 2~3개의 골못(bone pegs, 약 10-20mm 길이)을 이용하여 만성 결손을 치료하여 평균 7년 추시상, 89% 환자에서 성공적인 결과를 보였다.

11. 신연 관절 성형술

일부 학자들에 의하면, 일시적인 발목 관절 신연술이 관절 연골을 보호하는데 도움이 되는 것으로 알려져 있는데, 이를

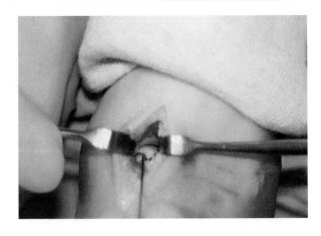

그림 32-5. 개방적 술식을 통해 Bioabsorbable screw를 이용하여 골편을 고정시킴

지지하는 연구자들은 손상된 관절의 과도한 부하는 골기질의 조직적 배열 및 부피의 감소를 유발한다고 주장한다. 어느 정도의 연골 복원은 족관절의 기계적 부하를 없애는 것과 동시에 간헐적인 활액의 흐름 및 압력과 동반하여 일어날 수 있다. 관절 운동과 관련하여, 관절 신연술은 기질의 교체가 일어나는 동안, 염증 및 연골하 경화를 감소시킬 수 있다.

Van Valburg등[26]은 11명의 진행된 외상후 골관절염 환자의 치료를 위해 인공 족관절 신연술을 사용하였다. 일리자로프(Ilizarov)기구를 평균 15주 동안 발목 관절의 신연을 위해 착용시켰다. 6주에서 12주 사이에 관절 운동을 시작하였고, 20개월 추시 동안 모든 환자들은 통증이 거의 없었고(5명은 통증이 전혀 없었다), 6명중 3명은 추시 방사선 사진상 관절면 공간의 증가가 계속 유지되었다. 이후 다른 저자들에 의해 신연 기술을 사용한 전향적인 무작위 연구에서, 26례의 증상이 있는 족관절 골관절염 환자에서 통증의 현저한 감소, 기능의 향상, 관절 운동의 증가 및 방사선 사진상 관절 공간의 증가가 나타났다. 1~4년 추시에서, 5명의 환자에서만 관절 유합술이 필요하였다. 그러나 관절 신연술이 국소적인 결손의 치료에도 적용될 수 있는지는 불확실하다. 그러나, 아마도 관절의 기계적 환경을 변화시켜 치유를 촉진할 가능성이 있다.

12. 지속적 수동 운동(CPM)

관절 운동은 정수압의 진동이나 동적 유압을 통해 치유를 촉진시킬 수 있다. 토끼 모델에서 수술 후 통제된 관절 운동이, 움직이지 않거나 또는 통제되지 않은 운동보다 관절 연골 회복에 도움이 되는 것이 증명되었다. 이후의 연구에서 모두 동일한 결과가 나타났으나 지속적 수동 운동은 3mm 이상의 결손에서는 효과가 보이지 않는 것으로 나타났다. 그러나, 신연 관절성형술과 함께 사용될 때 도움이 될 것으로 생각된다.

XIII. 조직 이식술(tissue transplantation) 과 관련된 치료

연골하층의 침습을 통한 자발적 회복을 유발하려는 몇몇 방법들을 제외하고는, 이전에 설명한 방법들은 치유의 적극적인 생물학적 수단이 부족하다. 이러한 방법들은 초자 연골을 형성

할 수 없기 때문에, 최근의 연구들은 능동적인 생물학적 활성을 촉진하는 방법들에 집중되어 있다. 이러한 방법들은 관절 결손의 치료로 입증된 것들은 아니지만, 몇몇 연구들은 유망한 임상 결과를 제시하고 있다.

1. 골 이식술(bone grafting)

연골하 골구조의 회복에 골 이식술은 유용하며 연골 복원술 없이 거골 골연골 결손의 골 이식술의 결과는 동물과 인체를 대상으로 하는 많은 연구에서 보고되었다. 쥐를 이용한 연구에서, 전층 골연골 결손의 골 이식으로 24주에 초자 연골같은 연골 조직이 형성되었다. 복원 조직은 세포수가 적고, 표면은 섬유상 수축을 보였다. 토끼를 이용한 비슷한 연구에서도, 정상과 유사한 초자 연골이 전층 연골 결손에서 관찰되었고 복원 조직과 주변 연골 사이의 불완전 결합 및 부적절한 표층 연골대가 관찰되었다.

자가골 이식으로 치료한 13례의 만성 거골 원개의 골연골 결손에 대한 연구에서, 최근 임상 결과는 좋지 않았다[27]. 평균 18개월 추시에서 우수 2례, 양호 3례, 보통 5례를 보였고, 결과가 좋지 않았던 3례에서는 결국 족관절 유합술을 시행하였다. 13례중 12례에서 2차 관절경, 전산화 단층 촬영에서 치유가 관찰되었으나 연골이 결손 부위에 생성 되었더라도, 초자 연골이라기 보다는 섬유성에 가까워 보였다.

이 외에 표층의 연골 조직이 정상일 때, 정상 연골에 손상을 주지 않고, 거골의 골연골 결손의 골성 치유를 촉진하기 위해, 골 이식술을 역행적으로 시행할 수 있다.

2. 골막 관절 성형술(periosteal arthroplasty)

관절 연골 결손의 복원을 위해 골막 피판을 이식하는 기술은 Rubak 등에 의해 처음 기술되었다. 골막의 캠비움(cambium)층은 연골 생성을 유발할 수 있는 미분화 간엽 세포를 포함하고 있다. 골막 이식을 통한 연골 생성은 몇 가지 인자에 의해 촉진되는 것으로 보인다. 1) 골막 피판의 방향, 2) 복원 과정 중의 CPM, 3) 환자 나이, 4) 적절한 체취(harvesting) 기술등이 있으며, 운동은 골막 피판의 연골 생성을 촉진하는 것으로 보인다.

이전에 언급한 연구들에서 골막 이식 후 연골 결손에 있어

초자 연골이 주로 형성된다고 하였는데, 골막 이식의 토끼 실험에서 결손 부위에서 형성된 연골의 90%가 초자 연골이었다. 복구되는 조직을 유지하기 위해선 연골하골의 거의 정상적인 관절 일치성(congruency)을 다시 만들기 위해 골이식이 시행되어야 할 것으로 생각된다.

3. 자가 연골 세포 이식

1984년 Peterson등[28]은 관절 연골 재건에서 자가 연골 세포 이식을 소개했다. 이 기술은 결손 부위에 붙여진 골막 이식편 아래에 배양된 자가 연골 세포를 넣어 연골 결손을 채우는 방법이다. 외부에서 들어온 연골 세포는 연골 재생을 촉진시키는 분화 세포로서 작용한다. 세포들이 배양되기 때문에, 이론적으로 제한없이 많은 조직이 만들어질 수 있다.

이러한 기술의 성공 여부는 아마도 단지 연골 세포의 이식 자체에만 달려있는 것은 아니다. 결손 부위를 준비하고 골막 이식편을 위치시키는 것은 다음의 환경을 만들어주는데 매우 중요한데 이것은 (1) 결손 부위의 주변에 있는 연골 (2) 연골하 골판에 있는 연골세포 (3) 골연골 손상의 경우에 골수에 있는 기원세포 (4) 골막층에서의 연골 생성 능력 (5) 활막액등을 말한다. 연골하 기저판은 이식을 위해서는 정상이어야 한다. 비록 이러한 환경이 항상 유지되지는 않더라도 자연적인 연골하 골은 이식된 세포를 보호할 수 있는 고유의 유연성을 가지고 있어야 한다. 몇몇 연구들은 부정적이나 상당히 우호적인 연구들도 많다. 무릎의 연골 결손에 이식술을 시행한 사람들에 대한 연구에서 Brittber등은 87%에서 추적 관찰 상 매우 좋은 결과를 얻었다고 보고했다.

자가 연골 세포 이식의 한계는 이식 세포들이 완전히 분화되어 있다는 것이다. 연골 결손에 이식되어질때 세포들이 정상 연골 조직의 고유한 층으로 조직화되기보다는 무작위적인 배열을 보인다. 이러한 무작위적인 배열로 인해 이식된 조직의 표면 근처에서 석회화된 부분이 나타날 수 있다. 만약 분화된 연골 세포들이 이식되기 전에 조직화 될 수 있다면 분화된 연골 세포는 더욱 정상적인 생역학적 특성을 만들 수 있다. Peterson등은 14명의 환자에서 거골 관절면의 연골 병변에 자가 연골 세포 이식술을 시행하였는데 평균적으로 34.5개월후에 85%에서 좋은 결과를 보고했다.

4. 간엽 줄기 세포(mesenchymal stem cell)의 이식

간질 줄기 세포의 이식으로 연골하 또는 연골 손상의 재건이 가능할 수 있다. 자가 연골 세포같이 간질 줄기 세포도 배양될 수 있는데, 최근 연구들은 이러한 줄기 세포를 배양하는 체계로서 효과적인 배지를 개발하는데 집중되어 있다. 유사 분열 촉진 인자(basic fibroblast growth factor, transforming growth factor-B1, epidermal growth factoe, insulin-like growth factor-1,그리고 growth hormone)들이 포함되어 있는 섬유소 응집(fibrin clot)은 복원 세포의 이동의 기초 뼈대로 사용될 수 있으나 이 기술의 효용성은 입증되지 않았다.

5. 골연골 자가 이식 (osteochondral autografts)

골연골 자가 이식의 목적은 초자 연골과 연골하골의 조합으로 결손을 채우는 것이다. 대략 세가지 기술들이 자가 이식의 보편화된 방법이 되어 왔다. (1) 골연골 자가 이식술(OATS) (2) 모자이크 성형 기술(mosaicplasty) 그리고 (3) Innovative COR(Innovative devices, Inc, Marlborough,MA) 연골 복구 기술등이 있다. 골연골 이식편은 결손 부위의 크기에 적합한 크기로 체중이 실리지 않는 관절면에서 채취하고 한 단계의 시술로 손상된 연골에 심어진다. 보통 공여부에서 채취하는 것은 관절경이나 관절 절개술을 통해 이루어진다. 전형적으로 이식은 중심과 후방측 병변에서는 내과의 절골술이 필요하고 전방 병변에서는 관절 절개술이 필요하다.

비록 이식되어지는 조직의 골성분들은 주위의 연골하골과 잘 유합하게 되나 연골 성분은 주위의 관절 연골과 잘 결합하지 못할 수 있다. 하지만 관절경과 조직학적 분석을 통해 대개 이식되어지는 연골은 주위 연골과 균일하게 된다는 것을 확인할 수 있다. 3개월 후 연골의 접촉면은 섬유소 조직에 의해 단절되어 보이나 12개월이 지나면 연골층이 균일하게 관찰 되어진다. 또한 이식 장소에서 연골의 경직도를 객관적으로 측정하면 이는 주위의 조직과 거의 동일하다.

자가 골연골 이식은 크기가 큰 병변에 있어서는 공여 조직의 공급이 제한되기 때문에 효과가 적을 수 있다. 발목 관절은 체중이 안 실리는 관절면이 적기 때문에 추가적인 체취는 발목 관절 이외의 관절에서 이루어지게 된다. 연골은 일반적으로 무릎의 외상과 또는 과간 절흔에서 체취된다. 공여 부위의 이환(morbidity)도 고려되어야만 한다. Hangody는 거골과 무릎에 병변이 있는 400례 이상의 환자에서 3%의 공여 부위 유병률과 골연골 이식편의 체취로 8%의 혈관절증이 발생함을 보고했다. 공여 부위가 대퇴골과의 외측에 있음에도 불구하고 일반적으로 증상은 대퇴-슬개 관절 부위에서 발생한다. 이러한 제한점에도 불구하고 골연골 이식은 상당히 효과적인 방법으로 생각되며 장기 결과는 아직 밝혀지지 않았다.

6. 골연골 자가 이식술(OATS)

골연골 자가 이식술(OATS)은 거골 관절면 결손의 치료에 많이 적용되어 왔다. 그 결과는 아직 명확하지 않으나 슬관절에서 중간 정도의 추적 기간에 나타난 결과는 우호적이다. 골연골편은 지름이 6~10mm 정도이고 수여 부위보다 1mm 크게 한다. 체취와 이식은 각기 다른 기구를 통해 이루어져야 한다. 수여부의 깊이는 15mm 정도 이고, 체취편은 13mm의 깊이로 이루어진다.

7. 모자이크 성형술(mosaicplasty)

Hangody등은 1992년이후 슬관절과 거골 관절면에 600례 이상을 시행하였고 모자이크 성형술을 대중화시켰다. 여기에는 경골 관절면 병변의 모자이크 성형술을 받은 50명 이상의 환자를 포함하고 있는데, 시술은 개방적 접근법을 사용했는데, 발목 전외측의 병변은 최소 관절 절제술(miniopen arthrotomy)을 통해 접근하였고 내과 절골술을 통해 후내측 병변에 접근하였다. 골연골 이식편은 관절경을 통해 무릎의 외과 융기선으로 부터 얻어진다. 골연골편의 크기는 OATS에서 사용되는 것보다 약간 작아서 지름이 2.7~6.5mm정도이다. 체취와 이식은 같은 기구를 통해 시행되며 준비된 결손 부위로 이식편을 바로 이식할 수 있게 된다. 이식편은 추출한 후에 0.1~0.2mm 정도 커지는 경향이 있으며 이는 이식된 조직에 적절히 압박 부착(press fitting)시키는 역할을 한다. 수여 부위의 깊이는 이식되는 조직보다 일반적으로 2~3mm정도 더 깊게 한다(그림 32-6a, 6b).

모자이크 성형술의 적응증은 (1) 지름이 적어도 10mm이상인 병변 (2) 떨어진 내외측 관절면의 병변 (3) 분리된 골연골편 (4) 전반적인 관절염이 없는 경우등이다. 최근 연구에서 매우 좋은 결과를 보였고 추적 단순 방사선 촬영, CT, MRI등은 모든 사례에서 이식편이 결합되는 것을 보여주었고 여러 사례의 이차 관절경을 통해 주위 관절면과 비슷한 정도의 경직성을 보여주었다. 비록 일부 환자에서 수술후 1년이 지나 슬개 대퇴 관절 증상이 나타나기는 했지만 장기간 추시 후에 공여 부위의 이환률은 나타나지 않았고 일부 환자에서 이차 관절경상 공여 부위가 완전히 섬유 연골로 채워진 소견을 보였다. 가장 최근의 추적 관찰 기간까지도 수술받은 무릎과 발목의 점진적인 관절변

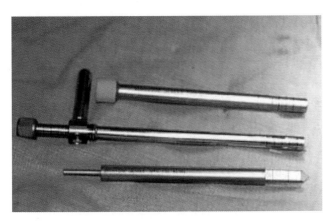

그림 32-6a. 모자이크 성형술에 쓰이는 기구들

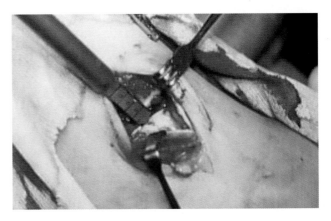

그림 32-6b. 모자이크 성형술을 이용한 골연골 자가 이식

화가 나타난 환자는 아무도 없었다.

8. Innovasive COR Cartilage Repair System

Innovasive COR 연골 복원 기술은 앞서 언급한 기술들과 유사하다. 145례의 슬관절에 대한 다양한 기관의 연구에서 87%의 환자가 아주 만족스런 결과를 보였다. 평균 13개월에 시행한 이차적 관절경과 조직학적 검사에서 초자 연골이 발생함을 보여주었다. 결과는 OATS와 모자이크 성형술과 비슷할 것으로 생각된다.

9. 동종 골연골 이식(osteochondral allografts)

일반적으로 자가 조직 이식보다 동종 조직 이식편을 사용할 때의 장점들로는 공여 부위의 이환이 없는 점, 크고 많은 조직을 사용 할 수 있고, 결손 부위에 적합한 이식편 모양을 만들기 쉬운점 등을 들 수 있다. 동종 이식을 하는 경우에 좋은 결과는 신선한 동종 이식편의 사용, 이식에 적합한 조직 사용, 안정성 있고 잘 정렬된 관절 그리고 수술 후 골유합이 될 때까지 체중을 싣지 않는 것 등과 관련이 높다.

슬관절에서 신선한 동종 이식의 성공률은 다른 연골 재생술과 비슷하다. 성공을 방해하는 인자로는 55세이상의 나이, 비만, 접촉 병변(kissing lesion), 퇴행성 관절염 그리고 동결 동종 이식편의 사용 등이 있다. 연골 세포의 생존율이 0~50%인 동결 동종 이식편은 체중을 지탱하는 능력이 떨어지고 빨리 퇴행성 변화를 가져올 수 있다. 일부 조사자들은 대퇴골 과상 돌기의 큰 결손의 치료에 있어 동결 동종 이식편을 사용하여 상응하는 결과를 보여주기도 하였다.

비록 동종 이식이 독립적인 거골 관절면의 결손 부위에 사용되어 왔지만 그 결과의 보고는 많지 않다. 증상이 있는 무릎 관절에 매우 심한 병변이 있는 경우 신선한 거골 연골의 동종 이식편이 사용된 적이 있었다. 42%의 실패율등이 보고되고 있지만 나중에 발목 관절 고정술을 방해하지 않는 기술이다.

10. 인공 간질 조직(artificial matrices)

인공 간질 조직은 이식된 세포와 전달 체계의 골격(scaffold)

으로 여겨져왔다. 콜라겐젤, 생분해 중합체, 이종 이식편 물질 등은 연골 손상을 치료하는데 성장 인자 그리고 세포들과 같이 이용되어 왔다. 동물 실험에서 이러한 기술들은 대조군과 비교할 때 연골 재건을 촉진하는 것으로 보여진다.

XIV. 연골 재건의 향후 방향

비록 자가 연골 세포 이식과 자가골 연골 이식등의 여러 방법들의 치유 가능성이 높더라도 장기간의 임상 실험을 통해 이방법의 효과를 입증할 필요가 있다. 근육, 골막, 골수등에서 유래된 기원 세포들은 골연골 결손을 복구하고 정상적인 연골하골 구조를 다시 형성하는데 적절히 분화되거나 조직화되는 과정을 통해서 성숙된 연골 세포보다 더 기여를 할 것으로 생각되고 있으나, 기원 세포가 조직적으로 배열되는 데는 구조적 기저 간질 골격이 필요할 것이다. 이러한 간질을 적정화하기 위해서는 성장 인자가 첨가될 수 있고 이는 세포 분화와 이식 조직과 주위 연골간의 결합을 촉진하는데 성장 인자의 분비가 중요하기 때문이다. 또한 생리학적, 생역학적 그리고 전기 화학적인 자극등이 연구되어야 하고 복구된 조직이 원래의 연골과 비슷하게 반응한다는 것을 증명해야 하는 과제가 있다.

XV. 요약

발목 관절에서의 연골 복구의 성공에는 다양한 요소가 관여한다. 연골 치유는 조직화된 초자 연골을 만들지 못하기 때문에 어떻게 적절히 치유력을 촉진할 것인가는 계속 문제가 되고 있다. 적절한 간질 구조, 기원 세포의 공급, 적절한 치유 반응을 자극하기 위한 유전자 조작된 조직들이 등장하고 있으나 이러한 기술들이 실용화 될 때까지는 자가 연골 세포 이식, 골연골편 이식등이 상당히 효과적인 방법으로 생각된다.

■ 참고문헌

1. Huch K, Kuettner KE, Dieppe P: Osteoarthritis in knee and ankle joints. Semin Arthritis Rheum 26:667, 1997

2. Hauselmann HJ, Fletchenmacher J, Gitelis SH, et al:

Chondrocyte from human knee and ankle joints show differences in response to IL-1 and IL-1 receptor inhibitor Trans Orthop Res Soc 117:710, 1993

3. Stoop R, vanderKrann PM, Billinghurst RC et al: Type II collagen degradation after anterior cruciate ligament reconstruction in the rat. In Abstracts of the 63rd Annual Scientific Meeting of The American College of Rheumatology, Boston, 1999, p 1121

4. Byers P, Conteponti C, Farkas T: A post-mortem study of the hip joint, Ann Rheum Dis 29:15, 1970

5. Kelberine F, Frank A: Arthroscopic treatment of osteochondral lesions of the talar dome: A retrospective study of 48 cases, J Arthrosc Rel Surg 15:77, 1999

6. Hepple S, Winson IG, Glew D: Lateral ligament injuries and osteochondral lesions in magnetic resonance imaging of the ankle. In Programs and Abstracts of the 13th Annual Summer Meeting of the American Orthopaedic Foot and Ankle Society, Monterey, CA, 1997

7. Berndt AL, Harty M: Transchondral fractures(osteochondritis dissecans) of the talus, J Bone Joint Surg Am 41:988, 1959

8. Canale ST, Belding RH: Osteochondral lesions of the talus. J Bone Joint Surg Am 62:97, 1980

9. Hepple S, Winson IG, Glew D: Lateral ligament injuries and osteochondral lesions in magnetic resonance imaging of the ankle. In Programs and Abstracts of the 13th Annual Summer Meeting of the American Orthopaedic Foot and Ankle Society, Monterey, CA, 1997

10. Flick AB, Gould N: Osteochondritis dissecans of the talus (transchondral fractures of the talus): Review of the literature and new surgical approach for medial dome lesions. Foot Ankle Int 5:165, 1985

11. Verhagen RA, Tol JL, maas M, et al: Osteochondral defects (OCD) of the talus: Diagnosis by plain X-rays, CT, MRI-scan or diagnostic arthroscopy? In Programs and Abstracts of the 29th Annual Meeting of the American Orthopaedic Foot and Ankle Society, Anaheim, CA, 1999

12. Potter HG, Linklater JM, Allen AA, et al: Magnetic resonance imaging of articular cartilage in the knee: An evaluation with use of fast-spin-echo imaging. J Bone Joint Surg Br 41:618, 1959

13. Kumai T, Higashiyama I, Samoto N, et al: Followup study of MRI for osteochondral lesions of the talus, In Programs and Abstracts of the 14th Annual Summer Meeting of the American Orthopaedic Foot and Ankle Society, Boston, 1998

14. Kumai T, Takakura Y, Higashiyama I, et al: Arthroscopic drilling for the treatment of osteochondral lesions of the talus. J Bone Joint Surg Am 81:1229, 1999

15. Anderson IF, Crichton KJ, Grattan-smith T, et al: Osteochondral fractures of the dome of the talus. J Bone Joint Surg Am 71:1143, 1989

16. Pritsch M, Horoschovsk H, Farine I, et al: Arthroscopic treatment of osteochondral lesions of the talus. J Bone Joint Surg Am 68:862, 1986

17. Ferkel RD, Cheng MS, Applegate GR: A new method of radiologic and arthroscopic staging for osteochondral lesions of the talus. In Proceedings of the 62nd Annual Meeting of the American Academy of Orthopaedic Surgeons, Orlando, FL, 1995, p 126

18. Radin EL, Ehrlich MG, Chernack R, et al: Effect of repetitive impulsive loading on the knee joints of rabbits. Clin Orthop 131:288, 1978

19. Woodward JS, Lippiello L, Karpman RR: Beneficial effect of dietary chondroprotective agents in a rabbit instability model of osteoarthritis. In Programs and Abstracts of the 66th Annual Meeting of the American Academy of Orthoapaedic Surgeons, Anaheim, CA, 1999, p 15

20. Thordarson DB, Bains R, Shepherd L: The role of ankle arthroscopy in the surgical management of ankle fractures. In Programs and Abstracts of the 15th Annual Summer Meeting of the American Foot and Ankle Society, Fajardo, Puerto 까채, 1999

21. Berndt AL, Harty M: Transchondral fractures(osteochondritis dissecans) of the talus, J Bone Joint Surg Am 41:988, 1959

22. Pritsch M, Horoschovsk H, Farine I, et al: Arthroscopic

treatment of osteochondral lesions of the talus. J Bone Joint Surg Am 68:862, 1986

23. Kelberine F, Frank A: Arthroscopic treatment of osteochondral lesions of the talar dome: A retrospective study of 48 cases, J Arthrosc Rel Surg 15:77, 1999

24. Kumai T, Takakura Y, Higashiyama I, et al: Arthroscopic drilling for the treatment of osteochondral lesions of the talus. J Bone Joint Surg Am 81:1229, 1999

25. Cheng YM, Chang JK, Hsu CY, et al: Low tibial osteotomy for osteoarthritis of the ankle, Kao Hsiung I Hsu도 Ko Hsueh Tsa Chih 10:430, 1994

26. van Valburg AA, van Roermund PM, et al: Can Ilizarov joint distraction delay the need for an arthrodesis of the ankle? A preliminary report. J Bone Joint Surg Am 77:720, 1995

27. Martin TL, Wilson MG, Robledo J, et al: Early results of autologous bone grafting for large talar osteochondritis dissecans lesions. In Programs and Abstracts of the 29th Annual Meeting of the American Orthopaedic Foot and Ankle Society, Anaheim, CA, 1997

28. Peterson L, Menche D, Grande D, et al: Chondrocyte transplantation- an experimental model in the rabbit. Trans Orthop Res Soc 9:218, 1984

33. 종골의 골절
Calcaneal Fractures

을지의대 을지병원 족부정형외과 **양 기 원 · 차 승 도**

종골(calcaneus)의 골절은 선사 시대에는 드물었으며 유럽에서 수도원, 성, 교회가 생기기 전까지도 흔하지 않았고 산업 혁명 후에야 교통 사고나 추락에 의해 많이 발생되었다. 현재 종골 골절은 모든 골절의 2%정도이며 족근골 골절 중 가장 흔하다. 골절의 60-75%가 전위된 관절내 골절이며 10%에서 척추 골절이 동반되고 26%에서 사지의 골절이 동반된다. 종골 골절은 90%가 41세에서 45세 사이의 남자에서 발생되었고 대다수가 산업 근로자였으며 20%가 3년 이상 일을 할 수 없었고, 5년 이상 부분적인 장애를 겪을 정도로 경제적으로도 중요하다. Conn등은 종골 골절은 심각한 골절로 예측할 수 없는 나쁜 결과를 보인다고 하였고 1930년대에 Bohler가 손상 기전과 분류를 발표하였다. 최근 50년 이상 많은 연구가 진행되었으나 보존적 치료나 수술적 치료의 결과는 좋지 않았고 획일화된 분류법이나 치료, 수술 기법, 술후 관리는 없는 상태이다.

종골의 골절은 수술을 해도 합병증이 심하고 증상이 많이 남아 있어 치료가 어려운 골절 중에 하나이다. 환자의 대부분이 산업 현장에서 다쳐서 산업 재해와 연관이 되어 어느 정도 보상의 심리가 수술의 결과에 많은 영향을 미치는 것도 사실이다.

이 장에서는 종골 골절의 전반적인 내용과 수술을 할 때 필요한 중요 사항들과 종골의 골절 후에 오는 합병증의 치료에 대해서 기술하고자 한다.

I. 해부학(Anatomy)

종골(calcaneus)은 족근골 중에서 가장 크고 앞뒤와 위아래로 갸름하며 주로 해면골로 이루어져 있고 우리 몸 중에서 직접 땅에 닿는 부분이므로 추락 때 충격으로 쉽게 부서진다. 종골은 체중을 지탱하고 아킬레스건의 지렛대로 작용한다.

1. 종골의 관절면

네개의 관절면을 가지고 있으며 모양이 불규칙하다. 전방으로 입방골(cuboid bone)과 한 개의 관절면이 있으며, 거골과 세개의 관절면이 있다. 상부에는 세개의 관절면이 있어 거골과 만나고 중앙과 후방 관절면 사이에 하나의 골간 구(interosseous sulcus)가 있는데 거골과 함께 족근 동(sinus tarsi)을 만든다.

종골과 거골의 관절면은 거골하 관절로 아주 중요하면서 복잡한 운동이 일어난다.

종골에서 보면 전방에 전방(anterior)과 중앙(middle) 관절면이 움푹 들어가서 거골의 골두의 둥근면과 관절을 이루고, 종골 후방 관절면은 불룩 솟아 있어서 거골의 몸체 아랫 부위에 움푹 들어간 부위과 관절면을 이룬다. 이러한 태극 모양의 관절은 비교적 안정적이면서 복잡한 거골하 관절 운동이 일어난다. 종골의 후방 관절면은 외측에서 보면 제일 위로 솟은 부위가 뒤쪽에 있다가 점점 앞으로 가면서 중앙 관절면으로 향하고 있다. 아주 중요한 해부학적 부위다.

2. 거골하 관절

후 관절면을 외측에서 보면, 거골이 앞으로 가고 종골이 뒤로 가는 운동이 생길 경우, 측면에서 거골의 골두와 종골의 앞면이 겹쳐져 보인다. 그리고 종골의 직접 땅에 닿는 부위는 외측으로 빠지게 된다. 이러한 운동이 거골하 관절의 eversion 운동이며, 후족부의 valgus 운동인 것이다.

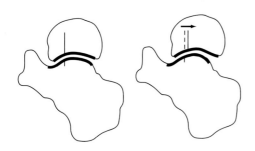

그림 33-1. 거골하 관절의 운동

그 반대의 경우가 거골하 관절의 inversion 운동이고 후족부의 varus 운동이다. 발 모형으로 한번 잘 움직여 눈으로 확인하는 것이 중요하다.

3. 종골의 내측

내측은 오목하며 재거 돌기(sustentaculum tali)가 돋보이며 이는 거골의 경부를 지탱하고 종골의 몸체에 대해 내측에 위치하며, 장 무지 굴건이 이 아래를 지난다. 탄성 인대(spring ligament)와 삼각인대(deltoid ligament)가 부착되어 있어 종골의 관절내 골절시 전위가 잘 발생하지 않는다. 거골하 관절(subtalar joint)은 거골과 종골이 접하는 세 소면(facet)으로 이루어지는데, 이 중 거골 쪽이 오목하고 종골 쪽이 볼록한 후방 거골하 소면(posterior subtalar facet)이 제일 크고 중요하다. 이 관절 안에 있는 골간 거종 인대(interosseous talocalcaneal ligament)와 경부 인대(cervical ligament)는 각각 발의 외번(eversion)과 내번(inversion)을 막는다. 족근 동(sinus tarsi)은 족근의 외측에 거골과 종골 사이의 함몰로 외과와 같은 높이에 있으며 하외 지대 인대(inferolateral retinacular ligament)의 외측에 해당한다. 이곳을 통해 거종 관절(talocalcaneal joint), 종 입방 관절(calcaneocuboid joint) 그리고 거주상 관절(talonavicular joint)에 용이하게 접근할 수 있다.

4. 종골의 외측

외측부에는 2개의 홈(groove)과 1개의 돌기(tubercle)가 있는데 이곳에 장,단 비골건이 지나간다. 이 부위의 중요성은 골절 정복 후 금속판을 댈 때 걸릴 수 있다는 점이다. 이 경우에는 제거를 하여서 금속판과 비골건이 자극이 되지 않게 한다.

종골의 측면 사진에서 두 개의 중요한 각이 있는데 Bohler angle(20~40도)은 후방 거골하 소면의 가장 높은 부위와 전방 돌기의 가장 높은 부위를 연결한 선과 후방 거골하 소면의 가장 높은 부위와 종골 조면의 가장 높은 부위를 연결한 선이 이루는 각으로 종골의 붕괴로 체중 부하면의 감소를 의미한다. 또 하나는 Gissane 각(crucial angle of Gissane)으로 후방 거골하 소면의 외측면과 종골의 앞 부분 부리까지의 면이 이루는 각으로 이 위에는 거골의 외측 돌기가 있다.

II. 손상 기전 및 병리 해부학(Mechanism of injury and Pathoanatomy)

종골 골절의 치료에는 어떻게 종골이 골절이 되어 있느냐의 3차원적인 지식과 함께, 정상 종골이 어떻게 보이는가가 아주 중요하다. 정상 종골의 형태는 우리가 흔히 보는 방사선 사진에서 머리속에 들어 있는 것과는 사뭇 다르다고 할 수 있다. 따라서 방사선 사진상에서 보이는 종골과 거골의 각각의 선과 이 선이 해부학적으로 정상 종골에서 어떤 부위를 의미하는지 반드시 잘 알고 있어야 한다.

1. 방사선 사진상의 종골

방사선 사진에서는 종골과 거골을 함께 관찰하여야 한다. 종골과 거골의 형태와 각각의 선이 의미하는 것과 이선이 내측에 위치하는지 외측에 위치하는지 알아야 한다. 하지만 이러한 선들의 형태는 발의 위치에 따라서 아주 다르게 나타난다.

먼저 중요한 선을 보면 종골의 후방 관절면의 선과 중앙 관절면 선과의 관계이다. 정상(발을 땅에 디디고 체중을 부하한 상태)에서는 두 개의 산처럼 보인다. 전방에 있는 산이 종골의 중앙 관절면을 나타내고 후방에 있는 산이 후방 관절면을 나타낸다. 그 사이로 거골에서 뼈 기둥모양으로 내려오는 부위가 있는데 이는 후방 관절면과 관절을 이루는 거골의 외측 부위이다(그림 33-2).

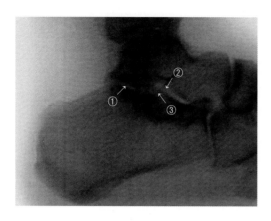

① 종골의 후방 관절면 ② 종골의 중앙 관절면 ③ 거골의 외측 부위

그림 33-2. 정상위치의 종골 ①과 ②에 의해 두개의 산 모양이 보인다.

발을 external rotation 시키면 전방의 산은 없어지고(anterior porcess 부위와 겹쳐 보인다) 후방의 산이 두 개의 선으로 보인다. 이 두 개의 선이 각각 거골과 나란한 두 선이 존재한다. 윗쪽에 있는 것이 후방관절의 내측선이고 아래쪽에 있는 것이 후방관절의 외측과 거골의 외측이다(그림 33-3).

발을 internal rotation 시키면 역시 산이 하나로 보인다. 전방

의 산은 후방의 산과 겹쳐보이는데 이때는 inverted C 모양으로 나타난다. 이 부위가 sustantaculum tali 부위의 중앙 관절면이다. 후방의 산은 대부분 선이 하나로 보인다. 앞서 기술한 바와 같이 후방 관절면의 제일 높은 부위가 외측에서 내측으로 갈수록 점점 앞쪽으로 향하여 중앙 관절면쪽으로 향하고 있기 때문에 선이 하나로 보이는 것이다. 이 선은 후방 관절의 외측을 나타낸다. 그리고 거골의 후방에 내려와 있는 부위는 거골의 내측 구조물이다(그림 33-4).

후족부가 valgus가 된 경우는 발이 internal rotation이 되는 경우와 비슷하게 보이고 후족부가 varus된 경우는 발이 external rotation 된 경우와 비슷하게 보인다(그림 33-5, 33-6).

이러한 선들은 종골을 정복을 한 후에 방사선사진이나 fluoroscope으로 확인을 하는 때에 정복이 잘 되었는지 아닌지, 어느 부위가 어떻게 잘못 되었는지 아는데 아주 중요하다.

2. 정상의 종골

종골 골절 수술을 많이 하여도 실제 종골이 어떻게 생겼는지 모르는 경우에는 정확하게 정복을 할 수 없다. 방사선상 흔히 보이는 부위와 우리 머리 속에 있는 부위와 가장 다른 부위는 후관절면의 시작 부위이다.

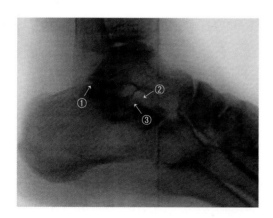

① 종골의 후방 관절면 ② 종골의 중앙 관절면 ③ 거골의 외측 부위

그림 33-3. 발이 External rotation 되었을때 ②의 산모양이 종골 전방 돌기 부위와 겹쳐 보이고, ①의 후방관절이 아주 넓게 두 선으로 보인다. 그 중간으로 거골 외측 부위가 내려와 있다.

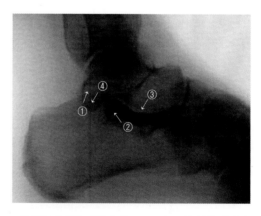

① 종골의 후방 관절면 ② inverted C모양 중앙 관절면
③ 거골의 외측   ④ 거골의 내측

그림 33-4. 종골의 중앙 관절이 겹쳐 inverted C모양으로 보이고 종골의 후방 관절과 거골의 내측 선이 겹쳐 보인다.

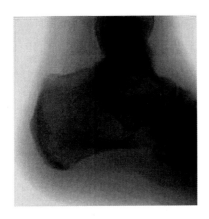

그림 33-5. 종골이 Valgus 되었을때 그림 33-4와 비슷한 모양이다.

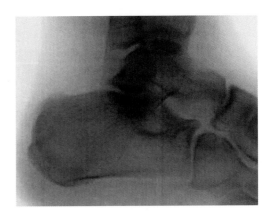

그림 33-6. 종골이 Varus 되었을때 그림 33-3과 비슷한 모양이다.

방사선 사진에서는 전방관절과 후방관절 부위가 그냥 산처럼 지나가는 것으로 보인다. 하지만 다르다. 후방 관절면이 불룩 솟아나와 있다. 그것도 생각보다 훨씬 많이 솟아 나와 있다. 그리고 종골의 몸체 부위도 지면을 향해 많이 나와 있는데 이를 간과하여 흔히 종골 골절 후 정상으로 높이가 복원이 되지 않는 일이 흔히 발생하게 된다.

3. 일차 골절선

종골의 골절은 아주 다양하게 골절의 형태가 나타나지만 대부분에서는 일차 골절선과 이차 골절선으로 나눌 수 있다. 그 중에 일차 골절선을 이해하는 것은 중요하다. 관절 내 골절의

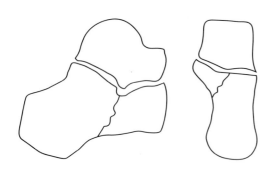

그림 33-7. **일차골절선** 일차골절선에 의해 종골은 내측위측(움직이지 않는 부위)와 외측 아래측 부위(전위가 일어나는)로 나눈다.

기본적인 발생 기전은 높은 곳에서 추락하는 경우와 같이 과도한 축성 부하에 의해서 생기는데 이 때 몸의 하중과 지면에서 올라오는 두 힘이 종골에서 만나고 거골의 외측 돌기가 종골의 상 관절면에 쐐기로 작용하여 일차 골절선(primary fracture line)이 발생한다.

이 골절선은 종골의 결절(tuberosity) 부위와 sustentaculum tali 부위를 둘러 나눈다. 대부분에서 골절 선이 후방 관절면을 통과하게 되어, 후방 거골하 소면(posterior subtalar facet)을 내측과 외측의 두 개의 골절편으로 분리시킨다. 이때 중요한 것은 내측에 있는 골편은 거골과 아주 단단한 결합을 이루고 있기에 움직이지 않는 부위이다. 결절이 골절로 이동이 되면서 종골의 전후 길이가 짧아지고 높이가 낮아지며 옆으로 퍼지게 되는데 수술로의 정복은 이 이동이 된 결절 부분을 움직이지 않는 내측 sustantaculum tali 부위에 잘 맞추는 것이 된다.

4. 이차 골절선

좀 더 힘이 지속되면 거골의 전외측 돌기(anterolateral process of talus)에 생긴 이차 골절선(secondary fracture line)이 십자각(crucial angle of Gissane)에서 직접 전방 혹은 후방으로 향하여 발생한다. 이차 골절선이 십자각에서 후방으로 향하지만 그 골절선이 결절부의 후방 끝까지 가게 되면 설상형의 골절이 되며 관절 함몰형은 거골하 관절면의 바로 후방에서 끝나기 때문에 결절(tuberosity)과 분리된 골편을 형성한다. 관절 함몰

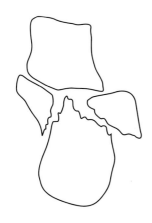

그림 33-8. 이차 골절선

형에서는 thalamic fragment(posterior facet의 일부)가 결절 골절편 안으로 함몰되며 종골의 외측벽을 밖으로 밀어내는데 이 lateral bulging을 임상적으로 볼 수 있다. 또한 비종골간격(fibulocalcaneal space)을 좁혀 비골건(peroneal tendon)에 압박을 주어 비골건 충돌(peroneal tendon impingement)을 야기하고 동통이 생겨 추후 예후에 영향을 미치게 한다. 이차 골절선이 전방으로 향하면 종입방 관절의 골절을 형성한다. 그 외 관절외 골절의 발생 기전은 염전력에 의하여 나타날 수 있고, 특히 전방 돌기, 재거 돌기, 내측 돌기 등의 골절을 유발하며 종골 결절의 골절은 하퇴 삼두근에 의한 견열 근력에 의한다.

III. 자연사(Natural History)

전형적인 종골(calcaneous)의 골절은 높은 곳에서 추락하여 축성 부하(axial load)에 의하여 발생하며, 심한 발 뒤꿈치 통증(heel pain)을 경험하게 된다. 발의 구획 증후군이나 다른 합병증이 발생되지 않으면 이 통증은 7~14일 정도 경과되면 점차적으로 줄어든다. 환자가 체중 부하를 하지 않는다면 통증을 느끼지 않을 수 있으며 8~12주에 체중 부하를 했을 때에 비골의 원위부, 족관절 내측부, 전방, 족저부의 네 곳 중 적어도 한 곳 이상에서 통증이 발생할 것이다. 뒤꿈치 외측부의 통증이 제일 흔하며 거골하 관절의 유합술 유무에 관계없이 나타난다. 이 통증은 비골건/비골 충돌이나 거골하 관절염에 의해 생길 수 있다. 부종이 심하며 수상 일 저녁에 심해지고 통증이 동반

된다. 시간이 지남에 따라 통증은 호전되며 간혹 2년 이상의 시간이 걸릴 수도 있다. Lindsey의 연구에서는 평균 6개월간 직장에 복귀할 수 없었으며 20%는 힘든 일을 할 수 없었고 단지 17%만이 수상전과 같은 정도로 회복되었다고 한다.

IV. 분류(Classification)

여러 저자들에 의해서 여러 가지 방법의 분류법이 소개되었다. Essex-Lopresti가 관절내 골절(intraarticular fracture)와 관절외 골절(extraarticular fracture)로 구분하였고 관절내 골절을 설상형 골절(tongue type)과 관절 함몰형(joint depression type)으로 나누었고 Rowe도 Type I-V까지 나누어 관절내 골절을 type IV,V로 처리했으며, Stephenson은 관절내 골절의 골절편 수에 따라 2 & 3 part type으로 나누어 보았다. 컴퓨터 단층 촬영의 관상면에서 보이는 후방 거골하 관절의 골절편의 숫자와 골절선의 위치에 의한 분류를 일반적으로 사용하고 있으며, 이에는 Crosby와 Fitzgibbons의 분류와 Sanders 분류 등이 있다.

1. 관절외 골절(Extraarticular Fracture)

모든 종골 골절의 30% 정도를 차지하며 임상적 결과와는 큰 관련성이 없으며 Rowe은 내측 돌기(medial tubercle)나 재거 돌기(sustentaculum tali) 또는 전방 돌기(anterior process)의 견열 골절을 I형, 부리형(beak) 골절과 아킬레스건 부착부의 견열(avulsion) 골절을 II형, 거골하 관절을 침범하지 않는 사선(oblique) 골절을 III형이라 분류하였다. 하지만 이 분류법은 치료 방침이나 결과를 예측하는데 도움을 주지 못해서 현재는 잘 쓰이지 않는다. 전위된 내측 돌기가 큰 경우에는 전방 돌기의 견열 골절보다 더 결과가 안 좋으므로 수술적 치료를 하는 경우도 있다.

2. 관절내 골절(Intraarticular Fracture)

1) 단순 방사선 사진(Plain Radiographs) : Essex-Lopresti 분류

전단력에 의하여 전외측면의 십자각과 종골 조면의 내측면

(재거 돌기의 후방)을 연결하는 일차 골절선이 발생하며 압박력에 의하여 이차 골절선이 발생하고 그 모양에 따라서 다음과 같이 분류한다.

① 설상형 : 이차 골절선이 아킬레스건 부착부의 원위부까지 이어진다.

② 관절 함몰형 : 이차 골절선이 후관절의 후방, 아킬레스건 부착부의 전방에서 끝난다.

2) 전산화 단층 촬영(Computed Tomography)

전산화 단층 촬영(Computed Tomography)을 기준으로 분류한 것들로는 Zwipp 등, Crosby와 Fitzgibbons, 그리고 Sanders 등에 의한 분류가 있는데 이 중 Sanders 분류법이 많이 쓰이는데 이는 관상면에서 거골하 관절의 후 관절면을 3등분하는 2개의 골절선과 재거돌기의 외측 경계 부위의 골절선에 의하여 분류하는 것으로 가장 외측으로부터 골절선을 차례로 A, B, C로

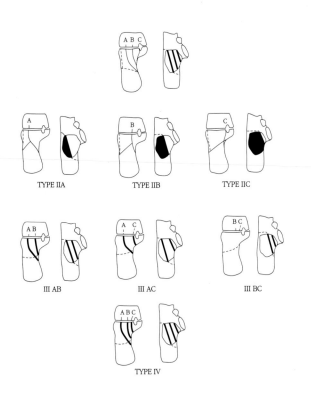

그림 33-9. **CT 사진에 따른 Sanders분류** 일차골절선이 외측에서 얼마나 가까이 있느냐와 골절선의 수에 따라 분류하였다.

구분하였으며 골절편간의 전위가 없는 골절을 I형, 2분 골절을 II형, 3분 골절을 III형, 분쇄형 골절을 IV형으로 분류하였다. 골절편이 많고 골절선이 내측으로 존재할수록 정복이 어려워진다. I형은 비수술적 방법으로 치료하여 85%의 좋은 결과를 얻을 수 있고 II형에서 해부학적 정복을 얻을 수 있다면 역시 85% 이상의 좋은 결과를 얻을 수 있다. III형은 수술도 어렵고 해부학적 정복을 얻는다해도 결과는 안 좋으며 IV형은 더욱 안 좋은 결과를 보인다. 참고로 Crosby와 Fitzgibbons는 후 관절면의 전위 정도에 따라 2mm이하의 전위를 I형, 2mm 이상의 전위를 II형, 분쇄형 골절을 III형이라 하였는데 후 관절면의 전위가 2mm 이상일 때는 결과가 안 좋은 것으로 임상적으로 의의가 있다.

3. 특이 골절(Specific Fractures)

1) 피로 골절(Stress Fractures)

반복된 스트레스에 의한 것으로 Leabhart에 의하면 75%에서 양측성으로 보고되었다. 장거리 육상 선수와 신병에게 많이 발생되고 훈련 시작 7일에서 10일 사이에 호발하고 특별한 외상의 기왕력은 없다. 종골의 후상방 지역의 압통이 진단적 가치가 있으며 내외측에서의 압박시 동통, 수상 3주 째의 방사선 소견에서 양성인 경우 확진을 할 수 있다. 초기에는 골수염, 섬유성 이형성증(fibrous dysplasia), 골 종양 등과 감별이 필요하며 이에 골 주사가 도움이 된다. 치료는 보존적 요법으로 Leabhart는 8주전에 무리한 활동을 하면 재발한다고 하였고 증상이 없어지면 heel pad나 arch support를 사용하여 재발을 방지하여야 한다.

2) 전방 돌기 골절(Anterior Process Fractures)

견열 골절과 종입방 관절(calcaneocuboid joint)을 포함한 압박 골절로 나누며 견열 골절은 강한 족저 굴곡(plantar flexion)과 내번(inversion)에 의해 이분 인대(bifurcate ligament)의 긴장에 의하여 나타나며 압박 골절보다 더 흔하고 4~6주간의 석고 고정으로 잘 치료된다. 압박 골절은 종입방 관절을 포함하므로 골편이 크며 전위가 있을 경우에는 수술적 정복 및 내고

정이 필요할 수 있다.

3) 종골 조면의 골절(Tuberosity Fractures)

흔히 발생하는 골절은 아니며, 골절 장소에 따라 부리형 (beak) 골절과 견열 골절로 나뉜다. 부리형 골절은 조면 상부의 직접 외상에 의하여 발생하는 골절을 말하며 견열 골절은 조면 하부에 아킬레스 건의 긴장에 의하여 나타난다. Tompson test 와 피부의 변화, 방사선적 소견에 의해 두 가지 골절이 구분될 수 있다. 골편의 전위가 없으면 5도 내지 10도의 첨족 상태에서 단하지 석고 고정을 6주간 시행한다. 골편의 전위가 있으면 수술적 정복 및 내 고정이 필요하다.

4) 내측 또는 외측 돌기의 골절
(Medial or Lateral Process Fractures)

내측 돌기는 무지 외전근(abductor hallucis muscle), 단 족지 굴근(flexor digitorum brevis), 족저 근막(plantar fascia)의 기시 부이고. 외측 돌기는 소지 외전근(abductor digiti minimi muscle)이 기시부다. 추락시의 직접적인 충격에 의해 발생되는 데 내번 상태에선 외측 돌기가, 외번 상태에선 내측 돌기가 골절되며. 내측 돌기 골절이 더 흔하다. 축성(axial view) 사진이나 CT의 관상면에서 골절을 확인할 수 있으며 도수 정복 및 석고 고정으로 잘 치유된다. 활동적인 환자에서 0.5인치 이상 전위된 경우에는 수술적 요법이 필요할 수도 있다.

V. 임상 증상(Clinical correlations)

후방 거골하 소면(posterior subtalar facet)의 전위 정도가 예후에 가장 중요하며 2mm가 기준이 된다. 또한 연부 조직의 손상 정도도 중요한데 구획 증후군(compartment syndrom)이 있으면 후에 갈퀴족(claw toe)이 생길 수 있다. 치료는 후방 거골하 소면의 전위 정도와 분쇄 정도에 따라 달라지는데 전위가 미미한 경우는 조기 운동을 시키고 6~8주에 체중 부하를 하며 후방 거골하 소면에 2~3개의 주 골절편이 전위되어 있으면 관혈적 정복을 하는 것이 좋다. 내측부위 분쇄 골절 (comminution)이나 골질이 안 좋은 경우, 대사 질환(DM)이 있

는 경우는 금기증이다. 후방 거골하 소면에 심한 분쇄 골절과 전위가 있는 경우는 초기에 유합술을 할 수도 있다.

VI. 치료(Treatment)

1. 비수술적 치료(Nonoperative Treatment)

전위된 관절내 골절의 치료에 대해서는 논란이 많다. 비수술적 치료를 하는 근거는 종골 골절 후에 불유합이 드물고, 통증과 강직의 가능성이 낮고, 수술적 치료시에 합병증의 가능성이 높으며, 정확하게 관절면을 정복하더라도 반드시 결과가 좋은 것은 아니라는 것이다. 비수술적 치료의 방법으로는 도수 정복을 하거나 또는 하지 않은 상태에서 석고 고정이나 보조기를 하기도 하고, 고정 없이 조기 관절 운동을 시행하며 골절의 분쇄 정도에 따라서 6~8주 또는 10~12주 후에 체중 부하하는 방법을 사용한다.

2. 수술적 치료(Operative Treatment)

수술은 되도록 2주 내에 시행하여야 하는데 일반적으로는 수상 후 부종이 감소하여 종골 외측의 피부를 엄지와 검지 손가락으로 쥐어 보는 wrinkle test에서 피부 주름이 보이게 되는 7일에서 14일까지 기다린 후 수술한다.

응급 수술을 요하는 경우는 종골 골절로 인한 급성 구획 증후군(compartment syndrom), 급성 족근관 증후군(tarsal tunnel syndrom)이나 후결절 골절편이 연부 조직을 압박할 때와 개방성 골절인 경우이다. 전위된 관절내 골절의 수술적 치료시의 일반적인 목표는 다음과 같다.

a. 후방 거골하 소면의 일치성 회복
    (restoration of congruency of the posterior facet of the subtalar joint)
b. 종골 높이의 회복(restoration of the height of the calcaneus)
c. 종골 폭의 정복(reduction of the width of the calcaneus)
d. 비골하 공간의 감압
    (decompression of the subfibular space available for the peroneal tendon),
e. 종골 조면의 외반 위치로의 정렬

(realignment of the tuberosity into valgus position),
f. 종입방 관절의 정복
(reduction of the calcaneocuboid joint if fractured)

1) 도수 정복 및 내고정
(Closed Reduction and Internal Fixation)

설상형 골절에서 주로 사용된다. 전위된 골편을 도수 정복하거나 경피적 축성 핀(percutaneous axial pinning)으로 정복하고 석고 고정으로 유지하거나 핀 견인 혹은 외고정으로 유지한다. Essex-Lopresti는 설상형인 경우 도수 정복을 한 후 종골의 종축 경피 핀을 삽입하고 4~6주간 석고 고정을 한다.

아주 특별한 경우가 아니면 요즘 잘 사용하지 않는다. 가장 큰 문제점이 종골이 좌우로 넓어져 있는 것을 치료할 수 없는 것이 단점이다. 정복 후에 문제가 생기는 경우가 많다.

2) 관혈적 정복술 및 내고정
(Open Reduction and Internal Fixation)

Sanders type II, III형에서 주로 시행되며 내측 접근 방법

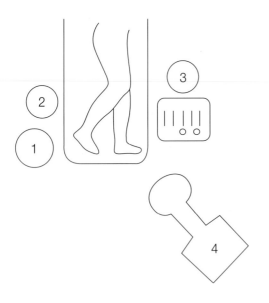

1. 수술자, 2. 제1 수술보조자, 3. 스크럽 간호사, 4. C-arm

그림 33-10. 우측 종골 골절의 수술에서 각 요소들의 최적의 위치

(medial approach), 내외측 동반 접근 방법(combined approach), 또는 제한적 외측 접근 방법(limited lateral approach) 등의 다양한 방법이 이용되고 있으며 최근에는 광범위 외측 접근 방법(lateral extensile approach)을 이용하는 보고들이 증가하고 있다. 골결손에 대한 골이식술에 대한 논란이 있으나 내고정이 안정적으로 시행된 경우에는 골이식술을 하지 않아도 문제가 되지 않는다고 한다. 외측 절개로 골절을 정복한 후 금속판 혹은 나사못 고정이 최근 많이 선호되는 경향이다.

(1) 수술 준비
환자는 완전히 측와위로 누원다. 수술하지 않는 발은 뻣어서 고정을 하는데 뼈 돌출 부위가 장시간 눌리지 않게 조심한다. 발과 발 사이에 베개등을 넣어서 수술하고자 하는 발이 지면에 평행하게 유지한다.

(2) 피부 절개
비골의 뒷면과 아킬레스 건이 앞면을 4등분하여 뒤쪽 3/4 으로 피부 절개를 하고 아래로 피부가 두꺼워지기 시작하는 부위까지 절개를 한 다음 발의 전방으로는 비골의 끝부위와 제5 중족골의 돌출 부위을 잇는 선에 넘어가지 않게 절게를 한다.

(3) 정복 방법
대부분은 크게 sustentaculum tali 골편과 tuberosity 골편으로 나누고(일차 골절선) 거기에 이차 골절선에 의해 생기는 후방 관절면 골편이 생기게 된다. 그 외에도 입방골 쪽으로 골절선이 있을 수 있다. 먼저 tuberosity 골편을 마음데로 움직일 수 있게 S 강선이나 핀을 이용해서 움직임이 용이하게 한다.

외측면에 일부를 뚜껑처럼 제거를 하여 후방 관절면이 잘 보이게 하고난 다음 후방 관절면이 내려와 있는 부위를 올려서 sustentaculum tali의 내측 골편에 남아있는 관절면과 맞춘다. 이 과정에서 볼 수 있는 부위가 있고 볼 수 없는 부위가 존재한다. Gissane 각을 이루는 부위와 거골과 종골의 제일 후방은 눈으로 보면서 맞출 수 있지만 그 외 부분은 맞추고 난 다음에 방사선 사진으로 확인하는 수 밖에 없다. 이때에는 먼저 tuberosity 골편을 sustentaculum tali 골편부위에 맞추어 임시로 고정을 하고 난 다음에 후방관절면 골편을 맞추어야 한다.

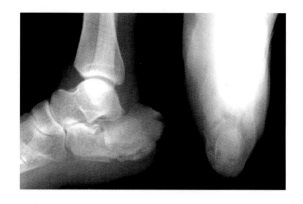
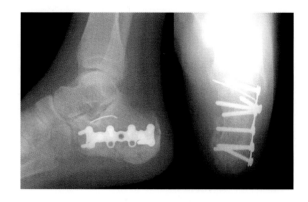

그림 33-11. 종골 골절로 심한 높이의 손실과 관절면의 불일치 소견을 보이고 수술후 교정이 된 상태

앞서 기술한 바와 같이 정복 후 방사선 사진에서 각각의 선이 의미하는 부위를 잘 숙지해야 한다.

정복이 만족할 만큼 된 것을 확인한 후에는 작은 나사못을 이용하여 후방관절면 골편을 sustantaculum tali 골편에 고정을 하고 나머지는 금속판을 이용하여 나사못으로 고정을 한다.

3) 일차적 관절 유합술(Primary Arthrodesis)

Sanders type IV와 같이 관절면의 심각한 손상이 있는 경우와 같이 전산화 단층상 심한 분쇄와 전위로 관혈적 정복 및 내고정이 불가능할 경우에 시행할 수 있다. 관절면의 회복 이외의 종골의 높이와 폭의 회복과 같은 일반적인 치료 목표는 달성해야 한다.

VII. 합병증(Complications)

종골 골절후 발생할 수 있는 합병증으로는 수술 창상 부위의 괴사, 감염, 거골하 관절의 외상후 관절염, 비골건과 연관된 합병증, 족관절 전방 충돌(anterior ankle impingement), 신경학적 합병증, 뒤꿈치 패드 동통(Heel pad pain), 반사성 교감 신경 이영양증(Reflex Sympathetic Dystrophy), 내·외반 변형, 만성 종골 골수염 등이 있다.

1. 수술 창상의 열개 및 골수염(Wound Dehiscence/ Calcaneal Osteomyelitis)

수술 후의 가장 흔한 합병증으로 주로 절개 부위의 정점에서 잘 생기고 경구용 항생제 투여와 함께 매일 whirlpool이나 wet to dry dressing을 시행하며 수 일 후에 지연 봉합을 한다. 감염이 표재성인 경우는 금속판은 놔두고 변연 절제술을 반복 시행하며, 골수염이 생긴 경우는 금속판 및 모든 괴사 부위를 제거하고 6주간 항생제를 정맥 투여하여야 한다. 여러 연구에서 수술 창상의 괴사는 10~13%, 골수염은 1.3~2.5%의 발병율을 보인다고 한다.

2. 관절염(Arthritis)

1) 거골하 관절염(Subtalar Arthritis)

수상후 관절면이 정확하게 정복되지 않았거나, 고정시 나사못이 관절면을 관통하거나 수상시 관절 연골이 심하게 손상된 경우 조기에 관절염이 발생할 가능성이 높다.

표 33-1. Indication for subtalar arthrodesis

Talar fracture
Calcaneal fracture
Nontraumatic arthritis
Subtalar dislocation
Residual talocalcaneal coalition
Failure of previous subtalar arthrodesis

거골하 관절의 관절염의 진단을 위해서는 측면 및 Broden's view의 단순 방사선 사진 촬영이 필요하며 거골하 관절염 환자의 통증의 원인을 알기 위해서는 거골하 관절의 족근 동(sinus tarsi)에 2~3cc의 국소 마취제를 주사하여 통증이 소실되는가를 검사한다. 이러한 검사상 통증이 소실되어 거골하 관절의 통증이라는 것이 확인되면 먼저 신발의 변형이나 보조기 및 투약 등의 보존적 방법으로 치료를 한다. 보존적 방법으로 치료되지 않는 경우에는 거골하 관절의 유합술(subtalar arthrodesis)을 한다(표 33-1).

관절 고정술의 시기에 대해서는 골절 후 증상이 호전되므로 최소 2년까지 기다려야 한다고 보고하고 있으나 손상의 범위와 정도, 변형에 따라 다르다. 골절이 관혈적 정복으로 해부학적 정복이 되었으나 거골하 관절염의 증상을 호소하는 경우 9~12개월을 기다려보고 그 후에 관절 유합술을 시행하여야 한다. 심한 변형이 있고 수술시에 정복이 되지 않은 골절은 기다리지 않고 바로 수술하는 것이 좋다.

거골하 관절의 단독 유합술은 병변이 거골하 관절에 국한된 경우에 시행하는데 환자의 만족도가 높고 불유합등의 합병증이 적어 널리 사용되고 있다. 거골하 관절 단독 유합술은 주위 관절의 관절염의 위험이 적고 후족부의 움직임을 유지할 수 있고 수술은 비교적 간단하다. 수술적 접근법은 수평 절개를 이용한 외측 접근법(lateral approach)과 수직 절개를 이용한 후외측 접근법(posterolateral approach)이 있다.

수술시 환자의 종골의 전방돌기(anterior process)나 외측벽의 decompression시에 나온 뼈를 이용하거나 장골능 또는 해면골 이식술을 시행할 수 있다. 거골하 관절 유합술의 방법에는 in situ subtalar arthrodesis와 subtalar distraction bone block arthrodesis가 있다.

2) 종입방 관절염(Calcaneocuboid Joint Arthritis)

종입방 관절의 관절염의 진단을 위해서는 전후면 및 사면의 단순 방사선 사진 촬영이 필요하고 거골하 관절염과 마찬가지로 국소 마취제를 종입방 관절에 주사하여 통증 소실이 있는지를 확인한다. 이 같은 검사 방법으로 족부 외측에 동통을 호소하는 경우 종입방 관절의 관절염으로 인한 것인지 비골건이 원인인지를 감별하는데 도움이 된다. 종입방 관절염에 의한 동통은 대개는 보존적인 방법으로 치료한다. 거골하 관절염과 함께 거주상 관절, 종입방 관절의 인지되지 않은 손상을 받은 경우에는 삼중 관절 고정술(triple arthrodesis)을 시행한다. 거골하 관절 유합술의 합병증으로는 지연 또는 불유합(84%), lateral impingement(10%), 비복신경 손상(9%), 후부족의 내반 또는 외반 변형(6%), 감염(3%) 등이 있다.

3. 부정 유합(Malpositioning)

1) 조면의 정복 실패(Malreduction of Tuberosity)

불완전한 조면의 정복에 의해 주로 후족부의 내반 변형이 남는다. 임상적으로 비골이 뚜렷해 보이고 신발의 외측이 닳고, 틀어진 느낌을 받는다. 환자에게 발가락으로 서게 했을 때 뚜렷해지고 lateral shoe wedge로 교정이 안 될 경우에는 Dwyer correctional osteotomy를 시행한다.

2) 상외측 골편의 과정복 (Overreduction of Superolateral Fragment)

흔하지 않고 종골체가 내반되어 있지 않아도 발생될 수 있으며 환자는 심한 통증을 호소할 수 있다. 예방이 제일 좋은 치료이고 보존적 치료에 반응이 없을 때는 거골하 관절 유합술을 한다.

4. 신경 장애(Neurologic Problem)

1) 표재 신경 손상(Cutaneous Nerve Injury)

피부 신경의 손상은 외측 도달법에 의한 비복 신경 손상과 내측 도달법에 의한 경골 신경의 종골 가지(calcaneal branch)의 손상이 있으며 외측 도달법을 주로 사용하므로 비복 신경 손상의 빈도가 높다.

특히 절개선의 근위 및 원위부를 수술 칼이나 가위로 절개하는 대신, 지혈 감자를 이용하여 벌리면서 해부하여 신경이 손상 받지 않도록 주의하여야 한다. 만약 신경이 손상되어 신경종으로 인한 동통이 있는 경우 비수술적 치료를 시도하다 실패하면 절제술을 시행하는데 비복 신경의 근위부는 단 비골근(peroneus brevis)안으로 이전시킨다.

2) 신경 포착(Nerve Entrapment)

신경의 포착은 종골 골절의 비수술적 치료 후 또는 부정 유합으로 생기는 것이 보통이며 경골 신경의 포착이 흔하다. 이런 경우 뒤꿈치 내측부 통증 및 경골 신경 분포 부위의 감각 이상을 보이며 가벼운 타진(percussion)에도 통증을 호소한다. 야간, 기립 상태, 보행시에는 통증이 악화되는 경우가 많다.

신경의 포착이 임상적으로 의심될 때는 근전도 검사로 병변을 확인한 후 족근관 증후군과 마찬가지로 경골 신경 및 분지를 유리시키면 증세가 호전 되는 수가 많다.

3) 반사성 교감 신경 이영양증
(Reflex Sympathetic Dystrophy)

연부 조직, 신경 및 혈관 손상이 동반된 종골의 골절과 탈구 후에 손상의 정도나 치료의 방법에 관계없이 통증, 지각 과민, 압통이 오고, 이러한 임상 증상은 병의 진행 시기에 따라 다양하게 나타난다. 임상 소견과 방사선 사진, 골 주사, 열 조영술 등으로 진단하며, 국소 마취제에 의한 교감 신경절 차단이 이 질환의 진단과 예후에 가장 실질적인 검사 방법이다.

치료는 유해 자극을 피하고, 사지의 기능 회복 운동, 연속적인 교감 신경절 차단 등을 시행하며, 약물 치료나 경피적 신경 전기 자극 등이 보조 치료로 사용된다. 드물게는 교감 신경 절제 수술이 필요하며, 예후가 다양하므로 조기 발견 등에 의한 예방이 중요하다.

표 33-2. Sourses of the pain in the late calcaneal fractures

Calcaneofibular abutment or impingement
Subtalar arthrosis
Peroneal tendinitis
Sural neuritis
Pain on medial side of the foot

5. 비골근 장애(Peroneal Problems)

1) 건막염(Tendinitis)

비수술적 치료 후에 외측의 접합부에 흔하며 수술후에도(특히 Kocher approach) 발생할 수 있으나 광범위 외측 접근 방법(lateral extensile approach)으로 어느 정도 피할 수 있다. 술중 비골 건의 탈구나 직접적인 손상, 금속판이나 나사못 머리에 의한 자극이 주된 원인이다. 국소 마취제를 주사하여 통증이 소실되는가로 검사할 수 있고 보존적인 치료(마사지, 신전 운동)에 효과가 없을 때는 유리술이나 금속판 제거가 필요할 수 있다. 족관절 외측에 통증이 있을 때 여러 질환을 의심할 수 있다(표 33-2).

2) 건의 탈구(Tendon Dislocation)

외측벽 접합부의 돌출부를 제거한 후에도 정복이 안 될시에는 연부 조직 재건술을 하는 것이 좋다.

6. 족관절 동통(Ankle Pain)

거골하 관절이 강직되어 내번과 외번이 제한되면 족관절에서 대신 이 운동이 일어난다. 이로 인해 환자는 족관절 외측부에 통증을 느낄 수 있고 보존적 치료를 한다.

7. 발 뒤꿈치 외골증(Heel Exostoses)

환자가 보행을 하면서 뒤꿈치 족저부에 돌출된 뼈에 의해 통증을 느끼는 수가 있는데 뒤꿈치 패드로 치료가 안되면 내측이나 외측에서 제거술을 시행한다. 결과는 좋다.

8. 발 뒤꿈치 동통(Heel Pad Pain)

종골 골절후 발 뒤꿈치로 뼈가 튀어 나와 지면에 닿아 동통을 호소하는 경우와 손상시 발 뒤꿈치 연부 조직의 독특한 격자 구조가 파괴되어 만성 통증을 호소하는 경우가 있는데, 대부분의 환자에서 뒤꿈치 패드(heel pad)의 교원질 및 수분 함

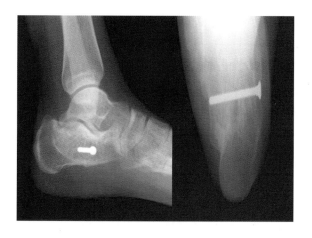

그림 33-12a. 종골 골절후 수술후 합병증 상태 종골의 높이가 감소되어 있고 길이도 짧아져 있다.

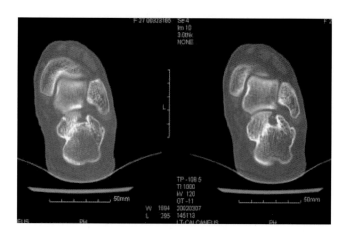

그림 33-12b. 종골의 폭이 넓어져 비골과의 충돌이 일어나는 상태

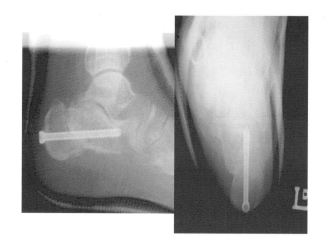

그림 33-13. 종골의 길이와 높이를 늘려 주고 비골과의 충돌되는 부위를 제거하면서 종골 재건술을 시행

량이 감소되어 그 신축성이 약화되는 퇴행성 변화를 동반한다. 연부 조직의 독특한 격자 구조의 파괴로 발생한 만성 동통은 보존적인 방법으로 치료하지만 뒤꿈치 패드가 정상적인 역할을 하지 못하여 발생하므로 현재까지 뚜렷한 해결 방법이 없다.

VIII. 종골 재건술(Reconstruction)

종골 골절후 합병증으로 인한 증상을 호소하는 경우가 골절

후 시간이 많이 지난 후에도 자주 발행이 된다. 앞서 기술한 여러 가지 원인으로 다양한 증상이 나타날 수 있다. 재건술을 이용해서 교정이 가능한 부분도 있고 그렇지 않는 부분도 있지만, 잘 검사를 해서 원인을 찾아 재건술을 시행하면 기능적으로 뿐 아니라 동통에도 많은 도움이 될 수 있다.

1) 환자의 진찰

가장 중요한 것은 어느 부위가 아프냐는 것이다. 제일 많은 원인은 측면에 뼈의 돌출로 인해서 충돌이 생기는 경우가 흔하고, 거골하 관절염에 의해 아픈 것이 가장 많은 원인 중 하나이다.

그 외에도 정렬이 이상이 있어 아프거나 발 바닥의 골극에 의해 동통이 있을 수 있다. 환자를 뒤를 돌아보게 하여 후족부의 정렬을 관찰한다. 발목을 움직여 거골하 관절의 운동도 검사한다.

2) 검사

일반 방사선 사진을 양쪽을 반드시 비교해서 서서 체중 부하로 찍는다. CT를 반드시 촬영하다. 이들 검사 소견으로 충돌하는 부위와 정렬의 상태, 종골이 넓어진 정도, 짧아진 정도 등을 조사한다.

3) 수술 방법의 결정

재건술로 좋아지게 할 수 있는 방법은 외측 충돌부위 제거와 종골의 길이와 폭을 맞추어주는 재건술로 나눌수 있다. 종골의 폭과 길이를 맞출 때에는 내반, 외반의 변형도 같이 생각해서 교정을 해 주는데 이때 뼈를 이식할 것인지 유무를 결정해야 한다. 피부의 상태도 중요한데 1cm 이상 교정을 할 경우 피부에 문제가 생길 수 있다.

아무리 거골하 관절염이 심하더라도 종골의 모양 자체가 변형이 심한 경우는 종골의 모양 자체를 정상에 가깝게 만든 후에 거골하 관절을 고정하여야 한다. 이것이 종골 재건술의 제일 중요한 부분이다.

■ 참고문헌

1. Aaron AD: Ankle fusion: a retrospective review, Orthopedics 13:1249, 1990. 1976.
2. Bohler L: Diagnosis, pathology and treatment of fractures of the os calcis, J Bone Joint Surg 13:75, 1931.
3. Conn HR: The treatment of fractures of the os calcis, J Bone Joint Surg 17:392, 1935.
4. Crosby LA and Fitzgibbons TC: Open reduction and internal fixation of type II intraarticular calcaneus fractures. Foot Ankle, 17:253, 1996.
5. Dieterle JO: a case of so-called "open-beak" fracture of the os calcis, J Bone Joint Surg 22:740, 1940.
6. Essex-Lopresit P: The mechanism, reduction technique, and results in fractures of the os calcis, Br J Surg 39:395, 1952.
7. Gissane W: Proceedings of the British Orthopaedic Association, J Bone Joint Surg 29:254, 1947.
8. Jahss MH, Kay B: An anatomic study of the anterior superior process of the os calcis and its clinical application, Foot Ankle Int 3:268, 1983.
9. Juliano PJ and Myerson MS: Fracture of hindfoot in Foot and ankle disorders, Myerson MS(ed), Philadelphia, WB Saunders, pp. 1297-1325, 2000.
10. Leabhart JW: Stress fractures of the calcaneus, J Bone Joint Surg 41:1285, 1959.
11. Lindsey WRN, Dewar FP: Fractures of the os calcis. AM J Surg ;95A:555-576. 1958
12. Palmer L: The mechanism and treatment of fractures of the calcaneus. J Bone Joint Surg, 30A:2, 1948.
13. Rothberg AS: Avulsion fractures of the os calcis, J Bones Joint Surg 21:218, 1939.
14. Rowe CR, Sakellarides H, Freeman P, Sorbie C: Fractures of os calcis: a long term follow-up study of one hundred forty-six patients, JAMA 184:920, 1963.
15. Sanders R: fracture and fracture-dislocation of the calcaneus in surgery of the foot and ankle, 7th ed. Coughlin MJ, Mann RA(eds), St. Louis, Mosby Ins. pp.1422-1464, 1999.
16. Sarrafian SK: Anatomy of the foot and ankle, Philadelphia, 1983, Lippincott.
17. Smith RW, Staple TW: Computerized tomography(CT) scanning technique for the hindfoot, Clin Orthop 177:34, 1983.
18. Wells C: Fractures of the heel bones in early and prehistoric times, Practitioner 217:294,1976.

34. 전족부 골절 및 탈구
Fractures and Dislocations of the Forefoot

이춘택병원 정형외과 **정 창 영**

I. 중족골 골절

중족골 골절은 전족부에 압궤 손상이나 무거운 물건이 떨어져서 생기는 직접 손상이 가장 많다. 또 전족부가 고정된 상태에서 몸을 돌릴때 일어나는 경우처럼 간접 손상에 의하여 일어나기도 하며, 과도한 사용에 의해 반복적인 스트레스가 가해져 피로 골절이 일어날 수 있다.

압궤 손상에 의한 전족부의 손상의 경우에는 연부 조직 손상 특히 구획 증후군에 주의해야 하며, 중족골의 근위부 관절내 골절시에는 족근-중족 관절 또는 리스프랑 관절의 손상이나 불안정성 유무를 주의하여 관찰하여야 한다.

중족골들은 인대에 의해 서로 강하게 연결되어 있어서 단순 골절의 전위는 잘 되지 않으나, 중족골 경부 근처 원위부 골절은 강력한 내재근 및 장 족지 굴근건에 의해 족저부로 전위되고 각형성을 일으키는 경우가 많다.

Shereff[1]는 전족부 역학의 변화시 병적 결과에 대해 이야기하였는데, 보행의 정지기(stance phase)에 제1 중족골은 나머지 네개의 중족골 각각의 하중의 두배를 받으며 나머지 네개 각각은 같은 하중을 받는다. 그러므로 중족골 골절의 전위시 nonplantigrade foot를 초래할 수 있다. 발바닥쪽으로 원위 골절이 전위시 중족골에 하중이 증가되어 족저부의 난치성 각화증(keratosis)을 일으킬 수 있다.

원위 골절부가 발등쪽으로 전위시 중족골에 가해지는 하중이 감소하며, 옆의 중족골 두에 더 큰 압력을 옮기게 된다. 골절편의 인접 중족골에 중족골의 지속적인 내외측 방향의 전위는 기계적인 감입(impingement)과 족간 신경종 형성을 초래한다.

1. 중족골 기저부 골절 (제5중족골을 제외한)

중족골 기저부의 골절은 단독으로 또는 리스프랑 관절 손상과 동반되어 일어날 수 있다.

대부분의 중족골 기저부 골절은 리스프랑 골절 탈구과 관련된 것이 아니면 보존적으로 치료할 수 있다. 인대 불안정성이 없으면 제 2, 3, 4 중족골 골절은 바닥이 단단한 신을 착용하여 치료할 수 있다. 제1 중족골 기저부의 전위 골절, 특히 관절내 분쇄 골절은 작은 금속판과 나사못, 생흡수성 핀(bioasorbable pin)으로 내 고정한다.

2. 중족골 간부의 골절

1) 개방성 골절

다른 장골의 개방성 골절에서처럼 적절한 항생제 투여, 세척과 변연 절제술(debriement) 등이 요하며, 모든 창상들은 그대로 두었다가 피부 이식이나 지연 일차 봉합을 한다.

치유에 필요한 연부 조직 안정을 위해 종 방향으로 커슈너 강선 고정을 하며, 연부 조직의 심한 좌멸(degroving), 압궤 손상에는 외 고정 장치를 이용하여 고정 하는 방법도 있다.

개방성 골절에서 골 유합을 촉진하고, 연부 조직 손상을 치료하기위해 적절한 고정이 필요하다[1].

그러나 손상 부위가 원위부일때 반 석고가 가장 좋으며, 안정을 위한 유일한 방법일 수 있다. 일단 연부 조직 문제가 해결되면 골 손상의 치료는 폐쇄성 골절의 치료와 같이 한다.

2) 폐쇄성 골절

(1) 전위가 없거나 경미한 골절의 치료

바닥이 단단한 수술후 신을 착용하거나, 2-4주간 단 하지 석고 후 가능한 만큼 체중 부하를 하게하며, 임상적으로 치유되었을때 즉 보행시 통증이 없을때 제거한다. 특히 제1 중족골은 전족부 주위를 잘 조형하여 단 하지 석고를 하며 2주간은 체중 부하를 하지 않다가 이후 가능한 만큼의 체중 부하를 허용한다.

제 2, 3, 4 중족골 골절은 단단한 중족골 패드를 골절된 중족골 밑에 대거나 1인치 접착 테이프를 전족부 둘레에 단단하게 감고 보행하게 하는 방법이 있으며, 보행시 느슨해지지 않도록 테이프와 패드를 1주일에 2회 정도 자주 갈아주어야 한다.

(2) 전위 골절의 치료

제1 중족골은 중요한 보행시의 체중 부하와 생역학적 기능 때문에 조금만 전위가 있어도 안된다. 제1 중족골 간부의 전위 골절은 도수 정복을 하여 6주간 또는 사진상 골 유합이 보일때까지 체중 부하 없이 단 하지 석고를 하여 치료할 수 있지만, 도수 정복한 것이 석고안에서 다시 전위되어 통증성 부정 유합 및 이전 병변(transfer lesion)을 만드므로 관혈적 정복을 하고 커쉬너 강선이나 미세 금속판(small fragment or minifragment plates)을 사용하여 내 고정 하는것이 좋다.

제 2, 3, 4 중족골 간부의 전 두면(frontal plane) (내, 외측)으로 정복이 안된 것은 보통 합병증을 일으키지 않으며, 골절이 약간 벌어져 있어도 잘 낫기 때문에 비전위성 골절처럼 치료하여도 된다. 그러나 시상면(발등이나 발 바닥쪽)에서는, 원위 간부가 족저부로 전위된 채 치유됐을 때는 중족골 두의 돌출(prominence)을 증가시켜 체중 부하시 통증을 일으키므로 정확한 해부학적 정복을 요하며, 골절 부위가 원위부 일수록 관혈적 정복의 필요 가능성이 많아진다.

또 족배부로 돌출시(prominence)에는 통증성 티눈(corn)을 초래하므로, 관혈적 정복으로 해부학적 정복을 하여 이러한 변형을 예방하여야 한다. 그러므로 시상면의 변형이 있을때는 수술적으로 정복하고 핀 내 고정을 하는것이 좋다.

제 2, 3, 4 중족골 골절은 하나 또는 그 이상의 족배부 종 절개를 사용하는데, 보통 두 개의 인접한 중족골 경부 또는 간부는 중족골 사이에 평행하게 한 개의 절개로서 골절부를 노출 시키

며, 먼저 원위 골편을 통해 전향성(antegrade manner)으로 중족골 두와 족저부를 통해 핀을 삽입한 후 골절 부위를 정복하고, 근위부로 후향성(retrograde)으로 핀을 삽입한다.

심하게 분쇄된 골절은 금속판을 대거나, 인접한 또는 더 안정된 중족골에 횡으로 핀을 삽입한다. 단축은 큰 문제가 되지 않으므로, 도수 정복이나 관혈적 정복으로 정렬 상태가 유지된다면 축상 단축은 그대로 두어도 되며, 만일 치료 후 남아있는 단축이 문제가 되면 연장술을 통해 교정 할 수도 있다[23].

제5 중족골 간부는 체중 부하와 남아있는 골의 돌출과 관련하여 제2, 3, 4 중족골 간부보다 중요하다. 비 전위성 골절은 수술이 요하지 않으며 바닥이 딱딱한 보행 신발로 치료할 수 있다. 전위된 골절은 정확한 정복이 필요하며 핀 고정보다는 금속판 고정이 골에 쉽게 접근할 수 있고, 해부학적 정복을 잘 유지 할수 있어서 좋으며, 특히 불안정 골절일때는 핀보다 금속판 고정이 좋다. 관혈적 정복 및 핀 고정 수술후에는 석고 고정을 하고, 4-6주간은 발뒤꿈치를 제외하고는 체중 부하를 하지 않다가 핀을 제거하고 바닥이 딱딱한 신발을 신는다. 만일 금속판 고정을 한 경우, 신뢰성이 있는 경우는 바닥이 딱딱한 신발을 신기지만, 그렇지 않은 경우나 뚱뚱한 경우는 더 단단한 지지가 필요하다. 두 경우 모두 보통 골절이 치유되는 8-10주에 체중 부하를 시작한다.

3. 중족골 경부의 골절

다발성이며 강력한 내재근 및 장족지 굴근건에 의하여 족저부로 전위되고 각형성을 일으키는 경우가 많다.

중족골 두와 경부의 골절시 족저부로의 지속적인 전위는 족저부의 피부 경결(callosities) 또는 티눈(corns)을 초래한다. 족지를 견인하면서 중족골 두 밑에 손가락으로 압력을 가해 정복하며, 대부분의 중족골 경부 골절은 바닥이 딱딱한 신발을 신기고, 견딜만큼씩 점차 체중부하를 한다. 그러나 완전히 탈구된 중족골 경부 골절의 정복 상태를 내 고정없이 유지하는 것은 확실치 않다는 보고도 있다[4].

중족골 두가 족저부로 전위시 도수 정복을 시도하며 관절면이 완전히 맞지 않고, 중족골 두와 경부의 골절편이 족저부로 전위되어 도수 정복 후에도 정복된 상태로 유지될 수 없을 때에는, 관혈적 정복을 하고 핀을 고정한다.

4. 중족골 두의 골절

중족골 두의 골절 시 원위 골편은 관절 내에 있으면서 관절낭이 전혀 부착되어 있지 않다. 대부분은 전위 정도가 적으며 보통 족저부 및 외측으로 전위되어 있다. 대부분 안정적인 정복을 견인에 의하여 얻을수 있으며, 정복 후 강선을 경피적으로 고정한다. 도수 정복 실패시 관혈적 정복을 한 후 강선 고정을 한다.

5. 제5 중족골 기저부의 골절

과거에는 모두 Jones 골절이라 칭하였으나 지금은 결절부의 견열 골절, 골간단-골간(metaphyseal-diaphyseal)골절인 Jones 골절과 그보다 원위부의 골절인 제5 중족골 근위부 간부 피로 골절로 나눈다. 1902년 Sir Robert Jones[5]가 자신의 발 손상을 포함하여 제5 중족골 골절을 보고한 이후, 제5 중족골 근위부 즉 기저부의 골절을 무분별하게 Jones골절이라 불러왔다. 그러나 Jones골절이란 결절부의 골절이 아니라 근위 골간단의 급성 골절로서, Stewart는 골간단(metaphysis)와 간부(diaphysis)의 접합부(junction), 전형적으로는 기저부로부터 1.5cm에서의 횡 골절이라고 정의하였다.

DeLee등은[6] 결절부의 골절을 Type III-A, B 로 분류하고, 결절부로 부터 2cm이상의 나머지 중족골 근위부에서의 골절은 통증력이 없는 급성 골절을 Type I으로, 임상적 또는 방사선 사진상 손상력의 증거가 있는 골간단-골간 접합부(junction)의 골절을 Type II로 분류하였다. Type II는 발의 외측 부의 통증력이 있으면서 만성임을 나타내는 방사선 사진 소견을 보이는데 이의 소견으로는 넓어진 radiolucent 한 골절선, 골막 반응, 골절에 인접한 외측 연의 두꺼워짐, 골수강내 경화 등이 있다.

type I, II의 골절 치료는 골절 type과 환자의 활동 요구에 따르는데 급성 type I-A 골절에서는 비체중 부하 단 하지 석고를 3-4주하고 체중 부하 석고를 골절 유합이 될 때까지 한다.

전위 및 분쇄 골절인 type I-B도 같은 방법으로 치료할 수 있으나, 운동 선수(competitve athletes)에서는 조기에 관혈적 정복 및 내 고정을 한다. 8-12주에도 임상적으로 치유되지 않는 type I 골절에서도 수술을 해야한다. 임상적으로, 방사선 소견상 골수강 내 폐쇄(obliteration), 경화 같은 만성 손상의 증거가 있는 type II 골절에서 비체중 부하 석고로 만족할 만한 결과를

얻을 수 있으며 보통 8주간의 비체중 부하 석고 고정이 필요하다. 이 type의 골절에서는 다시 골절되는 경우도 드문 것은 아니다. 운동 선수(competitve athletes)나 직업상 오래동안 석고 고정을 못하는 경우는 수술을 한다.

Type I, II에서 수술을 요하는 경우 4.5mm 과 나사(malleolar screw)로 고정하는 방법과 골수강 내의 경화 골을 제거하고 내재 골이식(inlay bone graft)하는 방법이 있다.

1) 제5중족골 기저부의 결절부 골절

후족부의 갑작스런 내번시에 일어나며 결절부의 끝에 부착하는 족저 건막 외측 밴드(band)에 의한 견열 골절로 보통 관절 외 골절이지만 입방 중족 관절 내로 침범될 수도 있다.

방사선 사진상 비 부골이나 베자리우스 부골과 구별하여야 하는데, 비 부골(os peroneum)은 입방골의 외측, 장비골 건 내에 위치하며 대개 양측성이며, 베자리우스 부골(os vesalianum)은 단 비골 건 내에 있고 결절의 바로 끝 부분에 있으며 드물다. 두 부골들의 위치, 골절선이 없는 부드러운 피질 면 또는 연(edge)으로 전위된 골절편의 거친 연과 구별이 가능하며, 부골이 항상 대칭으로 나타나는 것은 아니지만 의심스러울 때에는 반대쪽 족부의 방사선 사진과 비교해 보는 것이 진단에 도움이 될 수 있다.

또 제5 중족골 근위부의 골단(apophysis)이 16세경에 유합이 되는데 유합되기전에는 전위되지 않은 결절 골절과 감별하여야한다. 골단은 간부와 평행하게 달리는 부드럽고, radiolucent 한 선에 의해 결절 골절과 구별이 되며, 여자에서는 9-11세 사이에, 남자에서는 11-14세 사이에 보이다가 2-3년 뒤에 닫힌다.

비전위된 결절 골절은(DeLee의 type III) 단하지 석고를 3주하고 잘 조형된 아치 지지대를 하는데, 대개 8주 이내에는 유합이 되며 불유합이 일어날 수는 있지만 통증이 있는 경우는 드물며 통증이 있는 불유합시는 전기 자극 치료[7] 및 골편 절제로 치료할 수 있다. 즉 단 비골 건 내 에서 골절편을 박리하여 제거하고, 단 비골 건의 부착부가 손상되면 단 비골 건을 골절 원위부로 전진시켜 부착시킨다. 매우 활동적인 사람에서의 전위된 관절내 골절(DeLee의 Type III-B)에서 수술이 필요하며 긴장대강선 고정(tension band wiring)을 사용하는 것이 좋다. 아주 작고 전위된 골절 편은 절제하며, 관절내 골편이 전체 관절면

의 30% 이상이거나 2mm이상 계단(step-off)이 질때는 관혈적 정복 및 내 고정 을 하거나 도수 정복 및 강선 고정을 하여 입방골-제5 중족골간 관절에서의 관절염 발생 가능성을 최소화하여야 한다.

2) Jones 골절

이 손상은 발목이 족저부 굴곡 상태에서 전족부에 커다란 내전력이 가해질 때 발생하는 것으로 생각되어진다[5,8,9]. 급성이면서 전위되지 않은 Jones골절(DeLee의 Type I-A)은 6-8주 동안 비체중 부하 석고 고정을 하는데, 이러한 경우에도 운동 선수(high performance athlete) 이거나 보존적 치료를 거부하는 환자에서는 수술적 치료를 한다. 8-10주간의 비체중 부하 고정 후에도 임상적 치유가 되지 않는 경우가 드문것은 아니며 석고 고정이나 지지를 더 하거나 수술을 고려해야 한다. 보존적 요법으로 치료한 이 골절의 절반이 잘 낫지 않거나 나았더라도 재 골절 되므로 골수강 내 나사 고정이나 골 이식같은 조기 수술을 해야한다는 보고도 있다[10].

골절이 전위가 된 경우에는 인장 대강선 결박(tension band wiring), 유관 나사(cannulated screw)또는 금속판 나사를 사용하여 수술한다.

3) 제5 중족골 근위 골간 피로 골절(Diaphyseal stress fracture)

젊은 운동 선수에 발생하고, 반복적인 신연력(distraction force)으로 일어나는 제5 중족골 간부 근위부 1.5-3.0cm의 병적 골절로서[11,12], 방사선 소견상 외측 피질골이 두꺼워지고 골수관의 좁아짐, 골막 반응 등이 보인다.

Torg등에 의한 치유 잠재력(healing potential)에 따른 제5 중족골 근위 골간 피로 골절의 세 카테고리로는[13] 급성, 지연성, 불유합 등이 있으며, Type I 골절은 급성 골절로 조기의 피로 골절을 말하며, 골수강 내의 골 경화 소견이 없고, 불완전 골절이 치유되려 했던 것을 나타내는 골막 반응이 있다.

Type II는 지연 유합으로 골절이나 손상당한 병력이 있으며, 골흡수에 의하여 넓어진 골절부위의 틈과 골수강내 경화 소견이 있다. Type III는 불유합으로 골수강이 경화된 골 조직으로

완전히 막혀있다. 급성, 비 전위성인 근위 골간 피로 골절은 비체중 부하 고정으로 치료하는데, 완전히 치유되는데 20주까지 걸리는 경우도 있어, 앉아서 일하는 환자나 레크레이션 운동하는 사람에서의 Torg Type I, II 근위 골간 피로 골절인 경우는 보존적으로 7-10주간 비체중 부하로 단 하지 석고 고정을 하여 치료하지만 전문적인 운동선수(competitive)인 경우는 수술적으로 치료한다. 급성 골절이라고 판단되는 경우에서도 지연 유합이나 불유합이 발생하는 경우가 약 25%에 이르며 만성적인 증세가 있었던 경우에는 발생률이 더 높다.

전위된 골절은 급성이나 만성 모두 수술적으로 치료하는 경우가 많다. 잘 낫지 않는 경우나 Trog Type III인 불유합인 경우도 수술적 치료를 하는데 방사선 소견에 의하여, 비후성 불유합이나 압박으로 좁힐 수 있는 넓어진 골절 간격이 있는 골절에서는 골수강내 4.5mm 과나사(mallolar screw)를 사용하며, 압박할 수 있는 만큼의 간격을 초과하거나 가골이 극소량이거나 없을때 즉 위축성 골절 간격일때는 장골능선을 이용한 내재 골 이식(inlay bone graft)을 고려해야 한다.

심한 골수강 내 경화시는 드릴로 뚫어 혈관 생성(vascularization)을 자극하고 나사못 고정을 한다. 수술후 6주간 체중 부하를 하지 않으며, 이후 4주동안 점진적으로 체중을 주며 활동을 하게 한다. 증상을 일으키는 나사못이라 하더라도 최소 6개월은 지나서 방사선 사진에 완전 치유된 것을 보고 제거한다.

6. 중족골 골간(diaphysis)의 스트레스 골절

신병이나 장거리 달리기 선수에서 이러한 골절이 잘생기며 무지 외반증이나 중족골통의 수술후 인접 중족골에 생길 수 있다. 제1 중족골이 선천적으로 짧을때 이러한 스트레스 골절이 잘 생길 수 있다는 보고도 있으나[14], 이것보다는 제1 중족지 관절의 과운동성이 인접 중족골 피로 골절의 요소라는 주장도 있다. 급성 골절을 일으키기에는 불충분한 힘이나 스트레스가 반복적으로 축적되어 쌓인 결과로 생기는 골절을 말하며, 다른 부위에서도 생기나 중족골에서 가장 많이 생기며, 훈련을 받는 중 자주 생기므로 행진 골절(march fracture)이라고 한다. 두번째 중족골이 가장 많고 그 다음이 세번째 중족골이다.

처음에는 통증이 산만하게 있으며 훈련 후에만 생기며 점차

통증이 증가하면서 달리는 중에, 후에는 걸을 때에도 나타나며 통증이 한 곳으로 모이게 된다(crescendo effect). 붓지도 않고 2주 지나서 통증이 생기고 국소 종창 및 압통, 반상 출혈(ecchymosis)이 나타난다. 증상이 생긴지 2주이내에는 방사선 사진상 골절을 알 수 없으나, 이후 골절면을 따라 골 흡수가 되면 중족골 간부의 골절선을 알 수 있으며 2개월이 지나서 보이는 경우도 있다. 전문적인 운동 선수(high-performance athlete)에서는 골 주사를 사용하기도 하여 조기에 진단할 수 있으나 정확한 골절 패턴을 알기위해서 간격을 두고 사진을 찍어가는것이 좋다. 제1 중족골은 골 간단의 바로 원위부에서 골의 내측 연을 따라 생기며, 제 2, 3, 4 중족골은 골 중간 부위에서, 더 흔하게는 경부에서 일어나며 족저면에서 시작되어 점차 방추형 가골 증식을 보인다. 제 5 중족골에서는 골 간단의 바로 원위부에서, 골의 외측 연에서 일어난다. 골절부에 인접한 골 수강 내 경화는 손상의 만성화를 나타내며 골막 반응과 가골 증식을 보인다.

피로 골절을 일으킬만한 과거력과 골 주사에 양성이면 방사선 사진으로 확인이 안되어도 바로 치료를 시작한다. 활동을 줄이고, 운동 선수에서 에어로빅 fitness를 유지하고, 석고 고정을 하지 않도록 한다. 통증이 줄어들때까지 바닥이 단단한 신발을 사용한다. 운동 선수에서 4주동안 트레이닝을 제한하고 물 속에서 달리게 하여 운동은 하면서 반복적인 하중으로 부터 전족부를 보호해준다. 보통 4-6주후 통증이 사라지는데 운동 선수에서는 트레이닝은 점진적으로 증진시킨다.

II. 중족 족지 관절 및 족지의 손상 (Injuries of the Metatarsophalangeal Joints and Toes)

1. 중족 족지 관절의 손상

1) 염좌

발레나 축구등의 운동 중 관절의 과신전이나 과굴곡시 손상될 수 있으며, 족관절이 족저 굴곡된 상태에서 제 1 중족 족지 관절의 과신전시 족저부의 관절낭이나 족장판이 늘어나 아탈구가 생기기도 하며, 중족골 두 배부의 관절 연골에 손상을 받

을 수 있다.

치료는 급성기에는 안정, 냉찜질, 압박, 고정, 하지 거상을 시킨다. 제1 족지가 중족 족지 관절에서 과신전되지 않도록 테이핑을 하거나 부목으로 고정하며 그 후에는 관절낭이 스트레칭되는 것을 최소화하기 위하여 바닥이 딱딱한 신과 신발내 삽입물을 사용하여 과도한 배굴을 막는다. 증상이 소실됨에 따라 활동성을 늘리는데 대개 2-3주 경과 후에는 통증이 소실되며, 그 후 2-3주 더 경과한 후에 운동에 복귀한다.

2) 탈구

배측 탈구가 대부분이며 측면 상 방사선 촬영에서 잘 보인다. 빨리 정복하여 피부 괴사가 일어나지 않도록 해야 하며 견인하면 대개 쉽게 정복이 되지만, 근위 지골의 기저부가 중족골 두에 걸려 정복이 안되는 경우도 있다. 이때는 탈구된 상태에서 변형을 더 크게하여 과신전이 되게 하고, 근위 지골의 기저부를 원위부로 밀어서 정복을 시킨다.

정복 후 운동을 시켜 염발음이 있거나, 관절 내 유리체가 있거나, 관절이 서로 완전히 잘 맞지 않는 경우에는 완전한 정복이 안된 것으로 판단하며, 유리체를 제거하거나 파열된 관절낭을 봉합한다. 만약에 족장판이 원위 부착부에서 파열되어 종자골이 근위부로 당겨 올라간 경우는 원래 위치로 정복한다.

방사선 소견상 종자골이 근위 지골과 중족골의 관절면 사이에 위치하면 복합 탈구를 의심하여야 하며 이때에는 전신 마취 하에서도 정복이 잘 되지 않아 관혈적 정복이 필요하다.

정복 후 발가락까지 포함한 단 하지 보행 석고를 하여 약 4주간 고정한다.

2. 종자골의 골절및 탈구

1) 종자골의 골절

제1중족지 관절에서 종자골은 내측 종자골이 외측보다 더 잘 골절된다. 무지 종자골은 중족골 두와 관절하는 배측의 연골성 관절면(facet)이 있으며, 반면 단 무지 굴근 건의 섬유가 그들의 거칠고 비관절성인 족저면을 덮는다. 종자골은 부착부인 원위 지골까지 가는 장 무지 굴근 건에 의해 서로 분리되어있으며,

단 무지 굴근의 심부건에 의해 싸여 있고, 강하고 짧은 횡 인대에 의해 서로 연결되어 있다. 종자골의 함요된 관절면은 제1 중족골 두의 족저측 과 접촉하며, 제1 중족골의 체중 부하 기능을 위한 미끄러지는 면을 제공한다.

내측, 경골측 종자골이 비골측 종자골보다 더 크고 중족골 두의 바로 밑에 있기때문에 더 자주 손상을 받는다. 직접 외상, 견인력, 반복되는 스트레스등에 의하여 발생하며 만성적인 스트레스 골절은, 댄서나 장거리 달리기 선수에서 볼 수 있다. 즉, 직접 손상을 중족골 두에 받으면서 높은 곳에서 떨어질 때 압박을 받아 골절이 될수 있고, 댄서나 장거리 달리기 선수들에서 굴곡건의 과도한, 반복적인 스트레스에 의하여 만성적인 피로 골절이 발생할 수 있다. 대개 외상을 입으면서 날카로운 통증이 종자골 부위에 있고, 중족 족지 관절을 움직일 때 생긴다. 쉬면 통증이 감소 또는 없어지나 걸으면 다시 통증이 생긴다. 이러한 통증은 보행기의 마지막 단계에서, 중족 족지 관절의 과신전, 체중이 발의 ball을 지나 앞으로 갈때 생긴다. 이학적 검사상 종자골 부분에 압통과 종창이 있고 무지의 신전이 제한되며 무지의 수동적 신전시 통증이 있다.

대부분 종자골은 횡상 골절이며 제1 중족골 두의 족저의 측면 상, 축 상(axial view), 전족부의 전후방 상에서 종자골 골절을 잘 볼수 있다. seamoid view로 불리는 축 상은 종자골의 관절면을 잘 볼수 있으며 작은 골연골 편이나 견열 골절을 볼수도 있고, 종자골의 골연골염과 관련된 경화와 관절 간격의 좁아짐을 볼수 있다. 종자골 골절과 감별해야 할 것은 이분 종자골, 종자골의 박리성 골연골염, 스트레스 골절, 종자골의 무혈성 괴사등이 있다. 이분 종자골은 무증상인 사람들의 5-30%에서 나타나고, 85%에서 양측성인데 이분 종자골인 경우에는 이분 종자골을 합한 크기가 보통 종자골보다 크며, 외연이 부드럽고 경화된 소견이 있으며, 시간이 경과하여도 골절 치유의 소견이 보이지 않는다.

종자골 골절에서는 사진상 같은 크기로 날카로운, 불규칙한 외연에 의해 나누어지며 골절된 부분을 합치면 인접 종자골과 크기가 같다. 박리성 골연골염은 종자골 골절이나 이분 종자골처럼 내측 종자골에서 많이 일어나는데, 특히 경도의 외상과 동반 되었을때 골절과 구별하기 힘들며, 방사선 사진상 종자골이 점상(mottled)으로 보이며, 축상에서 종자골의 fragmentation 소견을 보인다.

종자골의 스트레스 골절은 간격을 두고 반복적으로 사진을 찍어보는 것이 도움이 되며[15], 골 주사 검사에서 uptake증가가 피로 골절의 진단에 유용하며 전산화 단층 촬영 상에서 골절이 잘 관찰되기도 한다. 또 골절과 감별해야할 종자골 손상으로는 Graves등[16]이 보고한 제1 중족지 관절의 족장판 손상, Irwin등[17]에 의한 압궤 손상으로 인해 중족골 경부 골절이 있으면서 단 무지 굴근 건의 외측 종자골의 외상성 탈구가 있을 때 등이 있으며, Richardson[18]등은 종자골염, 골연골염, 피로 골절이 있는 이분 종자골, 전위성 골절, 경골측 종자골 밑의 점액낭염등을 언급하였으며 단 무지 굴근 건염은 운동 선수에게 생길 수 있으며 종자골 손상과 감별하여야 한다.

전위가 없거나 극소량만 전위가 있는 종자골 골절 및 스트레스 골절은 3-4주간 족지 족장판을 포함한 보행 석고 고정을 하여 중족 족지 관절을 안정시키고 체중 부하로 부터 보호한다. 이렇게 하여 증상이 지속될때는 3-4주를 더 석고 고정을 한다. 그래도 증상이 안 좋아지면 3-4주를 더 비체중 부하 fiber glass cast를 하며, 만일 처음 4주 치료에 증상이 좋아지면 다음 4-6주간은 중족지 관절이 신전되지 않도록, 무지 외반증에서의 수술 후 신(postoperative bunion-type shoe)같은 바닥이 딱딱하고 종자골 패드와 호상 바닥(rocker bottom)이 있는 신을 신게한다. 이러한 치료로 증상이 감소되면 3개월간 또는 증세가 없어질 때까지 운동화나 종자골 패드가 있는 단단한 고무 바닥 신발(firm rubber soled shoe)을 신게 한다.

이 골절은 오랫동안 통증이 있을 수 있어 오랫동안 보행의 지지(ambulatory support)가 필요할 수 있다[19),20),21),22]. 6개월 이후에도 통증이 지속될때에는 골절된 종자골을 절제한다. 절제술의 적응증으로는, 통증이 있는 불유합, 보존적 요법에 듣지않는 통증, 종자골 관절면에 외상후 퇴행성 변화가 생겼을때이다.

대부분 골절된 종자골만 절제하며, 골절되지 않은 나머지 종자골에서 퇴행성 관절염이 생기는 것을 방지할 생각으로 골절되지 않은 종자골까지 다 절제하지는 않는다.

Pfeffinger와 Mann은[23] 가능하면 하나만 제거해야 한다는 것과 종자골이 모두 제거시 단 무지 굴근 건의 원위 부착부가 망가져 cock up 변형이 생긴다고 하였으며, 절개 위치는 통증성 반흔이 생기지 않도록 하여야 하는데 경골측 종자골을 절제하기 위해 족저 내측 경피 신경을 다치지 않도록 주의하면서 제1 중족지 관절의 내측의 중간선 약간 아래(slightly below the midline)를 통해 접근 하였다.

종자골은 제 1 중족골 두를 거상시키므로 주위의 중족골 두와 평행하면서, 중요한 체중 부하 구조물이며 단 무지 굴근 건의 역학적 이점을 증진시키기 위해 지렛대로 작용하며, 장 무지 굴근 건을 보호하는데 중요한 기능을 한다. 보존적 요법이 실패시 골절된 종자골을 절제하고 있지만, 이러한 이유로 McBride는 종자골의 불유합 및 통증성 스트레스 골절에서 골이식을 시도하였으며, 혹자는 통증이 있는 이분 종자골에서 작은 골편만을 절제하기도 하였다.

절제술을 할때는 어떤 방법을 사용하든 단 무지근 기전을 잘 복구하는것이 중요하다. 완전히 종자골을 절제하는 경우는 큰 골편이 없는 분쇄 골절 일때, 종자골의 관절면이나 중족골 두의 관절면에 관절 연골이 소실되었을 때이다.

2) 종자골의 탈구

제1 중족지 관절 밑에서 동통이 있으며 모든 환자에서 관절 운동시 통증 있다. 양측 발을 카세트에 대고 빔(beam)을 수직으로 중앙에 맞추고 전, 후방 사진을 찍으며 족장판 파열을 진단한다. 초기 치료는 보존적이며 단단한 바닥 신발을 사용한다. Capasso[24]등은 종자골간 인대 파열에 이차적으로 생긴 외측 종골의 외상성 탈구를 보고하였다. 종자골의 외측 탈구는 제1 중족지 관절 주위에 동통과 압통이 있을때 생각해 보아야 한다. 기본적(Routine) 방사선 사진에 외측 종자골의 외측 탈구가 나타나며 종자골의 축 상 사진에서 외측 중족골간 공간에서 종자골을 볼 수 있다.

제1 중족골간 물갈퀴 공간(web space)에 발바닥쪽 종절개를 하고 관혈적 정복 및 종자골간 인대 봉합을 한다. 종자골 절제술이 종자골간 인대 봉합의 한 방편은 될 수 있으나 스포츠인구에서 종자골의 절제는 스포츠 활동을 제한 할 수 있다.

III. 족지의 골절 및 탈구(Fractures and Dislocations of Phalanges)

1. 탈구

1) 족 무지의 지절

과 신전에 의하여 발생하며, 대개 쉽게 정복이 되지만 종자골과 족장판이 정복을 방해하는 경우가 있으며, 장 족지 굴근 건이 끼어서 정복이 않되는 경우도 있다.

2. 골절

1) 무지 골절

무지의 원위지골 골절은 무거운 물건이 족지에 떨어져서 생기는 경우가 많으며 이때 생기는 조갑하 혈종으로 통증이 심하여 조갑부에 구멍을 뚫어 제거하며, 전위가 없는 단순 골절에서는 적당한 부목으로 고정한다.

전위된 골절, 특히 관절을 침범한 골절은 일단 도수 정복을 시도하고 실패시에는 관혈적 정복과 경피적 핀 고정을 한다. 전위가 남아있는 경우 관절염이나 보행시 통증을 초래하기 때문이다. 관혈적 정복의 시기는 조기에 하지 않으면 수술 후 연부 조직에 문제를 일으킬 수 있으므로 12-24 시간 내에 하거나 7-10일경에 부기가 빠지고 나서 하는것이 좋다.

2) 무지외의 족지손상

전족부에서 가장 흔한 골절로 대부분 직접 손상에 의하며 인접 발가락을 부목으로 삼아 테이핑하며 발가락 사이에는 거즈등을 끼워주는 것이 좋다. 심하게 전위된 경우에서만 도수 정복이 실패시 수술을 고려하며, 어느 정도의 전위는 크게 문제가 되지 않는다.

■ 참고문헌

1. Shereff MJ : fractures of the forefoot, Instr Course Lect 39:133-140,1990.

2. Paley D : The correction of complex foot deformities using Ilizarov's distraction osteotomies, clin orthop 293:97-111, 1993.

3. Saxby T, Nunley JA : Metatarsal lengthening by distraction osteogen-esis : a report of two cases, Foot Ankle 13:536-539,

1992.

4. Lindholm R : Operative treatment of dislocated simple fracture of the neck of the metatarsal done, Ann Chir Gynaecol Tenn 50:328-331,1961.

5. Jones R : Fracture of the base of the fifth metatarsal done by indirect violence, Ann surg 35:697-700,1992.

6. DeLee JC, Evans JP, Julian J : stress fractures of the fifth metatarsal. Am J Sports Med 11:349,1983.

7. Holmes GB Jr : Treatment of delayed unions and nonunions of the proximal fifth metatarsal with pulsed electromagnetic fields, Foot Ankle int 15:552-556, 1994.

8. Kacanaugh BF, Fitzgerald RH : Clinical and roentgenographic assessment of total hip arthroplasty : a new hip score, clin orthop 193:133-140, 1985.

9. Stewart IM : Jones fracture : fracture of the base of the fifth metatarsal clin orthop 16:190-198, 1960.

10. Quill GE Jr : fractures of the proximal fifth metatarsal, Orthop Clin North Am 26:353-361, 1993.

11. Lehman RC, Torg JS, Pavlov H, DeLee JC : Fractures of the base of the fifth metatarsal distal to the tuberosity : a review, Foot Ankle 7:245-252, 1987.

12. Torg JS : Fractures of the base of the fifth metatarsal distal to the tuberosity, Orthopedics 13:731-737, 1990.

13. Torg JS, Balduini FC, Zelko RR, et al : fractures of the base of the fifth metatarsal distal to the tuberosity: classiflcation and guidelines for non-surgical and surgical management, J Bone Joint surg 66A:209-214, 1984.

14. Wilson DW : Injuries of the tarsometatarsal joints, J Bone Joint surg 54B:677-686, 1972.

15. Van Hal ME, Keene JS, Lange TA, Clancy WG : Stress fractures of the great toe sesamoids. Am J sports Med 10:122, 1982.

16. Graves SC, Prieskorn D, Mann RA : Posttraumatic Proximal migration of the first metatarsophalangeal joint sesamoids : a report of four cases, Foot Ankle 12:117-122, 1991.

17. Irwin AS, Maffulli N, Wardlaw D : Traumatic dislocation of the lateral sesamoid of the great toe : nonoperative management, J Orthop Trauma 9:180-182, 1995.

18. Richardson EG : Injuries to the hallucal sesamoids in the athlete, Foot Ankle 7:229-244, 1987.

19. Brugman JC : fractured sesamoids as a source of pain around the bunion joint, Milit surg 49:310, 1921.

20. Powers JH : Traumatic and developmental abnormalities of the sesamoid bone of the great toes. Am J Surg 23:315, 1934.

21. Sundt H : On partition of the sesamoid bones of the lower extremities. Acta Orthop Scand 15:59, 1944.

22. Orr TG : Fracture of the great toe sesamoid bones. Ann Surg 67:609, 1918.

23. Pfeffinger LL, Mann RA : Sesamoid and accessory bones, In Mann RA, editor : Surgery of the foot St Louis, 1986, Mosby, pp 202-229.

24. Capasso G, Maffulli N, Testa V : Rupture of the intersesamoid ligament of a soccer player's foot, Foot Ankle 10:337-339, 1990.

35. 피로 골절
Stress fractures in foot and Ankle

을지의대 을지병원 족부정형외과 **이 경 태**

관동의대 명지병원 정형외과 **김 현 철**

I. 피로 골절

일반적으로 뼈가 감당할 수 없는 하중을 받을 때 골의 연속성이 단절되는 것을 골절이라 한다. 하지만 골절을 일으킬 수 있는 하중보다 작은 힘을 반복적으로 가하면 그 하중을 받는 부위는 피로해지고 균열이 생기며 가끔 완전한 골절선을 만들기도 하는데 이렇게 해서 발생되는 골절을 피로골절이라 한다. 이러한 피로 골절의 문제점은 작은 힘에의한 골절이기 때문에 당장 안정성(stability)에 문제를 일으키지는 않아 치료가 지연되는 경우가 많고 골절의 재발과 자연 치유력이 저하되어 종내에는 "자주 재발하면서 붙지 않는 문제의 골절(recurrent nonunion fracture, fracture of problem)"이 된다.

II. 발생 빈도 및 원인

피로 골절은 군대 훈련소 같이 강도 높은 훈련을 지속적으로 받을 때 가장 많이 발생하고 그 외에도 발레 댄서, 운동 선수 및 특정 직업과 관련해 발생하였으나[19,20] 최근 건강에 대한 관심의 증가와 여가 선용의 일환으로서 스포츠 인구의 증가로 일반인들에서도 나이와 직업에 상관없이 발생이 증가하는 양상을 보이고 있다. 특히 달리기 인구의 증가로 하지의 피로 골절이 증가하는 추세이다. McBryde[32]는 피로 골절이 모든 과사용 증후군의 10%를 차지한다고 보고하였다.

현재 피로 골절의 위험인자는 명확히 정의되어 있지는 않으며 다양한 원인들이 제시되고 있다. 주요 원인으로 내적인 요인과 외적인 요인으로 나눌 수 있으며 나이[34], 성별[25], 골격계의 정렬상태(skeletal alignment), 저 골밀도(low bone density)[3], 호르몬 이상[12,15], 잘못된 훈련 방법(training parameter), 신발[1,33]

등이 있다. 생체 역학적면에서는 가는 경골(narrow tibia), 발목관절과 전족부의 내반(varus alignment in the ankle and forefoot)[31], 발목관절의 과회내전(hyperpronation of ankle joint)[38], 높은 종아치(high longitudinal arch of foot), 양 하지 길이의 차(leg length discrepancy)등[14,22]이 발과 발목에서 피로 골절을 유발 할수 있는 요인이 될 수 있다.

III. 발생 기전

피로 골절이 생기는 기본적인 기전은 골의 파괴가 일어나지 않을 정도의 하중을 지속적으로 가하면 스트레스가 집중되는 부위에 피로 파열(stress failure)이 생기고 균열(crack)이나 골절이 생기게 된다. 예를 들어 clip에 손가락으로 지속적인 스트레스를 주면서 반복해서 구부리는 동작과 비교하면, 이 과정에서 클립이 완전히 휘기 전에는 형태의 변화는 없지만 쇠의 구성이 계속되는 스트레스로 변화되어 정상과는 다른 상태를 유지하게 되는데 이를 응력 작용상태(stress reaction)이라고 하고 여기에 더 큰 힘을 가하게되면 완전히 휜 또는 부러진 상태를 유발하게 되는 것으로 설명 할 수 있다. (그림 35-1 a,b)

정상적으로 근육은 뼈로 가는 스트레스를 다른 부위로 분산시켜 특정 뼈에 집중이 되지 않게 하는 역할을 한다[19,20,24,35]. 그러나 특정 근육에 피로가 지속되면 근육의 기능이 소실되고 이로 인해 근육의 스트레스 분산 효과가 사라져 특정 뼈에 스트레스가 집중이 되고 반복적인 스트레스는 피로 골절을 유발하게 된다. Baker등[2]은 피로골절은 먼저 근육의 피로가 선행되고 이로 인해 힘이 특정 골에 집중되어 피로 골절이 발생된다고 보고한바 있다.

Carter와 Hayer등[13]은 피질골에 한번에 골절을 일으킬 수 있

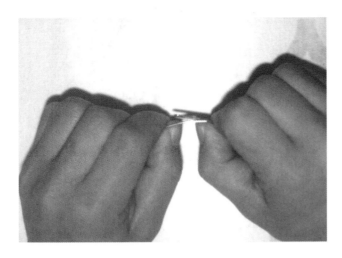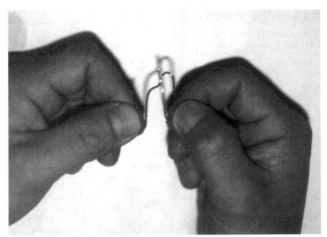

그림 35-1a,b. 클립의 변형을 일으키는 힘보다 작은 힘으로 구부리게 되면(피로 반응)이 축적되게 되고 결국은 클립이 변형을 일으키게(피로 골절) 된다.

는 굴곡 하중과 피로 골절을 유발할 수 있는 정도의 반복되는 굴곡 하중을 동시에 가한 후 골절되는 양상을 관찰하였다. 골절 양상은 양측이 비슷하였는데 긴장이 가해지는 부위는 수직 골절(transverse fracture)이 발생하였고 압박을 받는 부위는 사선(oblique) 골절선이 생겼고, 특히 피로 골절에서는 압박받는 부위에 생긴 사선 골절이 더 넓은 영역을 차지하였다. 반복되는 하중은 점차적으로 강성도(stiffness)와 항복 강도(yield strength)를 감소시키고 영구적인 변형과 hysteresis를 증가시킨다. 손상은 주로 압박을 받는 부위에서 발생하게 되고 사선 균열(oblique cracking)과 종적 균열(longitudinal splitting)을 보이며 긴장이 가해지는 쪽은 압박받는 부위보다 넓이는 작으며 주로 시멘트선(cement line)과 층판간 시멘트 연결(interlamellar cement bond)의 분리가 주로 일어난다. 생체에서 골은 실험실에서와 다르게 손상을 받는 동안 자기 치유능력이 있고 스트레스가 집중이 되면 쉽게 하는 등 자가 치료를 계속해 흔히 골절과 치유가 동시에 진행되는 양상을 보인다. 뼈의 강도는 골 밀도와 직접적인 연관이 있고 이는 미네럴의 농도와 교원질의 양과 질에 의해 좌우된다. 그리하여 골다공증과 골연화증(osteomalasia), 괴혈병이 있는 환자에서 골절에 대한 감수성이 증가되고 피로 골절이 잘 발생하게 된다.

피로 골절은 이론상 신체 어느 부위에서도 발생할 수 있으나 발에서는 경골, 비골, 중족골 및 종골 등에서 주로 발생하며 주

상골이나 입방골 및 종자골에서도 드물게 발생할 수가 있다.

IV. 임상 증상

피로 골절의 가장 흔한 증상은 골절 부위의 동통이며 특정 유발동작을 하게 되면 동통이 증가하게 되는데 일반적으로는 통증과 함께 약간의 부종이나 발적, 국소 열감 보일 수도 있고, 눌러서 아픈 압통이 특징적이다. 그리고 골절이 여러번 재발된 경우에는 가골(callus)등에 의해 피로 골절부위의 융기도 볼 수 있다.

V. 방사선 검사

단순 방사선상에서는 많은 경우에서 정상소견을 보여 특수 검사를 해야 하는 경우가 많지만 단순 방사선 소견상 일반적인 골절과는 다르게 한쪽의 피질골만 침범하는 경우(uni-cortical fracture)가 많으며 골수강내의 경화(medullary sclerosis)소견이 특징적이다. De Lee등은 골절의 형태를 지연성(delayed type)과 불유합형(non-union type)으로 나누어 분류하기도 하였다. 그리고, 임상적으로는 피로골절이 의심되나, 단순방사선에 이상소견이 없는 경우에는 골주사 검사(Bone scan)가 피로골절 유무를 확인하는 가장 좋은 screening test라 할 수 있다. 그 외

에 컴퓨터 단층촬영(CT)이나 자기공명영상촬영(MRI)등이 진단에 도움이 되는데 피로 골절 자체를 확인하는 데는 컴퓨터 단층 촬영이 가장 좋은 진단 방법이다.

VI. 치료

먼저 피로골절이 첫 번째로 온 급성기인지 여러번의 재발형태로 온 재발형인지를 구별하는 것이 중요하고, 방사선학적으로 골수강의 경화가 어느 정도 있는가를 확인하는 것이 중요하다. 즉 골절의 치유능력(regeneration power)이 있는지의 여부가 중요하다고 할 수 있다.

1. 급성기의 경우

최초로 발생한 골절의 경우에는 비수술적 요법을 사용하는 것이 일반적인데, 부위에 따라 초기에는 체중부하를 금지하는 상태에서 단하지 석고 붕대등의 고정을 하거나 removable cast 등의 보조기를 사용하면서 물리치료를 하게 되는데, 물리 치료 중에서는 특히 초음파(ultrasound : 특히 non-thermal effect)가 치유에 도움을 준다는 보고가 있다. 단, 제5 중족골 피로골절 같이 급성일지라도 향후 골유합이 될 가능성이 적은 골절은 신중하게 비수술 여부를 결정하여 조금이라도 골유합에 의심이 가게 되다면 지체없이 수술을 결정하는 것이 바람직하다. 비수술적 치료 중 골유합의 판정은

1) 골절부위 압통이 없어야 하며
2) 방사선상 골유합 (trabecula의 연결)이 보여야하는 두가지 조건을 다 만족하여야 한다.

2. 재발성인 경우

대개의 경우, 즉 제 2중족골, 경골, 종골등은 비 수술적 요법을 사용하여 치료가 가능하지만 급성기 보다 2배정도의 치유기간이 필요하며 주상골과 제 5중족골의 경우에는 거의 예외 없이 수술을 하는 것이 원칙이며 대부분 골 이식술(bone graft)을 동시에 시행하여야 한다.

3. 재활치료

수술후의 재활도 수술만큼이나 중요한데 특히 운동선수인 경우 조깅이 가능하더라도 훈련량을 갑자기 증가시키거나, 훈련강도를 점진적으로 올리지 않으면, 다시 재골절되는 수가 있기 때문이다. 본 저자의 경우에도 이러한 문제로 인해 재골절되는 경우가 간혹 발생하여 완전히 복귀시키는데 상당히 지연된 경험이 있어 새삼 이점을 강조하고 싶다.

VII. 경골과 비골의 피로 골절

달리기는 경골과 비골 피로 골절의 가장 흔한 원인이며 그외에도 야구, 축구, 스케이팅, 에어로빅, 발레등이 원인이 될 수 있다. 이중 발레와 야구선수에서는 특징적으로 경골 중간부 전면에 피로 골절이 잘 발생되는 것으로 보고되고 있고[8], 특히 월경을 하지 않는 여성 운동선수에서 발생률이 높은 것으로 되어 있다[3,4].

1. 임상 양상

갑작스런 증상은 매우 드물며 달리기를 할 때 점진적으로 증가하는 통증을 주증상으로 하며 수주간 통증을 가진 상태에서 운동을 계속 한 병력을 가진다. 이학적 검사상 골절된 경, 비골에 압통이 있으며, 외다리로 뛰게 하여 동통을 유발할 수 있다 (one leg hopping test). 만성적으로 골절이 된 경우에는 대부분 종물(mass)이 만져지게 된다.

2. 진단

단순방사선 사진 상 증상이 시작된 2-3 주내에는 특이소견이 보이지 않는 것 이 보통이며 이후 피질골의 투명(cortical lucency)이나 골절주위로 전형적인 약간의 희뿌연 음영이 나타나게 되는데 이후 시간이 더 경과하게 되면 골막반응 (periosteal reaction)에 의하여 피질골 두께의 증가를 관찰할 수 있다. 피로 골절은 수 개월이 지나도 단순 방사선상 정상으로 보일 수가 있으며, (그림 35-2 a,b) 이럴 경우 골주사를 시행하면 진단에 도움이 된다.

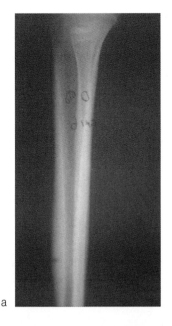

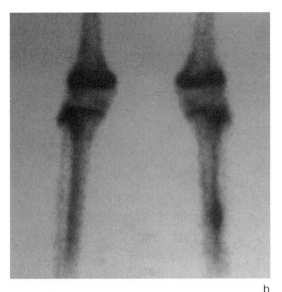

그림 35-2a,b. 경골의 하방 1/3의 전면에 발생한 피로 골절로 경골의 전방 부 피질골 두께의 증가와 함께 선명한 골절선을 관찰할 수가 있고 골주사 검사상 up-take가 증가 됨을 알수 있다.

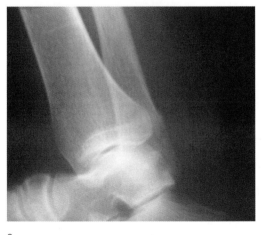

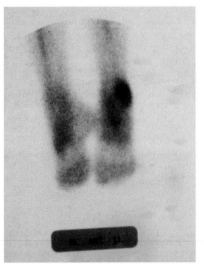

그림 35-2c,d. 축구선수에서 발생한 비골 원위부의 피로 골절소견으로 사면방향의 골절선을 확인할 수 가 있고 골주사 검사상 up-take가 증가된 소견을 보인다.

3. 치료

1) 보존적 치료

주된 피로 골절의 보존적 치료는 증상 치료이며 휴식과 골절을 유발하는 행동의 제한 등이 필요하며 하지의 고정은 거의 필요하지 않다.

2) 수술적 치료

일단 골절이 된 후 골절부위에 방사선 음영이 희미해지거나 완전한 골절로의 전환이나 불유합의 가능성이 높은 경우 내고정술과 골이식 등을 이용하여 치료해야 한다. 이러한 불유합 가능성의 진단은 골주사 검사 상 up-take가 되지 않는 소견이 가장 중요하다.

이외에도 일반적인 불유합 치료와 관련된 자기장(magnetic field) 치료와 초음파를 이용하여 치료할 수가 있고 골절부위에 다중 천공술(multiple drilling)을 시행할 수도 있다.

VIII. 중족골 피로골절

발에서 발생하는 피로 골절중 제 2, 3, 4 중족골 골절은 행군이나 마라톤같은 장거리 운동선수에게 흔하게 발생되며 특징적으로 중족골의 골간부의 원위부나 중간부위에서 일어나며 "행군 족(march foot)"이라는 용어로 잘 알려져 있다. 제 5 중족골 골절은 발에서 가장 흔히 발생되는 피로 골절로 순간적인 방향의 전환이 필요한 모든 운동에서 발생 할 수가 있으며 해부학적 특성상 지연 유합과 불 유합이 자주 발생한다. 제 2, 3, 4 중족골 골절과 제 5 중족골 골절은 서로 다른 발생 기전을 가지고 있으므로 나누어 생각하는 것이 바람직하다.

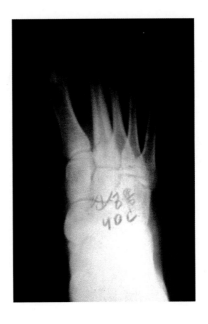

그림 35-3. 제 2 중족골에 발생한 피로골절로 제 2중족골 간부에 피질골의 비후가 있음을 관찰할 수 있다.

1) 제 2, 3, 4중족골 피로 골절

행군 골절(march fracture)은 제 2 중족골에서 가장 흔히 발생하며 다음은 제 3 중족골순으로 발생된다[5,30]. 또 다른 원인으로 선천적으로 제 1중족골의 길이가 짧은 경우[44]와 부적절한 신발 등을 신고 장기간 달리기를 하는 것 등이 원인이 될 수 있다.

가장 흔한 증상은 장기간 행군이나 지면이 단단한 곳에서 달리기를 할 때 심해지는 중족골통이며 그 외에도 압통이나 부종 및 발적등이 이환된 중족골 주위로 나타날 수 있다. 이중 중족골을 직접 눌렀을 때 나타나는 동통이 가장 진단적 가치가 있다[44]. 방사선 검사상 경골, 비골 피로 골절과 유사한 형태의 가골(callus)이 나타나며 단순 방사선 사진상 전후방과 사면에서 가장 잘 보이며, 제 1중족골에서는 근위부에서 잘 발생되고[35] 제 2, 3 중족골에서는 중간부나 경부에 이환 되기도 한다. 중족골에 생기는 피로 골절은 완전 골절이 되었다고 하여도 전이되는 경우는 매우 드물다.(그림 35-3)

치료로는 환자의 증상과 상태에 맞추어 치료를 시행하는 데 통증이 심하여 걷기가 힘들 때는 보행 석고 고정을 시행하거나 나무 바닥 신발이나 바닥이 딱딱한 신발 처방과 함께 활동을 제한하는 방법을 환자의 증상이 없어 질 때까지 사용(4-6주간)하여 치료를 시행하다.

2) 제 5 중족골 피로 골절

제 5 중족골 피로 골절은 비교적 흔한 스포츠 손상으로 발에서 발생하는 피로 골절 중 가장 많이 발생하는 골절이다. 제 5 중족골의 피로 골절은 단비골건에 의한 경상 돌기의 견열골절, 골단-골간단연접부의 Jones씨 골절, 스트레스형 근위부 피로골절의 세형으로 나누게 되고 발생되는 위치에 따라 각각 다른 치료와 예후를 보이는 것으로 알려져 있다. 발병기전은 반복되는 견인력에의해 2 차적으로 발생이 되며 내반슬(genu varum), 족관절 및 후족부의 내반과 전족부의 회내전 등이 있을 때 잘 발생한다. 족부의 외측부 해부학적 구조를 살펴보면 제 4, 5 중족골은 족저 굴곡과 내전은 가능하지만 족배굴곡은 어려운 구조를 갖게 되고 이로 인해 족부가 내반을 할 수 없는 상태에서 고정되었을 때 수직방향과 내외측 방향의 힘이 지속적으로 작용함으로써 골절이 발생하게 된다는 것이다. 제 5 중족골의 스트레스 골절은 불유합과 지연 유합이 많다. 이에 대한 해부학적 이론으로는 중족골 주위의 혈관 직경이 작아 체중부하가 가해지면 이런 압박 스트레스를 견디기가 힘들다는 것[20]과 제 5 중족골 간부의 영양혈관이 들어가는 구멍의 근위부에서 골절이 일어나기 때문에 골절부에 혈액 공급이 되지않아 지연 또는 불유합이 생긴다는 이론 등이 있다. 단순 방사선학적 검사 상 골절선과 함께 피질골이 두꺼워진 소견과 좁아진 골수강, 골막 반응등을 관찰 할 수가 있다. Torg등[40]은 제 5중족골 간부의 피로골절을 치유능력에 따라 3가지 형태로 분류 하였다. Type I 은 초기의 골절로 골막 반응이 보이거나 불완전한 골절선의 형태를 보이는 것으로 급성기에 해당하며, type II는 골절선이 넓어지고 골수강내의 경화 소견이 보이는 지연형(delayed type) 골절 이며, Type III는 골수강이 완전히 막혀 있는 완전한 불유합을 가리킨다.

치료로는 Type I & II 골절이 있으면서 앉아서 일을 하거나 전문적인 운동선수가 아닌 경우에는 보존적으로 7에서 10주정도 비체중 부하상태에서 하지를 고정하는 방법으로 치료가 가능하지만 환자에 맞게 비체중 부하 기간을 단축시키고 보조기 등으로 대체 할 수도 있다. Type III의 일반환자와 전문적인 운동 선수인 경우에는 처음부터 수술적 치료를 고려해야한다. 방사선 검사상 비후성 불유합 소견이 보이거나 골절선이 넓어진 경우에는 골수강내 압박 나사 등으로 단단하게 고정을 하고 위축성 불유합인 경우 고정과 골수강내 골이식이나 내재 골이식을 시행하여야 한다[6,39,45]. 또 골수강이 경화골에 의해 막혀 있

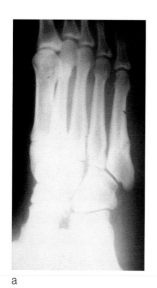

그림 35-4a. 수술전 방사선 사진을 Torg type II형의 골절 소견을 보이고 있다.

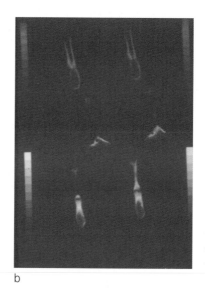

그림 35-4b. 술전 CT검사소견으로 골수강의 협착과 골절선의 존재를 명확히 확인할 수 있다.

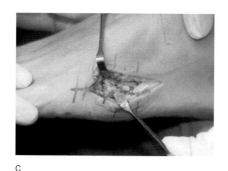

c

그림 35-4c. 수술장에서 찍은 사진으로 골절선과 가골의 형성을 관찰할 수 있다.

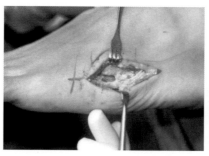

d

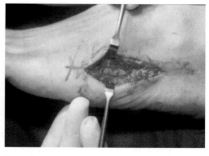

e

그림 35-4d,e. 골절부에서 block모양으로 골의 제거한후 내재골이식과 골수강내 나사로 고정한 모습이다.

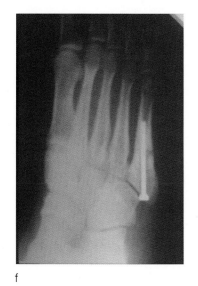

그림 35-4f. 수술후 단순 방사선 사진 골수강내 나사고정과 내재골 이식을 시행하였음을 관찰할 수 있다.

f

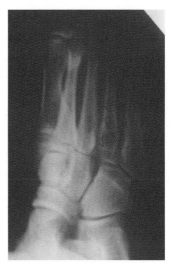

그림 35-4g. 내고정물 제거술후 방사선 사진 골절이 치유 된 것을 관찰할수 있다.

g

을 경우 경화골을 제거 하고 다중천공술을 시행한 다음 고정을 하여야 한다. (그림 35-4 a~g)

IX. 수술 술기(골수강내 압박 나사 고정과 내재골 이식술)

환자를 앙와위로 수술침대에 누이고, 전신 또는 척추 마취하에 수술을 시행한다. 제 5 중족골의 골절부위를 중심으로 중족골 간부의 중심선을 따라 약 4cm정도의 피부절개를 하는데, 비복신경분지와 단비건이 손상되지 않도록 유의하여야한다 수술시야에서 먼저 골절 부위를 확인하고 골절부위를 중심으로 약 1.5 X 1cm 가량의 직사각형 창문을 내어 피질골을 들어낸 후 골절부위의 경화된 부위를 큐렛을 이용하여 건강한 해면질골이 나올 때까지 제거 한다.

골유합을 촉진시키기 위해 주변 골조직의 피질골 천공을 드릴을 이용하여 시행하고 동측의 장골능에서 제 5 중족지골에서 추출한 창문 피질골의 크기와 같은 크기로 자가 이식골과 일부 해면질골을 추출한 후 해면질골을 먼저 제 5 중족지골 골수강에 삽입한 후 자가이식 피질골을 창문부위에 삽입한다. 마지막으로 방사선 투시 촬영하에서 4.0 골수강내 압박 나사를 3점 고정이 되도록 삽입한다.

수술 후에는 6주간 비체중부하로 단하지 석고붕대 고정을 시행하고 석고 고정을 제거한 후에는 족관절 관절 운동을 시행하고 체중부하는 연속적인 방사선촬영에서 골유합이 확진되고 임상적으로 피로골절부위의 압통이 없는 시기에 시행하도록 한다.

X. 종골의 피로 골절

종골의 피로 골절은 발에서 생기는 피로 골절 중 비교적 흔하며 대부분 장거리 달리기를 자주 하는 사람이나 군대 훈련병 등에서 자주 발생한다. Leabhart는 군대 훈련병중 0.45%에서 발생하고 이중 75%는 양측성으로 발생한다고 하였다[29].

1. 임상 양상

환자는 통증을 동반한 부종을 호소하며 대부분 운동이나 훈련을 시작한지 10일 이내에 증상이 발생한다. 과거력상 특별한 외상의 경력이 없고 종골의 후상방면에서 압통을 호소하고 발뒷꿈치를 시술자의 양손에 감싸고 양손바닥으로 좌우에서 누르면 통증을 호소하는 것을 볼 수 가 있다.

2. 방사선학적 소견

증상이 시작된 후 단순방사선 사진 상에서 2-3주간은 정상 소견을 보일 수 가 있으며 이후 종골의 후 상부에 종골 소주 (trabecula)에 수직인 방향으로 골절선이나 음영의 변화를 관찰할 수 있다[17].

종골의 골절이 완전히 전위되는 경우는 아직 까지 문헌상에는 보고 된 바가 없다. 증상은 있으나 단순 방사선상 변화가 관찰되지 않으면 골주사 검사를 시행하여 진단을 한다.

3. 감별 진단

초기에 단순 방사선상 변화가 관찰되기 전에는 골수염과 골종양 같이 종골에 흔히 발생하는 질환과 감별을 해야 하며 이를 위해 골주사 검사와 MRI를 시행 할 수 있다.

4. 치료

종골에 발생한 피로 골절의 치료는 대개 증상에 대한 치료로 이루어지며 보통 2 - 3주간 활동량을 줄이고 통증에 대한 치료를 시행하면 좋아지지만 증상이 심하여 보행이 힘든 경우에는 1주일 정도 고정을 시행할 수도 있다. Leabhart는 증상이 없어지더라도 8주 내에 훈련이나 운동을 다시 시작 하게 되면 증상이 재발할 수 있다고 하였고[29] 증상이 소실된 후에는 발뒤꿈치에 패드나 종아치를 받쳐 줄 수 있는 구조물을 처방하여 재발을 방지하여야 한다[9].

XI. 주상골의 피로 골절

발의 주상골 피로골절은 비교적 드문 질환으로 1970년 Towne등[41]에 의해 처음 보고 된 후 그후 여러명의 저자들에 의해 보고되었다[18,23,26,36]. 주상골의 피로골절은 주로 트렉을 도는 육상선수에 자주 관찰되며 치료를 하지 않고 방치 하게 되면 관절염과 족부이 내반 변형을 초래한다.

1. 임상 양상

환자는 점진적으로 시작되며 경계가 불분명한 통증을 발등과 종아치의 내측부에 호소하고 주상골 부위에 압통과 발끝 기립(tip toe gait)시 통증을 호소한다[28,40,41].

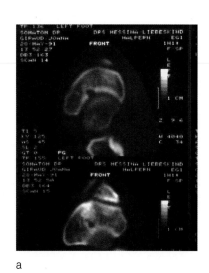

a

그림 35-5a. 주상골에 발생한 피로 골절로 시상면에 평행한 골절선을 관찰할수 있다.

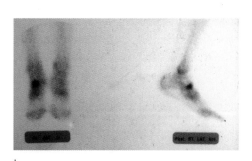

b

그림 35-5b. 골주사 검사 소견으로 up-take가 증가되어 있음을 알수 있다.

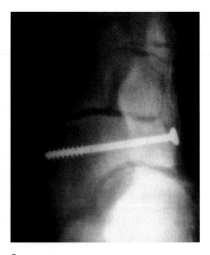

c

그림 35-5c. 주상골의 피로 골절을 내고정 시킨 수술후의 사진이다.

2. 방사선 검사

일반적인 단순 방사선 사진에서는 골절선을 확인하기가 어렵고 단층 조영술(tomography)나 CT상에 주상골에 수직인 골절선을 확인할 수 가 있다[6,28]. 골절형태는 시상면에서 수직으로 향하는 골절이 대부분 주상골의 중앙 1/3에 위치하며, 부분 골절은 주상골의 배부 피질골과 거-주상골관절면에 대부분 위치한다. (그림 35-5 a~c)

3. 진단

육상 트렉에서 경기를 하는 선수같이 달리기를 많이 하는 환자에서 중족부에 증상이 있으면서 주상골부에 압통을 호소하고 단순 방사선 검사를 실시하고 특이 소견이 보이지 않을 경우 골주사 검사를 시행하여 이상여부와 위치를 확인한 다음 골절 여부를 CT로 확인하는 것이 진단에 가장 합당한 절차이다.

4. 감별 진단

주상골의 피로 골절은 주상골 이분증(bipartite navicula)과 감별해야 한다[6,40]. 주상골 이분증은 단순 방사선 검사상 골절선이 곧 바르게 이어지지 않고 휘는 모양을 전후방사진에서 보이며 측면 사진상 골절선이 주상골 후면에서 배부로 이어 지는 형태를 취하며 삼각형 모양의 골편이 주상골의 배부에 위치한다. 주상골 이분증은 골주사 검사와 CT로 감별진단이 가능하다.

5. 치료

주상골 피로골절이 진단되어지지 않은 상태에서 계속 운동을 하게 되면 완전 골절이 되고 전위가 일어나게 된다[10]. Wiley와 Brown은 이를 족부 주상골 전위증(listhesis of tarsal scaphoid) 이라 명명하기도 했다[43]. 골절이 전위가 되지 않은 경우의 치료로는 운동 강도와 기간의 감축, 훈련 방법의 변화, 보조기 또는 단기간(6주)의 고정 등을 이용하여 치료를 시행하고 골절의 전위가 일어나게 되면 반드시 수술적 치료가 필요하고 불유합이나 지연 유합시에도 수술적 치료를 고려할 수 있다

[40]. 수술적 치료를 시행할 경우 전위된 골절의 정복과 내 고정술을 실시하여야 하며 이와 함께 골 이식을 고려할 수 있다.

6. 합병증

족부 주상골 피로 골절의 합병증으로는 지연 유합이나 불유합 등이 생길 수 있고[21] 골절을 치료하지 않고 방치 하게 되면 골편의 전위가 일어나고 주상골의 분쇄골절에서와 같이 관절염과 변형이 발생할 수가 있다. 골절편의 전이에 따른 전족부의 내측 전이(medial displacement of forefoot)와 후족부의 내반 변형(varus deformity of hindfoot)이 생길 수 있다[37,43]. 일단 불유합이 발생하게 되면 수술적 치료가 반드시 필요한데 이때 중요한 것은 골절선이 있는데 까지 골이식을 충분히 해주어야 된다는 것이다. 골절부의 전위에 의한 합병증의 경우 삼중관절 고정술(triple arthrodesis)을 시행하거나 내반 변형이 된 경우에는 지주골 이식술(strut iliac bone graft)와 Dwyer 절골술을 동시에 시행하여 치료 할 수 있다[37,43].

XII. 무지 종자골 피로 골절(Stress fracture of great toe sesamoid)

1986년 Van Hal등은 4예의 무지종자골의 피로 골절을 처음 발표하였다[42]. 무지 종자골의 피로 골절은 매우 드물고 일단 진단이 되면 반드시 수술적 치료가 불가피하며 내측 종자골에서 더 많이 발생 한다[42].

1. 임상 양상

대부분의 환자는 운동과 관련된 전족부의 동통과 부종을 주 증상으로 하며 휴식 시 감소되거나 사라지는 양상을 보인다[14,27]. 이학적 검사상 무지 종자골 근위부의 족저면에 압통과 부종을 관찰 할 수 있고 무지를 수동적으로 족배 굴곡(dorsiflexion)을 시켰을 때 동통을 호소한다.

2. 방사선학적 소견

단순방사선 소견 상 골절 선이 관찰되지 않는 경우가 많으며

27) 무지 종자골 이분증(bipartite sesamoid)과도 감별해야 하는 데 이는 골주사(bone scan) 검사를 시행하여 감별할 수 있다. CT나 MRI도 진단에 도움이 되나 전두면(frontal view)영상에서는 잘 나타나지 않고 시상면(sagittal view)과 축성면(axial view)에서 주로 골절선을 확인 할 수 있다7).

3. 진단

전문적인 운동선수나 운동을 즐겨하는 사람에서 전족부의 동통과 부종을 호소하며 제 1 족지의 족배굴곡(dorsiflexion)시 동통이 유발되고 쉬면 좋아지는 환자를 골주사로 위치를 확인하고 CT나 MRI 검사를 시행하여 확진한다.

4. 치료

비수술적 치료를 시도해 볼 수 있으나 대부분 효과가 없어 결국 수술적 치료를 시행하여야 한다. 수술적 치료로는 증상이 있는 골절의 근위부만을 제거하거나 종자골을 완전히 제거하는 술식을 시행할 수 있다. Brodsky등11)은 현역 운동선수를 포함한 16명의 무지 내 외측 종자골의 피로골절을 종자골의 완전 절제술로 치료한 다음 결과가 매우 우수하였음을 보고하였고 Biedert등은 6례 5명의 운동선수에서 무지 내측 종자골의 피로골절을 진단하고 부분절제술로 치료한 다음 6개월 내에 모두 선수로의 복귀가 가능하였다고 보고 하였다7).

5. 수술 술기(무지 내측 종자골 부분 제거술)

무지의 내측에 중족골 기저부에서 중족지골 관절까지 3cm 정도의 피부를 절게 한 다음 단무지 굴곡건의 내측을 노출시킨다. 이때 내측 족저 신경의 분지를 조심해야 한다. 단무지 굴곡건을 종축으로 나누어 건속에 있는 내측 종자골을 건과 분리시키고 골절 근위부의 골편을 제거하고 원위부는 다시 무지 굴곡건에 쌓아 봉합을 시킨다.

■ 참고문헌

1. Anderson EG : Fatigue fracture of the foot. Injuy 21: 275-279, 1990.

2. Baker J, Frankel VH, Burstein AH : Fatigue fracture :Biomechanical consideration. J bone Joint Surg, 54A:1345-46, 1972.

3. Bennell KL, Malcom SA, Thomas SA, et al : Risk factors for stress fractures in track and field athletes. A twelve-month prospective study. Am J Sports Med 24:810-818, 1996.

4. Barrow GW, Saha S : Menstrual irregularity and stress fractures in collegate female distance runners, Am J Sports 16:209-216, 1988.

5. Bernstein A, Stone JR : March fracture : a report of three hundred and seven cases, and a new method of treatment J Bone Joint Surg 26:743-750, 1944.

6. Biedert RM : Which investigations are required in stress fracture of the great toe sessamoids ?. Arch Orthop Trauma Surg, 112:94-95, 1993.

7. RM, HinterMann B : Stress fractures of the Medial greater toe sessamoids in athletes. Foot & Ankle international, 24:137-141: 2003 .

8. Blank S : Transverse tibial stress fractures : a special problem, Am J Sports Med 15:597-602, 1987.

9. Blatter G, Mayer T :Fatigue fracture of calcaneus, Schweiz Rundsch Med Prax 79:1569, 1990.

10. Brailsford JF: Osteochondritis of the adult tarsal navicular, J Bone Joint Surg 21:111-120, 1939.

11. Brodsky JW, Krause JO, Robinson A, Watkins D : Hallux sessamoidectomy for painful chronic fracture: histological and radiolographic characteristics and clinical outcome. presented at the annual winter meeting AOFAS, 1999.

12. Brunker P, Bennell KL : Stress fractures in female athlete Diagnosis, management and rehabilitation, Sports Med 24:419-429, 1997.

13. Carter DR, Hayes WC : Compact bone fatigue damage : A microscopic examination. Clin Orthop 127:265-274, 1977.

14. Clement GB, Taunton JE, Smart GW, et al : A survey of overuse running injuries. Physician Sportsmed 9(5):47-58, 1981.

15. Cline AD, Jansen GR, Melby CL : Stress fractures in female army recruits : Implications of bone density, calcium intake and exercise. JJ Am Coll Nutr 17:128-135, 1998.

16. Dameron TB : Fractures and anatomic variations of the proximal portion the fifth metatarsal, J Bone Joint Surg 57A:788-792, 1947.

17. De Ambrosia R, Drez DJ : Prevention and treatment of running injuries, Thorofare , NJ, 1982, Slack, p 25.

18. Devas M : Stress fracture, New York, 1975, Churchill Living stone.

19. De Vas MB : Stress fracture. Practitioner, 197:70-76, 1966.

20. De Vas MB : Compression stress fracture in Man and the greyhound. J Bone Joint Surg. 43B:540-551, 1961.

21. Fitch KD, Blackwell JB, Gilmour WN : Operation for non-union of stress fracture of the tarsal navicular, J Bone Joint Surg 71B:105-110, 1989.

22. Freiberg O : Leg length asymmetry in stress fracture. A clinical and radiological study. J Sport Med Phys Fitness 22:485-488, 1982.

23. Georgen TG, Venn-Watson EA, Rossmand J, et al : Tarsal navicular stress fractures in runners, AJR Am J Roentgenol 136:201-203, 1981.

24. Howse AJG : Orthopedist aid ballet. Clin Orthop. 89:52-63, 1972.

25. Hulkko A, Orava S : Stress fracture in athletes. In J Sports Med, 8:221-226, 1987.

26. Hunter LY : Stress fractures of the tarsal navicular, Am J Sports Med 9:217-219, 1981.

27. Kay DB : Forefoot pain in the athlete. Foot and Ankle Injuries. Clin Sports Med, 13:785-791, 1994.

28. Khan KM, Brukner PD, Kearney C, et al : Tarsal navicular stress fracture in athletes, Sports Med 17:65-76, 1994.

29. Leabhart JW : Stress fractures of the calcaneus, J Bone Joint Surg 41:1285, 1959.

30. Levy JM : Stress fractures of first metatarsal , AJR Am J Roentgenol 130:679-681, 1978.

31. Matheson GO, Clement DB, McKenzie DC, et al : Stress fractures in athlete: A study of 320 cases. Am J Sports Med 15:46-58, 1987.

32. McBryde AM Jr : Stress fracture in athletes. J Sports Med 3:212-217. 1975.

33. McKenzie DC, Clement DB, Taunton JE : Running shoes, orthotics, and injury. Sports Med 2: 334-347, 1985.

34. Milgram C, Finestone A, Shlamkovitch N, et al : Youth is a risk factor for stress fracture, J Bone Jonit Surg, 76B:20-22, 1994.

35. Miller EH, Schneider HJ, Bronson JL, McLain DA : A new consideration in athletic injuries. Clin Orthop, 111:181-191, 1975.

36. Orva S, Puranen J, Ala-Ketola L : Stress fractures caused by physical exercise, Acta Orthop Scand 49:19-27, 1978.

37. Senders R, Hansen ST Jr : Progressive talo-navicular dissociation, Orthop Trans 13:572, 1989.

38. Sullivan D, Warren RF, Pavlov H, et al : Stress fractures in 51 runners. Clin Orthop 187: 188-192, 1984.

39. Torg JS : Fracture of the base of the fifth metatarsal distal to the tuberosity, Orthopaedics 13:731-737, 1990.

40. Torg JS, Pavlov H, Cooley LH, et al : Stress fractures of the tarsal navicular, J Bone Joint Surg 64A:700-712, 1982.

41. Towne LC, Blazina ME, Cozen LN : Fatigue fracture of the tarsal navicular, J Bone Joint Surg 52A:376-378, 1970.

42. Van Hal ME, Keene JS, Lange TA, Clancy : Stress fractures of the greater toe sessamoids. Clin Ortho, 151:256-264, 1980.

43. Wiley JJ, Brown J : Listhesis of the tarsal scaphoid, J Bone Joint Surg, 56B:586, 1974.

44. Wilson DW : Injuries of tarsometatarsal joints J Bone Joint Surg 54B

45. Zelko RR, Torg JS, Rauchun A : Proximal diaphyseal fractures of the fifth metatarsal: treatment fo the fracture and their complications in athletes, Am J Sports Med 7:95-101, 1979.

36. 연부조직 재건과 피판술
Soft Tissue Reconstruction & Flap Surgery

광주기독병원 정형외과 **송 준 영**

외상에 의해 발생하는 족부와 족관절 주위 연부 조직 결손은 아직도 해결하기 어려운 영역 가운데 하나이다. 여기에는 두 가지 이유가 있는데 첫째는, 족부와 족관절 주위에는 손상된 부위를 덮을만한 큰 근육이 없다는 점이고 둘째는, 족저부의 연부 조직이 체중 부하를 견뎌야하며 전단력(shearing force)에 견딜 수 있어야 한다는 해부학적 특수성 때문이다.

족부와 족관절에 개방창이 발생하여 연부 조직의 재건이 요구될 경우 먼저 하지 신경-혈관계의 구조를 정확하게 알아야하며 창상 치료의 원칙에 대한 충분한 이해가 필요하다. 또한 정형외과, 성형외과, 혈관외과 및 재활의학과 등과의 유기적인 협조가 필요하다. 창상의 치유를 얻기 위해서는 피부 이식술, 국소 피판술, 유리 피판술 등이 다양하게 사용되는데 창상의 깊이, 위치, 감염 여부, 골이나 건과 같은 심부 조직의 노출 여부 등에 따라 적절한 치료 방법의 선택이 이루어져야 한다.

외상후 치료 방법의 결정에 있어 가장 중요하게 고려해야 할 점은 족부 구제술후 기능적이고 통증이 없는 족부를 얻을 수 있는가 이다. 만일 이 목표를 얻을 수 없다고 판단되면 절단술을 시행하는 것이 더 유리하다. 그 이유는 절단술을 시행할 경우 여러 차례의 수술을 피할 수 있고 3-6개월내에 환자를 일상 생활에 복귀시킬 수 있기 때문이다.

I. 혈관계 해부학

하퇴부, 족관절부 및 족부의 혈액 공급은 전경골 동맥(anterior tibial atrery), 후경골 동맥(posterior tibial artery) 그리고 비골 동맥(peroneal artery)에 의해 이루어지는데 이 혈관들은 족관절과 족부의 혈행을 담당할 뿐만 아니라 원위 우회술(bypass surgery)이나 유리 조직 이식술시 수혜부 혈관으로 이

용되기도 한다. 당뇨병이 있거나 고령인 환자에서는 혈관이 동맥 경화성 변화(atherosclerotic change)를 보이기 때문에 유리 피판술시 단단 문합술(end-to-end anastomosis)은 좋지 않으며, 역행성 비골 동맥 피판술(retrograde peroneal flap)이나 후경골 동맥 피판술(posterior tibial flap)과 같은 근막 피판술(fasciocutaneous flap)도 피하는 것이 좋다.

족관절이나 족부의 피부는 외측 및 내측 구획간 격벽(lateral and medial intercomparmental septa)을 따라 주행하는 중격피 천공지(septocutaneous perforator)들에 의해 혈액 공급을 받게 된다. 이와 같은 천공지들은 비교적 일정하며 도플러를 이용하여 쉽게 찾을 수 있다(그림 36-1). 또한 위에서 기술한 세 개의 중요한 혈관 사이의 직접적인 연결에 의해 충분한 혈액 공급이 이루어진다. 혈관 사이의 연결과 혈류의 방향에 대한 이해는 피판의 설계와 절단술의 선택에 많은 도움을 준다.

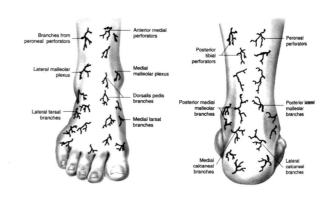

그림 36-1. 족관절 및 족부의 피부 천공지

II. 외상의 처치

족부와 족관절 주위의 창상에 대한 정확한 평가가 먼저 이루어져야 한다. 감염 여부, 혈관 손상 여부, 골절의 동반 여부 , 창상의 위치와 크기를 정확하게 기록하고 가능하면 사진을 찍어두는 것이 좋다. 창상 치유의 가장 중요한 전제 조건은 첫째, 감염의 모든 소견이 제거되어야 하며 둘째, 창상부의 혈액 공급이 충분해야 한다는 것이다.

1. 초기 처치

응급실에서 족부에 외상이 있는 환자를 접할 경우 먼저 신경-혈관계에 대한 철저한 검사가 중요하다. 만일 족부의 부종이 심할 경우 족부 구획 압력(compartment pressure)이 높은지 검사하여야 한다. 이점 식별(two point discrimination)이 떨어지거나 연성 촉각(soft touch)이 감소된 경우는 구획 증후군을 강력하게 의심하여야 한다. 특히 연성 촉각의 감소는 탐침(pin prick)에 대한 통각 보다 더 예민하다. 구획 증후군을 진단하는 가장 정확한 검사는 각각의 구획압을 측정하는 것인데 구획압이 30mmHg 이상이면 진단이 가능하다. 족부는 네개의 구획으로 이루어져 있는데 모두 중족골과 동일 선상이거나 그 이하 부분에 위치한다. 내측 구획(medial compartment)은 무지 외전근(abductor hallucis) 단 무지 굴근(flexor hallucis brevis)과 장 무지 굴건(flexor hallucis longus), 장 비골건(peroneus longus), 후 경골건(tibialis posterior)으로 구성되어 있다. 외측 구획(lateral compartment)은 소지 외전근(abductor digiti minimi), 소지 굴근(flexor digiti minimi), 소지 대립근(opponens digiti minimi)으로 구성되어 있다. 중앙 구획(central compartment)은 단 족지 굴근(flexor digitorum brevis), 충양근(lumbrical), 족저 방형근(quadratus plantae), 족무지 내전근(adductor hallucis)과 장, 단 비골건(peroneus longus and brevis), 장 족지 굴건(flexor digitorum longus) 등으로 구성되어 있다. 골간 구획(interosseus compartment)은 중족골 사이에 있는 7개의 골간근(interosseus)으로 구성되어 있다.

족부의 감압술에는 내측 도달법(medial approach)과 배측 도달법(dorsal approach)이 있다(그림 36-2). 내측 도달법은 하나의 절개로 모든 구획에 도달할 수 있는 방법으로서 제1 중족

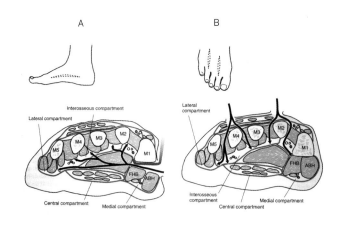

그림 36-2. 족부 구획 감압술 (A : 내측 도달법. B : 배측 도달법)

골의 하연(inferior border)을 따라 절개를 가한다. 이때 후경골 신경이나 혈관에 대한 감압이 필요할 경우 근위부로 절개를 확장할 수도 있다. 배측 도달법은 수부에서와 마찬가지로 제 2, 4 중족골 사이에 절개를 가한다. 내측 도달법이 더 효과적이긴 하지만 족부에 다발성 골절이 동반된 경우에는 배측 도달법이 더 많이 사용된다. 여러 가지 이유로 환자의 처치가 늦어질 경우 응급실에서 질로케인(Xylocaine)으로 국소 마취하에 괴사된 조직을 제거하고 구획 감압술을 시행할 수도 있다. 혈액 공급이 차단되거나 심한 압궤 손상에 의해 괴사된 조직이나 감염에 의해 괴사된 조직은 모두 제거하여야 한다. 심부 조직에서 균 배양을 시행한다. 족부는 축축한 상태를 유지해 주어야 한다.

2. 연부 조직에 대한 처치

연부 조직의 처치는 그 시기가 가장 중요하다. 창상은 3단계의 경과를 밟게 된다. 1단계는 급성기(acute stage)이며 첫 15일까지로서 창상이 오염되어 있으나 감염은 발생하지 않은 기간이다. 2단계는 아급성기(subacute stage)로서 1-6주 사이이며 균집락기 및 감염기이다. 3단계는 만성기(chronic stage)로서 6주 이후를 말하는데 이때는 감염이 반흔 조직이나 부골(sequestrum)에 국한되어 있다.

Gidina는 족부 재건의 가장 중요한 결정 인자는 괴사 조직에 대한 완전한 제거와 조기에 연부조직 재건을 해주는 것이라고

하였다. 연부 조직 손상 정도와 환자의 요구도에 따라 치료 방향이 결정된다. 손상 부위가 깊지 않을 경우에는 일차 봉합이나 피부 이식술로 해결이 가능하다. 그러나 손상이 광범위할 경우 유경 피판술(pedicled flap)과 같은 국소 피판술(local flap)이나 유리 피판술(free flap)이 필요하다. 결손 부위가 작고 공여부 주위 조직이 손상받지 않았다면 국소 피판술이 가능하다. 결손부 주위 조직에 외상을 받았음에도 국소 피판술을 강행할 경우에는 30-40%의 높은 합병증이 보고되고 있다. 유리 피판술은 비교적 손상을 받지 않은 부위에서 이루어지므로 안전하고 확실한 방법이다. 유리 피판의 선택은 손상 부위에서 혈관경 까지의 길이에 따라 결정된다. 또한 결손부의 형태에 잘 맞고 혈관경이 충분하고 획득하기 쉽고 공여부에 큰 손상을 주지 않는 피판을 선택하는 것이 좋다. 이러한 피판으로는 복직근 피판(rectus abdominis muscle), 박근 피판(gracilis muscle), 거근 피판(serratus muscle), 부견갑 피판(parascapular flap), 외측 상완 피판(lateral arm flap), 전외측 대퇴 피판(anterolateral thigh flap) 등이 있다.

III. 연부 조직 재건술

연부 조직 결손에 대한 단계적인 접근이 필요하다. 치료 방법의 결정은 가장 간단하고 간편한 방법부터 고려해 보고 해결이 안될 경우 복잡한 방법으로 진행해 나간다. 치료의 단계로는 ① 지연 처치(secondary intention) ② 선상 봉합(linear closure) ③ 피부 이식술(skin graft) ④ 국소 피판술(local flaps) ⑤ 국소 유경 피판술(regional pedicled flaps) ⑥ 유리 조직 이식술(free tissue transfer) 등이 있다.

1. 지연 처치

작고 표층에 국한된 상처는 부위에 관계 없이 수축(contraction)이나 상피화 과정(epithelialization)을 통해 치유가 가능하다. 이러한 방식의 치유는 감각이 보존되고 반흔이 작은 장점이 있다. 일주일 마다 한차례씩 상처를 관찰하면서 추시가 가능하다. 2-3개월이 지나도 치유되지 않을 경우 좀 더 적극적인 검사가 필요하다. 상처는 깨끗하고 축축하게 유지하는 것이 좋다. 족저부의 상처는 전접촉 석고(total contact cast)를 시행

하여 상처의 치유를 촉진시킬 수 있다.

2. 선상 봉합

봉합할 부위에 장력이 없고 수상후 6시간 이내일 경우의 열상은 선상 봉합이 가능하다. 족저부는 2-0 또는 3-0 봉합사로 수직 연차 봉합(vertical mattress suture)하는 것이 적당하고 족배부는 3-0나 4-0 봉합사로 단순 단속 봉합(simple interrupted suture)해 주는 것이 좋다.

3. 피부이식술

봉합하기에 상처가 너무 크거나 치유되는데 2-3주 이상의 기간이 예상되는 깊은 상처는 피부 이식술을 고려해야한다. 피부 이식을 위해서는 건강하고 혈관이 풍부한 조직을 필요로 한다. 지혈이 중요한데 이식된 이식 피부편 아래의 혈종은 이식 실패의 가장 흔한 원인이다. 체형 피부 이식술(meshed graft) 은 체액의 저류를 예방하나 수축의 가능성이 있다. 비체형 피부 이식술은 수축이 작고 미용상 좋으나 체액 저류의 가능성으로 실패의 위험성이 있다. 얇은 피부편은 잘 생착하나 부분 식피술이나 전층 식피술에 비해 수축이 심하다. 두꺼운 부분 식피술이나 전층 식피술은 생착이 잘 되지 않으나 수축이 심하지 않고 보다 잘 견디므로 안정적인 피복이 가능하다. 일반적으로 족배부는 체형 이식술을 사용하지 않는다. 미용적으로 크게 문제가 되지 않을 경우에는 중간 두께(10-12/1000inch)의 피부를 사용한다(그림 36-3).

4. 국소 피판술

족부나 족관절부에 적절한 국소 피판에는 회전 피판(rotation flap), 이엽 피판(bilobed flp), VY 피판(VY flap), 양측 유경 피판(bipedicled flap) 등이 있다. 이러한 피판들은 무작위 혈액 공급을 받고 크기가 제한되어 있다. 길이 대 폭의 비율이 1.5에서 1대 1 이상일 경우 원위 첨부의 생존이 가능하다. 최대 지름이 3-4cm까지 피판의 생존이 가능하다. 이러한 피판은 결손부 골의 병변이 해결된 경우 즉시 봉합이 가능하다. 피부 이식술이 어려울 경우 즉, 건이나 골조직이 노출된 경우에 유용하다. 원

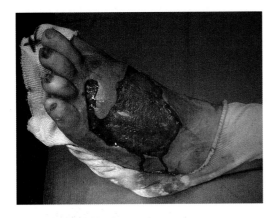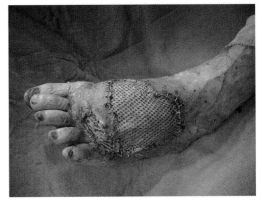

그림 36-3. 족배부의 피부 결손에 대해 부분 식피술을 시행하였다.

형의 결손부는 회전 피판, 이엽 피판, VY 피판이 가능하며 길고 좁은 결손부는 양측 유경 피판이 적당하다. 4-0봉합사로 피판과 피부를 봉합하기 어렵거나, 봉합시 모세혈관 재관류가 잘 안될 경우 실패의 위험성이 높다.

5. 국소 유경 피판술

국소 피판술과 다른 점은 기저부의 혈액 공급이 독특하다는 것이다. 기저부의 혈관경에 의해 혈액이 공급되므로 더 큰 크기의 피판이 가능하다. 족부 근육이나 근막 피판이 여기에 해당된다. 결손 부위가 작거나 중간 크기일 경우에 적합하다. 혈류 유지와 공여부의 불편감을 최소화하기 위해 세심한 수술 기법이 요구된다. 일반적으로 공여부에 피부 이식술이 필요하다.

6. 유리 조직 이식술

유리 조직 이식술은 족부와 족근 관절부 창상의 치료에 있어 획기적인 발전을 가능하게 하였다. 족부와 족관절 주위는 근육이 없고 피부가 빈약하여 국소 피판술에 제한이 많다. 유리 피판술은 병변의 크기에 관계없이 결손의 재건이 가능하다. 전문적인 수련과 특별한 기구가 필요하지만 주변에 생존 조직만 있다면 거의 모든 병변을 덮어줄 수 있다. 국소 피판술에 비해 더 확실하고 내구성이 있는 치료 방법이다. 95% 내외의 성공률이 보고되고 있다. 다른 수술에 비해 수술시간이 다소 길지만 아

주 유용한 수술법이다(그림 36-4).

IV. 부위에 따른 유용한 피판

1. 족관절부 및 원위 하퇴부

원위 하퇴부의 근육들은 대부분 분절 혈액 공급을 받기 때문에 유경 피판에 적합하지 않다. 그러므로 일부분만이 안전하게 전위가 가능하다. 근육의 부피가 충분하지 않기는 하나 족관절 내측, 상방 및 전방의 작은 결손에 이용할 수 있다.

장 무지 신근(extensor hallucis longus)은 족관절 내과 2cm 상방까지 피복이 가능하다. 장 족지 신근과 제3 비골근(peroneus tertius)은 족관절 내과 상방 2.1cm까지의 결손에 이용된다. 단 비골근은 족관절 내과 상방 4 cm까지의 결손을 피복할 수 있으며 장 족지 굴근은 족관절 내과 6cm 상방까지의 결손에 사용이 가능하다. 비복근은 예외적으로 작은 원위 혈관경을 분리시키고 근위부의 큰 혈관경을 회전시켜 족관절 내과 6 cm 상방까지10 X 8cm 이상의 큰 결손을 피복할 수 있다. 근막 피판은 1981년 Ponten이 최초로 기술하였는데 내측 하퇴 피판(medial calf flap)이라고 명명하였으며 복재 동맥(saphenous artery), 내측 슬상 동맥(medial geniculate artery), 후경골 동맥의 천공지(perforators of posterior tibial artery)에 의해 공급받는다. 이것은 하퇴부의 근위부의 결손에 유용한 피판으로서 대개 공여부에 피부 이식술을 필요로 한다. 역행성 비골 동맥 피

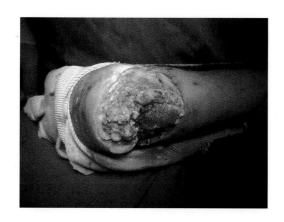
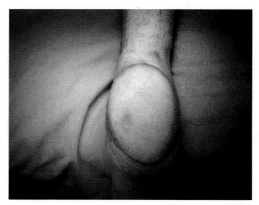

그림 36-4. 발뒷꿈치의 심한 연부 조직 결손에 대해 유리 광배근 피판술을 시행하였다.

판(retrograde peroneal flap)은 원위 비골 동맥이 전경골 동맥과 후경골 동맥 사이에 연결되어 있어야 생존이 가능한다. 이 피판은 혈관경이 길기 때문에 족관절과 후족부의 어느 부분이나 피복이 가능하다. 그러나 피판 거상에 시간이 오래 걸리고 중요한 동맥을 희생해야 한는 단점이 있다(그림 36-5). 역행성 비복 동맥 피판(retrograde sural nerve flap)은 최근에 소개된 피판으로서 비복신경에 공급하는 작은 비복 동맥에 의해 혈류가 공급되는 근막 피판으로서 매우 유용한 피판이다. 이 동맥은 족관절 외과 5cm 상방의 비골동맥 천공지에서 기시하여 비복신경과 같이 주행한다. 소 복재 정맥(lesser saphenous vein)이 바로 위로 주행하며 피판에 포함된다. 이 피판은 족관절이

나 후족부 어느 부위든지 피복이 가능하다. 공여부의 결손이 6cm 이하이면 일차 봉합이 가능하다. 그러나 비복 신경을 희생하므로 족부 외측의 감각 소실이 있다(그림 36-6).

2. 족부

족부의 근피판은 비교적 작은 결손에 유용하다. 일반적으로 이 근육들은 주로 근위부에서 혈액 공급을 받고 원위부에는 여러개의 이차 혈관들이 들어간다. 이 근육들을 거상하고 옮기기 위해서는 원위부의 근육을 분리하고 작은 이차 혈관들을 지혈해야 한다. 근육의 원위부에 한해 전이가 가능하므로 사용에

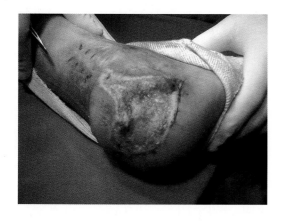
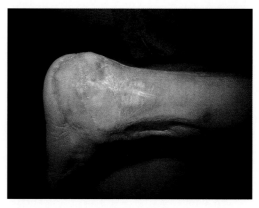

그림 36-5. 족부의 후외측부의 상처에 역행성 비골 동맥 피판술을 시행하였다.

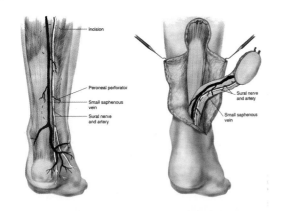

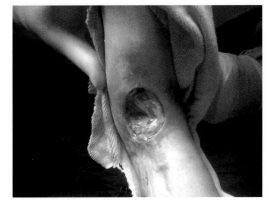

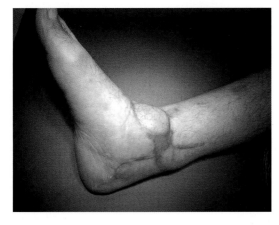

그림 36-6. A : 역행성 비복 동맥 피판 B, C : 족배부의 건 노출 및 연부 조직 결손에 시행하였다.

제한이 있다.

소지 외전근(abductor digiti minimi)의 주된 혈액 공급은 외측 족저 동맥이다. 이 근육의 근위부에서 회전시켜 족저부의 중간부나 후외측부의 결손을 덮을 수 있다(그림 36-7). 단 족무지 외전근(abductor hallucis brevis)피판은 기시부에서 내측 족저 동맥의 혈액 공급을 받는다. 이것은 중족부나 후족부 내측의 결손부를 덮을 수 있다(그림 36-8). 이 두 가지 피판은 모두 중족부나 발뒷꿈치의 비교적 큰 결손부를 덮을 수 있다. 소지 굴근(flexor digiti minimi)은 외측 족저 혈관의 분지인 제5 족지로 가는 비측 족지동맥에 의해 혈류 공급을 받는다. 제5 족지 근위지골 기저부에서 근육을 박리하고 근피판을 회전시켜 제5 중족골 근위부의 결손부를 덮을 수 있다(그림 36-9). 단 족지 신근은 외측 족저 혈관을 통한 제한된 회전 피판으로 사용하거나 족배동맥 전체를 이용한 광범위한 피판으로 사용할 수 있다. 족배 동맥을 이용할 경우 충분한 측부 혈행이 전제되어야 한다(그림 36-10). 단 족지 굴근 피판은 발뒷꿈치 결손에 이용

되나 족부 아치를 이루는 족저 근막을 제거해야 하므로 족부 아치의 파괴를 일으킬 수 있다. 이런 경우 유리 피판술을 고려해야 한다. 족부에서 가장 유용한 근막피판은 내측 족저 동맥 피판(medial plantar flap)이다. 이것은 6 x 10cm 크기 까지 얻을 수 있고 감각 피판이 가능하며 내측 족저 동맥 근위부에서 피판을 얻을 경우 넓은 회전호를 얻을 수 있다. 이것은 발뒷꿈치나 족관절 내측의 결손에 아주 유용하다(그림 36-11). 외측 종골 동맥 피판(lateral calcaneal flap)은 비골 동맥의 종골 분지에서 혈류를 공급받는 피판으로서 단순 전이 피판으로 사용하거나 L-자 형태로 족관절 외과 후방이나 하방으로 이동이 가능하다. 이것은 소 복재 정맥과 비복 신경과 함께 얻어 아킬레스건이나 발뒷꿈치의 결손에 이용할 수 있다. 족배 동맥 피판(dorsalis pedis flap)은 근위부 또는 원위부를 기저부로 이용할 수 있다. 피판의 폭이 4cm 이상일 경우 공여부에 피부 이식술이 필요하다. 그러므로 더 큰 피판이 필요할 경우에는 유리 근막 피판을 사용하는 것이 현명하다. 족지 도서형 피판(toe

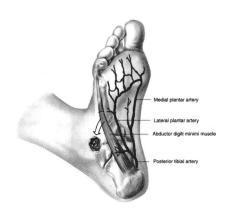

그림 36-7. 소지 외전근 피판술

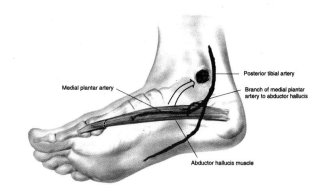

그림 36-8. 단무지 외전근 피판술

island flap)은 동측의 신경-혈관속(nerovascular bundle)을 통해 결손부를 덮을 수 있다.

V. 부위에 따른 피판의 선택

1. 전족부

족지 궤양이나 괴저는 제한적인 절단술이 가장 유용한 치료 방법이다. 중족지간 관절을 보존하고 가급적이면 많은 근위지 골을 남기는 것이 이상적이다. 그러나 병변이 족무지를 침범할 경우 보행에 있어서 중요성 때문에 제2 족지로부터 족지 도서형 피판을 얻어 결손부를 피복하는 것이 좋다. 골을 침범하지

않은 중족지간 관절 하방의 작은 궤양은 중족골두에 절골술을 시행한후 지연처치에 의해 치유를 얻을 수 있다. 전족부의 작은 심부 궤양은 족지 융대 피판(toe filet flap), 족지 도서형 피판(toe island flap)(그림 36-12), 양측 유경 피판, 회전 피판, VY 피판(그림 36-13) 등으로 피복이 가능하다. 중족골두가 절제된 큰 궤양이 있을 경우에는 열 절단(Ray amputation)을 고려해야 한다. 가능하면 중족골은 최대한의 길이를 유지하는 것이 좋다. 전족부는 국소 조직이 불충분하므로 미세 수술을 통한 유리 피판술을 고려해야 한다.

족배부에 국한된 결손에 대해서는 유리 근막 피판술이 이용되고 반면에 족저부 중족골두 주위의 결손은 유리 근피판술후 피부이식술이 좋다. 만약 궤양이 몇 개의 중족골두 아래에 있

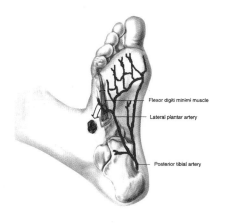

그림 36-9. 소지 굴근 피판술

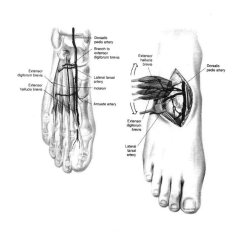

그림 36-10. 단족지 신근 피판술

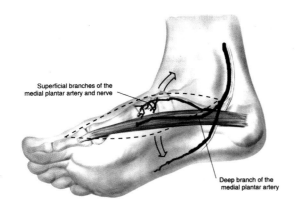

Superficial branches of the
medial plantar artery and nerve

Deep branch of the
medial plantar artery

그림 36-11. 내측 족저동맥 피판술

거나 절제된 중족골두와 이웃한 중족골 사이에 있을 경우에는 전 중족골두 절제술이 필요하다. 이 경우 2-3개의 족배부 절개를 통해 시행하고 각각의 중족골의 길이를 적절하게 유지하여 아치를 만들어 주어야 한다. 족지의 굴곡건과 신전건을 보존하여 첨내번 변형(equinovarus deformity)을 예방할 수 있다. 족지와 중족골두가 침범된 경우 경중족골 절단(transmetatarsal amputation)이 적당하다. 족부의 배굴이 10도 이하일 경우 아킬레스 건 연장술이 필요하다.

2. 중족부

보행시 체중부하를 받지 않는 내측 족저부의 결손은 피부 이식술만으로도 치료가 가능하다. 만일 신경관절증(neuroarthropathy) 등으로 인해 노출된 골이 있을 경우에는 노출된 골은 일부 제거하고 지연 처치나 국소 피판술로 치료가 가능하다. 약간 큰 결손에 대해서는 내측 회전 피판이나 유경 피판이 적당하다. 큰 결손부는 유리 근피판술 후에 피부 이식술을 해주는 것이 좋다.

3. 후족부

발뒷꿈치의 궤양이나 결손은 충분한 조직을 얻기 위해 대개 부분 종골 절제술이 필요하다. 이곳의 궤양은 보통 이중 VY 피판(double VY flap)이나 내측부 기저 회전 피판(medially based rotation flap)으로 봉합이 가능하다(그림 36-14). 유경 피판으로는 외측 종골 근막 피판, 역행성 비복 동맥 피판, 내측 족저 동맥 피판, 소지 외전근 피판, 단 무지 외전근 피판, 소지 외전근 피판 및 단 무지 외전근 피판 등이 있다. 결손부가 클 경우 유리 근피판술과 피부 이식술이 필요하다. 피판을 잘 재단하여 수술 시간이 길어지는 것을 피해야 한다. 피판의 형태는 발뒷꿈치나 족부의 형태와 잘 어울려야 한다.

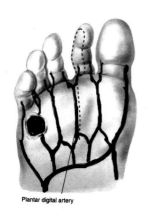

Plantar digital artery

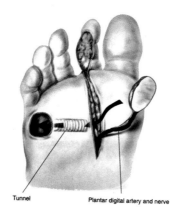

Tunnel

Plantar digital artery and nerve

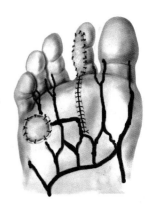

그림 36-12. 족지 도서형 피판술

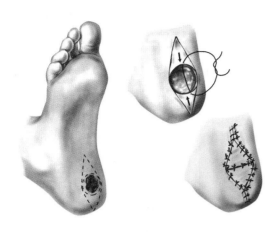

그림 36-13. VY 피판술

피판술을 시행할 경우 감각과 신전건의 기능을 재건해 주는 것이 좋다.

5. 족관절

족관절 주위의 조직은 빈약하고 유동성이 거의 없다. 육아 조직이 충분할 경우에는 피부이식만으로도 치료가 가능하다. 아킬레스건의 경우라도 충분한 시간을 두고 육아 조직이 증식될때 까지 기다릴 수 있다면 피부 이식술로도 치유가 가능하다. 외측 종골 근막 피판, 족배 동맥 근막 피판, 역행성 비복 동맥 피판, 역행성 비골 동맥 근막 피판 및 단 족지 신근 피판 같은 국소 피판이 있다. 후경골 동맥이나 비골 동맥의 천공지를 도플러를 이용해 찾아서 국소 피판으로 이용할 수 있다. 유리 피판술은 근막 피판이나 근피판술 후 피부 이식술을 시행할 수 있다.

4. 족배부

족배부의 결손은 대개 간단한 피부 이식술로 해결이 가능하다. 회전 피판(rotation flap), 이엽 피판(bilobed flap), 능형 피판(rhomboid flap), 족지 융대 피판(filet of toes) 또는 전위 피판(transposition flap)과 같은 국소 피판들은 작은 결손부에 이용할 수 있다. 유경 피판으로는 단 족지 신근 피판, 역행성 족배 동맥 피판, 역행성 비골 동맥 피판 및 역행성 비복 동맥 피판 등이 있다. 가장 적절한 유리 피판은 얇은 근막 피판이다. 유리

VI. 수술후 처치

족저부의 절개상에 대해서는 4-6주간 체중 부하를 피하는 것이 좋다. 협조가 되지 않는 환자에서는 석고를 하는 것이 안전하다. 비체중 부하 부위의 상처에 대해서는 견고한 깔창(hard-sole)을 넣은 신발만으로도 충분하다. 피부 이식술을 시행한 경우에는 이식 피부편이 완전히 생착할 때 까지 석고 부목으로

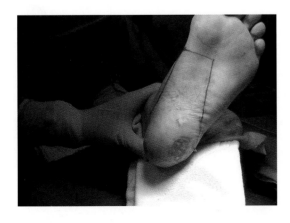
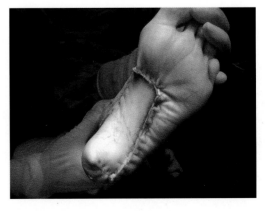

그림 36-14. 발바닥의 궤양에 대해 내측부 기저 회전 피판술을 시행하였다.

보호해 주는 것이 좋다. 하지는 고관절 부위 보다 높게 유지하는 것이 중요하다. 수술후에는 자주 수술 부위를 관찰하여 감염의 징후가 있는지, 이식 피부편의 상태가 양호한지, 피판의 괴사가 없는지, 상처의 피열은 없는가를 잘 살펴 보아야 한다. 수술후 처치가 수술의 성패를 결정하는 중요한 요소가 될 수 있다.

■ 참고문헌

1. 이경태: 당뇨병성 족부질환. 최신의학사. 2000.

2. Carriquiry C, Costa MA, Vasconez LO: The anatomical study of the septocutaneous vessel of the leg. Plast Reconstr Surg. 76, 354, 1985

3. Godina M: Early microsurgical reconstruction of complex trauma of the extremities. Plast Reconstr Surg. 78:285, 1986.

4. Hasegawa M, Torii S, Katoh H et al.: The distally based sural artery flap. Plast Reconstr Surg. 93:1012, 1994.

5. Kelikian AS: Operative treatment of the foot and ankle. Appleton & Lange. 1999.

6. Mathes SJ, Nahai F: Clinical Atlas of muscle and musculocutaneous flaps. 2nd ed. Mosby;1996.

7. Meyerson MS: Foot and ankle disorders. Saunder. 2000.

8. Meyerson MS: Experimental basis for fasciotomy in acute compartment syndromes of the foot. Foot Ankle. 8:308, 1988.

9. Mueller MJ, Diamind JE, Sinacore DR et al.: Total contact casting in treatment of diabetic plantar ulcers:controlled clinical trial. Diabetic Care. 12:384, 1989.

10. Ponten B: The fasciocutaneous flap: Its use in soft tissue defects of the lower leg. Br J Plast Surg. 34:215, 1981.

제11부
재활 및 신발치료
(Rehabilitation and Shoe)

37. 신발 및 안창의 재료
Materials of Shoe and Insole

오산대 신발과학과 **김 동 엽**

I. 신발의 재료

처음에 신는 기분이 우수하고, 그런데도 발 및 몸의 건강을 위해서 최고의 기능을 갖고 있는 안정성이 높은 신발의 개발은, 오늘날 일반대중의 강한 욕망으로써, 새로운 소재가 등장하고, 그 기능의 충실함은 실로 놀랄만하다.

인간은 하루평균 4마일(약 6.4km),1년에 1,400마일(약 2,240km)이상 걷는다, 그런데도 거의 대부분이 딱딱하고 탄력성이 부족한 아스팔트 지면을 걷고 있는 것만 보더라도, 발에 받는 쿠션(충격에 의한)의 장해를 쉽게 이해 할 수가 있는 것이다.

발을 쾌적하게 보호하기 위해서 신발의 조건으로는 무엇일까? 그리고 발의 피로와 발에 통증이 있는 증상을 줄이기 위해서 가장 효과적인 것은 무엇일까? 그것은 신발 안의 발에 적합한 부분에 충격흡수소재를 이용하여 발에 걸리는 충격을 부드럽게 하는 것이다.

1. 신발 재료의 기원

신발재료는 기원전 2000년 경, 고대 이집트의 문헌에서 볼 수 있는 바와 같이 샌들모양의 신발을 만든 파피루스를 비롯하여, 우리나라 짚신을 만든 짚, 나무판자, 동물의 가죽 등의 천연재료로부터 오늘날은 그 공급이 무한정이라고 할 수 있는 각종 합성재료로까지 발전하여 왔다.

구두의 성능은 그 제법과 구두에 사용하는 재료에 의해서 결정된다고 할 수 있다. 그러나 구두의 제법도 구두에 사용하는 재료와 조화되어야 하기 때문에 재료가 미치는 영향은 더욱 클 것이라고 할 수 있다. 예를 들면 같은 소가죽을 사용하여 숙녀

화와 신사화를 시멘트 식으로 제조하는 경우라 할지라도 우선 피혁의 두께가 다른 것이 좋다.

그것은 남성의 발이 여성보다 일반적으로 크고 억세고, 체중도 무거워서, 그 무게가 활동에 견딜 수 있어야 하기 때문이다. 따라서 남화에 쓰이는 갑피를 보면, 카우 또는 스테어의 경우 그 두께가 1.3mm 이상, 여화 갑피는 1.1mm 이상 쓰이도록 규정하고 있다.

물론 창바닥의 두께에서도 남녀화의 차이가 있으며 등산용, 방한용, 운동용 등 그 용도에 따라 신발재료는 실로 천차만별이다.

1) 신발 충격 흡수제

(1) 쿠션의 역사
발바닥에 쿠션을 사용하는 발상은, 지금부터 수 천년 전으로 거슬러 올라간다. 즉 기원전 1,500년에 저술된 기술에 확실하

그림 37-1. 파피루스(Cyperus Papyrus)

게 인정되어진다. 현재 남아있는 가장 오래된 의학서로 불리는 Ebers Papyrus 안에서, 발바닥의 동통, 염증에 대해서 기재되어 있다.

또 기원전 400년에는 히포크라테스가 발의 동통, 종창에 습포제를 추천하고 있다.

그리고 기원 후 100년에 의사로 있었던 Cornelius Celsus는 발의 피로와 발바닥의 동통, 처치법에 대해서 언급하고, 이것들을 막기 위해서는 신발에 쿠션성 소재를 응용하는 방법이 있는 것을 기록하고 있다. 그 외 오랜 기간 여행자가 발에 쿠션을 맞추기 위해서 샌들 안에 짚이나 풀을 겹쳐 깐다든지 하였다. 로마 역사가로 있던 장로 Pliny의 말에 매일 20-25마일(약 32-40km)의 거리를 행진하는 군의 병사들이 샌들 내측에 털실을 깔아 그 충격을 예방했다고 하는 기록도 있다. 프리니 자신도 병사들의 발에 맞는 쿠션으로서 양모를 연결한 안창을 고안하고, 병사들이 오랜 행군을 보다 쾌적하게 할 수 있도록 했으며, 이것으로 그는 로마장군으로부터 표창을 받았다는 기술이 있다.

중세기 초까지는 여행의 수단은 모두 사람이 걷는 것이었다. 사람들은 발에 걸리는 중압과 동통을 완화하기 위해서, 신발내측에 양모를 깔고 연결했다. 그곳에서 프랑스의 어느 수도승이, 양모와 머리털, 깃털의 섬유를 압축해서 결합하고 보다 오래 유지하는 쿠션안창을 만드는 방법을 고안한 것이다. 그 수도승의 이름이 St.Feutre이다. 이것이 Felt로써 알려지게 되었다. 이후 신발 내 삽입물은 쿠션을 완화하기 위해서 펠트 Felt 안창이 사용되어지고, 현재에도 펠트라는 이름으로 사용되어지고 있다. 그러면서 일반대중을 위한 신발은 쾌적함에 대한 배려가 거의 없이 제작되어져 왔기 때문에 일반인의 신발은 실로 변변치 못한 것이었다. 1781년이 되어서 유명한 독일 의사이고 해부학자로 있었던 Pieter Camper는 [신발에는 해부학적 쾌적함의 원리가 부족하다]라고 통렬하게 비판한 논문을 발표하였고 많은 사람들에게 읽혀져 대호평을 받았다.

아직 1세기 조금 전까지는, 상업상의 견지에서 신발에 쿠션을 부착하는 것은 사실상 존재하지 않았다. 그러나 1868년이 되어 고무제품의 신발바닥에서 상부를 펼칠 수 있는 신발이 처음으로 나타났다. 고무제품의 신발바닥은 보다 탄력성이 있기 때문에 단단한 지면 위에서도 보통의 신발바닥보다도 훨씬 쾌적했었다.

1896년에 Humphrey O. Sullivan에 의해 발명된 고무제품의 뒷굽은 또 하나의 진보였다.

단단한 가죽의 힐에서 걸을 때 반복되어지는 힐의 충격에 대해서 고무제품의 힐은 크게 구제를 받은 것이다.

1920-1930 연대에는 스펀지 고무제품의 힐과 탈착식 안창이 신발의 안쪽에 붙어서 쿠션을 흡수하는 소재로써 사용되기 시작했다. 그러나 이것들의 소재는 되풀이되는 압박과 마모로 너무 쉽게 노화해 버렸다. 셀의 파괴로 인하여 쿠션의 효과를 단기간에 잃어버리는 결점이 있었다.

1940년 후반이 되어서, 문자그대로 처음으로 근대적인 안창이 발명되었다. 이것은 열린 세포(Open Cell)와 닫힌 세포(Closed Cell)와의 상반된 기능을 갖춘 소재를 이용하여 안창, 중창, 바닥창의 소재로서 사용되어지게 되었다. 즉 압력이 가해졌을 때 세포는 폐쇄되게 되고 그리고 압력이 감소했을 때 세포가 열린다고 한다. 개방과 폐쇄의 양면을 이용한 소재를 합성한 것이다.

현재 우리들이 사용하고있는 충격 흡수재로서의 소재는 극히 15년 정도의 짧은 역사를 가지고 있다.

1980년대에 들어와서 미국의 생물역학의 권위자 steven subotinck 박사는 "구두의 가장 큰 기능은 충격을 유연하고 부드럽게 받아들이는 것이다. 쿠션이 없는 구두는 발에 되풀이되는 충격에 의해 미래에 큰 문제를 일으키는 가능성이 있다." 라고 하였다.

이와 같은 것에서 미국은 신발에 쿠션을 붙이는 것이 차제에 일반화하게 되었다.

그 직전의 1970년대 초기에는, 러닝화와 조깅화가 급속하게 유행하기 시작했고 러닝화 소비가 급증한 시기였다. 보행에 관한 족부 클리닉에서는 러너의 발에 가해지는 반복되는 충격이 단단한 포장도로에서 1마일에 약 1750회 발을 찌르게 되고, 소위 Step Shock 라는 쇼크와 그것으로 인한 다양한 발장해를 유발한다는 것이 판명되었다. 그리고 이러한 스텝 쇼크를 감소시키기 위하여 신발에 쿠션을 넣는 것이 반드시 필요하다는 것을 알게 되었다

(2) 쿠션소재

공업화된 선진국에서의 보행은 주로 포장도로나 단단한 마루 위에서 행해지고 있다. 그러나, 보행에 의한 노면에서의 충격은 결과적으로 발가락, 족관절, 근, 허리 등 신체의 각 부위

관절에 연속적인 충격을 미치게 되는 것이다. 이 충격은 평균적인 성인으로 1일에 약 7,500회, 년 간으로 300만회에 이른다. 그 결과 인간에 있어서는 하지의 관절이 줄어들고 균열이 생기는 것이다. 그 때문에 신발에 쿠션을 붙이는 것(또는 신발 안에 쿠션)이 매우 중요한 것이다. 쿠션제품의 수입에 있어서 보행에서의 충격의 40-60%의 충격은 감소시킬 수 있다.

바닥의 쿠션은 오랜 기간 사용해도 형태가 무너지지 않고 완전하게 되는 것이기 때문에 충격을 흡수하는 고급스런 소재의 기능을 갖고 있는 것이다. 종전의 바닥쿠션소재는 너무 두껍거나 쿠션으로서의 효과와 가치를 잃어버리는 것이 많았다.

(3) 쿠션의 생물학적 원리

인간의 발에는 뼈, 연골, 두터운 피부, 근육, 그리고 관절, 인대, 관절낭 등 다양한 구성물질이 있으며, 이것들이 일체가 되어서 충격 완충작용 즉 스프링 역할을 하는 것이다.

미국의 생물역학에 권위가 있는 (Peter Cavanagh)박사는 다음과 같이 말하고 있다. 「발바닥부위의, 특히 중족골골두부의 압박에 의한 동통병변은 신발 속의 전족부 또는 중족골골두부의 충격흡수소재가 붙어있는지 없는지 혹은 붙어있어도 극히 빈약한 것이기 때문이다.」라고 말하고 있다.

(4) 완충작용

완충작용이란 장애와 손상을 일으키는 것에 대해 그 충격을 흡수하는 능력을 말한다. 원래 우리들의 신체는 그 자신 충격

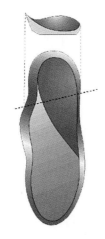

그림 37-2. 충격흡수 안창

을 흡수할 것 같은 구조로 되어있다. 예를 들어 족관절 근, 허리에 의해 발의 뒤에 걸리는 충격은 자연스럽게 흡수되어진다. 그러면서 우리들은 충격흡수소재가 없는 신발을 신고 장시간 단단한 아스팔트 위를 보행하는 것은 신체에 갖춰진 완충흡수 작용이 거의 잃어버리게 되는 것이 최근 이론이다. 미국에서는 최근 Step Shock 이라고 하는 문제가 큰 부각되고 있다.

Step Shock에 관한 연구는 MIT공과대학부속 소아병원에 있어서 보행에 관한 공동연구로 행해졌다.

그 결과는 신발에 충격흡수소재를 이용하여 걸을 때 진동이 35%나 감소하게 되고 관절염 등에 초기단계에서는 꽤 그 동통을 경감하는 효과가 있는 것이다. 충격흡수소재를 이용하지 않는 피혁제품을 신발에 응용한 경우 Step Shock의 70%나 전달된다고 하였다. 미국 아이오와주 주립대학의 교수로 있는 생물역학 연구자인 A.S(Arkady S. Vlolshin)박사와 이스라엘 정형외과 교수로 있는(Josef Wosk)박사와 공동 연구에 의해 Step Shock에 관한 논문이 있었다. 그들의 논문에 의하면 전 세계 약 40%의 인간이 일생동안 어느 정도의 허리통증을 경험하고 있다고 하였다. 그리고 이 허리통증환자의 80%가 신발 안에 쿠션성이 양호한 안창을 넣으면 전반적인 혹은 부분적인 허리통증에서 해방되어 진다고 하였다. 또 A.S 박사는 다음과 같이 서술하고 있다.

「정확히 차의 속옵서버가 차축과 서스펜션 시스템을 빠른 시기의 파손으로부터 지킬 수 있는 것과 마찬가지로 쿠션이 양호한 안창은 빠른 시기에 허리손상을 막아주고 있다.」라고 말하고 있다. 또한 「충격흡수 소재의 응용에 의해 발에서 척추에 걸리는 쿠션의 약 40%를 감소시키고 요통과 관련한 골격과 추간판에 의하지 않는 충격도 상당수 예방하고 감소시킬 수가 있으며, 또 인간의 노화현상과 진행을 늦출 수가 있다.」라고 서술하고 있다.

소아의 발도 같은 형태로 발에 걸리는 충격을 완화시키는 것에 의해 보다 건강하고 우수한 아이의 발육을 기대할 수가 있다.

(5) 개발중인 신소재

충격을 흡수하는 것이 스포츠안창에서 구두까지 다양한 필요성을 가지고 있게 된다. 발의 안정성과 착용감을 얻게 된다. 특히 고기능 충격흡수제가 개발되고 다른 소재와의 합성에 의

한 시스템화가 활발하게 행해지고 있다. 아래에 그 대표적인 예를 서술해 보자.

① Visible Air System(V. A. S)

Air pack이라 불리는 캡슐에 압축가스를 투입하고 그것을 신발 안에 넣기 때문에, 눈으로 보고, 손으로 만져 기능을 확인할 수 있는 이점이 있다. 충격을 재빠르게 흡수하고, 보행에너지를 교환하는 충격 흡수 시스템이다.

② sorbothane

러닝 신발을 시초로 테니스, 농구, 발레, 축구화 등에 응용되어지고, 인체 에너지 흡수세포와 같은 기능을 가진 충격흡수제이다. 충격흡수율은 94.7%가 되고, 고도의 흡수율을 가진다. 점탄성을 가진 폴리우레탄계의 합성고무의 일종이다. 고체와 같은 형태를 가지면서 액체와 같이 움직이고 용이한 복원력을 가진 것이 특징이다. 그러나 중량이 대단히 무거운 결점이 있다.

③ Transpower

높은 충격흡수율을 자랑하는 솔보세인에 반발탄성에 우수한 소재를 조합한 신 기능 시스템이다.

④ gel

실리콘을 기본으로 한 특수한 분자 결합용 촉매 등을 배합한 겔상 물질이다. 이것은 각종의 충격 흡수소재와 비교해서, 20-30% 이상의 흡수능력을 갖추고 있다. 알파겔을 안창과 중창에 장착하는 것으로 달릴 때 체중의 약2.5-3배나 걸리는 압력이 경감되어지고 발뒤꿈치의 충격을 큰 폭으로 감소시키고, 보다 높은 안정성과 쾌적한 러닝을 실현하고 얻을 수 있다고 알려지고 있다.

⑤ Gel Charger

발바닥 부분에 V. A. S와 비교해서 1.7배나 반발성이 높은 Super Elastomer를 짜 넣고 있다. 발 뒷부분에 알파겔을 내장하고, 공격과 방어 양기능을 겹친 것이다.

그 외에 다음과 같은 충격흡수소재가 개발되어 있다.

Dynacoil, Absogel, Energy Wave, Medical Sole Suspex, Hydro flow unit, Torsion System 등 많은 종류의 새로운 충격 흡수재가 개발되고 있다.

2) 신발의 소재의 순응성

신발의 내부뿐만 아니라 표면소재의 순응성, 쾌적함 등도 중요한 요소이다.

순응성이란 신발의 소재가 하루에 약 7500회나 발에서 받는 압력으로 늘어난 것과 함께 금방 되돌아오는 복원력을 말하는 곳이다. 이런 점에서 동물의 피혁은 인간의 피부와 비슷하기 때문에 가장 우수한 것이다. 피혁은 부드러우면 부드러울수록 순응성이 좋고, 쾌적함이 보다 높아지는 것이다.

(1) 발의 순응성

인간의 발은 전족부와 중족골 부위의 뼈와 관절이 가볍고 쉽게 움직일 수 있다. 그리고 걸을 때 유연성이 있고, 쉽게 구부리고 또 복원할 수 있도록 구축된 것을 알 수 있다.

(2) 신발의 적합

대다수의 신발은 Bottom Filler 라고 하는 신발바닥 충진제를 사용하고 있다. 이것은 분쇄 정제한 코르크와 점착성이 있는 물질 등의 원료를 신발의 안창과 바닥창 사이에 연결되어 층을 이루는 것이다. 신발구조의 한 부분이지만, 신발이 아직 비교적 새로운 경우는, 충진제의 층은 원형 그대로 수평이지만 5개의 중족골두는 안창 위에 수평으로 배열되어있고 이것이 일반적인 상태이다.

그런데 신발도 계속해서 신으면, 중족골에서 압박이 증가되어, 발의 열과 습기가 제1중족지절관절의 중앙부분에서 Filler를 압박하고 그곳에 침강이 생기게 된다.

중앙의 중족골두부는 이 공간에 가라앉고, 제1중족골과 제5 중족골의 골두부는 안창의 양측에서 원형의 수평면보다 높게 된다. 이러한 중족골의 아치는 하강한 상태가 되어 이것이 발의통증의 원인이 된다.

중족골 패드를 신발내부 또는 직접 발에 채워 이 함몰을 메우고, 중족골두부를 원래의 수평위치로 되돌리는 것이다.

(3) 구두의 소재와 통기성

통기성의 장점이 구두의 소재로써 가장 적절한 요소이지만 이것은 소재에 환기성이 있다.

즉, 기공을 통해서 차근차근 흡수가 가능하도록 하는 의미는 아니다. 습기를 흡수하고, 혹은 통과시켜서, 신발 속의 발이 무르지 않도록 기능하는 것이 필요한 요소인 것이다. 이점에 관해서는 천연피혁이 가장 우수한 소재인 것이다.

2. 신발의 재료

1) 천연피혁의 구조와 특성

(1) 원피와 혁

천연피혁은 생피 및 원피 등 자연동물에서 얻어진 가죽의 총칭으로 인공피혁 또는 합성피혁에 대응한 용어로써, 구두의 제기능을 가장 잘 충족시켜 주는 피혁이다. 그 종류는 매우 다양하며, 용도에 맞추어 쓰임새가 가능하고, 또한 자연의 아름다움을 그대로 간직하고 있어, 제갑시 갑혁용으로 가장 적격한 것이나 시대의 발전과 더불어 수요가 급증하면서 자연의 한정된 공급으로서는 충당키 어려운 과학의 발전과 더불어 합성피혁으로 일부 대체되고 있다.

① 피(皮 :Skin)의 역할

피는 동물의 혈관, 육(肉) 등을 외상으로부터 보호하는 역할을 하고 있으며, 피에는 땀샘이 있어서 이로부터 땀의 배출로 몸의 신진대사를 꾀할 뿐 아니라 기온으로부터 체온을 보호해주고 있는데 동물의 사후, 몸체에서 박리된 생피는 무두질이라는 제혁공정을 거쳐서, 피 본연의 성질을 간직하여 피혁으로써 인간의 발을 보호하는 구두 제조의 갑혁 재료로써 훌륭한 역할을 담당하게 되는 것이다.

② 피(皮)와 혁(革)의 구별

피와 혁은 어떻게 구별되는가? 간단히 공식화해서 보면 다음과 같이 설명할 수 있다.

피 + 무두질 = 혁

(skin) + (Tanning) = (Leather)

이렇게 하면, 이해는 가장 빠를 것이다. 즉, 피가 무두질 공정이라는 독특한 공정을 거치게 되면 가죽이 되는 것이다. 여기에서 다음의 세 단어에 대해서 확실히 해둘 필요가 있다.

피(Skin)는 생피(생피 : Peit)라고도 하는데 동물의 본체에서 벗겨진 가죽을 말하며, 원피(Raw Hide)란 생피를 저장할 수 있도록 염장 또는 건조시킨 피의 총칭이다.

혁(Leather)은 동물피에서 탈모하고 무두질하여 얻어진 제품이라고 할 수 있다.

2) 신발재료의 분류

신발재료는 그 필요에 의해서 여러 가지 방법으로 분류할 수가 있다.

먼저 생산 및 자재관리와 회계관리의 필요에서 다음과 같이 분류할 수 있다.

(1) 주부자재별 분류
① 주자재　갑혁재 - 각종 피혁(천연피혁, 합성피혁)각종 천류(Fabric), 고무(Rubber) 등

　　　　　저부재 - 고무(천연고무, 합성고무)류, 가죽(천연피혁, 합성피혁)류 합성수지류 등

② 부자재　중창재 - 보드 (Board), 화이버(Fiber)류

　　　　　선심재 - 천, 가죽, 합성수지 등

　　　　　월형재 - 레더 보드(Leather Board), 가죽 등

　　　　　안감재 - 가죽, 천 등Y

③ 기타재　　　 - 허리쇠, 실, 못, 광택제, 구두약, 장식 등으로 분류할 수 있다.

(2) 자재 관리를 위한 분류
① 갑피재료(천연피혁, 인조피혁)
② 겉창재료
　·피혁　·고무 또는 합성수지 고무 포함)
③ 굽
④ 안감재료
　·피혁　·직물
⑤ 중창
⑥ 봉사
⑦ 접착제
⑧ 부속품(창 깔재, 대다리, 월형심, 선심, 못붙이 등 포함)
⑨ 구두골

(3) 신발부품별 분류
① 갑혁재(Upper Material)

겉감(Upper Leather), 도리재(Top Band), 앞안감(Vamp Lining), 뒤안감(Quarter Lining), 혀안감(Tongue Lining), 지활재(Slip Resist), 월형(Counter), 선심(Box Toe), 보강제(Reinforce Cloth), 구두끈(Shoe Lace), 구멍쇠(Eyelet), 장식(Ornament) : 타셀(Tassel), 킬티(Kilty), 보강테이프(Reinforce Tape)

② 저부재(Bottom Material)

본창(Outsole), 중창(Insole), 속창(Midsole), 굽(Heel), 까래(Sock Lining), 까래 마킹(Brand Marking), 금박(Aluminum Stamping Foil), 패드(Sock Lining Pad, Cushion), 아치 쿠키(Arch cookie), 허리 심(Shank Piece), 허리쇠(Shank Steel), 중창쿠션(Insole Cover), 립 - 테이프(Rib Tape), 립 - 테이프 보강천(R.T. Reinforce Cloth), 속메움(Filler), 천피(Top Lift), 힐 · 커버(Heel Cover), 대다리(Welt)

③ 기타재(Other Material)

재봉실(Sewing Thread), 모카 봉합실(Mocca Thread), 창 봉합실(Stitching Thread), 대다리실(Welt Thread), 못(Nail), 사상재(Finishing Agent)

그리고, 직접 재화재료 이외의 주요품목으로 다음과 같은 것이 있다.

화형(Last), 겉상자(Out Box), 안상자(Inner Box)

3. 신발 재료의 분류

구두는 크게 두 부위로 나눌 수 있는데 화갑부위와 화저부위이다. 화갑재료는 일반적으로 갑혁재로 불린다.

갑혁재의 종류를 나누면 다음과 같다.

1) 갑혁재의 종류

(1) 천연 피혁

① 포유류(Sucking)

우피(Cow Leather), 양피(Sheep Leather), 염소피(Goat Leather), 돈피(Pig Skin), 마피(Cordovan), 수우피(Buffalo), 대록피(ELK)

② 파충류(Reptile)

악어(Crocodile, alligator), 뱀(Snake, Python), 도마뱀(Lizard)

③ 조류(Birds)

타조피, 닭발피

④ 어류

상어피, 뱀장어 피, 곰장어 피

(2) 합성피혁

락카레더(Lacquer Leather), 비닐레더(Vinyl Leather), 나일론(Nylon)계, 폴리우레탄(Polyurethan)계, 폴리아미노산계(Polyamino)계

  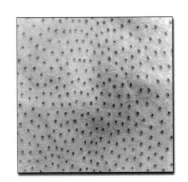

그림 37-3. 천연피혁의 그림

(3) 기타 갑혁재 고무(Rubber)

천류(Fiber) 등

4. 천연피혁

1) 천연피혁의 특성

피(皮 : Skin)는 생피(생피 : Pelt)라고도 하는데 동물의 본체에서 벗겨진 가죽을 말하며, 원피(Raw Hide)란 생피를 저장할 수 있도록 염장 또는 건조시킨 피의 총칭이다.

혁(Leather)은 동물피에서 탈모하고 무두질을 하여 얻어진 제품이라고 할 수 있다. 통례에 따르면 스킨(Skin)과 레더(Leather)를 구별하여 호칭하는데, 스킨(Skin)이라고 불려지는 것은,

(1) 성숙한 소동물

양피(Sheep skin), 새끼양피(Lamb skin), 염소피(Goat skin), 돼지피(Pig skin), 뱀장어피(Eel skin)등

(2) 미숙한 대동물

중소피(Kip skin), 송아지피(Calf skin)등

(3) 잘 손질된 부드러운 털

숫사슴피(Buck skin)등이 있다.

신발용 천연피혁(Natural Leather)은 발을 생동감 있게 활동할 수 있게 하여야 하며, 땀을 신속히 배출시킬 수 있어야 하고, 어떤 모양의 발이든 간에 발의 모양에 맞는 구두를 만들 수 있어야 하고, 탄력이 있어야 하는, 반면 지탱할 수 있게끔 단단하여야 하며, 보행 시에나 작업 시에는 발에 밀착되어야 하고, 벗어 놓았을 때는 원래의 모양으로 다시 되돌아와야 하며, 신선한 공기를 구두 내부에 충진시키고 악취나 땀은 즉시 외부로 발산시킬 수 있어야 한다.

이상과 같이 구두가 필요로 하는 제 기능을 충족시켜 주는 것이 천연피혁이며, 이는 전문적인 용어로,

인장강도(Tensile Strength)

인열강도(Tear Strength)

신장율(Elongation)

내굴곡성(Flexibility)

인열하중(Puncture Resistance)

흡습성 및 전도성(Moisture Absorption and Transmission)

통풍성 및 차단성(Breathing and Insulation)

라스팅 및 몰딩성(Lasting and Molding Ability) 등이 탁월하여야 한다.

2) 천연피혁의 단점

(1) 수급의 조절이 용이하지 않다.

천연피혁은 생물에서 얻어지는 것으로 생육의 장소와 시간의 한정성 때문에 사람이 필요로 하는 수량과 시기에 따라 적절히 조달된다고 할 수 없는 것이다.

따라서 장래에 있을 수 있는 수급부족에 대처코자 하는 것이 인공피혁의 개발 생산이다.

(2) 면적이 한정되어 있다.

천연피혁은 그 면적이 한정되어 있다. 한 마리의 생물에서는 한 장의 피혁을 얻을 수 있으며 그 피혁도 그 생물의 크기에 비례한다.

(3) 표면도 재질도 균일성이 없다.

표면의 무늬가 자연스럽고 아름다우나 홈이 있기 쉬우며, 제품시 무늬맞춤을 해야하는 불편과 부위마다 재질이 다르고 방향성도 복잡해서 사용이 어려운 경우가 많다.

(4) 내수성이 약함

천연피혁은 내수성이 약해서 흡수가 쉬우며, 따라서 구두의 경우, 발을 습하게 한다.

(5) 건조하면 축소된다.

습기 있는 천연피혁 제품은 건조하면 축소되기 때문에 직사광선을 피해서 말려야한다.

따라서 건조 후에도 신발은 보형지나 헌 신문을 신발의 코 부위에 넣어서 형이 변하지 않게 하는 것이 좋다.

(6) 곰팡이 발생이 용이하다.

천연피혁은 흡습성이 있어서 곰팡이의 발생이 용이하다.

(7) 알칼리에 약하다.

알칼리는 식물의 재를 뜻하는 말로 가성칼리, 가성소다, 소석회 등이 있으며, 석회침은 피혁의 단백질 조직을 분리시키는 역할을 한다.

이상과 같은 천연피혁의 특성을 살리고 천연피혁의 일부단점을 보완하기 위하여 사람들은 인공피혁(혹 합성피혁 : Synthetic Leather, Man-made Leather or Artificial Leather)을 만들었으나, 이러한 인공피혁은 결정적인 단점인 신장률의 부족과(혹은 과다) 흡습성 및 전도성(Moisture Absorption and Transmission)의 부족에 의한 악취와 온도조절 기능의 부족으로 인한 피로감이 증진 등은 극복할 수 없는 것이 약점으로 지적되고 있다

3) 천연피혁의 분류

신발재료는 반드시 신발의 용도, 목적, 종류, 가격 등의 조건에 적합한 것을 골라 그것들의 장점을 취하여 적재적소에 사용하여야 한다. 갑피(갑혁)의 재료로서 반드시 구비해야 할 특성은 다음과 같이 정의할 수 있다.

① 신었을 때 편리해야 한다.

즉, 발에 잘 순응되어 발이 편하도록 하여야하며, 조직이나 섬유가 정교해야 하고 두께는 비교적 얇으며 감촉은 부드러워야 한다.

② 습기의 흡수 및 발산이 용이해야 한다.

③ 보온성이 양호해야 한다.

④ 탄성이 우수해야 한다.

⑤ 물리적 성질, 즉 우수한 굴곡강도와 파멸강도가 요구되며 비록 얇게 깎더라도 물리적 성질이 지속되어야 한다.

⑥ 내후성이 강하여 어떠한 기후조건 하에서도 성질이 쉽게 변하지 않아야 한다.

⑦ 내수성 및 내열성을 갖추고 있어야 한다.

⑧ 가공 및 염색이 용이해야 한다.

⑨ 외관이 아름답고 내구성이 있어야 한다.

⑩ 재질이 부위에 관계없이 균등해야 한다.

⑪ 판로가 좋아 생산가치가 있어야 한다.

이상과 같은 조건을 전부 만족시키는 재료는 없겠지만 특히 신발용 갑피(갑혁)로 사용하고자 하는 재료가 특정 목적에 대해서는 장점을 갖추고 있다면 다른 방면에 있어서 약간의 결점이 있다고 하더라도 그 재료는 사용해도 좋을 것이다.

신발용 갑피(갑혁)재료는 천연피혁, 인공피혁, 합성피혁, 기타 갑혁재가 있음은 앞에서 간단히 언급 한바 있으나 여기에서는 천연피혁의 용도에 따라서 동물의 종류에 따라서 그리고 혁의 가공처리에 따라서 분류하도록 한다.

천연피혁은 용도에 따라서, 동물의 종류에 따라서 그리고 혁의 가공처리에 따라서 분류하도록 한다.

(1) 용도에 의한 분류

① 신발용 피혁(Shoe Leather)

신발용 가죽(레더 : Leather)을 총칭하는 말로서

　　· 갑혁(Upper Leather)

　　· 내피(Lining)

　　· 솔 레더(Sole Leather)

　　· 잡화혁(Others) 등이 있다.

② 갑혁(Upper Leather)

구두 갑부의 표혁으로 쓰이는 가죽 일체를 말한다. 구두의

그림 37-4. Normal Split Leather

갑부피혁은 일반적으로 갑피(Upper Leather)라 부르고, 갑혁은 앞코(Toe)부위와, 앞날개(Vamp) 옆 뒷부위(Quarter), 혀(Tongue) 등으로 나누어진다.

③ 내피(Lining)

신발에 있어서 라이닝(Lining)이라 함은 신발류 내부에 사용되는 모든 내장재를 총칭하는 말로서 내혁용 가죽으로서 피그 스킨(Pig Skin), 쉽 스킨(Sheep Skin), 고트 스킨(Goat Skin), 키드 스킨(Kid Skin), 키프 스킨(Kip Skin), 스플릿 레더(Split Leather) 등이 사용되며,

· 앞안감(Vamp Lining)

· 까래(Sock Lining)

· 뒤안감(Quarter Lining) 등이 있다.

④ 저부 혁(Sole Leather)

구두창으로 쓰이는 가죽 중에는 펙토리 솔 레더(Factory Sole Leather)와 파인더즈 솔 레더(Finders Sole Leather)가 있으며, 전자는 공정에서 대량 생산에 필요하게끔 제혁 과정에서 좀더 유연성을 준 것이고 후자는 수선용에 좋게끔 유연성이나 압축성이 좀 떨어지는 것을 말한다.

(참고 : 파인딩스 : Findings = 제혁용 부속재 즉 못, 아일렛, 구두끈 등을 총칭한다.)

펙토리 솔 레더에는

· 본창(Out Sole Leather)

· 속창(Mid Sole Leather)

· 중창(Insole Leather)

· 잡화혁(Others)

잡화혁은 대다리(웰트 : welt), 혀(Tongue), 장식혁 등에 쓰이는 가죽을 말한다.

④의류용 피혁(Garment Leather)

의류용 가죽으로서 제조과정에서부터 신발용 가죽과는 무두질이 다르며, 클로징 레더(Clothing Leather)라고 해서 코트(Coat), 모자, 재킷(Jacket), 바지 등을 가죽으로 만들며, 요즘은 훨씬 다양한 야외복, 운동복 심지어 내의까지 피혁을 사용한다.

⑤ 장갑용 피혁(Glove Leather)

장갑용 가죽으로서,

· 의상용 장갑

· 작업용 장갑

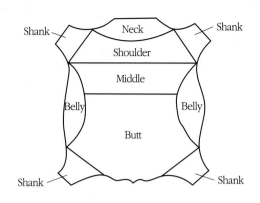

그림 37-5. 원피의 부위별 명칭

· 운동용 장갑 등이 있으며,

우리가 보통 사용하는 B.B.G 레더는 베이스 볼 글러브 레더(Base Ball-Glove Leather) 라고 해서 야구 글러브를 만들기 위한 가죽을 말한다.

※ 나퍼 레더(Napa Leather)

가멘트 레더나 글러브 레더에 관련된 용어 중에 나퍼 레더가 있는바 이는, 미국 캘리포니아주의 나퍼(Napa) 지방에서 비누와 기름의 혼성제(Soap-and Oil Mixture)로서 양피(쉽 스킨 : Sheep skin)를 무두질해서 만든 글러브 레더를 말하며, 그 부드러움(Softness)이 원래의 나퍼 가죽과 닮은 가죽을 일컫기도 한다.

⑥ 핸드백용 피혁(Handbag Leather)

일반적으로 핸드백용 피혁은 신발용 피혁에 비하여 후도가 얇고, 매우 부드러운 것이 많이 이용된다. 키프 스킨(Kip Skin), 카프 스킨(Calf Skin), 고트 스킨(Goat Skin), 키드 스킨(Kid Skin), 쉽 스킨(Sheep Skin), 피그 스킨(Pig Skin), 버팔로(Buffalo), 파충류피(악어피, 도마뱀, 뱀 등), 어패류, 조류피 등 실로 다양하다.

하드 타입(Hard Type)은 정장용 핸드백(Dressy Handbag)에 많이 이용된다.

⑦ 마구혁

마구제조에 사용되는 베지터블 탄닝(Vegetable Tanning)처

리를 한 레더로서 황갈색의 마구혁을 새들 레더(Saddle Leather)라고 하며, 기름이나 지방을 충진하여 검게 한 마구혁을 하니스 레더(Harness Leather)라고 한다.

(2) 원천에 의한 분류

가죽이 어떤 종류의 가죽이냐? 에 따라 우리는 몇 가지로 분류 할 수 있으니,

① 소가죽(Cattle Hide)

● 카프 스킨(Calf Skin)

생후 6개월 미만의 송아지 가죽을 말한다. 원피 무게가 15 파운드(약 6.8Kg)이하로서, 두께가 1.2~1.5m/m이고, 아주 부드럽고 미세한 은면을 가졌으며, 성우피보다 훨씬 가볍고 유연하여 고급 정장구두(Dress Shoe)용재로 사용되나 질기지 못한 것이 단점이다.

● 키프 스킨(Kip Skin)

생후 6개월에서 2년까지의 소가죽을 말한다. 염장상태에서 15~25파운드의 무게가 나가며, 인열강도와 항장력이 좋아 고급 드레스 슈즈 용재로 쓰이며, 카프 스킨보다 두텁고 질기나 유연성은 다소 떨어진다. 헤비급은 25~30파운드 정도도 있다. 이것은 오버 웨이트 키프 스킨(Over Weight Skin)이라고 부른다.

● 성우피(Cow Hide)

원피상태에서 무게가 30파운드(13.6Kg) 이상인 생후 2년 이상이 된 성우피를 말하며, 성우에 관한 용어도 복잡하여 소를 총칭하여 캐들(Cattle)이라 하고,

ⅰ) 암소 ---- 카우(Cow)

ⅱ) 수소

  a) 거세하지 않은 소 ---- 불(Bull)

  b) 거세한 소

    ⓐ 생후 3개월에 거세 ---- 스티어(Steer)

    ⓑ 생후 1년 이후에 거세 ---- 스태그(Stag)

이상과 같이 분류된 성우의 피혁을 살펴보면,

ⅰ) 카우 레더(Cow Leather)

원피상태에서 30~53파운드까지가 라이트 카우(Light Cow), 53파운드(24Kg) 이상을 해비 카우(Heavy Cow)라 하며, 은면의 곰기는 키프(Kip) 보다 떨어지고 스티어(Steer)보다는 낫다.

ⅱ) 스티어 레도(Steer Leather)

생후 3개월 ~ 6개월 이내에 거세한 2년 이상의 수소로서, 원단의 크기는 평균 50SF(스퀘어 피트 : Square Feet 약 80평)정도이며, 은면은 카우 레더보다 거칠다.

※ 사이드 레더(Side Leather)

위의 스티어 레더에서 볼 수 있는 바와 같이 원피의 무게가 24Kg 이상씩 되면 제혁과정에서 취급이 불편할 분 더러 상당히 비경제적이다. 이때 원피취급업자들은 등골을 따라 가죽을 두부분으로 나누는데, 이렇게 해서 만든 가죽을 사이드 레더라 한다.

※ 박스(Box)

우리가 일반적으로 복스피라고 하는 것은, 원래는 엠보스트 레더(Embossed Leather)나 페블드 그레인(Pebbled Grain)을 만들 때 쓰이는 받침혁 즉 보디드 레더(Boarded Leather)를 의미하는데, 경우에 따라서는 박스 카프(Box Calf)를 생략해서 박스라고도 하며, 박스 카프는 카프 스킨(Calf Skin)을 만드는 마지막 공정에서 총칭으로 롤러(Roller)에 넣어 프레스(Press)하는데 이때 그레인(Grain)쪽에 상자모양의 4각형 마크가 생기는 경우가 있으므로 이를 박스 카프라 한다.

※ 옥스(Ox)와 스티어(Steer)

거세한 수소라는 점에 있어서는 스티어와 스태그 및 옥스(Ox)가 같은 의미이나 생후 4년이 넘은 스티어는 이를 옥스라 한다.

② 염소피와 양피

생후 일년 미만의 고트 새끼를 키드(Kid)라 하고, 일년미만의 쉽(Sheep)을 램(Lamp)이라고 한다.

● 고트 스킨과 키드 스킨(Goat Skin & Kid Skin)

염소 가죽은 생후 일년을 기준으로 하여 고트 스킨과 키드 스킨으로 구분되며, 키드 스킨은 한 장에 3~4S/F 정도이고 고트 스킨은 5~8S/F 정도이며, 얇고 부드럽고 가볍고 질겨서 고급화의 갑혁재나 안감재(Lining)로 쓰이며, 특히

키드 스킨은 감촉이 부드럽기 때문에 여성 및 아동용 신발이나 장갑, 핸드백 및 기타 경량식의 용도에 적합하다.

● 쉽 스킨과 램 스킨(Sheep Skin & Lamp Skin)

이것도 고트에 있어서와 같이 생후 일년을 기준으로 쉽 스킨과 램 스킨으로 구분한다.

얇고 부드럽기 때문에 안감이나 슬리퍼(Slipper) 제조에 쓰이며, 털이 붙은 쉽 스킨을 재킷(Jacket)안감으로 사용하면 아주 훌륭하다.

미국 등지에서는 양피지라 해서 중요문서의 커버로도 사용되며, 대학의 졸업장을 쉽 스킨으로 싸는 경우가 많아 쉽 스킨이라 하면 졸업장을 의미하는 경우도 있다.

③ 피그 스킨(Pig Skin)

돼지 가죽을 말하며, 이의 특색은 털구멍이 3개가 모여 3각형을 이루고 있으며, 내마모성이 우수하고 얇기 때문에 라이닝(안감재)에 주로 사용되며, 벨트나 가방 등의 제조에 쓰이기도 하며, 피그 스킨 수에이드(Pig skin Suede)는 갑혁재로도 사용된다.

※ 패커리 레더(Peccary Leather)

중남미산의 야생 돼지 가죽을 말한다.

④ 코도반(Cordovan)

우리가 "고도방"이라고 부르는 것은 "코도반"의 일본식 발음이며, 원래 "코도반"이라고 하는 것은, 스페인의 안달루시아 지방의 코르도바(Spain의 Cordav)에서 스플릿 상태의 마피나, 고트 스킨 등의 스킨으로 만든 부드럽고 조직이 치밀한 유색 가죽을 말하며, 특히 말 엉덩이부위에는 글래시 레이어(Glassy layer)라는 모공은 거의 없고 조직이 매우 치밀한 층이 있는데 이것을 셸(shell)이라고 한다. 이 부위를 탄닌, 무두질한 내구성이 우수한 가죽을 코도반이라고 한다. 코도반은 최고급 신사화에 사용되며, 완전 성숙된 말의 경우 2장의 코도반피가 생산되며, 모두 약 6 S/F가 된다.

⑤ 파충류 렙타일(Reptile)

글자대로 악어, 뱀, 도마뱀, 등이 대표적이며, 독특한 비늘 모양이 아름다우며 내구성이 우수하여, 고급화, 핸드백, 혁대, 시계줄, 등에 많이 쓰이며, 희귀하기 때문에 값이 비싸다. 이와 관련된 용어로는,

● 크로크다일(Crocodile 악어)

아프리카, 호주, 아시아산 악어나 그 가죽을 말한다.

※ 앨리게이터(Alligator)

요철모양의 박스형(Box) 은면을 가진 악어 가죽을 총칭하나, 정확히는 미국산의 악어만을 일컫는다. 그러나 아메리칸 앨리게이터는 법적으로 죽일 수 없기 때문에 미국 제혁산업에서는 이와 같은 용어는 실제로 사용되지 않는다.

카르 스킨이나 쉽 스킨을 요철 모양의 악어 가죽을 닮은 가죽을 만들었을 때 이를 앨리게이터 그레인드 레더(Alligator Grained Leather)라고도 한다.

● 리자드(Lizard) - 도마뱀 또는 그 가죽을 말한다.

● 스네이크(Snake) - 뱀 또는 그 가죽을 말한다.

⑥ 기타 혁

이상에서 설명한 바와 같이 우피, 염소피, 마피, 파충류 이외에도 신발용으로 쓰이는 천연피혁은 상당히 많다.

● 캥거루우 피와 왈라비 피(Kangaroo Leather & Wallaby Leather)

원래 왈라비(Wallaby)라 함은, 오스트레일리아의 지방이름도 되지만 전형적인 오스트레일리아 산 캥거루 보다 작고 색이 밝은 캥거루 축소판 같은 동물의 이름이지만, 이를 원용해서 작고, 중간형 크기의 캥거루과 동물을 총칭한다. 따라서 캥거루 레더와 왈라비 레더는 각각 그 가죽을

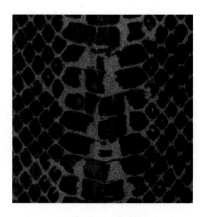

그림 37-6. 뱀가죽

그림 37-7. 캥거루와 왈라비

말하는데 그 가죽은 가볍고 내구성이 강하며, 광택제를 바르면 아주 훌륭하다.

● 버팔로(Buffalo : 물소피)
영국 및 극동지방의 물소피로 제조한 가죽을 말하며 뚜렷한 거친 은면을 가지고 있다.

● 오스트리치(Ostrich : 타조피)
타조의 가죽을 말하며, 털 뽑은 자리가 표피에 재미있는 모양을 하고 있으며, 고급 지갑, 혁대, 고급장갑 등에 쓰인다.

● 엘크 레더(Elk : 대록 : 큰사슴)
큰사슴 가죽을 말하며, 크롬 탄닝한 소가죽을 연하게 한 것도 엘크 레더라 하기도 하며, 거친 주름이 특징이기 때문에 작업화나 운동화에 사용된다.

● 디어 스킨(Deer Skin)
은면은 손을 대지 않은 채, 가공한 사슴 가죽을 말하며 매

그림 37-8. 다양한 염색을 한 타조피

우 부드러워서 환자용 구두의 재질로 많이 이용을 한다.

● 샥 스킨(Shark skin)
상어(Shark) 껍질의 최상단부 은면층으로 만든 가죽으로서 은면에 자연스러운 무늬가 있으나, 방수가 된다. 아동용 구두의 발가락부분이나 장식품에 사용된다.

우리나라에서는 뱀장어, 곰장어피(Eel skin)가 특히 유명하며 고급핸드백, 가방, 지갑 등으로 만들어져 일본을 비롯하여 전세계 시장에 진출하고 있다. 피질이 부드럽고 질기며, 윤기가 있고 방수성이 뛰어나다.

(3) 가공처리에 의한 분류

원피로 가죽(Leather 혹은 Skin)을 만드는데 에는, 그 원피 상태와 사용한 용도에 따라 여러 가지로 분류가 되겠지만, 설명하기 용이하게 하기 위하여 가장 보편적인 방법으로 분류하여 보면, 원피의 표피 상태가 양호하여 은면층일 잘 살려서 만드는 풀 그레인(Full Grain or Full Grain Leather)류와, 은면층 자체를 가공하는 엠보싱 레더(Embossing Leather)와 슈링크 레더(Shrink Leather), 코렉티드 레더(Corrected Leather)와 페이턴트 레더(Patent Leather) 등으로 나눌 수 있고, 버핑(Buffing)이나 스플릿팅(Splitting) 작업을 통한 누벅(Nubuck), 수에이드(Suede), 벨로아(Veloer), 스플릿트(Split Leather) 등으로 구분할 수 있겠다.

5. 합성피혁 및 인공피혁

천연피혁은 자연의 동물에서 얻어지는 산물로 그 생산량은 한정되어 있다. 따라서 이의 대체소재로 개발된 것이 합성 및 인공피혁이다. 인공피혁(Man made Leather)의 기본구조는 혁의 조직 구조를 모델로 하고 있다. 즉, 은면층에 상당하는 부분은 연속, 미세, 다공구조의 우레탄(Urethane)수지로 되어 있으며, 망상층에 상당하는 부분은 부직포에 우레탄 수지를 함침해서 만들어진 2층 구조로 되어있다. 일부 제품에는 합성수지층 또는 부직포층만 있는 1층 구조, 또는 수지층과 부직포층간에 직포를 넣은 다층구조의 것도 있다.

합성피혁(Synthetic Leather)은 주로 편포와 합성수지층으로 되어 2층 구조, 수지층의 수지로 종류에 의해서 폴리우레탄(Polyurethane)계와 폴리아미드(Polyamide)계로 분류된다.

1) 합성 및 인공피혁의 특성

① 합성 및 인공피혁은 천연피혁과 비교할 때 대량생산(Mass Production)에 적합하다.

② 화학제품으로써 미래의 품질개량과 새로운 신발방법의 개발 등이 충분히 기대되고 있다.

③ 자연피혁은 부위별로 후도, 강도, 신축성 등이 다르나, 합성 및 인공피혁은 재질이 균일해서 일정 방향에 따라 강도, 신축성 등이 같다.

④ 방수성이 뛰어나고 변질이 없다.

⑤ 복원성이 강하고 화형 표면에 대한 순응성이 적어서 토라스팅을 할 때 형이 잘 잡혀지지 않는다.

⑥ 섬유간의 결합이 약하고, 인열강도도 낮아서 표면이 벗겨지면 사고를 일으키기 쉽다.

⑦ 내후성이 약해서 기온의 변화에 따라 피질이 변하기 쉽다.

⑧ 표면의 색상이 아름답고, 다양하게 처리가 가능하다.

⑨ 흡방습성이 낮다.

2) 합성 및 인공피혁의 차이점

합성피혁과 인공피혁은 그 기포에서 차이가 있다. 합성피혁은 기포가 면 기타 섬유직포, 메리야스 등으로 신축성은 다소 좋은 편이나, 재화의 갑혁용으로는 부적합하다. 인공피혁은 기포가 부직포로 섬유가 불규칙적으로 결합되어 있어 신축성이 부족하다. 원래 신발용 갑혁재료로 개발이 되었다. 합성피혁은 표면층을 연속기동이 있는 폴리아미드(Polyamide)나 우레탄(Urethane)으로 코팅한다. 폴리아미드나 나일론의 합성피혁은 외관, 감촉 등은 좋은 편이나 유연성은 떨어지는 편이다. 의자, 가방, 핸드백 등에 사용된다.

인공피혁은 폴리우레탄(Polyurethane)수지를 코팅한다. 폴리아미드 합성피혁처럼 가소제를 사용하지 않기 때문에 내한, 내열성이 있어, 다림기(Iron)를 사용할 수도 있다.

3) 합성 및 인공피혁의 종류

(1) 락카레더(Lacquer Leather)

제2차 대전 이전에 최초로 개발된 합성피혁으로써 직포 위에 니트로 셀룰로스(Nitro cellulose)계 수지 코팅을 한 것으로 여름철에는 녹고, 겨울철에는 경화하여 갈라지는 결점이 있었다.

(2) 비닐레더(Vinyl Leather)

PVC공업의 발달로 직포 위에 PVC 페이스트(Paste)를 코팅하여 공기 중에서 냉각시켜 표면을 필름(Film)처럼 응고시키거나 (이를 건식 응고라고 함)또는 PVC시트(Sheet)로 라미네이션

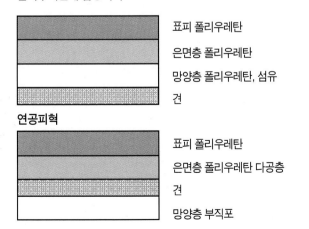

폴리우레탄계 합성피혁

- 표피 폴리우레탄
- 은면층 폴리우레탄
- 망양층 폴리우레탄, 섬유
- 견

연공피혁

- 표피 폴리우레탄
- 은면층 폴리우레탄 다공층
- 견
- 망양층 부직포

그림 37-9. 합성 피혁 사례의 단면

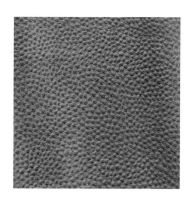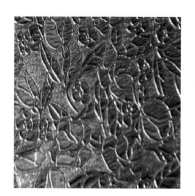

그림 37-10. 여러 형태의 합성피혁

(Lamination : 엷은 판을 적재하는 것)하여 만든다. 비닐레더는 락카레더보다 감촉이 좋고 인장강조와 인열강도, 내연성이 우수하다. 1975년부터 1964년경에 주로 케미컬 슈즈, 가방, 의자 등의 제조용 피로 많이 쓰였다.

※ PVC(Poly Vinyl Chloride)

염화비닐 수지라고 하며, 열가소성수지로 염화비닐의 중합체이다. 일반적으로 백색분말에 가소제, 안정제, 안료 등을 첨가하여 제품을 만드는 데 경질제품은 파이프, 레코드 판 등에 연질제품은 비닐레더, 창(Sole), 전선 등에 쓰인다.

(3) 나일론(Nylon)계 합성피혁

천연피혁과 비슷한 섬유구조를 얻기 위하여 폴리아마이드계 수지의 에탄올(Ethanol) 용액을 직포나 부직포의 일면에 도포하거나, 양면에 함침시킨 후, 물에서 응고시켜 만든 것으로서 폴리아마이드계 합성피혁이라고도 한다.

이것은 폴리우레탄계 합성피혁과 같이 천연피혁에 가까워 오늘날 대량으로 판매되고 있으나 표면강도가 약하다는 약점이 있다.

※ 나일론(Nylon)

석탄산, 수소, 암모니아 등을 원료로 한 폴리아미드계 섬유로, 1938년 미국의 듀퐁(dupont)사의 캐로더스(carothers : 1896~1937)가 발명하였다. 종래의 합성섬유보다 훨씬 질기고, 물에 젖어도 질기기가 변함이 없다. 가볍고, 부드럽고, 탄력성

이 강하며 옷감으로 많이 쓰이며 신발용 재봉사, 낚싯줄로는 아주 좋다.

(4) 폴리우레탄(Polyurethane)계 합성피혁

제법으로는 서독 바이엘(Bayer)사가 개발한 건신법과 미국 듀퐁(dupont)사가 피막을 만드는 종래의 제조기술의 연장으로 볼 수 있으며, 피혁에서 항상 문제되는 투습성이 비닐레더처럼 연속기포에 의한 것이 아니고 사모포의 기모 섬유에 의한 것이므로 좋지 못한 결점을 가지고 있으며, 습식법은 폴리우레탄 수지를 함침 혹은 코팅하여 비용제 중에서 응고시켜 만든 것으로 코팅된 수지층은 무수한 셀(cell 작은 기포)의 집합으로 되어 있으므로 투습성이 천연피혁보다 우수하고 기계적인 강도도 떨어지지 않으나 통풍성(Breathing, Breathability)이 없다는 결정적인 단점을 가지고 있다.

※ 폴리우레탄

내마모성과 접착성이 우수하고 내한성이 탁월해서 저온시의 유연온도는 -50℃이다. 광택이 좋아서 Patent Leather의 광택제로도 사용되며, Out Sole, Heel lift, 여화의 Top Lift로 주로 사용된다.

(5) 폴리아미노(Polyamino)산계 합성피혁

폴리우레탄계 합성피혁 등의 최종 처리제로서 폴리아미노산을 사용하여 표면의 감촉을 개선한 합성피혁을 말한다. 폴리아미노(Polyamino)산 수지는 분자구조상 천연피혁과 가장 유사

하며 표면강도, 흡습성 등이 우수하여 합성피혁계에 상당한 반응을 보였으나, 수지자체가 딱딱하고 가격이 비쌀 뿐만 아니라 신장률(Elongation)이 폴리우레탄 수지에 미치지 못하여 작업조건(Lasting, Stretching, and Pulling)이 나쁜 것이 흠이다.

6. 고무(Rubber)

1) 고무의 성질

천연고무는 탄화수소를 함유하는 콜로이드 용액인 라텍스를 산출하는 나무로 원래는 남미에서 야생했으나, 지금은 대부분 재배고무 나무인 파라고무나무 Hevea Brazilliensis 에서 생산되고 있다. 여기에서 생산되는 것은 보통 생고무라고 하며 비중은 0.973~0.979이고 입자의 크기는 0.5~3 정도이며 음전하를 띠고 있다.

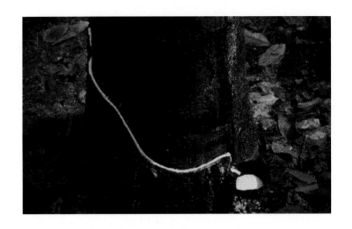

그림 37-11. 파라고무나무 Hevea Brasiliensis

고무는 공업재료의 하나로 현대사회에서 없어서는 안될 존재이면서도 또 고무쓰레기 때문에 문제성도 많다. 고무의 탄성률은 온도가 높아짐에 따라 크게되는 경우(일반고체와 반대되며 기체와 유사하다)라던가 비열이 일반적으로 두배 이상 된다는 것은 기름 중 액체와 유사한 점이라든지 배합제 및 가공방법의 영향 등에 대한 지식이 있다하여도 제품설계에 적절히 사용하지 않으면 좋은 제품을 얻을 수 없다.

(1) 고무의 기계적 성질
고무의 최대특성은 탄력성, 기계적 특성에 있다.
① 큰 변형까지 파괴되지 않는다.
일반적으로 고체는 1.03배정도 잡아 늘리면 파괴된다. 그러나 고무는 수배까지 늘려도 파괴되지 않는다.
② 탄성한계가 크다.
철은 1.01배정도 늘리면 원래의 상태로 돌아가지 않지만 고무는 수배 늘려도 원래 상태로 돌아간다.
③ 후크 탄성체가 아니다.
변형과 응력이 비례하지 않는다. 한 개의 탄성률로 기계적 거동이 표현되지 않는다.
진동할 때는 동적 탄성률과 손실 탄성률이 진폭의 크기에 따라 변화한다. 특히 보강재를 함유한 고무에서는 현저하다.
④ Young율이 적다.

다른 고체형태의 물질보다 Young율이 현저하게 적다.
⑤ 변형시 체적의 변화가 적다.
일반적으로 고무의 Poisson비는 0.5정도 변형시켜도 체적이 가의 변하지 않으나 금속, 유리 및 몇 가지 플라스틱 등의 Poisson비는 0.5보다 적으며 변형과 더불어 체적이 변한다. 또한 고무의 체적 탄성률은 다른 고체와 같다.
⑥ 저장 에너지가 크다.
고무는 그 형체를 변형시켰을 때 내부에 축적되는 에너지는 대단히 커서 같은 중량의 스프링강에 비해 150배이다.
⑦ 점 탄성체이다.
변형시의 저장 에너지는 크지만 변형이 원래상태로 돌아가면 거의 그 에너지를 방출해 버린다.
⑧ 기계적 성질이 변형속도에 대해 예민하다.
점 탄성체이므로 변형속도를 변화시키면 강도, 신연률, 탄성률 등이 변화한다.
⑨ 음속이 느리다.
다른 고체에 비하여 음을 전달하는 속도가 대단히 늦다. 초음파의 경우 고분자 재료에 근사값이 된다.

(2) 고무의 열에 대한 성질
① 열전도율이 낮다.
다른 일반적인 고체형태의 물질과 비교하면 가장 적다.
② 비열이 액체정도로 크다.

금속이나 유리에 비하여 크고 액체와 비슷하다.

③ 체적 팽창계수는 액체정도로 크다.

액체에 비해 체적 팽창계수가 큰 편이다.

④ 가스 투과율이 크다.

가스 투과율이 다른 고체에 비하여 온도가 유리화하는 상태 이하가 되면 적다.

7. 천연고무(Natural Rubber)

천연고무(Natural Rubber)는 1493년 콜럼버스(Columbus)가 두 번째로 신대륙 미국을 탐사하기 위하여 도항하였을 때, 하이티섬에서 토인들이 고무공을 가지고 노는 것을 보고 돌아와 유럽에 소개한 것이 인류가 처음으로 고무를 알게 된 것이라고 한다.

고무는 고무나무(Hevea Brazilliensis)의 수피에 상처를 내어 (이를 Tapping이라고 함)흘러 내리는 라텍스(Latex)수액을 받아 이것을 굳혀서 생산하는 것으로, 훈연 여부에 따라 스모크드 시트(Smoked Sheet)와 페일 크레이프 시트(Pale Crepe Sheet)로 나눈다.

(1) 스모크드 시트(Smoked Sheet)

스모크드 시트는 고무나무에서 채취한 고무원액이 라텍스 수액이 응고한 것을 수세하여 일정한 시트로 만들 후 훈연하여 열풍기로 건조시켜 만들 것이다.

스모크드 시트는 훈연함으로써 내노화성과 강도가 높아지며, 천연고무 원료 중에서는 가장 많이 사용된다.

(2) 페일 크레이프 시트(Pale Crepe Sheet)

천연고무를 훈연하지 않고 화학 처리하여 상온에서 공기 건조시켜서 만든다. 색상은 담황색으로 투명성이 있으며, 강도는 스모크드 시트(Smoked Sheet)보다는 다소 약하다.

1) 천연고무의 종류

(1) Ribbed Smoked Sheet(RSS)

공업적으로 가장 많이 사용되는 것으로 천연고무 전체 생산의 약 80%를 점유하고 있다.

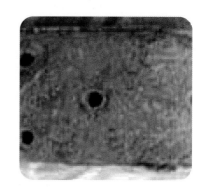

그림 37-12. 천연고무 블록

RSS는 품질에 따라 6등급으로 구분되어 있다.

(2) Standard Malaysian Rubber(SMR)

말레이시아의 기술적 분류 규격에 따라 천연고무의 등급을 분류시킨 것이 SMR이다. SMR은 기술적 규격에 따라 1급, 2급 및 3급에 해당하는 천연고무를 각각 SMR 5, SMR 20, SMR 50이라 하였는데 숫자는 잡티분의 한계치를 나타낸다.

(3) Superior Processing Rubber(SP)

가공성이 우수한 천연고무의 일종이다.

(4) Technically Classified Rubber(TC)

종래의 방법으로 제조되는 천연고무를 포장하기 전에 시험하여 가황의 지속에 따라 분류하고 그 표식을 색상으로 포장에 표시한다.

(5) MC Rubber

라텍스에 메틸메타크릴산 에스테르를 Graft 중합시킨 다음, 이것을 응고시켜 만든 크레이프 상의 고무이다. 이것은 다른 물리적 성질을 저하시키지 않고 경도를 향상시키는 성질이 있다.

2) 천연고무의 특성

천연고무는 일정하게 녹는점은 없으나 130~140℃에서 연화하고 150~160℃에서 심하게 점착성을 띄우며 200℃정도에서

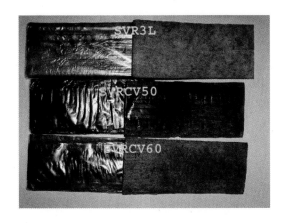

그림 37-13. Standard Malaysian Rubber(SMR)

그림 37-14. 분말의 천연고무

분해하기 시작하고, 220℃에서 녹으며 270℃에서는 곧 분해된다.

또한 20℃에서 인장속도가 14%/sec인 경우, 인장강도는 약 25Kg/cm, 신장율은 약 1200%이다. 상온에서는 큰 탄성을 갖고 있으나 10℃이하에서는 서서히 결정화를 일으켜 굳어져서 불투명하게 된다. 특히 우수한 탄성과 내마모성 등이 기계적 성질이 우수하여 자동차를 비롯한 각종 산업용 소재로 그 용도가 날로 증가되고 있다.

3) 라텍스 공업

(1) 침지제품(Dipping Goods)

장갑, 풍선, 얼음주머니, 젖꼭지 등의 고무제품은 생고무로부터 만들 수 있으나 라텍스로부터 만드는 것이 강도와 질이 우수하다. 일반적으로 몰드(Mold)는 유리, 스테인레스강 등으로 만들어 성숙, 탈포한 라텍스에 침지를 여러 번 반복한 뒤 필요로 하는 두께로 입혀서 열기 중에서 건조하고 가황하여 몰드에서 떼어낸다.

(2) 전착(Electro-Deposition)

라텍스는 알칼리성이며 고무입자는 음전하를 가지고 있다. 라텍스에 전위를 걸면 고무입자는 양극에 속출하게 된다. 보통 10~100 Volt. 0.5~5amp의 조건으로 전착시키며 양극재료는

아연이 제일 좋다.

이때 양극에서 발생하는 산소를 방지하기 위해서 티오황산소다를 넣어 산소와 반응하여 흡수하는 환원제를 첨가한다. 일반 침지제품과 같이 장갑, 얼음주머니, 고무관과 같은 것 이외에 철제품의 고무피복, 신발의 밑창 재료로 쓰인다.

(3) 스펀지(Foam Sponge)

라텍스 스펀지는 생고무로 만든 것 보다 내노화성이 좋고 유연하며 복잡한 모양도 얼마든지 제조가 가능하다. 라텍스 스펀지의 제조방법은 열응고법, 냉동응고법 등이 있다.

실제 제조는 배합 라텍스에 기포제를 넣고 교반하여 거품을 일으켜서 Na2SiF6(규불화 소다)를 혼합하고 곧 형틀에 넣어 5~10분 동안 거품을 유지하며 겔(Gel)화 한다. 그 후 가열, 가황하고 세척하면 제품이 된다. 탄력성이 좋아 신발의 중창, 안창 재료로 주로 쓰이며 신발을 신고 걸을 때나 뛸 때 체중에 의한 발과 신체의 충격을 완화시키고 흡수하는 역할을 한다.

(4) 생고무

라텍스에 응고제를 가하여 고무 탄화수소를 응고시키고, 분리한 것이 생고무이다.

이것은 그 처리방법에 따라 다르며 응고제로는 초산, 포름산, 산, 백반 등이 있으나 보통 초산을 많이 사용한다. 분자량은 약 5만 정도이며 중합체들은 이중결합을 가져 각종 화합물에 첨

가한다. 염소첨가 생성물은 염소화 고무로서 도료용으로 사용되고 염화수소 첨가 생성물은 염산 고무로 필름용으로 이용된다. 또 생고무에 농황산 등을 혼합하여 가열하면 열가소성 물질이 된다. 이것은 중요한 산발재료로 사용된다.

8. 합성고무

1863년 합성고무의 주원료인 Butadiene(CH =CH-CH=CH)이 발견되고 1910년 소련의 S.V.Levedev와 독일의 C.D.Harries에 의해 열중합 고무가 발견된 후 2차 세계대전 중 긴급한 수용에 따라 독일, 미국, 소련에서의 적극적인 노력으로 대공업으로 발전시켜 오늘에 이르렀다.

합성고무의 출현 동기는 우선 천연고무의 조성을 탐구하려고 하는 화학적 견지에서 시작되었고, 또한 천연고무의 대체품을 공업적으로 합성하고자하는 사고방식과 천연고무에서 얻을 수 없는 특성을 가진 새로운 고무상 탄성체를 합성하기 위해서였다.

(1) Styrene Butadiene 공중합체(SBR)

1930년경에 최초로 독일에서 Styrene과 Butadiene을 금속 나트륨으로 중합시켜 합성고무인 Buna고무를 만들었으나 현재에는 Styrene 또는 Acrylonitrile과의 공중합체가 제조되고 있다. SBR은 제2차 대전 중 미국에서 많이 생산되었으며 합성고무의 대부분을 차지하고 천연고무와 성질이 비슷하여 가격도 합성고무 중에서 가장 싸고, 내마모성, 내열성, 내노화성이 천연고무보다 좋다고 하지만 가공성이 좋지 않고 탄성, 인열강도가 적은 것이 결점이다.

(2) Acrylonitrile Butadiene 공중합체(NBR)

SBR과 마찬가지로 유화중합 방식으로 제조된다. 특징은 내유성이며 내유성 탄성체로서 천연고무로 사용할 수 없는 경우에 사용한다. 그 내유성은 Acrylonitrile의 양이 많아질수록 더욱 좋다.

(3) 클로로플렌 중합체(Neoprene : CR)

에멀션 중합에 의하여 중합체를 만드는 것으로 여러 가지 방법이 있으나 그 중에서 a-중합체를 합성고무로 쓸 수 있다. 중합체는 천연고무보다 무거우며(비중 1.24) 가황하지 않고 고무에 산화아연, 산화마그네슘 등 금속의 산화물 존재 하에 열만으로 가황된다. 카본블랙의 보강효과도 별로 크지 않으며 가공성은 좋지 않으나 내일광성, 내열성, 내오존성, 내유성이 좋고 인장강도가 커서 벨트, 호스, 패킹, 전선피복, 접착제, 라이닝재료, 저급 신발 밑창으로 많이 사용되고 있다.

(4) 부틸 고무(Butyl Rubber : IIR)

부틸고무는 Isobutylene과 Isoprene의 공중합체이며 양이온 중합으로 제조된다. 가황한 것은 천연고무보다 고온을 요하며 그 특출한 성질은 가스 투과성이 적어서 타이어 튜브에 많이 사용되고 있다. 천연고무보다 내노화성이 좋고 전기 절연성이 좋아 접착제나 전선의 피복으로도 사용되나 감촉이 좋고 탄력성이 있어 신발 본창 재료에 알맞다.

(5) 폴리황화물(Thiokol Polysulfide)

Diene 중합체와는 전혀 틀리는 구조의 화합물로 Polyvalide와 알칼리 Polysulfide와의 축합 중합으로 얻어지는 Polysulfide를 Thiokol이라 하며 내유성이 좋고 합성고무이다. 중합체는 담황색 또는 갈색이며, 산화아연 등의 금속 산화물 또는 산화제로 가황한다. 기계적 성질은 다른 고무에 비하여 좋지 않으나 내유성, 내용제성이 좋고, 가스 투과율이 적으며 내산소, 내오존성이 좋아서 연료탱크의 내장, 인쇄용 롤러, 내유성 패킹, 신발 부품재료로 쓰이고 있다.

(6) 실리콘 고무(Dimethysilicone, Methyphenylsilicon)

내열성, 저온특성(-90℃깔지 탄성을 잃지 않는다.) 내유성, 내노화성의 특성을 지니고 있고 생산비가 저렴하다. 특수 공업 용도에 쓰이며 신발의 충격 흡수제로 쓰인다.

(7) 아크릴 고무

Ethyl Acrylate와 2-Chloroethyl Acrylate 또는 2-Chloroethyl Vinyl Ether와 같은 염소 함유 단량체와의 공중합체로서 디아민 과산화물 등으로 가황되는 것이고 내열성, 내유성이 좋다. 신발의 주재료로 쓰이기보다는 보조재료나 부품으로 쓰인다. 합성고무의 종류별 특징을 살펴보면 다음과 같다.

9. 섬유

섬유는 일반적으로 겉모양을 볼 때 유연하고 가늘며 굵기에 대한 길이의 비가 큰 것으로 특정 지어지는 물질을 말한다. 섬유는 공업용 재료와 장식용에 이르기까지 그 용도는 다양하다. 섬유는 천연섬유와 화학섬유로 구분된다. 견사(絹絲)나 모든 화학섬유는 무한히 긴 장섬유(Filamet)로 되어 있고 모, 면, 마 등은 단섬유(Staple)로 구성되어 있으며 굵기에 비해서 길이가 긴 물질인 장섬유, 단섬유 등을 방사하여 경사와 위사를 교차시켜 2차원적으로 전개시킨 것이다. 구조상으로 볼 때 섬유 축에 대하여 결정단위가 나란히 배향되어 있으며, 성질상으로는 실이나 천으로 만들 때의 가공 조건이나, 만들어진 다음의 소비조건에 맞는 여러 가지 특성 즉, 유연성과 강신도, 약품 및 용재에 대한 저항성, 가소성, 탄성 그리고 내열성 등을 갖춘 고분자 화합물이다.

섬유에 요구되는 성질의 범위와 정도는 피복용과 산업용에 따라 다르나 대체로 다음과 같은 것을 들 수 있다.

1) 섬유의 성질

(1) 가늘고 길 것
섬유는 굵기와 길이를 갖고 있는데 천연섬유이건 인조섬유이건 굵기에 비하여 길이가 긴 것이 특정이며 가늘고 길수록 천을 짜는데 편리하고 질도 좋아진다.

(2) 적당한 강도를 가질 것
섬유는 여러 단계의 기계적 작용을 거쳐서 제품화가 되며, 제품이 된 후에도 수많은 외부충격을 견딜 수 있는 내구력을 가져야 한다. 섬유의 강도는 같은 종류의 섬유라 하더라도 그 굵기에 따라 변하므로 g/tex 또는, g/d와 같은 단위당의 인장강도를 나타낸다. 텍스(Tex)나 데니아르(Denier;d)는 섬유의 굵기를 나타내는 단위로서 텍스는 길이 1000m당의 무게를 그램으로 나타낸 것이고, 데니아르는 길이 9000m당 무게를 그램으로 나타낸 것이다.

따라서 1텍스는 9d에 해당된다. 우리가 일반적으로 입는 옷감의 섬유는 최소한 2.5g/d의 강도가 요구되고 있다. 작업복이나 산업용으로 쓰이는 섬유는 그보다 더 큰 강도가 요구되어 7

~8g/d의 강도를 가져야 한다.

(3) 가굴성이 있을 것
우리가 사용하는 모든 섬유는 사용할 때의 움직임에 따라 쉽게 굽어지고 다시 펴져야 한다. 만일 너무 단단하여 잘 굽어지지 않고, 또 굽혔을 때 부러지거나 부서지면 공업용으로 사용할 수 없다. 힘에 대한 저항이 적어서 수없이 반복되는 충격에서도 피로감을 덜 느끼는 섬유일수록 사용하기 쉽고 오래 사용할 수 있다.

(4) 포합력이 있을 것
포합력이란 실을 구성하고 있는 섬유가 서로 달라붙으려는 성질을 말하는데, 이 성질은 인조섬유에 있어서 스테플 파이버(Staple Fiber)인 경우에는 중요하지만 방사구를 통하여 방사길이가 무한대인 필라멘트(Filament)인 경우에는 덜 중요하다. 목화에 있어서는 꼬임이, 양털에 있어서는 크림프(Crimp)가 각각 포합혁에 기여하며, 인조섬유는 방사과정을 통하여 크림프를 부여한다.

(5) 균제성이 좋을 것
섬유의 길이와 굵기가 고르면 방적할 때 유리할 뿐 아니라 방적사의 균제성과 강도 등의 향상도 이룩할 수 있다. 보기를 들면 섬유 길이의 불균일은 그 섬유로 만든 실의 굵기 불균제가 발생하는 원인의 하나가 되며, 명주의 값을 결정하는데 있어 굵기의 균제도는 중요한 성질로 작용한다.

이렇게 다섯 가지로 요구될 수 있겠고, 이것을 직물로 만들었을 때도 이와 같은 2차적인 성질이 좋아야 한다. 천의 2차 성질은 탄성회복이 있을 것, 비중이 작을 것, 적당한 신장도를 가질 것, 가소성이 있을 것 등이다.

10. 플라스틱(Plastics)

플라스틱스란 가소성(Plasticity)이라는 말에서 유래된 것으로 가열, 유동상태에서 압력을 이용하여 마음먹은 대로의 형태를 만들 수 있는 물질로 최종상태에서 고체상의 고분자물질인 유기화합물을 말한다. 플라스틱의 종류는 그 구성하고 있는 분자 및 원료가 중합체의 종류에 따라 다양한 성질과 성상을 나타내므로 열에 대한 성질로 분류하고 있다.

열 경화성 수지는 분자량의 비교적 적은 저분자 물질인 페놀 수지와 같이 열에 의하여 화학적 변화를 일으켜 열가소성 상태를 거쳐서 최종적으로 불용, 불유의 물질로 3차원 중합체를 형성한다. 이것은 냉각 후에는 다시 가소성을 가질 수 없다는 성질이 된다.

열가소성 수지는 수지원료를 가열하면 언제나 유동성을 가지며 가소성을 오랫동안 유지하면서 성형되고 냉각시키면 고체화되는 성질을 가진 성형 중합체이다. 이것은 가열할 때마다 유동성과 열에 대한 가역적 성질을 갖는다.

이 밖에도 분자나 원료에 의해 분류되지도 하고 열 경화성과 열가소성이 아닌 다른 상태의 플라스틱도 많이 있다.

대부분 신발갑피의 재료는 열가소성 수지로 만든 섬유가 쓰이고 밑창이나 안창은 기타 플라스틱이 많이 사용된다. 열가소성 수지로 만든 섬유가 쓰이고 밑창이나 안창은 기타 플라스틱이 많이 사용된다. 열가소성 수지는 대부분 합성섬유에서 설명했으므로 여기에서는 열 경화성 수지 및 기타 플라스틱 재료를 설명하기로 한다.

(1) 페놀 수지(Phenol Resin)

페놀수지에는 석탄산 수지인 베클라이트가 있으며 제조과정에서 축합 촉진제에 따라 두 가지 형태로 구분된다. 촉합촉진제에 염산을 사용한 것은 노볼라크형(Novolak Type)이라 하여 주로 도료로 사용하고 또한 촉매에 알칼리를 사용한 것은 레솔형(Resol Type)이라 하여 각종 충진제를 첨가하여 성형 또는 적층재로 사용한다. 이것은 분말로 된 원료를 가열, 가압하여 제품을 만드는데 탄력성이 적어 신발의 주재료가 아니라 보조 재료로 사용된다.

(2) 요소수지(Uree Formaldehyde resin)

요소와 포르말린과의 축합에 의해 얻어지는 무색 투명한 재료로서 성형품을 만들 때는 23%의 암모니아와 인조펄프를 혼합하여 만들거나 섬유소를 넣어 만드는데 어린이용 신이나 실내화, 샌들류의 재료로 쓰인다.

요소수지로 접착제를 만들 때는 암모니아를 0.3~0.5% 첨가하여 80℃로 가열하면 끈적끈적한 점액상태가 되어 접착제로 사용이 가능하다.

(3) 멜라민 수지(Melamin Formaldehyde resin)

멜라민 수지는 성형재료, 적층재료, 도료로 널리 사용되는 재료인데 탄성이 적어 주재료보다는 부품으로 쓰인다.

(4) ABS수지

ABS는 Acrylonitryl, Butadien, Styrene등 3성분으로 구성된 열가소성 수지이다. 원료의 성분비 및 제조과정에 따라 여러 가지 종류와 특징을 가진 제품을 만든다. ABS 수지는 경질 플라스틱 특성을 가지고 있어 항장력, 휨강도, 충격강도가 우수하고 열에 대한 성질도 좋으며 내한성도 좋다. 내수성은 0.2~0.3%정도이고 산, 알칼리에도 극히 강하다. 용제성은 알콜류, 동.식물류, 광물유리에 잘 견디며 빙초산, 사염화탄소, 방향족 탄화수소에는 약간 늘어난다. 에스테르, 케톤, 에틸렌 클로라이드에는 용해된다. 내후성은 오랜 시간 직사광선에 노출되면 약간의 변색과 광택이 떨어진다. 이 재료는 냉동관계의 차량, 전기 파이프, 피혁관계제품, 염화비닐 강화제로 쓰이며 특히 구두의 뒤축을 만드는 주재료로 쓰인다.

(5) AS수지(Acrylonitryl Styrene Resin)

스티렌에 아크릴로리트릴을 중합시켜 얻어진 재료로 스티렌의 취약성을 개선한 재료이다. 인장강도, 내열온도 및 경도가 높고 특히 내충격성이 요구되는 용도에 쓰인다. 스티렌에 비하여 흡수율이 적고, 극성이 강하며 알콜류, 가솔린, 캐로신 등 유기용제에도 강하다. 탄성이 적어 신발의 주재료로는 부족하나 부품에는 사용될 수 있다.

(6) 에틸렌 초산비닐 공중합체(E.V.A)

에틸렌과 초산비닐의 공중합체 의해 만들어진 재료로 엘박스라고도 한다. -58℃까지의 내한성이 있고 가소성을 발휘하여 열, 자외선에도 강하여 이 재료로 만든 신발은 겨울에도 부러지지 않는다.

11. 저부 부품재

저부 부품을 크게 창과 굽으로 나눌 수 있으며, 이러한 저부 부품의 작업은「저부가공」이라는 말을 많이 쓴다.

구두의 외견은 일견 하나의 "창" 처럼 보이나, 저부 역시 여러 부품들로 구성되어 저마다의 기능과 역할을 분담하고 있는데, 각기 알맞은 재료와 재질을 요구하고 있다.

구두의 창은 창이 붙는 위치에 따라,
본창(아웃 솔 : Outsole)
중창(인솔 : Insole)
속창(미드 솔 : Midsole)
그 소재에 따라,
고무창(Rubber Sole)
가죽창(Leather Sole)
합성창(Synthetic Sole), 등으로 나눌 수 있다.

1) 본창(Outsole)

여기에서 본창이라고 하면 구두의 맨 밑바닥으로, 땅에 닿는 부위의 신발부품에 속한다. 따라서 본창은 사람이 구두를 신고 걸을 때, 바로 그 발이 지면으로부터 받는 충격을 완화하고, 위해(危害)로부터 보호하는 역할을 해야 하는 것이다.

따라서 그러한 재질로서 요구되는 성질은,
① 강인성이 있어야 하고
② 내마모성
③ 내수성
④ 내유성
⑤ 내열성
⑥ 내압박성
⑦ 내활성
⑧ 적당한 유연성 등이 있는데 신발 중에도 가장 혹사당하는 부위라고 할 수 있다.

본창은 착화로 인해서 중창에서 박리되는 일이 없도록 작업상 주의해야 한다.

이전에는 구두의 본창이라고 하면 가죽창과 천연고무창이 주로 사용되었으며, 구두의 수요가 급증하면서 화학제품이 출현하였고, 처음에는 천연창에 대한 대용품인 합성창의 이름으로 사용되었다. 그러나 그 후 합성창도 여러 가지 종류가 개발되어 오늘날에는 70%이상이 SBR합성고무를 주원료로 한 합성고무창이 사용되고 있으며, 기타 염화비닐(P.V.C)창, 우레탄(Urethane)창 들이 사용되고 있다. 그리하여 오늘날에는 구두의 제법, 용도, 목적 등에 따라서 선택 사용되고, 더욱이 솔 패션(Sole Fashion)이라고 하는 디자인(Design)상의 필요에 의해서 여러 가지 재료의 본창이 사용되게 되었다.

창 재료로써는 천연피혁창(Natural Leather Sole), 천연고무창(Natural Rubber Sole), 합성고무창(Synthetic Rubber Sole or Composition Sole) 등이 사용되고 있다.

(1) 천연피혁창(Natural Leather Sole)

천연피혁창(가죽창)은 일반적으로 고급 남녀화에 사용한다. 가죽창은 가볍고, 적당한 경도와 탄력성을 갖고 있어, 구두를 신었을 때의 감촉이 매우 좋을 뿐만 아니라 내마모성과 변형이 잘 되지 않아 내구성이 좋다.

가죽창의 원피는 북미산 헤비 스티어(Heavy Steer)가 주로 사용되고 기타 남미, 호주, 유럽산 등의 것이 쓰인다.

일반적으로 저혁의 두께는 신사화가 4~5.5mm, 숙녀화가 3~4mm가 많이 상용된다. 저혁용으로는 소가죽의 밴드(Bend) 부위가 사용된다. 밴드는 소의 허리와 엉덩이 부위로서 섬유구조가 매우 치밀하게 짜이고 두텁고 강인하며 가장 적당하기 때문이다.

① 가죽창의 타입
가죽창의 타입에는 경질의 하드 타입(Hard Type)과 연질의 플렉시블 타입(Flexible Type)의 두 가지가 있다.
● 하드 타입(Hard Type)
저혁의 질이 딱딱해서 잘 구부러지지 않는 가죽창을 말한다. 이러한 창은 유제공정에서 베지터블 탄닝(Vegetable Tanning)을 사용하여 충분한 시간을 콜라겐(Collagen)섬유와 견고하게 결합시키고, 가죽을 잘 늘려서 피질을 단단하도록 사상(광택)을 했기 때문이다. 따라서 비중이 크고, 색은 갈색으로 매우 강인하고 내구성이 좋다.
● 플렉시블 타입(Flexible Type)
저혁의 본질은 하드 타입과 같으면서도 유제공정 중, 특수한 약품의 첨가로 잘 구부러지도록 유연성을 준 것을 말한다.
② 가죽창의 조건
가죽창을 일반적으로 다음과 같은 조건을 가져야 한다.

● 신었을 때의 감촉이 좋아야 한다.

착화시 적당한 탄력성을 유지해서, 순응성을 주어 발을 편하게 해주어야 한다.

● 내구성이 좋아야 한다.

근래 가죽창이 덜 사용되는 것은 원자재의 수급난으로 고가인데도 문제가 있지만 합성창에 비해서 내구성이 다소 떨어지기 때문이다. 따라서 마모와 변형이 되지 않도록 유의해야 한다.

● 내수성이 좋아야 한다

합성창과 비교할 때 가장 결정이 될 수 있는 것으로 방수처리를 잘 해야한다.

근래에는 미국에서 개발한 특수 수지의 충진으로 한층 내수성을 갖추어서 골프화의 창으로 활용되고 있다.

● 가공성이 좋아야 한다.

창가공을 위한 재단, 절삭, 연마, 재봉, 접착 등의 여러 작업을 쉽게 할 수 있어야 한다.

● 사상이 잘 되어야 한다.

신발의 창은 비록 땅바닥을 향하고 있어 신었을 때 보이지도 않고 한 번만 신어도 바닥의 아름다움이 사라지지만, 우아한 색조(色調), 무늬, 광택 브랜드 등은 신발의 품위를 한층 높여주므로 상품으로서의 가치도 높다.

사상이 잘 받지 않은 창은 시상작업이 매우 힘들어 많은 작업시간이 소요될 뿐 아니라 끝내 아름답게 되지 않는다.

● 보온성(保溫性)이 있어야 한다.

가죽은 열전도성이 낮아서 보온재의 역할을 하므로 신발을 신었을 때에 따스한 감을 준다.

● 흡습성과 방습성이 좋아야 한다.

「가죽은 숨을 쉰다」고 한다. 습기를 빨아들이고 배출하지 못하면, 불어나고 썩는다고 보아야 한다.

● 일반 도로조건에서 미끄럼이 없어야 한다.

가죽창 바닥의 처리에 따라 유난히 미끄러운 창이 있다. 미끄럼은 위험하기 때문에 방지되어야 한다.

● 어스(Earth)역할을 해야 한다.

근래 화학섬유가 증가하면서 체내에 많은 정전기가 발생하는데 이 전기를 체외로 방출하는 기능을 갖고 있어야 한다. 외국의 경우, 아화의 창은 가죽 이외의 사용을 금지하고 있다.

● 가격 면에서 적정해야 한다.

근래, 가죽창이 덜 사용되는 이유는 원자재의 수급난으로 합성창에 비하여 고가인데 문제가 있다. 가격의 안정은 바람직하고, 자연성 선호의 현대인은 내추럴 레더 솔(Natural Leather Sole)을 더욱 즐길 것이다.

(2) 합성고무창(Synthetic Rubber Sole)

① 합성고무창의 특성

합성고무창의 주원료는 SBR(Styrene Butadiene Rubber)이다. 여기에 천연고무와 IR(Poly Isoprene Rubber), NBR(Acrylonitrile Butadiene Rubber), 하이 스티렌(High styrene) 등의 합성고무를 요구되는 용도에 맞게 배합한다.

그리고 고무의 성질은 배합되는 약품에 따라 달라지는데, 이러한 변화에 가장 결정적인 역할을 하는 가황제나 가황시간을 단축하는 가황촉진제, 노화를 방지하는 노화방지제, 고무를 부드럽게 만드는 연화제 고무의 강도와 내마모성 등을 높이기 위한 보강제 및 기타 착색제 등이 있다.

합성고무창은 이러한 합성고무와 약품들을 혼용하여 일정한 두께의 시트(Sheet)를 만든 다음 성형목적에 따라 예비성형과정을 가져 금형 내에 넣고, 열과 압력을 주어 가황하여 만든다.

합성고무창은 접착제의 진보에 따라 급속히 보급되고 있으며, 또한 20여종의 배합제의 첨가로 경도, 내유성, 내전성 등을 자유로이 변화시킬 수 있어서 단순한 재료로써는 바랄 수 없는 여러 가지 이점이 있다.

그 특성을 살펴보면,

● 통기성은 가죽창보다 부족하다.

● 내마모성과 내수성이 우수하다.

● 접착가공이 용이하다.

● 신발의 생산성을 높다.

● 저임으로 신발의 생산이 가능하다.

● 다소 미끄러운 것은 결점이라 할 수 있으나, 창의 바닥에 무늬를 만들거나 혁(革), 가루, 펄프(Pulp), 부직포 등을 혼입하여, 용도에 맞도록 제조하고 있다.

합성고무창의 제조법에는 몰드(Mold)로 성형하는 몰드 창(Mold Sole)과 판상으로 되어 있는 판창이 있다.

그리고 어퍼(Upper)와 합성고무창의 접합방법에는 미싱을 이용하는 미싱봉합 방법과 접착제를 사용하는 접착제 방법, 그리고 어퍼에 직접 가열 압착하는 VP(Vulcanizing Process)방식 등이 있다.

오늘날 합성고무는 저부재의 주류를 이루어 70%이상을 점유하고 있으며, 그 종류도 다양하다.

② 합성고무창의 종류

● SBR(Styrene Butadiene Rubber Sole)

SBR은 부타디엔이 약 75%, 스티렌이 약 25%로 조성되어 있다. 현재 가장 많이 생산되고 소비되는 것으로 전체 합성고무의 약 80%를 점유한다. 천연고무와 비교하면 내노화성, 내열성, 내마모성 등이 뛰어나고, 단점으로는 탄력성이 적고 동적발열이 크다.

● NBR(Acrylonitrile Butadiene Rubber Sole)

NBR은 60~75%의 부타디엔에 25~40%의 아크릴로니트릴(A.N)을 공중합시킨 합성고무로 특히 내유성이 뛰어나고, 이 내유성도 아크릴로니트릴의 양에 따라 차이가 있다.

● TR(Thermo plastic Rubber Sole)

TR은 인젝션(Injection)으로 성형된 열가소성고무라고도 한다. 천연고무보다 가볍고 잘 미끄러지지 않는다. 그 성분은 에스비알(SBR)계의 합성고무의 일종으로 종래의 에스비알(SBR)은 가황공정을 거쳐야 창이 만들어지는데 비하여 티알(TR)은 용액중합에 의하여 얻어진 에스비알(SBR)계로써 사출성형으로 만들어지고 재생이 가능하다. 보통의 온도에서는 훌륭한 탄력성을 갖는데 하절의 아스팔트 포장의 열로 변형되기 쉽다. 그러나 내한성은 우수한 제품이다.

● 염화비닐 창(PVC : Polyvinyl Chloride Sole)

보통 플라스틱(Plastic)창이라고 한다.

염화 비닐수지는 열가소성수지로써 염화비닐의 중합체이며, 일반적으로 백색분말이다. 여기에 가소제, 안료 그리고 발포제품인 경우에는 발포제를 첨가하여 배합하고, 제품은 사출성형기(Injection Molding Machine)를 사용하여 만든다.

다른 합성고무창보다 저가이며 수지자체에 내유성이 있어서 튼튼한 것이 장점이나, 고무와 비교하면 미끄럽고 무거우며, 열에 약하고 인열강도가 낮으며, 저온에서는 내굴곡성이 낮다. 그러나 부드럽고 고무와 같은 감촉이 있어서 어린이들의 신발에 잘 사용된다.

● 폴리우레탄 창(Polyurethane Sole)

우레탄 수지를 발포하여 만든 창으로 합성창 중에서는 가장 훌륭한 물성을 갖고 있다.

합성고무창에 비해서 10배의 내마모성을 갖고 있으며 내한성도 우수하다. 또한 고무스펀지의 비중이 0.8인데 비해 우레탄은 0.4까지 발포시켜도 충분한 강도를 가질 수 있어서 매우 가벼운 창을 만들 수 있으며, 나아가 가벼운 구두를 만들 수 있다는 말이 된다.

내마모성이 있어서 숙녀화 굽의 톱 리프트(Top lift)로 많이 이용된다.

유일한 결점은 굴곡 시 갈라지기 쉬워 허리쇠(Shank Steel) 등의 보완으로 필요하게 된다.

값이 비싸지만 우수한 물성 때문에 많이 사용되고 있다. 폴리우레탄 창의 제조는 발포성 폴리우레탄을 주형(Casting)하거나 2중금형 우레탄용 사출기로 사출한다.

● EVA Sole

이브이에이(EVA)는 에틸렌(Ethylene)과 초산비닐(Vinylacetic acid)의 공중합체로 이브이에이 수지를 주원료로 하여 여기에 유기과산화물, 발포제, 충진제 등을 첨가하여 가황공정을 거쳐서 창을 만든다.

이브이에이 창은 유연하고 강인하며, -58℃까지로 내한성이 우수하고 착색과 가공도 용이하다.

그림 37-15. 폴리우레탄 창과 허리쇠(Shank)

이브이에이는 가황에 의하여 아웃 솔(Outsole), 굽(Heel) 등에 이용되고, 사출에 의하여 웨지창(Wedge sole) 등을 제조한다.

● 스펀지 창(Sponge Sole)

스펀지 창은 합성고무(SBR) 또는 합성수지(EVA, PVC, Urethane등)에 발포제를 넣어서 가열하여 성형한 것이다. 가볍고 탄력성이 있어서 착화감이 좋으며 캐주얼 타입의 신발에 많이 이용된다.

다만 통기성은 부족하나 반대로 바닥에서의 냉기전도를 차단한다고도 할 수 있다.

※ 크레이프 · 솔(Crepe Sole)

주로 캐주얼 · 슈즈(Casual Shoes)에 많이 쓰이는, 바닥이 오돌토돌한 창을 말하는데 천연고무(Natural Rubber)로 만들어진 크레이프 창을 재뉴인 · 크레이프 · 솔(Genuine Crepe Sole or Plantation Crepe Sole)이라 하고 합성고무(Synthetic Rubber)로 만들어진 것을 이미테이션 크레이프 · 솔(Imitation Crepe Sole)이라고 한다.

※ 뉴클리어 · 솔(Nuclear Sole)

부타디엔 스티렌(Butadiene Styrene)모양의 합성창재료를 나타내는 말이며, 또한 다른 합성재를 말하기도 한다.

※ 소프트 · 솔(Soft Sole)

유연성이 있는 구두창으로 무두질 방법을 사용해서 이런 창을 만든다.

또한 합성고무바닥으로 스펀지형의 것을 소프트-솔이라고도 한다.

2) 중창(Insole)의 재질

신발에 있어서 갑혁과 본창은 중시되나, 중창은 구두 안쪽으로 들어가 잘 보이지 않는 부분으로 흔히 경시되기가 쉽다.

그러나 좋은 신발은 중창바닥이 신는 사람의 발바닥과 잘 맞아야 한다는 것이 절대 필요한 조건으로, 그렇게 되어야 신발을 신은 발에 안락감을 준다.

(1) 중창은 재질

신발은 신고 걸을 때는 몇천번, 몇만번 발바닥 운동을 하게 됨으로 이를 견딜 만한 형태를 유지하고 탄력성을 잃지 않는 재질이어야 한다. 그리고 중창은 강인하게 만들어져야 한다.

보행 시에 발이 땅을 밟는 힘은 먼저, 중창을 통해서 본창과 굽에 전달된다. 따라서 중창은 이와 같은 힘의 전달이라는 중개역할을 충분히 할 수 있도록 만들어져야 하는데, 그러기 위해서는 중족골의 중앙부위로부터 전방에 걸치는 부위가 튼튼해야만 하고, 여기에 가해지는 힘을 견딜 수 있는 구조이어야 한다.

또한 굽(Heel)과 본창(Outsole)의 접지점을 두 개의 기둥이라고 생각할 때, 중창은 이를 연결하는 상량과 같은 역할을 하고 있다. 따라서 구두의 아치(Arch) 앞부위로부터 굽자리까지는 부러지는 일이 없도록 튼튼하게 되어있지 않으면 안되기 때문에 허리쇠(Shank Steel)를 넣어 보강하게 된다.

(2) 중창제의 특성

① 통기성이 좋아야 한다.

즉 땀, 습기, 열 등을 잘 흡수하고, 방출해야 한다.

② 내수성, 내한성이 좋아야 한다.

물이나 땀에 젖어 부풀어져서는 안된다.

③ 유연성이 있어야 한다.

보행시 발바닥 운동에 딱딱한 감을 주어서는 안되며, 더욱이 부러져서는 안된다.

④ 내마모성이 있어야 한다.

발바닥이 직접 닿는 부위로 발가락 접촉 부위가 심하게 마모되는 경우가 많은데, 이러한 재질은 좋지 않다.

⑤ 내변색성이 있어야 한다.

발바닥에 땀이 나고, 오래 신으면 중창이 보기 싫게 변색되는 경우가 많다. 더러움을 안타고, 변색이 되지 말아야 한다.

⑥ 항균성이 있어야 한다.

발바닥에 발생하기 쉬운 균의 번식을 저지할 수 있는 특질이 있어야 한다.

⑦ 기타 작업성 또는 가공성이 좋아야 한다.

실제, 중창 부착 작업에 있어서 미싱 작업 자리가 바늘구멍이 있다고 해서 부러져서는 안되며, 본창의 접착 작업 시에는 본드의 접착성이 좋아야 하고, 화형부착을 위해서는 형이 잘 잡혀야 한다.

(3) 중창 재료의 종류

중창 재료로서는 다음과 같은 보드(Board)가 많이 쓰인다.

레더 보드(Leather Board)

펄프 보드(Pulp Board)

프레스 보드(Press Board)

① 레더 보드(Leather Board)

탄닝(Tanning)혁의 스크랩(Scrap)을 주원료로 사용하며, 라텍스(Latex)와 같은 결합체를 혼합하여, 이를 압착해서 만들어진다. 레더 보드는 중창뿐만 아니라 월형(Counter) 재료도 많이 사용된다. 특히 중창재로 사용할 때는 자재에 따라 악취가 나는 경우가 있어, 자재 선택에 유의해야 한다.

② 펄프 보드(Pulp Board)

펄프(Pulp)를 주원료로 하여 만들어지며, 강인성에서는 천연 피혁에 미치지는 못하나 매우 가볍고, 유연하며, 내열성이 있고, 변색과 변형이 잘 되지 않는 장점이 있다. 특히 펄프 중창재로 유명한 것은 텍슨(Texon)으로 일본에서 제조되어 미국, 이태리, 우리나라 등 거의 모든 나라에서 사용하고 있다.

중창재로서 텍슨이 많이 사용되는 이유는 재질면에서 손실이 없고 가공성이 좋으며, 대량생산에 의한 가격이 저렴하기 때문이다.

③ 프레스 보드(Press Board)

주원료로 시멘트 부대, 헌 신문, 잡지 등의 폐지에 각종 결합제를 넣어 압착 공정을 통해서 만들어지는데, 화이버 보드(Fiber Board)라고도 한다.

특히 경화화이버 보드는 펄프를 주원료로 해서 페놀(Phenol)수지 등으로 처리하여 가열, 가압시킨 열경화성 제품으로 중창의 보강재로 많이 사용된다.

3) 속창(미드 솔 : Midsole)

안창(Insole)과 본창(Outsole)의 중간에 놓여지는 항이라 하여 속창(Mid Sole)이라 하는데, 굳이어 웰트제법(Goodyear Welt Construction)에서는 별 문제가 없으나 스팃치다운(Stitchdown)제법에서 두 개의 창을 사용하는 경우 업퍼(Upper)와 체인·스팃칭(Chain Stitching)하는 창은 비록 그 위에 발이 놓여지더라도, 창이 라스트의 바닥과 같이 재단되지 않고 밖으로 튀어나오기 때문에(Extended Edge) 미드·솔(Mid Sole)이라고 하여야 하며, 플랫폼·솔(Platform Sole)도 속창의 대표적인 것이라 하겠다.

※ 플랫폼·솔(Platform Sole)

나무나 코르크(Cork) 혹은 이브이에이(E.V.A)나 기타 가벼운 재질로 만들어진 두꺼운 속창

4) 기타

필러 속메움(Filler): 구두의 겉창(Outsole)과 중창(Insole)사이를 꿰매는데 사용되는 보강재로서, 겉창과 중창의 공간을 채우는데 사용되고 있다. 여기에 공간이 생기면 겉창에 현상이 나오므로 이를 없애고 평탄하고 견고하게 하기 위해 스펀지(Sponge), 네일(Nail), 펠트(Felt) 등의 섬유편이나 코르크가 재료로 많이 쓰이고 있다. 고열 처리된 필러는 열에 의하여 부드러워 졌을 때 공간을 채우게 되고, 식으면 단단해진다. 냉각 처리된 필러는 작업 후 소멸되는 용해제를 갖고 있으므로 그 필러는 단단하다.

5) 굽(Heel)

굽의 재료는 낮은 굽에 있어서는 가죽, 합성고무, 이브이에이(E.V.A)등이 많이 쓰이며, 높은 굽에서는 나무, 에이비에스(A.B.S), 경합금, 또는 플라스틱을 조립한 것들이 쓰이고 있다. 굽의 선단인 톱 리프트(Top Lift)에는 가죽, 철, 폴리우레탄(Polyurethane) 등이 많이 쓰인다. 홈이나 내마모성이 높아서 여화 굽의 톱 리프트로 많이 쓰인다.

II. 안창의 재료

1. 안창의 종류

안창은 사용재질에 따라 3가지로 분류가 된다. 스테인리스 PPT등의 단단한 재질로 제작되는 경성안창(Rigid Insole)과 반

경성안창(Semirigid Insole) 그리고 연성안창(Soft Insole)으로 나눌 수 있다.

1) 경성안창(Rigid Insole)

경성의 발보조기는 쇠나 스테인리스, 합금 등의 금속을 사용하거나 아크릴(Acrylic)이나 폴리프로필렌(Polypropylene)계열의 열성형 재질과 아크릴 합성수지 등으로 제작되어지며 이는 최소한의 유연성과 우수한 내구성, 최대한의 장력과 경도 및 밀도를 나타내고 있다.

이러한 경성의 재질은 체중부하의 이동(지렛대 역할)이나 우수한 지지력, 운동의 제한에는 유용하나 충격 흡수가 어렵고 뼈돌출 부위에 대한 압박의 증가, 정확한 처방과 고도의 제작기술이 필요하여 제작에 신중을 기하여야 한다.

2) 반경성안창(Semirigid Insole)

가죽이나 폴리에칠렌(Polyethylene), 발포고무(Expanded Rubber), 반경성 열성형 재질인 플렉스(France-Flex), 코르크, 펠트(Felt) 등을 말하며 경성안창의 특성에 충격 흡수력이 뛰어나 많이 이용되고 있으나 Plastazote(Cross-Linked Polyethylene : CL-PE)와 같은 PE재질의 경우 몇 주 이내에 쉽게 셀 구조가 파괴되어 단독으로는 사용하기 어렵다.

3) 연성안창(Soft Insole)

폴리우레탄(Polyurethane), PVC Foam, Latex Foam등으로 제작되어지며 마찰의 감소효과가 매우 우수하나 두께가 경성이나 반경성의 재질보다 더 두껍고 제작이 어려워 주로 다중의

소재로 이용이 된다.

2. 안창의 재료

1) 경성안창(Rigid Insole)의 재료

(1) 강철(스테인레스, 스프링강)

쇠나 알루미늄 합금 등의 재질들은 경성안창의 재질로 가장 많이 사용되어지는 재질 중의 하나이며 BASA Hammer를 사용하여 정밀하게 다듬어서 착용을 한다. 그리고 발과의 접촉부위인 Top-Layer 는 가죽을 많이 사용하며 저면에 쐐기 등을 부착하여 교정효과를 증대시키기도 한다.

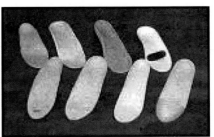

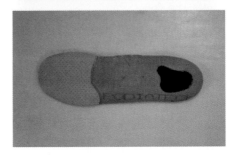

그림 37-16. 경성재질의 안창과 UCBL Type의 안창

그림 37-17. 반경성재질과 안창

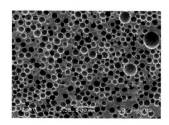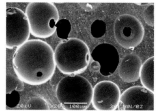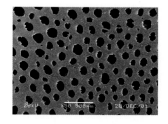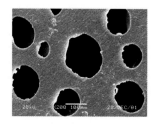

그림 37-18. 반경성재질인 폴리에칠렌의 닫혀있는 셀의 형태(closed cell)

그림 37-19. 연성재질인 폴리우레탄의 전자현미경 사진으로 셀(cell) 구조가 열린 형태(open cell)

(2) Thermoplastics(Acrylic, Polypropylene, Composite)

열성형 재료란 열을 가했을 때는 매우 유연해졌다가 식으면 단단해지는 재료를 말하며 주로 강철과 마찬가지로 경성 안창의 재질로 많이 사용을 하고 있다. 강도가 강하고, 밀도가 높으며 내화학성과 질긴 특성을가지고 있다.

① 아크릴(Acrylic)

아크릴은 광학적 성질에 특히 투명도가 지극히 높고, 가시광선은 거의 완전하게 투과한다. 약산, 강산, 약알칼리, 무기염류에 대해서는 안정적이지만 강알칼리 침범된다. 케톤, 에스테르, 방향족 탄화수소 등의 유기용제에는 용해하지만 알코올, 에스테르, 가솔린에는 불용이다. 두께에 따라 차이가 있겠지만 일반적인 두께인 3-5mm 아크릴의 경우 180°정도의 온도에 3~5분 정도 열을 가한 후 몰딩을 한다.

② 폴리프로필렌(Polypropylene)

폴리프로필렌은 프로판 탈수소공정(Propane Dehydrogenation Process)이란 천연가스인 프로판을 백금촉매로 반응시켜서 PP의 기초원료인 프로필렌(Propylene)을 만들게 된다. 프로판이 프로필렌으로 전환되는 과정에서 수소(H_2)가 떨어져나가기 때문에 탈수소공정(Dehydrogenation Process)이라고 부른다. 이 프로필렌으 중합공정을 거치면 폴리프로필렌이 생성이 되고 PP (폴리프로필렌)의 성질의 상당수는, PE (폴리에틸렌)에 유사하지만, 스트레스 분쇄 특성 · 투명성 · 항장력 등으로 PE (폴리에틸렌)보다 우수하다

탄소섬유 복합체 등의 경성 재질들은 재질 자체의 충격 흡수력은 거의 없어서 주로 교정 목적의 안창 지지재질로 사용을 한다.

③ Composit Carbon Fiber and Acrylic

아크릴과 카본화이버 복합 소재로서 아크릴이나 폴리프로필렌의 1/2두께만으로도 훨씬 더 강한 강도를 나타내는 신소재이다. 약 200°에서 5~9분 정도 가열하여 사용을 하게 된다. 얇으면서도 충분한 강도를 나타내기 때문에 얇은 안창을 제작할 수가 있으나 가열 후 신속하게 온도가 떨어지기 때문에 신속하게 진공압축 성형을 해야 한다. 열이 너무 낮거나 높은 경우에는 부서지거나 갈라지는 단점이 있다. 이 복합 소재를 발보조기로 사용을 할 경우에는 상단부위에 안락감을 줄 수 있는 재질을 덮어 주는 것이 필요하다.

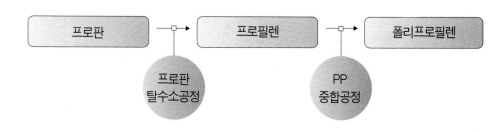

그림 37-20. 폴리프로필렌의 제조공정도

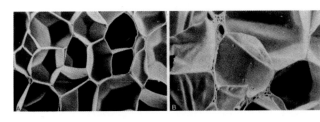

그림 37-21. Cross-linked polyethylene foams

그림 37-22. PE재질의 안창

2) 반경성안창(Semirigid Insole)의 재료

(1) 폴리에틸렌(Polyethylene)

폴리에틸렌은 "가볍고 녹슬지 않으며 썩지 않는다"라고 하는 플라스틱의 공통적인 특성에 가세하여 화학적 안정성, 내후성, 내수성, 내저온 충격성, 절연성, 성형성, 등 광범위하고 뛰어난 특성을 갖추고 있을 뿐만 아니라, 더욱 플라스틱 내에서도 초경량에 속해 있다. 또한 공업용 재료로부터 일용 잡화에 이르기까지 광범위한 용도에 사용되어 생활의 구석구석에까지 깊게 침투하고 있다. Plastazote나 Podialene 등의 안창 재료가 PE계열의 재질로 표면 감촉이나 촉감, 충격 흡수력, 유연성 등이 매우 좋은 재질이지만 셀이 쉽게 파괴되는 단점이 있다.

1969년부터 가교(Cross Linked) 폴리에틸렌 폼을 발보조기와 환자용 쿠션의 재질로서 사용을 하여 왔다. 민감성 발질환자나 지방층이 부족한 환자에게 매우 효과적으로 이용되어졌다. CL-PE는 Polyethylene을 가교제로 발포시켜 40배 발포한 독립기포 구조의 반경질 Polyethylene으로 단열성, 완충성, 경량성, 내열성, 쿠션성, 부양성 등이 우수하다. 무가교(Non Cross Linked)시에도 기본적인 특성은 가교 Foam과 유사하나 가격이 저렴하다.

(2) 가죽(Leather)

주로 반경성안창의 재료로 사용되는 가죽은 베지터블 탄닝이나 크롬탄닝을 한 Cowhide를 주로 사용한다. 이러한 가죽은 주로 안창의 표면 커버용으로 사용되어 진다.

(3) 코르크(Cork)

식물체가 상처를 입었을 때나 낙엽이 진 뒤에도 생기는 것이 코르크이다. 코르크형성층의 분열에 의하여 생기기 때문에 규칙적인 세포배열을 나타내게 되며, 세포벽은 스베린이라는 지방산의 중합체가 퇴적되어 두꺼워져 있고, 물이나 기체를 통하기 어렵다. 세포벽에 스베린이 퇴적하는 것을 코르크화라고 한다. 단열·방음·전기적 절연·탄력성 등에서 뛰어난 성질을 가지고 있기 때문에 병마개나 실내의 벽, 안창의 재질 등 다방면에 이용된다. 스페인 등 남유럽에서 산출되는 너도밤나무과의 코르크참나무에서 얻는 것이 가장 질이 좋아 세계에 널리 수출되고 있으며, 보통 코르크는 이것을 가리킨다.

생코르크의 판상의 것 외에 코르크입자를 접착제와 섞어서 열압하여 판상으로 재생한 압착코르크판과 접착제를 사용하지 않고 가열시에 코르크 자체에서 분비되는 수지에 의하여 경화되어 성형한 것을 탄화코르크판이라고 한다. 내구성이 있고 단열·흡음·방습성이 풍부하여 용도가 다양하다. 천연 코르크의 경우에는 유연성이 제한되고 쉽게 부서지는 성질이 있어서 안창에 있어서는 주로 높이보정(Elevation)용으로 많이 사용된다.

(4) 펠트(Felt)

펠트(Felt)란 그리스어로 "결합시키다"라는 뜻의 "FULZEN"에서 유래된 말로 직조나 열접착 또는 접착제를 사용하지 않고 양모의 순수한 특성인 비늘 형태의 "SCALE"과 높은 인장성의 "CLIMP" 그리고 "펠트성"을 이용하여 실이 되기 직전의 양모를 습기, 압력, 마찰 등 물리적인 가공 방식으로 만드는 시트 형태의 원단을 말한다.

펠트는 기온과 습도의 변화에 따라 동화하는 양모의 특성 때문에 예로부터 자연스럽게 발견되었으며 역사가 매우 깊고 다양한 용도를 갖게 되었다. 오늘날에는 섬유 예술의 소재로부터 자동차, 항공기 부품, 필터, 광택제 등으로 이용되고 있다.

또한 가볍고 통기성이 좋으며 촉감이 좋아 아치 패드나 힐 패드, 중족골 패드, 굳은살 및 티눈 패드 등 다양한 형태의 발용품으로 제작되고 있다. 이러한 제품들은 발에 바로 부착을 하거나 신발이나 다른 안창에 부착하여 사용하고 있다.

(5) EVA[Ethylene Vinyl Acetate(Polyolefin co-polymer)]

EVA(Ethylene Vinyl Acetate)는 고압법 폴리에틸렌중합장치로부터 제조되는 폴리에틸렌계 수지의 일종으로 상온에서의 유연성이 탁월하고 탄력성이 우수하여 고무와 가장 유사한 성질을 나타낸다.

Sheet의 형태로 만들어져서 안창의 재료나 중창, 본창의 재료로 사용을 한다.

안창의 소재로는 매우 가벼우며 충격흡수가 뛰어나 널리 사용을 하며 무게, 두께, 밀도의 조절이 용이하고, 가격이 저렴할 뿐만 아니라 접착 작업등이 용이하다.

통상 3mm-12mm의 sheet 형태로 제작되어 있으며, 제작 온도는 160° 정도로 가열한 후 사용을 하며, 고밀도의 경우 딱딱해서 지지역할을 하는 부위에 주로 사용을 하며 저밀도의 경우 부드러워서 안창이나 중창 그리고 본창의 재료로서 사용한다.

3) 연성안창(Soft Insole)의 재료

(1) 폴리우레탄 폼 PU(Polyurethan Foam)

폴리우레탄 폼의 경우 제2차 세계대전 중에 합성섬유 페를론 U로서 처음 독일에서 만들어졌다. 알코올기 OH 와 이소시안산기 NCO 의 결합으로 우레탄결합이 만들어진다. 합성섬유로 만들어지는 것은 탄성섬유 스판덱스이다. 그것은 페를론 U와 우레탄고무의 중간이라고도 할 수 있다.

우레탄계 합성고무에는 폴리에스테르계와 폴리에테르계가 있다. 폴리에스테르계는 프로필렌글리콜과 에틸렌글리콜을 아디프산과 반응시켜 폴리에스테르로 만들고, 양단에 OH기를 가진 분자량 3,000까지의 것을 나프탈렌-1, 5-디이소시안산으

그림 37-23. 여러 형태로 제작되어진 펠트 제품

표 37-1. EVA의 밀도별 용도

density(Kg/m³)	used
30-35	soft(보호작용 : 구명재킷, 운동선수보호대)
75-85	운동화 insole, 운동선수보호대
140-180	비치샌들, 조깅화 중창(mid-sole)
190-220	조깅화 중창(mid-sole) 캐주얼 구두 중창(mid-sole) 슬리퍼 창
220-300	일반적인 구두의 out-sole, 볼링화, 가벼운 신발, 모카신형태, 슬리퍼
300-360	내구성을 요구하는 창의 재질로 사용

로 우레탄화시킴과 동시에 고분자로 만든 것이다. 또 폴리에테르계는 산화프로필렌에 얼마간의 산화에틸렌을 섞어서 먼저 폴리에테르로 하고, 그 양끝의 OH 기를 톨루일렌디이소시안산과 반응시켜 고분자량의 폴리우레탄으로 만든 것이다. 내오존성 · 내마모성이 좋은 합성고무가 되며, 자동차 타이어도 만든다. 가정에서 사용되는 침구 매트리스도 폴리에테르계 폴리우레탄에 기포가 들어 있는 우레탄폼이 이용된다.

안창의 소재로서의 폴리우레탄은 내마모성, 내굴곡성, 내저온성이 우수하며 전단력과 충격에 대한 흡수력이 뛰어나 최근 안창 재질로서 각광을 받고 있는 소재이다. 그러나 쉽게 찢어지는 특성으로 인하여 표면을 가죽이나 섬유로 덮어 주어야 한다.

(2) 염화비닐수지(Polyvinyl chloride : PVC)

염화비닐을 50% 이상 함유하는 중합체 : 염화비닐의 단독중합체 및 염화비닐을 50 % 이상 함유한 혼성중합체를 말하며, 염화비닐수지라고도 한다. 단독중합체라도 분자량에 따라 성질이 달라진다. 중합은 과산화물과 아조산계(azo 酸系) 촉매를 써서 이루어지는데, 빛 · α 선의 조사로도 중합된다. 실온에서 모든 산 · 알칼리 · 산화제에 안정하고, 아세톤 · 알코올 · 벤젠에도 녹지 않기 때문에 가공시의 접착이 어렵다. 그러나 테트라히드로푸란 · 시클로헥사논 등에는 녹는다.

폴리염화비닐은 단독으로 비교적 단단하고 잘 부서지나, 프탈산디옥틸과 같은 가소제를 첨가하면 탄성을 갖는다. 최고 사용온도는 60 ℃이고, 최저 사용온도는 내한성 가소제를 가해도 -20 ℃에서 연화된다.

흡수성은 없으나 탄력이 있고 약품에 대한 저항력도 크지만 열에는 약한 단점이 있다.

주로 시트 형태로 제작되어 안창의 재료로 이용이 되나 단독으로는 지지력이 없어서 추가적으로 지지를 할 수 있는 재료를 같이 사용하게 된다. 그리고 힐 패드, 아치 패드, 중족골 패드 등 패드형태로도 제작되고 있다.

38. 발 보조기 및 치료적 신발 처방
Foot Orthoses and Therepeutic Shoes

성균관의대 삼성서울병원 재활의학과 **황 지 혜**

발 보조기 및 치료적 신발 처방은 다양한 발과 발목관절 질환의 치료에 있어 보편적으로 이용되고 있는 가장 중요한 치료법 중 하나이다. 적절한 발 보조기 또는 신발이 매우 효과적임은 이미 국내외적으로 잘 알려져 있는 사실이다. 그러나 이 같은 치료법이 효과적이기 위해서는 각 환자의 질환, 증상 및 생역학적 이상 소견에 대한 정확한 진단과 함께 발 보조기나 신발을 이용한 치료의 목적에 맞는 적절한 형태와 재질의 보조기와 신발이 처방되어야 한다. 또한 환자의 활동성, 체중, 및 연령 등도 고려되어져야 한다. 즉, 성공적인 치료 효과를 얻기 위해서는 다양한 의학적 지식, 창의적 응용력 및 경험이 요구된다고 하겠다.

I. 발 보조기(Foot Orthoses: FOs)

발 보조기는 서고 걷는 동안 하지 관절에 작용하는 지면 반발력에 영향을 주며 관절들의 안정성과 기능을 증진시키며 통증을 감소시키기 위해 사용된다. 다양한 형태와 재질로 만들어진 패드(pad), 보조기구 및 안창(insole)들이 있다.

1. 발 보조기의 사용 목적

1) 발의 안정성 및 기능 증진

하지와 발 및 후족부에서 전족부에 이르는 배열 상태를 조절하여 체중 부하 패턴을 정상화시키고, 이미 고정된 변형인 경우는 순응시키며 하지 길이 차이를 보이는 경우 이를 동일하게 함으로서 발의 안정성 및 기능을 증진시킨다.

2) 통증 완화

통증이 있거나 불안정한 관절의 운동을 제한하고, 통증 부위에 대한 압력을 분산, 감소시켜 통증을 완화시킨다.

2. 발 보조기의 분류(Classification)

1) 제작법에 따른 분류

① 기성 보조기(ready-made or prefabricated FOs); 일반적 유형과 크기로 이미 제작되어 있는 발 보조기를 말한다.

② 맞춤 보조기(custom-made FOs); 환자 개개인의 발 형태 및 상태에 맞게 처방되고 특수 몰딩법에 의해 제작되는 발 보조기를 총칭한다.

2) 재료에 따른 분류

① 연성 발 보조기(soft FOs); 쿠션 효과와 마찰력을 감소시키기 위한 목적으로 사용된다. 폴리에틸렌(Plastazote®), 폴리우레탄 폼(Poron®, PPT), PVC 폼, 라텍스 폼 등이 주 재료이다.

② 반경성 발 보조기(semirigid FOs); 연성 보조기 보다 더 많은 지지와 충격 흡수 효과를 위해 다양한 강도를 가진 재료들을 함께 사용하여 주로 맞춤 제작되는 보조기로서 가장 흔히 처방된다. 가죽, 합성고무(Spenco®), 폴리에틸렌(Plastazote®, Subortholen®), 코르크, 펠트 등이 주 재료이다.

③ 경성 발 보조기(rigid FOs); 관절 안정성 증진 시키고 체중 부하 패턴을 변화 시키는 등의 기능적 목적으로 적극적으로 맞춤 처방되는 보조기이다. 강철, 아크릴, 폴리프로필렌, 카본 그

라파이트 등과 같이 강한 탄성과 강도를 가진 재료들에 의해 제작된다. 경성 보조기 사용에 의해 최대의 생역학적 효과를 얻기 위해서는 발에 대한 정확한 질환적, 생역학적 진단에 의한 처방과 숙련된 보조기 기사에 의한 제작이 필수적이다.

환자의 증상이 국소적이고 심하지 않거나 또는 생역학적 이상이 경미한 경우 대개 연성 재료만으로 된 보조기들이 사용된다. 치료의 주 목적이 발 및 하지의 생역학적 이상의 조절인 경우 특히 어린이들에게 처방되는 경우 경성 보조기들이 처방된다. 그러나 경성 발 보조기는 충격 완화 효과가 미미하고, 발의 형태에 따라 이미 고정된 변형인 경우 돌출부에 압력을 주어 통증을 유발 할 수 있으며 발 관절들의 유연성이 좋지 않은 대부분의 성인 환자들에서 적응 정도가 좋지 않은 단점이 있으며 특히 당뇨 환자들과 같이 감각이 상실된 발에는 처방하지 않아야 한다. 그러므로 반경성 발 보조기를 처방하거나 또는 치료 목적에 따라 여러 종류의 재료들을 함께 이용한 보조기를 처방하는 것이 보편적이다.

3)기능 및 목적에 따른 분류

① 적응성 발 보조기(accommodative FOs); 발의 변형이 이미 비가역적인 경우, 국소적 통증 완화의 목적으로 사용되는 경우를 말한다. 주로 연성 재료를 이용하여 처방 제작하거나 또는 기성 보조기를 이용하는 경우가 많다.

② 기능성 발 보조기(functional FOs); 거골하 관절(subtalar joint) 및 족근골간 관절(midtarsal joint)의 운동성과 안정성(stability)을 조절하고 궁극적으로 하지 관절들의 생역학적 기능을 증진시키기 위해 환자마다 처방되는 발 보조기를 총칭한다. 발보조기는 보행 주기(gait cycle)중 초기 및 중간 입각기(stance phase) 시 거골하 관절 및 족근골간 관절의 운동 조절에 효과적이다. 주로 반경성 및 경성 재료로 제작된다.

3. 발 보조기의 형태별 종류

1) 패드(pads) 및 쐐기(wedges) (그림 38-1)

주로 적응성 목적, 즉 통증 부위에 부하되는 스트레스의 이동 또는 분산, 마찰력 감소, 통증 부위 보호 및 경미한 기능적 이상을 조절하기 위한 목적으로 사용된다. 특히 중족골통 이나 발가락 변형과 같은 전족부 질환의 치료에 효과적이다. 연성 또는 반경성 재료로 된 기성 제품들을 직접 또는 변형시켜 사용하는 경우가 많으며, 일시적 치료로 패드만 단독으로 사용하거나 또는 기능성 발 보조기에 부가하여 맞춤 제작하여 사용한다. 일반적으로 중족골 패드(metatarsal pad), 종자골 패드(sesamoid pad) 및 신경종 패드(neurama pad) 등이 흔히 이용되는데, 성공적인 치료 효과를 위해서는 환자의 발 및 목적에 맞는 적절한 형태와 크기의 패드를 선택해야 하며 특히 부착

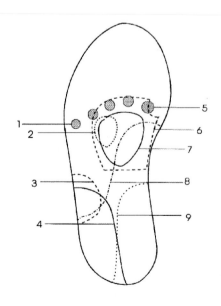

1. 5th metatarsal head
2. Neuroma pad
3. Cuboid pad
4. Lateral heel wedge
5. 1st metatarsal head
6. Sesamoid pad
7. Metatarsal pad
8. Barton wedge
9. Medial heel wedge

그림 38-1. 다양한 종류의 패드 및 쐐기

위치 선정이 매우 중요하다.

2) 안창(insole) (그림 38-2)

원래 신발의 가장 안쪽 바닥창을 안창이라고 하지만, 신발 안에 넣고 뺄 수 있는 형태의 발 보조기를 일반적으로 안창이라고 부른다. 중족골두(metatarsal head) 부위까지 길이의 짧은 길이의 안창(3/4-length insole) 및 발전체 길이의 안창(full-length insole) 형태가있다. 짧은 길이의 안창은 후족부와 중족부 조절 기능과 함께 신발 안에서 많은 공간을 차지하지 않는다는 큰 장점이 있지만, 전족부 문제 해결이 어려우며 신발의 형태에 따라 신발 안에서 미끄러지고 움직이는 단점이 있고, 전체 길이의 안창은 발전체 관절들의 운동 조절 및 재질에 따라 충분한 쿠션 효과를 줄 수 있으나 일반 신발 보다 더 공간의 여유가 있는 운동화나 depth-in-lay shoes 등이 필요할 수 있다.

기능성 안창의 제작은 플라스터 캐스트 또는 플라스틱 폼 등을 이용하여 환자의 발 형태를 몰딩하고 이를 수정한 후 반경성 또는 경성 재료를 이용하여 제작한다. 특히 족부관절들의 생역학적 기능 조절을 목적으로 처방하는 경우, 후족부 및 전족부 반침(post), 종아치 지지대(longitudinal arch support), 중족골 지지대(metatarsal support)의 높이와 길이 등을 적절히 처방, 제작하여야 한다.

3) 발가락 보조기(toe orthoses)

다양한 종류와 크기의 발가락 패드, 보호대(shields; hammer-toe shield, bunion shield, interdigital corn shield etc.), 및 그 외 기구들(toe crest, toe separator, toe sleeve, toe cap etc.)이 이에 속하는데, 발가락의 변형을 방지하고 통증을 완화 시킨다.

II. 치료용 신발(Therapeutic Shoes)

일반 구두도 바깥 창의 수정(modification) 등을 통해 치료적 목적으로 쓰일 수 있지만, 발 및 발목의 통증 및 변형을 적절히 치료하기 위해서는 운동화(sneakers) 또는 환자 개개인에 따라 처방되는 맞춤 구두가 매우 효과적이다.

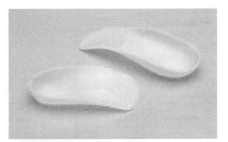

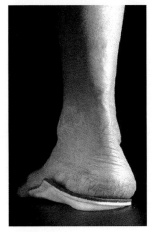

그림 38-2. 다양한 형태의 안창

1. 적절한 신발의 선택(Shoe fitting)

1) 신발의 모양(shoe shape)

신발의 구성들 중 counter, toe box, vamp 및 throat 등이 중요하다. 뒤꿈치 부분이 잘 조절되고 편안하기 위해서는 counter 부분이 적절해야 하고 발가락 부분의 변형을 막고 편안하기 위해서는 둥글고 높은(rounded high) toe box가 좋으며 또한 vamp 부분이 높아야 발등 부분이 편안할 수 있다.

2) 신발의 크기(shoe size)

전체 발길이(heel to toe length), 종아치길이(arch length) 및 발폭(width) 측정이 반드시 필요하다. 일반적으로 가장 긴 발가락으로부터 1~1.5cm 정도 여유가 있는 신발이 추천되어지며 신발 구입 시에는 제작업체에 따라 규격이 모두 다르므로 반드시 착용해 본 후 결정하여야 한다.

2. 치료적 신발 처방

1) 운동화(sneakers) (그림 38-3)

운동화의 착용은 사회적으로 점차 보편화되고 있다. 특히 보행용 운동화(walking sneakers)는 안정성이 높으면서 가볍고 충격 완화 효과가 좋으며 또한 치료용 안창을 넣을 수 있는 등의 장점이 많으므로 발 질환 환자들이 쉽게 사용할 수 있다. 이때 과도하게 회내(pronated)되는 발을 가진 환자는 직선형 라스트(straight last), 회외(supinated) 되는 발을 가진 환자는 곡선형 라스트(curved last)의 운동화가 효과적이다.

2) 맞춤 구두(custom-made shoes)의 명칭과 구성 (그림 38-4)

일반적으로 처방, 제작되는 구두를 정형화(orthopedic shoes)라고 부르는데, 일반 구두에 비해 바닥쇠(shank)와 내측 뒷꿈치 보조대(medial heel counter)가 단단하게 보강되어 있

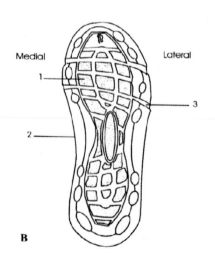

그림 38-3. 운동화

A. 1. Laces
2. Soft leather upper
3. Breathing holes and medial & lateral counters
4. Tongue and tongue pad
5. Achilles notch
6. Pillow top
7. Midsole

8. Bebelded heel
9. Toe spring
10. Outsole

B. 1. Fine, multidirectional tread pattern
2. Last(shape)
3. Transverse groove of toebreak line

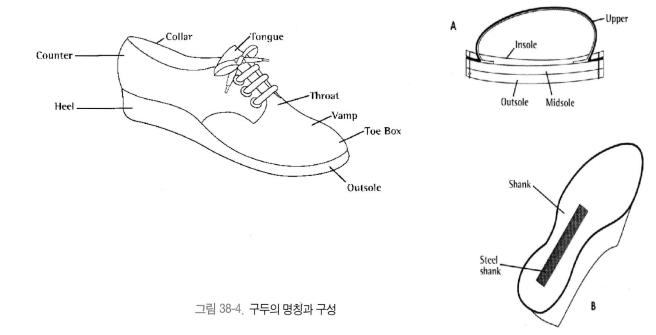

그림 38-4. 구두의 명칭과 구성

고, 구두의 콧등(toe box) 부위가 높고 넓으며 블러처형 (Blucher type)으로 신고 벗기가 좋은 형태의 가죽 구두이다. 한편, 최소 1/4 inch 이상 두께의 안창이 들어 갈 수 있는 신발을 in-depth shoe 또는 depth-in-lay shoe라고 부른다.

3) 흔히 사용되는 신발의 종류

① Depth-in-lay shoes; 신발 안에 1/4 ~ 3/8 inch 정도가 일반 신발보다 깊어 처방된 안창을 추가로 넣을 수 있어 가장 많이 사용된다. 일반적으로 운동화(athletic shoes)의 경우 깊이가 충분하며 가볍고 충격 완화 효과도 좋으므로 매우 적절하다.

최근에는 일반 구두회사들에 의해 규격화되어 상품화된 구두들도 있어 이용될 수 있다. 필요에 따라 구두의 수정을 추가한다.

② Custom-made shoes; 환자의 발을 캐스팅 또는 몰딩 하여 개별 맞춤 제작하는 신발을 말하며 발의 질환 및 변형 정도가 큰 경우에 개별적으로 제작된다.

③ Healing shoes; 수상 또는 수술 직후 사용되는 신발들로서 heat-moldable healing shoe, postoperative shoe 등이 있으며 일반적인 depth-in-lay shoe 나 custom-made shoe를 처방하기 전에 임시적으로 사용된다.

4) 구두의 수정(shoe modification) (그림 38-5)

일반 구두 또는 정형화의 기본 구성에 환자의 발의 형태에 따라 기능을 증진시키기 위해 구두의 밖 또는 안을 변화시키는 것을 말한다.

① 라커 바닥창(Rocker soles); 보행 시 중족골두 부위의 압력을 줄이면서 추진력을 증진시키기 위해 주로 처방한다. 발 및 발목관절의 통증, 변형 및 관절의 운동성 정도에 따라 매우 다양한 형태의 전족부 (또는 뒤꿈치) rocker를 선택할 수 있다.

② 지지대(Stabilization); 신발의 내측 또는 외측부 지지를 강화하기 위한 다양한 방법들을 총칭하는데, 단단한 재료를 이용하거나 일반적인 길이보다 길게 신발의 내외측 counter를 보강하는 방법, 바닥창의 내외측부를 연장시키는 법(flare), 지지대를 덧붙이는 법(stabilizer) 등이 있다.

③ 허리쇠 보강(Extended shank) ; 신발 바닥의 shank를 앞쪽까지 연장시키는 방법으로 주로 라커 바닥창과 함께 처방된다.

④ 쿠션 힐(Cushion heel); 충격 흡수 작용이 큰 재료를 신발 바닥창의 뒤꿈치부위에 추가하는 것을 말한다.

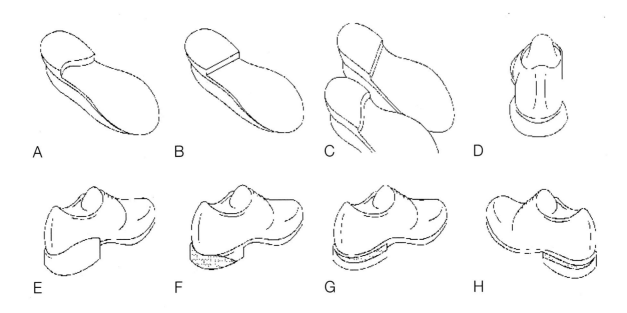

그림 38-5. 구두의 수정

발 뒤꿈치 수정(Heel corrections). A. Thomas's 발 뒤꿈치. B. Stone's 발 뒤꿈치. C. Reverse Thomas's and Stone's 발 뒤꿈치. D. 플레어 발 뒤꿈치(flare heel). E. 오프셋 발 뒤꿈치(offset heel). F. 저굴 발 뒤꿈치(plantar flexion heel). G. 정중 발 뒤꿈치 쐐기(median heel wedge). H. 외측 발 뒤꿈치 쐐기(lateral heel wedge).

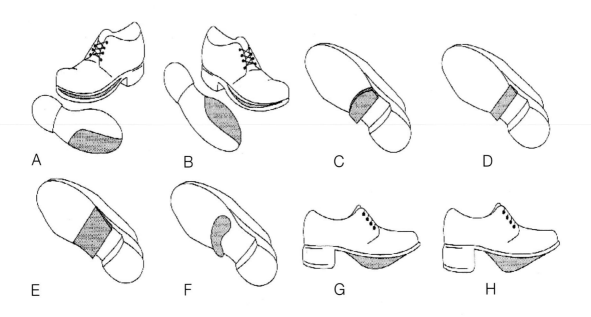

그림 38-6. 구두의 수정

겉창 수정(Outsole corrections). A. 외측 겉창 쐐기(Lateral sole wedge) B. 내측 겉창 쐐기(Medial sole wedge) C. Mayo's 중족골바(metatarsal bar) D. Flush's 중족골바 E. Denver's 뒤축 또는 바(heel or bar) F. Hauser's 바(bar) G. 라커 겉창(Rocker sole) H. 라커 겉창(연장되고 경사가 심함)

■ 참고문헌

1. 김봉옥, 전민호. 보조기. In 김진호, 한태륜 (eds.): 재활의학, 군자출판사, 2002

2. Buonomo LJ, Klein JS, Keiper TL. orthotic devices. In Noll KH(eds.) Orthotics and prosthetics for the foot and ankle, pp243-252, W.B.Saunders, 2001

3. Gould N. Footwear. In Jahss MH (eds.) Disorders of the foot & ankle, pp2879-2920, W.B.Saunders, 2001

4. Jahss MH. Arch supports, shielding and orthodigita. In Jahss MH (eds.) Disorders of the foot & ankle, pp2857-2866, W.B.Saunders, 2001

5. Janisse DJ. The shoe in rehabilitation of the foot and ankle. In Sammarco GJ(eds.) Rehabilitation of the foot and ankle, pp339-349, Mosby, 1995

6. Janisse DJ. Pedorthics in the rehabilitation of the foot and ankle. In Sammarco GJ(eds.) Rehabilitation of the foot and ankle, pp351-364, Mosby, 1995

7. Michaud TC. Foot orthoses. Library of congress, 1997

8. Milgram JE. Foot orthoses; Padding and devices to relieve painful feet. In Jahss MH (eds.) Disorders of the foot & ankle, pp2834-2857, W.B.Saunders, 2001

9. Oh-Park M. Use of athletic footwear, therapeutic shoes, and foot orthoses in physiatric practice. In Kim DJ (eds.) Foot and ankle rehabilitation, pp569-585, Hanley &Belfus, 2001

10. Philps JW. The functional foot orthosis, Churchill Livinstone, 1995

11. Schwartz RS. Foot orthoses and materials. In Jahss MH (eds.) Disorders of thefoot & ankle, pp2866-2878, W.B.Saunders, 2001

Index